LA BOUGAINVILLÉE

**

Quatre-Épices

De souche alsacienne par sa mère, de souche bourguignonne par son père, Fanny Deschamps est née en Bourgogne. Après toute une carrière confortable et monotone dans l'industrie du coton, elle décide un jour, aux approches de la quarantaine, de changer sa vie. Elle essaie alors le métier qui la tente mais dont elle ignore tout : le journalisme. Miracle et chance : le journalisme l'accepte, d'emblée. Elle y réussit très vite, devient grand reporter un an après ses débuts, collabore successivement à L'Express, au Nouvel Observateur, à France-Soir, à Elle, et enfin au Point. Parallèlement elle publie quelques livres, qui sont, soit des grands reportages comme le Journal d'une assistante sociale, *soit des chroniques d'ambiances vécues dans le monde du théâtre ou de la cuisine :* Moi, un comédien, Monsieur Folies-Bergère, Croque-en-bouche. *C'est alors qu'elle écrivait dans Le Point que l'envie l'a prise de s'offrir une année sabbatique pour écrire un roman. L'année a duré trois ans, son projet est devenu* La Bougainvillée. *Un des plus gros succès de librairie de ces dernières années, un roman que onze pays déjà ont acheté.*

Dans ce roman d'amour historique, Fanny Deschamps a mis un peu de tout ce qu'elle aime : le pays de Dombes aux portes du Lyonnais, ses étangs, ses bois, ses petits châteaux, ses couleurs mouillées. Les rues du vieux Paris, le Palais-Royal où elle habite depuis trente ans, le Jardin des plantes, qui s'appelait alors le Jardin du Roi. Le temps de Louis XV avec ses personnages glorieux et ses Français de tous les jours, ses cafés, ses théâtres, ses modes, ses passions, ses rêves, sa gaieté. Sa fascination des îles, son goût pour la bonne cuisine, les fleurs, les plantes à tisanes et les chats noirs.

Paru dans Le Livre de Poche :

CROQUE-EN-BOUCHE.
LA BOUGAINVILLÉE :
Tome I : LE JARDIN DU ROI.

FANNY DESCHAMPS

La Bougainvillée
**
Quatre-Épices

ROMAN

ALBIN MICHEL

I

L'Etoile des Mers

1

DEPUIS qu'enfin son estomac s'était amariné, Philibert Aubriot dînait et soupait chaque jour à la table du capitaine. Son valet, le pauvre, devait se contenter de l'ordinaire de l'équipage, mais on lui permettait d'emporter sa pitance dans la chambre d'Aubriot au lieu de rester à la manger assis sur le pont ou dans l'entrepont, avec les hommes.

Vilmont de la Troesne s'était beaucoup fait tirer l'oreille avant d'accorder au jeune Beauchamps un privilège aussi voyant d'autant que, par-dessus le marché, le docteur Aubriot exigeait encore de le garder auprès de lui la nuit. Le capitaine avait pensé que, vraiment, le passager du Roi étalait par trop son vice intime, puis, à la réflexion, il s'était dit que laisser coucher le trop beau Jeannot dans l'ombre de son maître éviterait de vilaines histoires du côté des branles. Mais il ne pouvait empêcher les matelots, qui sont gens susceptibles, de grommeler contre le traitement de faveur dont jouissait un simple serviteur, et il savait que les potins obscènes allaient bon train aux poulaines.

Gardant ses distances, Aubriot ne se doutait pas un instant que ses mœurs supposées alimentaient en crudités la « gazette des poulaines ». Jeanne, au contraire, l'avait su très vite, et qu'on l'appelait : « la Jeanneton de monsieur le docteur ». Elle n'en soufflait mot; en se cachant sous un habit de valet pour suivre le savant dans sa mission elle les avait jetés tous les deux dans une situation scabreuse – elle

n'allait pas s'en plaindre la première ? Silencieusement, elle menait à bord la vie méfiante et maligne
d'une chatte dépaysée qui se sent environnée de
dangers.

Ses premiers jours sur l'*Etoile des Mers* avaient
ressemblé à un lent cauchemar, parce que Philibert
avait été malade épouvantablement. Pendant une
semaine, le malheureux ne s'était nourri que par
emprunts, qu'il était exact à rendre dans la demi-
heure suivant sa moindre prise. Verdi, maigri, creusé
de partout, le corps roué, avachi sur sa couche aussi
mou qu'un moribond, pressé de se faire jeter aux
poissons tout entier pour en avoir fini, il affichait
une mine à faire si peur que le capitaine et le
chirurgien s'étaient demandé s'il ne faudrait pas le
débarquer à Ténériffe pour le faire rapatrier ? Jeanne
commençait à s'affoler, et de l'état du grabataire et
quant aux suites qu'aurait son évasion manquée,
quand soudain, miracle ! Que ce fût grâce aux
emplâtres stomachiques de safran, aux rasades d'eau
de mer ou d'eau-de-vie, aux sachets de sel sur la tête
ou grâce à la grâce de Dieu, un matin, Philibert avait
dévoré de bon cœur la moitié d'une poule bouillie et
l'avait gardée pour lui. Alors Jeanne, rassurée, s'était
mise à jouir avec toutes ses papilles de sa belle
aventure.

Pour l'amour des fleurs, Vilmont de la Troesne
traitait magnifiquement son botaniste. Au lieu de le
loger à l'étroit dans une cabane d'officier il lui avait
abandonné la grand-chambre du conseil, voisine de
la sienne. De prime abord, le luxe de ce logement
n'avait pas sauté aux yeux du couple accoutumé aux
espaces des maisons terrestres. La grand-chambre
d'une flûte de cinq cents tonneaux a des dimensions
modestes, et en toisant sa hauteur – tout juste cinq
pieds et demi – Aubriot avait commencé par demander comment, diable, s'y tenaient messieurs les officiers au temps des talons hauts et des chapeaux à

plumes ? Puis ils s'étaient habitués aux contours de leur cage, jusqu'à cesser de s'y faire des bleus.

Maintenant, il y avait neuf jours déjà qu'ils avaient appareillé des Canaries où ils avaient relâché pour faire l'aiguade, embarquer des fruits, des salades et du vin. Poussée par un vent largue, frais et assez égal, l'*Etoile des Mers* traversait l'océan sans histoires. Le ciel, le vent, la mer. Le ciel, le vent, la mer. Pour le moment, Jeanne n'avait que cette infinie monotonie berceuse à mettre dans sa lettre à Marie.

Elle avait décidé de tenir pour Marie son journal de voyage. En écrivant, elle revoyait son amie pelotonnée avec elle sur le canapé aux fables de La Fontaine pour écouter patiemment les rêveries de sa Jeannette avant de s'écrier, dans un rire de colombe : « Ma chérie, tu es folle à ravir ! Tes romans au long cours n'auront sans doute jamais lieu, mais qu'importe, nous les aurons cent fois vécus avec tant d'émotions ! »

« Marie, Marie, j'ai bel et bien fini par plonger tout éveillée dans ma folie », murmura Jeanne. Elle reprit les premiers feuillets couverts de sa haute et ferme écriture de jeune fille bien élevée dans un château, pour les relire :

« ... et pour moi, dès que je n'eus plus de souci pour M. Aubriot, je m'aperçus que je me sentais merveilleusement à mon aise en mer. Je me laisse aller, comme le ferait une mouette posée dans un creux de vague. J'ai largué la terre, où pourtant j'aimais tant et tant de choses... L'immensité bleue est si vite devenue mon pays que je m'en étonnerais si je n'avais toujours pressenti qu'il en pourrait être ainsi. Rêve-t-on si tôt, si fort et si longtemps d'un autre monde inconnu si votre corps ne devine pas qu'il s'y trouverait content, et chez lui mieux que partout ailleurs ?

« Lisant cela, me voyant si bien amarinée, ne va

pas, ma douce, t'imaginer que l'*Etoile des Mers* est
un séjour de miel au parfum de rose ! L'odeur de
Paris n'est que puanteur fort civilisée auprès de celle
qui règne à bord d'une flûte du Roi dans laquelle
s'entassent cent cinquante-trois bipèdes mal ou
jamais lavés, plus force quadrupèdes de toutes les
senteurs environnés d'une gent emplumée de toutes
les couleurs. N'avoir emporté que de la viande salée
ou fumée nous rendrait la vie plus propre, mais les
marins ne peuvent pas toujours se nourrir de lard, de
biscuit et de pois secs – je veux dire que les marins
gradés ne le peuvent pas. M. Aubriot m'assure que la
table est fort bonne chez le capitaine, ne manque ni
de gigots ni de poulardes, ni de compotes de pigeons
ni de crèmes aux œufs. Nous autres petites gens, de
la viande sur pied nous avons principalement les
remugles et la vermine, mais je tiens mes habits
farcis de sachets de lavande, et M. Pauly, le chirurgien du bord, m'a appris un remède contre le
mauvais air : c'est de se frotter le dedans du nez avec
de la menthe ou de l'absinthe broyée dans un peu
d'huile; il a toujours de ces bonnes feuilles dans son
coffre et m'en a passé. Mais laissons ces détails, je
ferais mieux de te donner d'abord une idée un peu
claire d'une journée en mer.

« Au petit matin, vers six heures, les matelots
lavent le navire – et leurs pieds en même temps,
puisqu'ils vont toujours pattes nues jusqu'aux
genoux. Je ne vois pas qu'ils se lavent jamais autre
chose que les pieds mais ils se font l'amitié de
s'épouiller et, de temps en temps, poussent la coquetterie jusqu'à se raser les uns les autres avec le
couteau bien aiguisé qu'ils portent dans leur ceinture
ou pendu à leur cou. Après cette toilette générale le
navire au moins est assez propre, alors la cloche
sonne et notre aumônier monte sur le gaillard d'arrière pour dire la prière.

« Nos dévotions du matin et du soir me semblent
longuettes. Il paraît que notre charmant abbé de

Meslay s'y ennuie autant que moi et les raccourcirait volontiers, mais l'équipage est bien plus pieux que son aumônier et il lui faut tout son dû de prières et, le dimanche, un bien copieux sermon par-dessus le marché. Plus le sermon dure plus l'équipage semble ravi bien que, composé de Bretons et de Flamands, il n'y entend à peu près rien ! N'importe : c'est une fricassée de religion qu'il avale à genoux, dévotieusement, et un rabiot le rend content plutôt qu'impatient. Quelqu'un m'a dit un jour qu'on ne pouvait avoir à la fois l'âme d'un marin et l'esprit d'un libertin : je vois que c'est vrai. Et notre aumônier affirme que pas un mécréant ne tient longtemps impie en mer, parce que, pour qui navigue longtemps, il arrive toujours un moment où le temps se gâte !

« Le dernier amen chanté, le maître donne un coup de sifflet et l'équipage se relève en criant : "Vive le Roi !" Je n'imaginais pas, Marie, qu'en 1766, il existât encore un lieu où le nom du Roi fût acclamé avec un tel élan d'amour : on en a le sillon du dos saisi. Il est vrai que ce cri de ferveur annonce aussi le déjeuner !

« On nous donne du biscuit et du cidre. Du cidre tiède, à sept heures du matin ! C'est l'heure où je regrette la terre. Où je donnerais les mains à une mutinerie pour aller pirater le café du capitaine ! Enfin, le cidre a eu ceci de bon que de me lier avec les mousses, auxquels je passe mes pintes ; en retour ils me passent de leurs larcins de cuisine. Les mousses font de très bons fripons, grâce auxquels je m'attrape assez facilement une cuisse de poularde par-ci et une demi-tasse de vin par-là. Par ailleurs, et par solidarité d'état, un certain Martin, valet d'un certain messire Jouet qui fait souvent le voyage à l'Isle de France, m'a appris à mieux vivre sur un vaisseau en achetant le cuisinier, que le Roi paie fort mal. C'est que l'ordinaire n'est pas fameux ! Nous dînons vers dix heures et soupons vers quatre. Au dîner comme au souper on nous sert "du mortier",

11

une soupe qui tient au corps ! Il y a là-dedans de la semoule de seigle ou de maïs, du riz bien pâteux, des fèves, des pois chiches, des haricots – le tout arrosé d'huile d'olive. En ajoutant par là-dessus ta livre de biscuit quotidienne je t'assure que tu te sens les entrailles aussi rondes qu'une oie qu'on a gavée pour la Noël ! De temps en temps le mortier est remplacé par une soupe au lard ou du bœuf salé, ou alors par "de la délicatesse" – de la morue assaisonnée à l'huile et au vinaigre. Le dimanche, nous avons les bas morceaux du veau ou des moutons dont les cuisseaux et les gigots vont à la table du dessus. Voilà pour l'ordinaire. Les matelots l'améliorent en pêchant souvent de très bons poissons. Les bonites [1] et les dorades sont les meilleurs, aussi doivent-ils aller par priorité au plat du capitaine. Mais si tu pêches un bon morceau, qui t'oblige à grimper au mât de misaine pour le crier à tous les vents ?

« Marauder, pêcher et nous goberger en cachette ne sont pas nos seules distractions. Comme la journée de travail finit tôt après le souper, les matelots se mettent à chanter et à danser en attendant la nuit, et certains ne sont pas sans talent. Et puis, parfois, il y a grand bal.

« J'ai été éblouie de joie par mon premier grand bal sur l'eau. Imagine-toi d'abord le décor, forcément admirable puisqu'il a pour fond le bleu changeant du ciel et de la mer. Le navire lavé, astiqué, scintillant de tous ses cuivres. Sur le gaillard, le capitaine en grande tenue, entouré de ses officiers-majors rouges et bleus galonnés sur toutes les tailles. L'équipage – rasé de frais – déployé en amphithéâtre sur les cordages, tel un grand vol d'oiseaux marins qu'aurait d'un seul coup capturé la voilure. Alors, trompettes et violons entament la fête... Les matelots qui veulent danser se laissent crouler de la mâture – flouc ! – comme des traînées de poudre ! Les officiers

---

1. Petits thons.

ne sont pas les derniers à se produire en spectacle : notre capitaine joue de la flûte à merveille et son second, le chevalier de Trévenoux, réussit des tours de magie aussi bien qu'un bateleur du Pont-Neuf. Bref, chacun fait ce qu'il peut pour divertir la compagnie. J'ai donc sauté une gigue – avec un si gros succès que, depuis, je dois tenir ma partie chaque soir où l'on s'amuse. M. Aubriot est assez fâché de mes exploits "d'histrionne". Il vit dans la terreur qu'un beau soir j'en perde la bande qui m'étouffe la poitrine, ou que je craque ma culotte, ou que mes cheveux échappent à mon bonnet, ou qu'un geste trop féminin, ou etc., ne me révèle soudain plus androgyne encore que je n'en ai l'air. Mais je vois bien, moi, que Jeannot n'est pas le seul à bord à porter cet air-là. M. de Chassiron, l'un de nos enseignes, promène la mine imberbe et pure d'une vierge sortant du couvent, le cadet Ternay est aussi fin et joli qu'un douteux berger d'opéra-comique et, quant au petit mousse Mignon le bien-nommé, l'équipage l'appelle Mignonne tout comme il m'appelle Jeanneton. Ma foi, on apprend à se défendre. A ne pas s'aventurer aux poulaines sans un garde du corps, à marcher de biais pour n'avoir pas les fesses pincées; on apprend à tenir le menton haut et à prendre un ton rogue, à ne jamais s'endormir qu'à l'ombre d'un intouchable – moi, j'ai le passager du Roi pour me protéger.

« Comme tout terrien qui en est à son premier voyage, je suis enragée de parler le jargon de marine. Les officiers-mariniers [1] sont bons princes avec nous, ils nous enseignent volontiers à nommer les parties du navire, à reconnaître les vents et les étoiles, et nous apprennent aussi des chansons fort gaies et fort crues, et de bien beaux jurons. Jurer Dieu vaut d'être battu à coups de corde mais, si cet article du Règlement s'appliquait, tout l'équipage serait bientôt

1. Les sous-officiers d'aujourd'hui.

sur les cadres, occupé à s'enduire la peau d'huile douce !

« Ainsi, Marie, se passe ma vie au milieu des eaux, tranquille et faite d'instants, coupée du reste de l'univers. Je me dis souvent que nous sommes vraiment ridicules d'attacher tant d'importance aux petits ennuis qui nous arrivent sur la terre. Désormais je saurai que nous disposons d'un pays de secours dont je ne prévoyais que très faussement et le confort et l'inconfort. L'inconfort y devient vite une niche dont on s'accommode, et alors on a mille moments pour s'enchanter d'un confort d'âme inimaginable, d'une liberté d'âme sans frontières... »

Le roulement d'argent du maître-sifflet [1] courut d'un bout du navire à l'autre, suivi par le vaste braiment du quartier-maître de quart : « Silence, matelots ! »

Le regard de Jeanne s'échappa de sa lettre à Marie. Une belle journée de temps fin allait s'achever, une de plus. Philibert devait déjà s'être attablé devant sa partie d'échecs avec le chevalier de Trévenoux. Elle sortit de la grand-chambre pour voir réduire de toile.

Le quartier-maître Douville, un Malouin baptisé « le Chatouilleux » par les hommes de son quartier, gueulait au ciel ses litanies d'un soir tranquille, rythmées à grands coups de sifflet :

« Allongez les cargues de basses voiles... Larguez les écoutes de la grand-voile... Carguez les points en même temps... »

Jeanne sentit qu'on tirait sur le bas de sa veste, se retourna avec la vive hargne d'une chatte surprise et prête à griffer : ce n'était que Mignon.

« Le coq [2] va tuer l' cochon pour dimanche, lui

1. Le sifflet du maître.
2. Le cuisinier.

14

chuchota le mousse. Vous auriez pas une piastre ? Si vous m' trouvez une piastre, j' nous attraperai une belle grillade et une saucisse...

– Une piastre[1] ! s'exclama Jeanne, une piastre pour une grillade et une saucisse ! A combien cela met-il le prix d'un repas de cochon chez ton coquin de coq ?

– C'est qu'il est pas facile d'emprunter à un cochon, dit le mousse. Un cochon, c'est pas gros comme un bœuf.

– Une piastre ! répéta Jeanne, outrée. Je n'aime pas la saucisse à ce point.

– Moi, oui, gémit le mousse. J'essaierai de discuter. Une demi-piastre, vous l'auriez ? »

Campé à cinq pas d'eux, le quartier-maître continuait de brailler :

« Matelots de vergues, haut ! »

Jeanne se rapprocha de Mignon :

« Deux livres, dit-elle d'un ton ferme. Deux livres pour une grillade, une belle saucisse et un morceau de boudin. Et encore nul n'aura jamais payé aussi princièrement un si court festin. Tâche d'avoir le vin à bon marché – et du cahors, s'il te plaît, pas du vin bleu de cambuse.

– Silence, matelots ! Et toi aussi, failli chien d' mousse ! »

Le Chatouilleux s'était retourné vers les bavards, aboyait sur celui qu'il pouvait punir :

« Espèce de nom de Dieu d' jean-foutre, tu la fermes tout de suite, ta gueule, ou faudra que j' te fasse goûter à mon jus d' garcette ? Tu l' sais pas encore, non, qu'il faut pas me chatouiller les rouleaux quand c'est pas l'heure ? Figure, va ! Qué pavoine tu prendrais si j'avais pas le monde là-haut ! »

Et, relevant le nez vers la manœuvre, il hurla :

1. La piastre d'Espagne, qui valait dix livres françaises. C'était la monnaie la plus recherchée aux îles.

« Matelots de vergues de hunes, haut !

– Il est dommage que les Malouins parlent français : on ne peut pas perdre une seule de leurs grossièretés », murmura Jeanne à Mignon.

Ils reculèrent pour se cacher derrière un rouleau de cordage, entre deux cages de poules blanches dont c'était le tour de prendre l'air. Mignon opina du bonnet :

« C'est sûr qu' nous autres Malouins on a la tête forte et la langue hardie, mais le cœur n'est pas mauvais, et finalement, on cherche pas noise... tant qu'on nous cherche pas des poux. »

Et il revint à son cher souci :

« Même si j' m'arrange avec le coq pour le prix, j'aurai pas d' boudin. M' sieur Toustain, il se ferait péter le ventre avec du boudin; alors vous pensez qu'il sait combien y en a d'aunes dans un cochon ! Not' écrivain [1], c'est l' pire tatillon qu'un équipage puisse avoir sur le dos. Il regarde au cul des poules pour compter les œufs, et quand une truie met bas il vient s'asseoir à côté pour pas qu'on lui larronne un porcelet ! Paraît que pas un capitaine l'a eu sans prendre l'envie de l' balancer par-dessus bord. S'il était à la course au lieu d'être au Roi, c'est sûr qu'il serait déjà péri !

– Tu dis cela, Mignon, comme si tu avais déjà mis le pied sur un corsaire, remarqua Jeanne en souriant.

– J'ai fait deux campagnes à la course, dit Mignon, fièrement.

– Bah ? A ton âge ?

– J' suis l' plus petit des mousses, mais pas l' plus jeune. J'ai mes quatorze ans. J'ai déjà fait deux campagnes sur un corsaire, deux petites campagnes. Mais j'y retournerai, j' veux pas rester au Roi. J'y serais toujours, sur *Belle Vincente,* si j'avais pas été malade au lit quand elle a mis à la voile pour l'océan

1. Scribe et comptable du bord, l'écrivain était l'œil du Roi ou de l'armateur.

16

Indien. J'ai embarqué avec le capitaine de la Troesne parce qu'il allait à l'Isle de France. J'espère que, d'ici là-bas, j' pourrai rattraper mon corsaire. Des fois qu'il prendrait du retard...

– Il en prendra ! s'écria Jeanne avec une passion soudaine. Nous rattraperons *Belle Vincente,* tu verras. »

Elle avait envie d'embrasser Mignon, de le rendre content à ras bord !

« C'est qu' j'étais bien, avec le capitaine Vincent, dit le mousse.

– Mieux qu'avec monsieur de la Troesne ?

– C'était pas pareil. Le Roi et la course, ça fait deux, je l' vois depuis que j' suis au Roi. Les officiers d' la Royale sont fiers. Comme dit l' pilote, y font tous les grands messieurs, même ces petits messieurs les gardes-marine qui savent pas se servir d'un compas [1], tout beau sortis de l'école qu'ils sont ! »

Jeanne vit passer dans ses yeux la princière silhouette de Vincent :

« Le capitaine corsaire que tu regrettes se laisserait-il taper sur l'épaule et rire au nez ?

– Ça non ! Le capitaine Vincent, faut pas lui manquer, mais personne n'a envie. »

Il ajouta, du coq à l'âne :

« Il mangeait comme nous. Son plat et les plats des hommes, tout sortait d' la même marmite, on mettait seulement l' meilleur morceau dans l' sien, comme ça s' doit. S'il avait fait un repas d' cochon, on en aurait eu not' part. »

Jeanne éclata d'un rire si joyeux que Mignon lui jeta précipitamment sa main sur la bouche :

« Ça y est, on est repérés ! Filons, sortons vite de not'coin, on va croire qu' nous sommes en train d' nous faire des vilaines choses et alors, pour moi, ça s'rait pas fini !

1. Boussole.

– Tu es fou ! » dit Jeanne, mais elle était devenue cramoisie.

En se montrant, ils tombèrent sur le chirurgien du bord. Pauly les dévisagea l'un après l'autre d'un œil à la fois inquisiteur et amusé, mais passa vite : on l'avait appelé pour un blessé de la tête qui l'attendait devant les râteliers de tournage. Pauly passé, Jeanne se secoua comme pour se délivrer d'un attouchement désagréable :

« Je n'ai pas une grande sympathie pour M. Pauly, ne put-elle se retenir de dire.

– Méfiez-vous d' lui, dit aussitôt Mignon. Il colporte sur vous des choses... Y a pas qu' les mousses, qui font des ragots. M'sieur Pauly est très vicieux, il aime bien raconter des choses... comme il en raconte.

– Ah ! oui ? fit Jeanne d'un ton faussement indifférent. Je ne vois vraiment pas ce que pourrait dire M. Pauly pour me nuire ?

– Il fait courir le bruit qu' vous êtes une femme », glissa Mignon à voix basse.

Jeanne tressaillit de tout son long, la bouche séchée. Elle essaya de retrouver un peu de salive, siffla entre ses dents :

« M. Pauly a l'esprit dérangé – à moins que ce ne soit toi ! Qu'une telle sottise ne revienne jamais aux oreilles de mon maître, il pourrait en cuire à ses inventeurs ! »

La cloche sonna pour la prière du soir. Jeanne voulut dire encore un mot mais le mousse s'agenouilla, un doigt sur les lèvres : bavarder pendant la prière coûtait trois sols d'amende.

2

L'*Etoile des Mers* franchit la ligne de l'Equateur le 11 novembre, et il s'usa beaucoup de seilles d'eau ce jour-là, au baptême de ceux qui la passaient pour la première fois.

Au matin du 18, un gabier d'artimon prit un oiseau au plumage gris sombre, gros comme un pigeon, coiffé d'une tête blanche cernée de noir, chaussé de pattes de canard jaune vif. Il connaissait l'oiseau sous le nom de charbonnier et l'offrit au docteur Aubriot. Le lendemain et le surlendemain les gens de l'*Etoile des Mers* virent beaucoup de ces oiseaux et, dans l'après-midi du troisième jour, la terre, lentement, naquit de l'horizon.

« Puisque monsieur notre docteur doit herboriser sur la côte d'Amérique nous fêterons sûrement la Noël à Rio, et j'en serai pas fâché, dit Félibien, le contremaître, un petit bout d'homme sec et solide. Je connais, c'est un bon coin : des belles négresses à mettre sur le dos, et on n'y boit pas que de l'eau.

– Jamais relâché à Rio – toujours à Montevideo, dit le coq. Z'ont des oies ?

– Quand ils font la fête – et c'est souvent ! ils rôtissent des volailles énormes, des monstres qu'ils appellent : peru [1]. Et ils ont de ces jambons !... Et alors, de la salade, des fruits doux comme le miel, tant que t'en veux. Si t'atterres à Rio avec le mal des gencives [2], tu te ramarres tes crocs en cinq sec. Tiens, t'as un fruit, le jambon, tu crois manger une rose. »

Le coq apprécia de la tête, s'informa :

« Le tafia ? »

Félibien haussa l'épaule :

« Comme partout : tant qu' t'as le bonnet garni, l'hôtesse [3] t'en donne à ta soif. »

Le coq insista :

« C'est pas du mouillé, tu l' sens passer ?

– Pour ça, oui ! s'exclama Félibien. Leur tafia te met le soleil au ventre qu' c'est à croire qu'ils foutent du piment dedans – foutent du piment dans tout ! Là-bas, t'es toujours en train d' te rincer la gueule au jus d'orange !

1. Dindon.
2. Scorbut.
3. Du bordel du port.

– Z'ont pas de vin ? demanda encore le coq.

– Tu parles, qu'ils ont du vin ! dit Félibien. Et du bon ! Pas vrai, Belle-Isle ? »

Le gabier d'artimon se rapprocha...

La vue de la terre avait ragaillardi tout le monde, ôtait l'envie de sommeil même aux hommes fatigués. A la fin du dernier quart de la journée, une poignée du clan des Malouins s'était assise dans l'un des salons préférés des matelots de repos – au pied du mât de misaine, par le travers de la cuisine. Des cinq hommes qui bavardaient là, seuls le contremaître Félibien et le gabier Belle-Isle connaissaient déjà Rio. Belle-Isle – un grand beau gars blond adopté par les Malouins bien qu'il fût de Belle-Isle – ne se fit pas prier pour renchérir sur son contremaître :

« Si on sait s'y prendre, se mettre bien dans le jupon d'une nounou qu'a les clefs de sa maison, y a de bons coups à boire à Rio, dit-il avec un sourire de ravi. Ils ont de ces petits tonneaux qui viennent de Porto ou de Madère, cré bon Dieu, mes boués, c'est pas d' la pisse de raisin qu'il y a là-dedans, c'est d' la pisse de Sainte Vierge ! L'équipage qui voit arriver une terre comme celle de là-bas pour sa Noël, c'est sûr qu'il est pas à plaindre ! »

Accroupi à l'écart du groupe dans la pénombre des rouleaux de cordes, le « trio des filles » – Mignon, le cadet Ternay et Jeannot – tendait ses oreilles aux propos des hommes. Comme tout un chacun à bord Jeanne était très excitée par la proximité du continent sud-américain, mais Philibert faisait salon chez le capitaine et il lui fallait bien se rabattre sur sa compagnie habituelle : « les filles » et Martin, le valet de messire Jouet. Elle se pencha vers Martin :

« Vous aussi, n'est-ce pas, avez déjà relâché à Rio ? demanda-t-elle tout bas.

– J'ai déjà relâché deux fois à Rio, répliqua très haut Martin, d'un ton suffisant. Et j'aurais pu y rester les deux fois : les dames mulâtres du Brésil sont avides de se donner des époux d'un blanc sans mélange, les Portugais ne veulent pas d'elles, et certaines mulâtresses sont assez claires, assez belles et assez riches pour mériter un Français. Sans compter qu'au lit... »

Le terrien chercha une expression bien amarinée pour peindre ses émois tropicaux :

« ... une femme de couleur vous met le feu Saint-Elme au bout du corps ! » acheva-t-il avec superbe.

Les mariniers louchèrent sur Martin sans tendresse, puis Belle-Isle lâcha brusquement :

« C'est pourtant vrai, cré Bon Dieu, que les sauvagesses de par là-bas ont le feu au cul. J'en ai eu une noire comme un brai – Maria-Paula, je me la ressouviendrai toujours : elle en avait jamais assez, à la troisième plonge c'était le matelot qui fatiguait. Cré Dieu ! Un con en or !

– Tu vas peut-être la retrouver, dit le coq, et si y en a toujours trop pour toi tout seul...

– Ecoutez-moi c' failli gargouillou d' mes deux ! Peut pas s'empêcher l'envie d' voler un peu sur une bonne ration ! cracha le contremaître.

– Là, c'est peut-être ben lui qui serait volé, dit Belle-Isle. Y a cinq ans passés depuis ce que je vous raconte. Maria-Paula elle doit être vieille, les pis sur le ventre, le ventre sur les cuisses : tu vois plus l'écoutille ! »

Il éclata d'un long rire d'enfant, conclut dans un bout de refrain :

> *J' la mets qu'à celles de quinze ans,*
> *Je laisse les vieilles au commandant...*

Un chœur de voix joyeuses rattrapa la chanson au vol :

> *Donnez-nous celles de quinze ans,*
> *Hourra mes boués, hourra !*
> *Laissez les vieilles au commandant,*
> *Tra la la la – la la la – la la !*

« Faut tout de même pas cracher sur toutes les vieilles, fit Lemarc'h, un autre gabier, quand ils eurent fini de brailler. Y en a sûrement plus d'un ici qu'a connu la Mélissa de Ténériffe qu'a duré des ans, et qu'a valu jusqu'au bout son ramonage.

– Mélissa ! Ah ! Mélissa ! »

Le nom avait fusé de trois gosiers à la fois, aussi vibrant qu'un « Vive le Roi ! » suivant un coup de tafia.

« Ils ont la reconnaissance du ventre, décidément », pensa Jeanne, écœurée d'avance. Elle tenta de se boucher les oreilles pour ne pas entendre accommoder les charmes de Mélissa à la sauce matelote. Se fatigueraient-ils jamais de parler de fesses et de bouteilles dès qu'ils avaient un moment de bonace à passer sur le château d'avant ? Mais avaient-ils d'autres rêves, d'autres souvenirs, d'autres bonheurs que les soûleries grandioses, les bagarres sauvages, les coucheries payées aux filles des ports ? Quand ils ne parlaient pas de ces joies terrestres-là c'est qu'ils se souvenaient haut de leurs peines à la mer, de ces longs quarts d'effroi où leurs vies n'étaient que chaos et ténèbres ruisselantes, lutte enragée, douleur infinie dans leurs mains glacées aux crevasses rouvertes, saignant à crocher la toile claquante pour serrer un hunier ou une misaine. Alors... Leurs longues misères à bord ou leurs courtes bordées dans les ports, ils n'avaient que cela à se raconter. Le reste, sans doute le gardaient-ils pour eux. Pour les heures de veille solitaire, quand personne n'est là pour réveiller le nostalgique d'une bourrade en cornant : « Alors quoi, matelot, tu penses à ta famille ? » Jeanne soupira Dieu sait pourquoi – pour l'instant, la parlote des hommes était au plus gai. Au si gai même qu'elle allait dire bonsoir et s'enfuir, quand le son d'une voix la retint :

« Garçons, vous commencez à guinder trop tôt,

vos compères vont se balancer dans vos jambes pendant huit grands jours et ça vous gênera pour la manœuvre », disait la voix profonde et bourrue – c'était celle du charpentier.

Yves Cartier était un Malouin respecté entre tous, comme l'est tout bon maître charpentier à bord d'un vaisseau de bois. Le gabier Belle-Isle se leva poliment pour lui céder sa place assise sur une roue de grelins. Ce n'était pas souvent que le maître dache [1] daignait fumer sa pipe d'écume ailleurs que sur la dunette. « Les filles » se rapprochèrent, rassurées par sa présence : Cartier était patient avec les jeunes et volontiers protecteur des opprimés. Le cadet Ternay osa ouvrir la bouche :

« Monsieur le charpentier, tout à l'heure, le maître disait au pilote que M. Pauly et vous, si vous l'aviez voulu, vous seriez devenus des seigneurs à Rio. C'est vrai ? Est-ce que vous deux aussi, des belles dames noires voulaient vous marier ? »

Le charpentier se mit à rire :

« Je n'ai jamais été assez joli gars pour qu'on me fasse honneur sur ma mine; j'ai toujours dû donner les mains à ma bonne chance, dit-il. Mais vois-tu, petit, dans tous les pays où des hommes sont malades un chirurgien venu de loin peut faire sa fortune et, de son côté, un bon charpentier peut devenir un seigneur là où les forêts sont magnifiques et les hommes paresseux. Dès que tu perds de vue un manouvrier brésilien, il va se mettre dans son hamac. Il vit en caleçon, pour pouvoir se recoucher à tout bout de champ sans même avoir la peine de se déshabiller !

– Monsieur le charpentier, s'il vous plaît, racontez-nous les arbres du Brésil », pria Jeanne.

Cartier sourit avec sympathie au beau jeune homme au regard doré :

« C'est vrai que vous aussi, l'ami, vous aimez le

1. Des haches.

23

bois, dit-il; enfin, les arbres. Les arbres, le bois, c'est la même chose. Ce n'est pas du bois que le charpentier travaille, c'est un arbre : un chêne ou un charme, un hêtre ou un frêne, un orme ou un noyer... Et pour pouvoir en faire ce que je veux à mon contentement j'ai besoin d'aller le choisir dans la forêt, sur le vif. Pour faire un vaisseau à ma manière, il me faut du lourd et du long, du droit, du courbe et du tordu : Dieu fait pousser de tout, à moi d'avoir l'œil et la main. Un bois malade se voit, mais un bois charmé, il faut le sentir. On ne doit pas faire entrer du bois charmé dans un vaisseau.

— Du bois charmé ? » fit Jeanne, le sourcil haussé.

Le charpentier demeura un moment songeur, la pipe au bec, devant ce mystère qu'on lui demandait d'expliquer :

« L'arbre paraît bien vivant, il est beau, il est sain, mais il est mort, dit-il enfin. C'est du bois mort, sans raison, par maléfice. Il ne faut pas faire entrer du bois mort dans un vaisseau. Le bois mort n'est bon qu'à nourrir le feu. »

Jeanne vit trois des hommes se signer furtivement. Elle dit :

« Quand mon maître descendra faire ses observations sur la côte brésilienne, je suis certain, monsieur le charpentier, qu'il aimerait vous avoir avec lui.

— Ce sera comme M. le docteur Aubriot voudra; je serai honoré de l'accompagner, dit le charpentier avec simplicité. La province de Rio Janeiro est le paradis des arbres. La première fois que la côte de Rio m'est apparue... »

Il marqua un autre temps de silence rêveur, reprit en secouant la tête :

« On ne peut pas décrire l'impression que vous cause un paysage aussi beau. Quand cette merveille terrestre surgit devant vos yeux au bout de deux mois de mer... vous ne trouvez des mots que pour louer Dieu. »

24

3

LES yeux de Jeanne s'emplirent de larmes : la rive du pays de Rio Janeiro accourait à la rencontre de l'*Étoile des Mers,* éclatante, verte jusqu'à n'y pas croire sous une lumière exubérante. Le charpentier avait raison, elle ne trouverait pas de mots pour décrire cette immense beauté à Marie. Elle se retint de toucher la main de Philibert.

Saisi lui aussi de bonheur charnel, Aubriot se taisait tout comme elle. Enfin, il soupira :

« Trois fois heureux celui qui voit du vert.

— Et plus heureux encore celui qui en mange ! ajouta l'écrivain. Il était temps de nous aller ancrer dans une corne d'abondance : je n'ai plus une seule feuille de salade à bord.

— Bah ! fit le chirurgien Pauly, si une traversée dure et que le scorbut veut prendre, salade ou pas... C'est l'air marin qui corrompt les chairs. Et pour les chairs nègres, c'est la nostalgie.

— Je serais curieux, monsieur », commença Aubriot d'une voix sarcastique...

Agacée, Jeanne s'écarta d'eux. Ils prenaient bien leur temps pour avoir une querelle médicale qui lui gâterait le paysage !

La vision paradisiaque occupait maintenant tout l'horizon. Depuis la côte mouvementée de rochers jusqu'à la chaîne montagneuse fermant le fond du décor le paysage montait, inondait le ciel de verdures géantes aux peaux sans doute si coriacées, si bien vernies par endroits que le soleil en faisait de vastes miroirs scintillants. L'élan végétal était si puissant qu'il jaillissait même des crevasses des roches en bouquets d'arbres, en panaches de feuilles monstrueuses. Des grappes de fleurs pendaient aux frondaisons des arbres les plus hauts, des cascades de fleurs chutaient jusqu'aux sables d'or sur lesquels s'étalaient des plages roses, mauves, pourpres, comme si, à Rio Janeiro, la nature en perpétuelle gésine n'avait pas assez de terre ferme pour manifester son impérieuse fécondité. Une mince flottille de bateaux de pêche ourlait la côte; quelques-uns, plus au large, manœuvraient aux abords d'une grande île accidentée, piquée de palmiers aux têtes penchées par la brise, qui retournait vers la terre leurs longues chevelures sombres.

Un bref commandement du chevalier de Trévenoux monta du gaillard. Quelques minutes plus tard, un coup de canon tiré du navire arracha un cri à Jeanne : le capitaine faisait demander un pilote côtier pour entrer dans la rade, après avoir mis pavillon portugais ferlé à la misaine. Jeanne vit un canot se détacher du rivage brésilien pour venir ranger la coque de l'*Etoile des Mers*.

« Leur Pain de Sucre », dit le charpentier, pointant sa pipe vers l'imposant et sévère cône de granit planté dans la mer.

L'*Etoile des Mers* entrait dans la passe. Quand il fut en vue de Sainte-Croix, on le héla du fort. Un officier portugais vint à bord et en repartit aussitôt avec M. de Chassiron, chargé d'aller informer le comte da Cunha, vice-roi du Brésil, des très pacifiques intentions des marins de S.M. Louis XV. En attendant le retour de son ambassadeur, le vaisseau français dépassa bientôt la petite île de Lage. La baie s'ouvrit...

« Dieu ! » soupira Jeanne.

Le charpentier approuva le soupir enchanté :

« Ne vous l'avais-je pas dit, qu'ici Dieu avait bien fait les choses ? »

L'immense lac de mer calmée aux eaux d'un bleu étincelant devait sans doute pouvoir abriter tous les vaisseaux du monde ? La brise les poussait vers le port avec une lenteur exquise, creusant la toile juste ce qu'il fallait pour mettre la jolie flûte du roi de

France au plus gracieux de son élégance. La mer était si pure que sur ses fonds clairs Jeanne en voyait parfois toute l'épaisseur, animée par un fascinant ballet d'ombres aux éclairs d'argent, qu'aujourd'hui les matelots dédaignaient de pourchasser, parce qu'ils avaient au ventre l'espoir de festins plus épicés. La paix bleue limpide des eaux, la frémissante paix dorée de l'air, la superbe nature foisonnante des rivages – ces trois ivresses des sens réunies donnaient, à la voyageuse émotive, la sensation d'arriver dans un paysage du début du monde. La grandiose harmonie des lointains – hauts et âpres jeux d'orgues des mornes aux pitons noyés dans les nuages, masses obscures des grandes solitudes boisées – achevait de donner, au vaste décor, un caractère religieux qui la transperçait. Mais sous ses yeux vagabonds passaient des toits d'habitations cachées dans le vert, des jardins à la fougue maîtrisée, des voiles blanches sillonnant le lac marin à la paresseuse, une barque de pêche, une pirogue vivement menée par un Noir aux grands saluts rieurs – et tout cela humanisait la beauté solennelle de la baie, transformait l'angoisse que provoque la découverte d'un paradis trop vierge en la certitude qu'une infinie douceur de vivre existait là.

Le charpentier se bougea :

« Je dois redescendre », dit-il à regret.

Il désigna de la main l'aqueduc de la Carioca. Sa double arcature à la romaine chevauchait le paysage sur près de six milles, audacieusement :

« Regardez bien ce chef-d'œuvre, monsieur Jeannot, il en vaut la peine. Ils ont dû s'en voir, pour venir à bout de ce travail ! Mais aussi, ce soir, vous boirez de très bonne eau. Si vous pouvez comprendre les vieilles gens de la ville, pour qui elle s'est mise à couler un jour comme la fin de leurs corvées aux collines, ils vous raconteront que l'eau de leur aqueduc est miraculeuse; qu'elle donne une douceur délicieuse aux voix des chanteurs et l'éternelle beauté aux belles femmes qui s'y baignent le visage. »

Arrivé à la visette [1] il se retourna, cria avec malice :

« La légende ne dit pas si l'eau de la Carioca conserve aussi la beauté des beaux garçons, mais vous pourrez toujours l'essayer. »

Le chirurgien Pauly, qui lui aussi était monté sur la dunette, ne manqua pas de voir la rougeur subite du valet du docteur Aubriot et lança à la cantonade, d'une voix forte :

« Si j'étais à votre place, jeune homme, j'essaierais assurément car, à voir votre visage se pencher sur elle, l'eau de la Carioca pourrait bien s'y tromper et vous faire l'hommage de sa magie aussi bien qu'à une fille ! »

Jeanne jeta à Pauly un regard furieux en même temps qu'Aubriot disait d'un ton sec :

« Nous tâcherons donc d'obtenir que tous les beaux garçons qui sont à bord se trempent dans l'eau magique : elle les embellira au moins de toute la crasse de mer qu'ils y perdront. Quoique de beauté fort discrète je me promets bien d'être du bain aussi.

— Voyons d'abord si le vice-roi sera d'humeur à nous laisser gambader sur ses terres, intervint l'aumônier. L'animal est fantasque. Et nous sommes français.

— Eh bien ? fit Aubriot, surpris. La France, que je sache, n'est pas en guerre avec le Portugal ?

— Non, dit l'aumônier. Mais les flammes blanches et les pavois fleurdelisés rappellent de mauvais souvenirs aux Portugais de Rio. Duguay-Trouin était un corsaire très entreprenant et, au début du siècle, quand la place l'a tenté...

— C'est une vieille histoire, remarqua Aubriot.

— C'est toujours ce que croient les vainqueurs, dit l'aumônier. Les vaincus, eux, comptent et recomp-

---

1. Petite échelle donnant accès à la plate-forme de dunette.

tent longtemps ce que l'affaire leur a coûté. Les vaincus sont mesquins.

— Mais enfin, dit messire Jouet, nous avons finalement rendu la place aux Portugais ?

— Pas pour rien ! s'exclama l'aumônier. Le gouverneur de l'époque a dû payer une rançon fabuleuse. Ajoutez à cela le pillage de la ville et du port, les vaisseaux perdus... Vu de chez nous notre Duguay-Trouin est un très grand corsaire. Vu d'ici, c'est un très grand forban !

— Monsieur l'abbé, un corsaire est-il censé offenser Dieu par ses pillages ? demanda brusquement Jeanne.

— Non, de par le Roi ! » répliqua l'aumônier sans rire.

L'*Etoile des Mers* mouilla ses ancres vers cinq heures du soir, portant ainsi à vingt-six le nombre des bâtiments abrités dans la baie. M. de Chassiron revint peu après, dans une pirogue escortée par un bateau de garde portugais où se trouvaient un lieutenant et huit soldats. Le bateau s'amarra à la poupe du vaisseau français comme si la chose allait de soi, sous le regard froncé de l'état-major.

M. de Chassiron portait un visage en berne :

« La peste soit de nos corsaires ! » s'exclama-t-il aussitôt le pied à bord.

Vilmont de la Troesne eut un geste d'énervement :

« Monsieur, ne me parlez pas de Duguay-Trouin, dit-il d'un ton rude. Je sais déjà tout de son glorieux exploit à Rio. Informez-moi dans l'ordre. Avez-vous traité du salut ?

— Il ne s'agit pas de Duguay-Trouin ! s'écria l'enseigne, ignorant la question qu'on lui posait. Je viens, monsieur, d'essuyer les vifs échos d'une affaire fraîche. A la fin de septembre, un corsaire français sous pavillon de Malte a demandé l'entrée pour faire de l'eau et soi-disant se réparer de quelques avaries. On lui a finalement accordé quatre jours, après qu'il eut accepté de déposer toutes ses poudres et munitions au magasin. Là-dessus, pour ne point inquiéter à ce qu'il disait, après avoir embarqué quelques chaloupées d'eau il est allé relâcher plus au nord, à une petite île de la baie. On ne l'y a point surveillé, car il avait pris de bonne grâce six douaniers à son bord. La troisième nuit il a filé de là, sans demander de pilote ni crier gare. A l'aube il sortait de la passe. Quand le fort Sainte-Croix l'a vu, et qu'il ne répondait pas à la semonce, il a ouvert le feu, mais le corsaire a effacé le coup et il...

– Monsieur, coupa le capitaine passablement en colère, je vous prie d'aller droit à ce qui nous concerne ! Qui est ce corsaire, et qu'a-t-il fait de mieux qu'une belle sortie clandestine pour justifier la rancune du vice-roi contre tous ses compatriotes ?

– Il a commercé, dit l'enseigne. Il s'agit du chevalier Vincent – que je ne connais pas. Dom Rodrigo...

– Moi, je le connais, coupa de nouveau le capitaine. Dites-nous la suite.

– Sous la bonne raison de se réparer il était en réalité venu charger une cargaison, petite mais d'un grand prix. On parle de diamants et de pierres de couleur fines, de guitares, de peaux, de broderies, et aussi... »

L'enseigne gloussa un petit rire avant de poursuivre :

« Et de parures de cheveux en plumes d'oiseaux, qui se font ici dans les couvents de femmes et dont les Portugais semblent faire grand cas. Oh ! et il a pris également force confitures, qui viennent aussi des couvents de femmes. Et puis des perroquets. Il paraît que son butin vaut une fortune, et le comte da Cunha ne semble pas vouloir en tenir quitte les Français. D'autant que ses douaniers, de gré ou de force, sont toujours à bord de *Belle Vincente,* Dieu sait où ! »

Tous ceux qui le pouvaient se tenaient plus ou

moins près de l'état-major pour glaner des nouvelles, et Aubriot se permit de prendre la parole :

« Je connais un peu le chevalier Vincent, aussi pardonnez-moi, messieurs, une question qui vous fera sans doute rire : ce butin a-t-il été volé ?

– Non, non ! dit vivement M. de Chassiron, le corsaire a commercé avec les habitants, mais... »

Une troisième fois, de la Troesne coupa le bavard :

« Monsieur, dit-il à Aubriot, les Portugais n'ont jamais perdu l'outrecuidance qu'ils ont prise dans une bulle papale du XVe siècle, laquelle leur accordait, conjointement avec les Espagnols, le monopole du commerce avec toutes les terres nouvelles qui seraient découvertes. Ni les marins de François 1er ni leurs successeurs ne se sont souciés de la bulle, mais les Portugais y croient toujours et tiennent pour un voleur tout commerçant étranger. Dans ce port, seuls les navires portugais ont le droit de commercer.

– Du reste, les Brésiliens qui ont trafiqué avec *Belle Vincente* sont au cachot, glissa vite M. de Chassiron. Mais ils n'en ont retrouvé que deux, et le comte da Cunha n'a rien osé faire contre les couvents.

– Organiser sa contrebande avec l'aide des couvents est une excellente tactique en pays dévot, nota le chevalier de Trévenoux en souriant. Le chevalier Vincent a toujours de bonnes idées pour s'emplir les poches sans faire détaper ses canons.

– Voyons ce qui s'ensuivra pour nous, grommela de la Troesne. Et d'abord, la place rendra-t-elle le salut ? ajouta-t-il en se retournant vers l'enseigne.

– Monsieur, quand je l'ai voulu savoir le comte da Cunha m'a répondu qu'en approchant quelqu'un on lui ôtait son chapeau sans lui demander auparavant s'il rendrait ou non la politesse, dit piteusement M. de Chassiron.

– Dans ce cas, je ne saluerai point ! s'écria le capitaine, outré. Il ferait beau voir qu'on fît l'affront d'ignorer son salut à un vaisseau du roi de France ! »

L'aumônier leva les yeux au ciel, jeta assez brusquement :

« Monsieur, que le salut se fasse ou non il faudra au moins faire l'eau – au moins cela.

– Et descendre à terre les cinq malades que j'ai sur les cadres, ajouta le chirurgien Pauly. L'un d'eux est mal en point.

– Nous avons tous besoin de rafraîchissements, dit l'écrivain. Et il me faut d'urgence de bonnes planches pour les charpentiers.

– Mais... », commença Aubriot.

Il marqua un arrêt, poursuivit en fixant le capitaine :

« La mauvaise humeur du vice-roi pourrait-elle vraiment nous contraindre à faillir à notre mission, qui est, pour vous de me déposer un temps sur la côte de Rio Janeiro, pour moi d'y recueillir des collections d'histoire naturelle ?

– J'en serais aussi fâché que vous, monsieur, dit de la Troesne, humilié. Mais cette commission est signée de Louis XV, et Louis XV n'est pas le roi des Portugais aussi.

– Pour ma part, j'ai déjà éprouvé le comte da Cunha pour fort vaniteux et assez facile à prendre en chatouillant sa fatuité. Si nous saluions la place de bon cœur... », risqua messire Jouet.

Vilmont de la Troesne foudroya son passager du regard, se retourna vers son second :

« Monsieur, veuillez aller m'attendre dans ma chambre et emmenez avec vous M. de Chassiron, commanda-t-il. Maître... »

Le maître d'équipage s'avança.

« Maître, personne ne doit quitter le bord ce soir. Pour cette nuit, faites doubler la garde. Et faites aussi passer le boujaron [1]. »

Le capitaine disparu, il se fit un pesant silence. Enfin :

1. Mesure avec laquelle on sert le coup d'alcool à l'équipage.

« Eh bien ? fit Aubriot à la cantonade, que va-t-il maintenant se passer ? Nous voilà donc prisonniers sur notre navire jusqu'à nouvel ordre ? »

Le lieutenant Le Floch, un officier bleu passé à la Royale sur le tard et qui parlait le moins possible en présence de ses supérieurs rouges, releva la question :

« Si vous étiez marin, monsieur, vous ne vous sentiriez jamais prisonnier sur un navire. Ce qui peut vous emporter n'est jamais une prison.

– Voilà du vrai, approuva messire Jouet. Ceci dit... »

Il laissa sa phrase en suspens tout le temps de sourire à sa plaisante pensée, acheva :

« ... la comtesse da Cunha est une jolie femme qui s'ennuie. Elle ne se laissera pas priver des soupers du bord de l'eau qu'elle aime offrir aux officiers de passage dans sa province perdue loin de Lisbonne. Messieurs, je vous promets que son cul... de bœuf aux aromates, environné de saucisses et de tomates au jus, vous laissera un souvenir de bouche inoubliable ! »

Le lendemain, Vilmont de la Troesne, escorté d'une suite briquée jusqu'aux talons et armée jusqu'aux dents, fit une visite au vice-roi. Le vice-roi rendit la visite. La terre rendit les dix-neuf coups de canon dont le navire le salua quand il quitta son bord. Le comte da Cunha avait-il eu la grimace sur l'oreiller ?

Sans doute. L'invitation de la comtesse pour un souper au bord de l'eau « sous ses berceaux de jasmins et d'orangers » arriva le soir même, suivie d'un colonel éblouissant de pendeloques. Dom Pedro n'apportait pourtant que des nouvelles à peine polies : à condition de déposer ses poudres, de ne point aller mouiller hors de vue, d'accepter des douaniers de garde à son bord et d'y rappeler son équipage avant le coucher du soleil, le commandant de l'*Etoile des Mers* recevait permission de demeurer à Rio Janeiro le temps de faire son eau et d'embarquer des rafraîchissements – soit six jours. En outre il pouvait poser ses malades à terre, et permettre à M. le naturaliste de S.M. le roi de France d'observer et d'herboriser autour de la ville, sans rien « emprunter » au jardin public.

« Monsieur, pour l'amour du Ciel, faites-moi conduire à terre dans l'instant ! » s'écria Aubriot dès qu'il sut.

De la Troesne le contempla, hésitant.

« Monsieur, sachez que j'ai déjà cent fois risqué la prison, un duel, une pneumonie ou une chute mortelle pour avoir une fleur qui me tentait, insista Aubriot d'une voix passionnée. Faites-moi descendre, et tenez-vous quitte de tout remords s'il m'arrive quelque chose. Si je meurs pour une fleur, au moins ma mort me ressemblera-t-elle, et c'est une grâce : on finit si rarement sans se trahir... »

Le marin lui sourit :

« Après tout, dit-il, il ferait beau voir que quelqu'un m'empêchât de mourir de la mer. »

Et reprenant sa voix de commandement :

« Assurez-vous donc d'une pirogue et de deux nègres ; M. Toustain vous traitera l'affaire, on le volera moins que vous. Et dites-moi, monsieur : j'ai vu à Lorient que vous aviez des pistolets dans votre pacotille ; savez-vous vous en servir ?

– On apprend fort bien cela à la faculté de médecine.

– Et moi, monsieur, je vise fort juste, ajouta la voix décidée de Jeanne.

– Hum, fit le capitaine, voilà qui me rassure à merveille. Néanmoins, monsieur, je doublerai votre garde : choisissez-vous une épée parmi nos jeunes gentilshommes. »

Aubriot inclina la tête, dit d'une voix rauque d'émotion :

« Ainsi donc, monsieur, avec votre permission je descendrai à terre dès demain et dès l'aube.

– C'est bon. Mais souvenez-vous que je dois compte de vous à Sa Majesté : ne sortez pas de vos droits et songez à nous revenir avant le coucher du soleil. Je suis certain que les prisons du vice-roi sont aussi peu plaisantes que son humeur. Si vous vous y faisiez loger il vous faudrait pourtant prendre patience : je n'ai que huit canons privés de poudre; c'est peu pour assiéger la place jusqu'à vous ravoir. »

4

LA pirogue tirée sur le sable et abandonnée, les deux Noirs à demi nus accroupis de chaque côté d'un feu sur lequel fumait l'eau d'un chaudron noir et, derrière eux, à la rencontre du sable et de la forêt de palmes, le corps gisant d'un officier en culotte écarlate traîné jusqu'à l'ombre d'un guiriri pissando aux pendentifs orangés – tout cela aurait composé une fort bonne scène de tragédie exotique pour l'œil d'un peintre. On aurait imaginé le vaisseau jeté à la tête et se brisant sur les rochers, les deux sauvages repêchant l'unique survivant avec d'affreux cris de joie et apprêtant aussitôt le court-bouillon pour le mettre au pot. Veste et perruque ôtées, sa chemise débraillée, les membres avachis, l'œil droit poché d'un bandeau, le pauvre gibier blanc ne semblait pas de force à échapper à la marmite ! Au-dessus de lui, sur la rive montueuse de l'île, un trio de piassabas le pleurait déjà, agitant sans fin dans la brise légère, comme des voiles funèbres, les longs filaments emmêlés de ses spathes.

« Si cela continue, notre cher capitaine fera un chapitre pour le *Martyrologe de la Botanique* que médite d'écrire Philibert », pensa Jeanne avec un sourire de pitié teintée d'ironie. Vilmont de la Troesne avait bon cœur pour la botanique, mais ses jambes ne suivaient pas. Une flûte du Roi ne mesure qu'à peine cent vingt pieds de la proue à la poupe, c'est peu pour s'entraîner aux longues randonnées. Toujours, il devait revenir à la pirogue avant les botanistes, avec un Noir ou deux, qu'il mettait à pêcher et à préparer un repas en attendant le retour de la petite expédition. Si, cette fois, Jeanne avait insisté pour revenir avec lui c'est qu'il s'était par trop épuisé, boitait et souffrait d'un œil dont une piqûre d'insecte avait gonflé la paupière. Jeanne avait soigné son éclopé avec un bain de pieds et des cataplasmes de racine de manioc râpée sur la paupière. Maintenant qu'il sommeillait, calmé, elle se donnait un grand moment de volupté. Près d'elle, un fleuve de tiges volubiles, né plus haut dans une fissure de roche, descendait jusqu'à la plage une foison de gros liserons roses, d'un rose somptueux, ardent, un rose dense et lumineux de vitrail. Elle jouait à fixer son regard d'abord sur ce rose éperdu des ipomées, puis sur le vert étincelant d'une palme renvoyant le soleil, puis sur le bleu de la mer, si bleu d'un bleu si épais qu'il passait par larges rubans à un violet scintillant de pierre précieuse. Rose-lumière, vert-lumière, bleu-lumière, violet-lumière, rose-lumière... – son jeu la soûlait d'une merveilleuse ivresse aphrodisiaque. Elle se gavait d'épices par les yeux jusqu'à sentir l'éclat exubérant du Brésil équinoxial lui couler dans les veines comme un sang de feu. Alors elle se laissait retomber sur le sable, les bras ouverts, la chair repue de soleil en couleurs, l'âme molle, offerte tout entière au délice d'être...

Un insecte piqueur plus obstiné que les autres la dérangea de son plaisir lascif. La variété des insectes piqueurs de la province de Rio Janeiro était vraiment prodigieuse ! Il fallait bien qu'il y eût quand même une petite différence entre le paradis de Rio et le paradis terrestre. « C'est un bon coin pour les entomologistes aussi ! » pensa-t-elle en frottant sa piqûre avec un jus d'herbe acide. Puis elle sauta sur ses pieds et s'étira dans la petite brise rafraîchissante qui commençait de s'élever, annonçant pour bientôt la fin de l'après-midi. Elle avait largement ouvert le col de sa chemise, retroussé ses manches, ôté ses bottes et ses bas. Ah ! si elle avait pu se passer de sa bande de poitrine ! Depuis qu'elle se trouvait en pays chaud la toile de coton épaisse enroulée autour de ses seins l'irritait et lui causait de pénibles rougeurs. Elle coula un regard vers le dormeur, tressaillit et rabattit brusquement le long de ses flancs les deux bras aux mains enlacées qu'elle balançait par-dessus sa tête.

M. de la Troesne ne dormait plus. Il s'était redressé, adossé au guiriri et contemplait de son œil libre la silhouette trop pleine de grâce du beau Jeannot, dont la longue queue de cheveux revenait par-dessus une épaule et chatoyait au soleil comme un écheveau de soie. Jeanne remit précipitamment sa bourse de taffetas gommé en pensant : « Tant pis ! » Elle devinait que le capitaine avait deviné. Depuis quatre jours qu'il les suivait dans leurs expéditions il avait eu tout le loisir de l'observer de près, de bien trop près, et pendant des heures. Elle avait remarqué avec quelle ironie rieuse il insistait pour que Jeannot prît part aux bains de mer que s'offraient Aubriot et les jeunes officiers. Et Dieu sait qu'alors Jeanne serrait les poings d'envie quand elle voyait les corps échauffés des autres se jeter dans la grande baignoire bleue et que, faute de pouvoir se montrer en caleçon, elle devait demeurer sur la rive à subir les moqueries du capitaine, qui persiflait sa peur de l'eau. Il se doutait, évidemment. Mais était-il sûr de savoir ? Elle lui jeta un nouveau coup d'œil, de défi, et se mit à courir à la lisière de la mer, les chevilles immergées. Elle courut jusqu'à perdre haleine, en frappant des pieds pour s'éclabousser, puis revint lentement vers ses compagnons, creusant ses pas dans le sable avec le même soin sensuel qu'elle les creusait naguère dans la laine du beau tapis de Mme de Bouhey; mais le sable humide, lui, gardait ses pas, que n'emporterait que la prochaine marée.

Les Noirs l'aspergèrent de bruyants compliments incompréhensibles quand elle passa près d'eux. Elle avait un mal fou à les empêcher de la traiter en femme et de l'appeler senhora; ils ne lui donnaient du senhor qu'avec de grands éclats de rire idiots. Le capitaine de l'*Etoile des Mers* avait du mérite à continuer de jouer le jeu !

« Ainsi, vous y venez ? fit de la Troesne, désignant la mer du menton. Demain, vous vous tremperez jusqu'aux cuisses et après-demain jusqu'aux épaules.

— Vous sentez-vous mieux ? demanda-t-elle. Voyons votre œil...

— Vous êtes un fort bon médecin, dit-il gaiement. Et moi un curieux fort encombrant, n'est-il pas vrai ?

— Oh ! votre endurance à la marche n'est pas si mauvaise. Il ne faut pas vous mesurer d'après M. Aubriot : lui est un coureur de marathons.

— Vous ne me semblez pas mal entraîné non plus.

— C'est l'œil du maître qui fait trotter l'âne », dit-elle en riant.

De la Troesne la lorgna, demanda :

« Dites-moi, Jeannot, M. Aubriot avait-il jamais eu un seul instant la pensée de s'embarquer sans vous ? »

Elle lui rendit son franc regard, à pleins yeux :

« J'imagine qu'il y pensait sans y croire, dit-elle.

— Je l'imagine aussi, dit le capitaine, et à nouveau elle pensa : « Il sait. » Mais elle se flattait qu'il ne dirait rien, le jugeant trop gentilhomme pour mettre dans l'embarras son précieux passager, le naturaliste du Roi.

« Ils ne tarderont plus, reprit de la Troesne.

— Espérons-le, dit Jeanne. Quoique M. Aubriot puisse toujours oublier l'heure quand il a le nez sur une merveille et comment, ici, ne l'oublierait-il pas sans cesse ?

– Oui, ici é como o paraiso [1], comme le dit notre Indien. C'est une chance que le vice-roi se soit adouci. Pourvu que sa bonace dure ! »

L'agressivité du comte da Cunha s'était muée en une amabilité de miel dont les Français n'osaient trop se réjouir car on disait, chez les barbiers de la ville, que le comte changeait d'humeur comme de chemise. Pour le moment, son humeur était mondaine. En l'honneur de l'état-major de l'*Etoile des Mers* il avait déjà donné un souper dans ses jardins, une soirée à l'Opéra, un concert de musique spirituelle à l'église des Carmes. Jeanne aurait acheté à prix d'or le plaisir de suivre « son maître » à ces festivités, mais Vilmont de la Troesne en avait privé Aubriot : le vice-roi avait une passion pour les médecins et – toujours selon la rumeur des barbiers dont les boutiques tenaient à Rio le rôle des cafés à Paris – il en retenait déjà deux contre leur gré, un Espagnol et un Hollandais; de la Troesne n'avait pas envie de lui offrir un Français pour sa collection. Aubriot herborisait autour de la baie sans jamais entrer dans Rio, d'ordre du commandant.

Il ne regrettait pas les plaisirs de la ville : l'enchantement l'attendait n'importe où. Sur quelque rivage que l'ait déposé la pirogue il était pris de frénésie, courait à tout avec la joie, la dévorante curiosité d'un enfant découvrant le monde. Mais c'était vrai qu'il recommençait son enfance, et cette fois dans un univers d'une magnificence à peine croyable pour un natif de la Dombes. Sur ses talons, coltinant une paire de boîtes au contenu dérisoire, Jeanne revivait elle aussi, décuplés, ses bonheurs de petite fille confondant dans un même amour la grisante beauté de la nature et le gai savoir de l'homme qui la lui contait si bien. Et, quoique imperméables à son

1. C'est comme le paradis.

langage, les indigènes avaient été impressionnés et conquis par le senhor blanc en vieille veste et vieux chapeau qu'ils avaient vu embrasser le tronc d'un quatélé en pleurant d'extase, qu'ils voyaient se jeter à genoux devant une plante cent fois le jour ou tenir longtemps, sous son verre magique, la corolle d'une fleur qu'il contemplait avec le sourire d'un qui aurait mangé des bichas de taquara [1] et verrait soudain la fleur changée en étoile rayonnante. En fin d'après-midi, quand l'expédition repartait vers sa pirogue, les Noirs y rapportaient en grande cérémonie, sur une civière faite d'une peau de bœuf, une moisson de verdure tachée de couleurs que la nuit suivante, renfermés dans la prison exiguë de leur grand-chambre, Philibert et Jeanne considéraient avec des yeux navrés avant de se décider à en extraire l'essentiel. Ils se sentaient comme avaient dû se sentir Adam et Eve chassés du paradis terrestre sans presque rien dans les mains. Car en fin de compte, quand l'*Etoile des Mers* lèverait l'ancre, que l'oasis féerique redescendrait sous la mer et qu'ils se mettraient à classer leur récolte, ils n'auraient rien, que quelques ridicules poignées de nature déjà éteinte. De la plus multiple splendeur végétale les botanistes les plus enragés ne remportent jamais qu'une poignée de foin.

Vilmont de la Troesne rajusta un peu sa chemise :
« Croyez-vous, Jeannot, qu'à son retour au Jardin du Roi votre maître pourra donner à M. de Buffon une idée de ce qu'il aura vu ? » demanda-t-il.
Jeanne secoua la tête :
« M. Poivre m'a dit un jour qu'il ne fallait rapporter d'un paysage que des échantillons agrémentés de leurs notices scientifiques, surtout si l'on a tendance à la poésie. J'imagine que M. Aubriot

---

1. Vers avec lesquels les Indiens se droguaient parfois.

pourra décrire un quatélé à M. de Buffon et lui apprendre que les Brésiliens l'appellent plutôt sapoucaya. Mais comment lui peindra-t-il l'effet admirable qu'il fait au milieu d'autres arbres ? Il faut avoir les yeux fatigués d'un trop-plein de vert trop vert pour s'enchanter des nuances rosées de son feuillage comme d'un repos raffiné. Et je crois qu'il faut être votre charpentier et voir, à travers son écorce, le délicat violet clair, pesant et dur de son bois pour jouir profondément de toute sa beauté. Et sans doute seul un singe qui le visite en singe et se régale de ses châtaignes peut-il être tout à fait sûr que le quatélé est sans conteste l'arbre le plus merveilleux que Dieu ait jamais planté sur la terre.

– Jeannot, dit le capitaine avec malice, j'envie de plus en plus son valet à votre maître. Je pense ne jamais réussir à faire parler le mien aussi bien que vous vous exprimez. Jeannot, n'aimeriez-vous pas devenir marin pour de bon ? Si vous deveniez mon valet, tout comme M. Aubriot je vous tiendrais à l'abri dans ma chambre. »

Elle se mordit la lèvre :

« Je vais voir ce que font nos nègres, dit-elle. Je meurs de faim. »

Luiz et Joseph arrachaient les cuisses à de gros crabes pour les jeter dans l'eau bouillante colorée au piment. Jeanne tressaillait chaque fois qu'un nègre, de deux coups brutaux et sûrs, amputait un crabe de ses pattes, mais il faut bien manger et elle trouvait la chair de ces crabes exquise. Les petites courges remplies de farine de manioc doux et cuites sous la cendre étaient déjà prêtes, posées sur une feuille de bananier qui nappait de son vert satiné une longue langue de sable. Quand leurs crustacés seraient cuits, Luiz et Joseph enfileraient sur des baguettes, pour les faire rôtir, les deux grosses bêtes qu'ils avaient pêchées. La mer était surpeuplée de vie poissonne, il y avait autant de poissons dans l'eau de la baie de Rio que d'étoiles au ciel de la nuit de Rio. Une marée ruisselante de fraîcheur, toute parfumée de sel et d'iode, nourrissait chaque jour l'expédition du docteur Aubriot. Jeanne saliva de plaisir en escomptant le dessert qu'ils auraient aujourd'hui. Dès qu'un rivage présentait une avancée de palétuviers, Luiz ou Joseph courait à la fin du repas cueillir quelques grappes de petites huîtres aux racines en échasses des arbres marins, et revenait les exposer devant le feu où elles se mettaient en chœur à bâiller de surprise : le dessert était servi, vert d'émeraude liséré de noir sur plat de nacre blanche. Avec un quartier d'ananas par là-dessus... « Belle la vie ! » pensa Jeanne, que sa présente façon d'exister à la sauvageonne ne cessait d'éblouir.

« Belle la vie, belle la vie... », chantonna-t-elle à mi-voix, les yeux clos, assise sur ses talons, le corps livré au rythme de son incantation.

Les Noirs accroupis près d'elle lâchèrent leurs crabes et se mirent à osciller, de plus en plus amplement, en psalmodiant : « Belavi, belavi, belavi, belavi... » jusqu'à ce que Jeanne éclatât de rire, et alors eux aussi pouffèrent bruyamment et commencèrent de frapper leur joie de vivre sur leurs cuisses, puisqu'ils n'avaient pas leurs banzas.

Cette belle vie dura onze jours. Le temps de séjour à Rio que le vice-roi avait accordé à l'*Etoile des Mers* était expiré mais nul ne s'en souciait, puisqu'en dépit des prévisions des barbiers l'humeur du comte da Cunha stationnait au beau fixe. Dans les rues de Rio où la fête explosait au moindre alibi en fusées volantes et en tam-tam nègre, les mariniers dépensaient les avances empochées à Lorient, chantaient, dansaient, bâfraient, buvaient, baisaient et recommençaient; et si les quartiers-maîtres en avaient déjà perdu trois ce n'était pas la faute de la police du vice-roi, mais la faute au déserteur qui sommeille en tout matelot de bordée dans une trop bonne escale. Même après le coucher du soleil, les patrouilles brésiliennes fraternisaient avec les traînards français et, à bord de l'*Etoile des Mers*, les douaniers de garde jouaient aux cartes en apprenant à jurer en breton. Une navette de pirogues s'était établie entre le port et la flûte française mouillée en rade. Un menu peuple diversement coloré montait à bord vendre des marchandises et, parmi lui, beaucoup de jeunes femmes rieuses aux robes de cotonnades blanches ou bariolées. Leurs beaux pieds nus de marbre noir disaient leur condition d'esclaves, mais leurs têtes étaient le plus souvent joliment parées de turbans ou de larges chapeaux de paille plats, et elles portaient des pendants d'oreilles et de longs colliers barbares faits de charançons brillants à points d'or. Elles offraient des langoustes ou de grosses crevettes frites, du pécari [1] de forêt boucané, du lait, des pistaches grillées, du tabac roulé en cigares, des doces [2], de la fruta d'été cueillie dans les vergers de leurs maîtres, du miel brun sauvage... – elles offraient l'abondance la plus recherchée du pays et aussi des perroquets, des aras, somptueux aux grandes ailes de pourpre ou au plumage bleu d'azur rehaussé de jaune soleil. Le coq accourait mettre le nez dans tout ce qui se mangeait et ne parlait plus que de cuisiner Noël en orgie à la brésilienne, dont il complotait sans fin le menu avec l'écrivain – lequel trafiquait de manière éhontée avec tous les contrebandiers de bonne volonté. Dès qu'on voyait arriver à bord un bourgeois de Rio sur son trente et un – le chapeau à trois cornes, souliers et jarretières à boucles d'or et l'épée au côté – on savait que la visite était pour M. Toustain et que l'écrivain s'apprêtait à traiter impunément une affaire tout à fait défendue, qui pouvait tenir dans une poche de culotte et venait sous forme de diamant, d'aiguemarine ou de topaze de l'une des mines fabuleuses

1. Cochon sauvage.
2. Pâtisseries douces.

du Brésil. Oui vraiment, tout allait pour le mieux dans le meilleur des mondes, personne ne croyait plus aux médisances des barbiers, les jeunes officiers s'installaient dans des amours créoles dont ils vantaient la grâce mélancolique, et Jeanne commençait d'espérer sérieusement qu'ils resteraient assez longtemps à Rio pour que Philibert consentît à « perdre un jour » pour l'emmener visiter la ville. Mais, le lendemain du onzième beau jour...

Vers midi, saluée par l'*Etoile des Mers,* une grosse frégate de la Royale entra dans la rade. *La Confiance* portait soixante canons et allait aux Indes, mais une voie d'eau située au-dessous de sa flottaison l'obligeait à relâcher à Rio pour s'y réparer.

Trois cents marins et soixante canons français de plus devant Rio ! Le vice-roi parla « d'invasion française », prit une crise de nerfs et des mesures d'assiégé. Il envoya la frégate s'ancrer sous le fort de Villagalhâo, lui accorda quatre jours pour se radouber, rappela de l'île aux Cobras la *Nossa Senhora da Graça,* l'un de ses plus gros bâtiments de guerre, qui mouilla de manière à tenir l'*Etoile des Mers* à portée de son feu. Après quoi, il s'enferma dans son palais sous triple garde et fit renforcer les patrouilles du port et de la côte, en annonçant qu'on arrêterait tout Français trouvé à terre après le coucher du soleil et qu'on tirerait sur les récalcitrants. Aucun des deux commandants français ne fut reçu quand il se rendit au palais pour protester contre un traitement aussi insultant. Comme Louis XV était trop loin pour qu'on le priât de prendre langue avec son confrère portugais Joseph 1er, les deux états-majors français décidèrent de quitter ce port inhospitalier de conserve, dès que la frégate de ligne se serait remise en état.

« Voilà qui me laisse quatre jours de plus pour mes observations, dit Aubriot dès qu'il en fut mis au courant. Demain, je ferai donc caboter depuis la pointe de Calabouço jusqu'au cap de Nossa Senhora da Gloria. Mon Indien m'assure que...

– Non, monsieur, coupa brusquement de la Troesne. Je ne puis plus vous permettre de descendre, je serais trop inquiet pour vous.

– Bah ! fit Aubriot, il en sera de la seconde colère du vice-roi comme de la première ! Les observations que je fais ici sont essentielles pour le progrès de la botanique.

– Parlez-moi plus franchement de votre inlassable fureur de voir ! s'exclama de la Troesne.

– Mais en m'y livrant, monsieur, je ne fais qu'obéir aux ordres de mon roi, dit Aubriot avec une grosse malice. Si vous étiez chargé par le Roi de remplir une mission, vous laisseriez-vous arrêter par le moindre danger incertain ?

– Vous avez gagné, soupira de la Troesne. Mais faites comme le comte da Cunha : augmentez votre garde. Voyons ce que dit le sort... »

La faveur d'accompagner M. le naturaliste du Roi se gagnait aux dés. La partie se jouait chaque soir entre les jeunes officiers du bord pour la course du lendemain. Cette fois, on demanda aux dés de désigner deux gagnants au lieu d'un, et ils choisirent les deux gardes-marine, Louis de Beaupréau et Jean-Marie de Champtoceaux. Le second se trouvait être l'oncle de Vilmont de la Troesne, un fort jeune oncle de trente années son cadet – les remariages fabriquent de ces fantaisies.

5

Les pirogues partirent au lever du soleil. A l'orient, le ciel était d'un doux rose orangé, uni et pétillant, de toile de soie. Quatre des Blancs avaient pris place dans la longue pirogue des nègres : Aubriot et Jeanne, Beaupréau et Champtoceaux. Le mousse

Mignon, qui avait obtenu permission de suivre son ami Jeannot, s'était logé dans la pirogue légère de l'Indien, avec les morinhas d'eau fraîche, son sac à coquilles et la part de matériel qu'on lui avait confié.

« Aujourd'hui, il faudra prendre des papillons, même si cela nous fait un peu mal au cœur, dit Aubriot en regardant Jeanne. C'est peut-être la dernière fois que nous descendons à terre. »

Elle ne répondit rien mais se sentit triste, à un point déraisonnable. Oui il fallait prendre des papillons, oui, bien sûr. Quel naturaliste pouvait se promener au milieu des éblouissants papillons du Brésil et demeurer à jouir paficiquement de ces vols de couleurs rayonnantes sans jeter son filet pour s'en faire une collection ? Il y avait des instants où Jeanne aurait aimé vivre la féerie brésilienne avec un poète plutôt qu'avec un naturaliste. Elle évoqua les larges ailes bleu saphir aux luisances nacrées de celui que l'Indien nommait nestor, et la splendeur du leibus en velours noir brodé d'or vert : c'était sûrement pécher que d'empêcher tant de fragile magnificence d'exister son content ? Cela méritait sûrement punition ? Elle frissonna, haussa les épaules. « A fréquenter les matelots voilà que je deviens aussi superstitieuse qu'eux », se dit-elle avec ironie. Elle tourna la tête vers la pirogue de l'Indien et se força à sourire à Mignon, qui tenait le filet à papillons comme on porte une bannière, avec un plaisir anticipé de petit garçon partant pour l'école buissonnière.

L'Indien les fit débarquer au sud de Maria da Gloria et ils s'enfoncèrent dans l'arrière-côte, jusqu'au reste d'un vieux massif forestier livré à la défriche. Depuis que le soleil pouvait le pénétrer une variété inouïe de lianes parasites l'avait inondé. La voûte de cette forêt de coupe claire était rose, blanche, violette, jaune bronzé, jaune d'or, pourpre, feu, vermillon, bleu de ciel..., son sol était un tapis de pétales multicolores. Partout, Aubriot reconnaissait des vanilles, des poivres, des paullinies, des grenadilles, des jasmins, des vismias, des bromélias dont les paquets de cordes alourdis d'épis écarlates tombaient des plus hautes branches jusque dans les jambes des explorateurs, des dragonniers aux panicules violacées longues de trois pieds, des mimosas de toutes les nuances, des héliconies à floraison pudique cachée sous de grandes bractées rouge sang ou jaune aurore, des bignones colossales à floraison perdue dans l'air au-delà des ramures, des bégonias géants aux délicats bouquets d'un blanc pur... C'était la fête. Une fête florale pleine d'oiseaux. Des jets de plumes éclatants filaient d'un arbre ou d'un arbuste à l'autre et, jamais encore, ils n'avaient vu un si grand nombre d'oiseaux-mouches. L'Indien les appelait guaracingas – les cheveux du soleil. Les minuscules oiselets voltigeaient sans se lasser de fleur en fleur, plongeaient leurs longs becs dans le fond des corolles pour pomper les moucherons pris dans le suc mielleux et, chaque fois qu'ils en voyaient faire, les Noirs s'écriaient : « Beija flor, beija flor ! » – il baise la fleur – parce qu'eux non plus ne se lassaient pas de regarder ces ravissants bijoux étinceler dans la lumière. Ils prirent des papillons de joaillerie, et l'Indien cloua d'une flèche, à l'arbre où elle dormait contre l'écorce, une phalène grise géante qu'Aubriot fit coucher sur une feuille de bananier qu'on déposa sur une civière déjà chargée de végétaux : la phalène quitterait sa forêt natale en reine morte, sur un lit de fleurs...

« Faut-il vraiment repartir déjà ? soupira Jeanne lorsque Jean-Marie de Champtoceaux, auquel son neveu le commandant avait confié la sécurité de la petite troupe, signala qu'il était temps de retourner aux pirogues. Nous n'aurons jamais vu une seule fois la nuit des tropiques illuminer la savane... »

L'Indien leur avait raconté que souvent, l'obscurité venue, la savane criblée de mouches luisantes et de gros coléoptères phosphorescents semblait le reflet du ciel étoilé et, depuis, Jeanne rêvait d'un souper de minuit à terre, où elle aurait eu à la fois la tête et les pieds dans les étoiles.

« Jamais je ne vous laisserai commettre une pareille imprudence, dit Champtoceaux d'un ton ferme. Allons, il faut nous presser si nous voulons avoir le temps de manger un morceau sans l'avaler tout rond. »

Leurs Noirs, Luiz et Joseph les attendaient accroupis devant une broche de canards qu'ils avaient attrapés dans le marais. Jeanne en recueillit les plus belles plumes, vert et or, à l'éclat de métal. Le rôti n'étant pas prêt, ils s'ouvrirent l'appétit avec des poignées de camarãos [1] et des cuisses de crabes bouillies, burent chacun un bon coup du vin d'orange que les gardes-marine avaient pensé d'apporter. L'épaisse fumée odoriférante montant du bois vert écartait un peu les mosquitos et autres bestioles armées.

« Notre feu doit se voir de loin, remarqua soudain Champtoceaux.

– Eh bien ? fit Aubriot.

– Si la police du vice-roi patrouille sur la côte...

– Il n'est pas l'heure, dit Beaupréau.

– Ici, le jour est si brillant qu'on n'attend jamais la nuit et qu'elle tombe comme une surprise, et si vite..., nota Champtoceaux.

– Vous n'auriez pas, mon cher, la prétention de nous priver de notre rôt pour nous faire rembarquer aussitôt ? demanda Beaupréau, en piquant l'un des canards avec la pointe de son couteau. Voyez, il ne nous fera plus longtemps patienter : le jus sort encore un peu trop rouge, mais il pâlit. Il le faut rose pâle. Fiez-vous à moi, j'ai la main rôtisseuse. Quand on chasse à Beaupréau c'est toujours moi qui surveille les broches du souper des chasseurs, je me suis acquis quelque célébrité familiale dans cette spécialité. »

1. Crevettes.

48

Le jus mit encore un certain temps à couler du juste rose dont le voulait Beaupréau, mais ils dégustèrent un rôt parfaitement à point et certes, jamais aucun d'eux n'avait rien goûté d'aussi bon, même aux meilleures tables parisiennes! La nuit tomba mais si claire, si agréablement éventée de brise douce qu'ils ne lâchèrent leurs anatomies de canards que merveilleusement nettoyées. Aubriot but encore une gorgée de vin d'orange et fit circuler la bouteille. Le mousse lampa son coup de vin fort comme tout un chacun et se mit à chanter ce qu'il chantait quand il avait le cœur content, la chanson à hisser favorite du gabier Belle-Isle :

> *C'est Jean-Françoué de Nantes*
> *Oué ! oué ! oué !*
> *Gabier de la Fringante*
> *Oh ! mes boués !*
> *Jean-Françoué...*

Les pirogues étaient à cent pas. En regardant les Noirs et l'Indien charger la verdure récoltée tout le monde braillait les « oué ! oué ! oué ! » en chœur, les indigènes plus fort que les autres et, quand l'Indien cria pour avertir, ce fut une seconde trop tard : une patrouille brésilienne surgie de derrière les hauts fourrés tenait les Français sous ses fusils braqués.

Le drame explosa si vite que, plus tard, personne ne put raconter avec précision pourquoi les fusils étaient partis. La garde avait reçu des ordres féroces, l'officier traînassait assez loin derrière ses hommes avec une jolie négresse créole qu'il avait emmenée pour se tenir compagnie, et les deux gardes-marine eurent un réflexe provocant de soldats bien entraînés : chacun porta ses deux mains à ses pistolets...

Les fusils d'en face, eux, étaient déjà prêts à tirer : ils tirèrent. La salve abattit les deux gardes-marine à l'instant même où Aubriot hurla : « Jeannot, lève les bras ! » en levant lui-même les siens. Jeanne avait l'habitude d'obéir à la voix de Philibert et pas du tout l'habitude de porter deux pistolets à sa ceinture – ce fut ce qui la sauva.

Le sergent portugais accourait en gueulant d'une voix essoufflée. Un de ses soldats gisait à terre, transpercé d'une longue flèche. A la lisière de la mer, recroquevillé dans un rond de sable sanglant, l'Indien avait déjà payé ce soldat de sa vie. Debout près de lui, les deux Noirs tremblaient de terreur et gémissaient comme des chiens blessés en se tenant le ventre, bien qu'ils fussent indemnes. A trente pas, devant eux Mignon était étalé sur le dos de tout son long mais il vivait, pensa Jeanne, puisqu'elle le voyait tressauter.

Les mains levées, encore hébétée de stupeur, elle claquait des dents. Elle amorça un pas pour se rapprocher de Philibert dont elle n'était pas loin, mais lui, comme s'il la devinait, tourna vivement la tête de son côté et la recloua sur place d'un ordre impérieux. Ce faisant il vit que Beaupréau s'était relevé sur ses genoux et s'apprêtait à ramasser ses pistolets :

« Monsieur de Beaupréau, laissez vos pistolets et levez les mains ! » cria-t-il d'un ton bref, et Beaupréau obéit.

Le sergent vint d'instinct vers celui qui commandait en maître :

« Ai Jesus ! Ai Jesus, Jesus ! Senhor, que sucedeu ? » demanda-t-il d'un ton affolé.

Sans répondre, d'un coup de tête, Aubriot désigna ses bras levés :

« Sim, sim », dit précipitamment le sergent, et Aubriot baissa ses bras, montra les hommes à terre, indiquant par là qu'il convenait de les secourir avant de s'expliquer, et il ajouta :

« Eu, medico.

– Oh ! sim, sim, Excelência », dit aussitôt le

50

sergent en reculant avec respect de deux pas, et il se mit à suivre le medico comme un toutou docile.

Beaupréau avait doucement retourné le corps de Jean-Marie de Champtoceaux. Lorsque Aubriot s'agenouilla près de lui il ne put que constater sa mort. Le jeune garde-marine avait été tué net, d'une balle en plein front. Aubriot aperçut la trace d'une autre balle sur la belle culotte écarlate, mais qu'importait ? Il regarda Beaupréau, secoua tristement la tête. Les yeux bleus de Beaupréau flamboyèrent et il voulut se jeter sur ses pistolets :

« Ne touchez pas à vos armes ! ordonna Aubriot en le rattrapant par le bras. Où êtes-vous blessé ?

– Ce n'est rien, dit Beaupréau. Le choc m'a jeté par terre, mais ce n'est rien. Allons voir le mousse... »

Mignon avait perdu connaissance. Jeanne avait déjà ouvert la chemise du petit et déchiré une manche de la sienne pour comprimer une blessure qui saignait à la base de la poitrine et, tout en appuyant doucement, elle ne cessait d'appeler Philibert.

« Voyons, dit Aubriot en l'écartant.

– Vous le sauverez, n'est-ce pas ? Monsieur Philibert, vous le sauverez-nous, n'est-ce pas ? implorait-elle d'une voix grosse de larmes.

– La blessure est mauvaise, murmura Aubriot après un bref examen. La balle ne semble pas être ressortie. Je ne peux rien faire ici, ajouta-t-il, il faudra sans doute l'opérer... si c'est possible. Bandons-le... »

Il s'apprêta à ôter sa chemise, mais Beaupréau le devança et tendit la sienne. Le sergent portugais, penché lui aussi vers le blessé, suppliait les Français qu'on lui permît de se rendre utile :

« Posso ajudar-lhe ? Quer que lhe ajude ? » répétait-il d'un ton misérable, et en vain.

Un mélange de jurons portugais et de glapissements nègres suraigus, en éclatant soudain, le fit se redresser brusquement pour se précipiter vers la nouvelle bagarre : les soldats de sa patrouille ramenaient au centre de la plage, à grands coups de bottes dans les fesses, les deux Noirs qui avaient cru pouvoir s'échapper en courant vers leur pirogue. Le sergent passa ses nerfs sur tout ce monde avant de retourner vers les Français.

Maintenant, Jeanne était en train de sommairement panser Beaupréau, qui portait une profonde traînée sanglante au front et une éraflure à la main droite : les deux balles n'avaient fait que frôler les chairs de plus ou moins près. Aubriot était parti voir l'Indien et le Portugais abattus, mais on ne pouvait plus rien pour eux, ils s'étaient entre-tués sans se manquer. Quand il revint vers le mousse, il retrouva le sergent debout près du blessé, qui le regardait d'un air d'attendre de lui la solution du pétrin dans lequel l'imbécillité de ses hommes l'avait jeté :

« Excelência », commença-t-il sur un ton de lamentation...

Les Français ne l'écoutèrent pas. Aubriot et Beaupréau discutaient à voix basse du meilleur moyen de regagner leur bord avec le mort et le blessé. Jeanne parlait à Mignon. Le mousse avait rouvert les yeux et se plaignait doucement, comme un enfant qui souffre. Depuis que la patrouille les avait surpris chantant et riant il avait dû s'écouler à peine dix minutes, mais Jeanne se sentait dix années de plus sur le cœur. La mort s'abattait à un pas d'elle pour la seconde fois. La première fois, elle était tombée sur son père, le poussant du haut du toit de Charmont. Cette fois-ci, elle tombait sur le garde-marine qui jouait si bien du violon et le jetait sur le sable d'une crique de Rio Janeiro. Au fond, vivre ou mourir ne tenait qu'à un hasard précaire. Elle serra la main de Mignon pour rattacher le jeune garçon à sa vie à elle, qui pour l'instant tenait bon. La voix d'Aubriot s'éleva, impérative, rassemblant ses mots portugais pour imposer des ordres et, presque aussitôt, Jeanne vit leurs Noirs se jeter aux genoux du sergent pour lui mendier Dieu savait quel secours en geignant bruyamment.

« Eh bien ? Qu'y a-t-il ? s'écria Aubriot exaspéré. De que se trata ? »

Le sergent expliqua que les nègres ne voulaient pas retourner au vaisseau français en lui ramenant un mort et des blessés : ils avaient peur d'être fustigés, ou pis encore.

Beaupréau eut un geste de colère :

« Je saurai bien les y forcer ! gronda-t-il en portant machinalement les mains à ses étuis de pistolets vides.

– Monsieur, nous ne sommes pas en force et nous sommes pressés, lui chuchota rapidement Aubriot. Voyons ce que le Portugais nous offre... »

Le canot de la patrouille se trouvait de l'autre côté du cap de Nossa Senhora da Gloria. Le sergent proposa de laisser quatre de ses hommes et son propre mort à terre pour que les Français pussent s'accommoder convenablement dans le bateau avec le fidalgo infortunado et le ferido :

« Allons, décida Aubriot. Vamos ! Une fois chez le colonel de la garde au moins aurons-nous un gentilhomme à qui parler, ajouta-t-il à l'intention de Beaupréau. Ramassez les pistolets. »

Quand ils passèrent devant l'Indien qu'ils avaient pris en amitié, Jeanne et Aubriot ralentirent instinctivement le pas, posèrent leurs regards sur le maigre corps prostré, vidé de son sang, si profondément solitaire dans sa mort qui n'importait à personne, ni aux Français ni aux Portugais ni aux brasileiros ni aux nègres – à personne, sauf, déjà, à un nuage d'insectes nocturnes.

« Et lui ? Est-ce qu'on ne l'enterrera pas ? » demanda Jeanne.

Le sergent avait perçu le mouvement d'intérêt des Français. Il donna un coup de botte dans le corps :

« Caboclo [1], dit-il avec dédain. Não tem importância.

– Rien ne l'atteint plus, dit Aubriot pour répondre au haut-le-cœur de Jeanne. Occupons-nous du mousse. »

C'était Luiz, le grand Noir, qui le portait dans ses bras. Il le déposa dans le canot avec douceur en installant sa tête sur les genoux de Jeanne. Le mort fut étendu le long du blessé avec encore plus de respect précautionneux. Aubriot vit que la pirogue des Noirs, rechargée de leur matériel, venait ranger le bord du canot de la garde et se dit que les deux bateaux allaient donc rentrer au port de conserve : il ne perdrait pas ses précieuses dernières cueillettes du Brésil. L'amorce d'un amer sourire lui vint, à penser que la botanique venait de faire trois martyrs de plus – Champtoceaux, l'Indien et sans doute le mousse – et que c'étaient trois innocents sans passion.

Le sergent se raccrocha au sourire du medico contemplant ses affaires pour essayer d'arranger un peu les siennes :

« Esteja tranquilo, Vossa Excelência, todo é aqui dentro », dit-il en montrant la pirogue d'un grand geste.

Au moment où les rameurs empoignaient leurs rames, une ombre silencieuse jaillit de derrière un rocher, bondit jusqu'au canot, tenta de grimper à bord :

« Não, Marianita, não ! cria le sergent en repoussant une jeune négresse qui s'agrippait en vomissant un flot de mots. Vai com eles, vai !

– Sim, Marianita, vem com nós outros ! » brailla l'un des hommes resté à terre, et les autres s'esclaffèrent en continuant d'appeler la fille.

Jeanne se trouvait assez près d'elle pour lire le désespoir sur le visage de la négresse, qui se doutait

1. Indien métissé. Encore plus méprisé que l'Indio pur.

du sort que lui réservaient les soldats après le départ de leur chef.

« Monsieur, aidez-la à monter », dit-elle impulsivement à Aubriot.

Beaupréau avait déjà tendu ses deux mains...

Marianita alla s'accroupir près de Jeanne, lui sourit timidement, dénoua sur sa jupe un petit ballot fait avec son mouchoir de tête : il contenait une poignée de baies blanches fraîchement cueillies. Elle montra les baies, puis Mignon qui continuait de gémir :

« Bom para comer. Bom para dormir, dit-elle à Jeanne. Bom bom, insista-t-elle en se frottant le ventre. Dormir...

– Essaie de lui en faire manger », dit Aubriot à Jeanne.

Jusqu'au port, les passagers du canot n'entendirent plus que le choc des rames sur l'eau et, de temps en temps, la belle voix tendre et basse de Jeanne qui encourageait Mignon à mâcher des baies, ou celle de Marianita qui soupirait : « Coitado ! Coitado [1] ! » en caressant la joue imberbe de l'enfant blessé.

...

Comme ils allaient déjeuner, le sergent se racla la gorge pour se préparer à dire une chose délicate et se pencha vers Aubriot :

« Vossa Excelência, faça favor... pôr óculos. Oculos, óculos, répéta-t-il en vain, tentant de faire comprendre à Aubriot, de la voix et du geste, qu'il devait mettre ses lunettes.

– Je ne comprends rien du tout ! coupa sèchement Aubriot. Vamos, vamos, depressa ! »

Le sergent se résigna à débarquer avec un prisonnier sans lunettes, faute de réussir à lui faire entendre qu'à Rio un medico ne sort pas sans ses lunettes sur le nez, s'il veut recevoir des passants les marques de respect dues à sa fonction.

1. Le pauvre, l'infortuné.

A peine sauté à terre, le Portugais trouva comme par magie deux couvertures qui servirent de civières sur lesquelles il fit poser le mort et le blessé, que les baies blanches avaient engourdi. La petite colonne se mit à remonter une rue bruyante et très animée – de Noirs surtout. Les Français voyaient s'écarter devant eux des hommes noirs vêtus de simples caleçons de toile, des enfants noirs tout nus, des femmes noires enturbannées de cotonnades vives. Ils avaient l'impression de suivre déjà le convoi funèbre du pauvre Champtoceaux parce que les gens ne signaient sur leur passage, et que se taisaient soudain les banzas et les balafos des esclaves fêtant comme chaque soir le retour de la nuit.

Le meurtre était fort commun à Rio Janeiro, et fort impuni. Il fallait vraiment que le meurtrier eût bien mal choisi sa victime ou son moment pour qu'on se donnât la peine de lui courir après. Un ennemi de quelque importance s'expédiait joyeusement, discrètement, pendant le tumulte du carnaval ou sous un capuchon de pénitent, et un ennemi de peu faisait un mort sans importance. A Rio, la soldatesque de garde tiraillait de bon cœur et sans trop de sommations sur ce qui lui échauffait l'œil ou les oreilles mais, habituellement, elle n'abattait que du menu gibier, du nègre, du caboclo, du matelot, du brasileiro, du mulâtre aux pieds nus, bref, du rien, des fils de rien. Cette fois, le fait que sa garde – ce ramassis d'imbéciles de toutes les couleurs – avait tué en plein jour un fidalgo, un officier de marine du roi de France, contrariait beaucoup le colonel dom Francisco da Faria. Il s'en serait sorti comme le vice-roi son maître se sortait de tout, en s'enfermant grossièrement derrière un mur de sentinelles si, le soir où une patrouille lui ramena les Français, dom Francisco n'avait pas eu envie de déplaire à son maître plutôt que de lui complaire. Tout récemment, le comte da Cunha s'était fait offrir par dom Francisco les douze verres en cristal français – magnifiques, absolument magnifiques ! – et les huit salerons d'argenterie anglaise que le colonel tenait du capitaine Vincent, lequel savait remercier quand on ne voyait pas ses opérations de contrebande. Dans une colonie où ces biens de luxe étaient rarissimes, où le nec plus ultra consistait à pouvoir poser un verre et une fourchette d'argent devant chacun de ses convives au lieu de faire circuler LE verre et LA fourchette de la maison, l'exigence despotique du comte da Cunha avait rendu dom Francisco ivre de fureur. Quand il apprit qu'il tenait à sa merci un distingué medico français il ne songea qu'à le remettre en liberté pour n'en surtout pas faire cadeau au vice-roi, comme il s'en serait empressé quelques semaines plus tôt. Il fit donc jeter la patrouille aux fers, sergent compris, et ainsi put-il d'emblée apprendre, aux Français médusés, qu'il avait d'ores et déjà châtié les brutes responsables du drame en attendant de les faire pendre puisqu'ils avaient outrepassé ses ordres – quels ordres ? le colonel glissait rapidement là-dessus.

Dom Francisco, qui s'était exprimé en assez bon français, termina à la bonne franquette par un proverbe de pays : « Ah ! Senhor, ici, dans ce trou perdu, avec cette bande de sauvages à commander, a minha vida nem sempre decorre num mar de rosas – ma vie ne s'écoule pas toujours dans une mer de roses ! » soupira-t-il dans un grand sourire qu'il garda figé aux lèvres, dans l'attente d'un mot aimable, du baiser de paix.

Aubriot n'était pas prêt aux mondanités. Il dit très froidement :

« Monsieur, je reçois vos excuses et les transmettrai. Mais je doute que notre commandant s'en satisfasse. Le jeune gentilhomme que vos hommes ont tué était son parent. »

La précision ne parut pas enchanter dom Francisco. Il y eut un lourd silence. Puis le colonel se reprit, dit qu'il allait envoyer une ambassade au commandant, pour lui proposer de faire enterrer son parent dans l'église des Carmes, auprès de Diogo da Faria, son bien-aimé frère.

Aubriot regarda Beaupréau :

« Cela serait bien, dit celui-ci d'un ton rogue. Il faut bien l'enterrer », ajouta-t-il à l'intention d'Aubriot.

Jeanne s'approcha d'Aubriot, lui chuchota d'une voix angoissée :

« Et Mignon ? Vous l'oubliez ? »

Le blessé avait été déposé sur une natte, dans une pièce d'à côté pleine de soldats. Dom Francisco proposa de le faire transporter à l'hospital, où il serait muito bem. Jeanne vit qu'Aubriot hésitait :

« Non ! dit-elle tout bas. Non ! Ramenons-le à bord. Même si vous pensez ne rien pouvoir.

— Je préfère le remmener à bord, dit Aubriot, et le remmener à l'instant.

— Partez avec l'ambassade, dit Beaupréau. Je vais rester auprès de Champtoceaux. »

Dom Francisco les accompagna jusqu'au canot. Dès qu'ils sortirent dans la rue, Luiz se détacha de l'ombre et se mit à suivre ses clients retrouvés. Joseph, l'autre Noir, les attendait à l'embarcadère dans la pirogue pleine de leurs fleurs.

« Tout à l'heure, ils avaient peur mais au fond, ils nous sont fidèles, dit Jeanne, qui se sentait un urgent besoin d'être aimée. Ils auraient pu nous abandonner, rentrer chez eux.

— Je suppose, senhor, que vous ne les avez pas encore payés ? demanda dom Francisco en se tournant vers Aubriot. Ils ne peuvent pas rentrer chez leur maître sans rapporter chacun leur pataco, ils se feraient étriller le dos ! »

Des larmes brûlantes jaillirent des yeux de Jeanne. Rio n'était pas vraiment un paradis – pourquoi ?

Pourquoi le paradis ne régnait-il pas dans un décor de paradis ? C'était à en mourir de peine.

Dans la nuit même, Rio Janeiro fit des funérailles pompeuses à Jean-Marie de Champtoceaux. Jeanne se demanda à quel autre mort richissime dom Francisco avait fait emprunter le magnifique cercueil en bois violet orné d'argent massif dans lequel on avait couché Jean-Marie revêtu de son plus bel uniforme. Son épée était posée à côté de lui et on avait mis, entre ses mains, un grand crucifix d'or incrusté de pierres précieuses. Sa tête bandée reposait sur un oreiller de fleurs artificielles.

Le cercueil, ouvert, fut placé sur une civière recouverte d'une étoffe brodée. Les porteurs soulevèrent la civière et se mirent en marche à pas lents, suivi d'un interminable cortège illuminé de torches. En plus des états-majors et de la maistrance des deux vaisseaux français mouillés en rade, toute une foule brésilienne était venue chercher le mort à la maison Faria, où se distribuaient les torches de cire pour suivre le convoi. Une longue, longue traîne de flammes pieuses s'engouffra dans l'église des Carmes derrière le cercueil de Champtoceaux et le surplus de la queue de lumières s'étala sur le parvis, attirant d'autres passants encore...

Les chanteurs de l'Opéra, soutenus par leur orchestre au complet et un puissant chœur de voix noires, chantèrent une messe des morts si belle, et de manière si poignante, que Jeanne en trembla pendant tout le service funèbre. Il lui semblait que jamais, avant celle-ci, elle n'avait entendu aucune messe chantée par des croyants. Les voix noires priaient en musique avec une foi si ample, si convaincue, elles lançaient résonner contre les voûtes une telle certitude en la vie éternelle qu'elles finissaient par emplir l'église d'un climat de joie extatique dans lequel sa révolte s'engourdissait. Elle se mit à prier pour Jean-Marie avec la folle espérance de le revoir un jour rire et danser et jouer du violon : le cadavre étendu sur le catafalque avait été aboli. Et c'était vrai sans doute puisque, le service achevé, toute l'assistance brésilienne commença de refluer vers la rue – comme en l'oubliant. Alors seulement Jeanne aperçut la fosse creusée au pied d'un pilier, la dalle ôtée appuyée contre sa base, et, debout devant, deux grands nègres dont l'un portait une pièce de drap sur le bras et dont l'autre reposait le coude sur un outil, une sorte de pesant pilon de paveur à long manche. Dans un grand frisson, elle retrouva toute l'horreur de la mort.

Déjà Jean-Marie de Champtoceaux avait été dépouillé de son épée et du crucifix. Vilmont de la Troesne avait reçu l'épée, dom Francisco avait repris son crucifix en or massif. Aubriot mesura de l'œil la fosse trop courte pour le corps et trop peuplée déjà sans doute, vit en même temps l'outil à casser les morts en morceaux logeables. Il s'approcha du capitaine :

« Venez, monsieur, dit-il. Dieu a son âme. Vous ne laissez ici que poussière. »

Le marin se signa une dernière fois et suivit le médecin.

Comme ils sortaient de l'église, Jeanne aperçut une file de quatre Noirs en caleçon qui y entrait. Les quatre hommes portaient chacun deux seilles remplies d'un lait qui devait être de la chaux. Un sanglot lui gonfla la gorge. « Il n'y a rien à faire, je suis païenne, pensa-t-elle avec désespoir. Je n'arrive pas à croire que Jean-Marie sera bienheureux avec une chair brûlée à la chaux. »

Dehors, des tambours congos roulaient en sourdine. Un groupe de Noirs africains achevait la fête macabre en dansant l'amour. Ils s'ébrouaient de la mort avec frénésie dans des postures d'une harmonieuse obscénité. Comme Vilmont de la Troesne regardait vers eux, dom Francisco le renseigna :

« Ce sont les artistes du chœur. »

Après un silence, de la Troesne demanda :

« Dansent-ils de même après avoir enterré l'un des leurs ?

– N'en doutez pas, dit dom Francisco. Ils ont confiance en Dieu. »

6

Le vice-roi n'avait pas paru aux funérailles. Jusqu'au départ des offensés, il demeura lâchement terré dans son palais, à l'abri de ses sentinelles.

L'*Etoile des Mers* et *La Confiance* mirent à la voile. Jeanne vit monter de la toile sans entendre un seul bout de chanson. Le matin était radieux, les couleurs hissées pour leur départ par les vaisseaux mouillés en rade claquaient gaiement dans le soleil, la brise fine dévalant des hauts mornes s'embaumait de senteurs en passant sur les collines, la mer transparente clapotait contre la coque aussi doucement que l'eau d'un lac, mais les cœurs n'avaient pas de joie. Les Français ne partaient pas : on les chassait. Les hommes avaient espéré fêter Noël chez « l'hôtesse » en buvant et bâfrant à leur aise; ils devraient le fêter en mer avec les moyens du bord et du biscuit qu'il fallait désormais casser à coups de mailloche car, si Rio abondait en rafraîchissements, l'écrivain n'y avait pu trouver ni biscuit frais ni blé ni farine.

L'appel impatient du maître grimpa dans la mâture :

« Allons, là-haut ! Descend le monde !... Tout le monde au guindeau ! »

Les pieds nus des hommes claquèrent sur le pont. Une voix cria : « Paré à virer ! » et, après un coup de sifflet, on entendit celle du maître hurler : « Vire ! » Dans un assourdissant bruit de ferraille le cabestan commença d'enrouler la chaîne de la dernière ancre. La voix du maître accéléra le mouvement :

« Allons, vire ! Vire, les gars ! Vire le mou ! A courir ! »

Martin, le valet de messire Jouet qui se tenait avec Jeannot auprès du charpentier, nota :

« Tiens, aujourd'hui ils ne nous régalent pas des belles chansons qu'ils nous ont servies à Lorient et à Ténériffe.

– Pour chanter, faut être fier de son bord, dit le charpentier. Les hommes chanteraient si le capitaine avait fait tirer une bordée sur le palais avant de faire lever l'ancre. »

Le maître aussi devait trouver que ce départ manquait d'allant car, à nouveau, sa voix s'éleva pour exciter les hommes :

« Hardi, les gars, à courir, à courir ! Alors quoi, Belle-Isle, saprée grande gueule, tu nous en envoies pas une bonne à virer le mou ? Allez, vas-y, envoie-nous *La Margot* ! »

La grande gueule s'ouvrit sans trop d'élan :

> *C'est Margot qu'a fait biribi*
> *De son con un navire,*
> *Et c'est mon gros...*

puis se referma net et Belle-Isle brailla : « Et merde ! J'ai pas plus envie d' tirer dans l' cul à Margot qu' d'attraper la vérole ! Mais qu'on m' donne c' putain d' failli chien d' governador et alors j' vas lui mettre, moi, j' vas lui mettre jusqu'aux roustons ! » Il dut prendre une inspiration profonde avant de lancer à pleins poumons : « Charivari ! » Un hurlement sauvage sorti de trente gorges en même temps répondit : « Pour qui ? » et Belle-Isle brailla avec une joie cannibale : « Pour le governador ! »

Un flot d'injures ordurières jaillit des hommes attelés aux lourdes barres du guindeau. Avec une imagination de langage débordante les matelots vomissaient contre le vice-roi leur rage inassouvie, leur bombance écourtée, leur beau Noël avorté, la peine du cabestan trop tôt retrouvée. Sur le gaillard, derrière l'état-major qui se tenait coi, les passagers en étaient médusés !

« Je n'éprouve certes aucune sympathie pour le vice-roi du Brésil, dit enfin Aubriot, mais je ne pensais pas, je ne croyais pas possible qu'un capitaine autorisât une telle manifestation de haine grossière contre un gentilhomme », fût-il un ennemi.

L'aumônier lui sourit :

« Monsieur, le franc-parler du cabestan est un privilège auquel les hommes tiennent autant qu'à leur couteau – ce qui n'est pas peu dire ! Et ma foi, avouez que cela soulage.

– Et en revanche cela pèse merveilleusement sur les barres », ajouta le chirurgien.

En effet, le chevalier de Trévenoux, qui commandait l'appareillage et s'était penché par-dessus la rambarde, venait de se redresser en annonçant :

« A pic ! »

L'*Etoile des Mers* était au-dessus de son ancre.

« A hisser les volants ! » commanda Trévenoux, et le maître siffla, répéta : « A hisser les volants ! »

A nouveau, une course de pieds nus gifla le pont. Les huniers se haussèrent avec une lente majesté. Puis ce fut le tour du foc. La jolie voile effilée se détacha du bout-dehors du beaupré et glissa le long de sa draille, gracieuse, aussitôt palpitante. « Que c'est beau ! » pensa Jeanne. Les voiles larguées battaient à la brise, doucement. Le bel oiseau blanc tâtait le vent de toutes ses ailes avant de s'envoler. « Que c'est beau. » La grisante escale à Rio avait mal fini, dans la cabane du charpentier le mousse se mourait et le cœur de Jeanne en pleurait, mais rien ne pouvait empêcher le moment d'être beau. Ses lèvres, sans bruit, murmurèrent : « Vincent. » Les belles choses de la mer, irrésistiblement, lui mettaient en bouche le nom de Vincent.

Sa plume cracha, et elle dut la tailler avant de poursuivre :

« ... et cap droit sur la passe !

« La ville de Rio Janeiro étalée au soleil sur le rivage de son grand lac bleu était aussi belle que si elle ne nous repoussait pas. De toutes ses églises juchées sur ses riantes collines elle se proclamait doux asile chrétien, et pourtant, Marie...

« J'ai longtemps fixé mon regard sur l'une de ses habitations basses presque mangées par leurs jardins. M. Aubriot m'avait prêté sa longue-vue, et j'en voyais tous les détails. Ses fenêtres étaient grandes ouvertes à la fraîcheur du matin : tout le paysage de la baie devait entrer dans la maison. Dom Luiz (ou s'appelait-il Miguel ?), en longue chemise de coton brodé bâillant sur son poitrail velu, fumait son premier cigarro de la journée au seuil de sa porte, les yeux errant sur le mouvement de la rade. Je devinais derrière son dos, cachée dans la maison, l'animation nonchalante et harmonieuse des esclaves noirs encore mal éveillés mais déjà rieurs. Dans le jardin, déjà levée elle aussi, mais déjà recouchée dans son hamac sous un dais de jasmin, dona Maria en peignoir à dentelles (ou s'appelait-elle Violante ?) tenait à la main un livre qu'elle ne lisait pas parce qu'elle rêvait en se berçant. La douceur de vivre à Rio allait continuer sans nous.

« Je me suis demandé s'il y avait au moins, çà et là, des belles alanguies dans leurs balançoires qui pleuraient en regardant la flûte française prendre le vent et s'éloigner en emportant leurs amants de trop peu de siestes ? Dona Inès irait-elle prier dans l'église des Carmes, sur la tombe de Jean-Marie de Champtoceaux ? L'idée qu'en sortant du paradis de Rio l'*Etoile des Mers* y laissait au moins des larmes et des absences me plaisait, par sotte vengeance. Là-dessus, un proverbe brésilien – ceux qui allaient en ville en rapportaient des proverbes chaque soir –

m'a retraversé l'esprit : « Ne demande pas que ta
« veuve entre au couvent; de toute manière, au
« couvent elle ferait des confitures dont tu ne
« goûterais pas. »

Jeanne demeura un moment songeuse sur son
dernier mot... Puis elle continua de raconter l'après-
Rio à Marie :

« Ils n'ont pas pu opérer Mignon : la balle s'est
logée dans le poumon. Le petit est plein de fièvre et
délire souvent. Comme il n'y a rien à faire, la
médecine et la chirurgie se sont réconciliées pour
l'aider à mourir, avec de la poudre d'opium diluée
dans un peu de bon vin. Mais seul le chant d'un
serin des Canaries parvient encore à le faire sourire.

« Tu sais à quel point la fureur des serins est
arrivée en France. Eh bien, cette mode est aussi vive
chez les marins que chez les terriens ! A l'escale de
Ténériffe, où se tient grand marché de serins, j'ai vu
nos officiers, et même des matelots, se ruiner pour
avoir qui un serin blond, doré ou gris d'agate, qui un
serin à queue blanche ou à plumage panaché de noir.
M. Le Floch, notre lieutenant, a eu un serin jonquille
mélodieux à merveille, dont il a accroché la cage au
chevet de Mignon. En dépit de son mal le petit a eu
un visage de ravi de crèche. Il a demandé à M. Le
Floch s'il voudrait bien lui vendre son serin, à retenir
sur son loyer [1]. M. Le Floch a dit : «Ne t'inquiète pas
« de ça, bigorneau, je te le donne pour toujours. »
Ce qui sera bientôt vrai pour Mignon.

« Les hauts mornes de la côte du Brésil ont
disparu. Voici donc la pleine mer recommencée. De
l'eau bleu-vert sous les pieds, de l'air bleu-blanc sur
la tête, et entre les deux du temps qui passe au
présent, chaque seconde pesant son juste poids de
poudre d'escalle [2] dans le sablier du bord.

1. Solde.
2. Poudre de coquille d'œufs.

« Ce matin, nous avons navigué au milieu d'un ballet de poissons volants et ce tantôt, à perte de vue, l'eau est verte de marsouins. Ces grosses bêtes ont la manie de venir souffler, ronfler et folâtrer autour du navire jusqu'à exciter les hommes qui finissent par jeter le harpon. Les matelots sont volontiers cruels avec les poissons alors que, pour rien au monde, ils ne tueraient un oiseau marin fatigué qui se pose à bord. Mais, s'ils prennent un requin, ils lui coupent les nageoires avant de le rejeter à la mer, pour le plaisir de le voir se débattre comme un pauvre manchot avant de s'enfoncer. J'ai demandé à l'aumônier si l'on ne pouvait empêcher cela, tuer le requin d'un seul bon coup ? L'abbé de Meslay m'a répondu que cela ne serait pas juste, parce que plus d'un requin mange son matelot sans prendre la peine d'en faire une seule bouchée !

« 25 décembre 1766. Grand-messe de Noël en plein bleu. Nous y mourions de chaleur. Je vis bel et bien dans un monde à l'envers ! Après la messe, nous avons tous fort bien dîné, quoique selon notre rang. Il paraît qu'à la table du capitaine on a servi à la brésilienne, somptueusement, mais je ne sais plus quoi, l'oreille ayant moins bonne mémoire que l'estomac. Pour nous autres du peuple on avait tué le bœuf, dont cette fois on ne nous avait pris pour la dunette que la langue et l'aloyau, tant il est vrai que Jésus est né pour le bien des pauvres aussi.

« Depuis plusieurs jours déjà *La Confiance* s'est séparée de nous pour faire route vers Le Cap, tandis que nous poursuivons vers Montevideo. Le pilote promet qu'il nous entrera d'ici peu dans la rivière de La Plata. A Montevideo, si tout se passe selon les vœux de notre capitaine, nous demeurerons près de trois mois – tout l'hiver européen, que nous vivrons en plein été. M. Aubriot compte bien y amasser un trésor pour le Jardin du Roi... »

Jeanne posa sa plume et se pencha pour caresser le chat du bord qui se frottait à ses jambes, queue en l'air, quémandant de l'amitié. Rouquin était un vieux chat roux très aimable, qui remplissait fort mal son rôle de ratier mais n'en était pas moins bien considéré, parce qu'ayant beaucoup bourlingué sans jamais naufrager il avait mérité une vie de mascotte. Il sauta sur la table et s'installa en presse-papiers sur les feuillets noircis d'encre du journal de Jeanne, rentra ses pattes sous lui, ramena sa queue le long de son flanc, ferma à demi ses yeux et se mit à ronronner. Jeanne reprit sa plume, mais ne s'en servit que pour chatouiller les oreilles du chat :

« Dis-moi, vieux loup de mer, toi qui as déjà relâché à Montevideo, sais-tu si je trouverai là ce que j'y suis venue chercher ? Un beau verger traversé par une rivière ? Elle disait, Maria la gitane de la Courtille, que ce verger serait dans un pays plat aux maisons basses, un pays dont la terre est noire, le ciel rempli d'oiseaux, les rivières remplies de poissons, les plaines remplies de chevaux. Et elle disait encore, Maria, que les hommes de ce pays portent de grands chapeaux blancs, et les femmes des voiles blancs. Chat, Montevideo ressemble-t-il à ce songe de prophétesse ? »

Rouquin secouait ses oreilles agacées mais, les yeux toujours clos, s'affaissait davantage sur son coussin de papier, comme décidé à lasser la taquine à force de paresseuse indifférence.

« Réponds-moi, chat ! » dit Jeanne impérativement.

Cette fois, elle lui avait tapoté le crâne de l'index et Rouquin, résigné, ouvrit sur elle des yeux verts intensément attentifs.

« Crois-tu que je vais retrouver mon chevalier dans un patio de Montevideo, aux petits pieds d'une belle Espagnole en mantille blanche ? demanda-t-elle en plongeant son regard d'or dans le regard vert, et en réponse à la question le regard vert continua d'interroger le regard d'or, fixement.

— Chat, tu es un sage, dit Jeanne. Un sage ne se charge jamais d'annoncer une mauvaise nouvelle — on y risque trop !

— Tu parles au chat ? demanda Aubriot en entrant dans la chambre.

— Vous revenez bien tôt de votre souper, ce soir ? dit-elle pour changer de sujet. Vous aurait-on servi du mortier ?

— Il nous faut travailler. J'aimerais que nous ayons classé notre récolte brésilienne avant de recueillir de la flore et de la faune d'une autre côte.

— Ne préparerez-vous pas d'abord le vin opiacé pour Mignon ?

— Si fait. Je vais même augmenter la dose d'opium. Il n'est pas bien du tout, ce soir. »

Il lui tendit bientôt le verre :

« Va vite, avant le couvre-feu... »

Un moment plus tard, comme, le blessé endormi, Jeanne ressortait de la cabane du charpentier avec Cartier et le Provençal, celui-ci, un gabier de misaine, dit de sa voix chantante :

« Le faradin, il passera bientôt. Et d'abord, nous verrons bientôt la terre, alors... »

Le charpentier hocha la tête :

« Oui, dit-il, pour matelot mourant terre en vue ne vaut rien. »

Jeanne regarda les deux hommes tour à tour :

« Je crois aussi que le pauvre petit va mourir, dit-elle. Mais pourquoi l'approche de la terre... »

Le charpentier leva les épaules :

« C'est comme ça », dit-il, et il rentra dans sa cabane.

Jeanne observa un temps le profil assez beau du Provençal. Le Provençal était un nouveau à bord, recruté à Rio pour remplacer l'un des cinq déserteurs à l'escale. Sans doute le Provençal était-il lui-même un déserteur, que tout capitaine français aurait dû faire caler trois fois selon le Règlement [1] au lieu de l'engager, mais les capitaines étaient trop heureux de trouver, pour prendre les places abandonnées par les leurs, les déserteurs des autres parvenus au bout des plaisirs de la désertion. Déserteur ou non, un matelot de bon air se rembarquait quand il le voulait et souvent au prix où il le voulait. Celui-ci avait la mine éveillée et le corps leste, et Jeanne l'aimait bien parce qu'il venait, chaque soir, bercer le faradin avec une ou deux jolies chansons de sa Provence.

« Provençal, vous, pouvez-vous m'expliquer pourquoi l'approche de la terre fait mourir les mourants ? demanda-t-elle.

– Parce que je l'ai vu souvent, dit le Provençal.

– Mignon est si jeune…, murmura-t-elle.

– Vous savez, dit le Provençal, une vie de marinier, c'est presque toujours un malheur qu'a poussé l'autre. Si on meurt du premier, c'est peut-être un cadeau du Bon Dieu ?

– Pourquoi restez-vous marinier ?

– Las, pecaire ! parce que j'ai pas de veine ! Chaque fois que j'essaie la terre je tombe sur une catin qui m'en fait voir plus que la mer !

– Pourquoi choisissez-vous des catins ? Trouvez-vous une femme honnête et mariez-la.

– Y a pas de femme honnête ! Je sais ce qu'on appelle une femme honnête : c'est celle qui vous accompagne jusqu'au port pour empocher l'avance. Et après, haut gabier ! croche la toile des mois durant pour gagner ce qu'elle a déjà dépensé au village. D'un sens, c'est vrai que d'avoir une femme honnête au village empêche le matelot de se faire plumer par les catins des escales, vu que l'autre a déjà mis la bourse dans son jupon avant même le banquet de partance ! Non, non, monsieur, le matelot qu'a un

1. Rude châtiment. L'homme qu'on cale est amarré par les poignets à une bouline (cordage) de grande vergue dominant la mer, et lâché brusquement de ces quinze à vingt mètres de haut. Le choc sur l'eau est très violent. Trois chocs de suite vous laissaient un homme moulu – ou mort.

brin de jugeote il marie que la mer. Marier une payse c'est bon pour les melons, c'est bon pour les Bretons !

— Qu'est-ce qu'est bien assez bon pour les Bretons, Provençal de mes fesses ? demanda, derrière eux, la voix menaçante du maître surgi sur le gaillard.

— Les Bretonnes, dit vivement le Provençal.

— Et qu'est-ce que leur reproches, aux Bretonnes ? demanda encore le maître en se campant jambes ouvertes, poings aux hanches et menton en proue devant le gabier.

— D'être des femmes honnêtes, dit le Provençal avec un clin d'œil vers Jeannot.

— Hum », grogna le maître désarçonné en regardant le gabier de travers, et alors celui-ci éclata de rire et détala.

Le maître cracha sur les talons du fuyard, grommela :

« Faudrait s' passer d' dix hommes plutôt qu' d'engager un Provençal. On sait jamais si y causent ou si y s' foutent de vot' gueule. Çui-là i' goûterait bientôt d' mon jus d' garcette[1] qu' j'en serais pas surpris ! »

Au même instant, pleine et joyeuse, la voix du Provençal monta du dessous :

> Jean de Nivell' a tres enfants
> L'un es bourreou, l'autr' es sargeant;
> Et l'autr' escapat de galero,
> Leissetz passar Jean de Nivello...

Le maître s'avança jusqu'à l'échelle et son coup de sifflet roula, furieux, pour établir le régime silencieux de la nuit :

« Qui n'est de quart, en bas ! » cria-t-il avec hargne et, en réponse, la voix narquoise du Proven-

---

1. Fin cordage tressé utilisé pour les amarrages... et les châtiments.

çal lui lança le bout de son refrain comme un pied de nez :

> *Mai, mai, mai cependant*
> *Jean de Nivell' es bouen enfant !*

Le lendemain, un peu après midi, l'homme de vigie annonça une voile à bâbord. La chose n'était pas rare depuis qu'ils naviguaient entre Rio et Montevideo, mais elle provoquait chaque fois le même branle-bas à bord. Personne ne s'attendait pourtant à recevoir une volée de boulets du Hollandais, du Portugais, de l'Espagnol ou de l'Anglais qu'on allait croiser puisque la France vivait en paix avec tout le monde, et quant aux pirates, ils ne s'aventuraient pas sur cette route; il s'agissait tout simplement de savoir si le passant saluerait ou ne saluerait pas l'*Etoile des Mers.* Car jamais Vilmont de la Troesne ne semblait penser que son bâtiment pourrait peut-être saluer le premier. Sans doute était-il écrit, dans son Règlement de la Civilité en Mer, que tout vaisseau *devait* le salut au pavillon du roi de France. Hélas ! apparemment la civilité en mer était en train de se perdre. Car si tout navire de commerce saluait sans coup férir, une frégate anglaise ou hollandaise glissait volontiers par bâbord ou tribord avec une lointaine indifférence et s'évanouissait sans avoir lancé le plus petit bonjour aux Français, lesquels, ulcérés, en avaient pour deux heures à commenter l'affront. Les passagers apprenaient « qu'autrefois, ça ne se serait pas passé comme ça ! » et se réjouissaient sous cape de voyager dans un temps « sans mœurs », où les capitaines n'osaient plus se battre pour des futilités. Néanmoins, à chaque voile nouvelle criée par la vigie ils se précipitaient sur la dunette et prenaient part aux palabres et aux paris de l'état-major, parce que cela tuait le temps.

« Frégate, annonça le chevalier de Trévenoux quand le vaisseau qu'il tenait au bout de sa longue-vue fut devenu assez gros. Frégate légère.

— Bon marcheur, apprécia le pilote.

— Et discret, ajouta de la Troesne un moment plus tard, indiquant par là que l'autre marchait sans pavillon.

— Bon marcheur, répéta le pilote d'un ton enchanté. Belle petite frégate, elle porte joliment son maximum. Bonne pour la course. Je dirais bien qu'elle sort de chez les Hollandais de Brest [1].

— Oui, cette coque-là est de main de maître brestois, confirma la voix profonde du charpentier. De la fine ouvrage...

— Je compte huit sabords, dit de la Troesne. Seize, donc.

— Il est discret, nota lui aussi le charpentier. Taillé à Brest pour la course, artillerie légère, pavillon caché : ce sera un de nos corsaires ?

— Si c'est un de nos corsaires il aurait déjà dû se faire connaître, dit de la Troesne avec humeur. Mais si c'est un Malouin il s'en gardera bien ! Il préférera passer pour étranger afin de refuser le salut à un vaisseau du Roi. Il n'y a que pour se saluer entre eux que ces messieurs les Malouins usent volontiers de la poudre, à n'en plus finir !

— Monsieur, je vous tiens le pari que celui-ci saluera, dit Trevenoux.

— Et chevalier, vous gagnerez sans doute, dit Beaupréau, car le voici qui nous montre pavillon...

— Maltais ! s'exclamèrent plusieurs voix.

— Maltais ! » s'écria Jeanne avec tant de véhémence que ses voisins la regardèrent et qu'elle rougit en se mordant la lèvre, se déplaça pour aller se poster près d'Aubriot :

1. Il y avait, à Brest, une élite de charpentiers de marine, venue de Hollande à l'origine.

« Monsieur, chuchota-t-elle, me prêterez-vous un peu votre longue-vue ? »

Il lui passa la lunette. Elle regarda claquer dans la belle lumière bleue l'enseigne rouge à croix blanche hissée à la corne d'artimon et son cœur se précipitait pour battre au même rythme. Puis elle vit monter à la pointe du grand mât le pavillon blanc fleurdelisé du roi de France et perçut l'ample soupir de vanité contente qui s'échappait du commandant de l'*Etoile des Mers* :

« Voyons la suite », dit de la Troesne.

Tout l'état-major et une partie de la maistrance se tenaient à l'affût, comme si le sort du navire dépendait de ce qu'allait faire encore, ou ne pas faire, le capitaine d'en face ! Mais enfin il fit ce qu'il devait : quand il fut près de croiser (de loin) l'*Etoile des Mers,* le maltais amena ses perroquets et tira trois coups de canon.

« On a plaisir à constater qu'il demeure quelques gentilshommes en mer, dit de la Troesne, épanoui. Monsieur, faites rendre le salut », ajouta-t-il en se tournant vers son second.

Quand ce fut fait, le chevalier de Trévenoux reprit son observation et dit soudain :

« C'est *Belle Vincente,* m'en voilà maintenant certain; je reconnais sa figure de proue. Une bien belle sculpture, ma foi, que j'ai admirée naguère à Calais. Cela ne se fait plus, de mettre si belle figure de femme en proue, cela sent son vieux temps, mais le chevalier Vincent l'a voulu ainsi.

— Souvenir d'amour ? demanda M. de Beaupréau.

— Chagrin d'amour, rectifia Trévenoux. Les hommes sont ainsi bizarrement faits que c'est toujours une femme perdue qu'ils mettent à la proue de leur destinée.

— Monsieur, s'il y a une belle histoire et que vous la savez, par grâce, contez-nous-la, pria messire Jouet.

— Il est vrai que vous connaissez bien le chevalier

Vincent ? intervint de la Troesne en s'adressant à son second.

— Je l'ai connu cadet, quand il naviguait sur l'*Eclair* où j'étais lieutenant, dit Trévenoux. Et plus tard, quand il avait bien grandi en audace et savoir, nous avons fait une autre campagne ensemble où, après un dur combat fort meurtrier, nous nous sommes retrouvés amatelotés pour la manœuvre. Au printemps dernier, j'ai croisé Vincent au Temple, et comme vous le savez, quand un marinier rencontre son ancien matelot... nous avons passé une nuit de sage goguette ensemble, à parler, et il m'a donné la curiosité de l'accompagner jusqu'à Calais pour voir sa *Belle Vincente*. »

Les mains de Jeanne s'étaient mises à trembler sur la longue-vue, si bien que là-bas le profil en bois doré du « chagrin d'amour » de Vincent dansait dans le soleil bien plus qu'il n'aurait dû. Mais de toute manière, elle n'aurait pu en discerner les traits. Son sang lui battait aux oreilles et elle entendait bizarrement les paroles de Trévenoux, comme à travers un bruit de marée :

« ... bref, messieurs, c'est une bien belle frégate, et je comprends que son capitaine en soit amoureux fou – car il l'est ! concluait le second.

— Et la figure de proue ? demanda Beaupréau. Vous avez oublié de nous la raconter, monsieur.

— C'est qu'après tout je ne suis certain de rien, dit Trévenoux. Je ne tiens pas l'histoire du chevalier, mais de son valet. Ce garçon est l'ombre de Vincent depuis force années, il est aussi de son village mais c'est ainsi dire qu'il est provençal, et les Provençaux aiment les beaux contes.

— Pas plus que les Bretons ! nota le lieutenant Le Floch.

— Quoi qu'il en soit, ce conte-là m'a plu, reprit Trévenoux. J'avais remarqué que la figure ressemblait davantage à un portrait sculpté qu'à une déesse de la mythologie – ce qui n'est guère l'usage. N'osant pas interroger Vincent là-dessus j'ai fini par mettre son Mario sur le sujet, un soir que le chevalier me l'avait prêté pour une sortie en ville. Et voilà que Mario me laisse entendre que la figure serait la mère du chevalier ! J'en ai été fort ébahi, sachant que Vincent n'a jamais connu ni père ni mère, fût-ce par un médaillon; Vincent est un enfant trouvé – enfin, un enfant déposé chez le curé de Cotignac, un petit village de Provence situé au nord de Toulon. De retour à quai, j'ai mieux examiné la figure et j'ai compris alors pourquoi elle m'avait tant frappé : Vincent l'a fait sculpter à sa ressemblance. J'ai pensé – et je pense toujours – que le chevalier s'est donné pour figure de proue la belle statue dorée d'une mère imaginaire. »

Personne ne parla que l'aumônier, pour murmurer : « L'histoire est bien touchante », et Jeanne sentit qu'elle ne parviendrait pas à maîtriser l'ondée qui voulait lui jaillir des yeux :

« Je trouve aussi l'histoire bien touchante, balbutia-t-elle à Aubriot en lui tendant sa longue-vue, et elle se sauva en courant, presque en eau déjà.

– Mon valet est fort émotif, dit Aubriot aux deux ou trois regards qui s'étonnaient. Lui non plus n'a pas connu sa mère. »

Quand Jeanne revint sur la dunette, il n'y restait plus que Beaupréau avec les deux enseignes. *Belle Vincente* était devenue au loin une grande mouette blanche. Alors seulement, elle réalisa que la frégate de Vincent suivait une route inverse de la leur. Quelques instants plus tard, elle aperçut le Provençal assis tout seul au pied de la misaine et, mue par un instinct, descendit vers lui :

« Provençal, dit-elle en s'asseyant sur un rouleau de cordes, ce vaisseau que nous venons de croiser, vous le connaissez bien, n'est-ce pas ?

– Té oui ! soupira le gabier. Même que je me remets pas de l'avoir vu me passer sous le nez pendant que je suis en prison chez des Bretons.

– Provençal, pourquoi avez-vous déserté le bord du capitaine Vincent ? demanda Jeanne avec sévérité.

– Té ! parce que je suis un couillon ! Parce que la fille – elle s'appelait Amalia – elle était belle, elle était chaude et j'en avais pas eu mon content, je croyais que je la voulais pour la vie, j'en étais fada, quoi ! Ça vous est jamais arrivé, à vous, de pas pouvoir vous décoller d'une fille ?

– Euh... non.

– Vous êtes du Nord ! » cracha le Provençal.

Jeanne eut un rire, recommença d'interroger :

« Provençal, savez-vous vers où se dirigeait *Belle Vincente* ?

– Dame ! je suis plus dessus.

– Quand vous vous êtes engagé pour sa campagne, on vous a bien donné une idée de sa route ?

– On allait dans l'océan Indien. On devait remonter jusqu'au golfe du Bengale et passer dans la mer de Chine. On allait faire la course aux Chinois. C'est que maintenant, avec cette bougre de paix qui s'est mise partout, faut qu'un corsaire aille loin pour se trouver des bonnes prises ! La Chine et ces pays de par là-bas, c'est tout peuplé d'infidèles et tout ce qu'est infidèle c'est turc. Pour un maltais c'est de bonne prise, y a pas à redire.

– Oh ! fit Jeanne, et elle ajouta :

– J'ai entendu dire que la piraterie était le péché mignon des corsaires de Malte, cela doit bien être vrai, mais laissons ce sujet. Dites-moi plutôt pourquoi, s'il était destiné pour la mer de Chine, votre bâtiment semblait remonter vers l'Equateur ? »

Le Provençal gonfla ses joues, fit exploser l'air, secoua la tête :

« Et comment savoir ? dit-il. Quoique, peut-être...

– Oui ?

– Il irait faire un tour à l'île Santa Catarina que ça m'étonnerait pas.

– Où est-ce ?

– Vers le sud de la côte brésilienne. Voyez, à Rio, j'ai entendu parler d'une cargaison qu'on pouvait pas avoir parce que les contrebandiers trouvaient trop risqué de l'apporter jusque-là, et on disait qu'on irait peut-être la chercher à Santa Catarina, mais pas tout de suite, c'était pas prêt, ça devait venir des mines – une affaire comme ça. Alors, comme il pouvait pas rester à Rio ni trop près des Portugais, je me dis que le capitaine Vincent est allé attendre tranquille ailleurs, peut-être bien à l'île Tristan da Cunha où il est toujours bien reçu.

– Où est-elle, cette île ?

– Sur la route du Cap. Perdue en plein milieu de l'océan. Ses habitants, je crois bien qu'ils sont les gens les plus isolés du monde !

– Des sauvages ?

– Des Anglais. Des naufragés, qui sont restés là parce qu'ils se sont trouvés bien. Ils ont fait venir leurs femmes... ou des autres. Ils se sont fait des cabanes, des jardins, des enfants, ils se trouvent bien. Sont une quarantaine. Quand le capitàni Vincent arrive chez eux, c'est la fête – il leur apporte toujours des choses utiles. A Tristan, il est comme chez lui, en sûreté. »

Elle hésita un instant, se décida :

« Il est chez lui ? Voulez-vous dire que le capitaine Vincent a... une maison... ou une femme dans cette île ? »

Le Provençal lorgna son voisin d'un drôle d'air :

« Et pourquoi vous me demandez ça ? Pourquoi vous me posez toutes ces questions sur mon ancien capitàni ? »

Il fallait bien donner une raison :

« Mon maître le connaît bien, dit-elle, et le visage du Provençal s'illumina :

– C'est vrai ? Oh ! mais alors, si par chance on rencontre moun bastimen dans un port, croyez-vous que votre maître voudrait bien demander ma grâce à moun capitàni pour que je retourne à son bord ?

Votre maître est quelqu'un d'important, n'est-ce pas, quelque chose comme un missionnaire du Roi et, à un envoyé du Roi...

– Le cas échéant, je vous promets de lui demander son aide, coupa Jeanne. Mais répondez à...

– Oh ! il me reprendra, il me reprendra sûrement ! exultait le Provençal. D'abord, depuis six ans que je navigue avec lui, il le sait bien, que je suis sujet à devenir fada. Même que pour ça il m'appelle tout le temps l'Amadou ¹. Il me reprendra sûrement !

– Provençal, je vous ai posé une question ! dit Jeanne, énervée.

– Quoi ?... Ah ! oui : la femme dans l'île ? Non, je lui connais pas de femme dans cette île, j'en vois pas une qui pourrait lui aller. Alors, comme ça, vous voudrez bien demander à votre maître...

– Attendons que l'*Etoile des Mers* et *Belle Vincente* se rencontrent dans un même port, dit Jeanne en souriant.

– Mais ça se pourra, ça se pourra ! Si le capitàni est resté à Tristan da Cunha, s'il n'a pas encore été à Montevideo, alors il va y venir; et si l'*Etoile des Mers* y demeure ses trois mois comme prévu... »

Le cœur de Jeanne avait tressauté.

« Pourquoi êtes-vous si sûr que le capitaine Vincent viendra relâcher à Montevideo ? demanda-t-elle d'une voix sourde.

– Parce que je sais que là, il a un bon ami espagnol qu'il aime à voir souvent, dit le Provençal. Vous comprenez, il fait de la très bonne contrebande avec lui; La Plata aussi, c'est un bon pays pour ça. Le capitàni passe jamais près de ses eaux sans aller y faire un tour. »

Jeanne voulut encore interroger le gabier, mais lui n'était déjà plus là. Le regard perdu, il fredonnait à la brise son espérance de revoir bientôt *Belle Vin-*

1. L'Amoureux, en provençal.

cente. Son chant avait la douceur dolente d'un appel d'amant.

Le 27 décembre, au déclin du jour, le pilote prit une basse terre dans sa longue-vue. Le 28, le soleil en montant éclaira les montagnes des Maldonades, et le pilote annonça qu'il les enterrait le soir même dans la rivière de La Plata.

Vers midi, l'équipage et les passagers jouaient avec une ambassade de mouettes et de goélands voraces à laquelle ils jetaient des débris de chair de tortue, quand le charpentier s'approcha du capitaine : « Monsieur, le mousse est mort », dit-il de sa voix profonde, et il continua sa marche vers le maître pour l'informer en second.

Dans la cabane du charpentier, Jeanne pleurait. Au bruit de la porte qui s'ouvrait derrière son dos elle tourna la tête :

« Je voudrais qu'on me donne permission de lui faire sa toilette et de le coudre, dit le Provençal à voix basse. Ce faradin, il a été aussi sur *Belle Vincente.*

— Je sais, dit Jeanne, et le Provençal hocha la tête, ajouta :

— Je lui avais promis de l'emmener quand je déserterais de chez les Bretons pour retourner aux Provençaux. C'est pour ça, je voudrais au moins le coudre... »

Le maître n'accorda pas à un Provençal la pieuse tâche de coudre un Malouin dans son linceul. Ce fut le plus âgé des trois autres mousses qui mena le deuil. Comme la couverture de Mignon était trop bonne il la prit pour lui et ensevelit Mignon dans une vieille voile, après quoi il le porta sur le pont, entre deux pages tenant croix et flambeau. L'équipage vint en silence entourer la scène, les passagers se rangèrent derrière lui et l'aumônier dit les prières. Après l'absoute, tout le monde donna l'eau bénite, puis un boulet fut amarré aux pieds du mort et le corps de Mignon descendit sous la mer, accompagné d'un tison de feu. Alors le capitaine fit tirer un coup de canon vers le vent. A l'heure du souper, l'écrivain vendit aux enchères ce qui restait du mousse : un vieux bonnet et son couteau. Aubriot acheta le couteau pour Jeanne et racheta d'une bouteille de vin l'insolence d'avoir enchéri sur un matelot. Le Provençal voulait le bonnet en souvenir, mais le maître cria son offre d'une voix impérieuse et le Provençal se tut, poings serrés : il était le seul Sudiste à bord. Un moment plus tard, le charpentier l'appela à l'écart :

« Tiens, c'est sa cuiller, je te la donne, dit-il en lui mettant dans la main une cuiller en bois au manche sculpté de façon très fine. C'est moi qui lui avais faite et je l'ai reprise au râtelier avant qu'il ne passe. Je ne voulais pas qu'elle soit volée.

— Notre maître dache, je vous remercie, dit le Provençal. Vrai, ça me fait quelque chose, de tenir cette cuiller de vous. Vous n'avez donc rien contre les Provençaux, vous ?

— Provençal, tous les Bretons ne sont pas des melons, dit le charpentier.

7

MIS à part les hautes terres des Maldonades vite dépassées, le pays vers lequel ils glissaient semblait n'être qu'une plaine immense, à perte de vue. La côte était très basse. Ils mouillèrent dans la baie de Montevideo le 30 décembre à la tombée du jour, entre une frégate espagnole et deux corvettes hollandaises. Il y avait une demi-douzaine d'autres bâtiments espagnols en rade et un anglais. Le tonnerre grondait depuis un moment déjà, la pluie se mit à tomber et cingla la mer jusqu'au milieu de la nuit. Mais au matin le ciel était très bleu, la température printanière. Le gaillard, la dunette, le pont s'emplirent de gens de belle humeur, qui contemplaient le paysage en attendant le retour de M. de Chassiron descendu à terre pour traiter du salut.

Jeanne détaillait le décor avec passion. Celui-ci n'avait pourtant rien de grandiose; il était seulement plaisant, étalé de gauche à droite entre un petit mont et une petite ville. La ville s'étageait en pente douce depuis son môle de pierres sèches jusqu'au clocher d'une église. Jeanne voyait une citadelle à quatre bastions, deux dômes de chapelles, un couvent, un moulin à vent, deux batteries de canons le long de la mer, et à part cela des maisons, des maisons toutes simples, petites et basses, dont pas un arbre, nulle part, ne surpassait les toits. Les habitants de Montevideo n'aimaient-ils que les jardins sans ombre? Jeanne se demanda où se pouvait bien trouver, dans cette ville sans verdure, le beau verger aux branches lourdes de fruits promis à Vincent par la sorcière de la Courtille.

« Je me demande si la province de La Plata aura autant de charme pour des botanistes que la province de Rio Janeiro », dit au même instant Aubriot, comme en écho à sa pensée.

La jetée et les quais s'animaient de plus en plus, d'un menu peuple sans hâte. Des soldats espagnols et des mariniers apparemment désoccupés. Des pêcheurs aux pieds nus qui descendaient vers un troupeau de barques en traînant des filets. Des nègres et des basanés chargés de fardeaux qu'ils posaient souvent. Parfois un paysan, tenant la bride d'un mulet attelé à une charrette de légumes. Mais surtout des cavaliers, des hommes à cheval ou à mulet. Et certes, parmi tant de cavaliers il devait y avoir des colons et des indigènes, des maîtres, des valets, des artisans, des magistrats, des militaires, mais tout ce monde allait vêtu avec une bizarre uniformité d'une sorte de grande couverture apparemment enfilée par un trou percé pour la tête, et d'un immense chapeau blanc aux ailes retroussées. La plupart des gens à pied étaient accoutrés de même, qu'ils fussent blancs ou plus ou moins noirs. Sans doute, y avait-il, vu de près, de bonnes et de mauvaises couvertures, comme aussi de beaux chapeaux bien propres et des chapeaux bien sales et cabossés ? Restait que cet habillement – ces capes flottant autour du corps, ces chapeaux blancs démesurés –, tout cela ressemblait bel et bien aux paroles de Maria la Gitane ! Il n'y manquait plus que des femmes voilées.

« Je n'aperçois pas une seule femme, dit-elle en repassant la longue-vue à Aubriot.

– Nous sommes en pays espagnol où les femmes, à ce qu'on dit, sortent peu, et sans doute pas de si bon matin.

– Mais je n'ai vu non plus ni servantes ni négresses.

– Elles auront pris les habitudes de leurs maîtresses. Ou alors... nous n'avions pas regardé du bon côté, dit Aubriot en lui redonnant la longue-vue. A cette heure-ci, pour voir des femmes, il faut regarder hors de la ville. Prends la jetée et suis la côte vers la gauche... La fontaine de Montevideo doit être par là. »

En effet, une file d'une dizaine de femmes se dirigeait vers un coin verdoyant de la baie, planté d'un bouquet d'arbres. Des enfants sautaient autour d'elles, qui cheminaient sans se presser, les unes portant une cruche sur l'épaule, les autres auprès d'un âne chargé de deux outres encore flasques. Jeanne les voyait de dos, c'est-à-dire qu'elle voyait une procession de longs voiles blancs que leur palpitation au vent disait faits d'un tissu léger. Alors, elle détourna sa lunette du chemin de la fontaine, la rebraqua sur la ville et chercha, en vain, le verger traversé par une rivière et planté de buissons fleuris.

« Notre hiver s'annonce au mieux, dit Aubriot à Jeanne quand il revint vers midi de la table du capitaine. Nous ne devrions connaître ici que du bon temps.

– Du bon temps d'été, corrigea Jeanne. Car pour l'hiver, nous l'avons laissé sous nos pieds.

– C'est ma foi vrai, dit Aubriot. Ah ! qu'il est malaisé de secouer ses vieux modes de penser et de ne pas crier au miracle quand on vous promet des cerises en janvier !

– Donc, les Espagnols nous attendent avec des cerises ? demanda Jeanne.

– Ils nous attendent les bras ouverts, dit Aubriot. Il faut dire que notre capitaine et plusieurs de ses officiers ont déjà fréquenté la société d'ici, aussi sont-ce des amis qu'ils y retrouveront. Chassiron est revenu à bord avec le propre neveu du gouverneur, qui a partagé notre dîner. M. de la Troesne ne pourra faire ses visites qu'après l'heure sacro-sainte de la siesta, mais nous savons déjà que nous souperons chez don Viana demain soir.

– Nous ? » releva Jeanne avec humeur.

Aubriot la regarda du coin de l'œil :

« Jeannot, m'en voudrais-tu, par hasard, des bonheurs qui m'arrivent sans toi ?

– Monsieur, un valet renonce bon gré mal gré aux bonheurs de son maître, mais pas à sa rancune contre les gens heureux ! »

Il eut une gorgée de rire, vint à elle et lui prit le menton, l'observa longuement avec l'attention aiguë, tendre et gourmande qu'il donnait plus souvent à une plante qu'à Jeanne. Elle rougit, parce que c'était sa manière de s'émouvoir :

« Pourquoi me contemplez-vous avec votre grand air de docteur ?

– J'examine un instant d'une métamorphose.

– Une métamorphose ? L'air marin m'aurait-il changée ?

– Tu changes. Et me voilà contraint de voir qu'une femme a cheminé sans bruit sous la petite fille et qu'elle commence à se manifester de plus en plus hardiment.

– Et... la femme vous plaît moins que la petite fille ? »

Il ne répondit pas tout de suite, appesantit son regard sur elle.

« Je suis le seul homme au monde pour lequel tu ne perdras jamais ta séduction de petite fille, dit-il enfin, et en même temps qu'il disait cela le désir perça sous sa tendresse, et comme elle lui tendait ses lèvres il les prit, tandis que sa main gauche, impatiemment, cherchait un petit sein rond sous la chemise de Jeanne :

« La peste soit de ta cuirasse ! s'exclama-t-il à mi-voix en ne rencontrant que le déplaisant contact d'une brassière de coton.

– Monsieur, je suis votre valet ! dit-elle en lui échappant et en le saluant comme d'un grand coup de tricorne. Je ne suis pas fâchée que vous y trouviez aussi des inconvénients. Et, à part *cela,* que puis-je pour votre service ?

– Donner de l'air et bon air à mon habit de soie grise jaspée.

– Afin, sans doute, que monsieur se donne demain un air de bon air chez M. le gouverneur ?

– Hé ! sais-tu qu'on nous y promet quelques jolies femmes ?

– Empaquetées dans des voiles ?

– Non point. Il paraît que c'est seulement dans les rues que les dames d'ici s'arrangent avec leur mantille pour ne montrer qu'un œil; que, chez elles, elles ne sont avares ni de leur beauté, ni de leurs chants, ni de leurs danses. Bref, on dit qu'elles savent assez bien donner de l'amour aux voyageurs qui arrivent et du regret aux voyageurs qui partent. »

Et comme Jeanne le fusillait du regard sans mot dire, il poursuivit du même ton narquois :

« Je te conseille donc de préparer pour toi-même ton rechange numéro un, comme disent les matelots. Car il est bien connu que les servantes copient les maîtresses et, en tant que joli valet, tu devrais avoir part aux bonnes grâces des jolies soubrettes. »

Les yeux d'or étincelèrent :

« Cela veut-il dire que vous comptez m'emmener chez le gouverneur ?

– Crois-tu donc que M. le naturaliste du roi de France puisse se dispenser d'un valet de compagnie lorsqu'il descend se répandre en ville ? »

Elle se jeta contre lui, le visage radieux :

« Vous m'emmenez, vous m'emmenez ! répétait-elle avec une joie folle. Oh ! merci ! Il y a des moments où je vous aime tant, tant, tant, que mon cœur ne contient que vous, et encore ! vous en débordez !

– Parce que, le reste du temps, à côté de moi, tu loges beaucoup de monde ? »

Elle rougit avec la violence d'un coquelicot.

« Je te préviens que tu prends une couleur de coupable », dit-il impitoyablement.

Il l'éloigna de lui à deux mains et, une seconde fois, l'étudia de son regard noir si bien aiguisé de découvreur :

« Allons, avoue ! dit-il. Avoue-moi des petites trahisons. Avoue-moi ton trop bon ami de Lalande, et encore ton bien-aimé Michel Adanson, et ton cher Mercier bleu d'Evangile, et le jeune Thouin, et par-dessus le marché tous les galants seigneurs qui venaient tourner autour de la Belle Tisanière du Temple sous le prétexte de lui acheter un cornet de tilleul. Allons ! avoue-moi un peu tous tes petits battements de cœur qui ne battaient pas pour moi. »

Elle avait repris son sang-froid :

« Monsieur Philibert, votre jalousie n'a qu'un défaut : c'est que vous n'y croyez pas », dit-elle, et lui se mit à rire, comme pour la bien convaincre qu'elle avait raison.

Le souper du gouverneur don Joachim de Viana fut magnifique à la mode du pays, plus simple que la française. La table était couverte d'une nappe blanche courte et on avait donné des serviettes frangées aussi petites que des mouchoirs. Sur l'assiette d'argent posée devant chaque convive les valets plaçaient, à chaque changement de service, une seconde assiette de porcelaine blanche à marli bleu. Après un premier service où avaient paru une marmelade de crevettes, des beignets de thon et des dorades rôties on avait apporté le carnero verde, un énorme ragoût de mouton aux poivrons d'où montaient d'excitantes volutes fortement épicées. Plusieurs plats de bœuf diversement accommodé furent disposés autour du carnero verde, en même temps que quelques raviers de courge bouillie arrosée d'huile. Quand la compagnie parut rassasiée de viandes on emporta la nappe sale avec les assiettes et les couverts dedans, une nappe propre et brodée fut remise et se couvrit d'une multitude de jattes de confitures de toutes les couleurs. Alors, les valets espagnols ôtèrent des dessertes les timbales d'argent et les carafes de vin du Chili et montrèrent aux valets français les bouteilles de vin d'Espagne : il fallait emplir, avec ce vin de dessert, et presque à ras bord, de grands verres à pied.

En donnant le vin d'Espagne à son maître, le plus beau des valets français se courba avec cérémonie... jusqu'à pouvoir lui chuchoter : « Songez à m'en laisser, le vin chilien ne valait rien ! » Aubriot sourit sous ses lèvres, rendit son verre à demi plein, que Jeannot siffla discrètement mais sans vergogne en retournant à sa place. Il n'y avait pas à se gêner : les valets espagnols en faisaient autant; boire les fonds de verre devait être une coutume internationale chez la valetaille. Aussi bien l'ambiance de cette salle à manger coloniale était-elle fort détendue. Devant les dessertes le menu monde papotait dans un jargon franco-espagnol à pouffer de rire, et se nourrissait à la volée en remportant les plats. Les Espagnols s'amusaient à choisir pour les Français les morceaux les plus pimentés et, quand les malheureux débouchaient dans l'office en toussant et pleurant, les négresses de cuisine, avec de grands éclats de joie, leur poussaient des douceurs dans la bouche pour calmer leur feu de gueule. En somme, se disait Jeanne, à Montevideo les serviteurs soupaient encore plus joyeusement que les maîtres.

Ceux-ci, dans la salle à manger, avaient aussi quelque peine à tous se bien entendre. Aussi la moitié de la compagnie avait-elle pris le parti de s'entretenir en latin, ce qui résolvait élégamment le problème dù langage : on s'échangeait de la compote de pêches contre de la gelée de coings avec des paroles empruntées à Ovide vantant l'hospitalité d'une bonne maison. Les dames, généralement un peu courtes en latin, n'étaient pas là.

Ce n'était pas du tout une habitude, à Montevideo, que de donner comme à Rio des soupers d'hommes seuls. Mais don Joachim le faisait quand il devait traiter un grand nombre de convives de manière officielle. Dans ce cas, les dames prenaient familièrement le maté et des confitures dans la chambre de Mme la gouvernante, et tout le monde se rejoignait plus tard dans la salle de compagnie pour passer la soirée.

La salle de compagnie était un grand carré-long aux murs blancs et au sol carrelé, décoré de trois méchantes peintures et percé d'une seule fenêtre vitrée alors close sur la nuit. Vis-à-vis la fenêtre s'élevait une estrade aussi large qu'un petit théâtre, au plancher masqué de peaux de tigres. Mme la gouvernante trônait au milieu de l'estrade sur un fauteuil de velours cramoisi, entourée de six dames posées sur des tabourets. Toutes étaient semblablement vêtues d'un jupon de soie sans falbalas mais bordé d'une crépine d'or ou d'argent, le corsage caché sous une mantille croisée faite d'une fine étoffe blanche. Leurs sombres beaux cheveux sans poudre, lissés sous des bandeaux de front en ruban, retombaient en longues et lourdes tresses dans leurs dos. Alors que les gentilshommes de Montevideo s'habillaient à la française, les dames de Montevideo, elles, s'étaient inventé une mode légère, à la fois simple, chaste et seyante. Mais Jeanne avait beau détailler les sept personnes du sexe exposées sur l'estrade, bien que quelques-unes fussent plaisantes elle n'en voyait pas une seule digne d'être offerte à Vincent. Et d'abord, elles avaient toutes un teint de pruneau !

Quand les hommes entrèrent dans la salle, les pruneaux sourirent à bouche que veux-tu et distribuèrent force gracieux coups de tête pendant que la compagnie mâle défilait au pied de leur estrade pour les saluer. Jeanne se demanda si tout le commerce entre hommes et femmes s'arrêterait là. Car après la salutation les hommes étaient allés s'installer sur les chaises de bois tourné et de cuir à hauts dossiers raides alignées contre les murs, pour se mettre à « fumer en bout » à la manière espagnole, de longs et minces rouleaux de feuilles de tabac, que don Joachim offrait dans un coffret de peau parfumée. Heureusement, dès que chacun de ces messieurs eut allumé son cigarro, le décor s'anima vite. Deux valets vinrent s'affairer devant les tables à maté pour préparer l'infusion de cette herbe du Paraguay dont tous les gens du pays raffolaient. Deux autres serviteurs circulaient, proposant des bonbons et de grands verres d'eau fraîche. Les dames confisquèrent bientôt les bonbonnières pour leur seul usage et commencèrent à se bourrer de sucreries en même temps qu'à jouer un drôle de jeu : d'un signe de son éventail l'une ou l'autre appelait sur l'estrade l'hidalgo de son choix, lequel tirait un tabouret pour s'asseoir fort près de la dame, après quoi tous deux se chuchotaient des choses et des rires derrière l'éventail déployé. Jeanne, émerveillée, contemplait cela en se disant que « les pruneaux » cloîtrées sous leurs voiles ou dans leurs maisons ne se débrouillaient pas si mal pour se faire faire l'amour à domicile !

Le jeu dura jusqu'à ce que, sur une prière de don Carlos, Mme la gouvernante demandât sa harpe. En même temps que la harpe on apporta une guitare au jupon mauve, une mandoline au jupon bleu, un téorbe au jupon jaune, et le concert commença – fort bon. Entre les morceaux de quatuor, le jupon mauve à la guitare ou le jupon jaune au téorbe chantait une romance en s'accompagnant sur son instrument. Les spectateurs applaudissaient avec fougue, en redemandaient, et les jupons ne se faisaient pas prier. Enfin, don Joachim s'écria gaiement : «Ahora, hagan el favor, el zapateo ! » et il tendit la main à Mme la gouvernante pour l'aider à quitter son trône. Il se fit un gros froufrou de soie, toutes les dames descendirent sur le carrelage, don Carlos s'empara de la mandoline délaissée, don Domingo de la guitare, d'autres guitares et d'autres mandolines surgirent entre les mains de plusieurs valets et les cordes attaquèrent en sourdine en même temps que les dames, presque sans bouger, entamaient la danse d'un lent balancé de leurs jupons...

Elles dansaient avec une feinte sagesse, les paupières abaissées, les bras pendants sous leurs mantilles, battant le sol en cadence de la pointe et du talon de leurs souliers sans presque remuer le corps puis, soudain, sur un accord plus vif, leurs croupes tressautaient une seule fois en même temps que leurs bras s'élevaient, et elles claquaient leurs mains au-dessus de leurs têtes. Après quoi, ayant changé de place d'un court pas glissé, elles retombaient jusqu'au prochain sursaut de la musique dans leur indolence rythmée par les martèlements de leurs pieds. A la longue, le groupe des danseuses diffusait un climat de volupté paresseuse qui pénétrait les assistants, mettait dans leurs reins une envie toujours plus chaude de répondre par un bon coup de cul à chaque appel des mains. D'ailleurs, dans la salle d'entrée les esclaves noirs se trémoussaient déjà.

« Eh bien, que dis-tu de cette danse ? demanda une voix dans l'oreille de Jeanne – c'était celle de Martin, le valet de messire Jouet.

– Je dis... qu'ici le péché doit avoir un délicieux bon goût d'hypocrisie !

– Tu peux en tâter, dit Martin. J'ai déjà pratiqué Montevideo, je sais que les servantes, comme les maîtresses, aiment bien les jolis Français. Avec les servantes cela se fait dans le bosquet de l'Aguada, la fontaine du bout du port.

– Et avec les maîtresses, cela se fait où ?

– Peste, l'ami Jeannot, reviens sur terre ! Les dames d'ici sont comme celles d'ailleurs : elles en tiennent plutôt pour la livrée d'officier que pour la nôtre.

– Et croyez-vous – crois-tu que ces pruneaux plaisent beaucoup à nos officiers ? demanda Jeanne du bout des lèvres. Voyons, Martin, toi qui es porté sur le beau sexe, à ce que tu dis, laquelle choisirais-tu ?

– Le jupon jaune, dit Martin sans hésiter. Avec ses nattes qui lui descendent jusqu'à la jarretière, elle fait rêver. On doit lui faire l'amour sur un matelas de cheveux. Et puis, son air... On lui donnerait le bon Dieu sans confession, mais elle a de ces coups d'œil de braise qu'elle ne peut pas retenir, et qui promettent ! Ou je ne m'y connais pas ou il y a une paire de cuisses brûlantes sous ce jupon jaune.

– Les hommes sont tous des boucs lubriques, jeta Jeanne étourdiment. Dès qu'ils regardent une femme ils la voient au lit.

– Parce que toi, l'ami, tu n'y penses jamais ?

demanda Martin en perçant son voisin d'un regard moqueur. Serais-tu par hasard aussi... »

Il s'arrêta court.

« Aussi quoi ? relança Jeanne avec agressivité.

— Bah ! tu sais bien qu'à bord on te trouve les manières un peu trop délicates pour être celles d'un homme bien membré, dit grossièrement Martin, qui avait trop bu.

— C'est que je préfère avoir les manières d'un gentilhomme plutôt que celles d'un homme », répliqua Jeanne d'un ton cinglant.

Martin partit d'un rire bête, et peut-être eût-il insisté sur son déplaisant propos si, dans la salle, la danse n'avait soudainement explosé. Des voix criaient : « La calenda ! la calenda ! » dont les mains noires frappaient déjà le rythme frénétique. Un mignon petit pruneau aux pieds nus vint tirer sur le bras du plus joli des valets français :

« Hola, amigo ! Baila ! Baila con Marieta — me comprende ? Bailar — no comprende ?

— Oh ! mais si ! » dit Jeanne en empoignant le mignon pruneau par la taille, et Marieta hurla :

« Bueno ! Anda ! »

Le nouveau couple se mit à sauter, à faire tourner ses derrières et à cogner ses ventres d'aussi bon cœur que n'importe quel autre.

La danse avait duré jusqu'après deux heures du matin. La calenda avait merveilleusement rapproché les distances entre Espagnols et Français — vraiment, cette fois, il n'y avait plus de Pyrénées ! Des embrassades d'au revoir se faisaient partout dans le jardin — entre hommes seuls toutefois. Aubriot s'étouffait dans les bras chaleureux du docteur Juan-Baltasar Maziel, qui ne pouvait souffrir de quitter déjà un confrère aussi distingué. Le capitaine Vilmont de la Troesne et le gouverneur don Joachim de Viana se tenaient à quatre mains et se couvraient de compliments :

« C'était fort aimable à vous, Excellence, d'avoir prié tous ceux dont le souvenir m'était cher, disait de la Troesne. Il n'a manqué à mon parfait bonheur que de revoir don de Murcia, qui m'avait offert, lors de ma précédente relâche dans votre paradis, une chasse au tigre mémorable, avec le récit de laquelle j'ai rendu jaloux tous mes amis de Bretagne. Je suppose que don de Murcia a été rappelé à Madrid ?

— Don José ? Non pas, dit le gouverneur. Mais il n'y a plus moyen de le sortir de sa campagne. Il vit à deux grandes heures de galop d'ici, dans son bosquet, et c'est une affaire que de l'en tirer pour un soir. Et même pour une chose à régler de jour ! acheva-t-il en riant.

— Ah ! bah ? fit de la Troesne d'un ton surpris. Don José m'avait paru le contraire d'un misanthrope ?

— L'amour vous change un homme, dit don Joachim. Don José est amoureux.

— Mais il l'était déjà quand je l'ai connu; il l'était même plusieurs fois ! dit de la Troesne.

— Vous tenez là la différence, dit don Joachim. Plusieurs maîtresses, c'est trop peu pour ôter un Espagnol à son cheval. Mais une seule... Elle est délicieuse. Et française.

— Française ? s'étonna de la Troesne.

— Vous savez bien que nous encourageons la désertion, dit plaisamment don Joachim. Notre ville est si peu peuplée que chaque vaisseau de passage se doit de nous laisser quelques-uns de ses gens en présent d'adieu. Mais reconnaissez que nous ne faisons rien en force et tout au charme – nous ne retenons pas, on nous reste. La délicieuse Française, un jour, nous est restée. En fait, son mari était venu ici pour y créer une pharmacie avec don José-Gabriel Piedracueva, qu'il avait connu en France, à Marseille. Si Montevideo n'a pas encore sa pharma-

cie, c'est que don José a enlevé la future pharma-
cienne avant son ouverture et que le futur pharmacien, dégoûté des Espagnols, est reparti pour Dieu
sait où sur une frégate anglaise. Nous n'aimons
jamais perdre un habitant; mais nous aurions été
plus fâchés encore de perdre la dame : ce sont les
femmes qui font les enfants et nous avons besoin
d'enfants.

— Je suis étonné qu'une jeune et jolie Française se
laisse cloîtrer à deux heures de cheval de la bonne
compagnie pour s'occuper plus tranquillement à
peupler votre colonie ! » s'exclama de la Troesne.

Le gouverneur regarda son hôte d'un air amusé :
« Amigo, faites-moi la grâce de croire qu'une
Française peut se plaire à demeurer seule dans les
bras d'un Espagnol. Hacer el amor est une chose
qu'un Espagnol sait faire longtemps sans se fatiguer
ni bâiller, et ce talent plaît aux dames. »

De la Troesne eut un rire, puis :
« Je regretterai de ne pouvoir montrer la campagne de don José au docteur Aubriot, dit-il. Car je
suppose que s'il n'en sort plus, don José n'y reçoit
plus ? »

Aubriot, s'entendant nommer, s'était retourné vers
le capitaine et le gouverneur, l'œil interrogateur. De
la Troesne expliqua :
« Je croyais avoir à vous montrer dans les envi-
rons un fort agréable verger, mais il paraît que mon
ami don José s'y tient présentement enfermé avec
une histoire d'amour et... »

Jeanne, qui s'ennuyait ferme à patienter au milieu
du petit groupe des valets français un peu trop
imbibés de vin du Chili, se rapprocha d'Aubriot et
prêta l'oreille au reste de la conversation :
« Il est vrai que c'est un très plaisant clos de
fruitiers, disait don Joachim, d'autant qu'il est traversé par une belle rivière poissonneuse aux rives
fleuries. »

La phrase du gouverneur saisit Jeanne par surprise, et si fort, qu'elle frissonna de la tête aux pieds comme si la nuit n'avait pas été d'une exquise douceur de fin de printemps chaud. Cœur en chamade elle s'appliqua à ne pas perdre une parole du docteur Maziel, qui complétait la description :

« Don José poussa même l'originalité jusqu'à faire cultiver un potager de légumes et, récemment, doña Emilia a voulu qu'on y ajoutât un carré d'herbes médicinales.

— Ainsi donc, les Espagnols de Montevideo sont amateurs de beaux jardins ? » dit Aubriot, alléché.

Le docteur Maziel le déçut dans l'instant :

« Ne croyez pas cela ! La terre est basse. Même les plus pauvres de mes compatriotes ne voient pas pourquoi ils peineraient pour se nourrir de racines et de salades dans une province où l'on achète tout un bœuf pour vingt sols : ils mangent du rôt ! Quand chacun a planté dans son jardin de la courge qui pousse seule avec énormité, un pied de piment et trois pieds de carthame à donner le safran, le voilà content, il va faire sa siesta. Avec son clos fleuri notre don José fait un original. De reste, ses deux jardiniers sont anglais. Avec des jardiniers espagnols, ici, il ne vient que des friches !

— Le doctor vous dit vrai, assura don Joachim en souriant. La campagne plantée de don José est la seule, d'ici à Buenos Aires, qui vaille la visite d'un botaniste.

— Ne continuez pas de mettre l'eau à la bouche de M. Aubriot si vous ne pouvez décidément lui offrir la moindre promenade sous les figuiers, les pêchers et les goyaviers de don José, intervint de la Troesne.

— Mais qui prétend cela ? dit don Joachim. Don José ne sort plus de chez lui, mais il ne ferme pas sa porte. Il a tout récemment donné une fête de nuit pour le passage du chevalier Vincent— que vous devez connaître ? — et nous a promis une partie de chasse au tigre pour quand le chevalier repassera — car il doit repasser bientôt par ici. Assurément, don

José voudra, messieurs, que vous soyez de cette chasse et, d'ici là, il sera trop heureux de faire admirer ses fruits et ses fleurs par un botaniste du roi de France. Puis doña Emilia sera ravie, monsieur, de vous présenter son carré de médecine; elle en est très fière.

– Doña Emilia se pique de botanique, et aussi de chimie, dit le docteur Maziel. Elle joue à fabriquer des drogues et, ma foi... »

Le groupe des bavards s'éloigna vers la porte du jardin et Jeanne se mit en marche sur les talons d'Aubriot, d'un pas d'automate. Elle avait l'impression de n'avoir plus qu'à se laisser aller pour rouler jusqu'à la fin de la prédiction de la sorcière de la Courtille. Tout arriverait, assurément. Après la ville aux maisons basses habitée d'hommes coiffés d'immenses chapeaux blancs et de femmes en mantilles blanches, après la plate plaine infinie couverte d'un pullulement de chevaux et de bœufs, il y aurait le beau verger. Il y aurait une femme, qui s'appelait doña Emilia, mais que la gitane avait appelée : « Le bonheur de Vincent. »

N'ayant pas entendu le début de la conversation sur don José, Jeanne pouvait parfaitement imaginer l'Espagnol faisant à doña Emilia un mari complaisant à la française, qui s'occupe poliment le regard avec ses pêches et ses goyaves quand l'amant de sa femme relâche à Montevideo. Et la rage bouillonnait à ses tempes. Le chevalier s'était-il assez joué d'elle la nuit où, dans sa petite maison de Vaugirard, il avait déchiré sa robe, tordu ses poignets et crié sa colère jalouse parce que Jeanne ne voulait pas oublier Philibert Aubriot ? Et lui, pendant ce temps, gardait bien caché dans son cœur félon le souvenir de son Espagnole de La Plata ! Mais il est vrai qu'alors il croyait son secret protégé par la ligne de l'Equateur, et ne se doutait pas que prendrait bientôt la fantaisie, à son caprice du Nord, de s'en aller courir les mers du Sud. Le fourbe ! Le menteur, le comédien ! Quelle innocence n'affichait-il pas, chez Ramponeau, pendant que Maria la gitane lui tenait la main en lui prédisant le bonheur d'amour dans le beau jardin d'un pays lointain ! N'avait-il pas même osé dire que la promesse de Maria lui semblait fausse, et vaine de toute façon parce que l'amour ne pouvait pas l'attendre dans un là-bas où Jeanne ne serait pas ? Oh ! le Judas ! Pouvoir dire cela, et de sa voix la plus tendre, alors qu'il savait ! Qu'il connaissait déjà la couleur des yeux que voyait Maria, et le parfum des cheveux de la dame, le son de ses mots d'abandon, la forme de son corps, le goût de sa peau... « Je le hais ! » cracha-t-elle entre ses dents serrées, avec une telle force d'expulsion que la tête lui tourna et qu'elle happa d'une main un valet qui passait et la secoua sans façon, pressé qu'il était de suivre une servante noire bien disposée.

« Juanito ! Juanito mío ! Pero, que pasa ? Ha perdido la voz ? »

Jeanne se réveilla Jeannot, dans le jardin du gouverneur de Montevideo. Marieta, le mignon pruneau, le secouait par sa manche en lui chuchotant une giclée de mots dans l'oreille :

« Oui, Marieta ? » fit-elle avec effort.

Les beaux yeux noirs de Marieta luisaient dans la pénombre lunaire comme deux grosses billes de jais.

« Demain, dit Marieta. Mañana por la mañana iré aguada – me comprendes ? Mañana, aguada, comprende ? Bueno ? »

Comme il eût été trop compliqué de trouver des mots gentils pour refuser à Marieta d'aller la culbuter sur l'herbe de l'aguada, Jeanne lança : « Bueno, bueno, Marieta, adios, à mañana ! » et se laissa avec empressement raccrocher par Martin, qui passa son bras sous le sien :

« Eh bien, Jeannot ? Coucherons-nous ici ou suivrons-nous nos maîtres qui se sont enfin lassés de babiller aux portes ? »

Elle s'efforça de plaisanter :

« Ils n'ont fait que nous donner le temps d'arranger nos rendez-vous.

– Hé! hé! Jeannot, se dessalerait-on enfin ? Marieta ?... Hé! tu commences à me plaire. Laisse-moi t'apprendre un peu d'espagnol utile chemin faisant, j'ai deux séjours d'avance sur toi. Allez, répète après moi : Marieta, muy bonita.

– Marieta, muy bonita, répéta Jeanne, complaisante et la pensée ailleurs.

– Amor mío, no sabes como te quiero !

– ... como te quiero, ânonna Jeanne.

– A propos, dit Martin, interrompant sa leçon d'amour, sais-tu demander du café au lait ?

– Non, dit Jeanne. Pourquoi ?

– Parce que tu finiras par coucher à terre sur une natte garnie, et que leur maté est un breuvage abominable, surtout le matin à jeun. Alors, répète après moi : Amor mío, no maté ! Cafe con leche, mucho cafe con leche y confitura. Allez, répète : Amor mío...

– Amor mío... »

Jeanne voyait les quatre syllabes se former tendrement sur les lèvres rouge sombre de Vincent courtisant l'Espagnole, et grillait d'envie de gifler Martin parce qu'il était un homme, un bouc lubrique, pressé de donner de l'amor mío à n'importe quelle mantille de rencontre !

Jeanne dormit mal et très peu. Eveillée à l'aube, elle s'habilla sans bruit pour ne pas déranger Philibert et monta sur le gaillard pour voir Montevideo renaître à un nouveau jour.

Le navire était encore enseveli dans son silence nocturne. Les hommes de garde observèrent avec ennui ce passager qui se promenait trop tôt. L'un d'eux ouvrait déjà la bouche pour lui faire une remarque quand l'aumônier sortit de sa cabane. Le promeneur s'arrêta et salua l'abbé, qui répondit d'un sourire et s'appuya familièrement à l'épaule du jeune homme pour faire quelques pas. L'homme de garde ravala sa semonce et retourna à son attente bovine.

« Pourquoi ne dormez-vous pas ? demanda l'aumônier. D'ordinaire, à votre âge on a le sommeil bon.

– J'ai trop dansé, dit Jeanne. La danse ne me donne pas sommeil.

– Hum, fit l'abbé. La danseuse était sans doute trop belle ?

– Elle n'était pas vilaine », dit Jeanne, et l'abbé lui donna une légère bourrade en riant.

Ils descendirent lentement vers l'avant, le valet servant de béquille à l'aumônier, dont la panse devait encore avoir un reste de carnero verde à digérer. Comme ils parvenaient presque à la misaine ils ralentirent leur pas, échangèrent un regard entendu : le Provençal, de garde, était encore en train de bercer sa nostalgie; la brise rabattait vers eux sa plainte lente et tendre :

> *M'ant pres moun capitàni*
> *Lou plus amat de tous,*
> *Lou plus amat,*
> *Tra la la la,*
> *Lou plus amat de tous...1*

« Le Provençal pleure joliment son bâtiment, dit l'aumônier. La gent humaine ne sait que faire pour se donner des regrets. Elle lâche sa proie pour une ombre, mais dès que l'ombre est devenue proie, la vieille proie lâchée redevient l'ombre adorable. »

La voix retenue du Provençal offrait de donner Marseille, Toulon et son village, sa paie et son cher bonnet et jusqu'à son couteau pour ravoir son capitàni, et certains mots, pour provençaux qu'ils fussent, semblaient à Jeanne sortir de son propre cœur, qui refusait de lui tenir sa haine de Vincent :

98

Mai rendetz-me moun Vincent
Autrament voou mourir,
Autrament voou,
Tra la la la,
Autrament voou mourir !

« Alors, cœur d'artichaut, à quand ta prochaine désertion ? demanda rudement l'aumônier en s'adossant à la rambarde pour faire face au gabier. Mais je t'en préviens, ne manque pas ton coup. Le maître ne t'a pas à la bonne, s'il te reprend il te fera moisir aux fers après une bonne ration de jus de garcette.

— J'ai pas l'intention de mettre pied à terre, j'ai pas une piastre et rien à me défaire, grommela le Provençal.

— Menteur ! dit l'aumônier. Hier, après la prière, je t'ai vu descendre dans le canot avec les permissionnaires.

— Histoire de me bouger, dit le Provençal. J'ai pas mis pied à terre. J'ai gardé le canot.

— Tu t'en trouveras bien, assura l'aumônier. Une fois de retour au bateau, celui-là qui ne pisse pas chaud, c'est celui-là qui gardait le canot. Connaissais-tu ce proverbe breton ? »

Le gabier haussa l'épaule :

« Il est provençal aussi.

— Eh bien, tu vois que Provençaux et Bretons se ressemblent au moins du côté où s'attrape la chaude-pisse, dit l'aumônier. Au fait, comment n'as-tu pas une piastre ? Tu viens de toucher ton avance à Rio.

— M. l'écrivain me l'a gardée de côté », dit hargneusement le Provençal.

L'aumônier eut un rire silencieux :

« Dame ! fit-il, M. Toustain a envie de te voir à bord jusqu'à la fin de notre campagne.

— Et comme ça, si je meurs pendant, il pourra se consoler avec ma bourse ? gronda le Provençal. Parce que ça m'étonnerait que ce soit le Roi qu'hérite de moi ! Pire renardeur[1] qu'un proveditore[2], y a pas personne ! M. Toustain, s'il était sur un corsaire, il lui arriverait sûrement un accident.

— C'est pour ça qu'il est au Roi », dit l'aumônier sans s'émouvoir.

Le Provençal lorgna l'aumônier par en dessous, prit sa voix câline de chanteur de romances :

« Monsieur l'aumônier, j'ai grand besoin de votre aide.

— Tu veux te confesser ?

— Je voudrais que vous demandiez à M. Toustain de m'avancer sur mon avance. J'ai un besoin urgent. C'est pour un vœu. Faut que je monte là-haut... »

D'un coup de tête vers la terre il avait désigné l'église couronnant la colline.

« Hum, fit l'aumônier. Tu ne me mentirais pas là-dessus ?... Combien te faudrait-il ?

— Une bonne somme. J'ai promis assez gros.

— Tu as promis gros mais tu donneras petit ! Vous êtes tous les mêmes, généreux pendant la tempête, regardants dès le beau temps revenu, et Notre-Dame qui attendait un cœur en argent se récolte un cœur de plâtre. Vous avez tous beaucoup d'imagination pour vous acquitter de vos vœux au rabais.

— Je peux pas tricher, j'ai promis un cierge gros comme le bras, un cierge c'est toujours en cire et la cire, ça coûte au poids.

— Oh ! tu tricheras sur la hauteur ! dit l'aumônier. N'essaie pas de m'attendrir, je te répète que je vous connais. A mon âge, Provençal, j'ai déjà vu beaucoup de cierges gros comme le bras, mais hauts comme le pouce !

— Je peux pas tricher, répéta le Provençal. Je suis pas encore exaucé. Je suis dans l'intention d'offrir d'avance. »

L'aumônier haussa les sourcils :

« C'est bon, fit-il. J'en toucherai un mot à

1. Resquilleur.
2. Correspondant à l'écrivain sur un navire provençal.

M. Toustain. Dis-moi, gabier : quel est donc le nom du capitaine que tu regrettes gros comme le bras ? »

Le gabier serra les lèvres et détourna la tête. L'aumônier fit un mouvement pour s'éloigner, se ravisa, demanda encore :

« Gabier... A prier pour revoir ton ancien bord déserté, tu n'as pas peur de prier pour te faire caler ? »

Le visage du Provençal prit un air béat :

« Je connais le capitàni. Il m'expellera sur sa chaude [1], mais après il me pardonnera. »

L'aumônier se mit à rire et reprit sa promenade.

Presque tout de suite après, le changement de quart eut lieu, la vie de jour commença à bord, les hommes de corvée jetèrent à grandes seilles de l'eau sur les ponts.

Jeanne avait rattrapé le Provençal avant qu'il ne descendît dormir :

« Provençal, permettez-moi de payer votre cierge », dit-elle tout bas en lui fourrant quelques piécettes dans la main.

Interdit, le matelot contempla les pièces dans sa paume, et puis le passager, d'un air méfiant :

« Qu'est-ce que ça peut vous faire, que mon vœu aille ou pas ?

— Je voudrais seulement que vous acceptiez un petit présent. Parce que... vous avez été bon avec mon ami Mignon. Et parce que vous m'apprenez des chansons provençales.

— Si c'est comme ça je peux prendre votre argent pour boire, mais pas pour le cierge. Le cierge, je dois le payer moi-même.

— Alors, prenez-le pour boire. Je ne voulais pas vous offenser.

— Oh ! y a pas d'offense à donner de quoi boire à un matelot ! dit-il en riant. Je boirai à votre santé. Et je vous remercie bien... monsieur. »

1. Dans sa colère il m'écorchera vif.

Jeanne fut frappée du ton dont le gabier avait lancé « monsieur ». Encore un qui avait vite profité des bobeaux-poulaines[1] concernant la Jeanneton de M. le docteur !

Elle avait donné son pourboire, il avait dit merci, et pourtant ils demeuraient face à face à se regarder, comme s'ils sentaient tous les deux que leur dialogue n'était pas achevé.

« Provençal, je voudrais vous demander quelque chose », commença Jeanne, et lui battit des cils pour dire « Allez-y, je sais bien que l'argent ne vient jamais pour rien », et elle poursuivit :

« Connaissez-vous bien ce pays ?

— Bien... Je connais le port et un peu autour parce que j'y suis déjà passé trois fois et que, deux fois, on est restés un moment.

— Avez-vous été un peu loin dans la campagne ?

— Dans la campagne ? Qu'est-ce que j'aurais été y faire ? Paraît qu'il y a que des chevaux et des bœufs à perte de vue. Et des chiens sauvages.

— Mais... est-il facile d'aller se promener... par exemple jusqu'à deux heures de cheval de la ville ?

— Bé, si vous avez un cheval...

— Je suppose qu'il y a un loueur de chevaux ?

— Louer un cheval, ici ? Vous feriez rire ! Ici, celui qui a besoin d'un cheval va s'en lacer un aux champs, ou bien il donne une piastre à un Indien pour qu'il y aille en sa place. Si après il a de quoi se procurer une selle et une bride, le voilà monté pour galoper. Quand il en a assez ou qu'il est arrivé à son but, il n'a qu'à débrider et renvoyer paître. Voilà l'usage du pays : tous les chevaux sans marque appartiennent au premier prenant et tous sont doux comme des moutons, domptés d'avance par bon naturel.

— Vraiment ? fit Jeanne assez émerveillée. Il est

1. Bobards-poulaines. La poulaine servait de lieu d'aisances et donc de causette.

donc très facile d'aller se promener... disons jusqu'aux quintas [1] des Espagnols ? »

Le Provençal lui jeta un coup d'œil perçant :

« Faites excuse si je me mêle de ce qui me regarde pas, dit-il, mais vous comptez pas aller dans la plaine sans votre maître ?

– N... on, bien sûr. Dans la plaine, non. Mais aujourd'hui, comme mon maître doit passer toute l'après-dînée à voir les herbiers d'un père cordelier, j'avais envie d'aller jusqu'aux quintas pendant ce temps-là... pour prendre une idée des jardins. »

Le Provençal secoua la tête :

« Encore une fois, faites excuse, mais je crois que vous ne pouvez pas aller tout seul dans la plaine... monsieur. Pour y aller faut de l'habitude, ou une escorte.

– Est-ce dangereux ? A cause des Indiens ?

– A ce que j'ai entendu dire, les Indiens seraient pas les pires. Encore qu'il y ait ceux qu'ils appellent les Indios bravos, qui sont restés sauvages et qui se mettent parfois à des deux cents pour tomber sur ce qui leur fait envie. Mais en plus des bravos il y a les brigands des Maldonades, et eux, paraît qu'ils sont terribles et jamais en repos !

– Mais, Provençal, les montagnes des Maldonades sont loin de la ville ?

– C'est pas si loin pour des brigands qu'ont des bons chevaux à volonté et un ancien colonel portugais pour les commander. Les brigands du colonel Pinto patrouillent tout le pays de par ici. Ils pillent et ils massacrent jusque sous les bastions des garnisons espagnoles. Avec les Indiens, les brigands, les bandes de chiens et puis les tigres ! vrai, moi, il faudrait me payer cher pour que j'aille me promener dans la plaine tout seul ! C'est une drôle d'envie qui vous vient là... monsieur. »

Pour la troisième fois, Jeanne nota l'ironie légère

1. Habitations de campagne.

du « monsieur » que lui servait le gabier, elle en fut agacée et conclut d'un ton sec :

« Très bien. Je verrai ce que j'ai à faire. Merci de vos renseignements, Provençal. »

Mécontent d'avoir contrarié un gentil passager qui donnait pour boire – mais ce n'était pourtant pas sa faute si la plaine n'était pas sûre – pour le quitter d'autre façon le Provençal proposa :

« Avant que je descende, ça vous serait pas utile que je vous accompagne aux poulaines reprendre ce qui est à vous dans la buée[1] d'hier ? C'est tout plus que sec.

– Merci de me le dire, je vais y aller, mais vous, descendez dormir. D'ici à la poulaine je ne rencontrerai ni Indio bravo, ni brigand à Pinto, ni chien, ni tigre ! » lança-t-elle d'une voix moqueuse.

Il ouvrit la bouche pour dire quelque chose, mais la referma sans piper : il s'était assez mêlé pour aujourd'hui de donner des conseils à un valet privé; valets privés et matelots ne sont pas du même monde; même si les premiers veulent bien faire amitié, les seconds ne doivent pas l'oublier. Le gabier pivota sur ses talons pour descendre, mais en fut empêché par les fraters[2] qui montaient avec leurs deux gros paniers à linge. Les trois hommes se croisèrent sans un mot : les fraters détestaient la désinvolture rieuse du Provençal, le Provençal détestait la grossièreté et les jeux brutaux des fraters. Les fraters passés, au moment de poser le pied sur l'échelle dégagée, le Provençal se retourna, jeta un coup d'œil vers le bec du navire où déjà le valet du docteur Aubriot avait disparu, reporta son œil sur les paniers d'osier des fraters et, sans trop savoir pourquoi, au lieu d'aller se mettre dans son branle pour dormir il alla se lover à ciel ouvert, au pied de la misaine.

1. Lessive.
2. Les aides d'un chirurgien de bord.

104

Avant de se risquer à la pointe du navire, Jeanne attendait toujours d'avoir entendu tinter la cloche de la prière. Dès que, sur le gaillard, la voix de l'abbé de Meslay entonnait le premier verset du *Veni Creator,* elle était certaine de pouvoir demeurer seule aux poulaines pendant le grand moment où l'équipage dégustait ses dévotions. Néanmoins, même avec l'accoutumance elle n'y venait jamais sans éprouver un léger – et point désagréable – sentiment d'aventure. L'endroit, à ras d'eau et hors de vue du reste du vaisseau, s'y prêtait. Les hommes l'appelaient souvent « le coupe-gorge », parce qu'en plus d'être bien placé pour servir aux besoins naturels du corps et au lavage du linge il pouvait aussi servir aux règlements de compte discrets, et plus d'un « mal-vivant » réputé tombé à la mer en allant aux poulaines n'y était pas tombé tout seul ! Ce matin-là, pourtant, Jeanne s'avança sur la poulaine à francs pas, sans attendre la cloche : à l'ancre, la pointe du navire perdait son impressionnant mouvement de plongée, et le coupe-gorge pavoisé de chemises et de caleçons ressemblait surtout à une buanderie, vide pour l'heure. Jeanne marcha jusqu'à la balustrade ajourée, écarta deux linges et contempla l'immensité bleue liquide un peu moutonnante...

L'*Etoile des Mers* avait cap au large. Le vaste estuaire du rio de La Plata s'ouvrait jusqu'à l'horizon, habité de voiliers progressant prudemment sous leurs huniers entre les îlots et les bancs de sable. D'épais nuages blancs et rapides de goélands passaient et repassaient par-dessus les vaisseaux, frôlaient les mâts, toujours prêts à se laisser choir sur leurs sillages de détritus pour nettoyer la mer. Des plongeons, des bécassines, des sarcelles, des pies marines allaient et venaient aussi de la terre à la mer avec des cris d'appel, et de leurs vols se détachaient constamment des bolides qui piquaient, bec en avant, sur une proie mal cachée dans la transparence de l'eau. Celle-ci laissait voir tout son peuple le plus superficiel d'ombres grises, argentées, rosées, dont quelques loups marins aux têtes de mâtins. Au loin, sur le rivage, à droite du port entre deux plages d'un blanc palpitant composé d'ailes de goélands amassés, une file de hérons cheminait sans hâte à la lisière des vagues, cous pendants, déjeunant de blanchaille. Jeanne vit les hérons passer sans s'émouvoir devant un troupeau presque immobile de gros oiseaux noirs apparemment fort occupés, et elle se demanda si ce n'étaient pas là de ces aigles mangeurs de crabes dont elle avait entendu le docteur Maziel parler pendant le souper de la veille. « Je vais aller prendre la lunette de Philibert », se dit-elle, ne songeant plus à rien d'autre qu'à commencer d'observer l'histoire naturelle du pays. Juste au moment où elle se disait cela, elle perçut le claquement de plusieurs pieds nus lui arrivant dans le dos et pivota brusquement...

Les deux détestables fraters de M. Pauly se tenaient à trois enjambées d'elle, figés soudain par sa volte-face, mais leurs yeux luisants braqués sur « la Jeanneton ». Jusqu'ici, en dépit de leurs efforts ils n'avaient réussi qu'à la bousculer ici ou là « sans le faire exprès », pour le gras bonheur de la rattraper entre leurs grosses pattes avides; mais la Jeanneton était vive et n'était pas commode, aussi n'avaient-ils jamais pu la tâter tout leur soûl. Parvenir enfin à la rencontrer dans un coin où on peut plaisanter à son aise, quelle aubaine !

Jeanne percevait si bien la pensée grossière des deux imbéciles qu'elle eut d'abord la bonne idée de quitter la poulaine en courant. Mais un mouvement de fierté la retint de fuir devant les individus les plus bas de l'équipage d'autant que, pour l'avenir, elle n'avait pas intérêt à leur montrer de la peur. Résolument, elle leur tourna le dos comme si leur arrivée ne lui faisait ni chaud ni froid, et commença de ramasser ses chemises sèches.

Sur le gaillard, la cloche tinta, appelant tout le

106

monde à la prière. L'attaque eut lieu dans la même seconde. Les fraters se lancèrent un clin d'œil, chacun d'eux lâcha sa hotte, attrapa un linge à bandage long et solide et ils bondirent sur la proie d'un même double élan précis. « La Jeanneton » se retrouva bâillonnée et les poignets liés derrière son dos avant d'avoir pu jeter un seul cri. Alors, tandis que frater Jean, collé à elle, la maintenait fermement par-derrière, frater Yannick lui ouvrit sa veste, déboutonna sa chemise, poussa un ricanement de triomphe en découvrant la brassière, en ôta les épingles, déroula la cotonnade avec une prestesse habile de garçon-chirurgien, mit à nu le ravissant mystère de la Jeanneton... Comment la malheureuse aurait-elle pu les empêcher de faire tout ce qu'ils voulaient? Les fraters n'étaient pas deux salauds tout simples, mais deux salauds doués de la force musclée nécessaire aux aides d'un « charcutier » de marine. Folle de rage, gigotant de son mieux, elle tentait en vain d'arracher son corps aux bras de fer de frater Jean, lançait des coups de tête en arrière à se rompre le col, des coups de pied en avant que frater Yannick esquivait en riant, des ruades que frater Jean encaissait sans branler et en l'encourageant de la voix, « vu que ça l'excitait plus de venir à bout d'une chatte sauvage que d'une brebis bêlante ».

« Mais c'est qu' c'est mignon ça, c'est mignon tout plein, disait frater Yannick en promenant ses gros doigts sur le buste de sa victime. Regarde-moi ça, frater Jean, et dis-moi un peu si t'as jamais vu des plus beaux nichons que ceux de notre Jeanneton? Hein? Y en a des plus gros, mais y en a pas des mieux faits, ni qui tiennent si bien leurs petits nez en l'air. Faut pas serrer ça si fort, ma poulette, vous leur z'y faites des rougeurs. Faut pas abîmer d' la si belle marchandise, ça serait pitié.

– Si elle est bien gentille avec nous, on lui frottera ses beaux tétons avec notre bonne huile de lis pour lui calmer ces vilaines rougeurs qu'elle s'est données bêtement », dit frater Jean, avec une compassion visqueuse.

Jeanne résistait de plus en plus faiblement à ses agresseurs. A demi asphyxiée par le bâillon dont sa gesticulation avait fait remonter le bord supérieur jusque sous ses narines elle manquait d'air, perdait ses forces, ne luttait plus que par saccades espacées qui la couvraient de sueur. Elle espérait que les deux gros porcs la lâcheraient bientôt, puisqu'ils avaient enfin vu ce qu'ils cherchaient à voir depuis si longtemps, mais elle eut une recrue de désespoir quand elle entendit frater Yannick dire joyeusement :

« Bon. Eh bien, ma jolie, maintenant qu'on a bien vu le haut, on va aller voir le bas. Parce que, des femelles par le haut qui sont des mâles par le bas paraît que ça existe tout aussi vrai que les sirènes mi-femmes mi-poissons, et si vous êtes une curiosité dans ce genre-là, moi je voudrais pas la manquer !

– Pour sûr que moi aussi, je veux voir le tout ! » dit frater Jean avec un rire épais, et frater Yannick fit sauter la première agrafe de la culotte de Jeanne.

Quand elle sentit qu'il commençait à la dépouiller de sa culotte, la marée de colère qui submergea Jeanne fut si puissante qu'elle lui permit de concentrer ce qui lui restait de force dans le corps pour expédier un coup de genou d'une grande violence dans le bas-ventre du frater. Il lâcha sa prise en poussant un juron obscène et se plia en deux, les deux mains portées en bouclier à son entrecuisse, la face déformée par la douleur. Mais le frater Yannick était un dur à tuer. Il parvint à se redresser à demi et alors Jeanne eut vraiment peur, peur jusqu'à presque s'évanouir : celui qui la tenait avait resserré son étau en l'injuriant à gros mots sales, et le regard de l'autre dégageait une telle haine qu'elle ressentait déjà la première brûlure de sa vengeance.

« Salope ! cracha enfin le frater amoché dans un

108

souffle rauque. On s'amuse sans te faire de mal et toi, tu t' permets des coups en vache ? Tu vas me payer ça, espèce de sale garce vicieuse !

– Yannick, fais pas le méchant ! dit frater Jean en tirant sa prisonnière en arrière, et il ajouta vite, en breton :

– On n'est pas en mer, on pourra pas faire un cadeau aux requins après la fête, alors je te laisserai pas faire l'andouille – pas ce matin. Allez, il est temps de finir la plaisanterie, poursuivit-il en français. On va aider notre Jeanneton à se rajuster, elle va nous promettre de tenir sa langue sur notre petite farce, nous, on tiendra la nôtre sur son petit secret et...

– J' te dis que j' veux m' payer d' sa vacherie, et qu'elle se taira encore mieux après la leçon qu'avant ! siffla frater Yannick, encore courbé sur son mal. J' te dis que j' laisserai pas une sale petite peau d' vache se vanter d' m'avoir...

– Bougres de deux enfants de putains que vous êtes, lâchez-la ! commanda une voix à la fois impétueuse et contenue, intervenant brusquement dans la scène. Lâchez-la tout de suite, ou je gueule pour faire venir ! »

Le Provençal se tenait campé à l'entrée de la poulaine, les yeux flamboyants, les poings serrés, prêt à ressortir pour exécuter sa menace.

L'apparition fit exploser le frater endommagé déjà bouillonnant de rage : il tira son couteau, fit jaillir la lame, lança... C'était visé de sang chaud, si mal que le Provençal n'eut pas même à sauter de côté pour éviter le couteau, qui fila se planter dans la mer.

« Fumier ! cracha le gabier. Laisse que j'aie le temps de te montrer comment on se sert de cet outil ! Et toi, l'autre fils de pute, tu la lâches, ou faut vraiment que je gueule ? T'as un quart de seconde ! »

Frater Jean n'avait plus qu'une envie : se sortir au plus tôt d'une affaire qui tournait mal.

« Mais j'allais la lâcher, j' vais la lâcher, voilà, j'

la lâche ! dit-il en maintenant toujours sa prise. Mais bon Dieu ! que tout le monde la ferme ! Parce que tout le monde a intérêt à la fermer, non ? » insista-t-il en plongeant son regard dans celui de Jeanne, et comme elle inclina la tête pour promettre son silence il la lâcha enfin, juste un instant avant que ne leur parvînt, du gaillard, le « Domine, salvum fac regem ».

« Qu'est-ce que t'as cru, Provençal ? essaya de plaisanter frater Jean en libérant les mains de Jeanne. On se renseignait, pas plus. On est des curieux, on n'est pas des brutes.

— Et si jamais tu t'mêles encore de c'qu'est pas tes oignons, dis-toi bien que j'te raterai pas deux fois ! » gronda Yannick.

Le Provençal eut un rire insultant :

« Tu me rateras pas deux fois parce que la prochaine, t'auras ma lame dans les tripes avant même d'avoir eu le temps de sortir la tienne, pourri ! »

— Ça suffit ! » dit impérieusement la voix de Jeanne, et les trois hommes obéirent d'instinct au commandement, fixèrent d'un air assez stupide la victime ressuscitée.

En un tournemain, elle avait arraché son bâillon, refermé son habit sur son désordre intime et maintenant, redressée de toute sa taille, le menton haut, les yeux étincelants, en massant ses poignets striés de rouge, d'un ton calme et roide elle donnait ses ordres :

« Cela suffit ! Personne ne sortira son couteau. Et tout le monde se taira. Fraters, vous croyez me tenir, mais c'est moi qui vous tiens. Au premier ragot qui me revient je vais trouver le capitaine et je lui raconte toute l'histoire de ce matin. Je ne sais si vous en retirerez une ration de corde, de cale ou de fers, mais vous en retirerez sûrement quelque chose de bon à vous voir subir ! »

Comme frater Yannick amorçait un geste menaçant en même temps que frater Jean ricanait quelque chose, elle les coupa d'un « Taisez-vous ! » aussi cinglant qu'un coup de fouet :

« Taisez-vous ! Peu me chaut de me dénoncer au capitaine si c'est pour vous envoyer moisir à fond de cale. Encore un mot : ne croyez pas pouvoir jamais recommencer votre jeu aussi impunément. Je ne descendrai plus ni à terre ni aux poulaines sans avoir pris mes pistolets et je sais m'en servir ! Je logerai une balle dans la tête de celui qui s'amuserait encore à poser ses sales pattes sur moi. »

Encore une fois, frater Yannick eut un mouvement de fureur.

« Non ! cria frater Jean en le ceinturant pour l'entraîner. Laisse causer, qu'est-ce ça t' fait ? Allez viens, il est temps, foutons le camp d'ici. Allez viens, répéta-t-il plus bas en breton, viens tremper tes pauvres roustons dans l'eau fraîche.

— Merci, Provençal, dit Jeanne dès que les fraters eurent disparu. Vous vous doutiez, n'est-ce pas, que j'étais une femme ?

— J'entendais le bruit qui courait. Et puis votre façon d'aller. De parler. Et comme c'est pas si rare d'avoir une femme déguisée à bord...

— Non ?

— Bé, non. Une fois même j'ai eu un matelot – un fameux gabier ! Je l'ai découvert fille que le jour où je l'ai cousue morte dans sa couverture, après dix-sept mois de campagne où elle avait servi le beaupré par tous les temps. Depuis, je m'étonne plus de rien. Les femmes d'aujourd'hui... »

Il marqua un silence éloquent, ajouta sans transition :

« Vous avez eu tort de les menacer. Menacer des bêtes malfaisantes, c'est dangereux.

— Vous aussi, Provençal, vous les avez menacés. Vous leur avez promis votre couteau dans le ventre.

— Moi, je suis un homme pour de vrai et je sais jouer du couteau.

– Je sais jouer du pistolet. »

Il hocha la tête, dit encore :

« Je savais que les fraters vous cherchaient. Ils avaient parié. C'est pour ça que je suis venu aux nouvelles quand je vous ai pas vue remonter après les avoir vus descendre.

– Merci, dit-elle une seconde fois. Je vous... Mon maître vous revaudra cela en demandant votre grâce à votre capitàni... quand ça se pourra. »

De nouveau, il hocha la tête, cette fois en souriant.

« En attendant, faites attention, dit-il. Vous allez raconter à votre... à votre maître ce qui vient de vous arriver ?

– Non.

– Ça vaut peut-être mieux. »

Leurs regards se croisèrent et le Provençal détourna vite le sien, tout gêné :

« Bon, ben... Je vous aide à ramasser votre linge ? » demanda-t-il en contemplant ses doigts de pieds.

8

Au bord d'une mer bleue, sous un ciel bleu, dans une chaleur d'air câline juste ce qu'il faut, la douceur de vivre des indigènes s'imite irrésistiblement : les Français de l'*Etoile des Mers* s'installèrent du jour au lendemain dans la bonne vie de cocagne des Espagnols de Montevideo.

Ceux-ci dégustaient l'âge d'or d'une belle colonie à peine entamée, sur un tempo de jouisseurs nonchalants. Señores et señoras se levaient fort tard, pour lambiner. Les hommes rêvaient bras croisés au seuil de leur porte, fumaient des cigarros, buvaient du maté, montaient à cheval pour aller fumer des cigarros et boire du maté les uns chez les autres. Les femmes rêvaient dans leur chambre, un chapelet aux doigts, croquaient des sucreries, buvaient du maté, effleuraient leur guitare en fredonnant. Vers une heure, les négresses servaient le bœuf au safran et, après le dîner, toute la province de La Plata se rendormait : maîtres et esclaves, commerçants, ouvriers, militaires, tout faisait la siesta, pendant deux ou trois heures. S'il se rencontrait un homme debout pendant ce temps d'horizontale paix c'était un contrebandier et il était anglais, parce que les contrebandiers espagnols, eux, siestaient parallèlement aux douaniers espagnols. Quand, enfin, le pays renaissait de sa léthargie, señores et señoras se mettaient mollement à leur toilette en prenant du maté, puis, avec « la fraîche », venait l'heure où les hommes enfourchaient leur cheval pour aller paresser chez leurs maîtresses, où les femmes s'enveloppaient dans leur mantille pour aller ronronner à l'église. Enfin la nuit tombait et al anochecer les Espagnols se réveillaient vraiment, pour vivre ce qui est bon à vivre : la noche – fine compagnie, vin d'Espagne, guitares et fantasia.

A couler ainsi leurs jours et leurs nuits, les colons de La Plata ne faisaient pas fortune. Mais quel s'en souciait ? Sa Majesté Très Catholique appointait bon nombre des deux mille habitants de la ville, et les commerçants faisaient assez bien leurs affaires dans leurs arrière-boutiques, que les marins étrangers remplissaient de pacotille interdite. Même les gardes-côtes ramassaient parfois gros sans effort, rien qu'en tendant la main quand ils fermaient les yeux. Tant et si bien qu'à Montevideo l'argent était presque aussi commun que le bœuf, bien qu'il fût difficile de voir quelqu'un travailler pour le gagner. Naturellement, il y avait comme partout des riches, des moins riches et des pauvres, mais un pauvre vêtu d'un seul poncho effrangé pouvait fort bien posséder soixante chevaux et mille têtes de bétail paissant autour de sa misérable cabane en peaux de vaches, et cette façon d'être pauvre émerveillait les Français, ces descendants de paysans aux troupeaux plus ou moins chétifs.

Chaque midi, à la table du capitaine, on recommençait de s'extasier sur l'hospitalité délicieuse du pays. Ivre d'économies M. l'écrivain recomptait tout haut sa faible dépense – ses bœufs à vingt sols, ses moutons à quinze, ses cailles « grosses comme des perdrix » à douze sols la douzaine, ses perdrix « grosses comme des poules » à cinq sols la pièce, son pain blanc à trois sols la livre : M. Toustain nourrissait tout son monde, le petit et le grand, somptueusement, pour moins de cinq livres par jour ! Ah ! quelle colonie les Espagnols tenaient là !

C'était du gâchis. Si les Français l'avaient tenue à leur place, ah ! la la ! ils en auraient fait bien autre chose qu'une oasis de molle jouissance. Elle aurait « rendu ». Mais les Espagnols, avec leur naturel à se contenter d'être... Leur allégresse de gavés à bon marché épuisée en même temps que le dessert, au café ces MM. les Français en venaient immanquablement à gloser sur l'immoralité d'une terre et d'un climat qui rendaient l'hidalgo trop doux envers ses esclaves, l'ouvrier libre indolent et donc ruineux à remuer. Dame ! c'est que pour l'ouvrier aussi un bon plat de langue de bœuf aux piments valait vingt sols, une fois le reste du bœuf abandonné aux goélands de la voirie. Pour lui aussi les poissons sautaient gratis dans le filet, les cailles tombaient du ciel, les artichauts poussaient sur les talus aussi dru qu'orties en France, les pêches et les figues sauvages venaient à profusion, à portée de main. Dans ce pays trop complaisant « qui gâtait la moralité de l'ouvrier » – comme disait messire Jouet – la main-d'œuvre était rare et chère. De ce fait l'industrie y était inexistante, la ville trop peu et mal bâtie, les médiocres bâtiments publics inachevés, les rues non pavées, les églises dépourvues d'ornements, les places sans arbres ni fontaines, les jardins en friche, ce qui s'abîmait jamais réparé, et etc., parce que « faire » n'était pas faisable pour des Espagnols, et que « faire faire » était une chose compliquée, longue, coûteuse, c'est-à-dire très fatigante, c'est-à-dire infaisable aussi. Les Français n'étaient pas seuls à l'avoir remarqué mais aussi les Anglais, et eux avaient tout de suite dépassé la réflexion philosophique sur le fait : régulièrement ils venaient vendre en contrebande à Montevideo des nègres qu'ils achetaient en contrebande à Rio Janeiro. Hélas ! à peine importés les esclaves des Portugais devenaient des esclaves d'Espagnols, donc ils acquéraient le droit sacré à la siesta et eux ne s'en lassaient jamais, sauf à l'heure de la calenda. Et comme il aurait été encore plus fatigant de faire travailler à coups de fouet une main-d'œuvre noire fainéante que de faire travailler à coups de piastres une main-d'œuvre blanche paresseuse, naturellement les Espagnols ne le faisaient pas et se rabattaient, dès qu'ils le pouvaient, sur la main-d'œuvre de passage : tout matelot en relâche dans le port qui voulait se faire un peu charpentier, maçon, serrurier, peintre, cuisinier, forgeron, jardinier, boucher, n'importe quoi, pouvait se gagner de quoi passer une bonne escale; s'il voulait déserter on l'accueillait à bras ouverts et, s'il n'y songeait pas seul, on l'y encourageait.

Tous les capitaines pratiquant les ports de l'Amérique du Sud savaient que « créer le déserteur » était l'une des très rares activités actives de Montevideo. Grâce à quoi « garder le matelot » devenait l'occupation principale de tous les quartiers-maîtres de tous les vaisseaux non espagnols ancrés dans la baie. Et on voyait les bordées de permissionnaires descendre s'ébattre à terre comme autant de pensionnats en promenade flanqués de surveillants aux yeux d'argus. En dépit de cela, un équipage séjournant assez pour goûter aux charmes du pays perdait couramment dix hommes, c'est dire quelle hémorragie dramatique risquait celui de l'*Etoile des Mers*, qui voulait demeurer deux ou trois mois en rade !

Pour tenter de l'éviter, Vilmont de la Troesne n'autorisait les sorties que par demi-quartier encadré de deux quartiers-maîtres, auxquels la promesse d'une piastre par bordée ramenée complète à bord donnait une vigilance de « faillis chiens ». Ce système rendait le matelot grognon, qui perdait un jour de permission sur deux, aussi y avait-il toujours des volontaires pour les corvées à terre. Le docteur Aubriot apprit donc, avec un plaisir ingénu, que beaucoup de matelots désiraient s'intéresser à l'histoire naturelle. Alors qu'à Rio Janeiro il avait dû louer des esclaves pour lui trotter sur les talons pendant des lieues en portant des monceaux de verdure et de coquillages, à Montevideo il n'avait qu'à choisir ses porteurs de la journée dans l'équipage. Tant qu'à faire il en prenait beaucoup, aussi était-ce une queue leu leu joyeuse que le naturaliste emmenait chaque matin, l'aube à peine rosie, dans l'immense pâturage qu'était la campagne autour de Montevideo.

Cette abondance de main-d'œuvre novice donnait au « lieutenant » Jeannot une importance nouvelle. Jeannot dirigeait son monde avec tant de compétence et de fermeté bienveillante que les matelots, ébahis par son savoir, son endurance et sa bonne humeur égale, commençaient de regarder « la Jeanneton » d'un œil plus admiratif que moqueur. Le valet du docteur Aubriot faisait pourtant plus équivoque que jamais dans l'accoutrement à la mode du pays qu'il avait adopté : un poncho paysan de grossière laine blanche rayée flottant autour de son corps, et un chapeau blanc à grand bord roulé qui lui seyait à ravir, accusait la belle et délicate architecture du visage en cachant la chevelure, faisait ressortir, sous sa clarté, le joli ton de thé doré d'un teint bien trop poli pour être celui d'un garçon honnête ! N'importe : même si la Jeanneton avait des joues de fille elle avait un courage de garçon et une tête de savant et donc elle méritait de l'estime – cela commença vite de se murmurer sur le gaillard d'avant et revint à Jeanne par le Provençal. Elle pensa qu'être désormais respectée de l'équipage pourrait, mieux que n'importe quoi, la protéger contre une nouvelle agression des fraters.

La présence des deux brutes la mettait maintenant si mal à l'aise qu'elle devinait leur approche rien qu'au frisson qui lui parcourait le dos comme pour l'avertir d'un danger répugnant; et en dépit de sa résolution de l'ignorer elle ne pouvait pas ne pas croiser, au moins une fois, le regard de défi méchant que frater Yannick appuyait longtemps sur elle, chaque matin, lorsque « la bordée botanique » s'installait dans ses canots pour se faire conduire à terre. Car les fraters, dans les tout premiers, avaient demandé à faire partie des expéditions du docteur, et celui-ci avait accepté. Jeanne ne lui ayant rien rapporté de sa mésaventure il n'avait aucune raison de se méfier des fraters, et les aides de Pauly connaissaient assez bien les plantes du pays. Chaque fois que leur bâtiment relâchait à Montevideo ils en faisaient une ample provision pour le coffre de leur chirurgien, aussi les deux faux jetons avaient-ils su se mettre dans les bonnes grâces du maître de leur victime. Il était facile de séduire Aubriot en lui découvrant la vertu pissatoire de *Meona*, le pouvoir sudorifique de *Payco* ou les propriétés antivénériennes de *Colaguala* et Jeanne, bon gré mal gré, avait dû se résigner à voir Philibert traiter les deux pourceaux avec quelque considération. Leurs silhouettes lui gâtaient un peu le paysage et lui causaient des bouffées d'une peur vague, mais elle s'en tenait le plus loin possible, et la compagnie fredonnante du Provençal, qui ne la quittait pas plus que son ombre, la rassurait. Savoir qu'elle pouvait désormais compter sur la sympathie des autres matelots aussi acheva de la tranquilliser et, à l'aube qui suivit la confidence du Provençal, elle enfila son poncho

117

avec une joie tout à fait sereine, et même au point de sortir son miroir de son bagage pour s'attifer devant.

À dire le vrai, elle aurait pu s'offrir un poncho de plus belle étoffe mais, au point de vue forme – ou non-forme – celui-ci lui seyait aussi bien qu'un autre, et elle aimait sa couleur de laine naturelle à fines rayures noires. Elle trouvait ce vêtement flottant merveilleusement agréable : il garantissait de la chaleur autant que de la fraîcheur du soir ou de la pluie et ne se défaisait pas aux brusques et violents coups d'un vent, fréquent dans la plaine et sur la baie, que les Espagnols appelaient le pampero. Elle se mit à chanter en tassant ses mèches dans la calotte de son chapeau et termina l'opération en décochant un radieux sourire à son image. À pratiquer longuement l'état de garçon qui l'avait si souvent tentée, elle redécouvrait avec envie tous les charmes de l'état de fille. L'état de garçon était commode, il avait beaucoup de bon mais, tout bien pesé, il était assez froid. Certes les regards des femmes ne manquaient pas plus au beau Jeannot que les regards des hommes n'avaient manqué à la belle Jeannette; mais un regard d'homme dit : « Je vous désire » tandis qu'un regard de femme dit : « Aimez-moi » et... ce n'est pas si bon. Pendant une très agréable minute, Jeanne complimenta son ravissant visage ombré par l'aile blanche du grand chapeau, de la part des hidalgos de la province de La Plata, qui ne sauraient jamais à quelle délicieuse Française ils auraient oublié d'offrir leurs cœurs.

Aubriot ouvrit la porte de la grand-chambre sans qu'elle l'entendît, arrêta son regard sur l'aimable scène de narcissisme :

« Eh bien ? lança-t-il d'un ton moqueur, tu te fais l'amour ? »

Elle sursauta :

« Je pensais, dit-elle. Je pensais... que je ferais une femme charmante !

– Ha ! Fatiguée de me servir de valet ?

– Jamais, dit-elle en venant lui passer ses bras autour du cou. Où allons-nous ce matin ? Aux herbes ou aux coquillages ?

– Nous allons loin. Nous allons à deux heures de galop de cheval, pour mesurer le chemin à la mode espagnole.

– A pied ?

– A cheval. Des chevaux sellés nous attendent chez le gouverneur. Le capitaine vient de m'annoncer que don Joachim nous a arrangé une partie de campagne chez don José. On m'y a promis, entre autres, un magnifique bosquet de citronniers et d'orangers. Jeannot, nous allons voir dans peu le jardin des Hespérides ! Qu'en dis-tu ?

– C'est merveilleux, murmura-t-elle dans un souffle, la gorge étouffée d'un flux de sang, et elle lui lâcha le cou pour se détourner, se mit à préparer son pistolet.

– Ah ! oui ! c'est ce matin ou jamais qu'il s'agit de ne pas oublier ton pistolet », dit Aubriot en riant.

Il se moquait un peu d'elle chaque fois qu'il la voyait vérifier soigneusement son arme avant de la mettre dans sa ceinture avec un air martial.

« Aujourd'hui, poursuivit-il, nous traverserons des bois et des rivières, nous avons des chances de voir des tigres. Jeannot, m'écoutes-tu ? Nous avons des chances de voir des tigres ! Et de grands troupeaux d'autruches.

– Aurons-nous des chasseurs avec nous ? demanda-t-elle machinalement, la pensée inondée d'un grisant parfum de fleurs d'orange – était-ce celui du bosquet de don José, était-ce celui du mouchoir de Vincent ? »

Aubriot secoua la tête :

« Les Espagnols ne sont pas chasseurs, la chasse est un plaisir fatigant ! Mais rassure-toi : un tigre n'attaque qu'un voyageur isolé et encore s'il a faim, et nous serons toute une cavalcade. Car nous aurons aujourd'hui une compagnie plus choisie que celle de nos braves matelots : l'état-major de l'*Etoile des Mers*, tout le gouvernement de Montevideo, trois officiers anglais et même Mme la gouvernante. Il faut qu'une partie de campagne chez don José ait un charme certain pour que nos hôtes espagnols lui sacrifient une de leurs sacro-saintes grasses matinées ! Je crois, Jeannot, que nous allons avoir une journée passionnante.

– Oui, dit-elle, passionnante... »

La chevauchée fut une belle aventure trop courte pour les nouveaux venus dans le pays. La campagne était superbement sauvage. De la prairie, émaillée de toute la multitude des fleurs éclatantes de l'été, de la prairie sans fin, dans laquelle le cavalier, soûlé d'espace, pouvait croire que la liberté d'un homme à cheval n'a pas de frontières. Nul chemin, pas même un sentier. Il fallait galoper à travers champs, passer les rivières à gué. D'immenses troupeaux de bœufs, de chevaux, de moutons cornus, de cochons roux bossus comme sangliers paissaient l'herbe haute, survolés par des vagues de goélands en quête de chairs mortes. Parfois, c'étaient des nuées de cailles grasses qui passaient et les Français, nez levés, reniflaient des pâtés, épaulaient d'instinct et abattaient dru une pluie de gibier, que les Indiens de l'escorte du gouverneur couraient ramasser en glapissant de plaisir. Une fois, ce fut un vol d'aigles qui accompagna la cavalcade tout un bout de chemin. Les gros oiseaux noirs – ils étaient gros comme des coqs de France – manifestaient tant d'intérêt pour les hommes, et si peu de crainte, qu'ils plongeaient à tour de rôle et venaient faire, à grands claquements d'ailes, du surplace au-dessus de leurs chapeaux. Deux parmi les plus téméraires finirent par choisir de se disputer à coups de becs le droit d'emporter le vieux tricorne noir d'Aubriot – sans doute parce qu'ils avaient l'habitude des grands chapeaux blancs

120

et que celui-ci, petit et triste, les intriguait; ils s'entêtèrent à tel point après lui qu'il fallut la baïonnette du fusil d'un garde espagnol – laquelle les embrocha l'un après l'autre – pour les dissuader de leur idée.

Jeanne, qui riait aux éclats, pressa son cheval pour rejoindre Aubriot :

« Voyez, monsieur, lança-t-elle entre deux rires, je vous avais bien dit que votre vieux chapeau devenait une curiosité. Encore un peu et il s'en allait décorer le nid du gagnant, où je ne doute pas que tous les aigles de la tribu ne soient venus le visiter ! »

Les trois cavaliers qui entendirent la boutade en sourirent en même temps qu'Aubriot.

« Ce que nos meilleurs valets ont de plus plaisant à vivre, c'est leur impertinence, dit Vilmont de la Troesne à Aubriot. Ils sont gais à nos dépens, mais ils sont gais. »

Ce disant, le marin jetait une œillade malicieuse à « l'ambigu » d'Aubriot. L'ambigu y répondit par un lumineux sourire appuyé d'un regard de miel, et cette mimique fut si bien celle d'une coquette quêtant l'hommage d'un homme que de la Troesne, amusé, se confirma dans l'instant qu'il avait une femme à son bord. Mais comme il n'était pas le premier et ne serait pas le dernier auquel la chose arrivait... « L'hypocrite ! » pensa-t-il en observant le profil d'Aubriot, lequel s'était remis à deviser en latin avec le père Roch, un franciscain qui servait de précepteur au fils de don Joachim. Un bel hypocrite, vraiment ! L'air communément sévère, la parole docte, une sobriété presque gênante à table... et avec tout cela une maîtresse cachée dans son bagage de missionnaire de la botanique ! Le jésuite ! De la Troesne se mourut d'envie de lui jouer un tour – mais quel ? A tout hasard, il se mit à chevaucher botte à botte avec le trop séduisant valet de son passager. Il redressa son buste court et fit, tant que faire se pouvait, mâchoire carrée avec son menton de gourmand.

Ils approchaient d'un assez grand bois masquant une rivière, et la quantité de petits oiseaux, déjà dense partout où la plaine buissonnait, augmentait prodigieusement. Des perruches vertes babillardes, des grives cendrées tachetées de brun, des étourneaux gris, jaunes, rouges, des merles noirs, des pies tachetées de noir et de blanc, de fines colombes neigeuses, des perdrix de climat chaud au plumage ardent, des fauvettes rousses, des roitelets aussi scintillants que papillons aux têtes couronnées d'or, des rouges-queues, des gorges-noires, des têtes-blanches, des ailes-bleues, des ressemblances de bouvreuils, de chardonnerets, de serins, de mésanges, de geais, de piverts... – toute cette faune légère à la beauté multicolore tournoyait dans le soleil aux abords de la forêt comme autour du chapeau trop plein d'un magicien faiseur d'oiseaux. La cavalcade, charmée, se mit au pas. Ebloui, Aubriot ne savait sur quel point du ciel braquer sa longue-vue pour capter des images qui s'envolaient à peine prises. Le père Roch lui traduisait en latin les noms clamés par les Indiens, mais le franciscain n'avait pas assez de latin pour « civiliser » tous les jolis noms imagés, lourds d'amour et de poésie, que les Indiens avaient inventés pour les oiseaux de leur pays.

Jeanne aurait bien voulu pénétrer dans le bois enchanté; mais sans doute n'était-il pas praticable car les Espagnols le leur firent contourner pour aller chercher le gué de la rivière. Les Indiens, leurs longues chevelures noires abandonnées au vent, vêtus tous semblablement d'un poncho de laine bise brodé d'une grecque en fils de teintes vives – la livrée des esclaves du gouverneur – caracolaient sur les flancs des Blancs pour en écarter à coups de fouet, avec des hurlements de guerre, les bandes de chiens qui se risquaient à venir aboyer et sauter aux jarrets des chevaux. Engloutie dans ce bruit sauvage, étourdie de découvertes, excitée par la chaleur et le vent, Jeanne serrait sa monture moite entre ses cuisses de bonne cavalière avec une volupté animale. Depuis qu'en pleurant elle avait dit adieu à sa Blanchette dans les écuries de Charmont, c'était la première fois qu'elle retrouvait l'occasion de monter. Elle en éprouvait une joie corporelle d'autant plus violente que le décor qui filait sous ses yeux faisait de la promenade une chevauchée fantastique. L'inconnu de la prairie s'ouvrait infiniment sous les sabots de son cheval avec un martèlement sourd qui lui résonnait dans l'âme, s'y confondait avec le battement accéléré de son sang, rendait toujours plus intense son impatience de *savoir*. Sans même le vouloir elle éperonna son cheval et la bête nerveuse répondit avec emportement, fonça, s'ouvrit l'air de la plaine à la vitesse d'un pampero. Comme éperonnés du même coup de talon les Indiens entrèrent dans la folle galopade avec des clameurs de bravos à l'assaut, si bien que le valet d'Aubriot arriva au bord de la rivière bon premier de tous les Blancs, au milieu d'une horde de sauvages qui l'acclamaient en criant de plaisir !

Elle n'eut pas le temps de se sentir confuse d'un exploit si peu convenable à la modestie de son état : le rio large et rapide qui descendait de la Cuchilla Grande roulait les grosses eaux d'un furieux orage subi dans la montagne. Le gué s'était noyé. Il allait falloir passer la rivière à la mode de la pampa. En l'expliquant aux invités de sa partie de campagne, le gouverneur, un grand sourire aux lèvres, semblait se réjouir de pouvoir leur offrir impromptu un divertissement de plus. Mais dès que la traversée commença on vit bien, à la mine de la majorité des invités, que ceux qui ne savaient pas nager s'en seraient bien passés ! Le jeu ne manquait pourtant pas d'une forte couleur locale.

A peine la cavalcade avait-elle eu mis pied à terre devant le rio engorgé que quatre Indiens avaient surgi comme par enchantement à la lisière du bois, portant deux pirogues et suivis par deux douzaines de chevaux. Ils étaient petits, très laids, très noirs de peau et fort galeux dès que vus de près; les cheveux luisants de graisse puante, le front ceint d'un ruban de cuir, pour vêtement ils portaient une peau de chevreuil retournée et bariolée de peintures géométriques. Sans mot dire, ils avaient laissé tomber ces chemises barbares pour apparaître nus comme la main, après quoi ils avaient attelé deux chevaux à la proue de chacun des canots, l'un à bâbord, l'autre à tribord. Cela fait, cramponnés aux crinières des chevaux, ils les avaient forcés d'entrer dans l'eau avec eux. Alors, pour montrer à ses hôtes étrangers que passer ainsi les eaux sans pont n'était qu'une habitude à prendre et sans le moindre danger, don Joachim tendit la main à Mme la gouvernante pour la placer dans le premier canot avec le capitaine Vilmont de la Troesne et sir James Harvey...

Les deux Indiens tirèrent sur les crinières des chevaux, et le tout se jeta à la nage pour haler le bac jusqu'à l'autre rive. La silhouette de doña Victoria, habillée d'une amazone prune et coiffée d'un beau chapeau retroussé à la militaire, se mit à danser sur l'eau bouillonnante du rio. La dame souriait, babillait avec les deux officiers tout comme si elle les avait conviés à une causette sur son estrade. Français et Anglais se laissèrent passer en affichant la désinvolture, même ceux qui cachaient par-dessous un teint vert de peur.

Jeanne passa dans le second canot avec Aubriot. Elle au moins était enchantée de l'aventure. Dès que débarquée elle voulut reseller elle-même son cheval et celui d'Aubriot, que les esclaves du gouverneur avaient fait traverser avec tous les autres. En bouchonnant affectueusement les bêtes avec des tampons d'herbe douce elle fredonnait, rose de joie de vivre sous l'aile de son grand chapeau blanc. Une nouvelle fois, en la regardant Vilmont de la Troesne envia le sort de son passager. Il s'approcha d'Aubriot et, désignant Jeannot d'un coup de menton :

« Plus je vois votre valet de compagnie plus je me convaincs, monsieur, que j'aimerais l'avoir pour moi, dit-il d'un ton pince-sans-rire. Il fait vraiment tout au mieux, et avec une bonne grâce qui confond... chez une personne de son état. Encore ne suis-je sans doute au fait que d'une partie de ses talents. Voyez-vous, monsieur, si – ce qu'à Dieu ne plaise – un naufrage nous jetait sur une île déserte, je me tiendrais pour encore assez fortuné dans mon malheur si vous vouliez bien me céder la moitié de votre Jeannot en échange de la moitié de mon Paimpol. Nous leur partagerions notre service de manière que les tâches grossières soient pour Paimpol et le délicat pour Jeannot. »

Le noir regard aigu d'Aubriot s'enfonça dans le clair regard du Breton et y demeura tandis que le médecin répliquait sans se presser :

« Ma foi, monsieur, je n'ai qu'une chose à répondre à cela : c'est que je vous ai expérimenté si bon marin que je ne parviens pas à vous imaginer nous échouant là où nous ne voulons pas aller. »

De la Troesne se mit à rire, et Aubriot avec lui.

Don Joachim, déjà remonté à cheval, frappait dans ses mains :

« Messieurs, si vous le voulez bien, en selle ! La crue du rio nous a fait perdre deux heures, dit-il en lançant une poignée de pièces aux Indiens passeurs. Don José doit commencer à se demander si nous avons été surpris par les bravos ou par les bandits de Pinto. Je suis fâché de n'avoir pu vous offrir ni les uns ni les autres, et pas même un tigre affamé, mais puisque vous me faites le plaisir de demeurer tout l'été, j'essaierai de faire mieux la prochaine fois.

– Don Joachim, gardez-vous de trop promettre à vos hôtes, intervint don Carlos. Vous gouvernez si bien cette province qu'elle sera bientôt trop civilisée pour contenter des Européens curieux d'exotisme. Je me demande ce qu'il sera advenu, vers l'an 1800, du plaisir de voyager loin de chez soi ? On trouvera partout de bonnes routes avec de bonnes auberges, des ponts sur les rivières, des bois nettoyés de leurs fauves et de leurs brigands... Que lástima !

— Don Carlos préfère les tigres et les brigands aux colons; il les trouve plus amusants, dit don Joachim aux Français groupés près de lui.

— C'est qu'ils le sont, soupira comiquement don Carlos. Moi qui suis né voilà trente-sept ans dans un pays d'un grisante barbarie, je vois bien que là d'où nous chassons la barbarie nous installons l'ennui. Nous voilà déjà avec un service de barcachata [1] pour franchir les rios ! Bientôt, nos Indios bravos n'attaqueront plus que sur ordre, pour donner quelques piastres d'émotion américaine aux hôtes d'un Espagnol offrant une partie. La bonne administration est un remède contre l'aventure, si actif qu'il a traversé les mers pour venir l'aplanir jusque chez nous. Mais la fin de l'aventure, c'est la fin del hombre. »

Don Carlos sauta en selle et, retenant son cheval encore un instant :

« Messieurs, dit-il aux Français, je regrette de vous annoncer qu'il ne vous arrivera plus rien d'ici à chez don José. Notre amigo, que son très riche père a eu la bonté de laisser fils unique, a civilisé ses abords à grand renfort de patrouilles privées.

— Rassurez-vous, dit don Joachim, dans notre province les gardes privés laissent passer beaucoup d'imprévu. On ne trouve à les recruter que parmi les brigands indiens, les brigands portugais ou les déserteurs espagnols évadés de prison. Ici, un garde privé n'est sûr que si c'est vous qui tenez le fusil ! »

Ils prirent le galop en riant, bientôt longés à bonne distance, sur leur droite, par un troupeau de nandous [2] fuyant devant une bande de cavaliers indiens armés de lacets [3].

« Ils vendent leurs plumes aux capitaines contre-

1. Bac.
2. Genre d'autruches.
3. Lassos.

bandiers, cria don Carlos dans le vent en désignant la chasse d'un mouvement de tête. Il existe quand même encore un peu de liberté dans ce pays ! Oh ! voyez, la quinta ! ajouta-t-il en tendant le bras, la quinta de don José ! »

Au bout de leurs regards un bouquet vert venait de jaillir de la plaine rase et grossissait dans le ciel.

9

DON JOACHIM remercia pour le cigarro, demanda :

« N'aurons-nous pas aujourd'hui le bonheur de voir doña Emilia ?

Don José eut un grand sourire blanc :

« Si, amigo. Je suis jaloux, mais je la montre par orgueil.

– Revenez en ville avec elle, amigo. Nous aurons le plaisir de vous en complimenter plus souvent, dit don Domingo.

– Non, dit don José. Don Joachim me trouverait du travail, et seule l'oisiveté convient à un homme amoureux. Je suis certain que pas un de vos amis français ne me contredira là-dessus, ajouta-t-il en continuant de distribuer des cigarros.

– Mais pas un Anglais non plus, intervint Sir James. Je suis vexé d'entendre toujours réserver aux Français le savoir-bien-faire l'amour. C'est pourtant un Anglais, messieurs, qui a inventé le plus beau duo d'amour qui soit : celui de Roméo et Juliette. »

La conversation s'anima vivement, pour décider de la nationalité de l'Amant parfait. Les candidats de cette compagnie choisie parlaient tous assez bien le français pour entrer dans la joute, et s'exprimaient d'autant plus librement sur la bonne opinion qu'ils avaient d'eux-mêmes que la seule femme de la chevauchée, doña Victoria, avait disparu chez l'invisible doña Emilia pour s'y reposer.

« Pas un qui paraisse douter de l'existence de

l'Amant parfait et pas un, bien sûr, qui ne se sente capable de le définir sans même l'aide d'une femme ou deux ! » pensait Jeanne en tendant l'oreille. Pour une femme cachée c'est toujours une occupation délicieuse que d'écouter des hommes s'enseigner l'art de faire le bonheur des dames, aussi s'efforçait-elle de les écouter honnêtement, avec la tendresse et l'ironie dues aux bêtas de bonne volonté. Mais elle n'était qu'impatience, oppression, distraction. Depuis son arrivée à la quinta son attente de « quelque chose » la maintenait dédoublée. Jeannot faisait à peu près ce qu'il devait faire, comme un automate bien réglé. Pendant ce temps, Jeanne palpait de toutes ses antennes le climat de l'habitation, étirait sa pensée dans tout ce qu'elle en connaissait déjà pour tenter d'en deviner la suite inconnue.

A qui venait de la plaine, la campagne de don José apparaissait d'abord comme un vaste bosquet fortifié. Toute l'habitation – bâtiments et jardins – était ceinturée par une haute palissade doublée de cuir de bœuf, au-dessus de laquelle s'élevaient aux quatre angles des cahutes de vigie. Le portail franchi, la maison s'offrait de face : un simple parallélépipède éblouissant de blancheur, derrière lequel moussaient des feuillages d'oasis. Les forts grillages noirs à l'andalouse protégeant aussi bien les fenêtres de l'étage que celles du rez-de-chaussée composaient le seul ornement de la façade, lisse et nue entre ses percées. L'étonnant était de trouver une maison d'aspect aussi rude posée au bout d'une cour d'entrée parfaitement couverte d'une herbe épaisse rasée d'aussi près qu'un gazon anglais. Sir James et ses deux compatriotes s'étaient d'ailleurs extasiés là-dessus comme s'ils n'avaient traversé les mers que pour retrouver, à l'autre bout du monde, le confort de marcher sur une façon de pelouse made in England. Comme la cavalcade s'était fortement retardée à observer les oiseaux et à passer le rio en crue elle n'était arrivée à la quinta que juste à temps pour le dîner, aussi avait-elle pris place à table dès que rafraîchie. Maintenant, elle n'en finissait pas de « siester » dans le salon et Jeannot, esseulé dans la salle d'entrée pour n'avoir pas suivi ses pairs en cuisine, ne cessait de s'approcher de la portière en lanières de cuir, dans l'espoir d'entendre enfin don José proposer une promenade dans son verger.

Le verger.

Elle sentait sa masse verte l'entourer comme d'un cercle sorcier. Dans une heure, dans un instant, elle poserait le pied dans le verger prédit par la gitane de la Courtille. Le mystère de cette prédiction, alors, s'ouvrirait-il ? Sur quoi ? Quel moment de sa destinée était-elle venue chercher au fin fond d'une quinta de La Plata, qu'elle devrait reconnaître au seul tressaillement de son cœur ? Ah ! bouger, mon Dieu ! bouger ! Ne pas demeurer passive une seconde de plus à deux pas de la chose après plus de trois mois d'approche !

Une nouvelle fois, elle alla écarter deux lanières de cuir de la portière, plongea son regard dans le salon...

Ce salon ne lui semblait pas aussi exotique que les autres salles de compagnie qu'elle avait déjà vues à Montevideo. Il était très grand, pavé de briques posées sur champ d'un beau ton de terre noire vernissée. La peinture blanche des murs n'était gâtée par aucune des affreuses tapisseries, aucun des mauvais tableaux obscurs que paraissaient affectionner les Espagnols de La Plata. Le seul ornement de la pièce était un énorme bouquet de feuillages luisants et de tournesols posé à même le sol, dans une poterie indienne. A part ce bouquet, très beau et le premier que Jeanne voyait dans une demeure de La Plata, le mobilier ne comprenait que quatre petites tables volantes à prendre le maté et une foule de sièges groupés autour. Chez don José comme dans toutes les maisons de la province il y avait une douzaine de ces sombres chaises de bois et de cuir dont les hauts dossiers rigides semblaient prédestinés à des dos d'inquisiteurs, mais, en plus, il y avait des fauteuils et des tabourets de style Louis XV recouverts d'un damas vert et blanc. Les causeurs bavardaient à la française, en rond, car il n'y avait pas d'estrade. Encore une fois, Jeanne reporta ses yeux sur cet original de La Plata qui n'aimait ni la mauvaise peinture, ni le velours cramoisi, ni les hôtes rangés le long des murs, et qui aimait les fleurs.

On ne pouvait dire que don José fût beau mais toute sa personne, de taille moyenne, dégageait une force mâle chaleureuse et hardie très attirante. Plus Jeanne l'observait, plus elle éprouvait de sympathie pour lui, sans toutefois parvenir à décider si l'homme tenait plus du condotiero que de l'hidalgo, ou vice versa? Sans doute, comme beaucoup des Espagnols de la pampa, ne le savait-il plus très bien lui-même? Il devait avoir entre trente et trente-cinq ans – trente quand il souriait. Ce sourire, éclatant de gentillesse, qui s'ouvrait à pleines dents dans son visage au ton de pain d'épice fortement marqué de virilité, de vent et de soleil, charmait irrésistiblement, et d'autant plus que les autres sourires de la province étaient communément édentés ou jaunâtres. Il parlait un français parfait, montrait à ses hôtes une courtoisie pleine de naturel, mais avec une liberté de paroles et de manières qui le distinguait de ses compatriotes. Rien ne demeurait en don José de cette raideur du tronc assortie aux chaises à dossier guindé, dont l'habitude, même fugitive, durcissait parfois d'arrogance l'attitude des officiers et des grands commis les plus aimables de Sa Majesté Très Catholique. Certes, il devait savoir se faire obéir aussi bien qu'un autre, mais sans morgue – par nécessité. Ses chevaux, ses esclaves et ses femmes avaient assurément un maître, mais qui ne maniait pas le fouet par droit divin et devait essayer le sucre avant. Oui, le peuple de don José devait avoir de fréquents bons moments – ses femmes surtout; son grand air de bonne santé et les propos simples et joyeux qu'il tenait sur l'amour ne laissaient aucun doute là-dessus :

« C'est bien malgré moi que je nous ai jetés dans la philosophie d'aimer, était-il en train de dire en souriant. Je ne crois pas que l'amour soit une philosophie non plus qu'un art. L'amour est un instinct, tout comme la faim, et le plus grand amoureux est assurément le plus grand affamé. »

Comme plusieurs voix se récrièrent sur la barbarie de la définition, don José, toujours souriant, leva la main pour réclamer le droit de poursuivre :

« Quant à savoir si l'on doit apprendre, si l'on peut apprendre à faire l'amour... Apprend-on à faire un bouquet ou à faire un poème ? S'il y a des patauds, des cuistres et des poètes en amour, je tiens que c'est de naissance. J'ai toujours cru que pour essayer de contenter une femme il suffisait de l'aimer et de s'y mettre de toutes ses forces, et avec toutes ses faiblesses. Ce qui, vous en conviendrez, ne vous laisse rien de reste à donner au travail !

– *Quod erat demonstrandum*, conclut le père Roch en riant. Et maintenant que la chose est faite et la paresse de don José reconnue louable et utile au contentement de notre chère doña Emilia, si nous faisions l'effort de marcher jusqu'au verger pour contenter M. Aubriot ?

– Qui parle de moi et qu'en dit-on ? » demanda une voix française vive et claire et, à l'entendre, Jeanne tressaillit de la nuque aux talons, rapprocha son regard des lanières de cuir...

Une clarté bleue avait paru au seuil de la porte ouverte sur le patio, qui s'effaça devant l'amazone prune de doña Victoria puis entra dans le salon avec un bruissement de soie, et Jeanne n'eut que le temps de jeter ses deux mains sur sa bouche pour rattraper son cri. Ses jambes flageolèrent et une suée lui couvrit le corps. « Je rêve, pensa-t-elle à toute vitesse. Il y a trop longtemps que j'attends l'arrivée de quelque chose, je m'invente des fantômes ! »

Dame Emilie, aussi preste et légère et bien à l'aise que dans son salon vert et blanc de sa maison de Neuville, venait de se poser sur un tabouret après avoir, du geste et du sourire, refusé les fauteuils qui s'étaient offerts :

« Je ne veux demeurer qu'un instant. Je reviendrai me réjouir de votre compagnie, mais à présent je ne suis venue que pour vous ôter M. le docteur Aubriot – s'il y consent. Doña Victoria m'a appris le but de votre voyage, monsieur, je sais donc que vous êtes curieux de voir les plantations de don José et il me plairait d'être la première à promener dans ses jardins un botaniste du roi de France. »

L'invitation avait été faite d'une voix émue. Chacun comprenait le désir de la jeune Française émigrée et attendit en silence la réponse du naturaliste.

Aubriot se leva :

« Madame, je n'aurais pu rêver un guide plus charmant, dit-il en s'inclinant devant son hôtesse. Vous m'embellirez mes plus belles découvertes, et je souhaite de rencontrer une fleur encore innommée qui mérite de se voir donner votre nom.

– Monsieur le Français, n'oubliez pas, je vous prie, que je suis jaloux comme un Espagnol ! lança plaisamment don José.

– Don José, ne soyez pas modeste : vous êtes jaloux comme dix Espagnols, corrigea Emilie. Dieu merci pour moi, je suis aussi rebelle que dix Françaises. Monsieur, allons-nous ? » ajouta-t-elle en se tournant vers Aubriot.

Elle lui offrait sa main comme pour se faire conduire à la danse et il entra dans le jeu, tendit le poing. Il éprouvait un vif plaisir à se faire enlever à l'ennui d'un papotage puéril par une jolie femme. Depuis son arrivée à Montevideo, il avait déjà vu assez de pruneaux au sourire jaune, à la taille épaisse et aux gracieusetés dolentes pour apprécier à sa valeur de rareté délicieuse la vivacité, la silhouette à peine évadée de l'adolescence et le teint de lait de doña Emilia – elle devait s'appeler Emilie. En la suivant il se demanda le pourquoi du bizarre regard qu'elle lui lançait. Il y lisait comme une sorte de connivence malicieuse qu'il ne comprenait pas. Quel commun secret pouvait-il exister entre lui et cette jeune Française qu'il ne se souvenait pas avoir jamais vue ? Mais peut-être n'y avait-il aucun message dans le regard de doña Emilia et l'espièglerie faisait-elle partie du gris-vert de ses yeux, comme la gaieté ardente faisait partie de ses boucles rousses tournées à l'anglaise.

Comme ils allaient quitter le salon, Aubriot tâta les poches de son habit, se ravisa :

« Me donnez-vous le temps, madame, de ravoir ma loupe et mes tablettes ? D'ordinaire, j'ai un aide qui me suit en portant mon petit bagage et...

– Monsieur, faites commodément pour vous et ordonnez à votre valet de nous suivre, dit Emilie.

– Doña mía, vous décevez M. Aubriot, qui comptait vous faire sa cour sans témoin, jeta don José avec un clin d'œil trop gentil pour être vulgaire.

– Don José, un valet ne m'est pas un témoin », releva Emilie.

Derrière la portière de cuir, le valet Jeannot reçut la réplique en plein front et sourit en se souvenant des bouffées de colère que lui donnaient naguère certains propos de « madame la comtesse de la Pommeraie ». Le pas de Philibert s'approchant la rappela à sa panique et elle n'eut que le temps de s'accroupir derrière la seule cachette qu'il y eût dans la salle d'entrée : une grande table recouverte d'un tapis.

« Tous nos gens se sont envolés, dit Aubriot en laissant retomber la portière. La pièce est vide.

– Ils sont à rire et à boire avec les miens dans les écuries, dit don José. Les écuries sont leur habituelle salle des fêtes.

– Je vais vous faire chercher votre bien... s'il tient encore sur ses jambes ! dit Emilie. Don José ne surveille pas assez son vin du Chili.

– Il est si mauvais ! dit don José avec une grimace. Le boire est une corvée, et pour une fois que mes Noirs et mes Indiens se chargent d'une corvée de bon cœur !

– Iassi ! » appela Emilie de la porte du patio.

Une jeune Indienne surgit silencieusement devant sa maîtresse, comme si elle n'avait jamais quitté son ombre de plus d'un pas.

« C'est un nommé Jeannot qu'il faudra chercher », renseigna Aubriot.

Iassi écouta les quelques paroles d'Emilie et redisparut.

De sa cachette Jeanne devina que l'Indienne entrait dans la salle et s'arrêtait, elle sentait ses yeux fixés sur le tapis. Elle se dressa, un doigt sur les lèvres. Docile, l'esclave attendit. Puis voyant que le valet essayait de lui faire comprendre quelque chose par gestes, elle s'approcha de lui, demanda tout bas :

« Toi, Jeannot, oui ? Je comprends le français, un peu. Maîtresse m'apprend.

– Je veux lui parler, chuchota Jeanne. Je veux parler à ta maîtresse toute seule, sans personne pour nous écouter. Tu comprends ?

– Oui.

– Conduis-moi dans un endroit où tu pourras l'amener et où personne ne pourra nous voir. Vite ! »

L'Indienne ne bougea pas. Elle regardait le Français comme pour lui lire l'âme. Jeanne chercha sa bourse, y prit une piastre :

« Tiens, dit-elle, cadeau pour toi, pour un collier. »

L'Indienne repoussa la main sans violence :

« Je vais prévenir maîtresse. »

Jeanne la retint par le bras :

« Conduis-moi d'abord dans un endroit caché, pria-t-elle à voix basse.

134

– Caché, répéta l'Indienne, méfiante. Pourquoi ? Tu veux faire mal ?

– Non, mais non ! dit Jeanne avec emportement en contrôlant sa voix. J'aime ta maîtresse, je l'aime beaucoup, beaucoup ! Je viens de France, de son pays... pour lui parler en secret. Comprends-tu ?

– Un secret, répéta l'Indienne. Toi, femme !

– Oui, c'est frai, je suis une femme, murmura Jeanne exaspérée. (Elle aurait giflé cette souche !) Je suis venue de France déguisée en homme pour parler d'un secret à ta maîtresse. Cache-moi et va la chercher, ou elle sera très fâchée contre toi. Et elle sera très triste.

– Viens ! » dit l'Indienne.

Elle l'avait conduite dans la chambre d'Emilie.

Une ombre fraîche y régnait derrière des jalousies closes. Jeanne l'aspira longuement, plusieurs fois, pour pacifier son cœur fou. Son regard encore mal accommodé fit le tour de la pièce sans rien voir de plus précis qu'un spacieux ordre blanc parfait – l'ordre d'Emilie. De toute manière, elle était au-delà de la curiosité : stupéfiée. Sa tête s'était vidée de tout sauf de trois noms : Emilie, don José, Denis, qu'elle triturait dans tous les sens sans parvenir à en faire une seule phrase cohérente. Emilie, don José – et Denis ? Et Denis ?

Le léger bruit de la porte qui s'ouvrait la fit tressaillir violemment.

« Voyons ce mystère, disait la voix d'Emilie, agacée. Où est-il ?

– Emilie... », murmura Jeanne, le souffle exténué.

La silhouette de l'arrivante se figea.

« Iassi, donne un peu de jour... »

Les lames de bois d'une jalousie se soulevèrent.

« Emilie, répéta doucement Jeanne en entrant dans la lumière.

– Jeannette ! »

Elles tombèrent dans les bras l'une de l'autre, s'embrassant, pleurant, riant. Emilie se reprit la première, se recula de Jeanne pour la contempler en lui tenant les mains :

« Ma Jeannette ! Ici ! Je n'en crois pas mes yeux ! Et cet habit ? Seriez-vous le valet qu'Aubriot recherchait ? !

– Oui ! Je vous raconterai tout mais d'abord, d'abord, dites-moi : et Denis ? »

Emilie laissa retomber ses mains :

« Il fallait bien que Denis fût votre première question, dit-elle après un soupir. Denis est sauf... loin d'ici. Moi aussi je vous raconterai tout, Jeannette, mais il nous faut du temps. Je suppose que la compagnie que vous suivez n'est pas toute dans la confidence de votre déguisement ?

– Personne d'autre que M. Aubriot n'est dans la confidence !

– Il nous faudra donc tenir notre rôle pendant la promenade au verger, dont je ne puis me dispenser – ni vous, sans doute ? Mais je trouverai un moyen pour que nous nous voyions à l'aise et tout notre soûl, je trouverai un moyen. »

Elle avait recouvré sa voix nette de jeune aristocrate rompue à l'exercice de son bon plaisir et Jeanne, beaucoup moins maîtresse de son émotion, acquiesça de la tête, soulagée d'être dirigée.

« Emilie, croyez-vous que M. Aubriot vous ait reconnue ?

– Il ne m'a pas paru. Et je ne le crois pas. J'étais encore une petite fille quand il m'a vue pour la dernière fois, pendant une fièvre scarlatine qui me rendait vilaine.

– Lui parlerez-vous ?

– De moi ? »

Emilie semblait très étonnée.

« Quand je vous ai entendue l'inviter à une promenade à deux dans le verger, et bien qu'alors la surprise m'eût rendue stupide, j'ai pensé que vous vouliez l'entretenir de vos affaires. Vous pouviez avoir besoin de secours », dit Jeanne rapidement.

Il y eut un bref silence, qu'Emilie rompit d'une voix légèrement altérée :

« J'avais besoin de marcher un moment à côté d'un homme qui a connu la petite dame Emilie de Neuville. »

Elle fit danser ses boucles d'un coup de tête, acheva d'un autre ton :

« Jeannette, je dois aller rejoindre la compagnie. Vous... »

Elle s'interrompit brusquement, le gris-vert de son œil jeta un éclat :

« Au moins, dit-elle, pour mériter la livrée que vous portez, Aubriot n'est pas que votre maître ?

— Non, dit Jeanne en s'empourprant.

— Enfin, il s'est décidé ! Bon. Ajournons les confidences Jeannette, vous sentez-vous assez remise ?

— Après un grand verre d'eau froide, cela ira.

— Iassi ! »

L'Indienne surgit de l'ombre sans un bruit. Emilie lui donna ses ordres en espagnol, se retourna vers son amie :

« Rejoignez-nous au verger dans un petit moment, comme si Iassi venait enfin de vous trouver. Pour la suite, fiez-vous à moi. Je trouverai un moyen. Jeannette... vous voir, quel bonheur ! »

Elles s'étreignirent silencieusement.

La nuit était tombée depuis plusieurs heures déjà quand Iassi, de nouveau, introduisit Jeanne dans la chambre de sa maîtresse. Emilie, debout au pied de son lit, tendait les bras...

Elles demeurèrent de longues secondes, assises muettes sur la courtepointe et les mains enlacées, à se retrouver des yeux. Jeanne portait toujours son habit noir, mais Emilie avait passé un déshabillé de batiste blanche orné de dentelle sur une camisole de même étoffe. Comment Philibert avait-il pu ne pas la reconnaître, alors qu'elle était encore si semblable à l'enfant de quinze ans qui s'était enfuie du prieuré de Neuville-les-dames ? Le petit corps gracile s'était légèrement épanoui, ou plutôt il s'était adouci, féminisé, ourlé de chair sans qu'il parût porter plus de poids. Mais l'irrésistible visage aux couleurs follement gaies – teint de lait ensoleillé de rousseurs, boucles ardentes, vert-gris pétillant du regard, le front bombé lisse et têtu, le petit nez, le menton maigre –, ce visage était encore tout à fait celui de la petite fille espiègle, spirituelle et volontaire. Jeanne, l'œil embué, toucha d'une caresse la joue d'Emilie :

« Trois ans, dit-elle. Je me demande si, après ces trois années, je me ressemble encore autant que vous vous ressemblez ? »

Emilie sourit, libéra les cheveux de Jeanne de leur bourse de taffetas gommé, les peigna avec ses doigts, installa la lourde nappe satinée sur les épaules de son amie, ramené des mèches en avant, qui mirent de longues rigoles de soie cendrée sur la vieille veste noire :

« Je commence à m'y bien retrouver », dit-elle en souriant.

Elle souleva une mèche, s'en chatouilla le dessous du nez :

« Il vous manque pourtant un charme : vous promeniez autrefois un bouquet de senteurs fleuries qui donnait l'impression d'entrer dans un jardin en été quand on vous approchait... C'était du lis candide, n'est-ce pas, que vous tiriez votre eau d'odeur ?

– J'y mettais aussi d'autres fleurs. Mais il ne serait pas naturel qu'un valet sente trop bon. Qu'il ne sente pas mauvais lui fait déjà assez d'originalité ! »

Le silence retomba un instant. Puis Jeanne, dont le regard s'était mis à tourner autour de la vaste chambre blanche meublée surtout d'espace, dit enfin :

« Votre décor n'a jamais été aussi monacal. Dame

Emilie la chanoinesse s'entourait plus douillettement.

— C'est qu'ici je me suis débarrassée plutôt que meublée, dit Emilie. Le goût espagnol n'est pas supportable. Je ne sais ce qu'il est à Madrid, mais à La Plata il me donnait de l'insomnie ! En ne gardant dans ma chambre que le nécessaire à dormir et à écrire je parviens à ne voir que les bouquets de don José, le seul Espagnol de la province qui sache faire un bouquet aussi bien qu'un cigarro. Jeannette, vous qui fleurissiez si joliment les fêtes de Charmont, comment trouvez-vous les compositions de don José ? »

Les yeux d'Emilie conduisaient ceux de Jeanne vers un somptueux mélange de zinnias dont les têtes monstrueuses offraient toutes les nuances profondes et duvetées des plus riches velours. Le pot de zinnias était posé sur un grand bureau massif aux pieds tournés, en bois brillant presque noir. Une gerbe géante, faite avec de longues hampes de gros liserons mauves et une espèce de marguerite jaune d'or aux pétales échevelés, mise à même le carrelage de briques, décorait tout un angle nu de la pièce. Il y avait encore dans la chambre deux autres pensées tendres : une branche de grandes églantines incarnates à revers doré sur la coiffeuse; une poignée de fleurettes inconnues, à cinq pétales d'un délicat blanc rosé émergeant d'un beau feuillage pourpre foncé sur la table de chevet, dans la ruelle du lit monumental à colonnes torsadées.

Emilie avait attentivement suivi, sans mot dire, la visite que le regard de Jeanne avait faite à son décor floral.

« Eh bien ? Comment trouvez-vous les bouquets de don José ? redemanda-t-elle avec presque de l'anxiété.

— Je les trouve très amoureux de vous », dit Jeanne avec une grande douceur.

Emilie tressaillit, baissa la tête, la releva aussitôt d'un coup de menton :

« Oui, dit-elle. Oui, Jeannette, vous avez raison : il nous faut commencer de parler. »

Elle secoua ses boucles, poursuivit en se moquant :

« Quelques heures de retrouvailles nous sont données entre une absence de trois années et l'autre absence indéfinie qui viendra, et je commence par vous demander la recette de votre eau parfumée, et vous par m'écouter bien patiemment bavarder de mes meubles et de mes bouquets ! Ne manquerions-nous pas un peu d'esprit d'à-propos ?

— Je m'aperçois aussi qu'un moment de retrouvailles n'est pas facile à vivre avec naturel, dit Jeanne. Tantôt au verger, ce soir au souper, nous nous en sommes tirées en jouant nos rôles. Maintenant... »

Elle fixa intensément Emilie qu'elle sentait tendue et peut-être douloureuse, l'enveloppa dans la radieuse tendresse de son œil d'or :

« Trois ans, Emilie ! jeta-t-elle avec une fougue maîtrisée. Trois fois trois cent soixante-cinq journées que nous avons vécues comme nous l'avons pu. Comme nous l'avons pu, Emilie, et peut-être pas forcément comme nous avions rêvé de vivre quand nous fabriquions de l'avenir en mangeant des cagouilles et en buvant du vin de Mâcon avec Marie dans votre paisible maison de Neuville. Nous étions sûres de nous, alors, sûres de nos cœurs, sûres de nos désirs et de nos volontés, sûres que le parfait bonheur éternel existait et qu'il consistait à nous faire prendre chacune par l'homme que nous voulions. Nous nagions dans nos certitudes. Nous étions des petites filles. Emilie... »

Elle prit son amie dans ses bras, la serra contre elle, appuya la tête rousse contre son épaule, acheva tout bas :

« Emilie, les jeunes filles ne savent pas que les femmes sont fragiles. Mais moi aussi, mon amie, j'ai fait l'apprentissage de la fragilité en même temps que vous. »

Un sanglot d'Emilie avorta dans le cou de Jeanne, qui resserra son étreinte. Quand Emilie se dégagea pour moucher son envie de larmes le climat avait changé entre les deux jeunes femmes. Elles habitaient maintenant de nouveau la Dombes, avec ses étangs, ses bois, ses châteaux, ses couvents, sa capitale de briques savoyardes roses et ses villages de pisé, et parmi tout ce familier il y avait Neuville et Charmont, leurs enfances, et elles s'apercevaient, comme en savourant une tartine de miel, qu'elles s'y sentaient toujours chez elles. Leurs sourires se rencontrèrent et Jeanne dit « Où est Denis ? » en même temps qu'Emilie disait « Comment va Marie ? »

« Puisqu'il faut bien commencer par un bout, Marie va très bien », dit Jeanne aussitôt, pour laisser à Emilie, qu'elle n'avait jamais vue pleurer, le temps de redevenir elle-même.

Elle se reprit :

« Du moins Marie me donnait-elle de bonnes nouvelles dans la dernière lettre que j'ai reçue d'elle avant de quitter Paris en septembre dernier. Elle a enfin épousé son cousin Philippe dont elle a une petite fille qu'ils ont appelée Virginie. Ils vivent à Autun, dans la maison de l'oncle Mormagne – l'oncle est mort.

– Paris ? releva Emilie d'un ton interrogateur. Etiez-vous à Paris ?

– Ah ! c'est vrai. C'est donc moi qui commencerai, dit Jeanne et, comme Emilie lui montrait un fauteuil confortable, elle tourna vivement la tête vers la porte et la fenêtre :

– Vous ne craignez pas qu'on nous surprenne ? Cette lumière et ce bavardage chez vous au milieu de la nuit... »

Emilie la rassura d'un signe :

« Pardonnez-moi, mais j'ai dû mettre don José dans notre confidence. Je ne pouvais risquer qu'il vous passât son épée à travers le corps avant que j'aie eu le temps de justifier la présence d'un beau jeune homme dans ma chambre. Les Espagnols sont prompts, surtout dans cette colonie où le meurtre passionnel fait partie des droits du gentilhomme. Puis j'aurais mis trop de temps à lui expliquer, sans chatouiller sa jalousie, pourquoi je voulais qu'il retienne Aubriot pour la nuit. Mais don José est un homme d'honneur : il ne vous trahira pas. Cependant, je ne puis vous assurer qu'il ne trouvera pas un fort bon prétexte pour passer par ici, ne fût-ce qu'un instant ! »

Un sourire crispé lui était venu avec ses derniers mots et elle ajouta avec une perceptible gêne, quoique crânement et d'un trait :

« Au fait, comment Aubriot a-t-il pris la présence de dame Emilie de la Pommeraie dans la quinta d'un Espagnol de La Plata ? Aux derniers échos qu'on recevait de lui quand j'ai quitté Neuville, il était assez converti à la vertu bourgeoise telle qu'on la parle, ce me semble.

— Je n'ai rien dévoilé à M. Aubriot, dit Jeanne, ignorant les provocations contenues dans la phrase d'Emilie. Puisqu'il devait partager son lit avec le père Roch, il a dû bon gré mal gré accepter que j'aille du côté des nattes, partager le coucher des petites gens. Ainsi ne sait-il pas que je suis chez vous, ni pourquoi.

— Commencez donc », dit Emilie, soudain détendue.

Elle se cala contre ses oreillers. Jeanne avait poussé le fauteuil tout près du lit. Avant de s'asseoir, elle avait soufflé les bougies des quatre hauts candélabres. La chandelle du chevet demeurait seule à veiller dans la chambre, avec une suavité dorée. L'ombre avait mangé le reste de l'espace, sauf devant la fenêtre dont les jalousies, à demi soulevées, dessinaient deux échelles de lune sur le noir vernissé du carrelage.

« Donc, commença Jeanne, donc, vous êtes un jour partie avec... »

Elle se mordit la lèvre, recommença :

« Donc, vous êtes partie de Neuville et tout a été sens dessus dessous là-bas pendant des semaines. L'évêque campait dans le prieuré avec des façons d'inquisiteur, le lieutenant de police de la province interrogeait tout le monde, il est venu me voir et...

– Je suis au courant du remue-ménage qui a suivi mon départ, intervint Emilie. Dites-moi seulement si ma chère marraine n'a pas trop pleuré ? Je lui avais laissé une lettre.

– Je sais, dit Jeanne. Dame Charlotte me l'a lue, et à Marie aussi – à nous deux seules. Oh ! si, elle a bien pleuré. Elle vous aimait tant. Elle vous aime tant, Emilie. Au fait, ajouta-t-elle en rougissant à cause du nom qu'elle allait prononcer, de qui tenez-vous le récit de ce qui s'est passé à Neuville après votre fugue ? Du chevalier Vincent ? »

Emilie fronça les sourcils et Jeanne poursuivit vite :

« Le chevalier n'a fait de confidence sur votre affaire à personne. Je me suis doutée qu'il vous avait aidée à sortir de France, voilà tout. C'est sur *Belle Vincente* que vous êtes arrivée à Montevideo, n'est-ce pas ?

– Oui. Sur ma prière, le chevalier nous avait d'abord conduits à Malte, mais nous n'y étions guère à l'abri d'une réquisition du roi de France et nous savions qu'il nous faudrait aller plus loin. De toute manière, notre but était l'Amérique du Sud, et même très précisément Montevideo depuis que Gaillon... »

Elle s'arrêta une fraction de seconde comme si le mot « Gaillon » lui avait brûlé la langue, reprit son récit de la manière la plus dépersonnalisée possible :

« Votre ami Denis avait rencontré à Marseille un pharmacien espagnol – plutôt barbier aventureux – qui couvait l'espoir de faire fortune en ouvrant une pharmacie à Montevideo, une ville neuve et man-

quant encore de tout. Don Piedracueva parlait de La
Pata comme d'un Eldorado où il suffisait d'arriver
d'Europe pour être gentilhomme, de savoir quelque
chose pour devenir quelqu'un et de tenir boutique
pour amasser des piastres. Gaillon savait beaucoup
de chimie, il avait un urgent besoin d'estime et
d'argent, Piedracueva l'a vite convaincu de s'associer
avec lui. Ce Piedracueva n'était ni sot, ni déplaisant.
Puisque nous ne pouvions rester à Malte l'idée
américaine me séduisait assez, je pensais qu'en Amérique Gaillon deviendrait un chimiste assez célèbre
pour justifier mon choix. Vincent aussi parlait de ce
pays-ci comme d'une vie nouvelle aux avenirs
innombrables, où chaque immigrant est fêté pour ce
qu'il est lui, au présent, et non pour le passé de sa
famille. La fin de la guerre ayant ouvert le détroit de
Gibraltar, le chevalier nous a embarqués pour Montevideo. »

Jeanne ne put retenir sa question :

« A Malte, viviez-vous dans la petite maison du
chevalier ? »

Une seconde fois, les sourcils d'Emilie s'étonnè-
rent.

« Je sais que le chevalier possède une petite
maison à La Valette, avec un potager qui s'avance en
balcon sur la mer, dit très vite Jeanne, et j'imaginais...

– Oui, nous avons séjourné là. Un endroit délicieux, Jeannette, délicieux. J'aurais aimé pouvoir
demeurer toujours à Malte. La société y vit gaiement,
avec beaucoup d'élégance et d'esprit. Hélas ! ce
n'était pas avec un chevalier de Malte que je... »

Emilie s'interrompit brusquement, reprit d'un
autre ton :

« Mais nous brouillons tout. C'est vous, Jeannette, qui aviez commencé de parler. Continuez, je
ne vous couperai plus. Vous en étiez encore au
début, et le bruit qu'avait fait mon départ à peine
oublié.

– C'était en décembre 1763, dit Jeanne. Après, pour moi la vie s'est traînée jusqu'en septembre de l'année suivante, parce que la vie passe lentement, et pourtant presque incolore et sans saveur, quand on ne vit que pour se demander si demain sera un beau jour. M. Philibert voyageait, j'attendais son retour. Quand enfin il est revenu c'était pour annoncer son intention de s'installer à Paris... et m'offrir une place dans son bagage.

– Oh ! De but en blanc ?

– A peu près. Mais c'était une place de secrétaire qu'il m'offrait. Ou de gouvernante de sa maison, de valet de cœur, de chatte de compagnie, de souvenir du pays : je ne l'ai jamais très bien su ! Je ne me posais d'ailleurs pas de questions. Il me suffisait de savoir que moi, je partais avec l'homme que j'aimais.

– En somme, vous vous en êtes remise à son bon plaisir ? Jeanne à discrétion, pour qu'il en prenne ce qu'il en voudrait ?

– A peu près. Ne me regardez pas avec sévérité, Emilie, vous m'avez déjà tout dit sur ma mollesse amoureuse. J'en ai pensé parfois aussi bien du mal mais, à la réflexion... Dans un fruit mol la douceur du soleil pénètre jusqu'au cœur. J'aime bien que l'amour m'inonde. »

Emilie se pencha pour toucher la main de son amie :

« Poursuivez, Jeannette. Je ne me moque plus que par habitude de me moquer. On ne guérit pas à dix-huit ans d'une maladie qu'on avait en naissant. Poursuivez, je n'ouvrirai plus la bouche.

– Bien. Nous voilà donc partis pour Paris. Il faisait terriblement chaud et poussiéreux, mais j'avais l'impression de rouler vers le paradis. C'était mon premier voyage et c'était M. Philibert qui m'emportait ! J'en étais ivre. J'ai été ivre de mon amour, ivre de ma joie jusqu'au point... jusqu'au point de l'enivrer lui aussi. »

Elle marqua un temps de silence pour laisser

refroidir le feu de ses joues et reprit, puisque Emilie se taisait :

« Nous nous sommes installés dans le quartier du Palais-Royal, chez un ami de M. Philibert. J'ai découvert la vie à deux en même temps que la vie de Paris. Mais ces mille et un détails-là, je vous les réserve pour plus tard, n'est-ce pas ? Je vous dirai d'abord pourquoi et comment je suis arrivée jusqu'ici.

— De cela, je me doute, coupa Emilie malgré sa promesse. Aubriot m'a parlé de sa mission. J'imagine que vous l'avez suivi comme vous l'avez pu ? L'habit d'homme vous va si bien que vous serez toujours tentée de le remettre pour vivre plus et mieux qu'une vie de femme.

— C'est un peu cela, dit Jeanne. Mais je n'avais pas seulement envie de suivre Philibert, j'avais besoin de fuir Paris.

— Ah ! bah ?

— Ma chère, j'avais eu le talent de me faire à Paris un admirateur dangereux !

— Dangereux ? Qui donc ?

— Non, laissez-moi vous conter cet épisode-là sans en sauter le début – par vanité ! Voilà. Certes, ma vie à Paris avait tout de suite été bien remplie, j'étais fort occupée et, pourtant, je me sentais un creux dans l'âme, qu'un beau matin j'ai eu l'idée de combler par une réussite personnelle. J'ai ouvert une boutique d'herbes dans l'enclos du Temple.

— Une boutique d'herbes ? Oh ! la merveilleuse idée, et qui vous va si bien !

— Et qui était si bien trouvée, ma chère, que la Belle Tisanière du Temple est en peu de mois devenue l'une des célébrités bien parisiennes de Paris ! dit Jeanne en riant. Une foule de seigneurs est venue m'acheter mes tisanes, et plus d'un seigneur aurait volontiers déboursé quelques louis de plus pour avoir la Tisanière avec la tisane ! Il me plaisait

146

de plaire, je l'avoue. Cela m'a plu jusqu'au soir où j'ai séduit Mgr le maréchal duc de Richelieu.

– Quoi ? ! Ce centenaire fait encore le galant ?

– Il essaie. Et sait encore menacer de très haut pour tenter de parvenir à ses fins.

– Bah ! fit Emilie, étant donné l'âge de ce vieux fripon, il doit suffire d'une pichenette pour s'en délivrer. »

Jeanne eut un soupir, dit avec indulgence :

« Ma chère, vous avez toujours fait des mots d'aristocrate comme un pommier fait ses pommes. Je ne doute pas un instant qu'il eût suffi d'un soufflet à dame Emilie de la Pommeraie pour se défaire d'une offre odieuse. Mais Beauchamps que j'étais il me fallait trouver un moyen plus sournois d'échapper à Richelieu sans me retrouver du même coup dans un couvent de force.

– Non ? Ne me dites pas que le père la Maraude vous a donné à choisir entre son lit et le couvent ?

– Cela vous étonne-t-il vraiment ? Etes-vous devenue américaine au point d'oublier que de l'autre côté du monde la mauvaise humeur d'un duc est encore souveraine ? L'occasion s'est présentée pour moi de fuir plutôt que de lutter, j'ai pris la fuite, et me voici. Mais, pour vous parler franc, n'est-ce pas mon vieux rêve de partir pour les îles de la mer indienne plutôt que ma peur de Richelieu qui m'a poussée... ?

– C'est mon désir de vous revoir qui vous a tirée jusqu'à moi », dit doucement Emilie.

Jeanne sourit :

« Ma foi, oui, Emilie, le verger de don José était prévu. Je vous raconterai une prédiction amusante qui avait été faite à... – qui m'avait été faite. Mais d'abord, parlez-moi de vous. Parlez-moi vite de vous, ma chérie. Je vous vois plus belle que jamais. Comment allez-vous, Emilie ? Etes-vous heureuse, Emilie ?

– Heureuse... »

Emilie sourit à Jeanne avec une tendresse à laquelle elle ne l'avait pas habituée jadis :

« Ce n'est pas l'heure de me demander si je suis heureuse, mon amie, parce que ce soir votre présence, en me rendant à moi-même, me met dans un parfait bonheur. Autant que faire se peut je vous dirai les événements de ma vie plutôt que mes sentiments, j'aurai moins de peine à vous parler clairement.

– Est-ce vous, Emilie, que j'entends hésiter à parler de sentiments ? Vous que nous venions toutes consulter pour nous faire expliquer nos battements de cœur, nos rêves et nos chagrins d'amour ?

– C'est qu'alors je traitais d'une matière de roman. Aujourd'hui, je dois raconter un roman que j'ai vécu. Ce ne serait amusant que si je pouvais mentir pour le mettre à mon goût.

– Mentez un peu. »

Emilie darda le menton :

« Que je mente ! s'exclama-t-elle avec dédain. Que je mente pour mieux me plaire dans mon récit ? »

Puis son mouvement d'orgueil retomba et elle ajouta avec une ironie badine :

« Mais si l'idée même de mentir m'exaspère, en revanche qu'on me mente pourrait m'enchanter. Jeannette, que pensez-vous de don José ? Le trouvez-vous séduisant ? Vous aurait-il séduite ? L'auriez-vous pris pour amant ?

Jeanne contourna les questions :

« Encore une fois, Emilie, est-ce bien vous qui me parlez ? Vous qui tentez de débrouiller votre cœur par le mien ? Si vous ne pouvez ou ne voulez rien me dire ne me dites rien, ma chérie, et passons cette nuit à bavarder de rien, pour le seul bonheur d'écouter nos voix. »

Un morceau de silence pesa entre elles, découpé dans le vaste silence plus léger de la nuit, qu'un hurlement de bête déchira soudain, très près de l'habitation. Jeanne tressaillit.

« Un tigre, dit Emilie. J'aurais voulu pouvoir demeurer à Malte, poursuivit-elle aussitôt et presque sur le même ton. J'aurais voulu pouvoir laisser Gaillon s'embarquer sans moi, j'aurais voulu déjà pouvoir changer d'aventure. Aimer un chevalier. Vivre avec lui la vie dorée de l'île. Ne croyez pas que j'aie redouté la pauvreté qui m'attendait en Amérique, fût-ce provisoirement; j'ai redouté l'ennui que j'y emporterais avec moi, pour me durer toujours. Je sais qu'autrefois vous aimiez Gaillon comme un frère. Serez-vous fâchée, Jeannette, si je vous dis que Gaillon était ennuyeux, et qu'au bout de peu de temps l'amour d'un homme ennuyeux ne vous donne que de l'ennui ? Je m'ennuyais tant, dans le cœur de Gaillon, que j'avais l'impression de mener une vie de vertu au lieu de mener une vie de péché ! Avouez que je n'avais pas fui mon couvent pour cela ?

— Enfin je vous retrouve, et le trait toujours aussi vif, sourit Jeanne. Ce qui m'étonne, Emilie, n'est pas que vous vous soyez ennuyée avec Denis, mais que vous ayez cru pouvoir vous amuser avec lui. »

Elle regardait la jolie femme-enfant, nette, fine, lustrée : un jouet pour duc. Et elle ne parvenait pas même à poser sa question : « Vraiment, avez-vous aimé Denis ? » tant elle lui semblait incongrue. Elle s'en tira par une périphrase :

« Denis et vous : comment est-ce arrivé, Emilie ?

— Je n'aimais personne et j'avais envie d'aimer. Gaillon m'aimait, j'ai confondu et pris son sentiment pour le mien. J'avais quinze ans, j'étais une petite dame remuante enfermée de force avec de vieilles dames depuis dix ans déjà et je croyais – je le crois à peine moins fort aujourd'hui – qu'une femme doit se dépêcher de vivre son beau temps avant ses vingt ans. Vit-on dans un prieuré, à l'abri de la vie ? »

Jeanne secoua la tête :

« Je me souviens de ma révolte quand le chapitre de Neuville vous a reçue et que j'ai vu poser sur vos cheveux ce ruban noir et blanc que les dames appelaient « votre mari ». On vous mariait pour toujours à un chiffon de mousseline et vous aviez neuf ans ! Votre fuite est bien pardonnable. Personne qui ne l'eût comprise si vous aviez fui avec un jeune gentilhomme de vos amis. Vous avez tant de cousins, Emilie ! Pourquoi diable vous faire enlever par le fils d'un intendant ? »

Une grimace drôle déforma la bouche d'Emilie :

« Ma chère Jeannette, pas un de mes cousins qui n'ait su que j'étais une pauvresse. Les jeunes gentilshommes de cette fin de siècle ne sont guère romanesques, leurs frasques ne vont pas au-delà du raisonnable. Quand l'un d'eux scandalise son monde, c'est en épousant la fille d'un drapier millionnaire. Mais que sa sœur veuille scandaliser de même et elle choisira de se mal apparier avec son précepteur poète et gueux plutôt qu'avec le fils d'un drapier millionnaire. C'est ainsi – ne l'avez-vous pas remarqué ? Nos frères et nos cousins aiment déroger au-dessus de leur bourse et nous, au-dessous de notre condition. C'est ce que nous appelons : pratiquer l'égalité.

– Cette fois, je vous retrouve tout à fait, dit Jeanne en riant. On attend de vous le récit d'une tragédie et vous en faites une comédie.

– Que voulez-vous ? il faut que ma mésaventure soit gaie ou soit bête. Je préfère vous la rendre gaie. Donc, me voilà en train de m'ennuyer avec le beau Gaillon – il était beau, n'est-ce pas, donnez-moi cette excuse supplémentaire ?

– Il était beau. Il était intelligent, savant déjà et ambitieux de l'être plus. Il était sensible. Il avait de la probité. Il dansait à merveille. Je lui trouve beaucoup d'excuses à votre service.

– Oui, il fera un bon mari, dit Emilie. Mais moi, je ne pouvais en faire qu'un amant, et pour cet usage l'esprit va mieux que l'intelligence et un peu de fantaisie mieux que beaucoup de science. J'avais fait

150

une folie avec un homme grave, et une folie sans folie ne vaut pas une sardine.

– Puisque à Malte déjà vous vous étiez aperçue de votre erreur, pourquoi vous être embarquée pour Montevideo ?

– Dame ! parce que je suis orgueilleuse ! Ce sont les humbles, qui font des erreurs courtes. N'ayant pas une seule once d'humilité j'ai choisi de m'incruster dans mon erreur avec Noblesse, Honneur, Vertu : en quittant Neuville, je n'avais pas oublié d'emporter ma croix. »

Elle tira sur sa chaîne de cou et une grande médaille jaillit de son corsage. Avec émotion, Jeanne reconnut la croix d'émail bordée d'or à huit pointes cantonnées de quatre fleurs de lis, en exergue de laquelle on lisait « Noblesse, Honneur, Vertu » sous l'effigie de sainte Catherine.

« Ainsi, vous la portez toujours », murmura Jeanne.

Emilie coupa court à leur attendrissement :

« Ce n'était pas seulement mon orgueil qui me forçait à suivre Gaillon, dit-elle en reprenant le fil de son récit. Venez voir... »

Elle sauta de son lit, saisit le bougeoir, prit Jeanne par la main et l'entraîna dans un grand cabinet voisin de sa chambre. Jeanne aperçut d'abord une négresse étendue sur une couche de cuir, qui s'éveilla brusquement et se souleva sur un coude, surprise. Emilie lui fit signe de se rendormir et mena Jeanne devant le petit lit où dormait un très bel enfant frisé comme un mouton, aux joues toutes bronzées de soleil :

« C'est un garçon, dit-elle.

– Mon Dieu ! dit Jeanne, la voix étouffée par un flot de tendresse. Oh ! Emilie, je le trouve si beau, si beau ! Croyez-vous que je puisse l'embrasser sans le réveiller ?

– Je le fais parfois, chuchota Emilie. Le jour, il me donne surtout envie de le battre ! »

Jeanne effleura d'un baiser le front de l'ange endormi, caressa les boucles châtaines d'une main légère : la lumière de la bougie y faisait glisser des courants cuivrés d'où s'échappaient des étincelles rouges :

« Il est magnifique, dit-elle tout bas. De quelle couleur sont ses yeux ?

— Ils sont juste comme les miens, mais plus grands.

— Quel âge a-t-il ?

— Deux ans.

— Deux ans, répéta Jeanne, quand elles furent ressorties du cabinet sur la pointe des pieds, deux ans déjà...

— Oui, dit Emilie, déjà. Jeannette, ne prenez jamais un amant de vingt ans : il vous fait un enfant avant de vous en donner le désir. Aubriot, bien sûr, ne vous en a pas fait ? »

Jeanne, rougissante, fit non de la tête :

« Comment avez-vous appelé votre fils ? demanda-t-elle, pressée de changer de sujet.

— Paul-Charles. Charles en souvenir de dame Charlotte, et Paul comme le frère jumeau que j'ai perdu.

— Et ainsi, en partant, Denis vous a laissé Paul-Charles ? Où est-il parti ?

— A Glasgow. Il avait fait ici la connaissance d'un certain Watt, qui voyageait à bord d'une corvette anglaise pour perfectionner des instruments de navigation. Ce Watt faisait partie d'une famille écossaise de mécaniciens, d'ingénieurs, de physiciens ou de Dieu sait quoi de ce genre et il s'intéressait aussi à la chimie. Lui et Gaillon ont noué amitié. Ils étaient faits pour s'entendre : tous les deux faisaient de la science avec passion et pour l'amour du genre humain, pour lui apporter l'âge d'or. Puisque j'avais décidé de le quitter, Gaillon ne tenait plus à demeurer à Montevideo; il préférait retourner en Europe où est la Science, et Watt ne demandait qu'à l'aider à pénétrer dans le milieu savant de Glasgow. Il a attendu ma délivrance et il s'est embarqué pour l'Angleterre dix jours après la naissance de Paul. S'il avait désiré emmener son fils j'aurais mis le bébé dans les bras d'une nourrice et poussé la nourrice sur ses talons, car alors je n'aimais pas le fils de Gaillon.

— Vous ne l'aimiez pas ! Vous n'aimiez pas votre enfant ?

— Non. Je pensais qu'il allait encombrer ma vie après m'avoir encombré le ventre et que c'était injuste. En le faisant, j'avais fait ma part, j'aurais trouvé bon que Gaillon se chargeât du reste. Mais lui n'a pas osé réclamer un nourrisson, et moi, je n'ai pas osé l'offrir. J'aurais horrifié une société qui m'a merveilleusement reçue et qui idolâtre les enfants.

— Mais maintenant, votre fils, vous l'aimez ? Vous l'aimez, n'est-ce pas ? Il est si beau. »

Emilie eut un rire léger :

« Il est beau, donc je l'aime. Je suis une mauvaise mère sans aucun doute car j'ai attendu de le voir devenir beau, vif et gai pour l'aimer. Iassi l'appelle Toupen-verap, l'Eclair du Tonnerre, parce qu'il est aussi rapide qu'un petit Indien et qu'il fait beaucoup de bruit. Don José l'adore. En fait, c'est don José qui m'a appris à trouver des charmes à mon enfant. Paul est venu au monde ici, dans cette chambre.

— Ici ?! Habitiez-vous donc ici avec Denis ?

— J'ai quitté Gaillon avant la naissance de Paul. Plus l'enfant pesait lourd moins je supportais le père. Il faut avouer que j'avais rencontré don José et que lui savait m'aimer sans m'ennuyer. Quand je lui ai demandé de me trouver une maison où je pourrais m'installer seule pour faire mes couches il m'a offert l'hospitalité dans sa quinta et je l'ai acceptée. Voilà. Vous savez tout.

— Sauf l'essentiel. Avez-vous enfin trouvé le bonheur, avec don José ?

— Cela dépend des jours. Le souvenir de la vie à la

française est le pire ennemi du bonheur d'une Française heureuse ailleurs qu'en France.

– Mais enfin, aimez-vous don José ?

– Cela dépend des jours. Toujours de l'amour fatigue de l'amour et à part de l'amour, ici je n'ai rien. Je vis dans une chambre d'amour entourée de pampa de tous côtés.

– Pourquoi ne pas aller vivre en ville ? A Montevideo ou à Buenos Aires ?

– Nous y allons parfois. Mais à Buenos Aires comme à Montevideo le grand divertissement des dames est de divertir les officiers étrangers de passage et don José ne me le permet pas. Il ne me reste donc que le petit divertissement des dames, qui est d'habiller les saints de bois des églises. Leurs statues sont grandeur nature et la coutume espagnole veut qu'elles soient toujours vêtues de soie et changées d'habits très souvent. Allez dans les églises voir la fastueuse garde-robe de saint Jacques, de saint Stanislas ou de n'importe quel autre saint, et vous comprendrez à quel point les dames de Montevideo s'ennuient ! Il n'y a pas de théâtres, pas de conversation, pas de mode, pas de promenades ni de nouvellistes... Les Espagnols de La Plata sont de curieux jaloux, qui n'ont rien inventé pour amuser honnêtement leurs dames et ne leur laissent le choix qu'entre la dévotion et l'infidélité, si bien que les femmes d'ici mûrissent comme mûrissent les figues vertes, à force d'être palpées ! »

Jeanne étouffa un éclat de rire dans ses mains. Les petits yeux gris-vert d'Emilie brillaient de malice chaque fois qu'ils rencontraient la lumière. La jeune exilée semblait vraiment heureuse en ce moment, heureuse tout comme autrefois, quand Jeanne et Marie, oreilles grandes ouvertes, l'invitaient à se régaler de ses propres papotages devant deux spectatrices complaisantes. Jeanne ne pouvait rien faire de plus gentil pour son amie que de continuer à lui poser des questions jusqu'à l'aube de cette nuit « à la française » étrangement cernée par la grande prairie, dont la sauvagerie entrait dans la chambre avec les cris, les appels et les plaintes des bêtes en chasse ou happées par la mort. Elle ouvrait la bouche pour relancer Émilie dans son bavardage quand celle-ci la devança, pria d'une voix exigeante :

« Maintenant parlez-moi de Paris, Jeannette, parlez-moi de la vie de café, du Palais-Royal, des Tuileries, de la Comédie-Française et des bals de l'Opéra. Parlez-moi du Jardin du Roi, de votre boutique du Temple et des robes de vos clientes. Parlez-moi des lettres de Charmont, des indigestions de Mme de Bouhey et des pâtes de fruits de dame Charlotte, des migraines de Mme de Rupert et des derniers amants de passage dans le lit de sa sœur, parlez-moi d'une fête au manoir de Vaux, d'une belle bévue de mon cher vieux père Jérôme, parlez-moi des nouveautés lyonnaises, parlez-moi de Marie et de sa petite fille et de la société d'Autun, parlez-moi de tout et de tout le monde toute la nuit !

— Par qui voulez-vous que je commence ? » demanda Jeanne.

Pendant deux heures, elle raconta la France comme la raconte une feuille de nouvelles, en mille potins. Quand enfin elle s'arrêta, altérée, Émilie se renversa sur ses oreillers, les mains croisées derrière sa nuque et souriant aux anges :

« Que c'était bon, Jeannette ! Ne m'avez-vous pas un jour rapporté le propos d'un étranger assurant qu'on ne vit qu'en France et qu'ailleurs on végète ? De qui donc était ce propos ?

— Du chevalier Casanova.

— Eh bien, me voilà d'accord sur un point au moins avec ce Casanova. Racontez encore. Vous n'avez pas tout dit.

— Je n'ai pas tout dit mais je n'ai plus de salive ! Puis, moi aussi, j'ai besoin de vous entendre.

— Mais moi, je n'ai rien à dire ! Pas un seul beau potin à me mettre sous la dent. Les gens d'ici ne font que chevaucher, et une société de centaures ne fait que du crottin.

— Ma chère, c'est le maître des chevaux, qui m'intéresse, dit Jeanne en riant.

— Bon, fit Emilie. Eh bien, ma chère, don José est... un Américain.

— Emilie, ne soyez pas aussi mauvaise langue que vous l'êtes ! Les Américains sont noirs de peau et de crasse, galeux, puants, ils vivent tout nus dans les bois, s'habillent avec de la peinture pour la guerre et pour la fête, prêtent leurs femmes à leurs hôtes, mais les tuent si elles s'avisent de coucher sans permission avec qui leur plaît. Les Américains sont des sauvages et don José n'en est pas un.

— Vous venez, Jeannette, de décrire très méchamment les vieux Américains, que don José et Iassi m'ont appris à estimer... tant que faire se peut. Mais ces Américains-là vont disparaître. Beaucoup sont déjà devenus des esclaves décemment recouverts de ponchos — les malchanceux dans les missions des jésuites, les chanceux dans les habitations des colons. Des bravos qui demeurent libres, les Espagnols en tuent le plus possible à la moindre occasion, soit au nom du Roi parce qu'ils attaquent et pillent les garnisons, soit au nom du Christ parce qu'ils refusent de se faire chrétiens. Il arrivera bien un jour où La Plata ne sera plus peuplée que d'esclaves dépossédés de leur Amérique et d'Espagnols qui ressembleront à don José et qu'on appellera les Américains, parce qu'ils parleront de l'Espagne comme d'une terre étrangère.

— Don José parle-t-il ainsi de l'Espagne ?

— Il n'en parle que par hasard. Il est né à Montevideo, comme don Carlos, comme don Armando, comme don Narciso, comme beaucoup d'autres déjà. Il existe dans la province toute une peuplade d'Espagnols créoles que j'appelle « les Américains » parce qu'ils se soucient de Madrid comme d'une guigne !

— Ils renient leurs pères ; c'est aussi la mode du

jour chez les jeunes Européens enflammés de philosophie démocrate, dit Jeanne en souriant. Le Café de
la Régence est plein de jeunes marquis démocrates
qui se soucient de Versailles comme d'une guigne,
mais y galopent ventre à terre dès qu'un trou se
trouve vacant dans le fromage royal.

– Jeannette, ne confondez pas vos marquis à la
mode et nos hidalgos modernes. Pour se donner les
gants de renier ses pères encore faut-il en avoir !

– Mais... »

Jeanne s'arrêta, interrogeant du regard le visage
ironique d'Emilie, qui reprit :

« La plupart de nos hidalgos flambent neuf.
Savez-vous ce qu'était Montevideo en 1726 encore,
quand une première petite cargaison d'Espagnols y
débarqua avec l'idée de s'en faire une ville ? Montevideo était un fortin protégeant mal quelques
cabanes de cuir, le tout posé sur une langue de terre
rocheuse battue par le pampero. Devant eux les
colons avaient le fleuve-mer, par où pouvaient arriver les ennemis portugais, ou des pirates, ou Dieu
sait quels autres conquérants. Derrière eux, ils
avaient les Indiens, possesseurs clairsemés de l'immense désert d'herbe et très pressés de déloger les
intrus blancs. Dites-moi quels hidalgos de bonne
compagnie auraient accepté de quitter l'Espagne
pour venir peupler un tel lieu ? Ceux qui s'y risquè-
rent étaient des loqueteux, des analphabètes, des
forbans. Ils avaient acquis le privilège de s'appeler
« don » en s'embarquant pour l'aventure – du moins
ceux qui n'étaient pas déjà des don Quichotte aux
têtes brûlées et aux poches percées. En débarquant,
leur premier soin a été de bâtir un café-épicerie, le
Pulperia, où ils se retrouvaient chaque soir pour
boire et fumer et rêver d'un avenir doré en contemplant le coucher du soleil sur la baie. Les pères de
don José et de don Carlos étaient parmi eux. Leurs
fils ne sont pas des renégats, ils sont des parvenus.

— Oh ! fit Jeanne, choquée dans sa sympathie pour don José.

— Ne prenez pas le mot à la française, dit Emilie. Ici, seuls les fils sots ou pauvres des premiers colons se cachent de leurs origines et s'en vont, jusqu'au fond d'une campagne espagnole, essayer d'épouser des ancêtres plus sots ou plus pauvres qu'eux. Ceux que j'appelle « les Américains » forment un groupe de parvenus d'un type inconnu en France : ils sont des parvenus contents de l'être et sans une once de honte.

— Je m'explique l'attirance que j'ai tout de suite éprouvée pour don José, dit Jeanne. Il est un homme sincère et il en a l'air. Mais d'où tient-il donc sa courtoisie bien copiée sur celle du Vieux Monde ?

— Assez bien copiée, rectifia Emilie. Presque tous les fils des aventuriers enrichis ont fait leur tour d'Europe à l'âge où la barbe pousse et où l'on retient bien les choses. Don José s'est promené six mois en Espagne, un an en Italie et trois années en France, où il a jugé que la vie de jeune homme fortuné était la plus délicieuse. Il n'est revenu à La Plata que pour voir mourir son père dans un combat contre les Indios bravos.

— J'ai entendu dire que ce père l'avait laissé fort riche ?

— Oui. Le vieil Eduardo de Murcia était un brigand gentilhomme de grand talent, qui ne buvait pas son or mal acquis avec les filles du café Pulperia. José de Murcia poursuit l'œuvre d'enrichissement de son père avec le même talent et la même sobriété.

— Emilie ! Entendez-vous me faire croire que votre don José est un brigand ? !

— Nous ne sommes plus en 1726 mais en 1767. En 1767 un Espagnol de la société de La Plata ne se permet plus d'être brigand : il est contrebandier. Que voulez-vous, ce n'est pas avec du bétail à dix ou vingt sols la tête que l'on peut s'enrichir, même si l'on en possède cinquante mille têtes. Par bonheur, ici tout trafic commercial est à peu près interdit par Madrid. Il est interdit de faire passer par chez nous, jusqu'au Chili et au Pérou, les marchandises arrivant d'Europe; interdit de commercer avec les Portugais installés tout près de Montevideo, dans leur colonie du Saint-Sacrement; interdit de vendre des cuirs et des fourrures aux vaisseaux étrangers, bref, les interdits sont si bien trouvés que les bons passeurs font vite fortune. Sans mentir, don José est le meilleur chef de la meilleure troupe de contrebandiers de La Plata. »

Jeanne se mit à rire de tout son cœur :

« Vous dites cela avec un tel plaisir ! Je m'en réjouis, mais m'en étonne un peu, dame Emilie. Vous voir accepter l'amour d'un roi de la contrebande...

– Ma chère, c'est que vous ne songez pas assez que j'ai failli n'être que la maîtresse d'un pharmacien ! »

« Pauvre Denis », pensa Jeanne, une seconde attristée par le mépris féroce contenu dans la phrase de « la comtesse ». Elle demanda, d'une voix qui hésitait :

« Emilie, don José songe-t-il à vous épouser ? »

Emilie eut un sursaut :

« Jeannette, c'est moi, qui n'y songe pas ! »

Sa réaction avait été aussi vive que si un dard l'avait douloureusement piquée et Jeanne, malheureuse de sa maladresse, murmura :

« Pardonnez-moi, je n'ai pas voulu vous faire du mal. »

Le silence enveloppa les deux jeunes femmes et dura longtemps. Elles étaient à la fois fatiguées et excitées par leur longue veille bavarde, lasses de parler mais loin de toute idée de sommeil. Elles étaient arrivées au bout de leurs confidences. Il ne leur restait plus à se partager que les incertitudes de leurs cœurs. Ce serait plus difficile. Et qui sait si elles le désiraient plus qu'elles ne le craignaient ? Jeanne finit par demander tout bas :

« Avez-vous envie de rentrer en France ?

— Avec mon Toupen-verap ? Jamais ! dit Emilie, brusquement ranimée. Je ne supporterai pas d'être la mère d'un bâtard. Ici, il n'y a pas de bâtards. Ici, un bâtard est un enfant. On le voit du même œil que tous les autres. Quand il grandit on l'appelle « don » comme les autres, et on lui laisse prendre sa place au soleil. Il peut même prendre sa part de l'héritage de son père. Pas un gentilhomme d'ici qui ne reconnaisse publiquement ses bâtards, ne les caresse s'il les rencontre dans la rue et ne les assoie à l'église auprès de ses enfants légitimes.

— Vraiment ! s'exclama Jeanne, suffoquée d'étonnement.

— Vraiment. Ici, la loi et la coutume autorisent la bâtardise.

— Le Nouveau Monde est donc bel et bien un monde nouveau ! dit Jeanne avec fougue et les yeux brillants. Oh ! mais c'est merveilleux, Emilie ! Un monde qui ne punit pas les innocents, mais c'est un monde merveilleux ! Je l'aime ! Oh ! Emilie, pardonnez-moi d'insister, mais pourquoi n'épousez-vous pas don José, un citoyen d'un pays aussi généreux ?

— Si cela peut vous contenter, apprenez que don José considère mon petit Paul comme son bâtard, dit Emilie. Et si jamais un jour... Enfin, je voulais dire que jamais je n'ôterai Paul à don José. Dieu merci ! j'aurai pu éviter à cet enfant mal venu d'être le bâtard d'un petit pharmacien français. »

Jeanne réagit vivement :

« Emilie, c'est vraiment montrer trop de morgue envers votre passé. Denis n'était pas si... »

Deux coups frappés sans retenue contre la porte de la chambre, et qui résonnèrent avec force dans le silence, coupèrent net l'élan coléreux de Jeanne. Elle se retourna vivement vers le bruit, vit la porte s'ouvrir.

« Puis-je entrer ? demanda don José en ne montrant que sa tête, toute souriante.

— Et si je répondais non ? dit Emilie avec un peu de nervosité.

— Ne soyez pas méchante. Je suis sûr que tous les secrets sont dits et que vous mourez de soif toutes les deux. »

La tête disparut et don José reparut bientôt tout entier, portant un grand plateau chargé. L'Espagnol semblait nu sous son beau poncho d'épaisse laine blanche brodé de larges grecques au fil d'or. Il marchait pieds nus, mais les mollets gantés de guêtres à l'indienne de même étoffe que le poncho et ornées elles aussi d'une broderie à l'or.

« J'ai mis des pâtés de cailles, des confitures, de la brioche au sucre et des petits pains de froment, du caillé tout frais et du vin de Champagne, annonça don José en déposant sa charge sur le bureau. Dites-moi, mesdames, si cette collation vous ira ?

— Don José adore jouer au serviteur, expliqua Emilie, toujours nerveuse.

— Hé ! par qui voulez-vous que je vous envoie une collation au milieu de la nuit ? demanda don José.

— Vous pourriez réveiller un domestique, dit Emilie.

— Réveiller un domestique ? Caramba ! c'est une tâche plus rude que de préparer la dînette moi-même ! Et par moi, vous êtes mieux servie, corazón mío. Vous savez bien qu'on n'a jamais à son service que des fainéants, ou des imbéciles qu'on prie Dieu de rendre fainéants.

— J'espère que vous ne priez plus pour les vôtres : ils sont déjà à leur plus haut point de fainéantise, dit Emilie d'une voix moqueuse. Jeannette, les esclaves de don José sont le plus souvent si inertes qu'on les prendrait de loin pour des bouses de vaches étalées au soleil !

– Ne la croyez pas, dame Jeannette : ils s'étalent à l'ombre », dit don José.

Il éclata de rire sonore et prolongé, qui rappela à Jeanne le rire sans retenue de Mme de Bouhey. Don José aussi riait comme le tonnerre roule, jusqu'au bout de sa puissance de joie et sans nul souci de distinction.

« Don José, vous avez un rire de barbare, dit Emilie, portant les mains à ses oreilles. Je ne m'y ferai jamais. Vous ne devriez rire que dans la prairie, et encore, les jours où le pampero la balaie.

– J'oublie toujours que les Françaises sont des natures fragiles, dit don José en clignant de l'œil à Jeanne. De solide comme bois de fer elles n'ont que la tête. »

Jeanne se mit à rire aussi et elle riait surtout de ce surprenant clin d'œil que se permettait don José et que, deux fois déjà au cours de l'après-midi, elle avait trouvé trop gentil et trop gai pour être vulgaire. Ce tic d'homme du peuple devait prodigieusement agacer « la comtesse » et, en effet, elle vit Emilie froncer le nez.

« Dame Jeannette, prendrez-vous du vin de Champagne ? demanda don José.

– Oh ! volontiers ! Je ne refuse que le vin du Chili. Monsieur, vous avez sans conteste le pire vin de Chili que j'aie bu à Montevideo.

– C'est que nous autres indigènes l'aimons très corsé, dit don José. Mais rassurez-vous : mon vin du Chili n'est que pour le maître et ses Indios; à mes hôtes de marque je sers de la contrebande française. On vous aura dit, n'est-ce pas, que j'étais un bon contrebandier ?

– Je lui ai dit que vous étiez le hors-la-loi le plus habile et le mieux lavé de la province, bref, le digne fils du meilleur des brigands gentilshommes, confirma Emilie.

– Amor mío, muchas gracias, dit don José en lui baisant la main. Dame Jeannette, vous a-t-on montré

162

ma prise la plus précieuse ? Vous a-t-on montré Toupen-verap ?

– Oui, dit Jeanne, je l'ai vu endormi. Il est magnifique ! »

L'Espagnol prit un air de contentement si radieux que, mue par un instinctif besoin de le rendre encore plus heureux, Jeanne ajouta doucement :

« Votre fils est vraiment magnifique, monsieur. »

Les paupières de don José battirent deux ou trois fois sur le noir brillant du regard et don José se tourna vers Emilie :

« Emilia, votre amie me plaît beaucoup trop, dit-il plaisamment. Je serais que de vous je me méfierais.

– En France ce sont les femmes, qui choisissent, dit Emilie.

– Doña mía, vous êtes donc l'adorable preuve qu'une ravissante Française peut fort bien se tromper au point de me choisir », dit don José.

Tout en bavardant, il avait débarrassé une petite table volante de ses livres, jeté dessus une nappe blanche qu'il avait apportée sous son bras, disposé les deux couverts, débouché la bouteille et servi le vin de Champagne :

« Maintenant, que je vous installe en vis-à-vis comme deux amoureux qui font medianoche, dit-il en leur tendant ses deux mains, et vous allez me goûter ces pâtés de cailles : ils embaument. Mais avant, trinquons à vos retrouvailles. A l'amistad ! »

Il avait levé haut son verre, qu'il abaissa pour en choquer légèrement les verres de Jeanne et d'Emilie, après quoi il lampa son vin d'un seul trait :

« Allons, mesdames, cul sec ! comme on dit chez vous », commanda-t-il en reposant son verre.

Jeanne obéit aussitôt, et puis Emilie, après un soupir résigné.

« C'est ainsi qu'au café Pulperia on trinque à la bonne fin d'une bonne affaire, dit Emilie.

– Mais sans doute pas avec ce vin-là ! dit Jeanne.

Ce vin de Champagne a merveilleusement tenu la mer. N'est-ce pas un miracle ?

– C'est un miracle qui se produit toujours quand c'est mon ami le chevalier Vincent qui me l'apporte, dit don José. Il y a une bonne et une mauvaise manière de faire voyager les marchandises précieuses. Vincent m'a déjà apporté plus d'un trésor en parfait état », acheva-t-il en posant son regard sur Emilie.

Le noir regard de don José brillait de passion tendre et Jeanne nota que le clair regard d'Emilie y répondait un instant avec une douceur sincère et sans trace d'ironie. Elle en fut toute contente, et si bien à l'aise soudain qu'elle se sentit entrer dans le moment le mieux réussi de la nuit. Ils se mirent à bavarder sur les bonnes choses de France, et pendant tout ce temps les grands yeux dorés de Jeanne allèrent plusieurs fois d'Emilie à don José, pour se chercher des raisons de les unir profondément malgré leurs différences. La jeune femme finit par tendre familièrement son verre vide à son hôte :

« Je prendrai encore volontiers un peu de vin de Champagne pour boire à un vœu que j'ai envie de faire, dit-elle.

– Peut-on savoir ? interrogea Emilie.

– Non, madame, dit Jeanne. Mais souhaitez-moi d'être exaucée. »

Don José remplit une seconde fois les trois verres :

« Si c'est un homme que vous souhaitez vous serez exaucée, à moins qu'il ne soit aveugle, dit-il.

– Jeannette, je bois au succès de votre vœu », dit Emilie.

Elle but lentement mais jusqu'à la dernière goutte, posa son verre. Et alors un irrésistible mouvement d'abandon la jeta vers son amie dont elle saisit la main pour la presser contre son cœur :

« Jeannette, ma chérie, je suis heureuse, tellement, tellement heureuse de vous avoir ! dit-elle d'une voix étranglée d'émotion. Oh ! José, vous ne pouvez

164

savoir à quel point je suis heureuse en ce moment !
dit-elle encore avant de fondre en pleurs, le nez sur
son assiette, continuant toujours de presser sur son
sein la main de Jeanne, à laquelle elle avait joint la
main de don José.

— Emilie, ma chérie, pour Dieu ne pleurez pas !
Vous sa...avez bien que je suis en eau pou...our un
rien, a...alors vous pen...ensez, si je vous vois
pleu...eurer ! » dit Jeanne, sanglotant et cherchant en
vain un mouchoir avec sa main libre.

Don José le lui sortit de sa poche. Il contemplait
les verres vides des pleureuses, la bouteille aux trois
quarts tarie, les deux têtes blonde et rousse qui
s'étaient rapprochées pour mêler leurs larmes gaies
et mêlaient du même coup la soie floche et la soie
torse de leurs cheveux. Il se mit à rire doucement. De
la main dont Emilie lui laissait l'usage il versa le
reste du vin dans les verres des pleureuses, prenant
soin de leur bien doser les dernières gouttes avec
égalité. Après quoi il les regarda larmoyer de bonheur quelques secondes encore, parce que c'était un
joli spectacle.

« Boire encore un petit coup vous remettrait,
finit-il par dire en faisant tinter son verre vide contre
les leurs. Anda ! »

Elles reniflèrent, se mouchèrent et sirotèrent docilement leur vin doré.

« Je me sens vraiment mieux, dit Emilie d'une
voix trop haute. Maintenant, je me sens vraiment
bien.

— Oui, vraiment, vraiment bien ! », dit Jeanne en
écho.

Elle se sentait décollée de la terre. Sa tête
gazouillait, pleine de bulles de soleil. Elle répéta :
« Vraiment bien », avec un énorme soupir d'aise.

« Les larmes qu'on trouve dans le bon vin sont la
pureza de l'alma [1] », dit don José.

1. La santé de l'âme.

10

Le surlendemain de la visite à la quinta de don José, tôt le matin Jeanne était en train de s'habiller comme de coutume pour descendre à terre quand un bout de romance provençale lui parvint, qui venait de tout près :

> *Belo, vous represente lou boutoun d'or,*
> *N'en siatz belo coum' un tresor...*

Ce début de chanson était le signal qu'employait désormais le Provençal lorsqu'il voulait la prévenir de quelque chose. « Je vais voir la couleur du temps », lança-t-elle à Aubriot, et elle sortit sur le gaillard.

Le Provençal portait une mine mécontente :

« Je n'ai pas tiré un bon fétu, je ne suis pas de votre expédition d'aujourd'hui, dit-il d'emblée. Il paraît que vous voulez bivouaquer à terre la nuit prochaine ?

— Si cela se peut, dit Jeanne. Bivouaquer une nuit sur deux nous ferait gagner un temps fou : nous serions à pied d'œuvre un matin sur deux.

— Ça ne me plaît pas, grogna le Provençal. Surtout qu'à ce qu'on dit, vous partez vers l'est ?

— Oui. Vers le nord-est.

— A pied ? A cheval ?

— A cheval, pour aller plus loin. Les fraters disent que la flore est différente en avançant vers les Maldonades. Ces deux pourceaux connaissent bien la flore du pays, je dois le reconnaître.

— Ça ne me plaît pas, répéta le Provençal d'une voix mauvaise. Une bonne idée des fraters, ça ne me plaît pas. Je veux partir avec vous. Ne pouvez-vous arranger ça avec M. le docteur ? Qu'il m'emmène en dépit de mon long fétu ?

— Je ne crois pas qu'il le voudra. Le capitaine lui a

recommandé d'éviter les passe-droits : cela fait des histoires entre matelots. Pourquoi donc cette rage de nous suivre aujourd'hui sans faute ?

– Vous allez dans l'est et j'aime pas ça. Le côté de Maldonado, c'est le côté des brigands de Pinto.

– On raconte que les brigands de Pinto sont partout, mais nous ne les avons encore vus nulle part ! Puis vous savez bien que nous avons toujours dix hommes avec nous, tous armés, plus un quartier-maître et deux officiers qui sont de fines lames. Nous ne risquons rien du tout.

– Les brigands de Pinto sont six cents, tous bons pistoleiros. Moun capitàni, quand il trafique dans leur coin, il a les yeux à tout jour et nuit, comme s'il était dans un pays de serpents à sonnettes !

– Le capitaine Vincent vient donc souvent à Maldonado ? demanda Jeanne vivement.

– Ato [1] ! A Montevideo, tout est défendu. On ne peut rien débarquer ni embarquer sans graisser la patte aux gardes-côtes.

– J'imagine qu'à Maldonado aussi, tout est défendu ?

– Ato ! Mais c'est à trente lieues du gouvernement ! Mais dites, vous m'avez changé de sujet et ça me va pas. Je tiens à mon idée, je veux descendre avec vous. Dites à M. le docteur que je ferai la cuisine et que je suis un bon coq. Dites-lui que je lui ferai la soupo, tè ! je lui ferai un boui-abaisso, acò's un manja de rèi !

– Une bouillabaisse, dans la prairie ? Une bouilla-baisse de bœuf, alors ? dit Jeanne en riant. Enfin, je vais voir... »

Aubriot se fit tirer l'oreille, mais finit par adjoindre le Provençal à sa petite troupe :

« Et n'oublie pas de prendre ton pipeau, lui recommanda-t-il. Je n'ai pas encore vu tes talents de

1. Dame, oui !

coq, mais comme troubadour, tu vaux quelque chose. »

Après une aube rose et une chaude matinée le pampero se leva avec force et secoua rudement l'expédition avant de l'engloutir dans un orage affreux. Le gouverneur don Joachim avait envoyé à Aubriot un truchement [1] et deux guides indiens choisis parmi les mieux aguerris de sa réserve, et la précaution se révéla utile : sans les encouragements de leurs Indiens qui en avaient vu d'autres, les Français auraient bien pu croire leur dernière heure venue ! Et peut-être serait-elle venue, parce qu'ils se seraient laissé emporter comme feuilles mortes par la tourmente. Leurs guides les jetèrent à plat ventre derrière un rempart de rochers, couvrirent les têtes les plus précieuses avec les peaux de vaches qu'ils portaient roulées sur leurs épaules, en un tournemain dessellèrent les chevaux montés à l'européenne, obligèrent les bêtes hennissantes à se coucher elles aussi à l'abri des rochers; après quoi ils se mirent au milieu d'elles, relevèrent leurs ponchos par-dessus leurs grands vieux chapeaux sales et, culs nus offerts aux rafales de vent trempé d'eau, ils attendirent la fin du pampero en ne bougeant pas plus que les rochers.

Le déluge dura deux heures, cessa brusquement dans un grand coup de soleil qui alluma la prairie de milliers d'étincelles. Les Indiens se redressèrent sans un mot, contemplèrent les Français abrutis qui s'arrachaient avec peine de leur enlisement dans l'herbe spongieuse. Aubriot fut pris d'une quinte de toux.

« Esto le vendrá bien », dit l'un des guides en lui tendant un bidon d'eau-de-vie et lui faisant signe de le faire circuler à la ronde.

Puis il ôta son chapeau, le secoua, se dépouilla de son poncho et le tordit au point d'en faire une corde

1. Interprète.

avant de l'étendre sur un buisson. L'autre Indien, lui aussi, s'était mis nu comme un ver.

« Señor, il faudrait que vous en fassiez autant et les autres señores aussi, dit le truchement en montrant à Aubriot les deux indigènes qui séchaient leurs peaux nues au soleil en se les claquant comme à grands coups de battoir à linge.

– Ouais, j' crois qu'i' faut s'y mettre si on veut pas prendre la mort, lança frater Yannick en enlevant sa chemise. Vous savez, monsieur le docteur, le coup d' pampero, ça tue beaucoup d'hommes, dans c' pays. C'est c' qu'en tue l' plus. »

Frater Yannick avait parlé au médecin en regardant du côté de Jeanne. Aubriot suivit son regard et vit Jeanne qui riait avec le Provençal en égouttant ses cheveux. A l'imitation des Indiens elle avait déjà ôté, tordu, étendu son poncho sur un buisson. Mais il n'était pas question qu'elle pût aller plus avant dans son déshabillage et Aubriot eut peur. Jeanne était d'une santé si imperturbable, et cela depuis sa petite enfance, que c'était bien la première fois qu'il s'inquiétait pour elle – peut-être parce que lui-même frissonnait, peut-être parce qu'il la découvrait soudain fragile dans le bizarre regard gluant du frater. Soudain, elle n'était plus sa petite fille solide, si fidèle qu'elle lui en semblait invulnérable; elle était une très jolie jeune femme blonde mal cachée dans une culotte et une chemise de garçon mouillées, exposée au milieu d'hommes rudes dans une nature sauvage. Pendant une longue seconde, les yeux d'Aubriot la possédèrent intensément comme pour la vêtir d'une cuirasse. En cet instant, il l'aima d'un vaste amour, tendre, pusillanime et douloureux – un amour de père incestueux auquel un rayon de soleil révèle tout à coup l'exceptionnelle beauté adulte de sa belle enfant, en même temps que le cercle de mâles qui la cerne.

« Jeannot ! » appela-t-il d'une voix sèche.

Surprise du ton, elle courut à lui.

« Bois ! commanda-t-il en reprenant le bidon d'eau-de-vie des mains du chevalier de Montaigu. Machado ! Machado !

– Si, señor ? fit le truchement en rejoignant Aubriot.

– Machado, ne m'avez-vous pas dit, juste avant la tempête, que nous arriverions bientôt à un village indien ?

– Pas à un village, señor. Il y a trois cabanes indiennes, à une petite heure d'ici, au gué d'un rio.

– Nous repartons immédiatement, dit Aubriot. Prévenez les guides. Nous ferons camp aux cabanes pour nous sécher et manger.

– Mais señor, il n'est pas bon de...

– Machado, j'en ai décidé ainsi, coupa Aubriot d'une voix brève. Prévenez les guides, je préviens les autres.

– Mais señor, quatre chevaux se sont échappés pendant le pampero. Il faut au moins donner aux Indiens le temps de les rattraper ou d'aller en lacer quatre autres. »

Aubriot embrassa la scène d'un coup d'œil. Beaupréau et Montaigu, nus jusqu'à la ceinture, se frictionnaient à l'indienne; plusieurs matelots, déjà déculottés, leurs virilités mal cachées par leurs bonnets, commençaient à plaisanter avec de gros rires :

« Attendez qu' la mienne soye réchauffée et vous verrez qu'elle lève à mon commandement, et rien qu'à l'idée d'un beau cul neuf à mettre en perce ! braillait le gabier Belle-Isle.

– Ben dis, mon boué, si elle guinde que pour du neuf... », commença une autre voix rieuse.

Aubriot explosa :

« Tout le monde se rhabille à l'instant ! gueula-t-il d'un ton furieux. Nous repartons ! »

Il eut conscience de la brutalité de son ordre en rencontrant les regards surpris de Montaigu et de Beaupréau, ajouta d'un ton plus normal :

« Il y a un hameau indien près d'ici. Nous y

serons plus à l'aise pour nous remettre et nous
pourrons manger chaud. Machado, poursuivit-il en
se tournant vers son truchement, dites aux guides
que nous allons prendre quatre hommes en croupe.
Une fois au camp, ils auront tout le temps d'aller
lacer des chevaux. »

Aussitôt qu'ils avaient aperçu la caravane, les
Indiens des cabanes étaient allés tuer deux petits
cochons roux pour les embrocher. Pendant que les
bêtes rôtissaient, ils servirent à leurs hôtes une
bouillie de seigle brûlante d'épices. Par là-dessus, le
bidon d'eau-de-vie circula, et les Français se regardèrent en souriant. Le coup de pampero finissait bien :
il ferait un beau souvenir, rien de tel que les mauvais
moments d'un voyage pour faire de bons souvenirs.
Jeanne s'allongea sur le ventre, posa son menton sur
ses bras croisés et, fermant les yeux, se mit à rêver
aux fêtes que don José lui avait promis d'inventer
pour la réunir souvent à Emilie...
Pour mieux achever de se sécher, elle avait ôté sa
veste, ses bottes et ses bas, le soleil lui chauffait les
pieds et le dos, transformait ses cheveux dénoués en
un châle d'épaisse tiédeur, et elle se sentait devenir
bienheureuse. A force de s'imaginer aux fêtes de don
José elle avait fini par y rencontrer Vincent et, à la
lisière du sommeil, glissait avec son beau chevalier
vers un bonheur flou pris dans un climat d'été...
« Tu dors ? Les cochons sont cuits. »
La main d'Aubriot lui secouait l'épaule. Elle s'assit sur ses talons. Un Indien cassait l'un des cochons
à pleines mains, en distribuait les morceaux brûlants,
puissamment aromatiques, succulents.
« Ces sauvages font une excellente cuisine, apprécia Beaupréau. Je n'ai encore rien mangé d'aussi bon
dans une demeure de Montevideo. Je me demande ce
qu'il y a dans leur propre chaudron ? » ajouta-t-il en
posant son regard sur le groupe des Indiens.

Le hameau indien se composait de trois grandes cabanes : une de cuir qui servait de cuisine et de resserre, deux autres faites d'un mélange de terre et de gazon sur une armature de jonc. Deux familles vivaient là, une quinzaine de personnes en tout – hommes, femmes, enfants. Ils avaient invité les guides des Français à leur repas : un ragoût épais d'où montaient d'effrayants effluves de piments. Quand ils eurent avalé ça en puisant dans le chaudron avec des calebasses ils prirent tout le temps de roter bruyamment leur satisfaction, et les hommes de siffler, dans un silence dévot, le bidon d'eau-de-vie que leur envoya Aubriot. Alors seulement le plus âgé des hôtes se leva, pour aller prendre dans la cuisine quelque chose qu'il rapporta dans son vieux chapeau militaire pour l'offrir aux hommes et aux femmes de son plat. Les Français virent avec stupeur qu'il s'agissait de cigarros aussi longs, et sans doute aussi bons, que ceux qu'on leur offrait dans les salons de la ville !

« Au fond, ces sauvages vivent comme des rois, dit le chevalier de Montaigu. Car pour moi, depuis que les Espagnols m'ont appris à fumer en bout je tiens que le cigarro est la partie la plus royale d'un repas. Nous, n'en aurons-nous pas ? demanda-t-il au truchement. Dis à l'Indien qui possède les cigarros de nous en vendre. »

Machado secoua la tête :

« Pardonnez-moi, señor, mais l'Indien ne vend pas son tabac.

— Mais pourquoi ? demanda Montaigu.

— L'Indien croit qu'on ne doit pas vendre de la fumée : la fumée est divine, dit Machado.

— C'est bien mon avis ! » soupira Montaigu.

Leurs cigarros consumés, les deux guides et les Indiens du hameau partirent pour aller prendre dans la prairie les chevaux qui manquaient. Les deux jeunes officiers de la caravane, qui voulaient voir la chasse au lacet, partirent avec eux. En les attendant les matelots se mirent à jouer avec les enfants et les femmes s'installèrent autour des chahuteurs en riant.

« Nous, Jeannot, au travail ! Nous avons assez perdu de temps pour aujourd'hui, dit Aubriot.

— Monsieur le docteur, si vous voulez voir du nouveau il faudrait passer le gué, conseilla frater Jean. De l'autre côté du gué, le terrain s'élève assez vite, et c'est sur ces hauteurs-là qu'on trouve en abondance cette espèce d'immortelle jaune que les guérisseurs espagnols appellent vira-verda et qu'ils emploient pour guérir les maux d'estomac. La dernière fois qu'on a relâché à Montevideo on en a amassé une bonne quantité, vu que notre capitaine se plaint souvent de l'estomac. M. Pauly lui en donnait des infusions en guise de thé et il s'en trouvait bien.

— C'est par là aussi qu'on pourra vous montrer le roseau d'où les Indiennes tirent les longs filaments verts dont elles font les filets et les lignes à pêcher, compléta frater Yannick.

— Ma foi oui, je suis très curieux de voir ce roseau, dit Aubriot, s'adressant surtout à Jeanne. Ce fil est presque aussi beau et solide qu'une soie décruée et je me demande si des tisserands lyonnais n'en feraient pas de belles et bonnes étoffes, qui coûteraient moins que des soieries de cocons. Allons ! Jeannot, à cheval ! »

Jeanne avait déjà remis ses bottes et passait son poncho. Elle lança un regard vers le rio, que les fraters, déjà en selle, s'apprêtaient à franchir, conduits par une femme indienne montée sur un fringant petit cheval fauve. Le rio était à cet endroit d'une largeur impressionnante et son courant rapide mais, en suivant l'Indienne des yeux, Jeanne vit que même au milieu du gué son cheval n'avait de l'eau que jusqu'à la châtaigne. Elle frappa d'un geste martial sur le pistolet de sa ceinture et se retourna pour appeler le Provençal mais le trouva derrière son dos, qui venait d'accourir et montrait du bras les fraters engagés dans le rio et Aubriot en train de vérifier sa sangle :

« Dites voir, M. le docteur serait pas dans l'intention de passer de l'autre côté sans son escorte ? demanda-t-il d'une voix inquiète.

— Si, tout juste ! dit Jeanne gaiement. Nous allons sur cette petite colline là-bas cueillir de la tisane pour le capitaine en attendant le retour de nos Indiens et vous venez avec nous. Allez, hop ! à cheval, Provençal, on fait la course jusqu'au haut de la pente, et je triche ! »

Elle sauta à califourchon et lança sa bête au galop dans le sillage des fraters, déjà presque à pied sec sur l'autre rive.

« Arrêtez ! hurla le Provençal. Attendez-moi ! Esperas, boudiéu ! M'sieur Félibien, m'sieur Félibien !

— Quoi ? Qu'est-ce qui t' mord ? braillá de loin le contremaître, qui s'amusait à tirer à l'arc.

— M'sieur Félibien, empêchez M. le docteur de passer le gué, empêchez-le ! » gueula le Provençal.

Lui avait enfin rattrapé un des petits chevaux du hameau, qu'il enfourcha à cru. Cramponné à la crinière comme au temps de son enfance sauvage en Camargue, il aborda le rio à fond de train dans une énorme gerbe d'éclaboussures.

Jeanne jeta un coup d'œil en arrière, envoya un éclat de rire à son poursuivant et pressa sa bête. Dès qu'il fut sorti de l'eau le cheval bien enlevé fila comme le vent, et Jeanne fut sur le plateau avant même les fraters. L'Indienne était déjà retournée au gué, pour passer les suivants.

Le plateau formait un carré bordé de bois sur deux côtés, couvert d'une herbe haute et douce follement verte, toute brillante d'humidité, émaillée de milliers, de millions de petites étoiles jaune d'or.

« Que c'est joli ! s'écria Jeanne, enchantée. On croirait une tapisserie mille fleurs ! Oh ! mais cette immortelle-là ressemble à de la ficaire, à de l'épinard des bûcherons. Toutefois, n'en ai-je jamais vu d'aussi... »

Elle n'eut pas le temps de s'extasier davantage. Le Provençal était sur elle, et beuglant :

« Lèu ! En bas ! Retournons vite, zóu ! zóu ! zóu ! »

Il lui sauta en croupe à la volée, empoigna la bride de sa monture, tira sur le mors...

« Etes-vous fou ? » s'écria Jeanne en luttant pour s'opposer à l'ordre brutal du Provençal et, en même temps, elle vit une troupe de cavaliers surgir de la lisière du bois qu'elle longeait.

Le nœud coulant d'un lacet étrangla son cheval, qui se cabra et envoya le matelot rouler à terre. Instinctivement, Jeanne employa sa force et ses mains pour se maintenir en selle en hurlant au secours plutôt que de saisir son pistolet, et, de toute manière... ! Encore étourdie de surprise, elle se retrouva les bras ficelés, à califourchon et le dos appuyé contre un brigand qui l'enlaçait fermement en tenant sa monture lancée ventre à terre.

Son ravisseur galopait au milieu d'un sourd martèlement de sabots; des croupes aux queues soulevées dansaient devant ses yeux, des crinières flottaient autour d'elle dans la verte lumière irréelle du sous-bois, si bien qu'elle avait l'impression d'être enlevée par une harde de chevaux qu'elle chevauchait toute, comme dans un cauchemar fantastique. Et elle criait, elle criait sans fin à l'aide pour se réveiller de ce rêve infernal, elle cria jusqu'à s'épuiser, sans que l'étau qui l'enserrait parût s'en émouvoir. Quand enfin elle se tut sa pensée lui revint, la peur avec, et elle tenta de réaliser sa situation. Autant que faire se pouvait elle regarda autour d'elle, vit des chevaux galopants montés par des hommes en ponchos coiffés de grands chapeaux à l'espagnole. Elle se souvint qu'avant d'être emportée par son cauchemar elle avait entendu claquer un coup de feu – un seul. Une sueur glacée l'inonda. Elle voulut crier le nom du

Provençal pour qu'il lui répondît s'il était dans la cavalcade, mais ce fut une étrange voix faible qui lui sortit du gosier :

« Le Provençal ? murmura-t-elle. Le Provençal ? répéta-t-elle plus fort en tournant la tête au maximum.

– Quê ? demanda une voix penchée sur son cou, avant d'ajouter aussitôt :

– Cuidado ! »

Jeanne se ploya d'instinct sur l'encolure du cheval. La troupe s'était mise au pas et se dirigeait vers un fourré : le bois devenait impraticable, il fallait sortir dans la prairie par un passage à peine frayé dans le touffu. Jeanne sentit qu'on jetait une peau de vache sur elle avant de l'engager à travers le hallier...

Quand la peau lui fut arrachée la lumière du soleil l'aveugla autant que l'aurait fait un coup de poing, d'autant que la galopade reprit, plus effrénée qu'auparavant. Il se passa plusieurs secondes avant qu'elle fût en état de reposer sa question :

« Le Provençal ? dit-elle de nouveau à son dossier. Où est l'homme qui était avec moi ? Otro hombre ? Amigo mío ? Dónde ? criait-elle désespérément dans le vent.

– Quê ? » redit la voix dans son cou, et elle vit que l'homme poussait sa monture en avant vers la gauche pour rejoindre un autre cavalier, auquel il cria :

« Julio ! Fala ! »

Le cavalier Julio tourna vers la prisonnière un grand sourire content :

« Qu'y a-t-il pour votre service, mademoiselle ? » lui lança-t-il en fort bon français sans aucun accent.

Jeanne ouvrit un regard stupéfait :

« Etes-vous français ?

– Pour vous servir, mademoiselle. Il y a du monde de partout, dans notre village.

– Quel village ? Où m'emmenez-vous ?

176

– Chez le colonel Pinto, mademoiselle ! Un très galant caballero avec les dames qui sont jolies.

– Où est l'homme que vous avez pris avec moi ?

– Il vous suit, mademoiselle, encore mieux ficelé que vous ! »

Il lui sembla que la main qui lui poignait le cœur s'ouvrait : au moins n'était-elle pas seule au monde au milieu d'un ramassis de brigands. Puis une pensée la traversa à retardement et elle cria de nouveau vers Julio :

« Comment savez-vous que je suis une femme ? »

Il lui fit un signe apaisant :

« Momento, mademoiselle ! Nous bavarderons mieux quand nous sauterons moins ! Regardez le spectacle : toutes les dames qui voyagent n'auront pas une si belle chevauchée à raconter à leur retour en France. »

Le fait est qu'en toute autre circonstance, Jeanne aurait violemment joui du spectacle et d'y prendre part. Les brigands devaient être une dizaine, tous bons cavaliers. La troupe filait à bride abattue dans un décor sauvage, au pied d'une ligne de faibles collines aux crêtes déchiquetées, en chassant devant elle une harde d'une cinquantaine de chevaux de relais. Les cavaliers se dirigeaient si bien à l'œil dans l'infinie prairie sans balises qu'ils arrivaient devant les rivières juste à l'endroit des gués et les passaient sans presque ralentir, forçant la harde de tête à garder l'allure en envoyant des cris d'Indiens en guerre et des ronds de lacets siffler aux oreilles des bêtes libres, qui se jetaient dans l'eau à un train de panique, comme si elles avaient eu une bande de tigres aux croupes. Des panaches d'eau jaillissaient haut des rios brutalement piétinés, qui se fleurissaient de soleil avant de retomber se noyer dans le courant, et derrière la harde folle les cavaliers traversaient des geysers de gouttelettes scintillantes, aveuglantes, glacées. C'était comme si les hommes envoûtés se laissaient mener sans frein par des chevaux de l'apocalypse jusqu'où le voudrait le destin ou jusqu'où finirait l'herbe de la prairie. Jeanne, à demi hallucinée, compta trois rios avant que son meneur fût de nouveau assez près du Français qu'on appelait Julio pour qu'elle pût lui lancer :

« Faites-moi détacher ! Je n'en puis plus de galoper ainsi !

– Un petit moment, mademoiselle ! Nous sommes encore un peu trop près de vos amis pour pouvoir nous arrêter », répondit-il avec un sourire encourageant.

Ils passèrent encore un rio. Enfin, Jeanne sentit que le cheval qui la portait faiblissait et perdait du terrain. Elle pensa : « Mon Dieu, il va s'écrouler ! » ouvrit la bouche pour prévenir mais entendit, au même instant, l'homme qui la tenait hurler quelque chose. Lui et quelques cavaliers s'arrêtèrent à l'orée d'un petit bois, tandis que les autres poursuivaient la harde, leurs lacets déjà levés pour prendre des chevaux de relais.

Le Français Julio avait mis pied à terre le premier et libérait les mains de la prisonnière. Il l'aida à descendre avec la même gaieté courtoise que si elle était son invitée à une partie de campagne. A peine eut-elle repris son équilibre debout qu'elle courut au Provençal qu'elle apercevait enfin, ficelé lui aussi sur la monture d'un brigand. L'une des manches de sa grossière chemise de matelot avait été arrachée et lui ceignait le front :

« Provençal ! Etes-vous blessé ?

– Un coup de crosse, dit-il avec une grimace. J'avais troué le chapeau d'un de ces bandits : pardonnez-moi d'avoir manqué sa tête.

– Estúpido ! lança Julio. Si tu ne l'avais pas manquée, tu n'aurais plus la tienne pour t'en vanter. »

Jeanne se retourna d'un bloc vers le Français :

« Que voulez-vous faire de nous ? demanda-t-elle sans trembler.

– De lui, ce sera selon son humeur, dit joyeusement Julio. S'il veut être des nôtres, on enrôle de bon cœur. S'il fait sa fine bouche ou le gros méchant, il sera shanghaïé[1] ou il sera égorgé.

– Fumier ! cracha le Provençal, qui prit un rude coup dans les côtes.

– Provençal, taisez-vous, ordonna Jeanne. Au moins êtes-vous clair, dit-elle au Français avec mépris. Et pour moi, quel est votre projet ? »

Il la salua à la mousquetaire, d'un grand coup de chapeau :

« Mademoiselle, nous espérons que votre parent – ou votre amant – tient chèrement à vous.

– Vous choisissez mal vos otages, monsieur le brigand ! Je ne suis qu'une orpheline pauvre et mon parent n'est pas riche.

– Nous verrons bien.

– Qui vous a conseillé cette mauvaise affaire ? »

Au lieu de lui répondre, Julio fixa en clignant des yeux le lointain de la prairie, du côté d'où ils venaient. Deux cavaliers arrivaient sur eux au petit galop – l'un d'eux flanqué d'un homme en croupe :

« Voilà les deux coquins qui vous ont vendue, mademoiselle, dit le Français. Ces brutes épaisses se tiennent en selle comme deux sacs de courges. Non, mais admirez-moi ça ! »

Trois minutes plus tard, les fraters étaient devenus reconnaissables. L'un d'eux se cramponnait à la bride de sa monture plus qu'il ne la tenait, et l'autre bringuebalait en croupe d'un brigand. Ils ne descendirent pas de cheval : ils se laissèrent tomber en deux tas sur l'herbe, comme chairs déshumanisées, moulues. Les bandits arrêtés à la corne du bois s'en tenaient les côtes de rire, de voir à quelle bouillie se réduisaient les deux nouvelles recrues de Pinto après

---

1. Enrôlé de force comme matelot sur un vaisseau qui manque d'hommes.

si petite chevauchée « bien tranquille ». Finalement, Julio se calma pour laisser tomber :

« Amigos, si vous voulez votre part de butin il faudra faire votre part de randonnées, alors vous ferez bien de vous tanner le cul au plus tôt parce qu'on n'a pas toujours le temps d'attendre les fesses molles. »

Fouettés par la voix moqueuse, les fraters se relevèrent péniblement sur les genoux en s'aidant de leurs mains.

« C'est une gageure que de vouloir apprendre à monter à des porcs. Les porcs vont toujours à quatre pattes – voyez comme ils s'y retrouvent naturellement », lança Jeanne d'un ton méprisant.

Frater Yannick avait encore assez de force dans le corps pour bondir sous l'injure. La gueule haineuse, il fut sur Jeanne avant que quinconque pût prévoir son geste et la jeta violemment à terre en hurlant :

« Ma sale petite vache, t'as déjà plusieurs choses à m' payer ! »

Il lui expédia un premier coup de pied dans les jambes mais n'eut pas le temps de lui faire un second bleu et recula soudain, les yeux fous, en portant les deux mains à son cou, avec une exclamation de fureur aussitôt étouffée : un lacet le strangulait, le ramenait docile et à demi asphyxié aux genoux de Julio, qui tira tranquillement son pistolet et lui logea une balle dans la tête en disant :

« Amigo, il ne faut jamais toucher au butin sans permission. Chez nous, ça ne se pardonne pas.

– Salaud, bougre de salaud ! cria frater Jean dans un sanglot en se précipitant vers son vieux frère de misère et de crime.

– Ça va, mademoiselle ? Pas trop de mal ? demandait Julio en aidant Jeanne à se remettre sur pied.

– Deux ou trois bleus sans doute, dit Jeanne d'une voix altérée. Ils sont chèrement payés, ajouta-t-elle en regardant le cadavre du frater. La justice est-elle toujours aussi prompte et aussi totale dans l'armée du colonel Pinto ?

— Oui, mademoiselle. Il ne faut jamais laisser un coupable impuni derrière son dos : c'est mauvais pour la santé. Et un mal puni, c'est encore dix fois pis ! Vous ne regrettez pas la mort d'un coquin qui vous a vendue à nous ?

— Non, dit Jeanne. Mais je ne vous suis pas pour autant reconnaissante de l'avoir tué.

— Moi, si ! dit le Provençal.

— Amigo, tous les deux on finira par s'entendre, dit Julio en tapant sur l'épaule du matelot.

— Alors, commence par me déficeler et par me donner un cheval pour moi tout seul, que je finisse le voyage plus à mon aise, dit le Provençal. Qu'est-ce que tu risques ? Je n'ai plus d'armes, et tant que vous tenez la demoiselle je vous suivrai.

— Je te crois, amigo, dit Julio. Diego, détache-le.

— Julio ! ven tu cá ! appela un brigand qui se tenait près des fraters mort et vif.

— Porquê ? » grogna Julio, mais il y alla.

La discussion fut tout de suite vive entre le brigand et le frater qui restait, mais elle fut courte. Julio éleva très vite la voix :

« C'est moi qui commande ! dit-il d'un ton sans réplique. On n'a pas le temps de creuser une tombe – et d'abord, avec quoi ? Ou on laisse ton frère aux goélands ou on le perche à l'indienne – choisis et au trot !

— Qu'on le perche », murmura frater Jean en baissant la tête, et Jeanne vit qu'il pleurait.

Il y avait deux Indiens dans la troupe. Ils replièrent les bras et les jambes du mort sur son ventre, le ligotèrent en position de fœtus avec un lacet et le déposèrent sur une peau de vache déployée. Avant de l'envelopper, ils se tournèrent vers frater Jean et contemplèrent ses mains, qui serraient convulsivement ce qu'il venait de prendre sur le mort : un vieux bonnet, un pistolet, un couteau, une carotte de tabac, un bout de ficelle, une cuiller de bois, un clou recourbé en hameçon, deux dés à jouer.

« Ils attendent que tu places sur ton ami ce qu'il aimait porter de son vivant, expliqua Julio. Grouille à te décider.

— Mais moi, je comptais garder tout ça en souvenir, dit frater Jean. Je peux pas ?

— Tu peux, dit Julio. Chez eux, ça ne se fait pas, c'est tout. Chez eux, c'est le mort qui hérite de ses plus beaux biens. »

Frater Jean déposa sur frater Yannick le bout de ficelle et le clou, hésita, croisa les regards des Indiens, ajouta les deux dés, fit signe qu'on pouvait fermer le linceul de cuir. Les Indiens le fermèrent et le ficelèrent comme saucisson avec un second lacet, après quoi ils recommencèrent d'attendre.

« Les prières, ordonna Julio. Au trot ! »

Les hors-la-loi avaient déjà entouré le paquet et ôté leurs chapeaux. Ils se signèrent et commencèrent de marmotter...

« Amen. Ça suffira », dit Julio en se signant de nouveau pour couper court.

Les autres se turent en se signant aussi, et alors les deux Indiens poussèrent un long cri ululé, puis le premier dit : « Ha ! » et récita une très longue phrase en langue indienne, au bout de laquelle le second dit : « Teh ! auge-ny-po. » Ensuite, tous deux regardèrent Jeanne, qui était venue se joindre à la prière avec le Provençal :

« Dites quelque chose, mademoiselle. Les Indiens savent que vous êtes une femme et, chez eux, c'est toujours une femme qui doit pleurer le plus et la dernière, chuchota Julio.

— Oh ! » fit Jeanne. Et elle murmura :

« Que Dieu accepte son âme et la rende plus douce et plus heureuse dans l'éternité qu'elle ne l'a été sur la terre.

— Vamos ! commanda Julio. Depressa ! »

Les Indiens sautèrent à cheval, se penchèrent pour

ramasser le colis à terre et grimpèrent la colline en le tenant balancé entre eux. Une fois au sommet ils le déposèrent avec précaution dans un creux de roche, le plus haut qu'ils purent trouver, redégringolèrent la pente au galop.

« Sauvages puants ! cracha frater Jean à mi-voix. Ils donnent leurs morts en pâture aux rapaces. »

Julio, qui l'entendit, haussa les épaules :

« Et comment appelles-tu les mariniers, qui donnent les leurs en pâture aux requins ? demanda-t-il d'un ton goguenard. S'il vous plaît, mademoiselle, en selle, ajouta-t-il en se tournant vers sa prisonnière. Prenez donc cette jument, elle est bien belle, elle devrait vous plaire... »

Les chevàux de relais attendaient depuis un bon moment déjà, bien sages. Julio avait conduit Jeanne devant une superbe jument à la robe bai clair :

« Elle vous plaît ? »

Elle pencha un peu la tête pour lorgner le brigand de coin :

« Ainsi, vous me faites confiance ? Vous n'avez pas peur que je vous fausse compagnie ?

– Pour aller où ? » demanda Julio en élargissant son sourire.

Jeanne embrassa du regard l'immense plaine aux routes mystérieuses, soupira et enfourcha sa jument après lui avoir gratté le crâne. Sur le lointain de l'horizon un troupeau de gazelles passa en bondissant et s'évanouit comme un rêve. En dépit de son angoisse la jeune femme avait souri aux lointaines gazelles, parce que rien ne parvenait à l'empêcher de jouir d'un instant d'harmonieuse beauté naturelle. Julio capta ce doux sourire aux gazelles et en conçut quelque admiration pour la captive : elle tenait le coup, et crânement. Il poussa son cheval vers celui du Provençal :

« Matelot, dit-il, ne fais pas l'imbécile. Ou alors fais-le tout seul, de manière à te faire tuer tout seul – parce que tu n'irais pas loin.

– C'est tout seul aussi que j'avais compris ça, grommela le Provençal.

– Alors, ça va. Tu peux chevaucher à côté de la demoiselle. Je prendrai l'autre côté, comme ça elle se sentira en bonne compagnie.

– Pas des deux côtés ! » cracha le Provençal.

Julio éclata de rire :

« Jà hoje vamos ! Depressa ! Arre, arre, arre ! » brailla-t-il en lançant son cheval à l'assaut de la prairie.

Ils galopèrent pendant des heures, relayant deux fois encore, se reposant à peine. Depuis longtemps déjà, ils avaient dû laisser derrière eux le frater Jean avec un Indien pour guide, quand ils s'arrêtèrent enfin pour faire camp, manger et dormir.

« Mademoiselle, je vous salue bien bas : vous êtes une sacrée cavalière ! dit Julio en renouvelant devant Jeanne son grand salut à la mousquetaire.

– Je ne suis plus rien ! » murmura Jeanne, toute vanité abolie.

En descendant de cheval, elle s'était laissée aller le dos contre un arbre, épuisée. La trop longue chevauchée infernale, jointe à son angoisse, était venue à bout de sa résistance physique. Seul un reste de dignité l'empêchait de se laisser choir sur l'herbe comme un minable frater. Le Provençal, qu'elle voyait occupé à libérer leurs deux chevaux, ne semblait guère plus frais qu'elle ! Il était en train de coltiner la selle de Jeanne en titubant comme s'il succombait sous le poids d'un tonneau plein.

« Je ne crois pas que vous essaierez de m'échapper cette nuit, constata Julio en riant. Venez, mademoiselle. Entrez dans l'auberge. Notre brave amigo, le curé de cette paroisse, va se faire un plaisir de mettre toutes ses femmes à vos petits soins. Allez, venez...

« – Qui habite là ? demanda Jeanne, de toute façon prête à capituler, mais sans encore bouger.

– Un brave curé, comme je viens de vous le dire. Allons, venez sans crainte. L'endroit n'est-il pas plaisant ? »

Le lieu était en effet charmant, baigné d'une paix agreste des plus romantiques sous le rougeoiement doré du soleil couchant. Julio les avait conduits dans le creux d'un riant vallon, là où se nichait, au bord d'un ruisseau, un hameau de jonc. Le hameau se composait d'une demi-douzaine de huttes gazonnées et coiffées de chaume, groupées autour d'une vaste cabane de cuir percée d'une cheminée et surmontée d'une croix de bois à la dorure pelée. Deux chiens de bonne humeur folâtraient avec de jeunes enfants devant la cabane-église. D'autres enfants plus grands, qui jouaient ou pêchaient au bord du ruisseau à l'arrivée de la troupe, étaient accourus entourer les brigands avec des cris de joie, comme s'il s'agissait d'autant d'oncles gâteaux. Des femmes aussi, maintenant, sortaient des huttes avec des sourires et s'approchaient sans crainte. Julio appela l'une d'elles – une Indienne – et lui dit quelques mots en espagnol :

« Si, claro, dit gentiment l'Indienne en venant prendre Jeanne par la main.

– Allez avec Luisa, dit Julio. Elle vous donnera un bain avec de l'eau cuite au soleil : elle en fait cuire tous les jours pour le bain du curé. »

Vaguement, la pensée de Jeanne s'étonna qu'un curé de campagne fût propre, et propre au point de se baigner tous les jours, mais Jeanne était bien trop fatiguée pour pousser sa pensée, aussi suivit-elle l'Indienne sans mot dire, ne réagissant qu'en la voyant les diriger vers la cabane ornée d'une croix :

« Est-ce qu'on se baigne dans l'église ? demanda-t-elle, Luisa, est-ce que... baño dans iglesia ? répéta-t-elle en montrant la croix.

– Aqui, cocina, dit l'Indienne.

– Oh ! » fit Jeanne.

Elle entra dans la cuisine.

La vaste pièce aux murs de cuir était d'une propreté ébahissante et parfaitement en ordre. Avec une surprise qui s'accroissait, Jeanne nota le somptueux fauteuil à l'espagnole en bois doré à peine dédoré habillé de velours cramoisi à peine râpé, la table-bureau à pieds torsadés, l'armoire à livres et, cloué ou cousu au mur, un superbe râtelier à pipes garni de cinq belles pipes de bois et d'écume.Dans un autre angle de la pièce il y avait un foyer, des ustensiles de cuisine et toute une vaisselle de poterie indienne joliment décorée de peintures vives. Le troisième angle était occupé par un lit de coton [1] accroché à deux poutres solidement fichées dans la terre battue du sol. Un gros cuveau pour les bains, monté sur une planche à roulettes, trônait dans le quatrième angle. L'Indienne le désigna à Jeanne, vida dedans les deux premières seilles d'eau tiédie qu'elle avait rapportées du dehors.

Jeanne regarda vers l'ouverture béante de la porte. L'Indienne sourit, alla faire retomber le rideau de cuir roulé au-dessus de la porte, revint prendre ses seaux vides et sortit. Jeanne se dépouilla à toute vitesse, enjamba le bord du cuveau, plongea ses fesses échauffées dans l'eau avec un énorme frisson de volupté.

« Est-ce que c'est bon, mademoiselle ? demanda au-dehors la voix de Julio. Vous pouvez vous ébattre au frais tout votre soûl, je me suis assis devant la porte.

– Et moi, je me suis assis à côté du garde, dit la voix du Provençal en écho.

– Merci », dit Jeanne.

L'Indienne revint et lui vida l'eau de ses seaux sur le dos, avec une lenteur caressante.

1. Hamac indien.

« Mummm..., roucoula Jeanne. Muchas gracias, Luisa. Encore... »

Luisa, souriante et silencieuse, recommença trois fois le jeu, jusqu'à remplir le cuveau. Jeanne se pinçait le nez, se laissait glisser au fond du bain, sentait ses cheveux collés de sueur et de poussière se soulever, flotter autour d'elle en se gorgeant d'eau pure. Sous son front immergé, sa pensée, elle aussi, se rafraîchissait.

Maintenant qu'elle n'était plus occupée à se maintenir en selle sans faiblir, son angoisse tout à l'heure engourdie dans la violence de l'action se réveillait, l'élançait. Et en plus de souffrir de sa propre peur elle souffrait de celle de Philibert. Que pensait-il, que faisait-il en ce moment, pendant que Jeannot barbotait dans un cuveau au milieu de la pampa ? Evidemment, il imaginait bien pire, il ne pouvait imaginer que le pire pour une jeune femme enlevée par des bandits – savait-il même déjà lesquels, et pourquoi ? Elle frissonna de colère impuissante et jaillit de l'eau.

« Bella », dit l'Indienne avec un sourire admiratif.

Elle la sécha dans un linge de coton blanc, tordit ses cheveux, alla chercher un peigne, revint démêler et lisser la magnifique chevelure encore trempée, qui se collait en larges rubans sur le dos et les seins de Jeanne.

« Gracias, Luisa, vous êtes très gentille, vous êtes linda, dit Jeanne. Monsieur le brigand Julio, êtes-vous toujours assis devant la porte ? ajouta-t-elle en haussant le ton.

– Oui, mademoiselle, pour vous servir, dit joyeusement la voix de Julio. Mais appelez-moi Julio tout court – les mondanités sont réduites dans la famille Pinto.

– Merci, mais je n'en ferai rien, répliqua Jeanne sèchement. Quoique renégat ne vous souvenez-vous pas qu'en France les noms de baptême sont faits seulement pour être dits par ceux qui nous aiment ?

Monsieur le brigand, je voudrais vous poser quelques questions. Y répondrez-vous ?

– Cela dépendra de vos questions. Je ne suis pas un grand savant.

– Quand et où verrai-je enfin votre colonel Pinto ?

– Demain soir, chez lui.

– Est-ce encore loin ?

– Une journée de prairie. »

Elle fit une grimace en massant ses fesses dolentes, poursuivit son interrogatoire :

« Etes-vous un chef, brigand Julio ?

– Je suis un des lieutenants du colonel. Le colonel a une armée très bien organisée : toujours à peu près cinq cents hommes, cinq lieutenants et vingt alguacils. Avec ça, plus de bonnes armes et de bonnes munitions portugaises et autant de chevaux qu'il veut en prendre, il est le maître du pays, depuis la frontière du Brésil jusqu'à dix lieues de Montevideo. Vous voyez que Pinto n'est pas n'importe quel petit Mandrin. Cela vous rassure-t-il, mademoiselle ? »

Jeanne parut sur le seuil de la porte :

« Peut-être, dit-elle. J'espère qu'un gros brigand a une grosse tête et traite intelligemment ses affaires. Comme pour lors, je suis l'une de ses affaires...

– Vous serez bien traitée, confirma Julio. Vous ne serez ni jetée en prison, ni affamée, ni battue, ni violée. Vous serez revendue le plus cher possible à votre propriétaire et voilà tout.

– Et voilà tout !

– Voyons, mademoiselle, ce n'est pas si terrible, puisque ce n'est pas vous qui paierez. Et c'est même plutôt flatteur : il n'y a pas une seule femme digne de son sexe qui n'aime pas coûter beaucoup d'or à son amant. Vous verrez que vous aimerez vous souvenir plus tard que vous aurez coûté de l'or au vôtre. Sans compter que l'aventure vous fait voir du pays.

– Je songerai à remercier votre colonel de la belle promenade », dit Jeanne.

Elle sentait un peu de son ironie lui revenir : les

188

paroles de Julio l'avaient tout de même réconfortée, pour autant qu'elle osât y croire. Mais après tout, jusqu'ici aucun de ses hommes ne lui avait manqué de respect : le brigand-lieutenant semblait tenir sa canaille bien en main, et la façon dont il avait puni le frater de son accès de rage prouvait qu'il ne laisserait pas abîmer le butin. Comme il paraissait attendre patiemment de nouvelles questions, elle demanda :

« Pourriez-vous faire porter une lettre à mon... à mon parent, qui le rassurerait sur mon sort ?

Julio secoua la tête :

« C'est le colonel qui décide de toutes ces petites choses-là. Mais soyez tranquille, les amis espagnols de votre parent l'auront déjà un peu consolé; ils savent très bien que les gens de Pinto font tout pour garder leurs prises de valeur en bonne santé.

— Eh bien, dans ce cas, veuillez me faire servir à souper, dit Jeanne d'un ton hautain. Ma santé laisse à désirer. Je meurs de faim et de soif.

— Venez voir... », dit Julio.

Il la fit passer derrière les cabanes.

A une centaine de pas, au bord du ruisseau, un feu de camp flambait haut dans la pénombre crépusculaire. Des ombres noires grandes et petites passaient et repassaient en s'interpellant devant la lumière rouge dansante. Julio montra du doigt un groupe de trois hommes qui s'affairaient autour d'une grosse masse sombre étalée sur l'herbe :

« Le bœuf gras est déjà tué en votre honneur, le reste ne sera pas long à faire, dit-il. Ici, on aime le rôt peu cuit. Mais si vous le préférez, vous pourrez avoir du gibier : j'ai demandé qu'on embroche deux perdrix pour vous. Et vous aurez de très bon vin d'Espagne, le bénédicité avant le festin et un cigarro après, à la mode des dames indiennes, si le cœur vous en dit. Vous aurez même du pain de blé, ce luxe de la pampa. Contente ? »

Jeanne marqua un silence avant de demander d'une voix suave :

« Pour être aussi bien pourvu, le curé d'ici ne serait-il pas le confesseur de la famille Pinto ? »

Julio éclata de rire, la ramena devant les cabanes, dans le champ de pommiers :

« Mademoiselle, dit-il en lui offrant galamment le bras pour la promener, le curé d'ici est seulement un bon prêtre qui n'a jamais refusé son absolution à personne. Aussi tout le monde l'adore-t-il, parce qu'au fond tout le monde croit que Dieu croit ses prêtres, même ceux qui ne croient pas en Dieu. Nous l'appelons padre Pastor, parce qu'il s'occupe bien plus de ses vaches que de ses ouailles. Mais bien qu'il préfère traire ses vaches et tondre ses moutons que dire la messe, il n'en a pas moins donné un grand nombre de fils à l'Eglise. Voyez donc, mademoiselle, cette réjouissante bande de petits citoyens : ils sont tous enfants de l'Eglise !

— A ce que je vois, dit Jeanne assez émerveillée, padre Pastor a fait des petits chrétiens de toutes les couleurs ?

— Dès qu'une belle femme lui semble bonne à augmenter la famille chrétienne, qu'elle soit indienne, négresse, mulâtresse, espagnole ou portugaise, padre Pastor se met à l'ouvrage. Il a déjà bien passé ses soixante ans, mais sa foi est toujours aussi vive. C'est un gaillard ! Vous le verrez danser la calenda : un jeune homme, mademoiselle !

— Monsieur le lieutenant, êtes-vous en train de me dire que votre gai curé de campagne va nous donner le bal après souper ?

— Mais certes, mademoiselle ! Croyez-vous que je vous aurais menée loger chez un hôte sans usages ? »

« Et quand je pense que Philibert est assurément en train de se ronger les sangs ! » se disait Jeanne en regardant danser les femmes du curé.

190

Le souper aux chandelles avait eu lieu dans la plus grande des chaumières de jonc, pendant que les hommes du lieutenant ribotaient sur l'herbe autour du feu. Padre Pastor y avait convié ses plus jeunes femmes – quatre sœurs indiennes plutôt jolies et une Portugaise toute petite, grasse et vive. Le maté bu, padre Pastor avait prié les Indiennes de danser et elles dansaient, au son d'une harpe pincée par un Noir et d'une guitare grattée par un Indien. A un moment donné, les voix des Indiennes – elles chantaient en espagnol – entrèrent dans le concert et la danse, avec une lenteur excitante, devint de plus en plus lubrique. Jeanne observa son hôte.

Padre Pastor avait dû être un très bel homme et faisait un très beau vieillard. Très grand, il avait la stature et la solidité d'un bûcheron, un puissant visage carré au teint cuit qu'éclairaient deux yeux d'un bleu très pâle et ce qui lui restait de cheveux blancs, massés en épais bourrelet autour de sa nuque. Cou nu, bras nus, jambes nues, pieds nus, il était vêtu d'un poncho d'épaisse laine blanche brodé de rouge et de vert. Padre Pastor au nom espagnol ressemblait à un Nordique, et Dieu sait s'il ne l'avait pas été dans la nuit de son passé ? Pour l'heure il était magnifiquement et sans vergogne ce qu'il était : un joyeux vivant apatride du Grand Désert Vert. Un verre à la main, de l'autre main, il pelotait sa Portugaise. Il avait avalé trois grandes assiettées d'un brûlant ragoût de langue aux piments, descendu deux flacons de vin d'Espagne, et maintenant il achevait de s'échauffer le sang avec les mouvements de croupes bien rythmés de ses femmes. Chaque fois que son clair regard lâchait les culs fascinants, c'était pour se poser sur Jeanne et la lécher d'un long désir, et alors Jeanne se secouait, furieuse de ressentir sur sa peau cette envie mâle sacrilège. Elle finit par se pencher vers Julio :

« Ne serait-il pas temps d'aller dormir ? Je suis

plus que fatiguée, et notre hôte a très visiblement envie de se coucher. »

Julio se leva aussitôt, et en même temps, comme pour prévenir sa demande, padre Pastor se dressa sur ses pieds et frappa dans ses mains en criant : « Ahora, la calenda ! »

« La calenda, mademoiselle, ça ne se refuse pas, ce serait une grossière injure », chuchota Julio à l'oreille de sa prisonnière, et la malheureuse, pourtant exténuée, se retrouva en train de danser la calenda en face de padre Pastor.

La hutte de compagnie s'était brusquement remplie d'une petite foule de femmes et d'enfants frénétiques qui se cognaient le ventre en braillant de plaisir. Jeanne, résignée, esquivait de son mieux les coups de boutoir cadencés de l'impétueux padre au ventre tout saillant de paillardise. « Et dire qu'en ce moment, pendant que je danse la calenda avec un curé lubrique au fond d'un vallon, Philibert marche de long en large dans notre chambre de l'*Etoile des Mers,* fou d'inquiétude, en attendant des nouvelles de Pinto ! » se répétait-elle avec une rage douloureuse. Peut-être même était-il déjà en train de courir la prairie avec la garde, au risque de se faire lui-même prendre ou tuer par les brigands ou manger par un tigre ?

« Padre, dit-elle en saisissant avec force le bras du curé pour l'arrêter de sauter, padre, sauvez-moi ! Ces brigands m'ont enlevée, envoyez chercher la police, la policia ! Oh ! padre, me comprende, me comprende ? Je suis leur prisonnière, yo, prisionera, aidez-moi, padre, socorro, padre ! pour l'amour de Dios ! »

Avec une tendresse très palpeuse padre Pastor saisit les mains de Jeanne entre les siennes pour les malaxer, mais sans lui répondre un mot.

« Venez, mademoiselle, dit derrière Jeanne la voix calme de Julio, venez dormir. Padre Pastor ne se

mêle des affaires des autres que pour les absoudre. Il
a envie de devenir centenaire. »

Quand Jeanne s'éveilla le lendemain, l'aube était
rose.

« Buenos días, dit la voix timide de Luisa.

– Buenos días, Luisa. »

Elle avait couché dans la hutte des quatre sœurs
indiennes, où couchait aussi une demi-douzaine
de marmots. Mais aucun voisinage n'aurait pu
l'empêcher de dormir. Elle avait dormi d'un trait,
comme une bête fourbue, si profondément qu'elle
avait l'impression de s'arracher à un enlisement. Elle
s'assit sur sa couche de cuir avec une grimace. Dans
la case, il ne restait que Luisa.

« Momento », dit l'Indienne.

Elle sortit et revint quelques minutes plus tard
avec un bol de terre cuite plein de chocolat chaud et
deux tranches de pain d'épice :

« Buen provecho ! dit-elle en posant le tout sur un
tabouret de cuir. Come. El chocolate es muy sano.
Come ! Serás robusta. »

Le chocolat était un épais délice odorant, le pain
d'épice, presque noir, embaumait le miel corsé des
bois.

« Sais-tu, Luisa, que cette drôle d'auberge est une
bonne auberge ? dit Jeanne, la bouche pleine de
plaisir. Gracias, Luisa. Muy bueno.

– Prête, mademoiselle ? » demanda au-dehors la
voix de Julio.

Jeanne engloutit sa dernière bouchée, enfila sa
culotte et ses bottes, passa son poncho, embrassa
Luisa sur les deux joues, s'enfonça son chapeau sur
le crâne :

« J'aurais bien fait la grasse matinée, dit-elle en
paraissant devant le brigand-lieutenant.

– Ce sera pour demain, mademoiselle, dit gaiement Julio. Dans la fraîcheur du petit matin toutes les chevauchées sont belles. »

En même temps qu'elle, il s'était retourné vers un piétinement de sabots.

« Bonjour, damisello, dit le Provençal.

— Bonjour, Provençal, dit Jeanne en saisissant la bride qu'il lui tendait. Bien dormi ?

— Juste un peu moins que vous », dit le Provençal.

Julio éclata d'un rire que Jeanne ne comprit pas et sauta sur son cheval. Les trois cavaliers tournèrent la hutte pour aller rejoindre les autres, et alors Jeanne découvrit, étalée devant la cabane-cuisine-église, une scène qui la laissa pantoise. Tous les petits chrétiens du hameau, assis en rond sur des peaux de vaches, tenaient chacun une écuelle de terre dans laquelle padre Pastor, revêtu de sa soutane, versait deux louches d'une soupe qui le suivait dans un énorme chaudron fumant porté par deux de ses Indiennes.

« Eh bien, mademoiselle ? Ne trouvez-vous pas cette scène familiale bien attendrissante ? demanda Julio.

— Je la trouve biblique, dit Jeanne. La messe est dite, je suppose ?

— Padre Pastor ne dit la messe que les dimanches et fêtes, s'il y pense, dit Julio. Mais il la dit en poncho. Il ne met sa soutane que pour enterrer.

— Pour enterrer ? répéta Jeanne d'un ton interrogateur.

— Le padre avait un enterrement, ce matin, dit Julio.

— Qui est mort ? demanda-t-elle machinalement.

— Le frater Jean, dit Julio.

— Qui ? »

Elle le regardait avec des yeux ahuris.

« Le frater Jean est enfin arrivé ici au milieu de la nuit et il est mort presque tout de suite, dit Julio d'un ton uni. Voyez-vous, mademoiselle, il ne s'était pas remis de la mort de son ami.

– Il est mort... de chagrin ? murmura Jeanne, incrédule un peu.

– En un sens, oui, acquiesça Julio. Il vous estimait responsable de son deuil et il avait envie de vous le faire payer. Il a fallu l'en empêcher. »

Jeanne regarda Julio avec horreur :

« Ainsi, vous avez encore tué ! dit-elle sourdement. Vous aimez tuer. Vous faites le gentil avec moi, mais vous me tueriez tout aussi bien si vous y trouviez plus de profit. Vous êtes décidément un brigand tout à fait ordinaire, acheva-t-elle avec mépris.

– C'est moi, qu'ai saigné le frater, avoua le Provençal. J'ai couché devant la hutte des Indiennes. Il avait pas à venir par là.

– Oh ! fit-elle après un silence et d'une toute autre voix. Vous aussi, Provençal, vous tuez à votre fantaisie ? »

Elle regardait le matelot avec des yeux tristes.

Julio haussa les épaules :

« Ne faites pas la petite fille, mademoiselle. Vous préférez bien tout de même la mort du frater à la vôtre ? Tout le monde ne peut pas vivre tout le temps, mademoiselle. Il faut bien que chacun tue ses puces pour pouvoir dormir tranquille.

– Vous êtes des barbares », dit-elle.

Mais en le disant elle eut un frisson en pensant qu'elle aurait pu ne pas voir ce beau matin tout rose, et ce frisson fut suivi d'une telle allégresse d'être vivante qu'elle en oublia un instant son mauvais sort :

« Quel temps magnifique ! » s'exclama-t-elle, comme si elle s'apprêtait à une promenade avec des gens de bonne compagnie.

Julio nota le changement de ton, lui cligna de l'œil :

« Ça va déjà mieux qu'hier, hein, mademoiselle ? Voyez-vous, il ne faut jamais trop se désespérer, parce que Dieu a fait une très bonne chose, et c'est qu'un jour suive l'autre. »

11

Le village de Pinto était un gros village. Une cinquantaine d'habitations le composaient, anarchiquement ramassées dans un petit vallon serré entre deux collines aux sommets nus et tranchants. D'autres habitations grimpaient les pentes herbues des collines jusqu'aux deux hameaux perchés sur les crêtes, qui devaient servir de tours de guet. En tout, il y avait bien quatre-vingts maisons visibles du côté de la plaine par où arrivait la petite troupe de Julio – si on voulait bien appeler maisons toutes ces cabanes de guingois, en peaux de vaches ou en roseaux gazonnés. En s'approchant du village, on en découvrait un second par-derrière, fait de grandes baraques adossées à la falaise rocheuse qui fermait le fond du décor. Le repaire du brigand-colonel n'était certes pas une belle ville, mais il méritait le nom de ville dans une province dont la capitale comptait tout juste deux mille habitants pas tous mieux logés, où l'on baptisait pompeusement « village » une poignée de cinq cahutes, et « fort » les douze logis de cuir et les vingt-deux canons rouillés de Maldonado.

La cavalcade entra au pas dans le village. Jeanne avait l'impression d'enfoncer le poitrail de son cheval dans un grouillement humain multicolore assourdissant. Sans doute n'était-ce qu'une impression et la foule n'était-elle faite que de quelques grappes de curieux – des enfants surtout – venus aux nouvelles du butin qu'on rapportait, mais la prisonnière, soûle de fatigue, ne pouvait plus discerner le réel de l'irréel. A tout hasard les enfants levaient des mains avides en sautant et en criant après les arrivants, et Jeanne peinait, oppressée comme si elle devait traverser une forêt de bras ennemis qui s'agitaient pour la happer, la faire tomber dans une mer de corps qui l'engloutirait; et déjà, terrorisée, elle sentait des milliers de pieds s'enfoncer dans sa chair rompue pour l'écraser, l'anéantir, la réduire en bouillie sanglante, souffrante, morte. Elle voulut attraper une grande goulée d'air comme si, déjà, elle étouffait sous la foule, ouvrit la bouche et hurla :

« Sortez-moi de là ! Provençal, monsieur Julio, sortez-moi de là, sortez-moi de là, je vous en supplie ! »

...

Sans savoir comment, elle se retrouva presque tout de suite avec de l'espace devant elle. Elle s'était plus qu'à demi prostrée, mais en ayant conscience que la main d'un cavalier la soutenait fermement sur sa gauche, tandis qu'un autre cavalier, sur sa droite, menait son cheval. On devait monter une côte assez raide, et les bêtes, fourbues, renâclaient. On s'arrêta enfin et Jeanne sentit qu'on la cueillait sur sa selle, qu'on la mettait debout et qu'on la secouait avant de l'entraîner à l'intérieur d'une pièce sombre :

« J'ai eu peur, balbutia-t-elle.

— Parbleu ! cela s'est grandement vu ! s'exclama la voix de Julio. Allongez-vous là-dessus... »

Elle se laissa étendre sur une couche de cuir, mettre un coussin sous la tête, poussa un soupir de détente.

« Buvez un coup de ça... »

Elle sentit l'odeur d'un alcool lui brûler le nez, serra les dents, repoussa le bidon à deux mains :

« Non, non, dormir, murmura-t-elle en se retournant pour échapper à toute bienveillance.

— Je vais lui chercher de l'eau fraîche, dit le Provençal.

— Pas la peine, dit Julio. Elle dort déjà. »

Après dix heures de sommeil, Jeanne s'éveilla seule dans une grande chambre blanche. Ses yeux, lentement, firent le tour du décor, tout de suite frappés par son luxe insolite. La chambre n'était pourtant guère plus ni mieux meublée que n'importe quelle autre d'une des maisons de colons de la prairie que Jeanne avait déjà vues. Ici comme ailleurs il y avait une armoire et une table grossières, quelques tabourets de cuir et deux lits. Mais les parois peintes en blanc propre semblaient de vrais murs de briques ou de torchis, la fenêtre était vitrée, la porte en bois plein. Sur le sol de terre battue on avait jeté un grand tapis à rayures tissé à l'indienne en laine bis et brun. La couche sur laquelle elle reposait était une marquesa à la portugaise, faite d'une peau de bœuf bien tannée tendue sur un beau bâti en bois de jacaranda, et elle voyait qu'on l'avait couverte d'une étoffe de laine blanche douce, chaude et légère. Il y avait une seconde marquesa à côté de la sienne, sur laquelle était soigneusement pliée une même couverture blanche. Jeanne se demanda qui avait dormi là si près d'elle et qui l'avait déshabillée – car elle n'avait plus que sa chemise sur le corps. Ses vêtements n'étaient visibles nulle part dans la chambre. Elle se leva sans bruit, fixa la portière de cuir abaissée qui devait donner sur une seconde pièce, hésita et marcha jusqu'à la fenêtre sur la pointe de ses pieds nus.

La maison où Jeanne se trouvait était sans aucun doute bâtie sur l'une des collines et assez haut, puisqu'elle voyait tout le village des brigands en contrebas, les cabanes de la colline d'en face à hauteur de regard, avec le hameau de crête juste au-dessus. En se reportant au plus près ses yeux s'arrondirent de surprise en découvrant un jardinet devant la maison, cultivé en potager. Un potager ! Ce luxe-là était encore plus rare dans la province de La Plata qu'un tapis sur le sol ! « Je dois être chez un brigand très riche. Je suis peut-être même chez Pinto ? » pensa-t-elle, et sa pensée lui accéléra le cœur. Elle se décida, en retenant son souffle, à aller soulever un coin de la portière...

La seconde pièce était blanche aussi et sa porte grande ouverte sur une vision du potager. Accroupie sur une natte devant la porte, une Indienne brodait une guêtre. L'Indienne leva tout de suite la tête vers l'imperceptible crissement de la portière remuée, sourit à Jeanne, dit « Bom dia », posa son ouvrage, se mit debout et sortit. Jeanne retourna s'asseoir sur la marquesa, glissa ses jambes nues sous la couverture et attendit. Que pouvait-elle faire d'autre ? Elle était en chemise. Il lui sembla que l'Indienne mettait un temps fou à revenir mais enfin elle revint, portant une cruche sur l'épaule et une cuvette de cuir à la main. Elle tira la table hors du tapis, posa dessus la cruche d'eau et la cuvette, un morceau de savon vert qui sentait la violette et un linge de coton blanc. Après quoi elle ouvrit l'armoire, en tira d'abord un assez grand et beau miroir à bordure d'argent qu'elle installa sur la table avec une fierté presque palpable, deux peignes de corne, un gros et un plus fin, puis un poncho de laine écrue fraîchement lavé, et enfin une petite bouteille en verre ornée d'une étiquette colorée, qu'elle apporta à Jeanne de la manière dont on offre à son hôte sa meilleure bouteille de derrière les fagots. Jeanne se pencha vers l'étiquette, lut : « Trésor-de-la-Bouche, célèbre liqueur préparée par le sieur Pierre Bocquillon, marchand gantier-parfumeur à Paris rue Saint-Antoine, A la Providence, entre l'église de Saint-Louis et la rue Percée. Reçue et approuvée par la Commission Royale de Médecine pour ses admirables vertus, à savoir... »

Le reste de la prose lyrique du sieur Bocquillon se mit à danser devant le regard ébloui de Jeanne : du Trésor-de-la-Bouche au fin fond de La Plata, dans le logis rustique d'un brigand de la prairie ! Instinctivement elle ferma un instant les yeux, remportée à tire-d'aile vers la France, jusqu'au manoir de Vaux, dans le luxueux cabinet de bain de Vincent. Elle prit place devant la coiffeuse d'acajou, vit, dans son miroir, Pauline soulever nonchalamment le bouchon d'un flacon tandis que la gazouillante voix créole murmurait, railleuse : « Vraiment, ma chère, vous ne vous souvenez pas avoir jamais goûté de ce parfum-là ? C'est du Trésor-de-la-Bouche, une eau spiritueuse qui est censée donner à ses utilisateurs l'haleine pure et des baisers d'un goût exquis. »

L'Indienne lui toucha le bras :

« Este, ñao beber, dit-elle en montrant la bouteille et, pour expliquer l'usage de la liqueur, elle fit semblant d'en prendre une gorgée dans sa bouche et de la recracher à terre après une longue série de « glou glou glou glou ».

– Je sais, dit Jeanne. Eu, saber. »

Elle mourait d'envie de demander à l'Indienne d'où lui venait ce trésor mais ç'aurait été vraiment trop compliqué, aussi dit-elle seulement : « Gracias, mil gracias, muita obrigada », se débrouillant comme elle pouvait avec son très petit peu d'espagnol et son moindre portugais.

L'Indienne sortit et Jeanne se dépêcha de se laver, de se coiffer, passa le poncho sur son corps nu bien rafraîchi. Le poncho était décidément un merveilleux vêtement, laissant au corps une liberté sauvage dont elle ne se lassait pas. Elle était en train de chercher son ruban pour renouer ses cheveux en queue quand l'Indienne reparut dans une paradisiaque odeur :

« Du café ! s'écria Jeanne, la joie sur la langue. Oh ! du café ! »

Elle but avec une lenteur extasiée, remercia avec effusion, et elle était en train de rassembler des mots pour réclamer ses bottes et le lieutenant Julio quand elle entendit la voix de celui-ci, gaie à son ordinaire, lui parvenir du dehors :

« Je peux entrer, mademoiselle ? Bien réveillée, je vois, ajouta-t-il en entrant. Avez-vous faim ?

– Qu'est-ce que Pinto a décidé pour moi ?

demanda-t-elle abruptement au lieu de répondre à la question.

« — Il vous le dira lui-même. Mais pas avant ce soir. Il est parti en expédition. »

Elle eut un sursaut de colère :

« Monsieur le lieutenant, allez le chercher ! Je n'ai pas l'intention de m'éterniser ici ! Je n'ai pas l'intention d'attendre longtemps le bon plaisir d'un bandit !

— Dont vous êtes la prisonnière, mademoiselle, dit Julio dans un large sourire. J'avais presque oublié que les Françaises supportent mal de n'être pas maîtresses de leur sort. Veuillez vous souvenir, mademoiselle, que vous êtes en pays espagnol, où les femmes ne font pas la loi.

— Je suis en pays barbare, je ne le sais que trop !

— Barbare ? N'avez-vous point eu un excellent café du Brésil dont la chambre est encore toute parfumée ?

— Merci pour le café. Mais il n'arrange pas tout !

— Sans doute non. Vous devez avoir faim ? Que voulez-vous pour votre déjeuner ? Du lait ? Du caillé ? Du ragoût de petits haricots noirs ? Des tranches de bœuf séché ?

— Je veux mes bottes, un cheval, un guide et ma liberté ! » ragea-t-elle, exaspérée.

Et comme il soupirait comiquement, elle ajouta d'un ton rogue :

« Plutôt du lait ou du caillé – le reste doit être immangeable. Où est mon ami le matelot ?

— Le Provençal va bien, dit Julio. Il a dévoré tout un cygne rôti. Il plaît beaucoup à ma négresse de cuisine. Pegassou..., poursuivit-il en se tournant vers l'Indienne, à laquelle il dit quelques mots en portugais mâtiné d'indien.

— Pegassou : est-ce le nom de l'Indienne ? demanda Jeanne, quand la jeune femme fut sortie.

— Oui, dit Julio. Pegassou, pour les siens, c'est une jolie petite tourterelle.

– Son nom lui va, dit Jeanne. Elle est très jolie et pleine de grâce.

– Et très douce, dit Julio. C'est ma femme. Vous êtes chez moi. »

Les yeux dorés de Jeanne dévisagèrent longuement le Français :

« Vous l'avez épousée... vraiment ?

– Deux fois. A sa mode et à celle de padre Pastor.

– Y a-t-il d'autres Français ici ?

– Trois Bretons et un Basque. Mais ne vous mettez pas sous leur protection. C'est de la pire race de hale-boulines, endurcie au jus de garcette.

– Et tout le reste est portugais ou indien ?

– Le reste est portugais, indien, espagnol, hollandais, anglais, allemand, nègre, mulâtre... Toutes les couleurs, toutes les religions.

– Mais un seul métier pour tous : le brigandage.

– Calomnie, mademoiselle ! Nous avons aussi deux boulangers, un épicier, un boucher, des bûcherons, des putains... Vous êtes dans une société civilisée, mademoiselle.

– Et pourquoi tous ces gens de partout sont-ils venus échouer chez Pinto ?

– Comme on y vient, mademoiselle, pour aller quelque part en fuyant ailleurs.

– En fuyant d'où ?

– De l'armée, des prisons espagnoles ou portugaises, des vaisseaux qui relâchent sur nos côtes, de l'esclavage, des missions jésuites... De la vie dure. Ils ont fui la vie dure. »

Jeanne eut une moue ironique :

« Fuir la vie dure et venir ici... Pinto vous fait la vie douce ? »

Julio répondit à l'ironie par un silence souriant, indulgent, finit par dire :

« Vous m'avez l'air de ne rien connaître à la vie dure, mademoiselle. Celui qui a toujours eu la vie dure ne rêve pas de vie douce, parce qu'il n'arrive pas à y croire. Une vie dure, mais où il y a de l'espoir, ça lui suffit.

— De l'espoir ? fit Jeanne, toujours caustique. L'espoir de finir au bout d'une corde, ou troué comme une passoire et mangé par les goélands ? Quel autre espoir pouvez-vous avoir ici ? »

Julio continuait de sourire avec patience :

« Je vous l'ai déjà dit, mademoiselle : la meilleure chose, c'est d'espérer que demain sera un autre jour. Il y a des tas de gens qui n'arrivent pas à penser que demain sera un autre jour parce qu'on les oblige à revivre le même jour sans fin, et il est mauvais. Ici, au moins, on ne sait jamais de quoi demain sera fait. »

A son tour, Jeanne marqua un silence avant d'interroger :

« Monsieur le lieutenant, depuis combien de temps vivez-vous ici ?

— Trois ans.

— Et... vous êtes devenu riche ?

— Non. Pas encore.

— Pas encore ? railla Jeanne. Vous espérez toujours, vraiment ?

— Mademoiselle, l'espoir d'un brigand ne rouille jamais !

— Jolie devise. Vous êtes un brigand philosophe, à ce qu'il paraît. Que faisiez-vous, avant de... »

Pegassou, en apportant de la nourriture à la prisonnière, interrompit la conversation. L'Indienne posa sur la table un bol de caillé, du pain de seigle et une assiette couverte de très fines tranches de bœuf fumé presque noir.

« Goûtez notre bœuf de boucan, dit Julio en poussant l'assiette devant Jeanne. Il vaut le meilleur jambon paysan. »

Jeanne goûta prudemment une tranche, puis une seconde, puis une troisième :

« C'est délicieux, reconnut-elle de bonne foi.

— C'est Pegassou qui l'a préparé, dit Julio. Dans

sa tribu, on sait boucaner les viandes à merveille, sur des bois odoriférants. Il paraît que la chair d'homme ainsi fumée est encore meilleure que la chair de bœuf, mais ils n'en font plus.

– Quel dommage ! dit Jeanne. Monsieur le lieutenant, vous aurez beau vous efforcer de m'étonner, je ne croirai pas que vous avez choisi votre épouse dans une tribu d'anthropophages.

– Oh ! c'étaient de gentils anthropophages, dit Julio. Ils ne mangeaient que leurs ennemis. Mais les jésuites leur ont appris à grands coups de fouet qu'il faut pardonner à ses ennemis. Voulez-vous une autre assiette de bœuf ? Je vous jure que c'est du bœuf.

– Merci, dit Jeanne. Je vais boire le caillé. »

Elle regarda disparaître Pegassou :

« Et maintenant, dit-elle en se coupant une tranche de pain, dites-moi de quelle tribu vous venez, vous ? Qui étiez-vous, avant d'être un brigand ?

– J'étais un imbécile, mademoiselle.

– C'est-à-dire ? »

Il répondit par une question teintée d'une vague espérance :

« Ça vous intéresse, qui j'étais ? Pourquoi ?

– Parce que vous êtes mon geôlier.

– C'est vrai, je suis votre geôlier », dit-il, et il éclata de rire comme si la chose, soudain, ne lui paraissait pas très sérieuse.

Un temps passa avant qu'il laissât tomber :

« Je suis un déserteur de la mer, comme tous les Européens qui sont ici. »

Jeanne l'enveloppa à dessein dans un regard d'or et attendit la suite comme avec passion. Une phrase de Pierre Poivre lui était revenue, que le manchot de Lyon lui avait dite un jour qu'il lui racontait ses tribulations dans les prisons chinoises : « Il faut tâcher de séduire la fille du geôlier et, s'il n'a pas de fille, il faut le faire parler de lui, c'est la meilleure des assurances contre la mort; quand un geôlier a déposé

ses confidences dans son prisonnier, il fait tout pour garder en vie l'homme qu'il a rempli de lui-même. »
Elle demanda doucement :

« Vous étiez un officier de la Royale ? »

Il secoua négativement la tête.

« Vous étiez au commerce ? »

Il secoua de nouveau la tête, dit :

« Je n'étais pas un officier. Je suis un chirurgien, mademoiselle. J'étais chirurgien de bord – au Roi, au commerce, j'ai changé plusieurs fois. J'ai même fait la grande pêche aux Terres-Neuves. »

Elle paraissait si surprise qu'il se mit à rire :

« Je ne dois plus guère ressembler à un chirurgien ! Vous voilà stupéfaite.

– Ce n'est pas votre air. C'est qu'un chirurgien... »

Elle cherchait des mots flatteurs :

« Un chirurgien est un homme important à bord... et dont le loyer [1] est assez bon à ce qu'on m'a dit; alors je ne comprends pas... Je ne comprends pas ! »

Il avait repris son large sourire de patience :

« Je vais vous faire comprendre, mademoiselle. A bord de l'*Etoile des Mers*, comme chirurgien vous avez Pauly, que j'ai bien connu. L'estimez-vous beaucoup, mademoiselle ?

– Mais pourquoi me... ? Je ne vois pas...

– Estimez-vous M. Pauly, mademoiselle ?

– N...on. Mais encore une fois...

– Pauly mange-t-il à la table du capitaine ?

– Non. Je crois qu'il mange avec les quartiers-maîtres.

– C'est ça. Il est au « mortier » et à l'abondance, et au bœuf le dimanche. Eh bien, mademoiselle, on se fatigue du mortier quand l'état-major mange autre chose.

– Mon Dieu ! je le sais ! dit Jeanne. Mais cela ne me semble pas une raison suffisante pour...

– Il y en a d'autres, mademoiselle. Elles sont moins

1. La paie.

importantes, mais elles comptent aussi. Avez-vous eu parfois du gros temps en venant de France ?... N'avez-vous pas alors vu le chirurgien Pauly donner la main à la manœuvre, comme un simple matelot ?

– Oui, mais...

– Ne l'avez-vous jamais entendu appeler pour soigner la vache à lait du capitaine, ou pour accoucher la truie ?

– Mais...

– J'en ai fini avec mes questions, mademoiselle, parce que l'*Etoile des Mers* est un bâtiment de la Royale. On n'a pas dû demander à son chirurgien d'autres besognes que les soins aux hommes et aux bêtes, et de faire le hale-boulines à l'occasion. Mais au commerce, à la bonne heure ! Le « barbier » n'a pas le temps de s'ennuyer, même s'il fait un temps de curé. La coupe des cheveux, le rasage de ces messieurs de la dunette, le découpage du lard puisqu'il sait tenir un scalpel, le grattage de la peinture rouillée puisqu'il sait tenir un fer... Je m'arrête là, mais un capitaine est plein d'idées pour occuper son chirurgien entre deux malades. Je l'ai compris dès ma première campagne, où j'étais sur un terre-neuvier. Le capitaine m'a appelé et m'a dit : « Jules, « je vais te donner un travail bien dans ton rôle ; tu « trancheras la morue. »

Jeanne mordit son éclat de rire.

« Non, non, riez votre content, dit Julio. Vous avez un joli rire et un chirurgien de marine apprend tôt à ne se vexer de rien. »

Elle reprit son sérieux, demanda en le fixant dans les yeux :

« Monsieur le chirurgien, est-ce un travail mieux dans votre rôle, et plus noble, d'enlever des otages que de trancher de la morue ? »

Il se pencha par-dessus la table, dit avec fierté :

« Jamais mon titre de chirurgien n'a été respecté autant qu'il l'est ici. Hormis raccommoder un corps ou le soigner, on n'oserait jamais rien me demander.

– J'ai donc rêvé, et ce n'est pas vous qui commandiez mon enlèvement ?

– J'y tenais, mademoiselle. »

Elle haussa les sourcils, attendit l'explication.

« Je n'aime pas que Pinto fasse de l'argent avec des otages, mais lui le veut : un otage bien choisi peut rapporter gros, dit Julio. Depuis que j'exige que les otages me soient confiés nous les rendons toujours en parfait état.

– En somme, c'est en tant qu'ange gardien que vous prenez part aux enlèvements ?

– Oui, mademoiselle.

– Reste que, cette fois, votre otage a été mal choisi, je vous l'ai déjà dit.

– Oui, et le Provençal me l'a confirmé. C'était une meilleure affaire que les fraters avaient fait proposer à Pinto. Ils avaient promis une sorte de princesse voyageant déguisée pour accomplir une mission du roi de France.

– Quelle fable ! Et vous l'avez crue ?

– On a vu plus incroyable.

– Monsieur le lieutenant – monsieur le chirurgien, puisque maintenant vous savez que je ne suis qu'une servante de médecin costumée en valet pour le voyage, puisque vous savez que je ne vaux rien, pourquoi ne pas me renvoyer tout de suite à Montevideo ? dit Jeanne d'une voix pressante, en posant sa main sur le bras de Julio. Si vous le faites, je vous promets que mon maître ne déposera pas de plainte à la police. Ou, s'il en a déjà déposé une... »

Un énorme rire de Julio la coupa net :

« Je croyais, mademoiselle, vous avoir fait comprendre que Pinto n'était pas un petit Mandrin. Il tient tout le pays, et les Espagnols n'aventureraient pas une troupe de la guardia par ici. Je parlerai au colonel. Mais il ne vous rendra pas pour rien. Il voudra faire au moins un petit profit, même avec une mauvaise prise. Le docteur Aubriot donnera bien quelque chose pour ravoir un valet tel que vous ? »

« Eu, senhora, yé dounnéré touté mon oré, até fazer sangue ! dit Pinto avec emphase. Vous valé dé l'oré, senhora ! La beleza, senhora, est la mercadise la plous raré du mundo, et la mercadise raré valé beaucoup d'arzent, touzours. A sua saude, senhora, a sua beleza ! »

Le colonel leva son verre et se leva lui-même pour boire à sa prisonnière. Elle était ravissante, dans l'une de ces robes chemises de coton fin à la mode portugaise de Rio Janeiro, que lui avait prêtée la femme d'un lieutenant de Pinto. La souple grâce légère de la toilette faisait valoir le délié de sa silhouette, et le ton miroitant du pékiné rose mat/rose brillant fardait joliment son teint de thé clair. Elle ressemblait à une longue et radieuse fleur d'été, et le colonel, chaque fois qu'il la regardait, bombait le torse.

Lui-même était encore assez bel homme en dépit de sa cinquantaine et d'une cicatrice au menton. C'était un solide mulâtre à la prestance avantageuse, surtout quand il remettait, pour en imposer, son uniforme d'ancien officier de l'armée portugaise. Son vieil habit militaire le boudinait un peu, mais pas assez pour le rendre ridicule; il avait encore des couleurs assez fraîches rehaussées de galons neufs, et puis, quand Pinto réendossait son grade il réendossait avec lui sa prétention aux bonnes manières blanches, et ses hôtes du jour ne pouvaient que s'en trouver bien. Jeanne, ointe de ses sourires et de son affabilité, avait peine à conserver toujours présent à l'esprit le fait qu'elle n'était pas à la table d'un colonel honnête mais d'un colonel malhonnête, qui ne tuait pas pour faire les affaires de son roi mais pour faire les siennes. Le brigand, pourtant, passait largement l'oreille sous la peau galonnée du colonel, et sans vergogne. Le souper auquel Pinto avait convié sa captive était, en somme, une réunion de son conseil : Pinto et ses cinq lieutenants discutaient ouvertement du prix qu'on pourrait afficher sur le charmant objet féminin présent, mais ils en discutaient de manière si exagérément galante que Jeanne finissait par se demander si elle n'aurait pas dû se réjouir d'entendre coter toujours plus haut la rançon de sa beauté ! Il était seulement dommage, pensat-elle avec ironie, que Philibert ne fût jamais prêt à dépenser joyeusement, fût-ce pour son plaisir; sinon elle aussi aurait pu s'amuser à faire monter les enchères, rien que pour caresser sa vanité.

Justement, comme s'il venait d'être effleuré par la dernière pensée de sa voisine, Julio se pencha vers elle :

« N'avez-vous pas hâte d'en finir, mademoiselle ? Vous connaissez la fortune de M. Aubriot mieux que personne ici. Estimez-vous vous-même à un prix raisonnable et je le ferai accepter. »

Le propos de Julio la mit en colère, peut-être parce qu'elle ne pouvait pas répondre : « Demandez à M. Aubriot tout l'or du monde et il le trouvera pour me ravoir ! » Sèchement, elle dit :

« Monsieur le lieutenant, selon moi aucun prix n'est raisonnable pour payer ce qui vous appartient déjà.

– Qué dizé, senhora ? » demanda Pinto, imposant des deux mains silence à tout son monde.

Julio craignit une réponse maladroitement cinglante – le colonel était soupe au lait – et se hâta de parler à la place de Jeanne :

« Mademoiselle plaisantait, parce que je viens de lui proposer de fixer elle-même le prix qu'elle a envie de coûter à son amant. »

Julio répéta sa phrase en portugais, et alors il y eut des éclats de rire et de voix, des verres levés « à la bonne idée » et Pinto se tourna vers son invitée d'honneur, la face illuminée de plaisir :

« Senhora, cé séra commé vient diz l'amigo Julio. Vous diz lé prix. Vous régard lé... – Julio, espelho ?

– Miroir, traduisit Julio.

– Vous régard lé miroir, vous diz lé prix dé vous, et alors yé fais la bom affaire com certeza ! Garantido ! »

Il cligna de l'œil à la ronde et lança quelques mots portugais qui les firent tous s'esclaffer.

Agacée à pleurer :

« Qu'a-t-il dit de si drôle ? demanda Jeanne à Julio.

– Un proverbe portugais. Il a dit que tout vin souhaite valoir le prix du porto. »

Elle ne joua pas le jeu. Ou plutôt, elle joua la partie d'Aubriot, trop ingénument. Fâché de ce qu'il appelait « uma malchanté foi dé Francesca », et le vin d'Espagne submergeant ses belles manières, le colonel doré sur tranches finit par frapper du poing sur la table comme un vulgaire forban et décider, d'un ton sans réplique, qu'il ferait estimer l'otage par un vrai connaisseur de femmes, son bien-aimé neveu Paulino, qu'on attendait « d'un minuto à l'outro ».

Jeanne faillit exploser en sanglots quand, le lendemain matin – il n'avait pas voulu lui gâter sa nuit – Julio lui apprit que le connaisseur de femmes était en mer, en train de revenir du Congo avec un chargement de bois d'ébène [1]. Il était vrai qu'on attendait Paulino d'une minute à l'autre – c'est-à-dire dans quatre à cinq semaines, si Dieu et le vent ne le retardaient pas.

« Mais enfin, dit Jeanne affolée, ce bandit n'espère pas me garder ici pendant tout ce temps ?

– Il n'a pas besoin de l'espérer, puisqu'il l'a décidé.

– Je m'enfuirai !

---

1. Esclaves nègres.

« – Vous savez bien que non. Le pays alentour est peuplé de tigres et d'Indiens errants. Si vous échappez aux premiers les seconds vous prendront et l'un d'eux vous épousera, parce qu'ils manquent de femmes. Mais notez que, dans la tribu des Minuenes, qui vit alentour, les hommes sont grands et bien faits.

– Oh ! cessez de rire ! dit Jeanne au bord des larmes. Comment voulez-vous que je vive ici pendant des semaines ?

– Comme on vit : en mangeant, buvant, dormant. Chantez en plus. Qui chante, son mal enchante. »

Voyant qu'elle s'était mise à trembler à force de se retenir de pleurer il reprit d'une voix sérieuse, gentille :

« Mademoiselle, si vous vous tenez ici bien sage auprès de Pegassou, il ne vous arrivera rien de pire que de vous ennuyer. Mais je vous promènerai de temps en temps. Tenez, enfilez votre culotte et vos bottes, je vais vous emmener voir notre verger. Il s'en faut d'un bon mois que les fruits ne soient mûrs, mais l'enclos est fleuri, on y trouve à foison de bonnes herbes à sauces et à tisanes, une botaniste devrait s'y plaire. »

Elle s'approcha tout près de lui, essaya son regard d'or :

« Monsieur le chirurgien, je sais que je ne puis m'enfuir seule. Mais vous pourriez m'y aider ? On m'a dit que tous les déserteurs de la mer avaient envie un jour ou l'autre d'y retourner. Si vous me rameniez vous-même à Montevideo... »

Il secoua la tête :

« Non, mademoiselle, vous ne m'aurez pas. Je me trouve bien ici, j'y reste. Ils ont tous besoin de moi. Je suis leur sorcier. Un sorcier ne quitte pas son village : où voulez-vous qu'il se sente mieux ? Je vous aiderai, mais pas jusqu'à me causer du tort. Allons, venez visiter le verger, cela vous distraira un moment.

— Mais enfin, dit-elle, Pinto ne peut-il comprendre que je n'ai pas triché et que le docteur Aubriot a vraiment très peu d'argent ?

— Difficilement. Pinto est un Brésilien. Il pense qu'il n'y a pas de honte à être riche, mais qu'il y a de la bêtise à être pauvre. Et il ne parvient pas à croire qu'une jeune femme aussi belle que vous se soit donnée à un homme assez bête pour être pauvre. »

Jeanne poussa un gros soupir :

« Et ce Paulino, dont dépend mon sort, comment est-il ?

— Pinto l'a élevé en seigneur. Il lui a donné un précepteur franciscain, il l'a envoyé au collège à Lisbonne, et faire son tour d'Europe... C'est son fils. C'est par respect pour sa mère qu'il l'appelle son neveu. Il l'a eu d'une Portugaise pur sang et il est encore ébloui qu'une filha del Rei [1] ait bien voulu donner un fils à un mulâtre. Il espère bien que ce fils miraculeux deviendra un homme important, un notable : un général, un gouverneur, un vice-roi... Il l'a fait élever en filho del Rei avec ces idées-là. Vous discuterez avec un jeune élégant qui se prend déjà pour le vice-roi de La Plata.

— Peste ! De fils de hors-la-loi à vice-roi de la province, le chemin grimpe raide ! Il faudrait que le roi d'Espagne eût d'étranges complaisances pour le senhor Pinto !

— C'est sur le roi du Portugal, que compte Pinto. Pour le Portugal, Pinto est un homme à cajoler.

— Un déserteur, un homme à cajoler ?

— Pinto est un déserteur bien placé. Dès qu'on le lui demandera, avec ses cinq cents pistoleiros il tiendra occupée dans l'intérieur du pays toute la garnison espagnole pendant que les marins portugais débarqueront dans la rivière de La Plata. Les Portugais ont envie d'arrondir leur colonie du Brésil. Croyez-moi, mademoiselle, il se pourrait bien que le

1. Fille du Roi : blanche sans mélange.

212

senhor Paulino fût un jour le vice-roi de ces collines. Alors, moi, je serai le guérisseur du vice-roi. J'aurai une belle quinta avec un toit de tuiles, des esclaves, des diamants pour ma femme et un précepteur franciscain pour mon fils. On m'appellera Doutor. Je mettrai des lunettes sur mon nez pour sortir dans la rue et les passants me tireront leurs chapeaux, respectueusement. »

« Voilà donc le rêve du barbier : un titre de docteur », pensa Jeanne. Elle dit :

« Et que pour parvenir à cet état de respectabilité il vous faille tuer, voler et rançonner, cela ne vous gêne pas ?

— Tuer, voler, rançonner : il n'y a pas d'autres moyens de s'installer en Amérique, mademoiselle, puisque l'Amérique est déjà peuplée d'Américains qui ne veulent pas de nous. Les Espagnols ou les Portugais tuent, pillent et asservissent au nom du Roi. Les jésuites le font au nom du Christ. Nous, nous ne le faisons que pour emplir nos poches, si bien qu'au bout du compte, nous sommes les moins méchants de tous. Les Indiens fuient comme la lèpre le Dieu des jésuites mais, chez Pinto, ils se convertissent.

— Je renonce à discuter de morale avec vous, soupira Jeanne. Allons voir ce verger. Il est fleuri, dites-vous ?

— Vous allez voir le verger le mieux planté de toute la province, si l'on excepte celui de don José, un hidalgo de Montevideo. »

Jeanne réagit vivement :

« Vous connaissez le verger de don José ? Vous connaissez don José ?

— Le colonel Pinto commerce avec tous les négociants de La Plata.

— Vous voulez dire : avec tous les contrebandiers ? ironisa Jeanne.

— Contrebandier, négociant : par ici, c'est tout un.

— Don José vient donc souvent jusqu'à ce

village ? » demanda-t-elle d'une voix trop indifférente.

Julio afficha son grand sourire indulgent :

« Mademoiselle, cessez de songer à nous fausser
compagnie gratuitement, dit-il. Pegassou ne vous
comprend pas. Quand un beau jour je lui ai proposé
de l'enlever sur mon cheval, comme ça, pour rien,
elle s'est fâchée. Elle en serait morte de honte. Elle a
voulu que je donne à son père deux vaches à lait,
deux sacs de sel, un chapeau espagnol galonné et un
étalon blanc. Je trouvais l'étalon blanc hors de prix !
J'ai proposé de le remplacer par six étalons bruns,
mais Pegassou a hautainement refusé. Elle m'a dit :
« Le temps que tu cours après l'étalon blanc, tu
« apprends que je vaux un étalon blanc. »

– C'est bon, dit Jeanne en appréciant le mot d'un
sourire. Je penserai à demander des leçons de vanité
à Jolie-Petite-Tourterelle. »

Ils tournèrent autour de la colline.

Le verger du village était situé en plein sud, bien à
l'abri des vents de la plaine, à cheval sur une grosse
rivière rapide. Il était cerné par une haie vive
couverte de fleurettes sauvages, de prunelles bleues,
de fruits luisants d'églantier, de grosses mûres encore
roses et vertes. Ils entrèrent dans l'enclos et Jeanne
poussa un cri de surprise quand ils débouchèrent à
l'orée d'une longue allée de figuiers. Vu de là, le
verger des brigands ressemblait en moins bien tenu à
celui de don José, avec des massifs de lis blancs et
des gerbes de pavots bordant le chemin, et le bruissement de la rivière lointaine qui s'amplifiait au fur et
à mesure qu'ils s'avançaient dans l'allée.

« Les vergers de La Plata se ressemblent tous,
expliqua Julio, quand Jeanne eut exprimé son étonnement tout haut. Il en existe très peu, presque tous
sont autour de Buenos Aires, et ceux qui les ont
plantés ont pris modèle sur celui des Murcia, qui est

le plus ancien de la province, et d'ailleurs le plus beau. Le nôtre est assez fleuri parce que, tout comme chez don José, ce sont des déserteurs anglais qui l'entretiennent.

Ils arrivaient au bout de l'allée et Jeanne aperçut le rio, qui bondissait en contrebas des figuiers sur un lit d'énormes cailloux ronds bien polis. Deux pêcheurs, perchés immobiles sur deux blocs de roche, pieds nus, pipe en gueule, trempaient leurs fils dans l'eau transparente hérissée de moustaches d'écume. Ils lancèrent sur les arrivants deux regards sans aménité.

« Les pêcheurs aiment le silence, dit Julio en répondant à leurs maussades bonjours muets. Allons nous promener sous les arbres...

— Je ne croyais pas que je verrais des brigands d'humeur assez pacifique pour pêcher patiemment leur dîner, nota Jeanne.

— Vous avez sur les brigands des idées toutes faites, dit Julio. Vous aurez des surprises. Il y a des bons et des mauvais chez les brigands, mademoiselle. Il y a des doux, des violents, des imbéciles, des malins, des ivrognes et des buveurs d'eau, des brutes épaisses et des sentimentaux qui font des chansons pour leurs maîtresses, il y a des bigots et des mécréants, des sages et des fous, des gais lurons et des bonnets de nuit. Il y a de tout dans une société de hors-la-loi tout comme dans une autre. Et si vous restiez ici assez longtemps, je suis sûr que vous vous y trouveriez des gens à aimer, parce qu'on ne peut pas détester tout le monde toujours, même en pays ennemi.

— Oh! je vous promets bien que si! » s'écria Jeanne.

Mais ce n'était pas vrai, et elle le savait déjà. Elle n'avait jamais détesté ce bizarre brigand pas sot, ambitieux et poli qu'était Julio, et elle aimait bien

Pegassou et leur joli bébé couleur de pain d'épice. Elle se surprenait à jouer à la vie de famille avec eux, à peloter un écheveau de laine à broder pour Pegassou, à rire à table, à donner son avis pour un semis dans le potager, à faire les marionnettes pour amuser le petit Francisco, que sa mère s'obstinait à appeler Lery-oussou – Une-Grosse-Huître! – parce qu'une grosse huître bien grasse était pour sa tribu le régal des régals. Elle prenait des habitudes dans la maison de Julio. Elle prenait des habitudes dans le village de Pinto. Pour résister à la beauté gentille de Pegassou et de son Lery-oussou, pour ne pas répondre aux sourires dont on la couvrait lorsqu'elle se promenait, pour n'éprouver jamais aucun élan de sympathie vers un visage, pour refuser de goûter au rayon de miel sauvage, aux framboises des bois, aux premières merises qu'on lui offrait, pour ne pas caresser un ravissant petit Jésus noir jouant tout nu sur sa natte, pour ne pas engager avec sa mère une causette négro-hispano-portugaise, pour garder toujours un distant mépris d'otage il aurait fallu à Jeanne une puissance de haïr qu'elle ne possédait pas. Au soir du cinquième jour, elle murmura : « Mon Dieu! quel malheur! » quand elle apprit que le mari de Paquita, une rieuse amie de Pegassou, n'était pas rentré d'un brigandage où la troupe de quarante pistoleiros menée par le lieutenant Joaquin s'était heurtée aux quatre-vingts dragons de la garnison de Maldonado.

Pegassou alla chercher la veuve pour la ramener passer la nuit dans sa maison. Jeanne regarda Paquita pleurer son Joaquin dans les bras de Pegassou, comme n'importe quelle amoureuse pleure son amour mort. Dans les larmes de sa femme le gibier de potence n'était plus qu'un bien-aimé injustement perdu dans une horreur sans nom, une absence sanglante et glacée sur laquelle descendaient les goélands. Et Paquita s'accrochait en sanglotant au cou de Pegassou, la suppliant d'implorer le doctor d'envoyer des cavaliers rechercher son Joaquin, que ses hommes avaient mal enterré au bord du marais, dans un endroit humide et malsain. Elle voulait le faire ôter de là, le laver, l'habiller beau, le réchauffer dans une belle étoffe de laine blanche avant de le confier à une terre plus saine dans laquelle il serait bien, dans la terre du verger par exemple, où Joaquin serait feliz, muy feliz, o! muy feliz, muy feliz...

« Personne ne veut croire que la mort est un remède à tout, même à un linceul de ronces, même à l'appétit des vers, des rapaces ou des poissons, soupira Julio quand Pegassou lui eut transmis le vœu de Paquita.

— C'est que la mort a partout le même goût de scandale, dit Jeanne à voix basse. Qui est fait pour être mort ? Pas même un bandit. »

Julio regarda sa prisonnière d'un drôle d'air :

« Commenceriez-vous, mademoiselle, à nous considérer comme des êtres humains ?

— Ne prenez pas un mouvement de pitié pour de l'amitié, dit-elle, reprenant un ton sec.

— Mais je crois, moi, que vous éprouvez quelque amitié déjà pour plusieurs d'entre nous, dit Julio. Vous ne vous languissez pas si fort parmi nous, mademoiselle. Vos journées me semblent bien remplies. Je vous vois apprendre l'indien avec Pegassou, l'espagnol avec Paquita, le portugais avec Mercedes... Je vous vois vous essayer à filer au fuseau, à broder des guêtres, à gratter la guitare, à boucaner le bœuf... Vous allez fureter chez le boulanger, chez l'épicier, chez le menuisier, vous avez été voir les jardiniers anglais travailler au verger et le charpentier hollandais choisir des arbres dans la forêt... Avant-hier, vous avez découvert le vieux Senoy-pe, et voilà que déjà il vous emmène à la cueillette des bonnes herbes et vous raconte à grands gestes ses secrets de guérisseur, tout comme si vous étiez sa petite-fille et l'héritière désignée de son savoir. En vérité, mademoiselle, je n'ai jamais eu chez moi un otage aussi curieux et aussi laborieux que vous. Je vous souhaite que le senhor Paulino n'ait pas trop bon vent, de telle sorte que vous nous demeuriez assez longtemps pour parfaire vos apprentissages. »

Elle haussa les épaules et quitta brusquement Julio, qui se mit à rire.

Entendre ce rire la fâcha tout à fait. Mais contre qui ? Il était exaspérant que Julio, Pegassou, Senoype, Paquita et ses fils, l'épicier Fernando, le charpentier hollandais et quelques autres pussent s'imaginer que l'otage acceptait de vivre avec eux. Mais quand elle était petite, M. Philibert lui avait appris qu'il y a chaque jour dix mille choses à voir entre le ciel et la terre et que c'est un gros péché que de les laisser perdre. Au moins un peu de la splendeur du monde habite aussi l'enclos d'une prison, et le rire moqueur de Julio, qui l'avait suivie dans le potager, ne suffirait pas à la décourager de vivre le bon à vivre du moment, toute honte bue.

« Aucun mauvais sort ne vaut de mourir au monde en fermant ses yeux et ses oreilles, dit-elle en se baissant pour arracher une mauvaise herbe, que le clair de lune faisait briller entre les plants de laitue. C'est bien par hasard que je passe par ici, mais la lune luit ce soir, aussi blanche et belle que si j'étais là où je devrais être.

– Pourquoi croyez-vous que vous n'êtes pas où vous devriez être ? dit Julio. Vous savez, mademoiselle, c'est toujours par hasard que nous vivons ici ou là mais, Dieu merci, il y a un peu de gai dans tous les hasards. »

Comme pour lui donner raison un tapage monta jusqu'à eux, qui venait du quartier noir. Tout comme à Rio Janeiro, dans le village de Pinto la fête nègre s'allumait dès la tombée de la nuit au son des banzas et des tambours congos. Si le butin de la journée avait été bon alors la fête se transportait peu à peu, par petits paquets bruyants, jusqu'au hameau qu'on appelait Les Baraques. Là-bas, la bamboche ne s'éteignait qu'à l'heure où la viande soûle, fauchée

218

par l'ivresse, n'était plus qu'une jonchée de corps ronflant pêle-mêle, que les filles encore lucides enjambaient avec dégoût, pour faire les poches et soulever les chapeaux avant de s'écrouler à leur tour. Ce soir-là comme souvent, et comme si l'expédition de la journée n'avait pas mal tourné, la fiesta partit pour Les Baraques; de la Colline-aux-Lieutenants on n'en entendit bientôt plus qu'une rumeur lointaine traversée de fusées volantes. Le « beau quartier » des maisonnettes à jardinets retomba dans sa paix d'été, crissante de grillons.

« Je ne croyais pas qu'ils auraient eu cette nuit le cœur à festoyer, dit Jeanne. Ils oublient vite leurs morts.

– Non, dit Julio, ils n'oublient jamais la mort. C'est pour ça qu'ils dansent sur les tombes. Ils savent que les vivants n'ont pas de temps à perdre s'ils veulent rire un peu. Ah ? »

Il avait levé l'index, tendait l'oreille vers un ruisselet de musique qui venait de naître à travers la nuit claire :

« Voilà le clair de lune qui vous donne la sérénade », murmura-t-il.

Ils se turent pour écouter le pipeau. Le Provençal en tirait des sons doux et dolents aussi argentés que le ciel, si bien qu'on aurait dit que c'était le clair de lune qui sifflait.

Le jour, le Provençal ne quittait pas l'ombre de Jeanne. Le soir, il venait s'asseoir dans le potager du Français qui la gardait pour sucer son pipeau. Jeanne le soupçonnait de dormir roulé dans une couverture sous la fenêtre de sa chambre, et elle le grondait, car les aubes étaient très fraîches. Mais lui répondait qu'il allait dormir dans la cuisine avec la servante noire de Pegassou, et elle feignait de le croire. Egoïstement elle aimait le sentir là, au plus près d'elle, quand elle s'endormait, parce que c'était le moment où elle perdait pied. Arrivée à la charnière de la veille et du sommeil elle recommençait d'avoir peur, d'être une petite fille seule et fragile égarée dans un cauchemar. Et en même temps que de sa peur, elle souffrait de l'angoisse lointaine de Philibert. Dès le second jour de sa captivité on lui avait permis de lui envoyer un message. Sous la dictée de Pinto elle avait écrit : « Je vais très bien, je suis fort bien traitée. Ne vous inquiétez donc pas et attendez que l'on vous indique la somme de ma rançon. » Mais le colonel avait-il fait porter ce message ? Et si Philibert l'avait reçu, l'avait-il cru ? Et comment supportait-il l'incompréhensible attente du chiffre de la rançon ? Julio avait beau répéter à Jeanne que les nouvelles couraient vite la prairie, qu'en La Plata la frontière entre les honnêtes et les malhonnêtes gens était si poreuse et si fluctuante qu'en fin de compte tout se savait au café Pulperia de Montevideo, il avait beau lui presque affirmer que sur l'*Etoile des Mers* on savait déjà que Pinto attendait son cher Paulino pour évaluer l'otage, Jeanne ne parvenait pas à y croire tout le temps. Elle y croyait le jour, tant la vie du village semblait normale, proche de la vie à peine citadine de Montevideo; mais étendue dans le noir sur sa marquesa elle n'y croyait plus, se retrouvait captive d'un peuple barbare emmuré derrière une épaisseur de nature infranchissable, à mille lieues des gens civilisés qui trinquaient au café Pulperia. Elle se mettait à pleurer sans bruit, augmentait son mal avec ses larmes et s'enveloppait dans ses bras pour se bercer. A force de pleurer, elle finissait par se sentir flotter, joues trempées, cheveux humides, dans une eau salée qui la soulevait, l'entraînait résignée dans un monde moite où toute sa vie se mélangeait, explosait en images fugitives de toutes les couleurs. Désespérément elle tentait d'en retenir une de couleur douce, rassurante – la poitrine nue de Philibert, la crinière de sa jument Blanchette, la grosse jupe d'hiver de Mme de Bouhey, l'épaule de soie de Vincent parfumée à la fleur d'orange – pour poser dessus sa tête et ne plus penser, enfin ! ne plus penser avant le retour du soleil. Et alors c'était bien, c'était bon si, à ce moment-là, du potager lui venait la mi-voix chaleureuse du Provençal, qui lui chuchotait sa sérénade :

Belo, vous represente lou boutoun d'or,
N'en siatz belo coum' un tresor...

Vincent devait savoir aussi cette chanson-là ? Le gabier lui avait dit que tous les Provençaux la savaient, parce qu'étant jeunes tous l'avaient chantée sous les fenêtres de leurs maîtresses, pendant les belles nuits de mai où la sève du printemps pousse à l'amour. Jeanne écoutait de toute son âme le Provençal lui donner tous les noms des fleurs de la Provence de Vincent, l'apaisement lui venait et elle glissait dans une quiétude de plus en plus légère.

La neuvième nuit qu'elle passa dans la maison de Julio, comme elle venait de souffler sa chandelle et posait sa joue sur le coussin de laine blanche brodé par Pegassou, elle crut s'être endormie aussitôt et rêver déjà. Doutant de le faire vraiment elle se souleva sur les coudes, fixa le carré de nuit claire encastré dans la fenêtre et se mit à écouter avec acuité...

Dehors, comme chaque soir à la même heure on chantait à voix retenue la sérénade que Jeanne aimait, mais, ce soir, la voix pénétrait sa chair, la faisait trembler, lui mettait le cœur en alerte. Le chant, presque un chuchotis, ne se déployait pas assez pour qu'elle fût sûre que cette fois, ce n'était pas le Provençal qui chantait; mais son oreille musicienne savait trop bien entendre pour qu'elle ne perçût pas ce qu'il y avait d'insolite dans le son de la romance familière. Sa mélodie simplette lui semblait soudain plus chaude, plus colorée et certaines de ses notes, moins bien contrôlées, venaient s'épanouir sur ses tympans avec une queue d'harmoniques en velours. Quand la voix aborda son troisième couplet la belo, tout à fait réveillée, se retint de respirer.

> *Belo, vous represente la pampo de roure,*
> *Que trop longtemps m'avetz fach courre;*
> *Ai tant courru et courrerai,*
> *Belo, qu'à la fin vous aurai...*

La voix répéta les deux derniers vers, ce qui se faisait parfois, elle le savait, quand le chanteur voulait insister sur un message :

> *Ai tant courru et courrerai*
> *Que* deman matin *vous aurai !*

Jeanne nota tout de suite les deux mots modifiés, se tendit pour écouter la suite, mais la chanson s'était arrêtée, bien qu'elle eût encore plusieurs couplets. « Ou je rêve ou le Provençal a changé sa voix pour m'avertir de quelque chose », pensa-t-elle, le cœur accéléré. Elle se leva sans bruit, marcha jusqu'à la fenêtre à pas de loup et jeta un regard sur la portière qui la séparait du sommeil de ses hôtes avant de tirer lentement la targette en évitant de la faire grincer...

Le Provençal était assis juste sous la fenêtre, en train de déplier sa couverture. Jeanne se pencha le plus possible, chuchota :

« Provençal, c'est vous qui chantiez ?

— Dame ! Et qui d'autre ? »

Le ton de la réponse lui parut bizarre. Instinctivement, elle tourna les yeux vers les figuiers de Barbarie qui buissonnaient à droite de la maison. Mais rien ne bougeait par là plus qu'ailleurs dans un air d'une tiédeur immobile.

« J'ai dû rêver, murmura-t-elle. Il m'avait semblé ne pas reconnaître votre voix.

— Bah ! » fit-il.

Et il ajouta :

« Demain matin, je viendrai vous chercher de bonne heure, de très bonne heure.

– Ah ! deman matin, répéta-t-elle en imitant le parler provençal de la chanson. Pourquoi de si bonne heure ?

– J'ai réussi à faire l'amitié avec le Hollandais des Baraques. Il nous prête tout son attirail pour la pêche. On va aller faire le coup du matin dans le rio du verger, on va se prendre un bon dîner, un bèu moussèu. Boudiéu ! ce sera une belle partie ! »

Jeanne soupira :

« Je viendrai, Provençal. Mais vous êtes trop gai pour m'annoncer une partie de prisonniers. Nous pêcherons peut-être un beau morceau, mais nous le mangerons dans le jardin d'une prison. Je suis triste, Provençal. Chaque soir, je suis plus triste... »

Le matelot toucha timidement une longue mèche douce qui pendait sur le mur, la caressa d'un seul doigt plein de respect :

« Tirés pas peno, damisello, dit-il tout bas. Regardez là-haut : le ciel a tant d'étoiles qu'on n'en voit plus l'étoffe. Un ciel comme ça, c'est pas pour annoncer du malheur. Tirés pas peno, misè Jeanne, tout es pas perdu. Deman matin... »

Il marqua une hésitation d'une fraction de seconde, acheva dans un murmure d'amoureux promettant du délice :

« Demain matin, nous aurons un temps à faire chanter les alouettes et briller tout bleu les demoiselles ! »

12

UNE immense lumière orange avait déjà envahi le paysage à l'est des collines.

Les deux gardes – des mulâtres portugais – suivaient Jeanne et le Provençal en somnolant d'un œil sur leurs chevaux. Ah ! non, cet otage-là n'était pas reposant! Aller à la pêche, bon. Mais pourquoi si tôt?

D'ordinaire, Basilio et Nando appréciaient beaucoup leur rôle de gardiens d'otages. Chaque fois qu'on en ramenait un au village on le leur confiait parce que les deux gaillards faisaient d'excellents chiens de garde respectueux de la consigne, vigilants, prudents, calmes, féroces. Jamais un otage ne se plaignait d'eux tant qu'il ne tentait pas de fuir, car les mulâtres le traitaient en bonne aubaine, comme leur bon moyen de demeurer en ville à se la couler douce au lieu de courir exposer leurs peaux dans la prairie. Mais, cette fois, leur prisonnière les fatiguait – toujours par-ci, toujours par-là, au lieu de rester à se morfondre dans un hamac ou de jouer aux cartes avec ses gardiens comme tout otage de bonne volonté. La Française ne respectait même pas les heures de la siesta, alors! Et il fallait en passer sans discuter par tous ses caprices honnêtes, le tenente [1] Julio l'avait ordonné. La Française était trop belle. Une fille trop belle fait tourner les hommes en bourricots. Nando répétait au moins dix fois par jour : « Isso dá que pensar », en pointant son menton gras vers la coureuse. Il ne disait jamais à quoi elle lui donnait à penser, mais sans doute au danger que représente une belle fille pour un homme tranquille.

« Isso dá que pensar », bâilla-t-il en poussant son cheval, parce que Jeanne venait de mettre le sien au petit trot.

Les deux Français et leurs surveillants étaient les seuls cavaliers à se promener dans le petit matin. Dans la longue rue du bas village on ne voyait que les femmes et les enfants tôt levés, et des vieux assis devant les cuisines de cuir, occupés à fumer leur premier cigarro d'après leur première tasse de maté en attendant la soupe au bœuf et aux piments. Cette

1. Lieutenant.

exceptionnelle absence de cavaliers – tout habitant de La Plata enfourchait son cheval pour aller demander du feu à son voisin de rue – intriguait Jeanne :

« Rien que des femmes, des enfants, des vieux : on croirait traverser un village en guerre dont tous les hommes ont été recrutés. »

Le Provençal hocha la tête :

« C'est bien ça. Pinto et ses lieutenants ont emmené presque tous les hommes. Ils sont partis au crépuscule. Une grosse affaire, pour ce que j'en ai entendu dire. Un convoi de charrettes de contre-bande qui remonte vers le Chili.

– Les pauvres, murmura Jeanne, pensant aux marchands.

– Ato ! approuva le Provençal. Surtout que le Pinto, qu'est un rancunier, veut se payer de ce que les dragons de Maldonado lui ont tué. D'après ce que je sais, le convoi en question c'est de la contre-bande quasiment officielle – je veux dire : qui rapporte au gouvernement. Y aura une escorte espa-gnole, et notre colonel veut lui tomber dessus et la sabrer jusqu'au dernier soldat.

– Quelle horreur ! s'exclama Jeanne.

– Possible, dit le Provençal, mais les voilà tous loin pour un bout de temps. N'ont laissé que notre monsieur Julio qui doit rester frais pour l'heure de réparer les cassés, et une quarantaine de veilleurs qui sont là-haut, sur les crêtes. Et ceux-là, quand on sera sous les arbres du verger, ils nous verront même pas, on pourra se croire libres.

– Je me sentirai mal tant que je verrai le chapeau d'un », soupira Jeanne, avec un coup de tête vers leurs suiveurs.

Ils arrivèrent au verger, descendirent jusqu'à la rivière. Aussitôt qu'il eut mis pied à terre :

« Maintenant, on va déjeuner, dit le Provençal en s'avançant vers la mule qui portait l'équipement de pêche et un panier de provisions.

– Déjà ? s'étonna Jeanne. Merci, mais je n'ai pas encore faim. »

Le matelot se retourna, comme piqué par un scorpion :

« Si ! vous avez faim et nous allons manger tout de suite ! dit-il avec fermeté en la fixant dans les yeux. Asseyez-vous sur un rocher et vous allez manger. »

Elle obéit, médusée par le ton du Provençal, le temps soudain suspendu au-dessus de sa tête comme un oppressant inconnu. Le Provençal apporta le panier et les mulâtres s'approchèrent, intéressés, la salive au bec. L'otage avait ses défauts, mais elle ne mangeait jamais de bonnes choses devant eux sans leur en offrir.

Dans le panier, il y avait du bœuf boucané, des omelettes froides rouges d'épices, du fromage de brebis, du pain et trois flacons de vin. Le Provençal coupa des tartines dans le pain, posa une tranche de bœuf sur l'une d'elles, qu'il mit dans la main de Jeanne :

« Mangez ! commanda-t-il impérativement. Et ne buvez pas ! » ajouta-t-il très vite, une minute plus tard, en se penchant pour déposer, sur le rocher qui servait de siège à Jeanne, un bol indien dans lequel il venait de verser un peu de vin.

Il avait déjà donné, aux mulâtres enchantés, deux omelettes aux épices. Il leur tendit la bouteille entamée :

« Vaqui, les gars, servez-vous bien, es lou jour que doune, vuei », dit-il avec un sourire fendu jusqu'à mi-joues.

Les mulâtres s'enfilèrent chacun une longue rasade dans le gosier, voulurent rendre la bouteille, poliment. Le Provençal repoussa l'offre d'une main, agita la seconde bouteille de l'autre :

« Non, les gars, não, on a la nôtre, gardez la vôtre, allez, à la vôtre, santé, saúde ! Encore une omelette ? Fritada ? Elles emportent la gueule, mais agués pas poù de béure, mes salauds, lou vin à bon comte fai jamais mau. Allez, zóu ! »

Les mulâtres mastiquaient, trinquaient avec leur bouteille en riant, buvaient en s'arrachant le flacon. Une seule bouteille, pour deux pistoleiros c'était si peu, même à l'heure du maté au lait des honnêtes Portugais, que Nando et Basilio eurent une explosion de joie enfantine quand le Provençal leur en lança une autre en leur faisant comprendre que la senhora ne voulait plus que de l'eau. Une bouteille par homme, quoi de plus naturel ? Les mulâtres se partagèrent scrupuleusement le vin en comptant leurs gorgées. Ils tenaient si bien le coup que le Provençal les observait avec angoisse, le souffle un peu court, la main crispée sur le rocher où s'était posée Jeanne. Les bandits piquèrent du nez dans l'herbe juste avant que Nando n'avalât la dernière lampée de son dû.

« Ouf ! » fit le Provençal.

Jeanne s'était dressée comme un ressort brutalement détendu, les deux mains plaquées sur sa bouche.

Le Provençal vérifia à coups de pied l'inertie comateuse des mulâtres, se retourna vers la jeune femme toujours statufiée et bâillonnée par ses mains :

« Le bâillon, misè Jeannette, c'est la bonne idée, dit-il. Vaut mieux pas pousser des cris – on sait jamais. Laissez donc vos mains comme ça, les surprises sont pas finies... »

Hypnotisée par les mouvements du Provençal elle le regarda traverser en courant une plantation de jeunes pommiers, dont l'énorme charge de fruits verts faisait des pommiers pleureurs. Le Provençal s'arrêta au bout de la pommeraie, là où commençait une friche buissonnante qui s'en allait vers la forêt. Il mit ses mains en cornet, chanta à pleine voix un peu essoufflée quelques rimes joyeuses :

Qu'a gagnat la targo ?
Es l'Amado-ou !
De vin de la Margo
Beguem tous un co-ou [1] *!*

Deux ou trois secondes plus tard, comme en un rêve, Jeanne vit un blanc cavalier surgir du taillis, passer devant le Provençal qui lui sauta en croupe, venir sur elle à petit trot à travers les chevelures pendantes des pommiers, grandir à la vitesse d'une hallucination jusqu'à lui buter dans les yeux. « Oh ! » fit-elle – un cri aussi faible qu'un dernier soupir. Elle sentit la terre se soulever sous elle, son dos glissa le long d'une râpe d'écorce...

Le cavalier en blanc poncho sauta de cheval, releva la jeune femme presque évanouie au pied d'un goyavier, la maintint contre l'arbre pour lui frotter les joues – trop doucement :

« Allons, Jeanne, allons, ce n'est pas le moment de prendre une vapeur, bello. Il va falloir tenir en selle, et longtemps !

– Tenès, capitàn', dit le Provençal en tendant un bidon d'eau-de-vie débouché, acò ié remountera l'estouma.

– Vincent, murmura Jeanne en rouvrant les yeux, Vincent, mon amour... »

Ses grands yeux d'or liquide – un puits de miel – aspiraient le visage du chevalier jusqu'au fond de son cœur. Elle ouvrit docilement la bouche... L'alcool lui brûla la langue et la gorge, fit monter de l'eau à son regard :

« Vincent », répéta-t-elle avec extase.

Elle demeura les lèvres entrouvertes, la tête un peu rejetée en arrière, à vivre un moment d'attente exquise dans un monde soudain figé par l'éternité.

1. Qui a gagné la joute ? C'est l'Amoureux. Du vin de la Margo, Buvons tous un coup.

228

Il lui ôta son grand chapeau espagnol, abattit une pluie de baisers sur les cheveux, les tempes, les yeux, la bouche, le cou offerts... Il s'arrêta comme on sort d'enchantement, brutalement, l'empoigna à deux mains :

« Jeanne, ce n'est ni le lieu ni le temps de jouer à ce jeu, je vous assure ! En selle ! Et vite ! »

Il lui renfonça son chapeau sur la tête, la poussa vers son cheval, vit son matelot planté sur l'herbe aussi immobile qu'un santon figurant l'ébahi dans un décor de Noël – le Provençal ne s'était pas remis de la scène d'amour qu'il venait de voir ! Vincent le bouscula rudement :

« Alors, l'Amadou, tu le fais, le ménage de ce jardin, ou il faudra que je t'y mette à coups de botte ? Je t'envoie de l'aide. Dix minutes, cela vous suffira ?

– Si, si, capitàn' ! dit vivement l'Amadou, remis en marche. Est-ce que vous me prendriez pas ce bidon ?

– Donne. Nous vous attendrons à l'endroit que je t'ai montré hier. Commence à faire place nette et despacho ! Zóu ! »

Vincent sauta en selle et redit : « Zóu ! » en donnant un coup de chapeau sur la croupe du cheval de Jeanne.

Ils traversèrent la pommeraie et la friche au petit trot. A l'orée de la forêt deux cavaliers indiens attendaient , auxquels Vincent donna un ordre bref en espagnol. Les Indiens poussèrent leurs bêtes dans le verger, à fond de train.

Jeanne retint sa monture, se pencha pour saisir la bride du cheval de Vincent :

« Chevalier, comment êtes-vous là ? » demanda-t-elle.

Le ton était celui d'une petite fille éblouie qui réclame la suite d'une belle histoire.

Lui avait repris la voix railleuse qu'elle connaissait trop bien :

« Ma chère, le senhor Paulino est un piètre marin,

à ce qu'on dit. Il risquait de vous faire attendre son retour et... »

Il l'enveloppa d'un long regard brillant, un peu méchant :

« ... votre amie, dame Emilie, se languissait de vous. Je lui ai promis de vous ramener à elle.

– Oh ! fit Jeanne. C'est donc Emilie qui vous a prévenu ?

– Je suis arrivé à la quinta de don José juste comme il venait de rapporter de vos nouvelles du café Pulperia, qui est la gazette de La Plata. Il cherchait une bonne idée pour vous reprendre à Pinto. Je ne pouvais moins faire que de m'offrir pour voler au secours d'une Française en péril chez de quasi-Turcs ? Ma chère, croix de Malte oblige ! Entrez donc dans ce bois... Au pas. Le sentier est étroit. »

Au lieu d'obéir elle continuait de l'adorer des yeux, dit avec une paisible certitude :

« Chevalier, vous êtes venu me chercher parce que vous m'aimez, et je le sais parce que je vous aime. »

La mâchoire de Vincent se contracta. Il détourna brusquement son regard de Jeanne, relâcha la bride à son cheval, dit d'un ton bref :

« Il faut aller, mademoiselle. »

Il passa devant elle pour lui faire le chemin.

Heureusement, il n'y avait pas plus de trois cents toises à parcourir dans la sente. Elle avait été fraîchement dégagée à la machette, et il fallait sans cesse se baisser pour éviter les branches folles et griffues, les traverses de lianes qui reconquéraient déjà l'espace ouvert. Ils débouchèrent dans une vaste clairière que les Indiens des bois avaient brûlée pour y planter du maïs. Une vingtaine de chevaux sellés-bridés attendaient là, sages, traînant des lèvres sans appétit sur un bourrelet d'herbe, à la lisière d'une pousse de grenadiers. Leurs maîtres se reposaient, le dos appuyé aux arbres. Ils se levèrent sans hâte quand les deux cavaliers parurent, sauf l'un d'eux que Jeanne vit venir à elle rapidement, les bras grands ouverts et le sourire chaleureux :

« Comment va notre héroïne ? Cette canaille de Pinto nous l'a-t-il traitée comme il se devait, en princesse ?

— Rassurez-vous, don José, j'ai été traitée comme l'est un objet qui vaut de l'or ! dit Jeanne en lui souriant. Mais vous êtes donc là aussi ? Et tous ces hommes... Vous avez donc levé une armée ? !

— Hé ! ne vous seriez-vous point aperçue, dame Jeannette, que le pays n'est pas sûr ? s'exclama don José. Croyez-moi, même avec mes vingt hommes armés jusqu'aux dents nous aurions eu du mal à vous reprendre de force. Gracias a Dios, notre ami Pinto s'absente souvent de chez lui, et le chevalier mourait d'envie de jouer au preux en se glissant dans la citadelle pour vous rapprocher d'une porte. Il est dommage, dame Jeannette, que vous ne l'ayez pas vu hier, avec une barbe de deux jours, son poncho effrangé et son vieux chapeau puant : il faisait un brigand superbe !

— Chevalier, quand êtes-vous donc entré dans le village ? demanda Jeanne, attendrie aux larmes.

— Hier matin, dit Vincent. Et sans doute pas avec l'air aussi puant que le prétend don José : l'Amadou m'a reconnu dès qu'il m'a croisé, et je n'ai jamais vu déserteur se jeter avec un tel plaisir dans les pattes de son capitaine ! Mademoiselle, ne descendez-vous pas de cheval quelques instants ? ajouta-t-il comme pour changer le cours de la conversation. Vous y serez bien assez toute la journée. »

Don José tendit ses bras à Jeanne :

« Pardonnez-nous de vous avoir laissée passer une nuit de plus chez les brigands alors que nous bivouaquions tout près de vous, mais il nous fallait le temps de préparer notre affaire. Ni M. Aubriot ni doña Emilia ne nous auraient pardonné d'avoir manqué votre enlèvement.

– Comment va M. Aubriot ? Comment a-t-il supporté ma méchante aventure ? demanda vivement Jeanne à mi-voix, sans regarder Vincent.

– M. Aubriot va comme un homme qui attend une demande de rançon pour un trésor volé : avec impatience, dit don José après avoir marqué une hésitation. J'ai fini par le boucler dans ma campagne, sous la garde d'Emilia. Du reste, il... »

Don José se ravisa, acheva sa phrase autrement qu'il ne l'avait pensé :

« ... il doit aller mieux depuis que nous lui avons promis et juré de vous ramener au plus tôt. Eh bien, et vous, dame Jeannette ? Comment supportiez-vous votre captivité ?

– A merveille depuis hier au soir. J'ai fort bien dormi la nuit dernière, à cause d'une sérénade qu'on était venu chanter sous ma fenêtre pour me dire qu'on pensait à moi », dit Jeanne en regardant le chevalier.

L'œil noir brillant de don José quitta Jeanne pour Vincent :

« Amigo, seriez-vous allé faire le troubadour devant la maison d'un lieutenant de Pinto ? »

Et comme Vincent ne répondait que d'un haussement d'épaules désinvolte, don José reprit avec véhémence :

« Amigo, vous êtes fou ! Pinto est un vaniteux forcené. Qui semble se moquer de lui le rend cruel, et s'il prend le moqueur après boire, il le pend. Amigo, vous êtes fou !

– Une folie sans folie ne vaut pas une sardine : c'est vous, don José, qui m'avez appris ce proverbe, dit Vincent. Ecoutez... »

Don José, prêta l'oreille, secoua la tête :

« Non, dit-il, pas encore. Nos balayeurs ne peuvent pas être ici avant quatre ou cinq minutes.

– J'espère qu'ils auront fait le ménage à fond, dit Vincent. Plus tard l'alarme sera donnée, mieux cela vaudra.

– Rassurez-vous, dit don José, mes Indiens ne laissent jamais de risques derrière eux. Je suppose, mademoiselle, que ceux qui vous logeaient ne s'inquièteront pas de vous trop tôt ?

– Pas avant l'heure du dîner, dit Jeanne. Sachant les mulâtres sur mes talons ils me laissaient fort libre.

– Dans ce cas, c'est parfait, dit don José. A midi, nous serons loin. En passant à couvert dans la forêt il nous faudra une bonne heure pour rejoindre la prairie mais, une fois dans la prairie, à condition d'éviter les marais il n'y aura plus guère d'obstacles pour galoper jusqu'à la mer – quelques faibles collines, c'est tout.

– Des marais ? releva Jeanne. Je n'ai pas vu de marais, en venant.

– Nous ne vous ramènerons pas directement à Montevideo, expliqua don José. Pinto et ses hommes sont par là. Nous irons au plus près, à Maldonado. Le chevalier Vincent y a envoyé sa frégate, il vous conduira à Montevideo par mer, ce sera plus sûr.

– Oh !... », murmura Jeanne.

Elle sentait une marée rose de joie lui monter jusqu'aux cheveux : son chevalier était venu l'enlever aux brigands pour l'emporter sur *Belle Vincente* ! Le temps faisait pour elle l'impossible miracle : un bond en arrière. Elle avait quinze ans à Charmont, le chevalier se jetait avec elle dans une chaise de poste et, fouette, cocher ! au bout d'une folle chevauchée il y avait la mer, une voile sur la mer, un bercement bleu sans fin qui avait les bras de Vincent, les lèvres de Vincent, le parfum d'orangeraie de Vincent... Appuyée du dos à son cheval, les yeux clos, elle vécut une minute de délice absolu. Quand elle rouvrit les yeux Vincent s'approchait d'elle, pour lui faire un marchepied de ses mains jointes :

« En selle, je vous prie. Cette fois, voilà nos hommes. »

Elle demanda tout bas :

« Chevalier, ne vous souvenez-vous pas d'avoir

fait ce même geste un autre matin, dans un autre bois, en me disant que vous alliez m'emporter sur la mer, comme vous l'allez faire aujourd'hui ? »

Elle vit Vincent se raidir et il répondit à mi-voix railleuse :

« Ma chère, votre défaut le plus marquant est d'avoir de la mémoire plutôt que de l'à-propos. Vous vivez à contretemps, si bien que pour vous donner la réplique d'un ton juste il faudrait un comédien. Je ne veux plus jouer avec vous, mademoiselle. N'auriez-vous pas reçu mon dernier billet avant de quitter votre Tisanière ? »

Deux larmes jaillirent des yeux dorés.

« Mordieu ! ne pleurez pas ! jura-t-il entre ses dents. J'ai toujours tenu les larmes d'une femme pour un insupportable chantage. Allons, en selle. Vous croyez-vous vraiment dans le bois de Neuville ? Il y a des tigres et des bravos, dans celui-ci. »

Ils mirent en effet plus d'une heure, comme l'avait prévu don José, à regagner la prairie. Ils traversaient des halliers clairs et suivaient des sentiers à peine tracés, allant au pas et à la queue leu leu, conduits par les deux Indiens de la troupe de l'Espagnol. Leur façon de cheminer ne se prêtait pas à la conversation et ils demeurèrent silencieux pendant tout le trajet. Dans la plaine, ils retrouvèrent la harde de chevaux de relais et l'homme qui la gardait, ne mirent pas même pied à terre, prirent le galop tout de suite. Ils relayèrent une fois avant que don José ne donnât le signal d'un arrêt, pour dîner de bœuf de boucan et de merises sauvages au pied d'une colline.

Du haut de la colline descendait un ruisselet dans lequel Jeanne trempa le mouchoir de don José pour s'asperger les bras, le visage, le cou. Les gouttes d'eau glacée ruisselaient en menus frissons sur son dos, sur ses seins, jusqu'à son ventre : c'était délicieux. Elle dénoua ses cheveux collés par la sueur, s'amusa à essayer de prendre des poignées d'eau pour les rafraîchir. Les regards de tous les hommes pesaient sur la longue chevelure dans laquelle le grand soleil de midi transformait la mouille en pétillements de couleurs. Jeanne en avait conscience et s'attardait à secouer son or sombre dans la lumière en s'efforçant de ne ressentir que le seul regard de Vincent...

« Il faut repartir, dit brusquement le chevalier. Nous ne sommes pas en partie de campagne. »

Don José jeta un coup d'œil surpris à son ami français : jamais, jusqu'ici, il ne s'était permis de donner un ordre à sa place. Il vit les yeux de Vincent fixés avec colère sur l'aguichant manège de Jeanne, haussa les sourcils et, parce qu'il était lui-même amoureux, comprit que son ami l'était, et sans doute amoureux malheureux, puisque Jeanne appartenait à Aubriot.

« Vous avez raison, amigo, il faut repartir, dit-il en se levant. Quels magnifiques cheveux, n'est-ce pas ? ajouta-t-il plus bas quand il se fut rapproché de Vincent. Une ravissante créature, vraiment. Avec l'éclat de ses yeux on pourrait allumer son cigare. »

Au lieu de répondre au propos Vincent demanda :

« Dans combien de temps pensez-vous que nous arriverons au rendez-vous ? »

Cette fois, don José fut sûr que le chevalier était amoureux.

Le rendez-vous était à la corne d'un bois, à quelque cinq heures seulement de la côte. On devait retrouver là un quartier-maître et six matelots de Vincent, avec lesquels lui et Jeanne regagneraient le point de mouillage de *Belle Vincente,* tandis que don José, pour donner le change à d'éventuels poursuivants, bifurquerait avec sa troupe et retournerait sur Montevideo en longeant le bord de mer. Ils se reposèrent deux fois dans l'après-midi afin d'épargner Jeanne, ne parvinrent à destination qu'à la tombée du jour, fourbus.

Les matelots de Vincent étaient là depuis longtemps déjà. Pour occuper leur temps ils avaient chassé, tué, dépouillé et embroché quatre chevreuils, lesquels pleuraient leurs larmes de graisse sur un long feu de camp : il y aurait du rôti frais pour tout le monde.

Il faisait encore très lourd. C'était une soirée sans brise, et les blocs de roche qui les entouraient rendaient à l'air assombri la chaleur solaire qu'ils avaient amassée pendant la journée. Jeanne se sentait mal à l'aise; ses vêtements lui adhéraient au corps, très douloureusement par endroits. Elle regarda vers le rio paisible qui coulait à cent toises en contrebas de leur campement :

« Don José, dit-il, si vous vouliez bien tenir vos hommes par ici un moment j'irais prendre un bain.

— Je peux bien tenir mes hommes, mais je ne pourrai pas tenir les tigres, dit don José. Il y en a beaucoup, par ici.

— Bah ! dit Jeanne, il y a aussi beaucoup de chevreuils et de gazelles bien plus tendres que moi !

— Mais voyez-vous qu'un fauve curieux ait envie de goûter à la célèbre bonne chère française ? » plaisanta don José.

Le Provençal s'avança :

« Si vous voulez, misè Jeanne, je vous ferai le guet.

— J'y vais », dit Vincent en rajustant ses pistolets.

Le couple descendit jusqu'au rio sans échanger un mot.

C'était une rivière qui passait presque sage entre deux rives de roche et d'arbustes broussailleux. Elle luisait au clair de lune, peu profonde et si limpide qu'on aurait pu compter les beaux cailloux blancs, jaunes, violets de son lit, s'ils n'avaient été innombrables. Jeanne ôta ses bottes et ses bas, tâta l'eau du pied : elle ne lui parut pas froide.

« Je m'occupe de ce qui pourrait venir du bois. Si vous rencontrez par hasard un requin perdu loin de chez lui, criez », dit Vincent.

Il s'était installé sur un gros bloc de lave creusé en berceau, le dos tourné à la rivière.

Jeanne se déshabilla vite. L'air argenté de la nuit, en se collant à sa peau encore humide de sueur, lui fit l'effet d'un baume. Elle dénoua ses cheveux, se plongea dans l'eau, ne put retenir un « Aïe ! » de saisissement. Vincent bondit sur ses pieds, la main à sa ceinture :

« Qu'arrive-t-il ?

— Rien, chevalier. Rien que le frais du bain », lui cria-t-elle en riant de bien-être, maintenant qu'elle était immergée.

Elle se mit à nager. Il aperçut l'ombre blanche s'allongeant voluptueusement dans l'eau, ferma les yeux avec précipitation et alla se rasseoir sur son siège de lave.

La voix de Jeanne s'éleva de la rivière :

« Savez-vous, chevalier, que les brigands, eux, m'avaient offert un bain chaud au bout de ma première chevauchée d'otage ? Ils m'ont offert un bain avant le souper et un bal après ! Et entre les deux, un rôt de perdrix grasses et du vin d'Espagne – ils m'ont offert un luxe incroyable ! »

Comme il ne répondait rien, la voix insista :

« Chevalier, m'entendez-vous ?

— Naturellement, dit-il.

— Alors pourquoi ne me répondez-vous rien ?

— Parce que j'aime écouter la rumeur de la nuit », dit-il d'un ton rude.

« Il est encore méchant », pensa Jeanne, vexée. Elle nagea deux minutes en silence puis se retourna sur le dos pour se laisser flotter, les yeux dans les étoiles. « Pourquoi est-il méchant sous un ciel pareil ? » Elle frissonna, se remit sur le ventre pour se donner du mouvement. L'onde exquise devenait un bain trop froid. Elle se rapprocha du bord.

« Avez-vous jamais dormi à la belle étoile ? demanda brusquement la voix de Vincent.

— Non, dit-elle.

— Dans ce cas, pour votre première nuit au bivouac vous avez de la chance : il fait tiède et toutes les étoiles sont dehors.

— Oui, j'ai de la chance. »

Elle avait envie d'embrasser l'eau de la rivière ! Et ses cailloux, et ses poissons, et la lune là-haut, parce que Vincent venait de lui parler avec sa *vraie* voix. Elle claqua le haut de ses bras tout froids, regagna la rive, s'agrippa à une touffe d'herbes, sortit de la rivière... L'air chaud de la nuit l'enveloppa, se mit à lécher la mouille de sa peau. Elle tordit plusieurs fois sa chevelure et s'étira longuement sur la pointe des pieds, heureuse, très peu pressée de remettre sa chemise raidie par la sueur séchée. Et puis c'était terriblement, délicieusement troublant d'être nue derrière le dos de Vincent, à la merci d'un hasard qui le ferait se retourner. A loisir, elle se donna un état d'âme de biche à la fois craintive et tentée, qui se tient derrière un trop beau chasseur, une patte en l'air, prête à fuir, prête à lui manger dans la main. Essayant d'éviter le moindre bruit, elle fit quatre pas dans la direction de Vincent...

« Etes-vous rhabillée ? Puis-je changer de cap ? »

La biche s'arrêta, frémissante :

« Non ! » dit-elle.

Elle recula d'un pas, ajouta nonchalamment :

« Il fait si bon, maintenant, à prendre le frais... Puis ma chemise sent mauvais. Et elle est d'un coton si grossier... Savez-vous que c'est une chemise empruntée au brigand Julio ?

— J'aurai donc vu un brigand donner sa chemise ! dit Vincent en riant.

— Peuh ! fit Jeanne, le présent n'est pas riche !

— Ma chère, je vous offrirais bien la mienne mais, ce soir, elle ne vaut pas mieux que la vôtre. »

Jeanne tressaillit d'un désir de tout son corps :

« Au moins la vôtre est-elle fine, dit-elle vivement. Et je suis certaine qu'elle sent encore la fleur
d'orange.

– Oh ! non, je vous assure ! Mais si vous pensez
gagner sur l'étoffe... »

Il se leva, ôta sa chemise sans se retourner, la
tendit à bout de bras derrière lui.

Elle s'approcha sur la pointe des pieds plus près
que nécessaire, saisit la chemise, respira, narines et
bouche grandes ouvertes, l'odeur de la peau nue du
corsaire. « Et si je le touche, que fera-t-il ? » Sa main
mit une lente caresse dans l'air, qui plana au-dessus
des épaules de Vincent, descendit survoler le dos
sombre jusqu'à la ceinture, remonta, hésita... et puis
s'envola, décidément trop timide pour se poser.

« Ne me donnerez-vous pas la nippe du brigand
en échange de la mienne ? »

En trois bonds, elle fut au buisson où elle avait
jeté ses vêtements, roula la chemise en boule et
l'expédia par-dessus la tête de Vincent.

« Bèh ! fit-il en enfilant le linge, vous avez raison,
ce coton-là gratte autant qu'un cilice. Il y a plaisir à
constater qu'on ne gagne pas assez dans le brigandage pour s'offrir des chemises en mousseline.

– La vôtre est douce, douce... Chevalier...

– Oui ?

– Si vous pouviez m'aider à chercher ma botte...
J'ai perdu une botte. »

Il se retourna. Elle était en chemise, les jambes
nues, toute sa chevelure mouillée ramenée sur une
épaule. Elle ne cherchait pas du tout sa botte perdue.
Clarté blanche mal voilée par la mousseline légère
elle se détachait sur le fond noir du buisson, immobile mais un pied en alerte. Il marcha jusqu'à elle
d'un pas tranquille, se pencha...

« Chevalier, murmura-t-elle en le retenant par le
bras, je sais où est ma botte. Je viens de la voir. »

Il s'écarta d'un pas :

« Que puis-je d'autre pour vous ?

– J'ai un peu froid. Je crois que ce serait bien si *on* me frottait le dos... Aïe ! aïe ! aïe ! aïe !

– Est-ce trop fort ? » demanda-t-il avec innocence.

Il avait arraché une grosse poignée d'herbes sèches et lui bouchonnait le dos par-dessus sa chemise avec une vigueur féroce.

« Aïe ! Pensez-vous être, aïe ! en train d'étriller un cheval ? Aïe !

– Un cheval, non. Mais une mule, oui ! Assez ou encore ?

– Assez, assez !

– Maintenant, mettez votre poncho. »

Il l'aida à passer son poncho et elle se trouva presque dans ses bras.

« Chevalier... embrassez-moi.

– Vous avez froid aux lèvres ?

– J'ai froid au cœur.

– C'est l'estomac. L'estomac vide donne froid. Venez souper.

– Je vous déteste ! » dit-elle en attrapant sa vieille culotte sur le buisson.

Il se mit à rire sans bruit et s'éloigna un peu pour qu'elle pût achever de s'habiller.

Leur souper de chevreuil à peine achevé, don José posta les hommes de garde. Les autres s'enroulèrent dans leur poncho et se mirent à ronfler. Les matelots de Vincent avaient des couvertures; on en donna une à Jeanne, et le Provençal vint lui placer une selle sous la tête :

« Tout le confort ! dit-il. Bono-niue, damisello.

– Bonne nuit, Provençal.

– Damisello... Pourquoi vous m'aviez pas dit que vous connaissiez... un peu le capitàni ? »

Elle se releva sur un coude, regarda le matelot, cherchant une réponse discrète.

« Excusez pour la question, dit vite le matelot. Bono-niue, misè Jeanne.

– Cela ira, mademoiselle ? »

Vincent venait de poser genou en terre auprès de la jeune femme.

« Je ne sais pas encore, dit-elle. Je crois que j'aurai un peu peur. Et les tigres ?

– Dans ce pays, les tigres sont rarement affamés au point de se soucier des hommes. Je coucherai là, à votre gauche, et don José à votre droite. Vous pouvez dormir à poings fermés. »

De nouveau, elle se souleva, se cala contre sa selle :

« Chevalier, vous souvenez-vous de Maria, la gitane de la Courtille, et de sa prédiction ?

– C'est une trop vieille histoire.

– Je sais que vous vous en souvenez. Pendant des mois, j'ai été jalouse de la femme inconnue qui vous attendait dans un beau verger inconnu du fin fond de l'Amérique, cette femme que Maria avait appelée : « votre bonheur », et que vous arrachiez à Dieu sait quel danger pour l'emporter sur votre *Belle Vincente.* Et voilà que cette femme, c'est moi.

– Une bonne sorcière qui voit une image dans votre avenir en fait toujours un roman d'amour, dit Vincent. L'amour se vend bien. »

Jeanne négligea la remarque, reprit à douce voix basse :

« La nuit dernière, quand on a chanté devant ma fenêtre, j'ai su tout de suite qui chantait. Ma pensée n'osait pas même effleurer votre nom, mais mon cœur savait. Pourtant, jamais je ne vous avais imaginé chantant ainsi, dans le patois de vos matelots. »

Vincent lâcha une exclamation :

« Saprée petite mijaurée parisienne du Temple, la langue provençale n'est pas un patois de matelots et de paysans ! gronda-t-il. Le Provençal est aussi... »

Il renonça, secoua la tête :

« L'affaire me tient trop au cœur pour que j'en discute avec une jolie petite mule à demi endormie, dit-il d'un ton bourru. Bono-niue, gento damisello.

« – Oh ! oui, parlez-moi provençal ! pria-t-elle en posant sa main sur le bras du corsaire pour le retenir. Un tout petit peu, rien qu'un petit peu – oui, vous le voulez bien ? »

Il se mit à rire :

« Quand vous aviez quinze ans, vous en montriez douze. Aujourd'hui que vous en avez bientôt vingt, vous en montrez quinze. Et que devrais-je vous dire « en patois », mademoiselle, pour vous bercer ?

– Des choses... Douces. Des choses qui me feront rêver doux. »

Il la fit attendre un peu, puis murmura :

« Lou tèms es tout clavela d'estello; es une niue de Diéu.

– Le temps est plein d'étoiles; c'est une nuit du bon Dieu, traduisit-elle, enchantée du jeu. Oui ?

– Presque.

– Encore...

– Deman auren la mar blanco, douço coume d'òli.

– Demain j'aurai la mer... blanche ? douce comme... l'olive ? comme de l'huile ? Oui ?

– Il y a un peu à redire.

– Encore... »

Cette fois, il la fit attendre plus longtemps, parce qu'il commençait à se laisser succomber au charme de l'instant. Diabolique trouvaille qu'elle avait eue là, de se faire bercer dans la langue d'enfance de Vincent : il avait l'impression de lui donner la becquée avec des morceaux de sa chair la plus profonde. Et comme elle l'écoutait ! Elle semblait l'entendre avec tout son visage. Le clair de la lune pâlissait le blond de sa chevelure, lui donnait une lumière irréelle de chevelure d'argent. Il pensa qu'elle avait le génie de faire naître des moments où il devenait très, trop difficile de ne plus l'aimer.

« Encore, redit-elle dans un souffle. Chantez-moi tout bas la chanson du bouton d'or. »

L'œil de Vincent survola le campement jonché de corps ronflants, fit une grimace :

242

« Le décor ne m'inspire pas !

— Mais c'est vrai, n'est-ce pas, qu'au soleil je brille comme un bouton d'or ? Je veux dire : dans vos yeux. Quand vous n'êtes pas fâché pour des riens, quand vous m'aimez un peu, n'est-ce pas que vous me voyez parfois aussi tentante qu'un bouton d'or ? »

Plus qu'à demi vaincu il faillit poser sa main sur les cheveux de lune, se retint, dit aussi légèrement qu'il le put :

« Boutoun d'or, sias bello coume un tresor, sias bello coume uno tarto d'ambricot ! Vous prendriou bèn per ma mestresso. »

Il y eut encore un silence.

« Le provençal se comprend à merveille, murmura-t-elle enfin. Est-ce que vous aimez beaucoup la tarte aux abricots ?

— Je meurs d'envie d'une tarte aux abricots ! dit-il en montrant toutes ses dents. L'envejo me rousigno d'uno tarto d'ambricot ! Et là-dessus, mademoiselle, dormez, vous savez assez de provençal pour rêver de cigales. »

Il alla chercher sa selle, s'enroula dans sa couverture et s'allongea à gauche de la jeune femme.

« Bonsoir, dame Jeannette, buenas noches. Faites un beau songe de captive évadée », dit gentiment don José en venant s'allonger à son tour de l'autre côté de Jeanne.

L'Espagnol s'endormit tout de suite. Au bout d'un petit moment, Jeanne se tourna vers Vincent, vit qu'il avait encore les yeux grands ouverts sur la nuit piquée d'étoiles.

« Chevalier..., appela-t-elle doucement.

— Si ?

— A quoi pensez-vous ?

— Indiscrète ! Es uno causo que sèntes e que la pos pas dire. »

13

LE temps change vite sur la côte de La Plata. Le beau
ciel de la nuit ne tint pas parole. Quand la petite
troupe de Vincent arriva à Maldonado une forte
brise soufflait du large, poussant vers la plaine un
troupeau serré de nuages blancs.

C'était bien peu de chose que Maldonado : une
douzaine de familles logées sous des peaux de
vaches. Seul, le commandant avait un semblant de
maison, mais son état-major vivait en cabanes. La
garnison d'environ une centaine de fantassins
bivouaquait sous ses tentes. La milice à cheval,
composée de sauvages de toutes les couleurs armés
de lances et de vieux fusils, arrivait de ses campagnes
pour faire l'exercice ou pour donner un coup de
main – toujours trop tard – quand les brigands de
Pinto faisaient une descente sur le fort. De mémoire
d'Espagnol, jamais la milice n'avait pris un seul
brigand la main assez dans le sac pour s'en saisir et
le fourrer en prison : les miliciens tenaient à continuer de vivre une fois rentrés chez eux sous leurs
toits de roseaux fragiles. Comme, de surcroît, le
commandant économisait ses fantassins en ne les
jetant aux trousses des brigands que lorsqu'on n'en
voyait plus que la poussière, on ne pouvait pas dire
que la place de Maldonado fût bonne et sûre pour
abriter des gens qui fuyaient Pinto. Elle était même
devenue mauvaise depuis que la compagnie des
dragons, menée en manœuvre quelques jours plus tôt
par un jeune colonel frais débarqué de Madrid pour
une inspection, n'avait pu éviter de se heurter à la
bande des brigands, assez rudement pour se couvrir
de sang et de gloire, et de la rancune de Pinto. Le
fort vivait dans la peur de représailles imminentes. Il
n'était donc pas question, pour les fugitifs, de passer
une nouvelle nuit à terre, et dans un guêpier. Dès que
Vincent eut informé le commandant de ses inten-

tions de s'embarquer sans tarder et d'appareiller au premier vent favorable, la cérémonie du maté fut expédiée, et c'est en grand cortège que les Français descendirent au port.

Ce port n'était qu'un mauvais mouillage pris entre la grand-terre et une petite île qui servait de prison aux criminels de la province et donc de réservoir de brigands à Pinto. Le lieu manquait de confort et d'agrément, mais comme il se prêtait fort bien aux opérations de contrebande il abritait toujours plusieurs navires. Il y avait ce jour-là, outre quelques barques de pêche, deux hourques de Hollande aussi rondes que des noix et un bâtiment marchand portugais. *Belle Vincente* se balançait, gracieuse, à quelques encablures du marchand.

« Comme elle est belle ! » pensa Jeanne, le cœur chahuté.

Coque fine, mâture élancée, légère et sensible rien qu'à l'œil, la petite frégate était une beauté, avec sa couleur jaune sombre à discrets filets rouges, ses lisses noires brillantes, ses cuivres étincelants, l'élégante ornementation dorée de sa poupe et de sa proue portant figure de femme aux courts cheveux bouclés. A la découvrir aussi belle que son rêve Jeanne avait envie de pleurer. Elle poussa son cheval vers celui du corsaire :

« Comme elle est belle, chevalier, comme elle est belle ! » murmura-t-elle, et ses yeux s'inondèrent.

Vincent eut un grand sourire d'orgueil :

« Attendez de l'avoir vue sous voiles !

– Ce n'est, hélas ! pas un temps pour l'y mettre », nota Siblas, le quartier-maître qui était venu les chercher au rendez-vous.

Le commandant du fort hocha la tête :

« Jé sens beaucoup régret à dire, mais viendrait un bon pampero qué j'étonnerais pas, dit-il dans son français approximatif. La nuit à la mer séra, comme vous dit, le toubohu. »

Puis soudain il réalisa sa bévue, reprit précipitamment en se tournant vers Jeanne :

« Mais lé vent peut sauter. C'est lé temps fréquouant, par ici; sauté tous les sens, maintenant soufflé trop, un pétit moment après tout calmé. Aye pas peur, madame, j'étonnerais pas qu'aujourd'houi il vient pronto calmé. C'est pas saison pour gros pamperos.

– Je n'ai pas peur, j'ai le pied marin, dit Jeanne avec fierté. J'ai été amarinée aussitôt qu'en mer.

– Non ? fit Vincent mezza-voce. Vous aviez décidément tout pour me plaire. Dommage. »

Elle lui lança un coup d'œil flamboyant, mais il regardait maintenant le canot de *Belle Vincente* venir à eux.

« Il ne danse pas vraiment : il ondule, observat-elle. Ce n'est rien que cela. Quand on a vu ce que j'ai vu dans le Pot-au-Noir, et même simplement sous le cap Finistère, on ne va pas se soucier de quelques vaguelettes. »

Le capitaine et son quartier-maître se regardèrent, éclatèrent de rire :

« Je crois qu'en effet nous n'avons pas de souci à nous faire, dit Vincent. Pour nous conseiller nous allons avoir un vieux loup de mer à bord. »

« Mademoiselle, oh ! bonjour, mademoiselle ! » s'écria Mario.

Il venait à elle en boitillant. Le valet de Vincent s'était foulé la cheville en jouant à lacer des chevaux dans la quinta de don José, aussi, malgré ses supplications, son maître l'avait-il réexpédié sur la frégate plutôt que de l'emmener avec lui au secours de Jeanne. Comme c'était bien la première fois que Mario quittait l'ombre de Vincent pendant une affaire d'importance l'équipage s'était moqué de lui et, maintenant, il n'était pas fâché de montrer que lui connaissait déjà, et depuis longtemps, l'héroïne du jour.

« Bonjour, Mario », dit Jeanne, émue de revoir ce témoin de tous ses souvenirs de Vincent.

L'état-major attendait à quelques pas, infiniment curieux.

« Messieurs, dit Vincent, me permettez-vous de remettre les présentations à plus tard ? Mademoiselle ne sera pas fâchée de se reposer un peu et de faire toilette avant que de recevoir vos hommages. Mario, as-tu fait ce que je t'ai demandé ?

– Ato, monsieur ! Est-ce que je peux conduire mademoiselle dans sa chambre ?

– J'irai moi-même », dit Vincent.

Mario s'écarta, déconfit, et alors on vit le maître d'équipage s'avancer vers son capitaine en poussant le Provençal devant lui :

« Faites excuse de vous retenir un instant, monsieur, mais qu'est-ce que je dois faire de çui-ci ?

– Ah ! oui, c'est vrai, fit Vincent en pesant du regard sur le déserteur repenti. Mettez-le aux fers. Trois jours. »

Jeanne ouvrit la bouche, la referma, se mit à trembler légèrement.

« Venez, mademoiselle, dit Vincent, vous devez être fatiguée. »

Il se retourna vers son maître :

« Monsieur le maître..., embouclez-le sur le pont.

– Bien monsieur, dit le maître d'un ton mécontent.

– Venez, répéta Vincent en offrant sa main à Jeanne. Vous tremblez ?

– Chevalier, vous n'allez pas laisser le Provençal aux fers, n'est-ce pas ? chuchota-t-elle d'une voix de prière. Il m'a été de grand secours. Si je ne l'avais pas eu quand les brigands m'ont prise...

– Mademoiselle, n'essayez pas de commander à mon bord : l'équipage n'aimerait pas obéir à un jupon, même s'il est en culotte, coupa Vincent. Et je vous prie de n'aller point porter des confitures à votre ami pour adoucir son pain sec. Si petit châtiment pour une désertion est déjà une injustice. Croyez bien que le puni en est radieux et mon maître fort choqué. Voici votre chambre... C'est la mienne, j'ai plaisir à vous la céder. »

Elle eut un « Oh ! » de ravissement, vit tout de suite le tableau et alla s'immobiliser devant.

La toile, assez grande, représentait une Pomone de fantaisie. La jeune déesse, peinte en buste, occupait presque tout l'espace sur un fond de ciel inachevé. Elle portait un petit chapeau plat de bergère penché sur l'œil et une robe d'indienne à bouquets aussi indiscrète qu'une mousseline, d'autant plus que le peintre en avait fait glisser le décolleté pour découvrir tout un sein et la moitié de l'autre. Une longue mèche blond de seigle, échappée de la coiffure relevée, descendait chatouiller la pointe rose du sein nu. La bergère Pomone avait un immense regard doré sous des sourcils parfaits, un teint de thé clair, un doux sourire clos de tout le visage, et elle offrait une pomme vert et rouge sur sa main droite. Les couleurs du portrait chatoyaient voluptueusement, révélaient le bonheur qu'avait pris le peintre à caresser de son pinceau les charmes de son modèle pour en faire une palpitante beauté, si vivante, si tentante, que pas un homme, assurément, n'aurait refusé de croquer sa pomme ! Dans le coin droit l'œuvre était signée V.L.

Jeanne se plaisait tellement dans cette image que le temps dut paraître très long à Vincent avant qu'elle ne se retournât vers lui :

« Cette toile est signée V.L. La tenez-vous de Carle Van Loo ?

— Je la tiens de sa veuve. Après la mort si brusque de son mari elle a eu besoin d'argent, et moi, j'avais envie d'un Van Loo depuis longtemps. J'aime sa palette : elle est sensuelle et j'aime la peinture qui fait la joie des yeux. Quelques grognons reprochent à

Van Loo d'avoir adoré plaire avant toute chose, mais qui a envie d'accrocher chez soi des femmes laides bien naturelles ou des belles moins belles que leur nature ? »

Jeanne coulissa un nouveau regard vers le portrait :

« Celle-ci... la tenez-vous pour une laide embellie, ou pour une belle enjolivée ?

– Et vous, mademoiselle ?

– Moi, je la trouve... assez ressemblante... à moi.

– Ah ! oui ? Je ne m'en étais pas avisé. Mais puisque vous me le faites remarquer... Ma foi oui, il y a quelque chose. Il y a quelque chose, en effet. Et que dites-vous du reste du décor ?

– Je pense que je vais me faire réveiller toutes les heures pour en mieux profiter, dit-elle en pivotant lentement sur elle-même. Ce serait un crime que de trop dormir dans une chambre aussi jolie. »

La chambre du capitaine de *Belle Vincente* était aussi petite que n'importe quelle chambrette de frégate, mais entièrement recouverte d'une fine boiserie à sculptures légères, peinte en gris de perle rechampi de blanc et rehaussé à l'or. Le plafond, en façon de petits caissons à rosaces, était un trompe-l'œil gris, blanc et or. Un velours de soie frappé, d'un magnifique vert d'émeraude, recouvrait le lit, deux fauteuils, deux tabourets et une petite table centrale. Une armoire à livres et une réduction de bureau à cylindre en acajou moucheté garni de bronzes complétaient le mobilier. Aux murs, en plus de la toile de Van Loo il y avait deux charmants lavis de Boucher – une belle jardinière et une belle villageoise –, et un miroir encadré de rocaille dorée placé entre un cartel et un baromètre. Sur un côté la boiserie cachait un minuscule cabinet de toilette et, de l'autre côté, un placard à vêtements.

« Vous habitez un palais flottant, dit Jeanne, éblouie.

– J'habite ma vie du mieux que je le peux, dit Vincent.

– C'est seulement sur mer que vous êtes heureux, n'est-ce pas ?

– C'est qu'il est plus facile d'être heureux sur mer que partout ailleurs. N'avez-vous pas remarqué, Jeanne... »

Elle tressaillit parce qu'il venait de l'appeler Jeanne – enfin ! – comme lorsqu'il l'avait retrouvée dans le verger. Il remarqua son sursaut, corrigea sa phrase :

« N'avez-vous pas remarqué, mademoiselle, que les hommes – presque chaque homme a deux désirs incompatibles dans le cœur : faire camp pour prendre racine et prendre la route pour se déraciner ? Moi, j'ai fait camp dans l'aventure. Je suis un casanier qui bouge, un casanier de tous les horizons.

– Merci, chevalier, de me céder pour un moment votre beau logis sur la mer. »

Et elle ajouta, y pensant soudain :

« Mais au fait, où vous êtes-vous relogé ?

– A côté, dans la grand-chambre, qui n'est pas vilaine. A présent, ne souhaitez-vous pas vous rafraîchir et vous faire belle pour le souper ? Je sens d'ici mon état-major se ronger d'impatience.

– Me faire belle ? s'exclama Jeanne. Et avec quoi, grand Dieu ?!

– Mademoiselle, vous êtes sur un vaisseau corsaire, et sur un vaisseau corsaire il y a toujours un peu de butin. Tenez, voyez... »

Il ouvrit le placard à vêtements, montra la caisse rangée dans le bas :

« Elle est pleine de chiffons, dit-il. Vous pouvez vous mettre à la mode de Rio Janeiro, qui est charmante pour les dames. Et dans ce coffret... »

Il alla prendre un coffret posé sur le plat du bureau pour le lui mettre entre les mains :

« ... vous trouverez toute une pacotille d'or et d'argent. Je vais vous faire apporter la clef. Demandez à Mario un flot d'eau chaude, demandez-lui tout ce que vous souhaitez, je parie qu'il vous le dénichera. Il brûle d'envie de passer de mon service au vôtre.

— Merci, chevalier, redit-elle dans un amoureux sourire. Je crois vivre un conte de Noël. Chevalier... »

Elle posa le coffret sur la table, s'approcha tout près de lui, qui avait déjà gagné la porte :

« Un soir de Noël, il faut que ce soit Noël pour tout le monde. Vous n'allez pas laisser le Provençal coucher attaché sur le pont, n'est-ce pas ? »

Vincent secoua la tête :

« Une vraie petite mule ! dit-il en riant. Ecoutez, transigeons pour en finir : je lui ferai donner une couverture, mais n'exigez pas que j'aille le border. »

Quand il ouvrit la porte, un joli chat noir sauta dans la chambre d'un seul bond et se rua sur le lit.

« Je vous présente Réglisse, dit Vincent. C'est un présent de la chatte du comte Pazevin, l'armateur marseillais. Vous connaissez le comte, je crois ? »

— C'est un vieil ami de Mme de Bouhey, dit Jeanne, émue, en caressant le chat.

— Tant que j'en suis aux présentations des passagers de poil et de plume... »

Vincent s'avança un peu hors de la chambre, appela trois fois. « Chérimbané, Chérimbané, Chérimbané ! » et reçut sur l'épaule un éblouissant oiseau.

« Chérimbané a fffaim. Quelle heure est-il ? dit le perroquet aussitôt posé.

— Qu'il parle bien et qu'il est beau ! » s'écria Jeanne, émerveillée.

L'ara était vraiment un des plus beaux qui se puissent voir. Le dessus de son dos, ses ailes et sa queue étaient d'un bleu si vif qu'on ne pouvait imaginer un bleu plus bleu que celui-là. Autour du cou et sous le ventre le fin plumage avait le jaune de l'or pur. On l'aurait cru vêtu de drap d'or par-dessous et emmantelé de damas de soie bleu par-dessus.

« C'est un objet d'art plus encore qu'un oiseau, s'extasia Jeanne. Quand il vole dans le soleil on ne doit pas pouvoir se lasser de le contempler.

— Chérimbané, dis bonjour à mademoiselle, commanda Vincent.

— Bonjourrr, dit l'oiseau. Ça va ?

— Ça va très bien ! » dit Jeanne en riant.

Elle tendit son poing au perroquet mais lui s'envola jusqu'au tableau de Van Loo, se percha sur le haut du cadre, pencha la tête et dit :

« Bonjourrr, Chérimbané. Jjjolie, Chérimbané ! Où es-tu, Chérimbané ?

— Il vous sort tout son répertoire : vous lui plaisez, dit Vincent.

— C'est votre Pomone, qui lui plaît, dit Jeanne en regardant Vincent avec acuité. Est-ce vous, chevalier, qui avez enseigné ce perroquet ?

— C'est plutôt Mario, dit brièvement Vincent.

— Ah ! oui ? »

L'oiseau, complaisamment, répéta son couplet à la Pomone.

« Oui, décidément, il aime votre Pomone. Mais pourquoi diable lui donne-t-il son propre nom ? demanda Jeanne, intriguée.

— L'Indienne qui m'a vendu cet ara l'appelait Chérimbané, et son nom lui plaît tant qu'il le répète à tout bout de champ, dit Vincent. Mettez tout ce monde dehors s'il vous ennuie. Je vous envoie Mario. »

Elle demeura seule à observer pensivement l'oiseau au royal plumage. Lui continuait de faire par giclées sa cour monotone à la déesse qui ressemblait à Jeanne.

« Ha ! ha ! je vois que ce coquin vous a déjà trouvée, mademoiselle, dit gaiement Mario en entrant. Voici la clef du petit trésor. Et voilà une seille de bonne eau douce bien chaude. J'ai laissé dans la toilette une partie des brosses, des peignes et des eaux de senteur de Monsieur. S'il vous faut autre chose ? Je vais vous débarrasser du bavard et du matou.

— Non, laissez-les, dit Jeanne. Dites-moi, Mario, est-ce vous qui apprenez des mots au perroquet ?

— Que non, mademoiselle ! Monsieur défend que personne s'en mêle. Il veut que son oiseau parle un beau français de salon.

— Il s'appelle Chérimbané, n'est-ce pas ?

— Oui. C'est un drôle de nom, mais il lui vient de sa maîtresse indienne. Il paraît que ça veut dire : Chose-que-j'aime. »

« Chose-qu'il-aime, je veux que tu sois grisante ! » dit Jeanne au miroir.

Elle en prenait le chemin. Sa toilette brésilienne lui donnait une grâce fluide et nonchalante, et rare aussi, de princesse orientale blonde. Elle avait choisi une robe souple « à la négligé » de simple mousseline blanche, mais merveilleusement ornée de dentelle au fuseau. Le décolleté en large carré était juste assez immodeste pour donner à tout homme l'envie de voir ce qui lui restait caché. Elle ouvrit le coffret... Il contenait un fouillis de ces longues chaînes d'or et d'argent qu'affectionnaient les coquettes de Rio Janeiro. Les chaînes étaient si fines et si légères que Jeanne s'en passa cinq autour du cou, puis une sixième, puis une septième – or et argent mêlés. Alors, parce qu'elle avait vu des rubans dans la caisse aux nippes, elle entreprit de se coiffer à la mode de Pegassou, la charmante Indienne du brigand Julio. Elle partagea sa chevelure en deux par une raie centrale, se tressa deux lourdes nattes, les ramena sur sa poitrine, ceignit son front par le milieu d'un étroit ruban d'or. « Chose-qu'il-aime, je crois qu'ainsi tu n'es pas trop vilaine. Voyons maintenant quelle paire de babouches te sera bonne... »

Les Brésiliennes ayant assurément des petons de poupées, Jeanne dut prendre les seules babouches qui lui allaient, mais elles étaient fort jolies, en cuir bien aminci et lissé, teint en vert, tout rebrodé au fil d'argent. « Un peu de senteur pour finir... » Oh ! le parfum de Vincent ! Sans hâte, elle posa des traînées de fleur d'orange sur ses nattes, derrière ses oreilles et sur ses épaules, dans le sillon entre ses seins, sur ses poignets. Au passage de l'odeur de Vincent toutes les papilles de sa peau se hérissaient de plaisir. Quand elle en eut fini elle flaira ses nattes et ses poignets avec un nez gourmand de chatte, hésita, et puis souleva sa jupe et se caressa le ventre avec le bouchon parfumé, et le creux de ses genoux, et ses deux pieds nus. Elle était rose de pivoine lorsqu'elle se redressa. « Eh bien, dit-elle au miroir, ne faut-il pas que je m'habille les jambes puisque je n'ai pas trouvé de bas dans la caisse ? »

« Bonjourrr, Chérimbané ! Jjjolie, Chérimbané ! Où es-tu, Chérimbané ? s'égosilla le bel ara.

— Mais je suis ici ! dit Jeanne. Je suis arrivée, mon ami. Es-tu sot de continuer à courtiser la copie quand tu as l'original ? Tu es bien un perroquet ! J'espère que ton maître se montrera plus avisé. »

« Quel plaisir, chevalier, que d'être conviée à la table du capitaine, dit-elle en prenant place à la droite de Vincent. J'ai jusqu'ici navigué dans de telles conditions que j'ai vécu de mortier. De mortier et de rapines, comme les matelots !

— Hélas ! mademoiselle, à mon bord le plat du capitaine ressemble terriblement au plat des hommes, dit Vincent.

— Avec quelque chose d'extraordinaire en plus, compléta l'aumônier en souriant. Soyez rassurée, mademoiselle, l'article est dans le Règlement : « Le « plat du capitaine devra suivre le menu de l'équi- « page, mais on y mettra les meilleurs morceaux et

« quelque chose d'extraordinaire en plus. » L'extraordinaire de ce soir sera une jeune gazelle rôtie qui
sentait bien bon sur son bûcher.

– De toute manière, sauf en temps de misère le
mortier de chez nous est plutôt de la soupe de
poissons – l'odeur du pays », dit le chirurgien.

Deux faradins [1] entrèrent. L'un portait une grosse
soupière aux échappées embaumées, l'autre une pile
d'écuelles creuses. Ils posèrent le tout devant leur
capitaine.

« Cela ne roule-t-il pas trop que je vous serve
deux louchées de bouillon ? demanda Vincent.

– Pour moi, monsieur, cela ne roule pas trop, dit
l'aumônier, et tout le monde sourit : la gourmandise
de dom Savié était connue à bord. »

L'aumônier se mit à disserter des mérites aromatiques de la soupe de poissons à la provençale, qu'il
estimait souveraine contre le mal de mer, la paresse
d'estomac, l'indolence d'âme et autres infortunes.
Son discours s'adressait à la jeune dame du Nord.
Jeanne l'écoutait avec sympathie. Avant de la
conduire souper, Vincent lui avait touché quelques
mots de ceux qui partageaient son plat, aussi savait-
elle que ce prémontré avait choisi de quitter son
abbaye de Saint-Martin-du-Frigolet lorsque Vincent
s'était établi sur *Belle Vincente,* afin de voir du pays
en sa bonne compagnie. Si dom Savié était gourmand Dieu ne l'en avait pas puni car, à cinquante
ans bien sonnés, il demeurait sans une once de gras
sur le corps. Grand, sec, osseux et solide, il portait
un visage franc et paisible bien cuit par le soleil,
éclairé par deux yeux gris surplombés d'épais sourcils du même ton. Voyageur ayant su voir, fin
cuisinier amateur, bon musicien, grammairien éru-
dit, l'aumônier de *Belle Vincente* ne détestait pas de
briller sur toutes ses facettes en société, surtout
devant une jolie femme. Mais ce soir il avait de la

1. Mousses ou pages d'un vaisseau provençal.

concurrence : tous les hommes présents s'efforçaient d'attirer le regard de Jeanne.

La compagnie n'était pas vaste. Habituée à l'importance de l'état-major d'un bâtiment du Roi, Jeanne avait été surprise de trouver si peu de monde autour de Vincent. En fait d'officiers-majors il n'avait que son second, M. Aubanel, un ancien de la Compagnie des Indes; le baron de Quissac, un lieutenant de la Royale à la gueule de condottiere attirante zébrée d'une balafre qui lui allait comme une virilité de plus; deux très jeunes enseignes : Daniel Gioberti, un fils de Gênois né à Malte, et un autre à peine plus âgé que lui, fringant et joli garçon, loquace et vaniteux, le chevalier de Brussanne. À sa table Vincent faisait asseoir aussi, comme il le devait, son aumônier et son écrivain – un sieur Tourreau à la mine sérieuse et même un peu chagrine, bref, la mine d'un homme dont la vie se passe à tatillonner des comptes –, mais il y conviait aussi son chirurgien, M. Amable, un Marseillais d'à peine la quarantaine, râblé et rieur, qui environnait ses mots de gestes, avait l'air aussi vif et malin et bavard... qu'un barbier.

Une chaise demeurait vide auprès du chirurgien, devant laquelle un faradin vint déposer une assiettée de soupe. Comme chacun plongeait la cuillère dans son bouillon après avoir écouté le bénédicité, la porte de la grand-chambre s'ouvrit et le maître parut, vêtu sur son trente et un, confus et s'excusant de son retard :

« ... mais j'ai eu à voir avec le calier avant de me mettre au propre, acheva-t-il en demeurant sur le seuil.

– Monsieur le maître, entrez et prenez votre place, dit Vincent. Nous vous excusons volontiers de veiller à la sûreté du navire même à l'heure de souper. Mademoiselle, je vous présente M. Gaspar, mon maître d'équipage. »

Gaspar s'inclina, rose comme une jeune fille et, sa

coiffure à la main, reçut le gracieux bonsoir et un sourire de Jeanne, baissa les yeux et s'assit vite devant son assiette.

Jeanne obligea son regard à quitter Vincent pour se poser sur son bouillon. Mais l'image de Vincent était dans le bouillon, qu'elle se mit à caresser de sa cuillère. Naturellement, le chevalier avait quitté son poncho de cavalier espagnol pour reprendre son identité. D'ordinaire, pour sa vie de tous les jours à bord il s'habillait très simplement de droguet ou de drap de soie noire, mais ce soir, en l'honneur de son invitée, il avait mis un habit de satin saumon superbement brodé en camaïeu de soies. Emperruqué, poudré à frimas, parfumé, un superbe saphir mâle passé au petit doigt de sa main gauche, il était plus élégamment beau que jamais. D'ailleurs, il était toujours plus beau pour Jeanne; la beauté de Vincent croissait au rythme du désir qu'elle avait de lui, atteignait ce soir un apogée douloureux. Comment la violence de son désir n'était-elle pas assez puissante pour faire disparaître tous les personnages inutiles du décor en la laissant seule avec Vincent, seule dans les bras de Vincent? Elle poussa un soupir, comme pour expulser d'elle un peu du tourment d'attendre.

« Vous ne mangez pas, mademoiselle? demanda Vincent.

— Mademoiselle, si vous vous sentez l'estomac pensif il ne faut pas le laisser vide, conseilla le chirurgien Amable.

— Je ne sens rien de cela, monsieur, j'ai l'estomac bien amariné, dit-elle. Simplement je... prenais tout le temps d'admirer cette pièce. La grand-chambre de l'*Etoile des Mers* est bien loin de lui ressembler; elle n'est que la plus grande chambre du navire, voilà tout. Tandis que celle-ci... »

Les parois de la chambre étaient entièrement gainées d'un chef-d'œuvre de marqueterie exécuté dans des bois précieux du Brésil aux tons blonds, bruns, rosés, violines, amarante. Le plafond à caissons, brun sombre, pris dans un bois au grain très serré, se parait de chatoiements veloutés sous les rais du soleil déclinant venus des petites fenêtres. La pièce avait un charme raffiné, tiède, enveloppant.

« Ainsi, vous aimez cette boiserie ? demanda Vincent. Je reconnais qu'elle ferait honneur aux meilleurs ouvriers du faubourg Saint-Antoine. Eh bien, mademoiselle, ce sont des menuisiers noirs qui l'ont faite, l'année où je suis demeuré assez longtemps à Rio Janeiro. Je la montre volontiers aux négriers, pour leur faire voir quels artistes sont peut-être en train de pourrir entassés comme du bétail dans leurs cales et leurs entreponts.

— Je préfère encore votre pensée à votre marqueterie, chevalier », dit Jeanne en posant impulsivement sa main sur la manche de son voisin.

Comme tous les yeux convergeaient vers Jeanne tous les convives notèrent le geste trop tendre, virent les regards de la jeune femme et du capitaine se rencontrer, échanger ce courant de lumière grâce auquel deux amants se pénètrent d'amour en dépit des importuns. « Tiens, tiens, déjà. Bah ! déjà comme d'habitude », pensa dom Savié, ignorant comme tous du passé de Jeanne et de Vincent, mais accoutumé aux succès du corsaire. Le joli chevalier de Brussanne, agacé, se mit à pianoter sur la nappe : c'était toujours la même chose; quand une belle nuit passait entre les deux maltais de *Belle Vincente,* elle n'allait à l'enseigne que si elle ne pouvait pas avoir le capitaine. A quoi servait d'avoir vingt ans et de la naissance ?

La densité de l'instant de silence avertit Jeanne de son imprudence. Elle ôta vivement sa main, chercha une autre phrase à dire :

« Bien peu de chambres du conseil sont aussi réussies, j'imagine ?

— Peu, mais il y en a de magnifiques, dit Vincent. Au fait, nous n'appelons pas la nôtre « chambre du conseil », mais « chambre de musique ».

– Ah ! oui ? Mais pourquoi ?

– Mais d'abord parce que notre commandant n'aime pas les conseils », dit le père Savié.

Tout le monde eut un léger rire.

« Ensuite, parce que nous avons de bons musiciens à bord, ajouta Vincent. Nous avons des fifres et des tambourins, un pipeau, des mandolines, deux bonnes flûtes, le violon du chevalier de Brussanne, et monsieur notre aumônier touche fort bien le clavecin.

– Ma foi, monsieur, pour le clavecin vous me valez bien, dit le père Savié.

– Mon clavecin a un son merveilleux qui fait valoir le toucher, dit modestement le corsaire. Encore que l'air marin me l'ait déjà bien gâté. »

Jeanne faillit parler de sa rencontre avec le petit Mozart qui avait joué sur cet instrument, mais elle se contenta de regarder le clavecin en acajou satiné, très simple et de taille réduite, poussé dans un angle de la chambre. Elle n'avait pas envie de parler – de rien; se laissait étourdir par les bavardages des autres, leur savait gré de ne pas l'interroger sur son enlèvement et sa captivité, sans doute pour lui permettre d'oublier sa peur et ses misères. Les mieux diserts – dom Savié, Vincent, Amable, de Brussanne – l'entouraient de propos futiles et plaisants aussi évanescents que des bulles de savon. Une gaieté légère et galante faisait la ronde autour de la table, aussi – et le bourgogne vieux aidant – Jeanne commençait-elle à se sentir à l'aise, sa fébrilité calmée. Elle se laissait aller à penser « Je l'aime, il m'aime » comme à une certitude, osait poser souvent la caresse dorée de ses yeux sur Vincent, comme si... Comme si, au bout de ce souper enchanteur, allait tout naturellement éclore une nuit enchantée.

Quand parut le dessert – un fromage de Rio Grande, des ananas et une tarte au lait sucré – Vincent eut une exclamation joyeuse :

« J'avais craint, mademoiselle, de vous offrir un

souper aussi triste que notre coq de ces derniers jours. Mais la salade était bien accommodée et voilà, pardieu ! un dessert de fête. Notre coq irait-il mieux ?

– La vue de mademoiselle, et l'honneur qu'il aurait de la servir lui ont remis l'âme à l'endroit, dit M. Tourreau, l'écrivain.

– Votre coq était donc malade ? demanda Jeanne.

– Une langueur, mademoiselle, dit M. Tourreau. Les coqs sont autant sujets aux crises de mélancolie que les nègres ou les matelots embarqués de force. Mais la mélancolie d'un coq est infiniment plus contagieuse que n'importe quelle autre !

– Lérins se sentait mal aimé, expliqua mieux Vincent. Nous avons dû filer très vite de Santa Catarina pour échapper à un marchand de boulets portugais [1] qui ne nous voulait pas de bien. Dans cet appareillage précipité on a oublié de prier le coq de bien vouloir quitter ses fourneaux pour venir donner la main au cabestan – c'est une tradition, le saviez-vous ? – et le coq s'est vexé. Il nous a fait une langueur, que ni les excuses du maître, ni mes explications, ni plusieurs bons coups d'eau-de-vie n'ont pu consoler. Il nous a fallu endurer notre compte de soupes à la grimace.

– Dieu soit loué, mademoiselle, vous l'avez miraculé, dit le père Savié. Demeurez-vous longtemps à bord : une bonne table est un petit aperçu du paradis; elle donne de l'humanité à un acte bestial. »

Etait-ce l'excès de son désir de Vincent ou un doigt de vieux bourgogne en trop qui avait achevé de griser Jeanne ? Sa réplique à l'aumônier s'échappa d'elle sur un ton de confidence amoureuse :

« Je crois, mon père, que je pourrais demeurer toujours à bord d'un si beau vaisseau. Il est vrai que c'est un vaisseau corsaire et que le mot « corsaire » fait rêver.

1. Vaisseau de guerre.

– Oui, surtout les dames, glissa le père Savié, onctueusement.

– C'est que les femmes sont habituellement privées d'aventures, dit Jeanne. Et l'aventure se rêve mieux sur un corsaire que sur un marchand d'épices ou de boulets. Il me semble qu'à vivre sur un corsaire on doit toujours se sentir en route pour l'Eldorado ?

– Mais on n'y arrive jamais ! s'exclama Vincent. L'Eldorado n'existe pas pour un marin, parce que l'Eldorado est toujours au bout du monde et que, pour un marin, le monde est rond.

– Eh bien, soit, dit-elle en lui ouvrant tout grand son regard, soit, chevalier : l'Eldorado n'existe pas. Il n'en est peut-être pas moins bon de vivre sur le chemin qui y conduit sans fin ?

– Monsieur, vous voilà pris, dit le père Savié à Vincent. La philosophie de mademoiselle me paraît plus philosophe encore que la vôtre. Un proverbe espagnol dit aussi : Ne t'inquiète pas de savoir si le paradis existe ou non; va sur le chemin qui y mène, car c'est lui-même le paradis. »

Ils se mirent à discuter du Paradis et des paradis. L'approche du crépuscule commençait d'effacer le décor de la grand-chambre, donnait à leur fin de souper une ombreuse intimité de veillée familiale. En même temps, le balancé du navire rappelait à Jeanne qu'elle venait à nouveau d'entrer dans une minuscule île humaine perdue entre ciel et mer. Le passé d'où elle venait avait déjà pris la couleur délavée, irréelle, d'un pays enfoui derrière mille lieues d'eau – même son passé le plus proche avec les brigands. S'y rendre par la pensée était un voyage fatigant, dépourvu de tout intérêt; son présent clos entre tous ces hommes pleins d'attentions avait un goût délicieux d'asile capitonné, elle se sentait aussi précieuse qu'une statuette de Sèvres. Après des mois de rude vie de garçon, l'impression ne manquait pas d'agrément.

Sur le pont, en dépit de la mer toujours un peu agitée, la soirée devait aller à l'unisson, heureuse. De la grand-chambre on entendait très bien les chants, les cris, les rires de l'équipage, un martèlement de pas cadencés par les appels des tambourins et les trémolos des mandolines.

« Les hommes me semblent plus bruyants qu'à l'accoutumée, remarqua Vincent. Fêtent-ils quelque chose de particulier ?

— Oui, monsieur : votre retour, dit le maître. Ils n'aiment pas vous sentir loin quand ils sont sous le feu d'une batterie de canons.

— Canons espagnols, canons amis, dit Vincent.

— Oh ! monsieur, l'amitié des amis d'un corsaire tourne si vite ! » dit le maître.

Vincent sourit en même temps que les autres, puis :

« N'empêche : les hommes fêtent mon retour, cela vaut quelque chose, dit-il. Monsieur le maître, faites-leur donner un coup d'alcool. »

La voix de Jeanne s'éleva, tout sucre :

« Monsieur le maître, les punis ont-ils droit au bon coup offert par le capitaine ?

— Saprée têtue ! chuchota Vincent en se penchant vers Jeanne, tandis que le maître, tout fier d'être apostrophé par la jolie dame, répondait avec galanterie :

« Mademoiselle, si vous le demandez pour eux, c'est sûr qu'on devrait peut-être leur faire un passe-droit en votre nom... si notre commandant le permet.

— Monsieur le maître, je le demande, dit Jeanne, et j'en prie votre commandant.

— Et moi, je le permets, soupira Vincent. Hé ! que puis-je faire d'autre ? C'est égal, maître, ne venez plus jamais me refuser un passe-droit à moi : je vous rappellerai celui-ci !

— Une dame à bord est le commencement du désordre, c'est-à-dire le charmant prétexte d'un moment délicieux à vivre », dit le père Savié.

Ils se levèrent de table pour sortir voir danser et

trinquer les hommes. Précipitamment, le chevalier de Brussanne vint offrir son bras à Jeanne :

« Combien je regrette, mademoiselle, de n'être point puni ce soir, pour vous devoir un adoucissement de mon châtiment ! s'écria-t-il avec une fougue juvénile.

– Mon frère, voulez-vous que je vous mette aux arrêts pour avoir bousculé votre capitaine afin de lui ôter mademoiselle du bras ? demanda Vincent, qu'il venait en effet d'étourdiment séparer de sa voisine.

– Pardon, monsieur, je n'avais pas remarqué, dit le petit de Brussanne avec mauvaise humeur. Il fait déjà sombre, ici. »

Le chirurgien Amable rattrapa l'enseigne et chuchota, désignant du menton le beau couple qui s'éloignait :

« Voyons, chevalier, faut-il s'entêter contre l'inévitable quand l'inévitable est aussi flagrant ? Je dis toujours à mes futurs morts de mauvaise volonté : Croyez-moi, ne luttez plus; mourez, c'est le plus simple. »

La nuit tomba, venteuse mais claire. La mer roulait sans méchanceté. La garde était assise. Le noir et le silence régnaient dans le navire. Seul un petit groupe de cinq personnes demeurait à parler à mi-voix sur le gaillard. Vincent s'entretenait avec son second et le maître. Jeanne s'était éloignée d'eux avec le père Savié, qui lui faisait compagnie. Un porte-falot immobile se tenait à quelques pas des officiers. Mario, une autre lanterne à la main, attendait Jeanne.

« J'aime ce silence d'après le couvre-feu, dit Jeanne tout bas au prémontré. Parce qu'on n'entend plus vivre les hommes on entend vivre tout le reste : le bois du navire, les haubans, la mer, et même les étoiles, la lune, les nuages...

– Et Dieu », dit le père Savié.

Jeanne ne répondit pas. Une étoile filante jaillit d'un coin du ciel, s'évanouit avant de toucher l'eau.

« Une âme entre en paradis », dit le père. Et il ajouta, d'une voix un peu narquoise :

« Vous êtes une femme savante, une botaniste. Vous ne croyez pas aux vieux dictons, bien sûr ?

– Je crois aux étoiles filantes : j'ai fait un vœu. Pour bien d'autres choses, je ne sais pas. Je ne sais plus à quoi je crois, mon père, dit-elle avec franchise. Dieu m'est aussi lointain qu'un inconnu, et pourtant les choses saintes m'impressionnent : l'odeur de l'encens dans une église, un petit cimetière blotti au pied de sa chapelle, un serment fait sur un crucifix... D'ailleurs tout m'impressionne, en dépit de ma raison, mais le clair-obscur d'une belle forêt autant que la pénombre gothique d'une cathédrale.

– Vous êtes de votre temps, ma chère enfant : à la fois sceptique et romantique, impie et superstitieuse, doutant devant l'hostie et pâlissant devant une médaille brisée.

– En résumé, je suis une grande sotte ?

– Une grande distraite. Mais vous avez l'âge de la distraction. L'heure de la réflexion vous viendra – elle vient toujours. »

Après un silence, Jeanne dit, pensivement :

« Il est vrai qu'à de certaines heures on se sent tout près de croire... à tout. De croire.

– Ce soir, peut-être ? »

L'aumônier avait adopté un ton chuchoté de confessionnal, et elle répondit de même :

« Ce soir, par exemple. »

Le père eut un rire silencieux, contempla un instant le beau profil d'ombre découpé dans l'ombre moins dense de la nuit, dit paisiblement :

« Ma chère enfant, rien n'est plus proche de l'amour de Dieu que l'amour d'un homme. »

Il la vit tressaillir, se resserrer dans la grande mantille de laine blanche dont Mario lui avait couvert les épaules.

« Mais mon père, murmura-t-elle enfin, qui vous fait croire que je suis amoureuse ?

— Moi aussi, à certains moments, j'entends des choses inaudibles », dit le père.

Une série de craquements les fit se retourner tous les deux vers les officiers. Le chevalier venait à eux. Les deux autres, précédés du porte-falot, se dirigeaient vers leurs chambrettes, saluant la dame et l'aumônier au passage.

« Il est temps de nous dire bonsoir, dit le père Savié en pressant les mains de Jeanne. Je dois profiter du falot pour rentrer. Il n'est pas bon de trop faire se promener le feu.

— Bonsoir, monsieur l'aumônier, dit Vincent. Priez pour que demain matin nous n'ayons plus le vent debout mais une jolie brise de bon sens.

— Bonsoir, mon père, dit Jeanne.

— Bonsoir, monsieur, dit le père Savié. Je ferai ce que je puis pour votre vent, ne serait-ce que par pitié pour les pauvres derrières de nos faradins [1]. Bonsoir, mon enfant, dormez bien. »

Le père reçut un éclat du regard doré de Jeanne, que Mario avait fait briller en levant sa lanterne :

« Bonsoir, mon enfant, répéta-t-il. Dieu soit avec vous. »

« Comme vous voyez mademoiselle, je vous ai ôté le matou et le bavard, et je vous ai allumé une lampe. Mais là, pour la lampe, va falloir que je vous explique...

— Mario, coupa Vincent, mademoiselle a déjà longuement navigué : elle connaît les consignes.

— Osco ! osco ! fit gaiement Mario. Mais il y a une consigne que mademoiselle ignore encore, et c'est celle que j'ai de vous apporter deux doigts de porto

1. On fouettait un mousse pour avoir la bonne brise, en lui orientant le derrière du côté du vent demandé. En même temps, il fallait que le mousse appelât le vent « de bon cœur » !

d'orange quand vous vous retirez pour la nuit. J'ai pensé que mademoiselle serait contente de goûter à cette médecine-là parce que, pour sûr, elle n'a jamais eu de ce parfum de Malte sur la langue. Alors j'ai mis le flacon ici avec deux verres et... »

Agacé, Vincent interrompit de nouveau son valet :

« Mario, il n'est pas évident que tout le monde ait envie de goûter à ta liqueur de ménage. Cesse d'importuner mademoiselle et va préparer mon lit.

– Monsieur, votre lit est prêt depuis belle lurette, dit Mario d'un ton offensé, et vous me vexez fort en traitant tout soudain de liqueur de ménage un porto d'orange dont tous vos hôtes à bord m'ont complimenté, dont monsieur le prince de Conti a voulu un flacon d'après le cas que vous en faites à l'ordinaire, et que Sa Majesté le Roi a désiré goûter d'après les louanges du prince.

– Dieu ! quel couplet ! Tais-toi ! dit Vincent avec irritation.

– Mais chevalier, intervint Jeanne, c'est aussi que vous avez répondu pour moi tandis que moi... j'aimerais bien essayer un peu de ce porto maltais. Mario, voulez-vous m'en servir ?

– Ah ! sentez-le d'abord, mademoiselle ! dit Mario rasséréné en lui passant le flacon ouvert sous le nez.

– Mummm..., fit Jeanne, complaisamment. Mario, rien qu'au parfum je demande la recette !

– Goûtez, mademoiselle, goûtez, dit Mario épanoui. Laissez un peu la gorgée sur le creux de la langue... Hé ?

– Bonsoir, mademoiselle, dit brusquement Vincent en saisissant la lanterne que Mario avait posée. Je prendrai demain votre avis sur cette liqueur. »

Il se détourna, marcha vers la porte.

« Mario, plus un mot et partez ! » dit tout bas Jeanne, et tout haut, elle appela vivement : « Chevalier ! » et haussa son verre quand il la regarda :

« Chevalier, vous-même n'avez pas pris votre médecine. Je ne veux pas être cause que vous changiez trop de vos habitudes. Faites-moi le plaisir de boire avec moi. »

Elle vit Mario s'esquiver sans bruit, Vincent hésiter au seuil de la porte. Il affichait un visage fermé. Elle versa un peu de porto d'orange dans le second verre, le lui tendit avec un sourire de sirène :

« Voyons, chevalier, dit-elle de sa belle voix profonde, puisque vous avez décidé de ne plus m'aimer, il me paraît superflu qu'en plus vous soyez distant. »

Il referma la porte, prit le verre :

« Soit, dit-il. Buvons à notre amitié.

— Non, chevalier.

— Non ? Pourquoi ?

— Parce qu'on ne boit pas à une chose triste.

— Alors, à quoi voulez-vous que nous buvions ?

— A ma joie de cet instant. »

Ils burent une gorgée, posèrent leurs verres sur la table. Leurs regards se prirent. Le silence, entre eux, vibrait comme une corde trop tendue et cela dura jusqu'à ce que, lentement, le regard de Jeanne se fermât sous celui de Vincent, ne lui laissant à caresser que les longues paupières closes.

Elle ne savait plus ni ce qu'elle espérait ni ce qu'elle craignait, elle ne savait même plus si elle espérait ou si elle craignait. Le temps s'était suspendu et toute pensée claire abolie en elle. D'insaisissables charpies de souvenirs lui glissaient sous le front. Il lui semblait bien qu'autrefois – il y avait longtemps, longtemps –, elle avait élaboré d'infaillibles stratégies pour mettre cet homme à ses pieds malgré lui, pour l'obliger à l'aimer encore avec ses bras, sa voix, ses lèvres... Et voilà qu'arrivée à l'heure du combat elle ne pouvait plus qu'attendre, paralysée autour de son cœur énorme qui répétait « Je t'aime, je t'aime, je t'aime... » avec une monotone patience de cœur en prière.

Lui la contemplait toujours sans mot dire. Elle s'était accoudée à la galerie du bureau et se trouvait ainsi presque sous la toile de Van Loo, un peu sur sa

267

gauche. Il se disait que le peintre, en dépit de sa très visible émotion sensuelle, n'avait pas eu le temps de rendre une pleine justice à son modèle. Il manquait bien des détails importants à la Jeanne du tableau : le bistre clair qui fardait naturellement les paupières abaissées, quelques minuscules pétillements d'or que la lumière basse de la lampe mettait au bout des cils, le frémissement de la bouche prête à s'entrouvrir, la palpitation blanche de la mousseline soulevée par un cœur galopant, le gracieux désir d'abandon du corps appuyé au meuble d'acajou...

« Dénouez vos cheveux », dit soudain Vincent d'une voix sourde.

Elle rouvrit les yeux :

« Pardon ?

– Otez votre ruban de princesse indienne et défaites vos nattes. Je vous en prie. »

Docile, elle porta ses mains à son ruban... Ses tresses dénouées, elle tenta d'aplatir ses cheveux avec ses doigts, fit signe à Vincent d'attendre un instant, alla prendre une brosse sur la toilette, lissa soigneusement sa chevelure et revint se poser sous la Pomone, rosie et les yeux baissés.

Un sourire d'immense tendresse vint à Vincent, qu'elle ne vit pas :

« Veici la fadeto, murmura-t-il, ma fadeto di péu bloundo[1]. Je vous préfère ainsi, Jeanne, avec les cheveux de vos quinze ans. »

Emerveillée d'espérance, elle leva les yeux. En trois enjambées, il vint à elle, souleva la nappe de cheveux pour la lui rejeter toute dans le dos, à l'exception d'une mèche qu'il lui installa sur la poitrine en jetant un coup d'œil sur le portrait de Van Loo. Puisqu'il jouait, elle retrouva la parole :

« Je savais que vous aviez cette toile, dit-elle.

– Vraiment ? Comment est-ce possible ?

– C'est le père du petit Mozart qui me l'a dit. Son

1. Voici la fée, ma fée aux cheveux blonds.

fils est venu jouer au palais du Temple, je lui ai vendu des cornets de pastilles pour le rhume... et voilà. C'est M. Mozart père qui m'a parlé du portrait, mais c'est l'enfant qui m'avait reconnue.

— Cet enfant Mozart est d'une sensibilité exquise, dit Vincent. Que Dieu lui prête vie et il nous donnera de bonne musique. Avez-vous longuement posé pour Van Loo ? ajouta-t-il en jetant un nouveau coup d'œil au tableau.

— Je n'ai pas posé du tout : Mme Catherine a bien dû vous le dire ? Son mari m'a croquée pendant tout un dimanche que nous passions à Belleville, dans la campagne de Mme Favart. La toile, il l'a faite sans moi. Cela se voit, de reste; la peinture ne me ressemble pas au mieux en tout point.

— J'y remarque aussi des différences, dit Vincent, dont l'œil faisait la navette du modèle au portrait. L'ombre de la paupière, le ton des sourcils, le...

— Oh ! la figure ne va pas si mal, coupa Jeanne étourdiment. C'est plutôt pour ce que le peintre n'a pas vu du tout... »

Elle s'arrêta net, s'empourpra jusqu'aux cheveux.

« Ah ? fit Vincent d'un ton neutre, ses lèvres retenant un rire. Expliquez-vous. Expliquez-moi, répéta-t-il en lui relevant le visage à deux mains douces.

— Oh ! c'est... c'est... Ce ne sont que quelques détails, qui sont... Enfin, vous le savez, un peintre peint ce qu'il aime, et là... »

Elle cillait sans fin, tentant d'échapper au regard brun moqueur qui semblait prendre un plaisir extrême à la voir bafouiller.

« Là, certains détails sont vraiment un peu trop gros et un peu trop roses, dit-elle tout bas d'un trait en fermant pour de bon ses paupières.

— Ah ! oui ? Me permettez-vous de donner mon avis ? »

Il passa ses mains dans le dos de Jeanne et se mit à dégrafer sa robe. Elle ne bougea pas plus qu'une grande poupée. Il la dégrafa jusqu'à la taille, posément, ramena ses mains sur les épaules à demi nues et commença d'abaisser le corsage...

« Prenez garde ! balbutia-t-elle en retenant la mousseline.

– Garde à quoi ? Cela mord ?

– Je n'ai pas de chemise ! »

Il rit, et elle dit précipitamment :

« C'est vrai, chevalier, je n'ai pas de chemise ! Dans votre caisse, il y avait des robes, des mantilles, des sauts-de-lit, des rubans, des babouches et même des éventails, mais pas un seul jupon, pas une paire de bas, pas une chemise ! Alors c'est vrai, chevalier, prenez garde, je n'ai pas de chemise, je vous le jure !

– J'ai fort bien compris cela, ma chérie. Mais pourquoi diable pensez-vous que j'aie peur d'une femme sans chemise ?

– Oh ! » fit-elle, et elle demeura à le regarder immensément pendant que la mousseline lui glissait du corps comme un rapide frisson blanc. Quand la robe fut à ses pieds, elle s'appuya du front à l'épaule de Vincent. D'une main, il empoigna sa chevelure pour lui tirer doucement la tête en arrière, lui mit un bécot léger sur les lèvres et posa sa bouche sur le cou déployé... Sans hâte, il lui couvrit le cou de traînées de baisers, les épaules, les seins..., se laissa tomber genou en terre et lui baisa chastement le ventre. Il s'appliquait à ne pas laisser un seul coin de peau jaloux d'un autre, sentait sa bouche devenir avide et brûlante. Elle, les yeux clos, tressaillait comme feuille de mimosa caressée. Elle finit par trembler si fort et si continûment qu'il entendait s'entrechoquer ses dents. Il se releva, la serra contre lui :

« Tu trembles tant, dit-il dans ses cheveux. Est-ce le froid ?

– Non... on, chevrota-t-elle.

– Est-ce de peur ?

– Non... on.

– Est-ce d'amour ?

270

– Ouiii... »

Il la souleva dans ses bras, écarta la robe blanche
du pied et alla déposer Jeanne sur le velours du lit,
regarda le beau corps blond ambré chatoyer sur le
chatoiement de la soie verte :

« Ma jolie fleur, dit-il tout bas. Ma douce fleur.
Ma fleur de la passion... »

14

L'EAU, jetée à grandes seilles, claquait sur les ponts.
Vincent rejeta couverture et drap, découvrit leurs
deux corps brun et blond allongés peau à peau dans
une odeur tiède. Avec douceur il commença à se
dégager de Jeanne endormie – le plus difficile était
de ne pas lui tirer les cheveux...

« Non ! protesta-t-elle, et elle l'enlaça de ses
jambes et de ses bras.

– Oh ! mais si ! dit Vincent en lui détachant les
bras. La prière va sonner.

– Eh bien, si tu as trois sols d'amende pour l'avoir
manquée, je te les rembourserai, dit-elle en se raccro-
chant.

– Bah ! fit Vincent, après tout, tu vaux bien trois
sols, surtout si c'est toi qui les donnes ! »

Il se retourna brusquement et la coucha sous lui,
lui débarbouilla le visage de ses cheveux emmêlés.

« Je t'aime », dit-elle.

Elle plongea ses deux mains dans l'épaisse toison
de bélier noir du corsaire, y fourragea avec adora-
tion :

« Je veux un fils avec tes boucles, avec toutes tes
boucles, pas une de moins ! »

...Sur le gaillard, au-dessus d'eux, du pied du mât
d'artimon s'éleva la voix du père Savié qui, au bout
des infinies litanies bourdonnées par l'équipage,
entamait la dernière longue prière en français :

« Nous vous remercions, Grand Dieu, et vous aussi Sainte Vierge, et nos Anges gardiens, de nous avoir conservés cette nuit. Si nous vous avons offensé en quelque chose nous vous en demandons très humblement pardon... »

La bouche de Vincent avala un dernier gémissement sur les lèvres de Jeanne, il s'arracha d'elle, se jeta dans sa chemise et sa culotte, enfila bas et souliers, se peigna d'un coup de ses dix doigts et sortit. Jeanne enfouit un soupir de chatte repue dans l'oreiller de Vincent, mâchonna un coin de volant particulièrement imprégné de fleur d'orange. « Nous vous supplions de nous donner bon voyage, et que nous puissions bien faire notre négoce... », continuait dehors la voix du père Savié. Elle leva ses deux bras nus, s'étira, sourit aux rosaces du plafond : « J'ai un amant ! » dit-elle tout haut, du même ton que si l'amour lui arrivait pour la première fois – et c'était vrai que l'amour païen lui arrivait pour la première fois. Elle sauta du lit et courut au miroir avec l'envie folle, joyeuse, de découvrir sur son corps les traces du corps de Vincent...

La belle statue couleur d'ambre pâle parut dans le miroir, haute, mince, pleine d'une grâce à la fois robuste et flexible, colorée au bas du ventre par une mousse d'or bruni, le visage, le cou, les épaules, les seins habillés d'un désordre de mèches soyeuses. Elle empoigna sa chevelure pour la tirer en arrière comme l'avait fait Vincent, avança la main pour toucher son reflet, lui demanda tout bas dans un petit sourire mi-anxieux mi-confiant : « Est-ce que je te plais, mon chevalier ? Est-ce que je te plais, mon amour ? » Sur le gaillard la voix du père Savié s'enfla pour dire : « Donnez-nous-en la grâce, par les mérites de votre Fils. Amen. » Il y eut un coup de sifflet et, presque tout de suite après, on gratta à la porte.

« Un instant ! » cria Jeanne en se précipitant à la recherche d'un vêtement.

Elle passa le premier déshabillé de coton blanc qu'elle attrapa dans la caisse aux nippes brésiliennes, alla ouvrir la porte en se cachant derrière :

« Oh ! c'est vous, Mario. Entrez...

– J'ai pensé que vous auriez sûrement besoin de moi, dit-il avec espérance, la regardant de façon telle qu'il la fit rougir. Le coq aura bientôt fait le café de ces messieurs. Mais si vous me demandez du chocolat, j'en...

– Non, non, coupa-t-elle, le café me va bien. N'allons-nous pas appareiller ?

– Las, mademoiselle, c'est pas fait ! C'est vent debout, vent debout sans fin, qu'on en est à se demander qui n'a pas payé sa putain ! Dites, en attendant l'heure que j'aille au café, vous ne voulez pas que je vous coiffe ?

– Me coiffer ? fit Jeanne interdite et passant machinalement la main dans ses cheveux embrouillés.

– Je suis un bon coiffeur, mademoiselle, vous pouvez demander à monsieur. Et j'adore coiffer les cheveux des dames, et je peux dire qu'elles sont toujours contentes de mes services. »

Jeanne fronça les sourcils, demanda vivement :

« Il y a donc souvent des dames à coiffer à bord ? »

Mario eut un sourire penaud :

« Bon, j'ai lâché une bêtise ?

– Oui, dit Jeanne. Et pour vous en punir vous allez répondre à ma question : Y a-t-il souvent une dame à coiffer dans la chambre du capitaine ? »

Mario prit un air navré :

« Bon, mademoiselle, si je vous disais qu'il y en a jamais eu avant vous, vous me croiriez pas ?

– Non.

– Alors autant que je vous dise la vérité, que nous n'alliez pas tirer de la peine pour rien : des dames, y en a eu, mais depuis quelque cinq ans que vous nous avez fait faux bond un matin, c'est comme si y en

273

avait pas eu. Qu'elles soient belles comme moins belles on les jetait par-dessus bord au bout de peu, et on retournait soupirer sur un bout de ruban ou, plus tard, quand on l'a eu, devant votre portrait.

– C'est vrai, Mario ? Vraiment vrai ?

– Mademoiselle, croix de bois croix de fer, que si je mens j'aille en enfer ! Je crache pas sur le tapis, mais considérez que c'est fait et que mon jurement vaut. Depuis cinq ans, mademoiselle, on ne s'est jamais embarqué sans notre chagrin d'amour et on l'a traîné partout. Même que je ne m'en suis pas toujours trouvé bien, vu que la mauvaise humeur d'un maître ne s'essuie jamais mieux nulle part que sur le dos de son valet !

– Pauvre Mario, dit Jeanne d'une voix ravie. Vous êtes un gentil valet. Vous me coiffez ? »

Le cabinet-placard de commodité était si exigu qu'il fallait en laisser la porte ouverte pour s'asseoir devant la toilette d'acajou. Mario installa Jeanne dans un fauteuil, saisit la brosse à monture d'argent, versa dessus quelques gouttes d'eau de Cologne et se mit à lisser la longue chevelure d'une main habile.

« Mario, parlez-moi du chevalier. Quel âge avait-il quand vous vous êtes embarqué mousse avec lui ?

– Il devait avoir ses dix-huit ans, puisque moi j'en avais huit et qu'il y a dix ans entre nous. Aujourd'hui que j'en ai vingt-cinq, ça fait dix-sept ans que je navigue avec lui. »

Il acheva d'un ton de rancune :

« Sur mer ou sur terre je ne l'avais jamais quitté de tout un jour avant qu'il parte sans moi pour vous reprendre aux brigands de Pinto.

– Mais c'est à cause de votre pied foulé, Mario. Vous ne pouviez qu'à peine tirer la jambe. Il a eu peur pour vous. Mario, regardez-moi... »

Il leva ses yeux pour rencontrer ceux de Jeanne dans le miroir rond de la toilette. Elle lui souriait gentiment :

« Mario, vous n'allez pas être jaloux de moi ? »

Les lèvres du beau valet de Vincent se détendirent :

« Aïe ! mademoiselle, va bien falloir que je m'accoutume à vous ? dit-il en riant. Nous voilà trois, vaille que vaille il faudra nous entendre à trois. Et tenez, mademoiselle, pour vous prouver que j'y mets du mien de bon cœur... »

Il fouillait sa poche de veste :

« Je n'ai jamais voulu livrer à personne la recette de mon porto d'orange, et la voici : je l'ai écrite pour vous. Voyez comme j'écris le français, et qu'à m'enseigner monsieur n'a pas tiré sa peine pour rien.

— Voyons », dit Jeanne.

Elle prit le feuillet, commença de lire haut :

« Ayez-vous six belles oranges de Malte, une poignée de raisins secs de Malaga, une demi-pinte de bonne eau-de-vie blanche, deux pintes du meilleur vin blanc, du sucre bien pur et du soleil. Levez les zestes des oranges... »

Jeanne s'interrompit, dit du coq-à-l'âne :

« Mario, quand le chevalier avait dix-huit ans, se ressemblait-il déjà ?

— Est-ce que vous me demandez s'il était déjà beau ? Càspi si ! Chaque fois qu'il revenait visiter notre bon curé de Cotignac, à son départ l'abbé Puget devait confesser la moitié des femmes et des filles du village : elles avaient toutes péché, fût-ce qu'à penser ! Je me souviens encore du premier matin où je l'ai vu...

— Racontez, Mario.

— J'avais six ans. J'étais de semaine de balai à la petite école de la cure. L'abbé Puget est entré dans l'école avec un grand jeune homme brun, le plus beau que j'avais jamais vu. Son sourire tout blanc vous éclatait dans le cœur. Il avait des cheveux taillés court de galérien et malgré ça l'air d'un prince, d'un prince maure... »

Jeanne, le cœur pincé, écoutait Mario lui parler de Vincent avec des mots d'amante. Elle imaginait les gestes du valet autour du maître, tels que Pauline de

Vaux-Jailloux, avec sa nonchalante ironie, les lui avait décrits : Mario repassant amoureusement les chemises de Vincent, tuyautant ses jabots et plissant ses manchettes, usant toute sa salive à lui lustrer ses bottes; Mario préparant le bain, savonnant le corps de Vincent, l'essuyant, le frictionnant, le parfumant, le coiffant, le poudrant, lui passant sa chemise et son habit, lui offrant son épée... « Une maîtresse possède-t-elle jamais un homme autant que son valet le possède ? » se demandait-elle, et elle se sentait mille fois en droit d'être plus jalouse de Mario que Mario ne pouvait l'être d'elle. Dix-sept ans ! Mario vivait dans l'intimité de Vincent depuis dix-sept ans ! A se répéter cela elle se sentait encore désespérément étrangère au chevalier. Jalouse à griffer, pour reprendre le maître au valet elle s'évoqua nue et ouverte sous le poids de Vincent, abaissa les paupières pour jouir jusqu'aux os de la primauté de sa chair femelle :

« Mario, ne serait-il pas temps d'aller me chercher du café ? » demanda-t-elle d'un ton de souveraine en rouvrant ses yeux.

Elle avait à peine formulé son ordre que la porte s'ouvrit :

« Ma chère, si vous permettez à ce garçon le bonheur de vous coiffer, vous en aurez chaque matin et chaque soir pour une heure, dit Vincent en entrant. Mario, mademoiselle est parfaite, pose ce peigne et va nous chercher du café. Du café, du biscuit et des confitures.

— Il y a du pain frais, dit Mario. Le coq a fait pétrir en pensant au déjeuner de mademoiselle. Monsieur, est-ce que je vous raserai dans la grand-chambre. Il fait lourd en dépit du vent, aussi je vous ai préparé un habit de droguet léger et...

— Ce matin, je mettrai mon uniforme », coupa Vincent.

Mario afficha un air hautement surpris, voulut parler, mais son maître le prévint :

« Perds quelquefois l'habitude de me réclamer raison de tout : tu sauras celle-ci bientôt. Va nous chercher du café. »

Le valet eut à peine tourné les talons que Jeanne se jeta contre la poitrine de Vincent :

« Mon chevalier, m'aimes-tu toujours autant que tout à l'heure ? Si tu m'aimes seulement une demi-once de moins, je meurs !

– Vis, Jeannette. Je te ferai bon poids. »

Il lui baisa la tempe à la racine des cheveux, la repoussa à bout de bras :

« Trouveras-tu encore, dans ta caisse de mode, de quoi te faire aussi belle qu'hier au soir, quoique plus chastement ?

– Si tu te contentes d'une chasteté sans chemise...

– C'est l'apparence qui m'importe.

– Jaloux ?

– Prudent. J'ai soixante-dix hommes à bord. Je te demande d'avoir le sein timide.

– Tu seras content de moi ce matin. Je veux me remettre en garçon pour aller visiter *Belle Vincente* de la poupe à la proue.

– Non.

– Non ? Tu ne veux pas me faire les honneurs de ta frégate ?

– Je ne veux pas que tu te mettes en garçon.

– Pourquoi ? La culotte me va à ravir.

– Oui. Mais le père Savié n'aimerait pas me voir épouser une culotte. Et moi aussi, je préfère épouser un jupon. »

Les yeux de Jeanne s'ouvrirent démesurément :

« Chevalier, je ne... Chevalier, vous ne voulez pas dire... ? Chevalier, qu'est-ce que vous avez dit ?

– J'ai dit : Fais-toi très belle parce que je veux que ma mariée soit très belle. La beauté d'une femme est la seule excuse de la folie d'un homme. »

Elle demeurait tout apeurée devant Vincent, sans plus oser le toucher, finit par dire d'une toute petite voix incrédule :

« Chevalier, vous n'êtes pas en train de me dire que vous allez m'épouser ? M'épouser ce matin ? Vous jouez, n'est-ce pas ? »

Il lui prit le menton, fouilla son visage :

« Regarde-moi mieux... Mieux ! Cette nuit, Jeanne, jouais-tu ?

— Non, oh ! non !

— Alors je t'épouse. Ce matin convient à merveille : le vent nous tient prisonniers sur place, il faut bien faire quelque chose. »

Elle fit un gros effort pour reprendre la parole : la salive avait séché dans sa bouche :

« Vous savez bien que vous ne pouvez pas m'épouser, dit-elle très bas. Vous êtes chevalier et je ne suis rien. Je suis la fille d'un couvreur bourguignon et d'une paysanne.

— Et moi, je suis le fils de personne et d'une inconnue, dit-il d'une voix calme. Entre, Mario », ajouta-t-il en réponse à un grattement venu de la porte.

Mario entra, s'affaira autour de la table, le bavardage au bec :

« Le café... le lait... le sucre... les confitures... le pain frais — sentez-moi ce pain ! Il restait de la tarte au lait, je l'ai mise pour mademoiselle. Et pour monsieur, j'ai pensé qu'un peu de jambon et de fromage de Rio...

— Mario, coupa Vincent, pense en silence, fais vite et va m'attendre dans la grand-chambre. Je veux un uniforme sans un grain de poussière et des bottes au miroir. File ! »

L'intermède avait permis à Jeanne de rassembler un peu de ses esprits. Elle assura sa voix :

« Chevalier, cette folie ne se fera pas, dit-elle. Je vous aime trop pour vous la laisser faire, je l'empêcherai donc. D'ailleurs, le grand maître de votre ordre... »

Il l'empoigna par les épaules si rudement qu'elle

278

poussa un petit cri avant de demeurer paralysée sous le feu d'un regard de commandement :

« Jeanne, tu n'as plus rien à me défendre – c'est trop tard, gronda-t-il. Je ne t'ai pas prise de force mais, puisque tu t'es donnée, je te garderai de force si ce n'est de gré ! Dieu m'est témoin qu'après t'avoir deux fois perdue j'avais renoncé à toi. Le destin et toi en ont autrement décidé. Le destin m'a envoyé à ton secours et tu t'es jetée dans mes bras. Je t'ai prise parce que je ne suis pas un saint, et je te garderai parce que je ne suis pas ta marionnette ! »

Lui voyant les lèvres blanchies et le souffle court, il l'assit sans douceur dans un fauteuil, ajouta d'un ton sans réplique :

« Prends une tasse de café pour te remonter le cœur et habille-toi. Avec une capricieuse j'ai moins de patience le jour que la nuit.

– Vincent... »

Il attendit, muet.

« Vincent... », balbutia-t-elle une seconde fois, incapable de dire plus.

Il versa du café dans une tasse :

« Aimes-tu ton café très sucré ou peu sucré ?

– Vincent... », répéta-t-elle une troisième fois.

Elle lui saisit une main, y appuya sa joue, supplia à voix douce :

« Vincent, vous ne pouvez pas douter de mon amour ? Vous n'en avez pas le droit, mon bien-aimé. Mais vous savez bien aussi que je ne puis disposer de moi ? Pas aujourd'hui en tout cas. Pas avant d'avoir... »

La colère prit Vincent. Il lui arracha sa main, tordit une poignée de l'étoffe du déshabillé, cloua Jeanne le dos au fauteuil, à demi asphyxiée par son poing :

« En vérité, ma chère, vous prêtez à rire ! dit-il durement. Qu'est-ce donc qu'une femme appelle : disposer de soi ? Ayez plus de mémoire, madame, ou moins d'impudence. Ecoutez-moi, Jeanne, écoutez-moi bien : je ne vous rendrai pas à Aubriot ! J'ai l'âme corsaire, ma jolie : je ne rends jamais un butin de bonne prise. »

Une crue de larmes noya le regard de Jeanne, et elle voulut continuer de quémander un sursis :

« Vincent, je vous aime, je vous appartiens et je vous reviendrai, n'en êtes-vous pas certain jusqu'au fond de vous-même ? Comment pourrais-je ne pas vous revenir, maintenant ? Mais pourquoi exiger que je sois cruelle et lâche ? Mon chevalier, soyez juste, permettez que j'aille...

– Non ! » coupa-t-il avec brutalité.

Elle eut un sanglot, et il reprit plus paisiblement mais avec amertume :

« Deux fois déjà je vous ai tenue à ma merci et deux fois j'ai ouvert la main et je vous ai regardée partir avec le fol espoir que vous me reviendriez de votre plein choix, l'esprit apaisé et le cœur lucide. Deux fois vous n'êtes pas revenue, et je me suis traité d'imbécile. Aujourd'hui, vous vous êtes mise tout entière dans ma main, alors je serre le poing parce que je ne veux pas, demain, me traiter d'imbécile cocu !

– Je vous en supplie, chevalier, ne me parlez pas ainsi, dit-elle, au bord des larmes. Ne me parlez pas avec de tels mots, ne me parlez pas comme si vous ne m'aimiez que faute de pouvoir me haïr.

– Cela m'est arrivé, ma chère, de faire effort pour vous haïr faute de pouvoir vous oublier. »

Il se pencha, la saisit brusquement par les coudes pour la lever jusqu'à lui :

« Cornebleu ! Jeanne, que pensais-tu donc qu'était mon amour pour toi ? lui demanda-t-il en plein visage. Un sentiment de courtisan asexué ? Pendant des années je t'ai désirée les mains vides; je t'ai violemment, passionnément, tendrement, rageusement désirée, je t'ai désirée d'un désir encore inconnu de moi, qui me redonnait, au milieu de ma vie, des rêves de collégien. Cent fois, je t'ai possédée en possédant des mirages blonds, cent fois, j'ai déchiré en rêve, jusqu'aux lambeaux, la robe et la chemise de la belle étourdie venue s'enfermer dans ma petite maison de Vaugirard pour y essayer de la mode anglaise. Mille fois, j'ai cueilli en songe, comme une fleur fragile, la délicieuse petite fille du bois de Neuville à qui je venais de donner son premier baiser... Et puis enfin, cette nuit, je t'ai tenue entre mes bras, toute vive, toute chaude, et j'avais presque peur, tant je t'aimais, de t'aimer. Jeanne, ma toison d'or, je t'ai enfin conquise, je ne te lâcherai plus jamais, dussé-je, pour te garder, te faire emboucler à fond de cale ! »

Elle le regardait avec la même extase amoureuse que s'il venait de lui verser un philtre dans les oreilles :

« Mon bien-aimé, fais de moi ce que tu veux, dit-elle dans un souffle passionné, vaincue.

— Pour l'instant, je ne te demande que de t'habiller et de dire oui devant notre aumônier », dit-il en la lâchant.

Elle alla s'agenouiller devant la caisse aux nippes, se retourna avec une question angoissée :

« Chevalier, que se passera-t-il quand nous arriverons à Montevideo ? »

Vincent marqua un temps de silence, dit enfin :

« M. Aubriot a sans doute suffisamment d'âge et d'esprit pour comprendre qu'un jour une petite fille devient une femme et qu'alors elle quitte son couvent, ses maîtres les plus chers et ses amours d'enfant.

— Je ne suis pas sûre qu'il veuille comprendre cela, dit-elle à voix basse, et peut-être bien l'espérait-elle aussi, que Philibert n'accepterait pas si aisément de la perdre.

— Eh bien, dit Vincent, si Aubriot veut que cette histoire d'amour soit une affaire d'honneur... »

Elle cria : « Non ! » et Vincent haussa la voix :

« Tu ne te mêleras pas de cela ! Quand deux

hommes ont une affaire d'honneur à son propos, une dame de bonnes manières s'enferme dans sa chambre et prie. »

Elle eut un sursaut de révolte :

« Et comment Dieu s'y retrouve-t-il, quand elle le prie de veiller sur les deux hommes ?

— Ma chère, je suppose qu'en bon moraliste orthodoxe Dieu choisit alors le bien du mari, dit Vincent d'un ton railleur. Je serai bientôt dans mon bon droit. Soyez prête à midi. »

La porte claqua sur ses talons.

« Jamais, jamais, jamais ! ragea Jeanne bousculée, endolorie, enlisée dans ses contradictions et martelant de ses poings le bois de la caisse de chiffons. Jamais, jamais, jamais, jamais ! »

Elle sortit de la caisse la plus précieuse des robes de mousseline blanche, celle dont le corsage à longues manches collantes était entièrement fait d'une très belle dentelle au fuseau appliquée sur un fond de soie. Elle l'étala sur le lit, posa auprès une mantille de même dentelle, caressa de l'œil toute cette clarté de perle, ouvrit les tiroirs de la coiffeuse d'acajou et se mit à sa toilette de mariée.

« ... et moi, par Son autorité, je vous délie de tout lien d'excommunication et d'interdit, selon l'étendue de mon pouvoir et de vos besoins. Ensuite, je vous absous de vos péchés, au nom du Père, et du Fils, et du Saint-Esprit. Ainsi soit-il. »

Le père Savié lui tendit ses deux mains pour la relever. Elle tapota sa jupe, toucha sa mantille, sembla mendier un dernier avis paternel.

« Vous êtes bien jolie, mon enfant, dit-il en approuvant la gracieuse toilette d'un bon sourire. Vous sentez-vous prête ?

— Oui, mon père », dit-elle d'une voix étranglée, mais elle ne bougea pas, saisie soudain de l'un de ces menus tremblements dont sa chair émotive avait coutume.

L'aumônier pesa du regard sur elle :

« Ma fille, il est encore temps de réfléchir, dit-il. Est-ce bien de votre propre volonté et en toute lucidité que vous allez épouser notre commandant ?

— En toute lucidité ! répéta-t-elle en écho presque plaintif. L'amour lucide existe donc, mon père ?

— Le saint amour existe et c'est celui qui vous donne la joie, celui dont on ne rougit ni devant Dieu ni devant les hommes.

— Mais moi, je suis ainsi faite que je rougis d'un rien devant une coccinelle, dit-elle en s'excusant de sa boutade par un tout petit sourire. Mon père, ne me demandez pas comment j'aime. J'aime comme j'aime quand j'aime, j'aime sans pouvoir ne plus aimer. Si je devais m'arracher du cœur l'amour du chevalier je devrais m'arracher le cœur avec, et je tomberais morte.

— Réservez une part de votre cœur à Dieu, ma fille, qui ne vous manquera jamais. L'amour d'un mortel est mortel.

— Pas le sien ! Pas le mien ! »

Le père poussa un soupir, lui prit la main et dit avec une amitié grave :

« Par la Passion de Notre-Seigneur, par les mérites de sa Mère, que tout ce que vous ferez de bien par amour de votre époux, que tout ce que vous en souffrirez de peine serve à la rémission de vos péchés, à l'augmentation de la grâce en vous et à votre récompense dans la vie éternelle. Et maintenant venez, mon enfant. On nous attend. »

La vive lumière poudreuse de midi l'accueillit sur le gaillard, l'ensoleilla, la fit briller, telle une blanche apparition féerique, sur le bleu du ciel. Le vent soufflait dans sa jupe et dans sa mantille, mais d'une haleine assez douce pour ne faire qu'ajouter aux soieries légères un envol plein de grâce.

Le bruit diurne est si constant sur un vaisseau, et Jeanne y était si accoutumée, qu'elle ressentit comme un choc insolite le silence qui la recevait. Il était si parfait qu'elle entendait *Belle Vincente* vivre avec la mer comme de nuit, craquer, grincer, vibrer, gémir sous les coups de lèche du reflux. Saisie par l'étrangeté de cette paix Jeanne s'arrêta après quatre pas, abaissa les yeux vers la lourde présence humaine muette dont elle sentait maintenant le poids sur elle : tout l'équipage, rassemblé debout sur le gaillard d'avant, silencieux, les têtes hautes, contemplait la dame blanche qui venait de paraître. Elle reconnut le Provençal, lui envoya un beau sourire, qu'ensuite elle promena lentement sur les hommes... Un pas ferme résonna derrière elle sur sa gauche, elle se retourna, trouva Vincent devant elle et crut défaillir d'amour. « Je rêve », pensa-t-elle, tant le réel était beau, et ses lèvres s'entrouvrirent pour répéter « Je rêve » dans un murmure.

Le corsaire de Malte était magnifique – habit rouge à parements blancs et boutons d'or, culotte et veste claires, le scapulaire rouge à croix blanche sur la poitrine, une épée d'orfèvrerie au côté et son tricorne noir encocardé sous le bras. Il portait perruque à frimas et un grand air de bonheur résolu. Il s'inclina devant Jeanne :

« Jeanne, je vous prie d'oublier mes paroles dures de ce matin, ma violence et mon oppression, dit-il à voix basse et rapide. Je n'exige rien, j'espère seulement. Jeanne, acceptez-vous de m'épouser ? »

Et il ajouta sans transition, de la même voix :

« Ceci étant dit pour satisfaire à la volonté du père Savié, tu ne peux répondre que oui ! »

Elle faillit rire, se mordit la lèvre et chuchota :

« Cela tombe au mieux : même en voulant répondre non je dirais oui.

– Viens ! » dit-il.

Il la conduisit où les attendait l'aumônier, à l'endroit de ses quotidiennes prières. Les officiers s'écartèrent en souriant, pour laisser se placer les futurs époux. Une immense respiration monta de l'équipage silencieux.

« Monsieur, prenez la main de votre fiancée », dit le père Savié à Vincent.

Vincent offrit grande ouverte sa longue main sombre et la referma sur celle de Jeanne, qui battait aussi fort qu'un cœur d'oiseau piégé.

Caché derrière un rouleau de grelins, Mario sanglotait.

15

GRIMPÉ à la hune de misaine, l'Amadou sifflait doucement sa mélancolie de marinier cloué dans un mauvais port. Gaspar, le maître d'équipage, leva la tête et gueula :

« Hòu ! gabier ! On a déjà trop de foutu vent, n'en boufo un de santo Barbo, et tu siffles ? Descends ! »

L'Amadou se laissa tomber comme une pierre devant le maître :

« Je sifflais tourné du bon côté, se justifia-t-il.

— N'importe ! gronda le maître. A mon bord, on ne siffle que quand les vents sont au conseil [1]. Sinon, va-t'en savoir comment le Diable l'entend ?

— Ce vent au visage est une vraie chiennerie, dit Vincent d'un air soucieux. Je n'aimerais pas être encore ici quand Pinto va ramener sa troupe sur Maldonado.

— Nous avons cinq canons, dit le maître.

— Il a cinq cents hommes, dit Vincent. Et autant de barques de pêche qu'il en voudra. Le chevalier de Suffren a raison de dire que, même à la voile, nous

1. Tous absents, par calme.

aurions dû conserver des rames à bord pour nous sortir des calmes et des vents contraires. »

Fréjus, le contremaître, coinça sa chique entre gencive et joue pour intervenir :

« J'en jurerais pas par la Sainte Vierge, monsieur, mais nous aurions bientôt un respir de Dieu pour nous en aller que j'en serais pas surpris », dit-il.

Tous ceux qui étaient présents se tournèrent vers Fréjus : il avait la réputation de « sentir » les sautes du temps dans son échine.

« Fréjus, voilà une bonne nouvelle, sourit Vincent. Si votre échine vous tient parole je vous offre une bouteille. Et au fait, que dit le calier ?

– Il n'a pas voulu monter, dit le maître. Ce matin, M. Tourreau lui a fait déplacer des barriques sous prétexte de compter je ne sais quoi, ça lui a vissé sa tête de bois sur les épaules pour un bout de temps. »

« Pourquoi diable ne survient-il pas une épidémie réservée aux écrivains de bord ? » pensa férocement Vincent. Il soupira, arrêta par le bras le moussaillon noir qui lui filait sous le nez :

« Agénor, descends chercher le calier. Dis-lui que je le demande. »

Le négrillon – il devait avoir une dizaine d'années – prit l'air boudeur :

« Ça veut di' qu'on va enco' se se'vi' d'mon dé'iè' pour avoi' l'bon vent ? C'est toujou' l' dé'iè' à Agéno' qu'on p'end !

– Tu devrais en être fier, dit le maître. Tu devrais être fier qu'un derrière de petit nègre vaille mieux qu'un derrière de petit blanc pour faire venir le bon vent.

– J'en suis pas fié' du tout et la p'ochaine fois j' vous joue'ai l' tou' d'appeler tout bas l' mauvais vent ! dit Agénor en détalant pour esquiver la giroflée que lui destinait le maître indigné.

– Vous avez beau vouloir toujours les blanchir, monsieur, les nègres sont des mal-vivants, dit le maître à Vincent. Aussi paresseux que soldats, et la malice les prend tout petits.

– Quand le cul est noir vous fouettez trop fort », dit Vincent.

Le calier arriva, traînant sa jambe boiteuse et clignant de ses yeux de taupe, ébloui. Comme tous les caliers de tous les vaisseaux celui de *Belle Vincente* jouissait par tradition du rôle de pythonisse, comme si le fait de ne jamais voir le ciel qu'à la verticale par les écoutilles lui donnait une sensibilité particulière à ses humeurs. Pour une jecte d'eau-de-vie Marius Bartalasso prédisait le temps – à condition que personne ne soit venu « lui chercher des poux » dans sa cave puante. Comme l'écrivain était allé lui en chercher le matin même Marius portait une trogne fermée de devin constipé. Vincent lui décocha un grand sourire blanc :

« Marius, s'èro un efèt de vosto amistanço... », commença-t-il aimablement.

Un bon coup de parler provençal dans la bouche fleurie de son capitaine déridait toujours le calier :

« Mai bèn voulountié, capitàn' », dit-il aussitôt.

Avec surprise, Jeanne regardait Vincent observer son calier comme si, vraiment, il attendait du bonhomme un avis compétent. Marius ne se pressait pas, tournait lentement sur lui-même, auscultant l'air des yeux, du nez, des oreilles, du bout de la langue et de son pouce mouillé de salive.

« Eila, dit enfin Marius en pointant son bras droit vers l'une des hauteurs des Maldonades, eilamount nais un brave ventoulet. Vendra. Vendra aniue, tard. »

Il marqua un temps, acheva d'un ton solennel en se tournant vers Vincent :

« Deman matin, capitàn', auren lou vènt in poupo !

– Hé ! monsieur, ne vous avais-je pas bien dit que je le sentais venir aussi ? lança Fréjus, un peu jaloux.

– Bon ! esperan ! dit Vincent. Me fise de vous, Marius ?

– Ah ! pecaire, crese proun ! Poudès vous ié fisa, capitàn' : vendra. »

Vincent remercia son calier le plus sérieusement du monde :

« Gramaci, Marius. Vous vau paga... »

Agénor, le négrillon, avait déjà pris sa course pour aller chercher le bidon d'aigo-ardènt, que le cuisinier apporta lui-même, histoire de se sentir partie du « petit conseil ». Vincent prit le bidon des mains de Lérins pour le tendre au calier. Marius s'envoya une jecte d'alcool dans le gosier – mais là, de quoi l'arroser après toute une campagne sèche ! – se torcha la bouche d'un revers de main et rendit le bidon à son capitaine en ignorant dédaigneusement la patte tendue du cuisinier :

« Tóuti mi gramaci, capitàn', dit-il avec son plus large sourire à gencives nues. Sias quite et lite. Aurès lou vènt. Fau que Vèngue [1]. »

Jeanne attendit que le groupe se fût dispersé pour se rapprocher de Vincent :

« Croyez-vous vraiment, chevalier, aux pouvoirs de votre calier ? »

Vincent lui sourit :

« La cale fait le sorcier, dit-il. Ne me demande pas pourquoi. La cale est plongée dans le mystère d'une nuit éternelle, et les oiseaux qui habitent la nuit ont toujours eu affaire avec la magie : les chouettes, les hiboux, les chauves-souris... Les caliers.

– Vous tenez donc Marius pour un magicien ?

– Oh ! oui ! dit Vincent en riant. Tout bon calier est un magicien. La preuve en est qu'il sait faire entrer gros comme un bœuf dans un recoin à peine bon à loger une grenouille. Pour le vent, ma foi...

1. Vous êtes quitte. Vous aurez le vent. Il faut qu'il vienne.

Marius ne se trompe guère beaucoup plus d'une fois sur deux ! J'espère qu'aujourd'hui il aura vu juste. »

Elle toucha à peine la main de Vincent, demanda tout bas :

« Es-tu donc si pressé d'appareiller pour Maldonado ? Moi, si je pouvais arrêter le temps...

— Tu t'en trouverais moins bien que tu ne le crois », dit-il en lui désignant le rivage tout proche.

Elle y remarqua plus d'animation que le matin et emprunta sa lunette à Vincent.

« Mais je reconnais des hommes à Pinto ! s'écria-t-elle après deux minutes d'observation. J'en reconnais trois, des vieux, que Pinto avait laissés au village. Ils nous ont donc suivis ?

— Dame ! fit Vincent. Je leur ai volé leur butin et ce ne sont pas des gens donnants. Ils ne sont encore qu'une poignée parce que d'autres ont dû prendre les traces de don José ou aller prévenir Pinto. Mais maintenant que ceux-ci savent où tu es grâce aux bonnes langues peureuses du fort, le reste de la troupe ne tardera pas à l'apprendre. Demain, nous aurons le gros de ces sauvages sur le dos.

— Non, dit Jeanne, puisque demain nous aurons le bon vent.

— C'est vrai, Jeannette, deman matin auren lou vènt, dit Vincent d'un ton ferme. Dieu ne permettra pas que j'aie à me battre avec ma femme à bord. Il sait que je n'aime pas la guerre, même entre hommes. »

Jeanne contempla longuement le beau profil martial du corsaire :

« Est-il possible, Vincent, que vous haïssiez sincèrement la guerre ? » demanda-t-elle enfin.

Il hocha la tête :

« Je hais la guerre, même sous l'agréable forme d'un combat naval. Casser des vaisseaux et des hommes m'a toujours semblé un jeu bête, cruel et ruineux.

– Comment peut-on penser cela et se faire corsaire ?

– Je crois, ma chérie, que vous vous faites de fausses idées sur l'âme corsaire, dit-il après un rire léger. Ce sont les capitaines de la Royale, qui courent les mers pour y chercher la gloire dans la fumée des canons. Les corsaires, eux, sont plutôt poussés par la cupidité.

– Vous n'êtes pas cupide ! dit-elle vivement.

– Le mot vous déplaît ? Mais non pas mes quelques richesses ? Je suis certain que vous aimez les draps fins de notre lit, vos chiffons de luxe brésiliens, l'argenterie dans laquelle on vous sert, la bague d'émeraude que je vous ai mise au doigt. Et je suis encore plus certain que vous aimez poser votre main sur la soie de mon habit et caresser votre joue à l'incomparable mousseline mille fleurs de mes chemises. Est-ce que je me trompe ? Eh bien, ma chérie, tout ce que vous aimez je l'ai volé ou presque, par capture ou par contrebande, avec une très persévérante rapacité. J'étais né nu comme un jésus et je détestais cela.

– Chevalier, vous vous moquez, dit Jeanne. Vous n'êtes pas un voleur. Vous n'êtes pas même un pirate.

– Mais entre nous, Jeannette, cela signifie surtout que je ne rapine rien sans qu'on en fasse une écriture en trois copies. Cornebleu ! c'est bien ce qui me fâche ! Voyez-vous, la tâche la plus pénible du métier de corsaire est d'échapper à son écrivain. Il n'est pas un ennemi qui vous prenne en chasse avec une telle opiniâtreté. La course est devenue une entreprise de paperasserie. Même si vous appartenez aux voués chasseurs de Turcs [1], vous ne pouvez plus faire sauter sans façon la tête d'un enturbanné à la mer; il faut que la tête tombe sur le pont, parce que l'écrivain veut enregistrer le turban. Il devrait même compter

---

1. Les chevaliers de Malte.

les coups de canon pour noter la dépense de boulets et de poudre – c'est dans le Règlement ! »

Jeanne se mit à rire de tout son cœur :

« Mais voyons, dit-elle, les comptes une fois établis, vous avez droit à votre bonne part sur tout, et même sur le moindre turban ?

– C'est encore heureux ! » s'exclama Vincent.

Il se pencha à son oreille pour ajouter tout bas :

« Mais avouez, Jeannette, que c'est encore plus heureux quand j'ai pu ôter l'émeraude du turban avant de partager son prix de vente avec mes actionnaires ?

– Oh ! fit Jeanne en lançant un coup d'œil pensif à la pierre magnifique qui verdoyait à son annulaire.

– Celle-ci ne vient pas d'un Turc étêté, je vous le promets, dit Vincent. Je l'ai eue de manière plus douce.

– Comment fait-on, quand on est corsaire, pour prendre doucement ce qui ne vous appartient pas ? »

Vincent l'enveloppa d'un regard moqueur :

« Je croyais, madame, vous avoir démontré cela. Et qu'au lieu d'assaillir sa proie en pirate mal élevé on pouvait tourner poliment autour d'elle jusqu'à la convaincre de laisser tomber ses voiles en signe de soumission. Jeanne, je suis charmé de savoir encore vous faire rougir.

– Voilà un plaisir que vous pourrez vous offrir souvent, dit-elle. Le rouge me vient sans peine. »

Ils demeurèrent un long moment silencieux, à contempler au-dessus d'eux un tournoiement de goélands qui avaient pressenti l'heure prochaine du souper de l'équipage. Les grands oiseaux blancs glissaient dans le ciel avec la grâce lumineuse d'un vol d'anges.

« C'est beau, un goéland, murmura Jeanne. Existe-t-il plus beau voilier ?

– Attendez d'avoir vu marcher *Belle Vincente*, dit Vincent de sa voix d'amant. La plus douce risée la fait frémir et l'enlève. Elle aussi a une âme d'oiseau.

Elle ne porte pas des voiles, elle porte des ailes. C'est une mouette. Vous allez voyager à dos de mouette. »

Jeanne leva sur Vincent des yeux brillants :

« Où m'emmènerez-vous, après Montevideo ? »

Vincent eut un léger sursaut, prit la main de Jeanne, la retourna et mit un baiser dans sa paume :

« Cette question est une bien jolie manière de me dire que je t'ai enfin conquise pour toujours », dit-il.

Alors seulement Jeanne réalisa ce qu'en effet sa question supposait d'abandon de sa vie passée. Un vertige d'angoisse la parcourut de la tête aux pieds, mais elle répéta sans trembler :

« Où m'emmèneras-tu, après Montevideo ? Te souviens-tu de m'avoir promis le tour du monde ?

— Je ne m'en dédis pas. Mais je vais commencer par t'offrir la côte chilienne.

— La côte chilienne ?

— Tu sembles surprise ?

— Oui. Dans les bureaux de la Marine, à Versailles, on disait que la frégate du capitaine Vincent se dirigeait vers le golfe du Bengale. »

Vincent haussa les sourcils, dévisagea sa femme :

« Tiens ! Devrais-je croire que tu t'étais informée de ma route chez le duc de Penthièvre ?

— Oui, tu peux le croire.

— Et... pourquoi ?

— Pour rêver, en promenant mon doigt sur la mappemonde, que je te retrouvais par miracle ici ou là, dans un paradis bleu, vert et or des mers du Sud. »

Le grand éclat de rire heureux que poussa Vincent fit ralentir et sourire les hommes qui passaient derrière eux.

Les matelots passaient et repassaient à plaisir derrière le couple accoudé à la lisse. Tout le monde semblait avoir affaire de ce côté-là du navire. Cette histoire d'amour à bord enchantait les hommes.

D'abord parce que chaque fois que leur capitaine avait été heureux en amour, eux en avaient toujours tiré quelques bonnes rasades d'allégresse, sans compter la volupté de se rincer l'œil sur les beautés de la dame. Ensuite parque que, cette fois, le capitàni avait vraiment eu la bonne main : non seulement la dame du jour était la plus jolie des jolies mais encore elle était gracieuse, ne ménageait son sourire à personne, pas même aux négros, pas même aux calfats. En plus elle portait crânement la culotte, et d'un air à vouloir rester debout même par grand temps. Bref, quoique de manières distinguées et d'expression douce elle n'avait rien d'une mijaurée, et d'ailleurs, sur ce point, les potins de l'Amadou avaient abondamment rassuré l'équipage.

L'Amadou et Mario, gonflés de leur importance de « sachants », tenaient boutique de renseignements à la poulaine. Avec un enthousiasme contagieux le déserteur repenti avait raconté la vie de garçon qu'avait menée Jeanne sur l'*Etoile des Mers*, ses herborisations savantes, son enlèvement, son sang-froid chez les brigands, et tant et si bien qu'il avait fait, de la femme de son capitaine, une héroïne romanesque dont on n'avait pas fini de se raconter l'histoire, de matelot à matelot, à l'heure de la causette au pied du mât de misaine. Quant à Mario, entre ses accès de discrétion farouche il n'avait pu se retenir de lâcher des bribes du long jeu de cache-cache amoureux dont il avait été le témoin, de manière à attendrir, jusqu'aux reniflements, les plus sentimentaux de tous ces veufs et de tous ces promis de payses lointaines.

Jeanne se doutait bien qu'elle était le sujet neuf de la gazette des poulaines. Anxieuse de ne pas déplaire à l'équipage de son mari, elle interrogeait furtivement les faces des hommes qu'elle croisait et leurs sourires la rassuraient, lui disaient que les potins devaient être gentils. « Cette frégate est devenue ma maison et ces mariniers sont devenus ma famille », pensait-elle de tout son cœur aimant. A pleines paumes elle caressait les bois, palpait la toile carguée et les cordages de *Belle Vincente* quand elle croyait qu'on ne la voyait pas. Elle montait sur la dunette, s'adossait à la rambarde et suivait d'un œil nonchalant l'incessant vagabondage des hommes désœuvrés, comptait ceux dont elle savait déjà les noms ou les surnoms.

Sa nouvelle famille était fort panachée de peaux, d'origines et de parlers. A côté d'un tiers de Provençaux de pure race et de deux Malouins déserteurs récupérés à Santa Cruz, le reste était un pittoresque mélange de ceux que Vincent appelait « les non-classés » parce qu'ils n'étaient pas inscrits sur les registres de la marine française. Comme tous les capitaines corsaires, Vincent recrutait d'abord ce que la Royale voulait bien lui laisser de « classés » et complétait son équipage avec ce qu'il trouvait : des étrangers, des prisonniers loués par des nations neutres, des créoles et des métis des colonies, des esclaves engagés par leurs maîtres comme « Noirs de marine ». Toutefois, à bord de *Belle Vincente*, on n'appelait pas « étrangers » les nombreux Maltais – Catalans, Gênois, Pisans plus ou moins colorés d'Arabes – dont la plupart suivaient Vincent depuis des années avec un dévouement de barbets. Les étrangers, c'étaient les trois Danois et les deux Portugais, l'Irlandais et les deux gentlemen-sailors américains – deux hauts gaillards blonds de la Virginie qui maniaient les armes avec une adresse de gentilshommes et s'étaient faits matelots dans l'aventure corsaire pour ne pas demeurer fils de bourgeois à Richmond. Les Africains non plus n'étaient pas des étrangers, puisqu'ils étaient « les négros »; en plus du moussaillon il y en avait cinq dans l'équipage. Ce petit peuple bariolé semblait vivre en assez bonne harmonie. Il est vrai que, pour l'aider à donner de la cohésion à cet ensemble d'enrôlés disparates, Vincent disposait d'un second et d'un lieutenant de grande valeur assistés par une maistrance d'élite. Tous Provençaux, ses officiers-mariniers, dont la plupart servaient sous lui depuis longtemps, tenaient leurs hommes bien en main, avec fermeté mais justice. Comme sur tous les vaisseaux il y avait parfois des déserteurs, des bagarreurs et des mutins sur *Belle Vincente*, mais il y en avait moins qu'ailleurs, et les mutineries d'une poignée de mal-vivants avaient toujours été très vite matées par le gros de l'équipage ou par la simple apparition du capitaine.

Dans le monde clos des marins, la réputation du capitaine Vincent était bonne. Le maltais avait tout pour plaire aux matelots aventuriers de la course : à sa maîtrise et à son audace il joignait la chance et la bonne humeur. Excellent marin, pilote savant et chevronné, soudé à sa frégate comme bon cavalier à jument docile, il savait merveilleusement user du vent pour épargner le sang. Il était juste au point de ne faire appliquer que le moindre dû des punitions et de ne jamais bâfrer quand l'équipage jeûnait. Comble de grâce, il n'était honnête que comme il le fallait – du côté de ses hommes plutôt que du côté de son écrivain. En fin de campagne il se démenait pour faire régler les parts sans trop de retard ni de carottes et, au moment des prises, savait fermer les yeux sur « les petits butins » pas trop scandaleux... dès l'instant que son petit butin à lui n'y perdait rien. En plus il était beau, il dansait bien, il chantait bien, il enlevait des belles dames dans tous les ports – ce qui donne de l'orgueil à un équipage et d'autant plus de joie que le capitaine a le bon goût d'arroser ses bonheurs, et celui de *Belle Vincente* avait le coup d'alcool facile. Et puis, il avait une façon bien à lui de peser de la main sur l'épaule d'un matelot muré dans une nostalgie en disant : « Alors, garçon, tu penses à ta famille ? Raconte-moi... » qui avait fait chavirer plus d'un cœur dans le dévouement éternel. Bref, en cette fin de siècle où trouver de bons matelots était difficile, Vincent trouvait presque toujours son compte, avec un minimum de tordus et de fainéants. Si bien que son bord était gai.

Cette gaieté, tout de suite, avait frappé Jeanne. On n'était pas triste sur l'*Etoile des Mers*, mais, sur *Belle Vincente*, on était gai. Il est vrai qu'elle y tombait dans un temps de loisir forcé. Le navire briqué, les hommes s'occupaient à jouer aux cartes, aux dés, aux osselets – ils jouaient des pois chiches ou leur ration de vin, puisque jouer de l'argent était interdit. Le chef trévier, qui n'osait pas réparer ses voiles déchirées de peur d'y coudre le mauvais vent qui soufflait, tarots en main, tenait boutique de bonne aventure en échange d'une « douceur » que ses clients allaient voler en cuisine ou quémander au chirurgien dont le coffre recélait des pruneaux et des raisins secs destinés aux malades. Le maître charpentier et ses compagnons fabriquaient des frégates miniatures, entourés par un cercle d'apprentis qui s'essayaient en jurant de copier leurs gestes raffinés. Quand la construction allait bien une chanson poussait à tue-tête dans le coin des charpentiers, que des chœurs de voix reprenaient, ici et là, d'un bout à l'autre du vaisseau. Deux couples de gabiers se mirent à danser, à grands sauts de cabri.

« Vos hommes se sont habitués aux soirs de noces, dit Jeanne en souriant à Vincent. On dirait qu'ils veulent recommencer le bal d'hier.

– A mon bord, on danse tous les soirs, dit Vincent. La danse entretient la santé. Et le chant aussi.

– Ils chantent plusieurs belles chansons que je ne connais pas. Mais ce n'est pas toujours en provençal ?

– Oh ! c'est en baragouin ! dit Vincent. J'ai des hommes qui ont été prisonniers des Anglais, ou des Hollandais, ou des Chinois, et on chante dans toutes les marines du monde. Ils arrangent de l'incompréhensible à leur sauce mais, souvent, la sauce est savoureuse. L'Irlandais nous a appris une fort belle chanson à hisser, qui fera merveille quand nous appareillerons pour le Chili.

– Au fait, qu'irons-nous faire au Chili ? Vous ne me l'avez pas encore dit.

– J'ai du fret précieux pour Santiago, que don José ne voulait pas confier à une caravane de contrebande. Il est parfois moins périlleux pour la marchandise de faire le tour par le cap Horn que de passer droit par l'intérieur des terres. Vous n'aurez pas chaud au cap Horn mais, pour vous réchauffer, au Chili je vous achèterai des chinchillas et des loutres – ils en ont beaucoup. N'avez-vous pas envie d'une longue redingote et d'un haut bonnet de chinchillas à la mode des boyards russes ?

– J'ai envie de tout ce que vous me donnerez.

– Cornebleu ! J'ai une chance folle ! dit-il moqueusement. D'ordinaire une femme a surtout envie de ce qu'on ne lui donne pas. »

Un lourd battement d'azur et d'or s'abattit sur l'épaule de Vincent, empêcha Jeanne de protester :

« J'ai fffaim ! Quelle heure est-il ? s'égosilla Chérimbané.

– Il est bientôt l'heure, dit Vincent à son perroquet. Tu as raison de rappeler à madame qu'elle ferait bien de s'aller remettre en jupons. »

Comme Jeanne allait s'éloigner, un cri perçant de la vigie appela l'attention de Vincent :

« Capitàni, là-bas, au rivage ! »

Vincent braqua sa longue-vue sur la terre : une trentaine de cavaliers venaient de mettre pied à terre devant le port de pêche.

« Reconnaissez-vous ces nouveaux venus ? demanda-t-il à Jeanne en lui passant la lunette.

– Oui, dit-elle après un moment. J'en reconnais plusieurs. Celui qui nous observe à la longue-vue est l'un des lieutenants de Pinto. »

Quelques officiers-mariniers et le lieutenant de Quissac s'étaient rapprochés d'eux.

« Monsieur, croyez-vous qu'ils vont oser venir nous attaquer en barques ? demanda de Quissac.

« Je crois qu'ils attendront d'être à beaucoup plus, dit Vincent. Si toute la troupe rejoint avant que nous ayons le vent, notre situation ne sera pas bonne. Puisque Pinto est malin il enverra d'abord une moitié de ses hommes sur l'île, et alors ils pourront nous attaquer par bâbord et tribord en même temps.

– Si leurs barques ne chavirent pas en route, dit de Quissac avec un sourire carnassier. Les envoyer par le fond de deux volées de boulets m'amusera beaucoup. Rassurez-vous, madame, nos canonniers pointent bien, ajouta-t-il en se tournant vers Jeanne.

– Monsieur, je n'ai pas peur, dit Jeanne, couvrant Vincent d'un regard d'infinie confiance amoureuse. Croyez bien que je souperai de fort bon appétit, et je vais de ce pas me changer pour cela. J'aimerais beaucoup vous voir expédier ces brigands au bain : ils ne se lavent pas assez souvent.

– Je crois que nous aurons le temps de souper avant la fête », dit Vincent.

À dix heures, les brigands campaient toujours sur le rivage. La lune était si ronde dans un ciel si dégagé qu'on les voyait presque comme en plein jour. Ils avaient allumé un grand feu de boucan duquel s'élevaient d'épaisses fumées de viandes rôties et, de *Belle Vincente*, on les entendait lointainement rire, chanter et brailler avec des filles descendues sans doute des cabanes de Maldonado.

« Ils sont déjà soûls, mais doublez quand même la garde, commanda Vincent à son maître. Les autres peuvent arriver, et la nuit est belle pour une attaque de minuit. »

Mais, avant minuit...

Un tambourinage dans la porte de sa chambre fit sauter Vincent du lit.

« Les brigands ? balbutia Jeanne, elle aussi réveillée en sursaut.

– Monsieur, le vent ! Le vent a sauté ! » criait au-dehors la voix toute réjouie de Fréjus.

Le vent debout était brutalement tombé. Un souffle très léger venait de la terre, descendu des hauteurs des Maldonades. Ce n'était encore que l'ombre d'une risée, mais *Belle Vincente* savait capter les moindres frémissements du ciel, la nuit brillait toute blanche et Vincent décida d'appareiller sur-le-champ :

« Ma mie, je vais vous priver du plaisir d'envoyer votre ami Pinto au bain », dit-il joyeusement à Jeanne quand elle vint aux nouvelles.

Déjà, le grand branle-bas des départs faisait trembler le navire. Jeanne alla discrètement se loger dans un trou de souris d'où elle pourrait voir manœuvrer les voiles.

Magie de l'appareillage ! Trois fois déjà elle l'avait ressentie mais, bien sûr, jamais aussi violemment que pendant cette nuit blanche où l'homme qu'elle aimait se tenait debout sur le gaillard pour pousser sa frégate à l'envol. Cette nuit tout était pareil et tout lui parvenait différent, comme si son corps avait changé de résonance. Elle se laissa glisser au sol, appuya sa tête contre la paroi de bois et vécut le beau songe qu'elle avait cent fois rêvé : Vincent l'emportant sur sa *Belle Vincente*...

Tout l'équipage agenouillé, capitaine au premier rang, pour recevoir la bénédiction de l'aumônier. « Gabiers, à vos postes ! » Les voiles basses qui se larguent avec une lenteur clapotante de draps s'étirant d'une lessive et se mettent à battre doucement en gémissant sur leurs cargues. « Au guindeau tout le monde ! » Claquements secs des pieds nus sur le tillac. Cette fois, avait-on pensé à convier le coq au cabestan ? « Paré à virer ! » Un espace de silence, et soudain le grand cri : « Vire ! » Tintamarre de la ferraille bousculée couvrant la ronde pesante des pieds nus, envahissant comme un désordre la blanche paix lunaire. Pas de chanson. Mais, au bout du mou, quand la chaîne raidie impose la dure peine, une longue, sourde, rauque plainte rythmée qui s'élève du cabestan : « Houi, ai, zóu ! Houi, ai, dau ! Houi, ai, zóu ! Houi, ai, dau ! » C'est comme la mélopée lugubre et résignée d'une douleur humaine enchaînée depuis l'aube des temps, qui envoûte son mal à coups d'onomatopées mystérieuses : « Houi, ai, zóu ! Houi, ai, dau ! » L'incantation cesse brutalement. « A pic ! » chante la voix marseillaise d'Aubanel, montant alerter le capitaine. « A hisser les volants ! » L'ordre de Vincent a roulé sur le navire, atteignant Jeanne autant qu'une caresse profonde. Sa voix. Son toucher lointain, qui la fait frissonner. « Paré à hisser ! » Jeanne retient à deux mains son souffle et un battement de son cœur pour mieux vibrer au « Hisse ! » à la fois impérieux et gai de Vincent. Alors, en même temps que les huniers se décollent de leurs vergues, éclate dans la nuit tiède et pâle un chant jargonné d'une prodigieuse liesse :

> *Hardi ! les gars, vire au guindeau,*
> *Good bye farewell,*
> *Good bye farewell,*
> *Adieu misère, bonjour nouveau,*
> *Hourra ! oh ! Santiago !*
> *Ho ! ho ! ho !*
> *Et nous irons à Valparaiso,*
> *Haul away, hé !*
> *Oula tchalez !*
> *Où d'autres laisseront leurs os,*
> *Hal' matelot,*
> *Hé ! ho ! hisse hé ! ho !*

Sur les vers longs le chœur des gabiers se laissait dominer par la belle voix, ronde et ample, frangée d'harmoniques bronzées, du capitaine. Les majestueux huniers semblaient monter aux mâts pour emporter « le monde » vers une terre de folle allégresse. Quand ils furent installés sans une ride dans le ciel, superbes, déjà creusés d'impatience sous la risée dévalant des Maldonades, le second ordre de Vincent tomba : « A hisser le foc !... Hisse ! » Par-dessus la figure de proue la voile fine s'envola, saluée par le grand cri traditionnel des bons départs : « Hisse le foc, matelot, tout est payé ! » Puis Jeanne entendit le trot accéléré des hommes retournant au cabestan, les « Houi, ai, zóu ! Houi, ai, dau ! » sauvages, exaspérés de désir à bout de souffle, avec lesquels ils arrachaient par secousses, à la mer tenace, la dernière ancre qui reliait encore leurs destins aux sables de Maldonado...

« Hoi ! » Le hurlement de la liberté dut atteindre et remuer l'immense paix immobile des étoiles. Jeanne se sentit s'incliner mollement sur sa hanche et glisser vers le large comme si elle-même obéissait, en même temps que *Belle Vincente* et avec la même docilité de beau jouet dompté, au bon plaisir souverain de Vincent.

16

TANT de bruit s'infiltre dans la chambrette d'un commandant que le surcroît de raffut n'éveilla Jeanne qu'un bon moment après son début, quand les matelots trimbalèrent leurs coffres le long des couroirs pour en dégager la batterie. « Mais que diable peuvent-ils bien déménager ? » marmotta-t-elle en se retournant... et alors elle s'aperçut qu'elle interrogeait un oreiller vide : elle était seule dans le lit. « Ne serions-nous pas encore sortis de la passe ? » se demanda-t-elle, étonnée, car il faisait petit jour. Dans la nuit, après leur départ, elle s'était endormie en sachant Vincent auprès du gouverneur[1], et qu'il y demeurerait jusqu'à la pleine mer parce que le chenal était rétréci par un banc de roche à l'ouest de l'île, et que le capitaine de *Belle Vincente* n'avait pas de meilleur pilote que lui-même. « Je boirais bien du café, pensa-t-elle en bâillant, mais il ne doit pas être encore l'heure ? » Elle s'étira dans tous les sens avec une volupté de chatte très peu pressée de quitter ses coussins : Vincent allait sans doute revenir dormir un moment ? Et il n'oserait peut-être pas dormir tout de suite ?

Un très long coup de maître-sifflet roula dans le navire, et Jeanne entendit la forte voix abrupte du lieutenant de Quissac gueuler des ordres surprenants : « Silence, matelots ! – Canonniers, à vos postes ! – Gabiers de vergues, haut ! – Gabiers de vergues de hunes, haut ! – Qui n'est d'en haut, en bas ! et chacun à son poste ! – Enfilez vos brassards, et silence ! – Enseigne Gioberti, distribuez les charges, vous en aurez le soin ! – Enseigne de Brussanne... »

« Ma parole, mais ils font l'exercice ! » pensa Jeanne, vaguement incrédule. Sur l'*Etoile des Mers,* chaque fois que ça ne roulait pas trop elle avait vu manœuvrer sur le tillac les dix-huit hommes et les quatre sergents qui voyageaient à bord pour aller renforcer la garnison de l'Isle de France. Les mariniers les regardaient jouer aux petits soldats avec tant de goguenardise que jamais Jeanne n'aurait imaginé qu'on faisait parfois l'exercice dans la marine aussi. Mais maintenant elle était sur un vaisseau corsaire où, sans doute, il ne fallait pas laisser se rouiller les hommes et les canons. « Je veux aller voir cela », se dit-elle en sautant du lit.

Elle commença de s'habiller. Dehors, les ordres du lieutenant et les « Paré ! » des répondants continuaient de se succéder à vive cadence. Comme Jeanne mettait ses bas la voix de Quissac entama un

___

1. L'homme de barre.

discours si étrange à ses oreilles qu'elle s'abstint de tout mouvement pour l'entendre mieux : « Ça, enfants, disait le lieutenant, pas de panique ! Ce ne sera qu'une bonne partie de quilles et ce seront les quilles d'en face qui tomberont, parce que nos amis les canonniers vont bien les servir et que le vent est toujours du côté de notre capitaine ! Pour recharger vos armes, couchez-vous sur le tillac. Faites tout sans bruit, pour bien écouter les commandements. Que chacun, sa paix faite avec Dieu, soit courageux et fasse tout son devoir. A ceux qui n'ont pas encore combattu avec moi je fais savoir que je décharge mes pistolets dans tous les coins où l'on se pourrait cacher ! Mes chers garçons... »

« Quissac est fou ! » pensa Jeanne, abasourdie. Comment Vincent tolérait-il un pareil sermon pendant un exercice ? Ou bien est-ce que les brigands de Pinto... Prise d'une sueur froide elle enfila ses bas et ses bottes à la hâte, ramassa ses cheveux dans un ruban et marchait vers la porte quand quelqu'un y frappa. Elle ouvrit, trouva Mario devant elle :

« Ah ! vous êtes prête, madame ! Bien sûr, vous ne pouviez pas tenir endor...

— Mario, que se passe-t-il ?

— Bien, madame... Mais n'ayez pas peur, ce ne sera rien ! Comme d'habitude on le démâtera en deux coups et...

— Pour Dieu, Mario, parle plus clairement ou laisse-moi aller voir ! dit-elle en le poussant.

— Madame, c'est un corsaire anglais qui nous cherche, dit-il en la retenant. Mais il n'est pas plus gros que nous et... Non ! madame, vous ne pouvez pas sortir sans moi ! Je dois vous conduire au pied du grand mât, dans la cabane du chirurgien.

— Et pourquoi ?

— Parce que c'est l'endroit le plus sûr du navire, madame. Vous n'y craindrez rien.

— Conduis-moi d'abord voir ton capitaine.

— Non, madame. Pardonnez-moi, mais le capitaine n'aimerait pas vous voir apparaître là-haut. Je dois lui obéir et vous aussi. Voyez-vous, madame, en temps de combat, chacun doit obéir sans discuter; il y va de la sûreté de tous. Permettez, madame... »

Il se baissa pour attacher les boucles de la culotte de Jeanne, ce qu'elle avait oublié de faire. Dehors, la voix du lieutenant criait : « Canonniers, prenez garde à vous et silence ! Maître canonnier, prenez le soin ! »

« Mario, dit Jeanne, que me racontes-tu avec ton corsaire anglais ? La France n'est pas en guerre avec l'Angleterre ?

– C'est une guerre personnelle, que ce corsaire-là nous fait. Une vieille histoire, qui date de notre campagne aux Indes. Monsieur lui a repris sous le nez par ruse et par vent, et sans tirer un coup de feu, une belle prise française qu'il avait faite. Depuis ce jour-là, le captain Henley s'est juré d'envoyer le capitaine Vincent par le fond. Mais ne tirez pas de la peine, madame : il a déjà essayé quatre fois. Aujourd'hui ça fera cinq et rien de plus.

– Mais l'Anglais n'a pas le droit de faire cela en temps de paix ! » s'écria Jeanne.

Mario lui sourit :

« Madame, monsieur vous dira qu'en mer, la paix avec les Anglais est toujours précaire. Il est temps, madame. »

Comme ils sortaient de la chambre, tomba du gaillard une prière que le père Savié disait avec une tonitruante solennité : « Ô Dieu, vous qui voyez notre bon droit, daignez veiller sur nous et nous accorder la grâce de triompher des embûches de nos ennemis. Par Notre-Seigneur Jésus-Christ revêtez-nous de force, donnez-nous une âme virile et un cœur plein de vaillance, et alors même que nous devrions marcher à travers des dangers mortels nous ne craindrons aucun mal car vous serez avec nous. Que nos Anges gardiens... »

– Nous descendrons par l'échelle centrale », dit

Mario en offrant sa main à Jeanne pour l'aider à traverser l'encombrement de la salle du corps de garde.

Il fallait se faufiler à travers d'astucieux empilages et toute la ménagerie du bord, que les faradins avaient ramassée là pour en dégager les ponts. Par souci d'hygiène, en dépit des allusions des plus gourmands de sa table Vincent ne tolérait sur sa frégate que peu d'animaux sur pied, mais il y avait quand même une cinquantaine de poules et leurs deux coqs, la vache à lait du capitaine et son veau, plus les quinze moutons et les deux douzaines de canards sauvages que l'écrivain venait d'acheter à Maldonado. Par fortune, les porcelets et les perdrix achetés en même temps avaient été sacrifiés pour nourrir la noce de l'avant-veille. De ce qui restait s'élevait un fort composé d'odeurs fermières et un grand bruit de poulailler en détresse, parce que les cages des perroquets embarqués à Rio avaient été posées sur les cageots de volailles. Mario ramassa par la peau du cou le chat Réglisse qui rôdait à furtifs pas de fauve du côté des plumes, et ils émergèrent au pied de l'échelle du gaillard. Jeanne retint un instant Mario, leva les yeux... Elle aperçut des matelots rangés, fusils en main, derrière la balustrade de bâbord, à l'abri d'un pavier écarlate. Les rambardes à claire-voie du pont et des hunes avaient été surélevées par les paviers – de longues frises rouges à croix blanches tendues sur des piques – si bien que le navire semblait s'être apprêté à la fête plutôt qu'à la guerre [1]. Mais les ordres du maître canonnier, en s'entrecroisant avec les dernières litanies pieuses du père Savié, rappelaient l'imminence du combat. Les répons à l'aumônier tombaient des hunes, des vergues, des enfléchures, sortaient des écoutilles, montaient du fond des cales, des batteries, de la soute aux poudres. Le mélange de ce lourd

1. Les paviers étaient mis pour cacher les hommes postés sur le tillac, et dans les hunes.

bourdonnement religieux, des pavois de joie et des commandements martiaux installait dans tout le vaisseau un climat d'une intensité si pesante que beaucoup, sans doute, devaient attendre comme un soulagement la première étincelle du feu.

Comme Mario tirait sur le bras de Jeanne, Vincent passa au haut de l'échelle. Impulsivement Jeanne cria son nom, échappa au valet, grimpa l'échelle... Jamais elle ne saurait comment elle l'avait redescendue ! Elle se retrouva au pied, les épaules broyées par les poignes d'un homme en colère, qui la secouait en hurlant : « Qui n'est d'en haut, en bas ! Discuterait-on mes ordres ? En bas ! » Sidérée, le corps en son, Jeanne balbutia : « Pardon » puis, dans sa panique, ajouta ces mots puérils : « Mon amour, ôtez au moins votre habit rouge avec lequel on vous voit de si loin... » La stupéfaction passa du côté du corsaire, une fraction de seconde, puis il repoussa Jeanne vers Mario en ricanant : « Quand je voudrai parfaire mon éducation de capitaine de frégate je vous demanderai des leçons en temps de paix. En bas ! » Mario entraîna Jeanne aussi vite qu'il le put. Dans tout le vaisseau la voix de l'équipage s'était tue sur un dernier « Seigneur, ayez pitié de nous, Jésus, assistez-nous ! Saint Michel archange, conduisez-nous ! » On n'entendait plus que les injonctions brèves du maître canonnier : « Prenez la platine... Couvrez la lumière... Rangez-vous sur les palans... » Il y eut un silence puis, soudain, roula d'un bout à l'autre du vaisseau la voix tonnante du lieutenant de Quissac : « Canonniers, prenez garde ! A pousser les canons hors les sabords... Poussez ! » Mario tirant Jeanne bouleversée, ils descendirent vers l'ombre.

La cabane de M. Amable, chichement éclairée par une lanterne à chandelle, sentait délicieusement la fumée d'eucalyptus : quand il attendait des patients le chirurgien en faisait toujours bouillir quelques feuilles dans une gamelle ouverte, pour désinfecter l'air. Il accueillit Jeanne avec un grand sourire rassurant, mais la jeune femme frissonna en voyant les ferrements tenus au feu, les scies, les tire-balles, les crochets et les becs et, préparés sur une longue planche de bois, les vessies, les emplâtres, les ligatures, les aiguilles droites et courbes enfilées de soie.

« Il faut prévoir, c'est le Règlement, mais tout ne sert pas toujours, dit le chirurgien, notant son frisson.

– Oui, bien sûr », murmura-t-elle, et elle pensait : « Mon Dieu ! si jamais Vincent devait être descendu ici tout sanglant, faites que je meure à l'instant plutôt que de me laisser voir cela ! »

« Je suis bien installé, n'est-ce pas ? dit Amable, soucieux de la divertir de ses pensées. Ma cabane est si propre et si bien pourvue qu'on l'appelle l'infirmerie. Je ne crois pas qu'elle ait sa pareille dans toute la flotte. Notre capitaine a une âme de vrai chevalier de la Religion : il veut que ses malades et ses blessés soient bien soignés. Tenez, puisque vous vous connaissez en médecine, mes fraters vont vous montrer nos richesses. En onguents, en poudres désinfectantes et astringentes, en miels composés, en huiles et en eaux de fleurs je tiens que je suis le seul chirurgien de bord à...

– Monsieur, coupa Jeanne d'une voix sourde, est-ce qu'on se bat souvent ?

– En mer ?

– A bord de ce vaisseau, est-ce qu'on se bat souvent ?

– Non, madame. Les corsaires n'aiment pas se battre, et votre époux moins que tout autre. Un jour, un officier de tribunal m'a dit que, pour mille prises, il n'y avait pas vingt-cinq combats dignes de ce nom. Un corsaire n'attaque pas les marchands de boulets, et un marchand d'autres choses, même armé, baisse pavillon au coup de semonce. Puis, aujourd'hui que la France s'est mise en paix avec la terre entière, il faut aller loin pour trouver des prises qui soient de bonne prise, si bien que les corsaires font beaucoup de commerce et peu de course. C'est un vrai guignon que ce failli chien d'Anglais... »

Une secousse brutale prise dans un « boum ! » assourdissant ébranla la coque, fit jaillir un cri de Jeanne. Presque tout de suite après ils perçurent un « Hoi ! » de joie féroce, des galopades sur les ponts, un remue-ménage dans la batterie où l'on devait recharger, des bribes de commandement et des gueulements de Quissac, puis soudain, tout près d'eux, dans le couroir, la grosse voix d'un charpentier qui réclamait des pelardeaux, de l'aide et les calfats. Les cinq personnes enfermées dans la cabane du chirurgien, debout, muettes, ne vivaient que par leurs oreilles. Ce temps suspendu dut être très court, mais pour Jeanne il dura une éternité, jusqu'à la bruyante dégringolade d'un homme qui parut dans l'infirmerie, tout excité, presque rieur, tenant en écharpe son bras droit dégouttant de sang :

« Vite, monsieur le chirurgien, vite ! pansez-moi ça que je remonte à l'abord, je veux pas le manquer, boudiéu ! ! Comment on lui a rabattu son orgueil d'une seule bordée, à l'Anglais ! »

La question tremblante de Jeanne domina les « Raconte ! » des autres :

« Votre capitaine est sauf ? »

Le blessé la regarda bouche bée, étonné de la découvrir là, étonné de sa question :

« Qué ! pourquoi qu'il serait pas sauf ? fit-il, comme si l'invulnérabilité de son capitaine faisait partie des choses tenues au sûr sous son bonnet.

— Tiens-toi sous la lanterne, ne bouge pas et raconte, commanda le chirurgien en saisissant un fer à cautériser.

— J'ai pas droit à un coup d'aigo-ardènt ? »

Un frater lui passa le bidon.

« Allez-y, dit le blessé sans rendre le bidon.

— Commence à nous raconter, dit le chirurgien.

– Bon, bé, voilà l'Anglais qui se met à tirer ses bordées pour nous gagner le vent, et le capitàni qu'avait tout l'air de pas vouloir l'en empêcher, à en juger par ses ordres qui nous arrivaient là-haut. Et voilà que, houi ! Houi, houi, houi ! Putain d'Anglais !

– Bois un autre bon coup, gabier, et continue de raconter, dit le chirurgien.

– Bon, bé, v'là donc l'Anglais tout près de prendre l'avantage et nous, comme pour l'aider à ça, houi ! v'là qu'on lui passe sous le vent et, juste en passant, on te lui envoie une furieuse bordée de tous nos canons et, aïe ! Vous croyez boucaner un cochon ? Aïe ! aïe, aïe !

– Le fer, c'est fini, dit le chirurgien. Donc, on lui envoie notre bordée, et alors ?

– Alors, un désastre chez l'Anglais ! exulta le gabier, son plaisir reprenant le dessus. Le lieutenant avait fait mettre des chaînes et des pinces dessus les boulets pour pointer à démâter, l'effet a été admirable ! L'Anglais avait voulu nous prendre le vent il l'avait, mais comme ça on lui voyait ses gens depuis la tête jusqu'aux pieds tandis que nous autres, on était tout couverts par notre coque. Un massacre on a fait, ma bello Santo Vierge ! On lui en a bien dû coucher trente ou quarante d'un coup ! Et sûrement leur captain parmi ! Et chez nous, c'est moi le plus égratigné; les autres...

– Leur captain est tombé ? coupèrent plusieurs voix.

– Pataflòu ! jubila le gabier, face hilare. Trente ou quarante d'un coup plus le captain, anen ! acò s'apello servi ! Et faut croire que leur captain s'est pas relevé, parce que ce qui restait debout n'a pas mis trois minutes pour amener leur pavillon [1]. L'abord, ça va être une partie de plaisir !

– Ils ont amené leur pavillon, mais alors, le combat est fini ? s'écria Jeanne la première. Vous ne

---

1. Le duel d'artillerie ultra-court avant l'abordage n'était pas l'exception, mais la normale.

pouviez pas le dire tout de suite ? Viens, Mario, remontons.

— Madame, vaudrait mieux attendre les ordres ici, objecta Mario, ou d'au moins savoir comment l'abord se sera passé.

— Reste si tu le veux, dit Jeanne d'un ton sec. Puisque le combat est fini, moi, je remonte. »

Mario consulta le chirurgien d'un œil malheureux, auquel Amable répondit d'un signe, l'air de dire qu'il ne tenait pas à contrarier la femme de son capitaine; on sait ce que peut coûter une vengeance de dame sur l'oreiller. Mario baissa le nez et précéda Jeanne dans l'escalier pour lui ouvrir le chemin.

« Pourquoi j'aurais dû dire la fin de mon récit avant le début ? Et mon effet, alors ? » grommela le blessé, vexé.

Une grouillante animation disciplinée régnait en haut. La frégate anglaise, d'un tonnage un peu plus fort que celui de *Belle Vincente,* se balançait par tribord à portée de mousquet, voiles hautes amenées, pavillon bas, le mât de misaine et le beaupré brisés.

Jeanne repéra tout de suite les habits rouges de Vincent et du chevalier de Brussanne [1] mais, prudemment, se recroquevilla dans le coin où la poussa Mario. Officiers-majors et officiers-mariniers discutaient, semblaient en désaccord. Mario alla traîner son oreille, revint dire à Jeanne que plusieurs, dont le capitaine, avaient envie d'abandonner la *Lady Harriet* à son sort sans l'aborder : ils craignaient qu'elle ne fût pas décrétée de bonne prise pour des raisons diplomatiques et, si elle ne devait pas l'être, pourquoi perdre du temps avec elle ? Mais bien entendu, l'équipage n'était pas du même avis. Lui sentait déjà la bonne odeur de la curée et trépignait d'impatience. Bientôt, la discussion de l'état-major

1. C'était pour être facilement repérés par leurs hommes que les officiers combattaient en uniforme.

s'éternisant, de l'équipage s'éleva un appel lancinant, de plus en plus fort : « Aborde ! aborde ! aborde ! aborde ! aborde ! » Un coup de maître-sifflet coupa le tapage, Vincent se retourna et cria : « Mes enfants, c'est nous qui décidons ! » Les hommes se remirent à grogner mais tout bas, sauf une grande gueule de Malouin, qui se détacha du paquet et brailla :

« Alors, vous autres Provençaux, vous acceptez qu'un butin vous passe sous le nez après la bataille ? Gros vaisseau, gros canons, mais pas de butin : foutu capitaine et foutus marins ! Sur un corsaire malouin, vous serviriez de filles ! »

Vincent fut sur le Malouin en trois foulées et, d'une gifle magistrale, l'envoya rouler sur le bordé en grondant :

« Alors, foutue caboche de Breton, on prêche la mutinerie à mon bord ? »

Le Malouin se releva écumant de rage et sortit son couteau dont la lame jaillit, étincela au soleil. Avant d'avoir pu faire un geste de plus il reçut sur la main un coup de plat d'épée qui lui fit lâcher son arme en hurlant, et une grappe de bras le maîtrisa.

« Embouclez-moi ce fils de pute à fond de cale en attendant qu'on lui fasse justice », commanda le maître.

L'incident avait clos les becs de l'équipage. La discussion reprit entre les officiers, jusqu'à ce que le capitaine élevât la voix :

« Messieurs, vous m'avez donné vos avis, je vous en remercie. Maintenant, il est temps que je décide : nous n'aborderons pas. Il est sûr qu'actuellement la capture d'un bâtiment anglais ne nous rapporterait que des gabelouseries [1] – si encore il arrivait où je l'enverrais ! Il nous manque déjà des hommes, je n'en pourrais pas prélever plus de quatre et un

---

1. Chicanes avec les fonctionnaires du tribunal des prises.

officier pour constituer l'équipage de prise. Dans ce cas, vous savez comme moi ce qui se passerait avant peu : les prisonniers jetteraient leurs gardiens à fond de cale pour ramener la *Lady Harriet* en Angleterre; ils les jetteraient même plutôt par-dessus bord pour briser sans témoins les scellés de M. Tourreau qui sont chose fragile, et piller leurs cales pour leur compte en nous en attribuant l'honneur.

— Eh bien justement, si, de toute manière, les cales doivent finir par être pillées, autant le faire nous-mêmes, intervint le contremaître Fréjus. Nous pourrions toujours relâcher l'Anglais après. »

Vincent secoua la tête :

« Non, Fréjus. Je reconnais n'avoir jamais eu si belle occasion d'autoriser un pillage sans rien ôter de leur dû à mes bourgeois [1], mais ce me serait folie que de permettre une piraterie en vue de Maldonado, à l'entrée de la rivière de La Plata où croisent des navires de tous pavillons, y compris ceux du roi d'Angleterre. Puis je répugne à perdre davantage de temps : il nous faut aller toucher Montevideo au plus vite et ensuite nous échapper de cette côte, que les marchands de boulets portugais qui nous cherchent habitent comme chez eux. Maintenant que j'ai le vent, je n'ai pas envie d'être tenu en place par un équipage soûl de pillage et de vin qu'il faudra remettre à la tâche à coups de garcette. Nous n'aborderons pas. Je vais l'annoncer aux hommes.

— Fichu quart d'heure à vous passer, grogna le maître. Diéu vous lou doune bon, capitàni ! »

Une rumeur coléreuse s'éleva des hommes quand le capitaine eut parlé. Vincent aspira une grande goulée d'air, gueula à poumons pleins :

« Silence, matelots ! On ne me querelle pas, on m'écoute ! Je vais vous dire mes raisons... »

Il leur expliqua à gros traits les bonnes raisons

1. Les associés terriens.

qu'ils pouvaient admettre, enfla la voix pour conclure :

« Mes enfants, l'affaire de ce matin est bonne telle qu'elle est : nous voilà délivrés d'un chien anglais qui nous coursait pour nous couler, nous n'avons pas un mort et nos blessures sont légères. Jusqu'aux mers du Bengale et de Chine nous avons encore une longue, une belle aventure à courir ensemble. Je vous revaudrai dix fois la perte de vos petits butins d'aujourd'hui. A la première prise que je jugerai bonne je fermerai les yeux sur un grand pillage d'une heure ! Je vous en donne ma parole ! »

Un « Hourra ! » vibrant assura le capitaine qu'il avait reconquis la bonne humeur de son équipage. Il leva la main pour parachever sa reconquête :

« En attendant, mes enfants, il y aura ce soir double ration de vin et du mouton rôti, et grand bal après ! Et tout de suite, au dîner, un coup de marc de Bourgogne de ma cave personnelle ! »

Cette fois, une joie enfantine explosa, délira. Le maître usa force salive dans son sifflet avant d'obtenir la parole à son tour :

« Tout le monde demeure en place un moment ! ordonna-t-il. Monsieur, ajouta-t-il tourné vers le capitaine, je propose qu'avant de remettre de l'ordre à bord, justice soit faite au matelot qui a tiré le couteau contre vous. »

D'affreux cris de haine et de mort fusèrent de l'équipage. Le Malouin, ils l'avaient un peu oublié mais, maintenant qu'on le leur rappelait, ils le réclamaient au supplice avec des imprécations de joie barbare : à défaut de la bonne curée défendue, se repaître des hurlements d'un camarade châtié, ce serait toujours ça de bon. Le son argentin du maître-sifflet roula de nouveau sur le pont :

« Silence, matelots ! A ce bord on applique la justice dans le silence. Et j'avertis les nouveaux que celui qui insulte ou frappe le puni subit son sort après lui ! Qu'on remonte le Malouin. Tambour, allez chercher la corde [1]. »

Mario courut vers le coin où il avait caché Jeanne :

« Vite, madame, redescendez ! Ce qui se prépare n'est pas pour vos yeux.

— Mais je ne peux plus descendre, Mario, dit-elle, affolée. Regarde : il me faudrait passer devant le capitaine et il verrait que je suis montée sans sa permission. »

En effet, Vincent et ses officiers lui barraient le chemin de l'échelle. Et de toute manière, les hommes s'étaient maintenant rangés sur le tillac comme pour un spectacle, face à leur état-major, et Jeanne ne s'imaginait pas se dressant pour paraître soudain devant cette batterie de regards luisants à l'affût de la proie promise.

« Cache-moi, Mario, supplia-t-elle, reste bien devant moi.

— Oui, oui, madame. Et vous, bouchez-vous bien les yeux. »

Mais elle ne put se boucher aussi les oreilles quand les premiers coups de corde tombèrent sur le dos nu du Malouin qu'on avait lié au grand mât. « Mon Dieu, faites que Vincent arrête cela avant que l'homme n'en meure, faites que Vincent arrête cela, je vous en supplie, mon Dieu », ne cessait-elle de prier de toutes ses forces, le visage enfoui dans ses mains. Enfin, au bout de mille ans de prière elle entendit la voix de Vincent crier : « Assez ! » et Mario marmotter : « Ce salaud en est quitte à bon compte. » Elle releva la tête mais, au même instant, un hurlement de bête meurtrie déchira l'air, lui arracha un cri qui se perdit dedans. Elle se mit à trembler comme feuille au vent, demanda d'une voix morte :

« Mario, ils l'ont... pendu ?

— Mais non, madame ! chuchota Mario. Ils lui ont

1. Le tambour était l'exécuteur des châtiments.

seulement cloué la main au grand mât. C'est le prix pour avoir tiré le couteau à bord. Vous n'allez pas tourner pâle, madame ? Pour Dieu, ne tournez pas pâle ! Si je devais vous faire secourir ici et que monsieur voie ça, il me tuerait pour ne pas vous avoir tenue en bas.

— Non, non, Mario, cela ira, cela ira », dit-elle en claquant des dents.

Vincent passa tout près d'eux, n'aperçut que Mario qu'il ignora, et Jeanne l'entendit dire à son second : « Monsieur, vous ferez déclouer et soigner le Malouin. Nous le mettrons à terre à Montevideo pour qu'il aille se faire pendre ailleurs. D'ici là, qu'on l'emboucle. » Dès qu'elle put se glisser jusqu'à l'échelle sans se faire remarquer, Jeanne regagna sa chambre pour y éclater en sanglots.

Elle plongea plusieurs fois son visage dans l'eau froide et se sentit mieux. « Je suis sotte, pensa-t-elle, et vraiment trop prompte aux larmes. Il faut bien qu'il punisse les mal-vivants s'il veut demeurer maître à son bord ? » Elle se mit à sa toilette, eut le temps de se laver, de passer une jolie robe légère et de se coiffer avant de voir Vincent ouvrir la porte :

« Ouf ! dit-il en se débarrassant de ses pistolets. Je ne suis pas fâché d'avoir terminé cette affaire à mon goût. »

Elle s'approcha de lui et lui entoura le cou de ses bras :

« La dernière fois que nous nous sommes rencontrés sur l'échelle du gaillard tu étais très fâché contre moi, dit-elle avec une moue.

— C'est qu'un capitaine corsaire ne devrait épouser qu'une femme de taille réglable, dit-il sans rire. La plupart du temps, il la tiendrait petite et rangée dans sa poche, et ne la remettrait grandeur nature que pour se coucher.

« – Je ne sais pas si je te pardonnerai jamais cette phrase-là », dit-elle.

Il lui cala le menton dans sa paume, l'embrassa :

« Et comme cela ?

– Comme cela je te pardonne, mais je ne renonce pas pour autant à la désobéissance. Je ne suis pas une sainte, tu sais ?

– Oh ! je sais. Je le sais même un peu plus que toi. Mais cela m'est égal : je n'aime pas les saintes. J'aime les humaines exquises, avec des peaux plus douces que les plus belles vertus.

– Ainsi, tu n'aimes que ma peau ? dit-elle avec une mauvaise foi provocante. Ce que j'ai de plus profond à t'offrir ne t'intéresse pas ? »

Il la toisa d'un air railleur :

« La peau est assez souvent ce qu'il y a de plus profond dans un corps de femme, dit-il avec rosserie.

– Oh ! oh ! oh ! oh ! Tu vas me payer cela ! s'écriat-elle en le bourrant de coups de poing. Et je te défends de rire !

– Je ris parce que je t'aime et que l'amour est gai.

– Oui, c'est vrai, l'amour est gai. Ton amour est si gai, mon amour », dit-elle en lui remettant les bras autour du cou.

Elle posa sa tête sur son épaule, demanda tout bas :

« Quand serons-nous à Montevideo ?

– Peut-être demain soir, peut-être après-demain matin, peut-être jamais.

– Jamais ? Pourquoi, jamais ?

– Parce que la mer, parce que le vent. N'as-tu pas appris cela, depuis que tu navigues, à vivre au gré de leurs deux caprices ?

– Toi, tu sais commander à ces deux caprices-là. »

Se serrant plus fort contre lui, elle ajouta tout bas :

« Commande-leur de nous échouer sur une plage du bout du monde, à l'ombre d'un cocotier. »

Il lui releva le visage, enfouit son regard dans le sien :

« Jeanne, rêver dans mes bras, c'est perdre du temps. En amour, l'avenir et le passé, c'est du temps perdu.

— Mais tu ne comprends donc pas que je rêve au loin pour oublier demain ? Tu ne comprends donc pas que j'ai peur de demain parce qu'aujourd'hui est si merveilleux ? dit-elle avec une passion fébrile. Je veux qu'aujourd'hui ne finisse jamais ! J'ai tant rêvé de toi, Vincent, que, même maintenant, chaque fois que je te revois je doute encore d'avoir été exaucée et j'ai besoin de te toucher pour m'assurer que tu n'es plus un fantôme.

— Ma chère, pour l'instant je me sens bien aussi inconsistant qu'un fantôme ! dit-il en réprimant un bâillement dans les cheveux de sa femme.

— Comment, chevalier, je vous fais des déclarations d'amour et vous bâillez ! s'exclama-t-elle d'un ton si outré qu'il éclata de rire, un fou rire contagieux au point de gagner Jeanne.

— Pardon, mon doux désir, dit-il enfin. Je ne bâillais que par manque de sommeil, je t'assure.

— Bah ! fit-elle sans pitié, si vous aviez décidé d'aborder tu serais au pillage, et sans nulle envie de dormir. Peut-être même serais-tu en train de faire le joli cœur devant une ou deux dames que tu aurais trouvées cachées à bord de l'Anglais.

— Ma mie, il faut faire son métier. Dépouiller une dame de ses bijoux sans lui laisser un trop mauvais souvenir fait partie du métier de corsaire.

— Quoi ! tu prends les bijoux des dames ?! dit-elle en le regardant d'un œil horrifié.

— Cela dépend de la valeur des bijoux.

— Vraiment ? Cela ne dépendrait-il pas aussi de la beauté de la dame ?

— Aussi. Mais ce n'est pas ma faute si une dame est toujours prête à payer ses bijoux ou ses malles avec sa beauté.

— Oh ! » fit Jeanne, offensée par la réponse.

Elle le regarda avec rancune, dit d'un ton animé :

« Vous, les hommes, êtes toujours prompts à traiter de courtisane une jolie femme qui use de sa tête aussi. Car enfin, je vous le demande, que peut faire une malheureuse qui voit soudain s'abattre pêle-mêle, sur le vaisseau qui la porte, un équipage corsaire victorieux et affamé de tout butin ? J'imagine qu'elle n'a le choix qu'entre le don et le viol et, ma foi, tant qu'à subir le même dommage, autant sauver son bagage.

– Je ne te le fais pas dire ! »

Il l'enveloppait de son œil moqueur le plus moqueur, poursuivit avec un grand sourire :

« Toutefois, ma chérie, sache que je ne permets pas à mon équipage de s'abattre pêle-mêle sur les dames d'un vaisseau vaincu – tu as dû lire de mauvais romans de mer. Chez moi, les viols sont réservés à l'état-major et se font avec beaucoup de courtoisie, et seulement à la demande des dames vaincues.

– Oh ! fit Jeanne en le poignardant à deux yeux. Vaniteux des vaniteux ! Perdez cette pensée, chevalier, que toutes les femmes ont envie d'être violées en vous voyant paraître – c'est une pensée par trop commune à tous les hommes en guerre.

– Toutes les femmes ? Grands dieux ! je n'exige pas la bonne volonté de toutes les femmes : celle des belles me suffit. »

Jeanne, qui s'était éloignée de Vincent, se rapprocha pour lui dire sous le nez, avec une insolence appliquée :

« Chevalier, vous aurez beau faire, vous ne me convaincrez pas que vous ayez jamais violé personne : vous n'en avez pas le tempérament. Je sais de quoi je parle. Dans le pavillon du bois de Neuville vous ne m'avez pas violée, n'est-ce pas ? Et dans votre petite maison de Vaugirard, vous ne m'avez pas violée davantage, n'est-ce pas ? »

Elle lui offrait des yeux dorés d'ange si tenté par le péché qu'il prit un plaisir infini à jouer le jeu :

« Je t'en demande pardon, dit-il. Je me repens.

— Oh ! ne vous excusez pas, chevalier, il n'y a pas de votre faute par mauvaise volonté : vous n'êtes pas corsaire sur ce point, voilà tout ! dit-elle avec une impertinence accrue. La preuve en est qu'à présent que me voilà très fâchée contre vous, et bien décidée à vous bouder, vous n'aurez pas un geste pour me faire violence et vous irez bonnement dormir ! »

De l'index il lui leva le menton, dit d'une voix douce comme sucre :

« Non. Rassure-toi, mon cœur : je ne te ferai pas faux bond une troisième fois. »

Il s'arracha sa perruque, renversa d'un coup de botte le fauteuil derrière lequel elle s'était abritée, l'attrapa, la souleva dans ses bras, la jeta sur le lit comme un paquet de chiffons, lui troussa ses jupes et s'abattit sur elle en la criblant de baisers.

17

POUR le souper de fête promis à l'équipage elle avait remis sa belle robe, chaste et précieuse, de mariée en dentelle. Maintenant elle attendait Vincent, qui dormait encore dans la grand-chambre. Elle lisait distraitement les fables d'un La Fontaine qu'elle avait trouvé dans la petite bibliothèque du bord, donnant tour à tour une caresse à Réglisse qui ronronnait sur ses genoux et une autre à Chatoune, la chatte chartreuse percluse de vieillesse que Vincent transbordait de vaisseau en vaisseau depuis douze ans. Aplatie immobile sur son fauteuil, Chatoune fermait plus fort ses yeux chaque fois que la main douce venait sur elle, les rouvrait un instant quand elle s'envolait et regardait Jeanne, comme pour s'assurer que la dame demeurait et que la douceur allait revenir. Chérimbané, perché sur la peinture de Van Loo, faisait par à-coups sa cour bruyante à la Pomone et Jeanne lui disait : « Chut ! tu vas réveiller

le capitàni », et l'oiseau répétait à tue-tête : « Capitàni, bonjourrr ! » et Jeanne se fâchait, se levait pour
lui donner une tape qui le rendait boudeur un
moment.

Ce long temps d'attente nonchalante balancée par
la mer coulait de plus en plus ralenti dans les veines
de Jeanne, l'irriguait de sérénité. Ses pensées
inquiètes, engourdies, sommeillaient. Bientôt reviendrait sans doute l'assaut de ce remords – Philibert –
qui cherchait depuis quatre jours à la coiffer d'une
chape de plomb mais n'y parvenait pas, parce que
les caresses du chevalier l'avaient comme revêtue
d'innocence. Entre faute et remords elle vivait
l'heure miséricordieuse où la faute, même accomplie,
a encore son goût de divin fruit sans pépins. Elle
toucha un léger bleu laissé sur son sein gauche par
un bouton d'uniforme et pensa, fondue d'amour :
« Mon Dieu, je sais bien mal vous prier, mais faites
pourtant que je sois toujours émerveillée par sa
présence, et faites qu'il ait toujours envie de moi
comme si je lui étais nouvelle. » Le La Fontaine
glissa sur le tapis, éveillant au passage la queue du
chat, qui fouetta la mousseline de la jupe de Jeanne.
Elle réveilla tout à fait Réglisse, pour le plaisir de lui
dire qu'elle se sentait amoureuse de son chevalier au
point de ne plus désirer vivre que d'amour, de
paresse et de bêtise : « N'est-ce pas un bien grand
changement, Réglisse, et bien extraordinaire, chez
une femme qui avait toujours envie de faire et de
penser mille choses diverses ? Et ne devrais-je pas en
avoir peur ? » Que ferait-elle de ce délire qui l'occupait tout entière quand arriverait l'instant de la
séparation ? Tout à l'heure elle avait bavardé avec
l'Amadou et avait bien compris que l'équipage attri-
buait à sa présence le fait d'avoir été privé d'un
abordage et d'un butin. Vincent ne pourrait pas
toujours la garder sur *Belle Vincente,* même en
culottes et tenant le coup par grand temps. Il lui
faudrait apprendre à devenir une femme de marin,

qui souvent ne se berce qu'avec un souvenir et interroge l'horizon jusqu'à se tirer des larmes.

Elle secoua sa tête avec impatience, dit haut : « Jeanne, rien n'existe qu'ici et maintenant », ramassa son livre et se replongea dans la souriante limpidité du bonhomme La Fontaine.

Une forte senteur sucrée d'orangers en fleur envahit la chambre.

« Etes-vous prête et puis-je entrer ? »

Elle ne lui répondit que d'un sourire, gardant son livre ouvert.

« Vous lisiez ? Que lisiez-vous ?

— Quelques fables parmi mes préférées.

— Voyons à quelle je vous ai surprise ?

Elle lut assez bas, de sa riche voix de violon grave :

Un homme chérissait éperdument sa chatte;
Il la trouvait mignonne, et belle, et délicate,
Qui miaulait d'un ton fort doux.
Il était plus fou que les fous...

« Je ne vous avais jamais vue lire, dit Vincent. J'ai une foule de premières fois à découvrir chez vous. Il y a mille gestes de Jeanne que je ne connais pas encore. Un jour, je vous installerai dans ma petite maison de La Valette, un autre jour dans ma petite maison de Vaugirard, et vous les peuplerez de Jeannettes : Jeannette au salon, Jeannette au jardin, Jeannette au clavecin, Jeannette écrivant, Jeannette composant un bouquet...

— Comme je fais déjà cela à bord de votre frégate, vous ne serez bientôt plus chez vous nulle part ! dit-elle en riant.

— Voilà qui me va : je tiens que pour être heureux il faut qu'un mari soit l'invité de sa femme. Les femmes adorent se charger de tout quand un homme n'aspire qu'à ne se charger de rien !

— Il est vrai que j'aimerais assez régenter vos affaires, reconnut-elle avec tant de bonne foi qu'elle le fit rire à son tour. Mais ne me laissez pas ici le soin de la voilure : notre histoire d'amour se pourrait noyer prématurément ! »

Un assez long silence s'établit entre eux. Vincent s'était assis à son bureau pour annoter des feuillets qu'il avait apportés; Jeanne continuait de vaguement lire en caressant Réglisse. De temps en temps, leurs regards relevés se frôlaient, leur donnaient un sourire qu'ils reposaient, elle sur son livre, lui sur ses papiers. Un moment tout embué de tendresse passait à travers leur passion d'amants neufs. Enfin Vincent en eut terminé, il classa ses papiers, retourna son fauteuil et contempla la liseuse.

« Vincent, parlez-moi de vous, dit-elle après quelques instants.

— De moi ? Cornebleu, non ! Un mari a déjà bien assez de peine, sans se confesser, à garder pour lui quelques-uns de ses petits mystères. Vous découvrirez bien assez tôt que le vôtre a tous les défauts d'un marin, qu'il est le premier à en rire, mais le dernier à s'en vouloir corriger.

— Un jour, l'un des clients de ma Tisanière m'a dit que tous les marins étaient superstitieux, bigots, paillards et conservateurs.

— N'attendez pas que je souscrive à tout cela devant ma moqueuse épouse. Je ne retiens que le conservateur, pour vous céder quelque chose. Je suis conservateur.

— Bah ! Cela ne vous engage qu'à être royaliste, comme tout le monde sauf mon ami Mercier, qui aime extravaguer.

— Un conservateur ne croit pas qu'à Dieu et au Roi.

— Mais encore ?

— Mais, par exemple, en dépit de la mode, du bon

ton conjugal et des maîtresses qu'il prend parmi les femmes des autres, il croit dur comme fer que la sienne lui doit fidélité, et il irait même jusqu'à l'exiger », dit-il avec nonchalance.

Elle ferma son livre d'un claquement mat, l'observa à yeux de chatte, immenses, lumineux, impénétrables :

« L'exigez-vous ? demanda-t-elle enfin du bout des lèvres, d'un ton de marivaudage.

— Férocement !

— Je me souviens, commença Jeanne, le regard lointain, je me souviens du serment de mariage de la flibuste, que vous m'avez appris. Si je me souviens juste, à la flibuste il faut jurer fidélité sur le pistolet de son époux ? Vous avez oublié, monsieur mon corsaire, de me faire prêter ce serment de barbare.

— C'est que vous n'étiez pas encore une mariée de flibuste, dit-il. Mais maintenant que je vous ai tout à l'heure piratée — vous rougissez toujours aussi joliment —, maintenant, ma foi... »

Il se leva, vint se rasseoir à demi sur la table devant elle, où étaient demeurés posés ses pistolets. Il se pencha un peu, lui prit le visage entre ses mains et dit d'une voix soudainement aggravée :

« Jeanne, je t'ai voulue, je t'ai prise. Je ne t'ai pas demandé compte du passé, mais réponds-moi de l'avenir. Et souviens-toi de ton serment, ajouta-t-il en la lâchant d'une main pour frapper sur un pistolet. Car si tu me manques, Jeanne, il ne te manquera pas ! »

Le ton du jeu avait eu un tel accent de sincérité qu'elle laissa passer plusieurs secondes avant de murmurer :

« Vous jouez fort bien le flibustier, chevalier, mais je ne puis croire que vous tueriez jamais une femme, pas même la vôtre.

— Non, je l'espère. C'est pourquoi si jamais... »

Il se coupa brusquement, lui reprit le visage entre ses mains, acheva avec une fougue à peine maîtrisée :

« Si jamais un jour j'apprenais ton infidélité, de cet instant je ne te reverrais de ma vie, je te le jure, et ce serait davantage encore par peur que par amertume. Car si je devais te revoir infidèle, je t'étranglerais ! Oui, en vérité, pour me soulager je n'aurais pas d'autre ressource que de t'étrangler de mes mains comme Othello sa Desdémone. Dès qu'on aime on comprend ce dément, et que la dernière volupté qu'on puisse prendre d'une trompeuse soit de sentir les petits os de son tendre cou vous craquer entre les doigts !

— Ouf ! fit Jeanne. Dois-je vraiment vous croire à la fois aussi amoureux et aussi jaloux que le Maure ? Jadis, à Charmont, il m'avait semblé que vous preniez vos amours plus à la légère et sans nul souci qu'on vous y donne de la compagnie, du moins pendant vos absences. Vous aurais-je rendu turc ?

— En effet, madame : il faut bien que mauvais sang se révèle un jour. Sais-je après tout lequel coule en mes veines ? Si j'en juge sur ma peau, il doit couler bien sombre. Ainsi, ma Desdémone, tiens-toi bien sage », acheva-t-il d'un ton plaisant en lui donnant une tape sur la joue.

Elle retint sa main entre les siennes, interrogea tout bas :

« Même si vous étiez aveugle et sourd, pourriez-vous douter de mon amour ?

— Je n'en doute pas, ma chérie. Je demande seulement la grâce de croire pour toujours à l'amour d'une femme, et je sais que je demande là un privilège exorbitant puisque même une mère ne vous aime qu'un petit moment. »

La confidence mal voilée toucha Jeanne aux larmes. Elle se leva, posa ses mains sur les épaules de son mari et dit avec sa voix de miel :

« Vincent, mon bien-aimé, je rendrai à votre fils la tendresse qui vous a été volée.

— Oui, s'il vous plaît », dit-il.

Il la serra contre lui, puis elle l'entendit se forcer à plaisanter :

« Ma chère, nous venons d'avoir une bien sotte conversation. Il me semble que nous nous étions habitués à un peu plus d'esprit de notre part. Heureusement le souper approche et nous empêchera de continuer à nous parler comme les héros romantiques des romans de Richardson, qui sont de très ennuyeuses personnes. Le souper sera bon : nous aurons des carrés de mouton et j'adore les côtelettes de mouton. J'ai demandé qu'on les rôtisse sur du fenouil sauvage : nos fraters en ont cueilli de pleines brassées dans la campagne en nous attendant. Le fenouil sauvage, Jeannette, lou fenoun, c'est toute ma Provence. Le curé de Cotignac qui m'a élevé en avait transplanté deux ou trois pieds dans son jardin. Il poussait juste sous ma fenêtre, immense, et, en juin, c'était son odeur mouillée de rosée qui m'éveillait, avant même les chants des merles, avant même le crépuscule du jour. Je me levais, j'ouvrais ma fenêtre et j'en broutais deux ou trois fleurs après en avoir épuisé tout le parfum par le nez. Elles étaient exquises. Glacées par la buée du matin, fondantes et délicates sous la dent, savoureuses jusqu'au ventre ! »

Il remarqua avec plaisir l'air charmé de Jeanne :

« Tu vois, dit-il, moi aussi j'ai quelques petites choses à t'apprendre en botanique. Mais dame ! j'ai plutôt un savoir rustique de Jeannot lapin !

— Non, non, c'était fort poétiquement décrit et tu m'as donné faim.

— J'espère que notre bon souper ne sera pas gâté par les jérémiades de mes officiers, qui regrettent leurs petits butins. Dom Savié me fait la tête et Quissac est furieux.

— Quoi ? fit Jeanne ébahie, le père Savié aurait pris part au pillage ?

— Avec une très chrétienne délectation ! Il me poussait fort à aborder l'Anglais, parce qu'il savait n'y trouver qu'un aumônier anglican, c'est-à-dire un vis-à-vis hérétique qu'on peut dépouiller de ses chemises, de ses bas et de ses mouchoirs après lui avoir brûlé sa bible, pour le punir de n'être pas catholique romain. Voyez-vous, chacun a le droit d'emporter pour petit butin les biens de son collègue d'en face, et quand il a affaire à un aumônier d'aussi bon teint que lui et qu'il ne peut décemment piller, le père Savié est d'une humeur de chien floué de son os. Tomber sur un réformé bon à tondre et le laisser filer ne l'a pas réjoui. Pour être prêtre on n'en est pas moins homme.

— Je suis stupéfaite, dit Jeanne.

— Je vous l'ai dit : la course est l'école de la cupidité. Croyez que je regrette infiniment les excellents vins d'Espagne et de Bordeaux que j'aurais assurément trouvés chez le captain Henley. Mais n'y pensons plus : nous boirons de mon bourgogne. Je regrette davantage les cachemires qui vous auraient plu, et que j'aurais peut-être découverts chez l'Anglais s'il revient des Indes. Mais je vous attraperai d'autres cachemires un jour et vous n'auriez pas été plus ravissante dans du cachemire que vous l'êtes dans votre robe de mariée brésilienne.

— Vous êtes assez beau aussi. Vous ne cédez jamais à personne votre part de chiffons !

— Et pourquoi diable la céderais-je ? Moi aussi, j'ai besoin de plaire à mon amour. »

Elle le contempla avec ivresse. Il portait un simple habit de drap de soie noire, mais superbement brodé en minuscules perles de jais, et une perruque poudrée à deux rouleaux et large catogan de velours noir. « Si le Diable me réclamait mon âme en échange des bras de cet homme, je la lui donnerais sans marchander », pensa-t-elle.

« Tends-moi les bras », pria-t-elle.

Il lui ouvrit les bras, elle se jeta dedans, lui encercla le cou et lui mordilla l'oreille, renversa la tête pour le voir encore :

« Tu es beau, dit-elle. Je t'aime parce que tu es beau.

– Non.

– Non ? Tu n'es pas beau ?

– Si ! Mais ce n'est pas pour cela que tu m'aimes.

– Je t'aime parce que tu es gai.

– Bah ! Ne cherche pas une raison à l'amour, Montaigne a trouvé la bonne depuis longtemps : parce que c'était lui, parce que c'était moi.

– Bon. Alors je ne parle plus. Embrasse-moi...

– Tu sais, dit-elle dans son épaule quand elle émergea du baiser toute molle, tu sais, je préfère tout de même l'amour autrement qu'à la flibustière. Tu ne devrais pas me laisser sur un souvenir aussi barbare jusqu'à la nuit. »

Il partit d'un tel rire que les deux chats s'ébouriffèrent et que Chérimbané, excité, se mit à se plaindre de sa faim à paroles redoublées.

« Cornebleu ! s'exclama Vincent riant toujours, jamais je n'aurai fait campagne plus épuisante que celle qui s'annonce ! Il est dommage, Jeannette, que tu ne sois plus tisanière au Temple, car tu me pourrais fournir à bon compte de verveine des Indes, qui passe pour relever le moral des amants fatigués ! »

Le souper fut très joyeux. Le mouton embaumait. Le père Savié, remis de sa mauvaise humeur, et qui se piquait de cuisiner à ses heures, avait préparé un plat de crabes-tourlourous à la façon, exquise, des nègres des îles à sucre, qui les accommodaient avec oignon haché menu, persil, fines herbes, un tour de poivre, des écorces d'oranges, des jaunes d'œufs délayés dans du jus de citron et une pointe de muscade. A la table du capitaine de *Belle Vincente* il était d'usage de se récrier longuement sur tout chef-d'œuvre gourmand sorti des mains onctueuses de l'aumônier, car le prémontré aimait autant parler de ses plats que les faire et les manger. Le sachant, Jeanne était en train de lui réclamer le récit de sa recette de tourlouroux à la mode des îles, quand un envoyé du contremaître pénétra en coup de vent dans la grand-chambre :

« Faites excuse, messieurs, dit-il en s'adressant à Vincent. Capitàn', voiles devant à nous.

— J'imagine ! dit Vincent, haussant un sourcil étonné. On navigue rarement seul dans le rio de La Plata.

— Voiles portugaises devant à nous, capitàn', précisa le matelot, et qui semblent vouloir nous barrer le chemin. »

Vincent eut un haut-le-corps quand il vit arriver droit sur lui, et comme venant de Montevideo, l'imposant trois-mâts de guerre portugais auquel il avait faussé compagnie en quittant précipitamment l'île Sainte-Catherine. Il était déjà suffisamment proche pour que le capitaine de *Belle Vincente* pût apercevoir, à la lunette, le branle-bas de combat chez les Portugais.

Le *Vasco da Gama* était bien connu de Vincent. Il le savait armé de soixante-quatorze canons et d'une forte mousqueterie, c'est-à-dire d'une grande puissance de feu, mais lent et lourd à manœuvrer. Le corsaire maltais aurait fort bien pu l'affronter avec les plus grandes chances de le vaincre grâce à ce qu'il savait obtenir de sa bonne voilière légère mais, dès qu'il pouvait l'éviter, jamais Vincent ne risquait ni ses hommes ni son bois pour la gloire. Comme d'un vaisseau de guerre il n'y avait rien d'autre à espérer que des boulets, son parti fut pris dans l'instant :

« Nous prenons chasse [1], dit-il. Les Portugais, décidément, n'aiment pas voir emporter leurs perroquets et sont acharnés à nous les reprendre.

— Hé ! monsieur, sans doute se consoleraient-ils de

1. Nous fuyons.

la perte de leurs aras si vous ne leur emportiez d'autres babioles avec ! nota le second Aubanel.

– Il n'empêche qu'on s'étonne de voir un Portugais s'apprêter à l'attaque d'un allié de l'Espagne dans le plein milieu des eaux espagnoles, remarqua Quissac. Les Espagnols devraient renforcer leur marine de par ici : si les Portugais se sentent déjà comme chez eux dans la rivière de La Plata, je ne donne pas longtemps avant qu'ils ne soient chez eux dans la province. Non, mais voyez quelle impudence que d'aller pourchasser son gibier presque jusque sous le nez du gouverneur de Montevideo ! »

Vincent secoua la tête :

« Il ne sera pas allé jusqu'au port. Le *Vasco da Gama* aura su, par l'un de leurs vaisseaux, que nous étions retournés au mouillage de Maldonado; il a passé pendant ce temps pour nous attendre en bonne position là où il se trouve, en espérant que nous, nous reviendrions sur Montevideo. Le commandant du *Vasco da Gama,* le comte d'Azurura, sait très bien que je commerce avec don José de Murcia. Monsieur le maître, voulez-vous siffler vos gabiers ?

– A la réflexion, je suis surpris que le Portugais se soit déjà découvert à nous si près des Maldonades, alors que nous avons la mer libre derrière nous, observa le second.

– Libre, c'est encore à voir, dit Vincent, qui s'était justement retourné pour inspecter l'horizon qu'il avait en poupe. Je vais avec le gouverneur. Surveillez donc un peu ce que nous allons devoir croiser en retournant... »

Quelques minutes plus tard, *Belle Vincente* vira doucement sur elle-même avec une grâce de mouette changeant de caprice, remit cap au large, abattit à la brise et repartit d'où elle venait, vite, parce qu'elle jouissait alors d'un vent largue.

« Je crois, monsieur, que nous avons bien fait de leur montrer le cul, dit Quissac au chevalier, quand celui-ci reparut sur la dunette. Voyez donc », ajouta-t-il en indiquant le côté de l'ennemi.

Un petit senau qu'avait jusque-là masqué le trois-mâts venait de surgir à tribord du *Vasco da Gama*, et semblait vouloir le devancer comme pour prendre le maltais en chasse.

« Nous sommes trop en avance sur lui et trop bons marcheurs pour qu'il nous rattrape, dit Vincent. A moins que nous ne soyons bloqués par-devant, ajouta-t-il en pointant sa longue-vue sur le mouvement des voiles qui venaient de l'océan.

– A priori, je ne vois pas... »

Le lieutenant de Quissac qui, lui aussi, auscultait l'embouchure de La Plata à la lunette, laissa sa phrase en suspens.

A première vue, leur horizon n'était peuplé que d'amis ou de neutres. En plus des barques, négligeables autant que nombreuses, ils avaient à bâbord, au plus près une hourque hollandaise escortée d'un petit senau et, par-derrière, une corvette de guerre battant pavillon espagnol – sans doute le chien de garde d'un lourd bâtiment marchand trop chargé, qui progressait à l'allure d'un escargot. A tribord, sur la même ligne mais plus éloignée du marchand, naviguait une seconde corvette espagnole.

Le chevalier de Brussanne emprunta une minute la lunette du lieutenant :

« Ma foi, toutes ces couleurs de là-bas me semblent sans danger, dit-il en rendant la lunette.

– Les couleurs, oui », dit brièvement Vincent.

Il ajouta, s'adressant au lieutenant :

« Que vous semble, monsieur, de ce gros marchand ? »

Quissac eut un petit sourire de connivence :

« Je pense comme vous, monsieur, que sa trop visible bonhomie ne me dit rien qui vaille. Pas un sabord – c'est peu. Les marchands vraiment bons enfants s'en peignent plutôt de faux. N'importe, monsieur : bourgeois désarmé ou guerrier déguisé, ne devons-nous pas le croire espagnol ?

— En effet, nous le devons, approuva Vincent en appuyant sur le verbe. Et de même pour les deux corvettes qui l'encadrent : je veux les croire espagnoles, pour que Dieu m'exauce ! »

Se retournant, de nouveau il observa longuement l'ennemi qu'il fuyait :

« Ce petit senau portugais qui nous vient en poupe va comme un oiseau, dit-il. Dame ! il profite du vent largue autant que nous et il est encore plus léger.

— Mais devez-vous bien vous inquiéter d'un deux-mâts qui jauge au plus cent cinquante tonneaux ? » demanda le chevalier de Brussanne avec une ironie à peine masquée.

Vincent jeta un coup d'œil à son jeune enseigne, répliqua avec la même ironie :

« Cher petit frère, si vous voulez un jour faire un vieux loup de mer il faudrait vous défier de vos certitudes. Un senau de ce tonnage porte souvent vingt canons, il est taillé pour la vitesse et peut bien n'avoir pas un sot capitaine. Ne vous aurait-on point appris que Jean Bart faisait des prises miraculeuses avec une barque de trente-cinq tonneaux ?

— Nous n'aurions pas dû musarder sur ces côtes avant d'aller nous défaire de ce que les Portugais veulent tant nous reprendre, grommela le second avant de s'aviser qu'il était en train de critiquer une décision de son capitaine devant ses officiers. »

Vincent nota l'air penaud et malheureux d'Aubanel et vint s'appuyer à son épaule :

« Monsieur le second, vous avez plus de raison que votre capitaine, dit-il avec bonne humeur. Et d'autant plus que le vice-roi de Rio est une soupe au lait mais aussi une cervelle percée, qui ne tient pas plus ses haines que ses amitiés. Aussi je vous promets bien que, dès l'océan retrouvé, nous mettrons le cap sur Valparaiso, pour ne revenir par ici qu'une fois délestés de toute culpabilité. Et alors le vice-roi aura eu le temps de perdre assez de sa colère pour qu'un présent de chinchillas lui fasse oublier notre querelle. Après tout je ne dois qu'à son roi, et on peut toujours beaucoup devoir au roi du Portugal dès l'instant qu'on rembourse un peu à son vice-roi. »

Jeanne, qui se tenait discrètement à l'écart de l'état-major, avait tressailli en entendant Vincent promettre un changement de route. Mais elle n'eut pas le temps de se mettre à y penser : un coup de semonce à blanc, tiré par la corvette espagnole que *Belle Vincente* croiserait la première par bâbord, la surprit au point qu'elle osa une timide question à la cantonade :

« Nous saluent-ils, ou est-ce qu'ils nous déclarent la guerre ?

— Ni l'un ni l'autre, madame, répondit Quissac en lui souriant. Ils ont envie de savoir qui nous sommes.

— Et moi, je n'ai pas envie de trop bien les renseigner, compléta Vincent en reprenant sa longue-vue de tous côtés. Si ces Espagnols-là sont portugais, le vent nous est si favorable qu'un seul moment de doute qu'ils auraient sur notre compte pourrait nous permettre de passer. »

Il alla se pencher à la visette :

« Maître ! cria-t-il, tenez du monde en haut. Dès que nous serons pour nous engager bord à bord avec l'Espagnol je veux qu'on évente toutes les bonnettes. »

Il revint à la rambarde, embrassa ses officiers d'un coup d'œil : aucun n'était en uniforme.

« Pavillon espagnol ! ordonna-t-il. Il nous ira aussi bien qu'à eux. »

Hisser un faux pavillon était ruse si coutumière que nul ne fit d'observation. Jeanne fut la seule étonnée en voyant les couleurs de l'Espagne monter au grand mât. Deux minutes plus tard, de la corvette curieuse vint un second coup de semonce, de trois coups de canon à blanc.

« Voilà donc des gens assez méfiants pour nous

prier de leur confirmer notre pavillon : quelle discourtoisie ! ricana le lieutenant.

— Attendons, dit Vincent.

— C'est qu'à attendre, nous risquons de prendre le troisième coup de semonce dans nos avants, remarqua le second.

— Tant pis, dit Vincent. Faites prévenir le maître charpentier. »

Il s'approcha de Jeanne un instant :

« Ma mie, veuillez redescendre dans votre chambre. »

Elle inclina la tête et se dirigea docilement vers l'échelle. Peu après son départ un boulet de canon percuta l'avant de la frégate. De Brussanne fixa son capitaine :

« Je fais rentrer le pavillon espagnol ? »

D'un tour de lunette, Vincent refit le point de sa situation. Elle n'était pas rose : le *Vasco da Gama* était encore loin derrière lui, mais son senau d'escorte le précédait maintenant de beaucoup. Par ailleurs, le marchand d'en face s'était écarté de sa corvette de bâbord, et la corvette avait rangé au plus près le banc de sable du chenal, si bien que les deux vaisseaux manœuvraient de manière à obliger *Belle Vincente* à passer au milieu d'eux, au lieu de la laisser croiser entre la corvette et le banc de sable ainsi que sa direction en manifestait l'intention. Vincent n'hésita qu'un instant :

« Messieurs, puisque nous ne pouvons retourner, les cartes sont distribuées, il nous faut jouer avec les nôtres, dit-il rapidement. Si les gens qui nous viennent sus sont des Portugais, seule l'audace peut encore nous éviter la prison, si toutefois ils ont la bonté de s'y laisser prendre. Enseigne de Brussanne, faites assurer le pavillon espagnol. »

L'enseigne, statufié, sembla ne plus pouvoir bouger jamais. Une même immobilité de mort avait figé les autres personnes présentes sur la dunette. Enfin, le temps pressant, le lieutenant qui, de longue date, vivait avec son capitaine sur un pied d'amicale familiarité dit de sa forte voix abrupte :

« Je ne savais pas, monsieur, que vous aviez envie de dire adieu au monde avec vos pieds. Pour moi, je l'avoue, la pendaison réservée aux pirates ne me tente guère [1], non plus que de courir désormais les mers à la recherche d'une île déserte assez perdue pour que la justice ne nous y atteigne pas. C'est pourquoi, s'il vous plaît, ajouta-t-il en pressant affectueusement le bras de Vincent, je vous prie, au nom de votre amitié pour moi, de bien vouloir donner un contrordre à l'enseigne de Brussanne. »

Les mâchoires crispées de Vincent se relâchèrent :

« Donnez-le vous-même, Quissac, soupira-t-il. Notre malchance d'aujourd'hui me rend fou. Et je crains que nous n'en ayons pas vu le bout ! »

Comme pour donner raison à son pessimisme ou à son flair, peu après que le pavillon maltais fut établi au grand mât et appuyé d'un coup à blanc, les trois vaisseaux d'en face, maintenant près de croiser, rentrèrent leurs pavillons espagnols pour hisser pavillons portugais. Des injures tombèrent de la mâture et on entendit monter jusqu'à la dunette les rugissements du maître, qui traitait les Portugais de faillis chiens, de salauds, de fumiers et de fils de putes.

« Et je ne puis pas même dire qu'ils me surprennent, laissa tomber Vincent. Mais je vous le demande, messieurs : pouvais-je tenter autre chose pour passer sans casser mon bois et mes hommes ?

– Non », dit Quissac, et les autres l'approuvèrent en répétant « Non ». Seul, de Brussanne objecta :

« Nous pouvions nous battre. Nous le pouvons encore.

– Engagés comme nous voilà ? Petit frère, vous avez le goût du martyre, dit Vincent. Vous devriez

---

1. Changer dix fois de faux pavillon était coutumier, toléré, mais « confirmer » un faux pavillon (d'un coup de canon) était un acte de piraterie, punissable de la mort par pendaison... si le coupable était pris, bien sûr.

servir au Roi ou chez M. de Suffren, qui aime tant mettre son monde à feu et à sang.

– Mais souvenez-vous plutôt que vous avez vingt ans, chevalier, et que les prisons d'aujourd'hui font les souvenirs de demain, et très propres à émouvoir les dames, ajouta le chirurgien Amable. Quand le capitaine et moi étions prisonniers des Anglais... »

Une gerbe d'exclamations furieuses coupa la bonne histoire du barbier bavard : face à eux le lourd faux marchand venait de démasquer ses sabords en même temps qu'une épaisse mousqueterie se rangeait sur son tillac. Quelques secondes plus tard, le Portugais commença ses signaux pour enjoindre à la frégate maltaise de mettre en panne.

Vincent aspira une profonde goulée d'air salé :

« Mon ami, faites amener le pavillon et les perroquets et mettez en panne », dit-il à son lieutenant d'une voix rauque.

Il fallut attendre que le *Vasco da Gama* rejoignît, qui portait le commandant de la petite expédition portugaise.

Dom Duarte d'Azurura était bon gentilhomme. Deux ou trois fois, il avait soupé avec le chevalier Vincent chez le vice-roi du Brésil, et ne pouvait que se montrer courtois envers son prisonnier, d'autant que ses ordres étaient stricts : il devait arraisonner le vaisseau contrebandier et le ramener à Rio Janeiro sans même l'avoir visité. Le comte da Cunha devait tenir à voir le premier la cargaison, avant qu'on appose dessus les sceaux de son roi.

Vincent l'ayant assuré de sa sécurité, dom Duarte vint à bord de *Belle Vincente*, goûta fort le vin français et les douceurs qu'on lui offrit avant qu'il exposât au vaincu les conditions de sa reddition : à l'arrivée à Rio tout son équipage serait libéré, hormis lui-même, le chirurgien et deux témoins de prise choisis parmi les matelots. Les hommes pourraient se réengager comme bon leur semblerait. Les officiers-majors et mariniers, les hors-quart et les passagers, s'il s'en trouvait, seraient rapatriés. Le corsaire demeurerait en otage au palais, jusqu'au paiement de la rançon qu'on réclamerait au grand maître de son ordre. Quant à M. le chirurgien, on le prierait de vouloir bien se joindre au corps médical dont s'était entourée S.E. le vice-roi du Brésil, et ce, pour un fort bon traitement. La cargaison serait vendue au profit de S.M. le roi du Portugal, et de même le vaisseau porteur.

Les conditions étaient correctement dures. De reste, le vaincu ne pouvait que les accepter. Vincent ne consulta son état-major que pour la forme, revint à son vainqueur : « Monsieur, je souscris à tout », dit-il en lui présentant son épée, que dom Duarte refusa d'un geste.

« Monsieur, dit alors le corsaire, j'ai une jeune dame à mon bord... »

Il marcha une demi-seconde d'hésitation, poursuivit :

« .... qui se rendait à Montevideo. Puis-je vous prier de l'y faire conduire ?

— Chevalier, je vais mettre mon senau à sa disposition, proposa tout de suite dom Duarte.

— Lui donnez-vous le temps de préparer son bagage ?

— Chevalier, cela va sans dire. »

Dom Duarte répéta un peu différemment sa phrase de courtoisie quand on l'eut présenté à Jeanne, et avec l'ombre d'un fin sourire aux lèvres :

« Madame, dit-il en s'inclinant bas, il va de soi que vous avez tout le temps de préparer votre bagage et de faire vos adieux au chevalier. »

Elle tremblait comme feuille au vent et se jeta dans ses bras en sanglotant dès que la porte de leur chambre se fut refermée sur eux.

Vincent la secoua assez rudement :

« Non, Jeannette, non ! En dépit des bonnes manières de dom Duarte, nous n'avons guère de temps. Tu vas donc m'écouter.

– Mais pourquoi me renvoyer ? Je veux partager ta prison !

– Certes non ! Tu compliquerais singulièrement mon évasion.

– Oh ! fit-elle en reniflant ses larmes. Tu comptes t'évader ?

– Si je le puis. Mais on le peut souvent. Je me suis déjà évadé de chez les Turcs et de chez les Anglais.

– Ah ! oui ? dit-elle, ses larmes suspendues. De toute manière, le grand maître paiera vite ta rançon ?

– J'aurai sûrement le temps de m'évader avant, dit Vincent avec ironie. Ce cher grand homme finit toujours par payer pour ravoir ses chevaliers, mais une saignée d'or le fait tant souffrir qu'il la verse goutte à goutte ! Mais crois en moi, ma chérie : je reviendrai. Pour te revoir j'aurai beaucoup d'imagination.

– Je t'écoute, dit-elle en s'essuyant les yeux. Que dois-je faire pour t'aider ?

– Penser à moi, dit-il en lui caressant les cheveux. A présent, j'ai besoin de savoir que tu m'aimes pour voir le ciel bleu – surtout par la fenêtre d'une prison.

– Je t'aime », murmura-t-elle.

Chastement, il l'embrassa sur les lèvres, s'assit sur un fauteuil et l'attira sur ses genoux :

« Ecoute-moi bien, dit-il. Il ne m'arrivera rien de pire que d'être bien logé et bien nourri dans le palais du comte da Cunha, en attendant qu'il reçoive l'or de Malte ou que je lui file entre les doigts. Je veux que, d'ici à mon retour, tu te mettes sous la protection de don José et que tu demeures auprès de ton amie Emilie. »

Comme elle voulait parler, il lui mit ses doigts sur la bouche :

« Je suis au désespoir de n'aller pas moi-même

régler nos affaires avec M. Aubriot, au désespoir de devoir t'en laisser le soin et la peine. Je te donnerai une lettre pour lui et, où qu'il soit alors, j'irai le voir dès que je serai libéré.

– Mais..., dit-elle faiblement.

– Mais quoi, Jeanne ? »

Il la mit debout et la tint devant lui, les mains broyées :

« Quoi, Jeanne ? Le courage te manque ?

– Un peu, avoua-t-elle très bas. Mais j'en aurai. De toute manière... »

Elle lutta victorieusement contre une crue de larmes, articula de son mieux :

« A partir de l'instant où je t'aurai quitté il me faudra beaucoup de courage pour vivre.

– Je vais écrire la lettre pour Aubriot, dit-il. J'écrirai aussi un billet pour don José. Appelle Mario, et remplis-toi une malle de nippes.

Elle appela le valet et prépara son bagage. Les mousselines et les dentelles qu'elle soulevait pesaient le poids du plomb. Même chaque gorgée d'air qu'elle avalait pesait une livre de plomb dans sa poitrine. Enfin la malle fut presque pleine, elle renvoya Mario pour se remettre en habit d'homme et plia sa belle robe de mariée avec des gestes pieux de veuve en fleur dont tout le bonheur est déjà moissonné.

Vincent revint, jeta deux plis cachetés sur une mantille blanche et rabattit le couvercle de la malle.

« Est-ce l'heure ? demanda-t-elle d'une voix chevrotée, sans pourtant parvenir à croire qu'une heure où elle allait se déchirer de Vincent pouvait vraiment sonner.

– Ecoute-moi encore un instant », dit-il.

Il l'assit sur la malle, lui cala le menton dans sa paume :

« Tu ne partiras pas seule. Je te donnerai l'Amadou. Au moins n'aura-t-il pas déserté de deux bords et il te servira bien, parce qu'il t'aime. Tout à l'heure, avant de descendre dans le canot, demande à dom

338

Duarte s'il te donne permission d'emporter ton perroquet.

— Tu me donnes Chérimbané ?

— Je te donne surtout sa cage, dit-il en insistant pesamment sur le mot. Viens voir... »

C'était une cage d'osier à fond très épais, que Jeanne trouva anormalement lourde :

« Les diamants et les pierres précieuses que j'ai achetés aux contrebandiers de Santa-Catarina sont là, dit Vincent en donnant une tape sur le fond de la vannerie. La moitié m'appartient, je te la donne. L'autre moitié est à don José. Mais ta moitié suffit à te faire riche. Ainsi, ma chérie, laisse envoler l'oiseau s'il t'ennuie, mais veille sur sa cage.

— Vincent, laisse-moi offrir ma part de ce trésor à dom Duarte en échange de ta liberté. »

Il sourit, secoua la tête :

« Jeannette, dom Duarte est un gentilhomme, et je suis le prisonnier de son roi. Il saisirait les diamants et ne me lâcherait pas.

— Oui, mais moi je ne veux pas te perdre ! Mon chevalier, je ne veux pas, je ne veux pas, je ne peux pas ! répéta-t-elle avec un affolement croissant. Je t'en prie, je t'en supplie, Vincent, emmène-moi dans ta prison...

— Calme-toi, dit-il en la berçant. Voudrais-tu donner à nos vainqueurs le spectacle de tes larmes ? Tes yeux sont trop beaux quand ils pleurent : un vainqueur ne mérite pas ce présent. »

Le ciel était toujours gai et la mer, contre la coque, aussi doucement crémeuse que si Jeanne n'allait pas perdre Vincent.

Comme dom Duarte s'apprêtait à faire visiter le bagage de la passagère avant qu'on ne le descendît dans le canot, une vigie signala l'entrée dans le rio d'un bâtiment de la Royale. La frégate française, longue et d'allure gracieuse, portait pavillon tout blanc au grand mât et, en enseigne les couleurs de Saint-Malo, d'azur à la croix d'argent cantonné de rouge.

La réaction de Vincent fut immédiate : il pria dom Duarte d'accepter que sa passagère fût confiée aux Français, auprès de qui elle trouverait plus de réconfort. Dom Duarte n'avait aucune raison de n'y pas consentir. Après un échange de saluts et de signaux, le chevalier de Brussanne fut donc expédié en ambassade auprès des Français, quand ils furent suffisamment proches.

Quand le canot ramena de Brussanne, celui-ci était accompagné par le chevalier de Lamotte-Baracé de Bournand, venu présenter au maltais malheureux les regrets des Français, et l'assurer de leur aide pour tout ce qu'il lui plairait de demander avec l'assentiment de MM. les Portugais. La frégate française avait nom *La Boudeuse* et ne faisait que commencer un long voyage pour accomplir une commission de S.M. Louis XV. Elle était commandée par M. de Bougainville et portait à son bord cinq officiers-majors et le prince d'Orange et de Nassau-Siegen, tous personnages que Vincent connaissait bien. De Bournand, lui aussi chevalier de Malte, promit qu'il écrirait au grand maître de l'Ordre, dès son arrivée à Montevideo, pour l'informer du sort du chevalier Vincent :

« Eh bien, madame, ajouta-t-il en s'inclinant vers Jeanne, je suis maintenant à votre disposition pour vous conduire à bord de *La Boudeuse* où, n'étaient les circonstances qui vous y mènent, nous nous réjouirions fort de votre survenue. »

Jeanne leva sur Vincent un regard d'angoisse. Le corsaire se tourna vers dom Duarte :

« Monsieur, la malle peut-elle être descendue ? »

Dom Duarte le permit d'un signe de tête, puis s'excusa de devoir faire ouvrir aussi la « toilette » de cuir que Jeanne venait de confier à l'Amadou. L'officier portugais qui procédait à la fouille en mit

340

le contenu sous les yeux de dom Duarte. Celui-ci eut un mince sourire et, à son tour et sans mot dire, alla montrer le bagage ouvert à Vincent : deux bonnes poignées de chaînes de cou avaient été jetées entre les brosses, les peignes et les flacons d'eaux parfumées.

« Ainsi que vous le voyez, monsieur, tout ceci n'est que pacotille d'or et d'argent, chuchota Vincent, très à l'aise. Au demeurant, vous la pouvez faire saisir mais je ne pouvais la reprendre, car c'est là très modeste présent d'amant. »

Dom Duarte referma la toilette, fit quatre pas pour la rendre à Jeanne en lui murmurant :

« Madame, présent d'amant n'est pas de bonne prise. »

Il fut charmé de la voir rougir.

L'Amadou prit la toilette des mains de Jeanne, et le nègre Grison s'avança vers l'échelle, portant Chérimbané dans sa cage.

« Oh ! » fit alors Jeanne, comme si un souvenir lui revenait, et elle s'adressa à dom Duarte :

« Monsieur, vous vous montrez si courtois que j'ose vous demander permission d'emporter aussi le perroquet savant que m'a donné le chevalier.

— Mais certes, madame, consentit dom Duarte, admirant le magnifique oiseau. Voyons, que me dira ce savant à plumes avant que de vous suivre ?

— Chérimbané, dis bonjour, commanda Vincent, inquiet et pressé d'en finir.

— Boum ! dit le perroquet, imitant de son mieux le bruit du canon.

— Que dit-il ? demanda dom Duarte.

— Boum ! » répéta le perroquet.

Vincent s'interposa vivement entre le Portugais et l'oiseau :

« Monsieur, pardonnez-lui son peu de conversation d'aujourd'hui : il était sur l'avant quand le boulet de votre corvette d'escorte a percuté ma proue, et il ne s'est pas encore remis de son effroi.

– Boum ! confirma le perroquet.

– J'espère, madame, que votre oiseau retrouvera le talent de vous faire sa cour de la part du chevalier », dit galamment dom Duarte.

Il n'eut pas plus tôt achevé sa phrase que le nègre, portant l'ara, se précipita vers l'échelle pour donner la cage à l'Amadou, qui passa dans le canot.

« Madame, votre chapeau, je vous prie. »

Jeanne lança un coup d'œil surpris à l'officier de fouille portugais mais lui tendit son chapeau, qu'il trouva vide.

« A présent, s'il vous plaît, vos bottes, madame.

– Un instant ! »

Dom Duarte s'était avancé. Il s'adressa à son prisonnier :

« Chevalier, ai-je votre parole que madame n'emporte rien de précieux sur elle ?

– Monsieur, vous l'avez, dit Vincent.

– Madame, vous pouvez aller », dit dom Duarte en saluant Jeanne.

Le chevalier de Bournand s'approcha.

« C'est temps, madame », dit doucement Vincent.

Ils se prirent les yeux une dernière fois...

On veut tout se dire, on ne se dit rien. On se regarde, on se respire, on pense « Cela va finir », mais on n'y croit pas. Et tout à coup le mouvement des choses, qui avait continué autour des amants figés, les sépare et les emporte chacun de son côté, encore incrédules pour un moment de sursis.

« Appuyez-vous sur moi, madame », disait le chevalier de Bournand.

Jeanne descendit dans le canot.

18

DANS la quinta de don José, Philibert ne se remettait que lentement de sa maladie pulmonaire. Il avait été très mal, au point même de recevoir un soir l'extrême-onction. Dix jours après le retour de Jeanne il ne se levait encore que peu d'heures dans l'après-midi, pour écrire ou se promener à petits pas dans le verger, sa loupe à la main. Comme ses nuits étaient trouées d'insomnies il se rendormait profondément à l'aube et reposait jusque tard dans la matinée, aussi Jeanne avait-elle pris l'habitude d'aller partager le déjeuner d'Emilie.

Le grand espace blanc illuminé de bouquets dans lequel vivait son amie lui était un refuge. La présence rousse, vive et rieuse d'Emilie ressuscitait un temps où la douleur d'aimer était un jeu aussi délicieux que la lecture d'un roman d'amour triste. Enfermée avec elle derrière les jalousies aux paupières à demi closes elle parvenait presque à oublier l'inquiétude fiévreuse de sa chair et les bleus de son âme.

Ce matin-là – c'était le onzième depuis celui où don José l'avait ramenée à sa quinta pour qu'elle y retrouvât Aubriot, hébergé là depuis qu'une pneumonie l'avait pris au lendemain de l'enlèvement de son « valet » –, comme Emilie lui servait d'une confiture d'ananas brésilienne dont elle venait de lui vanter le parfum, Jeanne eut un sourire pour la remercier :

« Emilie, je ne sais ce que je serais devenue si je ne vous avais eue. Sans doute me serais-je assise au chevet de Philibert et noyée dans mes larmes ?

– Vous savez bien que non. Vous l'auriez soigné et finalement sauvé par la volonté de votre cœur, tout comme vous l'avez fait. Vous avez plus de courage qu'il n'en paraît dans vos yeux trop tendres. »

Jeanne laissa flotter un silence, puis dit d'une voix sourde :

« Peut-être ai-je un peu de courage, mais il me faudrait aussi de l'indulgence envers moi-même, et je n'en ressens pas. »

Emilie lui jeta un coup d'œil surpris :

« Voyons, dit-elle, tiendriez-vous pour votre faute qu'Aubriot ait pris une pneumonie dans la plaine ? Il faut avoir le poumon solide pour chevaucher dans la pampa par tous les temps et, en Dombes, j'ai toujours ouï-dire qu'Aubriot l'avait fragile. Ce n'est pas la première fois qu'il crache le sang – cela, je le tiens de lui-même. Ainsi, cessez de vous accuser de sa maladie. Ce n'est point le chagrin de votre enlèvement qui la lui a donnée, mais le pampero que vous avez essuyé avant. »

Jeanne se leva pour échapper à l'attention d'Emilie, comme pressée d'aller aérer le gros bouquet de fuchsias posé sur le bureau et qu'elle jugeait trop serré. Le dos tourné à son amie elle s'attarda à déplacer quelques-unes des lourdes grappes de clochettes écarlates bordées d'un profond bleu-violet, qui brillaient sur le fond vert luisant du feuillage.

« Ces fleurs ont vraiment une grande élégance, dit-elle. Je n'avais jamais vu qu'un seul arbrisseau de fuchsia au Jardin du Roi, dans l'une des serres de mon ami Thouin, mais ses clochettes étaient bien grêles et moins colorées que les vôtres. D'où vous viennent les fuchsias plantés dans votre verger ?

– Ils sont ici depuis plus longtemps que moi, dit Emilie, mais je sais, par un jardinier, que le pied mère est venu de Valparaiso. Il paraît qu'il y a beaucoup de fuchsias sauvages dans le sud du Chili.

– Valparaiso... », murmura Jeanne, et elle dut ravaler le sanglot qui lui vint à la gorge.

Emilie avait l'oreille fine. Vivement elle rejoignit son amie, l'obligea à se retourner vers elle :

« Jeannette, quel chagrin me cachez-vous ? Aubriot va mieux, et pourtant je sens en vous une tristesse qui ne lâche pas prise ! Quel secret portez-vous, Jeannette, pour que mes fuchsias vous donnent envie de pleurer ? »

Jeanne capitula :

« C'est qu'ils viennent de Valparaiso, où je n'irai pas, dit-elle à voix basse.

– Venez donc vous rasseoir, dit Emilie après un silence. Et elle ajouta :

– J'avais toujours cru que c'était à l'Isle de France, que vous rêviez d'aller ?

– Oui.

– Valparaiso n'est pas sur la route !

– Non.

– Et pourquoi donc regretter un port où vous n'alliez pas ?

Cette fois, Jeanne ne répondit rien et ce fut Emilie qui reprit, au bout de plusieurs longues secondes, sur un ton de causerie mondaine :

« Si don José m'a bien renseignée, le chevalier Vincent, avant d'être capturé, ne projetait-il pas, lui, de se rendre à Valparaiso pour y décharger une partie de sa cargaison ?

– Oui, fit Jeanne dans un souffle, en détournant les yeux.

– Et sans doute vous avait-il proposé de faire le détour ? Proposé... jusqu'au point de vous tenter ? »

Jeanne lui rendit son regard, étincelant de rosée :

« Je m'étais bien promis de ne rien vous dire, Emilie. Mais je suis si douloureuse... Douloureuse à mourir pour fuir mes pensées. Je me cogne sans fin contre elles pour trouver une issue, mais ce sont des murs ! Des murs de prison sans faille. O Emilie, il me semble que je suis punie mille fois plus que je ne suis coupable ! Mais bien sûr, ce n'est pas vrai, et je suis sans doute encore trop heureuse de pouvoir vivre un moment de sursis dans le mensonge, sous le bon prétexte qu'on n'assène pas une vérité cruelle à un malade. O Emilie, aidez-moi... »

Emilie contemplait son amie d'un air mi-attendri, mi-moqueur, pas le moins du monde assorti au ton fiévreux de la confidence. Elle dit enfin :

« Vous n'avez guère changé depuis vos quinze ans : je vous vois toujours aussi prompte à gonfler vos soucis de cœur afin d'en souffrir. Voyons, Jeannette, Aubriot ne vous réclame aucune vérité. Quant à vous ronger de remords... Pourquoi ne pas en vouloir au chevalier plutôt qu'à vous-même ? Il est le chasseur, vous êtes la biche, et une biche n'échappe pas toujours au chasseur. Mais il ferait beau voir qu'ayant eu le dépit de succomber elle dût encore en avoir la honte ! »

La stupéfaction s'était peinte sur le visage de Jeanne.

« Mais enfin, Emilie, pour me parler avec tant de légèreté vous ne saisissez pas, sans doute, ce qui m'est arrivé ? dit-elle d'une voix tremblée.

– Je m'en doute ! Je vois d'ici le beau chevalier en poncho blanc accourant sur son destrier pour vous arracher aux brigands, puis le beau chevalier rouge-de-Malte vous enlevant sur son vaisseau corsaire : une femme aussi sensible que vous l'êtes prend une vapeur pour beaucoup moins ! Allez, souriez, Jeannette, et ne vous comptez pas Vincent pour un péché; cet homme-là serait plutôt un alibi.

– Emilie, quand cesserez-vous de persifler ? dit Jeanne en s'animant de colère. Ne comprenez-vous pas que je suis perdue dans l'angoisse ? J'ai deux hommes dans le cœur, Emilie, et tous les deux sont en danger et je ne sais pour lequel je dois me tourmenter le plus ! Je ne sais pas même si j'ai le droit de prier pour les deux, acheva-t-elle tout bas.

– On a toujours le droit de prier », dit Emilie.

Elle demeura un moment à regarder Jeanne qui, elle, contemplait ses mains crispées sur ses genoux. Enfin elle quitta son fauteuil, tira un tabouret pour s'asseoir en face de son amie, lui prit les mains :

« Ainsi, dit-elle d'un ton adouci, le beau chevalier n'a pas été qu'une faiblesse. Vous l'aimez ?

– Emilie, je l'adore ! »

Cela fut dit avec une passion si vibrante qu'Emilie en tressaillit, demanda :

« Vous n'aimez donc plus Aubriot ?

– Mais si ! cria presque Jeanne. Mais je serais un monstre si je ne l'aimais plus ! Comment, pourquoi ne l'aimerais-je plus ? Je l'ai toujours aimé, aimé

346

d'amour depuis mes dix ans, et j'en ai bientôt vingt. Peut-on arracher de soi la moitié de sa vie ? »

Emilie eut une moue d'ironie, lâcha avec logique :

« Sur ce pied-là, ma chère, vous voilà avec deux amants. »

La crudité de cette conclusion provoqua chez Jeanne un air si horrifié qu'Emilie poursuivit avec un peu d'agacement :

« Pour Dieu, Jeannette, ne vous faites pas encore un cilice de cela ! Deux amants, ce n'est pas la foule. Certaines dames s'encombrent de plus sans en perdre ni le boire ni le manger, ni leur place d'honneur à la grand-messe. »

Elle vit que Jeanne tordait l'étoffe de son déshabillé, ajouta d'une voix changée :

« Pardonnez à mon cynisme. J'ai appris fort jeune, de la marquise de la Pommeraie, qu'il n'était pas besoin d'en avoir fini avec un homme pour en entamer un autre. Et ne doit-on pas croire sa mère ? »

Jeanne lui étreignit la main. Un moment de muette tendresse les enveloppa, dura. Ce fut encore Emilie qui rompit la trêve :

« Eh bien, Jeannette, fit-elle dans un petit sourire, ne vous avais-je pas bien dit qu'une femme devait avoir fait le tour des douceurs et des peines de l'amour avant ses vingt ans ? Vous aurez vos vingt ans au printemps, je n'aurai les miens que dans presque deux ans, et nous voilà déjà avec des souvenirs gais et des souvenirs tristes. Je crois qu'il nous faut en être contentes plutôt qu'affligées, car au moins sommes-nous sûres de ne pas vieillir sans avoir aimé, sans avoir été aimées.

— Vous parlez au passé, avec la sérénité d'une vieille dame qui serait déjà sortie de ses tourments en même temps que de ses amours ! Mais il est vrai que votre âme à vous n'est pas troublée, parce que vous avez eu la force de choisir.

— La force ou la cruauté, corrigea Emilie sans

complaisance. Jeannette, le droit de choisir n'est pas réservé aux hommes. Ils nous prennent, nous trompent, nous quittent, nous reprennent ou nous oublient, nous prient sans façon de passer de l'amour à l'amitié, de la passion à l'indulgence... Je ne dis pas qu'il nous faille imiter leurs manières jusqu'à nous en faire une habitude aussi commode qu'à eux-mêmes. Je dis que nous pouvons aussi, le cas échéant, choisir notre bonheur à leurs dépens. »

Jeanne soupira, dit avec tristesse :

« Emilie, vous n'aimiez plus Denis, aussi ne vous fallait-il qu'un peu de cruauté pour choisir don José. Tandis que moi... »

Son désarroi semblait si profond qu'Emilie voulut l'assister avec la même autorité qu'elle légiférait naguère sur leurs rêves de jeunes filles :

« Jeannette, c'est assez vous confire dans la volupté des larmes, commença-t-elle avec fermeté. Aubriot se guérit de son mal, le chevalier s'échappera de sa prison – voilà de quoi vous rassurer sur l'essentiel. Etudions donc le reste de votre affaire. Je connais votre cœur : il est franc dans ses amours; aussi me paraît-il impossible que vous aimiez Aubriot et le chevalier de même façon. Votre trio se rencontre tous les jours, à la ville et sur le théâtre. Pour moi, je vois en Aubriot une sorte de vieil époux que vous continuez de chérir tandis que vous êtes devenue la maîtresse d'un beau corsaire qui vous a séduite. Pourquoi en faire une tragédie ? Jouez cela en comédie.

– Emilie, je ne suis pas la maîtresse du chevalier : je suis sa femme.

– Quoi ? ! »

Emilie, qui s'était dressée de saisissement, se rassit non moins brusquement et demanda, ses yeux dans les yeux de Jeanne :

« Dois-je comprendre que le chevalier vous a... épousée ?

– Oui.

– Bah ! » jeta Emilie, étourdie du coup.

Elle demeura figée un temps, finit par dire :

« Il est vrai qu'il n'est que chevalier de grâce. Et sans famille.

– Oui, dit Jeanne dans une bouffée d'irritation, il pouvait presque se permettre d'épouser n'importe qui ! »

Emilie ne répondit rien à cela mais lentement un sourire lui vint, et puis un joli rire, et elle se pencha pour embrasser la mariée sur les deux joues :

« Je suis charmée qu'il vous ait épousée, Jeannette. Vous avez un cœur terriblement fidèle et une fontaine de larmes derrière les yeux : vous étiez faite pour devenir l'épouse d'un marin. »

Puis soudain sa voix acide explosa d'allégresse :

« Mais au fait, pourquoi diable vous lamentez-vous comme une héroïne de Corneille coincée entre le zist et le zest ? Dès l'instant que le chevalier vous a épousée vous êtes à lui, sans discussion ! La loi et Dieu vous font obligation de le préférer. »

Jeanne baissa la tête :

« Vous avez vu l'état de M. Aubriot... La joie qu'il a montrée de mon retour. Le bien que lui a fait ma présence. Il recommence de faire mille projets dans lesquels je me trouve prise. Sa confiance me fait mal, Emilie, si mal... Je la porte comme une croix. Et en même temps, j'aime sentir que je lui suis précieuse. Je l'ai trompé, mon silence le trompe à chaque minute, et je ne pourrais supporter qu'il m'en veuille au point de m'ôter sa tendresse. Etre dans son cœur ne m'est pas moins nécessaire aujourd'hui qu'hier.

– Ma foi, cela se comprend, dit Emilie. On veut un homme dans son lit, on n'en veut plus, on n'a pas envie pour autant qu'il vous oublie le premier.

– Son mépris me tuerait », dit Jeanne.

Emilie eut un soupir impatienté :

« Mais pourquoi diable vous inventer son mépris ? Encore une fois, Jeanne, une femme sensible n'est qu'à peine responsable de ses coups de cœur. Vous vous êtes trouvée dans une situation si romanesque...

— Non, coupa Jeanne avec douceur. Non, Emilie, ce n'est point par hasard que je me suis donnée au chevalier : je savais depuis longtemps que je l'aimais. J'ai beaucoup à vous apprendre, Emilie, sur moi et le chevalier. Sachez au moins qu'à Paris déjà, une nuit, j'avais failli lui tomber dans les bras après une partie de cabaret hors barrières, comme une grisette ! En vérité, c'est depuis ce temps-là que je trahis M. Philibert, vilainement. »

Emilie haussait des sourcils étonnés :

« Ah ! bah ? fit-elle, puis elle dépassa sa surprise :

— N'exagérez pas, Jeannette. Dans une matière aussi mouvante que le sentiment, une occasion de trahir manquée n'est point une trahison, dit-elle fermement.

— Si ! s'entêta Jeanne.

— Mais non ! J'imagine bien qu'à Paris les occasions de se confesser le lendemain frôlent chaque nuit les jupes d'une jolie femme, et l'esprit est libre par nature, libre de tout penser : comment serait-il donc coupable de trahison ?

— Vous avez toujours su raisonner de manière à vous défaire des scrupules – des vôtres et de ceux des autres, dit Jeanne avec une certaine méchanceté.

— Et vous, Jeanne, vous avez toujours eu le génie d'aimer de manière à vous défaire du plaisir d'aimer.

— Le plaisir d'aimer, répéta Jeanne d'un ton de dérision. Vous me voyez pataugeant de deux côtés dans la trahison, et vous me parlez du...

— Ah ! non ! s'écria Emilie. Non. Je ne vous laisserai pas me réciter votre mea culpa. Je ne veux pas vous entendre rejeter sur vous seule votre faute. Trahison, soit – puisque vous tenez à ce mot de tragédie. Mais ma douce amie, une traîtresse a souvent au moins une excuse, qui est celle de n'avoir rien à perdre en trahissant. Jeanne, Aubriot vous tenait : il n'avait qu'à vous épouser le premier. Les

350

Aubriot de Châtillon sont certes de bonne bourgeoisie, mais vous aviez reçu une noble éducation – la distance entre vous n'était pas infranchissable. »

La réponse de Jeanne tarda. Enfin elle murmura, autant pour elle-même que pour son vis-à-vis, comme on le fait au confessionnal :

« Je crois que même si M. Aubriot m'avait eu épousée... En face du chevalier je ne suis plus qu'amour et fragilité.

– Peut-être. Mais en vous épousant Aubriot se serait sauvé du mal de vous perdre le jour où vous le tromperiez, tout en vous sauvant des affres du remords, car un mari trompé ne perd ni son titre ni ses droits, et on voit bien que sa femme, à le tromper, ne se donne ordinairement que du plaisir et point de remords, tant le personnage de l'amant fait partie de nos mœurs. »

Jeanne se leva brusquement.

« Je dois m'en aller, dit-elle. Don José m'a promis une escorte pour que j'aille herboriser vers la Punta del Tigre. »

Emilie la retint :

« Vous n'êtes pas si pressée, mais je vous ai blessée. Passez-moi ma boutade et demeurez un peu.

– J'ai eu tort de vous ouvrir mon cœur. Je sais pourtant que vous n'aimez que raisonner l'amour ou en badiner. Ma façon grave d'en parler ce matin vous a ennuyée.

– Le croyez-vous ?

– Je le crains. »

Le regard d'Emilie se mit à flotter sur le blanc des murs, caressa un par un les beaux bouquets de don José, revint vers Jeanne, et la jeune femme dit avec une lenteur inhabituelle :

« Il est vrai, Jeannette, que vous prenez, quand vous aimez, la mollesse d'une eau douce qui s'abandonne sur son lit. Cela m'exaspérait, cela me fâche encore, mais... Peut-être bien qu'aujourd'hui, en cet instant, j'envie votre pouvoir d'être ainsi : une amoureuse donnée tout entière à ses amours. Il doit y avoir, dans l'amollissement, un bonheur que je ne connais pas. »

Elle eut un petit rire, reprit sa voix prompte et moqueuse pour achever :

« Si la femme est un fruit, pour un amant vous devez avoir le goût de la pulpe, et moi le goût du noyau ! »

Jeanne ne put s'empêcher de rire aussi.

« Bien ! s'écria Emilie. Vous avez ri : j'ai au moins réussi cela. Voyons, Jeannette, qu'attendez-vous de moi ? Comment puis-je vous aider ?

— Je ne sais pas.

— Quand parlerez-vous à Aubriot ?

— Je ne sais pas.

— Mais vous lui parlerez ? »

La réponse ne tomba qu'après un instant d'hésitation et à voix basse :

« Je l'espère. »

Puis Jeanne, qui s'était détournée, refit face à Emilie et dit avec âpreté :

« Je ne veux pas choisir ! Je ne veux pas qu'on me demande de choisir ! Vous me parliez tout à l'heure de notre droit d'imiter les hommes. Eh bien ? Les hommes choisissent-ils toujours entre leurs amours ? Se crèvent-ils le cœur à choisir ?

— Jeannette, encore une fois, s'il se pouvait qu'Aubriot fût votre mari et le chevalier votre amant, je vous donnerais raison... et les deux ! Mais vous avez mal distribué les rôles, la comédie ne se jouera pas avec naturel.

— Je ne le sais que trop, dit Jeanne avec désespoir. Emilie... si vous étiez moi, que feriez-vous ?

— Ma douce, je ne suis pas vous, mais une chanoinesse défroquée. Je sais pour toute ma vie que, quand le monde devient invivable, il reste ailleurs la souriante paix des cloîtres. Malheureuse, je retournerais sans doute à Neuville, babiller mes incertitudes avec ces dames devant une tasse de chocolat. Dame

Charlotte me le ferait prendre à la cannelle, parce qu'à Neuville on croit que la cannelle de Ceylan dissipe les mélancolies. »

D'un accord tacite elles laissèrent passer le bon temps de déguster le chocolat à la cannelle de dame Charlotte, dans son grand salon boisé ouvert à l'odeur des tilleuls, puis Jeanne soupira longuement, dit :

« Je sais que vous avez quitté Neuville pour exister. Mais avez-vous réussi à exister, Emilie ?

– Je me le demande encore souvent. J'ai pris tout enfant le pli de ne voir dans le monde qu'un sujet de réflexion. Il se peut que mes sens se soient émoussés. Pour une petite fille enfermée, qui réfléchit au lieu de sentir, le monde devient bientôt plat et lisse comme un album d'images. Quand elle sort de sa cage de verre à quinze ans peut-être est-il trop tard pour qu'elle commence à voir le monde à travers sa chair ? Sa peau a déjà desséché, sans doute.

– Non, dit Jeanne, émue. Quand je vous ai revue je vous ai certes peu à peu retrouvée mais, dès l'abord, j'ai su que vous aviez changé.

– Oui ? »

Elle avait dit « Oui ? » sur un ton dont Jeanne entendit l'espérance plus que l'incrédulité.

« Oui, répéta-t-elle, je suis sûre que vous avez changé. Oh ! vous jouez toujours à merveille votre personnage de jolie comtesse de porcelaine dure et brillante qu'une bonne fée aurait dotée surtout d'esprit; mais je crois que votre cœur s'est mis à l'ouvrage pour attendrir la porcelaine... et que la tendreté lui vient.

– Jeanne... Croyez-vous que j'aime don José ? Vous qui êtes sûre d'aimer, dites-moi comment on sent que son amant n'est pas qu'un défi ou un jeu, un prétexte pour penser, parler, écrire sur l'amour ? Il y a eu tant d'irréel, de provocation, de révolte, de hasard, de rapidité dans les aventures que j'ai vécues depuis ma fugue de Neuville, qu'aujourd'hui je ne sais plus si je me crois quand je crois aimer. Je ne sais même pas si j'ai envie d'y croire ou d'en douter. Jeanne, vous, croyez-vous que j'aime don José ?

– Emilie, « tu ne me chercherais pas si tu ne m'avais déjà trouvé », cita Jeanne en souriant. Vous savez cela mieux que moi. »

Emilie hocha la tête :

« C'est vrai, un jour j'ai trouvé don José, et tout m'est devenu plus facile et mon âme moins rugueuse. J'étais en train de vivre ma désillusion avec arrogance, et il m'est apparu, et j'ai découvert ma tristesse, et bientôt après mon désir d'en être consolée. Quand j'y repense, je vois bien qu'il m'a prise en charge depuis le premier instant où j'ai bien voulu m'appuyer sur lui. Cela s'est passé dans la salle de compagnie du gouverneur don Joachim. J'étais enceinte et je me sentais mal au cœur, parce que tous ces messieurs fumaient leurs cigarros. Gaillon bavardait de chimie avec don Piedracueva et je le détestais de m'oublier sans pour autant souhaiter qu'il vînt me proposer de partir – partir, c'était rentrer dans l'ennui à deux. Tout à coup don José a été devant moi, éclatant de sourire, m'offrant son bras et disant tout bas : « Vous ne me paraissez pas à votre aise, ce « soir, doña Emilia. Vous attendez un bébé, n'est-ce « pas ? Je suis sûr qu'un tour de jardin vous ferait du « bien. »

– Oh ! fit Jeanne. Il vous a parlé de votre bébé comme cela, tout de go ?

– Oui, ma chère ! J'ai jugé cela d'un sans-gêne ! Et puis, ma foi, comme son sans-gêne m'était bon je m'y suis faite, au point de consentir très vite à m'installer dedans. Savez-vous comment j'ai quitté Gaillon ? En lui disant : « Mon ami, je pars. Don « José vous dira le reste. »

– Oh ! fit Jeanne de nouveau.

– Jeannette, si vous manquez de courage, attendez le retour de votre chevalier. Priez pour qu'il ne vous ait pas fait d'enfant, trouvez-vous des migraines, de l'humeur ou une autre chose qui vous tienne éloignée du lit d'Aubriot quand il sera remis, et attendez votre chevalier. Lui se débrouillera avec Aubriot : une affaire d'honneur se règle mieux qu'une affaire d'amour.

– Ce serait montrer tant de faiblesse, murmura Jeanne, tentée.

– La faiblesse sied à une femme – du moins les hommes en sont-ils persuadés. Trouvez-m'en un seul qui préfère une femme forte à une faible femme ! Le chevalier sera charmé d'avoir à vous sauver une seconde fois, ne fût-ce que de vous-même. »

Elles se turent un moment. Elles s'étaient enfouies toutes les deux dans les bras d'une grande bergère de velours vert. Boucles rousses et mèches blondes rapprochées, avec les blancheurs mêlées de leurs sauts-de-lit et leurs mains unies elles formaient un charmant tableau d'intimité paresseuse du matin.

Soudain Iassi se dressa devant elles, silencieusement. L'Indienne fixa Jeanne :

« Don José cherche toi, dit-elle. Tu dois promener.

– Oui, bâilla Jeanne en ne se bougeant qu'à peine. Dis-lui que je serai prête bientôt. »

Iassi contempla les jeunes femmes mal réveillées de leur tête-à-tête, souleva le couvercle de la cafetière vide, demanda :

« Quiere más ?

– Nada más, gracias, Iassi, dit Emilie.

– Mais moi, j'en prendrais bien une tasse, si l'on m'en offrait », lança depuis la porte la voix joyeuse de don José.

Iassi saisit la cafetière vide et sortit sans bruit.

« Non, ne bougez pas ! poursuivit don José en réponse à un mouvement des deux amies. Vous faites un joli spectacle, doux à l'œil qui vient du soleil. Mais bien sûr je dérange, et il me faut m'éclipser ?

– Non ! firent-elles ensemble, avec une telle spontanéité que don José s'exclama en exagérant sa surprise :

« Qué veo ! Mais on me retient ?

– Claro, hombre », dit Emilie en lui souriant.

Don José tira un tabouret pour s'y asseoir, leur cligna gentiment de l'œil et se pencha vers elles :

« Aurait-on besoin de mes services ?

– Seulement de votre présence, dit Emilie d'un ton léger. Nous venons de parler de l'agréable utilité des hommes. Il est heureux que vous surveniez pour nous confirmer que oui, nous avons parfois du plaisir à en voir un. »

Le regard perçant de don José fouilla le visage de sa maîtresse avec une avidité qui frappa Jeanne. « Comme il l'aime », pensa-t-elle. Tout haut, elle dit :

« Don José, je suis certaine que vous me pardonnerez mon retard maintenant que vous savez que je l'ai employé à écouter du bien de vous.

– Diable ! jeta l'Espagnol. Etes-vous vraiment sûres, mesdames, de n'avoir pas besoin de mes services ? »

Jeanne soupira :

« Hélas ! ce ne sont pas des services mais un miracle, qu'il nous faudrait. Nous avons besoin de l'impossible.

– Oh ! je ne vois rien là que de naturel, dit don José. Une femme aime assez tenter d'obtenir des poires d'un ormeau; alors, vous pensez, deux ! »

Ils rirent tous les trois avant que don José n'enchaînât :

« En attendant de faire des miracles pour vous, doña Juanita, j'ai envoyé un chevaucheur porter votre courrier à une corvette française qui fait l'aiguade à Montevideo avant de remonter sur Bordeaux. Quel paquet, madame ! Vous écrivez à toute la France ? Il faut avoir des amis français et alors on a toujours de quoi lire, même sans acheter jamais ni romans ni gazettes. »

Il hésita un instant, reprit d'un ton plus sérieux :

« Autre chose, amiga mía. M. Aubriot vous a-t-il déjà dit qu'il comptait reprendre la mer dès que possible, afin de vite arriver au but de son voyage ? »

Jeanne fut tellement saisie par la révélation que ce fut Emilie qui demanda vivement :

« De qui tenez-vous cela ? N'était-il pas convenu qu'Aubriot et Jeanne passeraient d'abord tout l'été à La Plata afin d'y herboriser pour le cabinet de M. de Buffon ?

– Cela paraissait convenu, en effet, mais il semble que M. Aubriot ait changé d'avis, dit don José. Je le tiens du capitaine Vilmont de la Troesne. Peut-être garde-t-il rancune au pays de la méchante aventure qu'y a vécue notre amie ? Ramasser des plantes et des coquillages sur nos côtes n'était après tout pour lui qu'une escale, qu'il a le loisir d'abréger autant que de prolonger. Sa mission royale d'importance l'attend en Isle de France, et il a prévenu de la Troesne qu'il était maintenant pressé de s'y mettre. »

Il sourit à Jeanne qui le fixait intensément, acheva :

« On a de ces caprices en ressuscitant d'une grave maladie : le temps qui vous reste pour accomplir l'essentiel de votre tâche vous est soudain apparu très court. »

Jeanne pria Emilie du regard et celle-ci, de nouveau, questionna à sa place :

« Quand Aubriot compte-t-il se rembarquer pour Port-Louis ? A-t-il fixé une date à de la Troesne ?

– Non, dit don José. Il se soucie aussi peu qu'un médecin de l'avis de ses médecins, mais de la Troesne, lui, voudra des assurances, et le voir plus solide qu'il n'est avant de l'embarquer.

– Oh ! il se remettra vite, murmura Jeanne. Son énergie est telle, et si grande la passion qui le pousse vers toute flore étrangère... »

Il y eut un silence pendant lequel les yeux d'Emilie

et de don José se parlèrent, et alors l'Espagnol demanda brusquement :

« Jeannette, accompagnerez-vous Aubriot jusqu'au Port-Louis ? »

Jeanne sursauta, balbutia en rougissant :

« Mais pourquoi non ? »

Un savoureux parfum de café précéda l'entrée de Iassi. Don José lui prit la cafetière des mains, la renvoya, servit trois tasses, en offrit une à Jeanne et dit rondement :

« Amiga mía, ne finassons pas – finasser me va mal. J'ai dans un tiroir de mon bureau la lettre que vous m'avez remise de la part du chevalier Vincent. Je sais donc que vous serez navrée de vous éloigner d'ici, parce que Montevideo est plus près de Rio que Port-Louis. »

Jeanne abattit ses paupières sur un voile de larmes brûlantes, enfouit son visage dans ses mains. Emilie se mit à lui caresser les cheveux en quêtant du secours dans les yeux de son amant. Don José reprit sa place sur le tabouret, écarta les mains de Jeanne de son visage et les retint :

« Juanita, j'ai le moyen de faire sûrement passer un courrier à Rio, jusque dans les prisons du vice-roi. Où que vous vous trouviez, Vincent le saura. Et il saura aussi que vous êtes demeurée sous ma protection parce que, si vous voulez aller au Port-Louis, je vous y accompagnerai. »

Assez content de son effet, l'Espagnol sourit à pleine bouche de la blonde à la rousse éberluées, continua d'une voix de boute-en-train :

« Il me faut bien répondre à la confiance que m'a montrée mon ami Vincent en me remettant la garde d'une personne qui lui est précieuse. Je ne l'autoriserais pas à moins faire si je lui avais confié Emilie, et il n'y songerait pas. Puis, j'ai pensé... »

Il lança une pénétrante œillade à sa maîtresse, acheva encore plus gaiement :

« J'ai pensé que dame Emilie de la Pommeraie,

après plus de deux années passées en la compagnie des rustres centaures de La Plata, ne serait pas fâchée de se retrouver dans une colonie française où on la ferait rire et danser à la française, c'est-à-dire avec plus de grâce et plus d'esprit que nous. »

Les deux jeunes femmes se regardaient, regardaient don José, doutant de leurs oreilles. Enfin :

« Parlez-vous tout de bon ? demanda Emilie. Vous apprêtez-vous vraiment à quitter votre cheval pour m'emmener faire une cure de civilisation en Isle de France ?

— Je m'apprête tout de bon à ne pas perdre de vue votre amie Jeannette, corrigea don José. Oublieriez-vous, corazoncito, ce que je dois au chevalier Vincent ? Je lui dois tout simplement de vous avoir inventée pour moi, en vous amenant dans la rivière de La Plata.

— Don José, je ne sais comment vous dire..., commença Jeanne, retrouvant sa voix. Merci.

— Eh bien, voilà qui me va, ne cherchez pas d'autres mots, dit don José en lui baisant les deux mains. Et vous, m'amie, ne me direz-vous rien ? ajouta-t-il en se tournant vers Emilie. A mon cheval je donne une carotte quand je suis content de lui.

— Tenez, dit-elle en lui choisissant un morceau d'ananas dans la confiture. J'avoue, don José, que sous votre sombrerazo de contrebandier de la pampa il vous pousse parfois de charmantes pensées de seigneur courtois.

— Querida mía, l'ormeau essaie de vous faire des poires », dit-il avec un clin d'œil.

19

Aubriot dut demeurer encore plus d'un mois dans son repos campagnard. En dépit de son impatience de découvrir l'Isle de France il ne s'en plaignit pas. Ses bonnes jambes lui revenant peu à peu, il retrouvait en lui l'inépuisable joie du roi Midas, qui savait voir de l'or dans tout ce que touchaient ses mains – plante, oiseau, poisson, coquillage, caillou de belle mine. Comme toujours, Jeanne le suivait dans sa frénésie de découvertes. En plus de lui être une joie coutumière, se combler la pensée de belle nature nouvelle, jusqu'à ras bord, lui était une bonne médecine. Et, pour la distraire encore un peu davantage de la situation fausse dans laquelle elle s'enlisait, la société de La Plata accourait la visiter à la quinta des Murcia : il fallait avoir vu la rescapée de chez les brigands. Pour les curieux Jeanne devait recommencer sans fin son histoire, et cela lui permettait de se croire toujours au débotté de son aventure, innocente de n'en avoir pas tout dit à Aubriot : elle n'en avait pas eu le temps, pas encore.

Le petit monde de La Plata l'avait joliment surnommée : la Bougainvillée, parce que, le 31 de janvier, l'héroïne qu'aux dires de don José on s'était attendu à voir débarquer de la frégate *Belle Vincente*, avait fait son entrée à Montevideo au bras du capitaine-colonel de Bougainville. Jeanne, belle à attendrir dans une toilette de mousseline blanche voilée d'une pudique mantille, était apparue escortée d'une suite d'officiers chatoyant de toutes leurs couleurs, et suivie d'un matelot qui portait l'éblouissant oiseau de la dame, un ara vêtu d'azur et d'or. Ainsi paré de l'otage retrouvé, en arrivant au gouvernement M. de Bougainville avait eu le plaisir d'y faire encore plus grand effet que prévu par son rôle d'envoyé de S.M. Louis XV. Il avait conduit Jeanne au capitaine Vilmont de la Troesne, pour lui dire en souriant : « Monsieur, vous aviez, paraît-il, perdu un passager valet, qui devait être un assez beau garçon. Voyez ce que je vous ramène en sa place, et dites-moi si je ne suis pas un bon magicien ? » C'est après cela que Jeanne s'était entendue baptiser « la Bougainvillée », tout comme si sa métamorphose de garçon en fille avait été l'œuvre de M. de Bougainville. Le surnom lui restait d'autant mieux que Bougainville, amusé, l'employait lui-même, et que Bougainville était la mode du jour à La Plata.

Le gouverneur général de la province, don Francisco Bucarelli, avait donné l'ordre de superbement fêter le commandant de *La Boudeuse* et sa suite. Les Français ne faisaient pas que relâcher à Montevideo; ils y étaient pour rencontrer le commandant espagnol don Ruis Puente auquel ils devaient remettre les îles Malouines, que la France cédait à l'Espagne. Don Francisco se doutait qu'il en coûtait à Bougainville d'accomplir sa mission : c'était lui-même qui, tout récemment, en 1764, avait planté le drapeau blanc fleurdelisé dans la terre des Malouines pour y déposer une cargaison de Bretons chassés du Canada par l'occupation anglaise. Conquérir une colonie à la France, commencer de la peupler, de la planter, rêver d'en faire une nouvelle Acadie, crayonner les plans de son port et de sa capitale... et, au bout du songe, se voir choisi par son roi pour la remettre sans combattre aux Espagnols : la mésaventure devait être amère pour le conquérant floué. Avec beaucoup de grâce les Espagnols s'efforçaient donc de la lui faire oublier, et les Espagnoles plus encore. A Buenos Aires comme à Montevideo ce n'étaient que soupers, bals, concerts, goûters, chasses et parties de campagne où, en fait d'aimables diversions à sa peine, M. de Bougainville ne rencontrait que l'embarras du choix. Et comme, en dépit qu'on en dise, un Français n'est pas plus homme qu'un autre, les officiers de sa suite et ceux de l'*Etoile des Mers* l'aidaient abondamment à ne décevoir aucune offre, si bien que l'escale était fort galante pour tous ces beaux messieurs de la Royale. Les Espagnols avaient réussi à rendre joyeuse pour les Français la perte des Malouines, parce que l'oubli par le divertissement de la politique frivole de leurs ministres est un penchant irrésistible des Français.

Don José et doña Emilia, M. le docteur Aubriot et

la Bougainvillée étaient, il va sans dire, invités à toutes les fiestas. Ils n'allèrent jamais à celles de Buenos Aires, « au bout du monde », mais souvent don José emmenait Emilie à celles de Montevideo, et y emmenait Jeanne aussi. Aubriot lui, s'excusait toujours sur sa santé encore fragile pour demeurer à l'ouvrage dans son trou de campagne. Au vrai, le savant se souciait fort peu de raconter cent fois comment, à Lorient, il avait « de très bonne foi » engagé un jeune valet de belle mine dont il n'avait découvert le sexe féminin qu'au passage de la Ligne, quand Jeannot s'était jeté à ses genoux au lieu d'ôter sa chemise pour se laisser soigner d'une chute sur l'épaule. Cette fable, qu'il avait mise au point avec le capitaine Vilmont de la Troesne, avait le mérite de sauver l'honneur et la morale de M. le naturaliste du roi de France, mais elle avait un défaut, et c'est que personne n'y croyait ! Certes chuchotis et sourires n'avaient lieu que dans le dos de M. le naturaliste mais, le dos, il l'avait susceptible. Tandis que Jeanne subissait sans gêne le feu roulant des curiosités. Il ne lui déplaisait pas de se donner le rôle touchant d'une orpheline cherchant la fortune d'un bon maître, découvrant que toutes les bonnes places sont pour les garçons et qu'il lui faut donc se faire garçon. Et répondre aux questions sur son séjour chez Pinto lui donnait forcément l'occasion de retrouver sans fin, dans sa bouche, le goût succulent du nom de Vincent. Plus tard, allongée dans son lit, elle continuait de le remâcher tout bas, elle le soufflait sur la peau de ses bras qui s'en hérissait de désir, et le désir cheminait, lui prenait le dos et le ventre, descendait ses longues cuisses impatientes de veuve... Elle osait une caresse de papillon au satin tiède de son corps, et puis une autre, se cajolait de petits mots d'amour, agaçait ses seins jusqu'à sentir se poser sur eux, gourmandes, les mains de Vincent, qui l'affolaient et la faisaient sombrer, peau et âme, dans une chaleur d'enfer. Enlaçant son oreiller, les dents plantées dans la dentelle, elle rageait d'amour inassouvi en frappant ses draps à coups de pied. Au matin, quand elle rejoignait Aubriot, elle retrouvait pour lui toute son infatigable tendresse amoureuse, mais ne retrouvait pas intact son remords de l'avoir trahi et de lui mentir en silence. En dépit d'elle-même son remords perdait toujours plus de poids, mangé par sa grandissante nostalgie de Vincent. Même en écrivant ses maux de cœur à Marie elle avait du mal à en retrouver la réalité, parce que la contrition pour un péché délicieux, trempée dans l'encre, finit toujours par devenir savoureuse et celle-ci n'y manquait pas : au bout de la page, de son repentir couché noir sur blanc se dégageait surtout le charme qu'avait eu le péché !

« Emilie, dit Jeanne un matin pendant leur déjeuner, Emilie, je me déteste : le remords me quitte.

— Hé ! fit Emilie, c'est que le remords d'aimer n'est pas naturel. Demandez à nos confesseurs le mal qu'ils ont à l'obtenir !

— C'est aussi que je dois subir votre contagion, dit Jeanne en se versant du café.

— Hum, tiqua Emilie. De votre remarque je déduis que vous me jugez dépourvue de tout sens moral ?

— Ce n'est point votre faute : vous avez trouvé dans votre berceau votre bon droit à tout. Mais moi... »

Jeanne soupira :

« Je me déçois. »

Emilie fit voler ses boucles :

« Je vous le répète, Jeannette, en matière de péché d'amour le repentir est une médecine que nos confesseurs sont obligés de nous introduire dans le corps de vive force, dit-elle, et elle se mit à rire.

— De quoi riez-vous ?

— Je pense à la manière dont les confesseurs jésuites de La Plata l'introduisent dans les corps de leurs pénitentes. Les révérends pères leur donnent la discipline dans la chapelle de leur maison de Buenos

Aires, de telle façon que les murs en sont éclaboussés de sang. Après cela chaque pieuse flagellée passe au confessionnal – un confessionnal sans cloison – pour y recevoir l'absolution corps à corps. Les dames à la fois très coupables et très dévotes font ordinairement une retraite d'au moins quatre jours chez les bons pères, afin de ne rentrer chez elles que tout à fait purifiées. »

Un peu rouge, Jeanne dit avec dégoût :

« Vous me peinez, Emilie. Comment pouvez-vous répéter des choses aussi salissantes ? Ou les inventez-vous ?

– Les inventer ! Vous me peinez à votre tour en me croyant capable de pareilles inventions. Ce sont les dames espagnoles, qui ont une imagination moyenâgeuse. Mais dame ! Leur statut est un héritage du Moyen Age, il faut bien qu'elles s'arrangent pour vivre entre le Diable et Dieu.

– Je croyais les Espagnols furieusement jaloux ?

– Ils le sont, et assez souvent jusqu'au bout du poignard. Pour jouer à l'amour dans ce pays-ci il faut de hauts goûts et de grands couteaux. Dans toute bonne passion Dieu se trouve mêlé un jour ou l'autre – Dieu, c'est-à-dire ses confesseurs – parce que, dans le péché d'amour, je crois que les Espagnols préfèrent encore le péché à l'amour.

– Vous les voyez à travers votre ironie.

– Non, je vous assure : ils aiment pécher plus qu'ils n'aiment aimer. Et je vous le dis, Jeannette, pour que vous cessiez de vous prendre pour une grande pécheresse. Jamais vous ne le serez. Même si vos amours s'entrecroisent vous ne serez qu'une amoureuse, rien de plus coupable. »

Elle tendit à Jeanne l'assiettée de rôties beurrées, acheva avec gentillesse :

« Je suis certaine que Dieu ne punit pas l'excès d'amour. On ne se fâche pas de ce qu'on a inventé.

– Vous prenez avec la pensée de Dieu d'étranges libertés », dit Jeanne en souriant.

« ... Je souris des frivolités qu'Emilie me lance pour tenter de me rendre ma gaieté; j'en souris, mais, au fond, j'ai bien envie d'y croire. J'aime qui j'aime comme j'aime – à qui la faute ? Je ne l'ai pas fait exprès. L'amour vous aspire... N'est-ce pas ?

« Quand trouverai-je le courage de parler à M. Philibert ? Je ne le peux pas, Marie. Plusieurs fois déjà j'ai été tentée de m'asseoir à ses pieds, de poser ma tête sur ses genoux et d'attendre ainsi, comme si souvent je l'ai fait, qu'il lâche son livre pour me signaler, en se mettant à caresser mes cheveux, qu'il est prêt à entendre ma confidence. Toujours j'y ai renoncé. Je sais qu'en sentant sa caresse je dirais sans doute : « Je vous aime. Je veux que d'abord « vous soyez sûr que je vous aime, que je vous « aimerai toujours », et comment commencer ainsi le récit que je dois lui faire de mon amour pour un autre ?

« Il faudrait qu'un miracle m'advînt. Je voudrais, assise aux pieds de M. Philibert, me retrouver sa petite fille, rien que sa petite fille, comme autrefois. Je voudrais qu'une seconde fois nous rechangions d'amour – à l'envers. Et pourtant... »

La plume marqua des points de suspension et se tut, immobile pour un long moment, avant que Jeanne ne la reprît pour continuer sa lettre, mordant sa lèvre pour aider à son effort de sincérité :

« ... pourtant je ne pourrais supporter de le voir donner à une autre la place que je tiens dans sa vie. Je suis toujours aussi vaniteuse et aussi jalouse de mon grand savant que si je n'étais pas amoureuse et dolente de mon beau corsaire. Quelle girouette est mon cœur ! Hier au soir, bon gré mal gré Philibert avait dû accepter une invitation du gouverneur, qui donnait à souper pour les adieux de M. de Bougainville. Après le dessert on s'est installé comme de coutume dans la salle de compagnie, Mme la gouvernante et sa suite emmantillée sur l'estrade, les hommes rangés raides sur les sièges d'en bas, et les dames ont commencé leurs signes pour appeler l'un ou l'autre à venir leur papoter aux oreilles. Doña Amalia, le plus acceptable des pruneaux de La Plata, a fixé Philibert derrière son éventail et l'entretien a duré, duré jusqu'à m'enrager ! Je sais quel charme a la parole de Philibert, et qu'on l'écouterait parler jusqu'au bout de sa vie en la trouvant trop courte, et je sentais dix mille piqûres de guêpe s'enfoncer dans ma chair en le voyant donner tant de son beau parler à une autre. Après cela, rentrée dans ma chambre je retrouve ma peine de Vincent, qui me creuse chaque jour un peu plus. J'avais cru souffrir le pire en le quittant, et m'aperçois que l'ennui qui m'emplit goutte à goutte est une douleur plus cruelle que la douleur de l'instant où je l'ai perdu. »

De nouveau, Jeanne s'arrêta d'écrire, submergée par l'envie de Vincent, l'envie de ses bras, de ses lèvres, de son épaule nue sous sa joue...

« Oui, vraiment, Marie, quelle girouette est mon cœur », répéta-t-elle au papier avant de remettre au lendemain la suite de sa confession. Mais avant de ranger les feuillets écrits elle demeura longtemps, ses deux mains posées à plat dessus, à rêver qu'elle aimait deux hommes sans vanité, assez tendres pour accepter qu'une femme, parfois, eût un cœur double. Emilie la trouva ainsi, enfoncée jusqu'au sourire dans sa folle espérance, quand elle vint la chercher après la siesta.

Il leur fallait rentrer en ville : tout ce qui comptait dans la province voulait se trouver le lendemain à Montevideo, pour être au départ de *La Boudeuse* de

M. de Bougainville et des vaisseaux espagnols qui l'accompagneraient jusqu'aux îles Malouines. Don José fit charger dans deux charrettes toute une forêt miniature de petits arbres en pots. Ses jardiniers les avaient préparés pour Bougainville, lequel les voulait laisser aux infortunés colons bretons des Malouines, abandonnés aux Espagnols en même temps que la colonie. Aux boutures Jeanne fit ajouter les trois portefeuilles de plantes et les deux caisses de coquilles qu'Aubriot offrait pour être remis à M. Commerson, le naturaliste de l'expédition de Bougainville, quand Bougainville l'aurait retrouvé. Car pour le moment, il l'avait perdu : M. Commerson s'était embarqué à Rochefort sur la conserve de *La Boudeuse*, la flûte avait un grand retard sur la frégate et ne s'était pas encore montrée dans la rivière de La Plata.

« J'ai pensé que mon confrère serait heureux de n'avoir pas tout manqué de la flore et de la faune de La Plata, même si, à vous courir après, il ne trouve pas le temps d'y poser le pied », dit Aubriot.

Bougainville reçut le présent avec la révérence qu'il fallait, bien qu'il se souciât assez peu de botanique, sauf quand la botanique faisait des bouquets, et des jardins à se promener en fine compagnie. Assurément aurait-il préféré qu'au lieu et place de sa centurie de plantes séchées le docteur Aubriot lui cédât sa seule Bougainvillée, fraîche et sur pied, qu'il contemplait pour la dernière fois en la poétisant déjà de son regret de ne l'avoir pas effeuillée : que la belle sût, à volonté, se métamorphoser en beau ne cessait d'émouvoir la chair indécise du commandant de *La Boudeuse* depuis que, attendant une dame, il avait vu monter à son bord un ravissant cavalier noir aux fesses hautes et rondes de garçon et aux lisses joues de fille. Il se rapprocha d'elle...

Jeanne était occupée à donner ses derniers conseils

au beau prince de Nassau-Siegen, qui lui avait promis de veiller sur les deux matelots chargés de soigner les petits arbres. Le prince n'écoutait rien, mais dévorait le professeur de l'œil et de l'oreille avec un tel appétit que Jeanne s'y trompait, raffinait ses recommandations. Bougainville intervint :

« Je ne suis pas certain, mademoiselle, que le prince se souviendra d'autre chose que de votre visage et de votre voix. Ne serait-il pas plus sûr que vous veniez accompagner vos plants jusqu'aux îles Malouines ? »

Elle rosit au plaisir de l'invite :

« Monsieur, si je n'avais pas à faire en Isle de France auprès de M. Aubriot...

— Même en vous embarquant sur *La Boudeuse*, un jour ou l'autre, avec la grâce de Dieu vous arriveriez en Isle de France, dit Bougainville. Le Port-Louis sera l'une de mes escales.

— Vraiment ? fit Jeanne. Mais si j'en crois ce qui se chuchote, en passant à votre bord je pourrais bien n'y pas arriver par la route la plus courte ? »

Le fin sourire de Bougainville s'accentua :

« Il me paraît que les dames de La Plata ont eu l'art et la manière d'obtenir quelques confidences de mes compagnons de voyage, dit-il. Où en êtes-vous, mademoiselle, dans la connaissance de mon secret ?

— Eh bien, murmura Jeanne, on vous prête le mirobolant projet de faire le tour du monde. Est-ce vrai ? »

Bougainville et Nassau-Siegen se mirent à rire et Bougainville demanda :

« Si je vous pousse à y croire, lâcherez-vous votre expédition pour la mienne ?

— En pensée, consentit Jeanne, aimablement. Je promènerai mon doigt sur tout l'inconnu bleu de la mappemonde et vous guiderai par mes prières vers mille et un paradis encore mystérieux, pleins de soleil, d'oiseaux, de fleurs, d'huîtres perlières et d'ananas.

– Souhaitez-moi donc vos paradis... à tout hasard », dit Bougainville. Et il ajouta, le regard posé sur l'esclave qui se tenait à quelques pas derrière Jeanne :

« Pour qui sont donc les lianes que ce nègre porte enfilées à ses bras ? Auriez-vous oublié de les remettre à mes matelots en charge de vos verdures ?

– Non, dit Jeanne. Vos hommes ont déjà reçu trois boutures de cette liane-là. Mais je la trouve si belle, si gaie, que j'ai voulu l'employer à inventer ici une coutume qu'observent, paraît-il, les dames de Rio Janeiro – du moins quand leur vice-roi ne chasse pas les voyageurs de son pays à coups de canon !

– Et quelle est donc cette coutume ? demanda Nassau-Siegen.

– Monseigneur, vous le saurez bientôt, dit Jeanne en voyant que le nègre, sur un signe d'Emilie, commençait de distribuer ses guirlandes à quelques-unes des dames descendues au port pour y accompagner les officiers-majors de *La Boudeuse.*

– Hélas ! mademoiselle, je crains que bientôt, ce ne soit maintenant, dit Bougainville en montrant le canot qui les attendait, ses rameurs debout sur le rivage.

– Eh bien, dans ce cas, monsieur, et avec votre permission... », dit Jeanne en tendant la main pour recevoir un collier de fleurs qu'elle passa, en souriant, au cou de Bougainville.

Emilie et les señoras, au même moment, décoraient aussi superbement les autres officiers de *La Boudeuse*, lesquels, enchantés, se récrièrent en chœur sur la grâce de ce geste d'adieu et sur la vive beauté de leurs colliers. Ils étaient faits d'un entrelacs de lianes abondamment pourvues de larges feuilles épaisses au milieu desquelles éclatait, comme autant de bouquets de lampions, le pourpre violent, liquoreux, touché de mauve et de carmin, de grandes bractées échevelées.

« Comment appelez-vous cette belle fleur, mademoiselle ? » demanda Bougainville.

Ce fut Aubriot qui répondit :

« Parmi les plantes que je vous ai remises pour M. Commerson la plupart m'étaient inconnues et le lui seront sans doute, puisqu'il vient d'Europe comme moi. Je n'en ai nommé que quelques-unes. Il ne faut pas être trop égoïste, en dépit de l'envie qu'on en a. Tous les botanistes aiment à baptiser des fleurs. Le nom de celle-ci reste encore à trouver.

— Je demanderai de votre part à M. Commerson de lui en trouver un, si j'ai le bonheur de le revoir en même temps que ma conserve, ce qu'à Dieu plaise, dit Bougainville.

— En le lui demandant ajoutez que cette fleur vous plaît, et alors M. Commerson ne manquera pas de lui donner votre nom, dit Jeanne. *Bougainvillea*, cela sonne bien. *Bougainvillea platasiana grandibractea*.

— Ma foi, ce nom-là est en effet bien aussi barbare que tous ceux dont les botanistes accablent les pauvres fleurs ! s'exclama Bougainville, qui baissa la voix afin d'achever pour Jeanne seule :

— Mais je l'accepterai avec joie parce que les gens du commun, qui eux sont volontiers poètes, feront une bougainvillée avec la *Bougainvillea* et moi, dans la bougainvillée, plutôt que mon nom je verrai la jolie prise que j'avais faite à un corsaire dans la rivière de La Plata. »

« ... et ainsi, Marie, peut-être aurai-je donné mon surnom d'ici à l'une des plus belles lianes grimpantes de l'Amérique du Sud, mais le monde, sans doute, n'en saura jamais rien et ne gardera, dans la bougainvillée, que le seul souvenir de M. de Bougainville.

« Depuis le départ de *La Boudeuse* nous ne sommes retournés à la quinta que pour y boucler nos bagages, lesquels deviennent une grosse affaire avec les collections d'histoire naturelle et la pépinière d'arbustes qui les gonflent. Enfin tout s'est trouvé embarqué, et maintenant nous voilà de nouveau à Montevideo dans la maison de don José, à attendre le bon vent. Pour lors, il est contraire, et le petit Paul ne cesse de galoper au jardin, toutes les cinq minutes, pour le tâter du pouce comme il l'a vu faire aux mariniers sur le port. Emilie n'est pas loin de partager l'impatience allègre de son fils et ne s'en retient que pour ne pas me peiner. Mais moi, je suis plutôt contente de voir leur plaisir au bord de ce voyage que j'ai apporté dans leur vie; ce plaisir, qui va me suivre, tempère un peu mon angoisse. Quitter Montevideo me déchire, mais j'ai choisi de subir ce déchirement. Il faudra au moins que j'aie vu Philibert débarquer à bon port, il faudra au moins que je l'aie vu se plonger dans une nouvelle manne exotique et m'oubliant presque pour courir d'un trésor à l'autre, pour que je trouve enfin le courage de lui parler. Mais en attendant, Rio va s'éloigner de moi. Mon Dieu ! Marie, la prison de Vincent va s'éloigner de moi... Quand le chevalier me tenait dans ses bras je ne l'ai pas assez aimé. »

20

Les luxuriantes verdures de la ville du Cap commençaient à fondre dans le miroitement de la mer. De l'escale à la pointe du continent africain ne resterait bientôt plus, au-dessus de l'*Etoile des Mers*, qu'un tournoiement noir et blanc de damiers têtus aux ailes solides.

« Prochain mouillage : Port-Louis », dit Emilie.

Il faisait beau, et si peu de roulis qu'elle était montée sur la dunette avec Jeanne et don José, bien qu'elle n'eût guère le pied marin. Tous les trois se souriaient chaque fois qu'ils se regardaient, comme pour se repartager sans se lasser un gai secret commun.

« Eh bien, vous voyez, amiga mía, que le monde des marins est si rond qu'un marin ne s'y perd jamais, sauf si la mer le prend, finit par dire don José à Jeanne.

– Oui », souffla Jeanne en appuyant une main sur son cœur pour mieux sentir, coincé entre ses deux seins, le billet de Vincent.

Le dernier jour de leur relâche au Cap, en traînant dans les bouges à matelots l'Amadou avait ramassé un Noir de l'équipage de *Belle Vincente.* Libéré à Rio par les Portugais, le Noir s'était aussitôt réengagé sur un senau hollandais qui devait toucher Montevideo. A l'embarquement il avait vu le père Savié, l'aumônier de son ancien bord, remettre au capitaine Capek un pli pour don José de Murcia. Le Hollandais Capek était un capitaine si peu aimable, qu'au large de Rio Grande la moitié de ses hommes s'était mutinée et avait pris le contrôle du vaisseau. Ayant embouclé à fond de cale les plus récalcitrants, les mutins avaient obtenu au moins la mauvaise volonté des autres et, quant au capitaine et au second, ils les avaient jetés aux requins pour plus de sûreté, et déjà morts par charité. Le Noir de *Belle Vincente* – d'emblée soumis aux mutins parce que, pour « un sale nègre puant », c'était ça ou la crève – avait eu l'esprit d'aller rechercher, dans la chambrette de l'infortuné Capek, la lettre qu'il lui avait vu confier à Rio. Mais les mutins, bien sûr, au lieu d'aller sur Montevideo, avaient dérouté le *Rotterdam* pour le diriger vers l'archipel Tristan da Cunha. Dans leur sotte espérance de révoltés désormais condamnés à la fuite ou à la corde, l'archipel flottant au milieu de l'Atlantique leur paraissait comme une cachette sûre, paradisiaque. Ils comptaient obliger la poignée d'Anglais qui l'habitait à les accueillir et à leur faire part de sa supposée belle vie. Hélas ! à mi-chemin du rêve, il était arrivé au *Rotterdam* ce qui arrivait à peu près toujours à un vaisseau que ses mutins ne naufrageaient pas : comme la maistrance prisonnière avait commandé autant de fausses manœuvres que nécessaire, le senau s'était fait reprendre par une frégate de Hollande, qui l'avait ramené au Cap. Depuis, ceux des hommes qu'on n'avait pas mis au cachot avaient baguenaudé dans le port, où la mauvaise bière valait peu et la putain hottentote gâtée moins encore. Le Noir de *Belle Vincente* – il s'appelait Dodo – s'y trimbalait avec les autres et, quand l'Amadou lui était tombé dessus, par miracle il n'avait pas encore perdu la lettre qu'il promenait sous son bonnet. Le gabier l'avait rapportée à don José sur la tête pouilleuse du messager.

Le pli contenait deux billets, l'un pour don José, l'autre pour Jeanne. Le billet à Jeanne n'était fait que de mots d'amour. Les nouvelles étaient dans le billet à don José.

Après une semaine de prison étroite et malodorante payée à la très mauvaise humeur du vice-roi da Cunha, le chevalier avait été tiré de sa misère par la comtesse da Cunha, qui l'avait réclamé pour la décoration de ses soupers. On lui avait rendu ses chemises de mousseline, ses flacons de fleur d'orange et son valet Mario. Il ne se trouvait pas mal installé à la cour de la vice-reine quand sa sœur, la comtesse da Silveria, avait offert à son tour d'héberger le prisonnier; le vice-roi y avait consenti, pour contrarier sa femme de la part de sa maîtresse, la senhora Maria-Luiza. Chez sa nouvelle geôlière le chevalier avait enfin obtenu une plume, de l'encre et du papier, et même des visites de ses officiers libérés, toutes choses que le comte da Cunha interdisait qu'il eût, pour l'empêcher de préparer son évasion.

Le récit de la captivité du chevalier n'allait pas plus avant : sans doute les billets que Jeanne et don José venaient de lire étaient-ils les premiers sortis, vite, de son encrier. Toutefois, la lettre à don José disait aussi ce qu'étaient devenus *Belle Vincente* et son équipage. La frégate avait été conduite à l'île das Cobras, désarmée, ses canons et ses poudres déposés aux magasins de l'Arsenal. Sa cargaison mise sous scellés, *Belle Vincente* attendait d'être envoyée à Lisbonne où elle serait vendue, corps et biens, au profit du roi du Portugal. Une bonne moitié de ses hommes s'était déjà réengagée sur d'autres bâtiments, mais l'autre moitié – des Maltais, des nègres, des Provençaux – était demeurée en vue de son bord, à vivoter sur le port et dans les chantiers de l'Arsenal. Le second, le lieutenant, l'aumônier, le maître et le contremaître avaient refusé le rapatriement et s'étaient logés en ville – en attendant quoi ?

« Vous croyez vraiment qu'ils réussiront à reprendre *Belle Vincente ?* » demanda Jeanne pour la dixième fois, mendiant un dixième oui à don José.

Mais don José, cette fois, répondit plus longuement :

« Votre chevalier n'aime pas revenir à pied de ses prisons, dit-il avec assurance. Puisque vous l'aimez je le connais donc moins bien que vous, amiga mía, mais je le connais depuis plus longtemps. Je sais qu'il a plus d'un tour dans la dentelle de ses manchettes. Il était bien jeune quand les Turcs l'ont pris et mis en esclavage mais, trois mois plus tard, Vincent était de retour à Malte dans une galère turque volée au plein milieu du port de Tripoli ! Sa chiourme était presque toute composée d'esclaves chrétiens mais, quand même, l'exploit n'était pas vilain pour un tout jeune cadet. La façon dont il a tiré sa révérence aux Anglais pendant la dernière guerre est encore meilleure, mais celle-ci, bien sûr, il vous l'a racontée ?

– Mais non, dit Jeanne.

– Non ? Eh bien, commença don José, les Anglais

avaient logé Vincent en forteresse à Douvres – fort bien, d'ailleurs. Comme ils avaient fixé sa rançon à un très haut prix, pour lui ôter l'envie de les quitter gratuitement ils avaient enfermé avec leur cher prisonnier son lieutenant, son écrivain, son chirurgien et son valet, le prévenant que ses compagnons seraient pendus comme pirates si lui-même s'échappait. Vincent n'avait donc pas le choix : s'il voulait s'évader il devait emmener ses gens avec lui, et c'est bien ce qu'il a fait. Avec le lieutenant de Quissac, qui se pique à l'occasion d'écrire, ils ont troussé une comédie. Le gouverneur de la forteresse leur a bienveillamment prêté des uniformes d'officiers anglais pour la jouer, d'autant plus volontiers que madame la gouvernante et sa fille étaient de la pièce, et fort acharnées à répéter leurs rôles, car on s'ennuie à Douvres. Au soir de la représentation les Français costumés en Anglais sont sortis de la forteresse par la grande porte, salués par les sentinelles, pour tranquillement s'embarquer dans le canot qui les attendait, lesté de vivres et d'eau douce – ici je dois dire que la fille du gouverneur, qui jouait l'amoureuse dans la comédie, avait tenu son rôle avec cœur.

– Le bon tour ! s'exclama Emilie. Et qu'il est utile à un corsaire d'être joli homme ! Ainsi, les fugitifs ont traversé la Manche à la rame ?

– C'était leur intention faute de mieux, mais ils ont pu faire mieux, dit don José. A cette époque, Vincent commandait un senau de la Royale. Le senau capturé se balançait au port, mal gardé, et la nuit s'annonçait noire... Ils sont rentrés à Calais à la voile, à une allure de régate, toutes bonnettes éventées ! M'amie Jeannette, je ne m'attends pas à voir votre chevalier revenir de Rio sans sa frégate. Sa *Belle Vincente* aussi, il l'aime d'amour, et à la folie. Il ne l'abandonnera pas aux Portugais, dût-il aller jusqu'à Lisbonne pour la ravoir, déguisé en calfat à son bord. »

Jeanne poussa un immense soupir, retint deux

larmes au bout de ses cils, dont le grand soleil qui tombait sur la dunette fit deux perles d'or :

« Cela pourra prendre longtemps », murmura-t-elle.

Elle ajouta, le visage tourné vers don José, avec une angoisse sans pudeur :

« Et pour me ravoir moi, qui ne lui ai pas obéi en demeurant dans votre quinta, croyez-vous qu'il viendra jusqu'au Port-Louis ? Croyez-vous qu'il aura reçu votre courrier et ma lettre ?

– Je les ai confiés à un porteur sûr, qui a ses entrées chez le vice-roi du Brésil, dit don José. Et j'ai fait partir deux autres plis par deux autres chemins. Quant au reste de votre question... »

Il lui prit une main, la retint avec amitié entre les siennes :

« Je crois assez qu'il fera le voyage jusqu'à vous, dit-il en souriant. Pour s'assouvir, désir d'amour traverse les mers. »

Pendant un moment, ils se turent, regardant vaguement les hommes qui s'installaient sur le pont pour dîner. L'Amadou parut à la visette, suivi de Iassi et portant le petit Paul sur ses épaules, qu'il vint déposer devant sa mère.

« Madame maman, dit l'enfant – à deux ans passés il parlait déjà un assez compréhensible français, quoique en lui changeant les R en L – mamá, je voudlais pas manger le poulet et le flomage de mon dîner. Je veux manger du moltier avec les hommes. Vous voulez bien ?

– Seigneur ! gémit Emilie. Cet enfant n'est pas mon fils, il a des goûts de peuple. Je me demande de qui il tient ? » acheva-t-elle étourdiment.

Don José eut un clin d'œil malicieux pour la mine gênée de Jeanne, dit avec bonne humeur à Emilie :

« Souvenez-vous, doña mía, que son grand-père était un rude aventurier de La Plata qui faisait son régal de la pire viande de boucan. Il faut plus de deux générations de richesse pour faire un gourmand raffiné. Vous devriez lui permettre un peu de mortier : cela leste le corps et le fait tenir au vent.

— Je suis curieuse de voir à quoi ressemble ce mortier, dit Emilie. Jeannette, restez-vous encore à vous gâter la peau au soleil ? »

Elle descendit sans attendre la réponse. Jeanne et don José demeurèrent en tête-à-tête, leurs regards vagabonds flottant au gré d'un jeu de nuages blancs. La côte africaine avait tout à fait sombré sous l'horizon.

« Dieu merci qu'en pleine mer les paysages du ciel soient beaux, sinon, comment y passerait-on le temps ? » dit soudain don José.

Jeanne le regarda avec attention, demanda :

« Ce voyage vous ennuie, n'est-ce pas ?

— Non, puisqu'il amuse Emilie.

— Mais vous-même vous souciez comme d'une guigne de connaître l'Isle de France ? »

Don José poussa un soupir comique :

« C'est-à-dire que je me demande comment on peut avoir envie de vivre dans un pays où un cheval vaut cent pistoles. Cent pistoles un cheval ! Je n'y croirai qu'après l'avoir vu. »

Jeanne lui sourit :

« N'aimez-vous vraiment rien autant que la compagnie d'un cheval ?

— Si : la compagnie d'une jument », dit don José avant d'éclater de rire.

Quand ils eurent ri leur soûl, Jeanne prit un ton grave :

« Don José, puisque nous voilà seuls, au lieu de plaisanter parlons un peu cœur à cœur.

— Cœur à cœur ? Caramba ! Est-ce bien une Française qui me propose cela ? J'avais cru remarquer, en vivant dans votre pays, que mettre trop de sincérité dans la conversation n'était pas de bon ton.

— Vous avez vécu à Paris. Je suis une provinciale.

— Bueno. Commencez, amiga. Mon cœur à moi vous est déjà ouvert. »

Elle se retourna, s'adossa à la rambarde pour lui faire face, interrogea abruptement :

« Don José, suis-je un monstre ? »

Il haussa les sourcils, répondit par une boutade :

« Dame ! puisque vous êtes une femme !

— Soyez sérieux. Je voudrais savoir si un homme... Don José, pouvez-vous comprendre la manière dont je me conduis ?

— Oui, amiga. Mais c'est parce que je ne suis pas Vincent.

— Et si vous l'étiez ?

— Je vous attraperais par les cheveux et vous traînerais à un couvent où je vous enfermerais. Après quoi il est probable que je tuerais M. Aubriot.

— Oh ! fit Jeanne.

— Amiga, en amour un Espagnol est simple; il oscille entre deux pôles : la passion et la vengeance. »

Jeanne eut un gros soupir :

« Je crains bien que le chevalier ne soit espagnol presque autant que vous !

— Les sangs du Sud se ressemblent. »

Un vol triangulaire de frégates passa haut dans le ciel au-dessus du navire, fila jusqu'au bout de l'horizon, revint aussi vite claquer des ailes à ras de la mâture, et puis décida sans doute que le repas de l'équipage ne valait pas de descendre plus bas et repartit s'évanouir dans l'espace. La visite des oiseaux terminée, ce fut don José qui reprit :

« Jeannette, une fois M. Aubriot conduit à bon port, que comptez-vous faire ? »

Elle répondit sans hésiter :

« Je compte acheter une habitation et la mettre en culture.

— Qué ! »

Immobile, les yeux écarquillés, la bouche entrouverte, don José offrit pendant une pleine seconde l'image d'un homme foudroyé, qu'une simple pichenette mettrait en cendres.

« J'ai mal entendu, dit-il enfin. Vous comptez... quoi ?

— Acheter une habitation et la mettre en culture. Vous avez fort bien vendu mes diamants au diamantaire contrebandier hollandais. J'espère que je pourrai avoir une grande terre et assez de Noirs pour la bien travailler. J'y ferai planter de bonnes herbes, des épiceries, et j'en expédierai de grosses cargaisons à ma boutique du Temple. J'ai laissé là-bas une gérante qui s'y entend à merveille pour vendre tout au plus cher. Si je la fournis d'exotisme, je parie qu'elle m'en fera une fortune, même sans oublier de faire la sienne. Plus tard, sans doute pourrai-je servir aussi la société de Lyon et celle de Marseille en expédiant de mes récoltes aux Delafaye et chez le comte Pazevin ? Je crois qu'il me plaira de faire du négoce par mer. »

Elle revint de son avenir pour poser son regard sur don José : l'Espagnol la contemplait toujours avec le même ébahissement.

« Eh bien ? fit-elle. Que dites-vous de mes projets ? Riez, riez, je vous en prie, je vois bien que vous mourez d'envie de vous esclaffer.

— Mais, caramba ! c'est que je n'en crois pas mes oreilles ! Vous avez des projets qui ne vous vont guère, amiga. Vous avez des projets d'homme !

— Non, je vous assure, dit Jeanne tranquillement. Je n'ai pas l'intention de coltiner moi-même mes caisses d'herbes jusqu'au port. Je sais que je ne suis qu'une faible femme. »

Don José la mesura un moment des yeux, perplexe, demanda enfin :

« Et que devient le chevalier dans votre affaire ? Pensez-vous pouvoir en faire un planteur ?

— Non, amigo, et je n'essaierai pas. Mais je crains qu'il n'accepte pas de faire de moi une corsaire – pas assez souvent. Et je ne veux pas, quand il me laissera à terre, avoir tout mon temps pour épier la mer jusqu'à son retour. Voyez-vous, don José, à moi il faut beaucoup d'ouvrage sur les bras. Avoir une habitation me rendra contente, vous verrez. J'en ferai la terre la mieux soignée de l'île.

– En serez-vous contente même si Vincent ne l'est pas ? S'il vous dit – comme je pourrais vous le dire – qu'une femme est faite, non pour planter et commercer, mais pour aimer ? S'il vous le dit, que lui répondrez-vous ?

– Qu'il a raison. Mais qu'hélas ! lui n'est pas un Espagnol de La Plata, qui permet à sa femme de l'aimer sans jamais s'absenter de son amour. »

Don José hocha la tête :

« Dommage que je sois déjà pris, n'est-ce pas ? plaisanta-t-il. A courir au feu et au moulin l'homme actif laisse geler sa soupe à la maison. Mais prenez un Espagnol de La Plata et il aura toujours le temps de vous faire l'amour aujourd'hui, parce que son jour de la semaine pris par le travail est toujours demain ! Mañana, mañana ! »

Son bon mot le fit rire à nouveau, avant qu'il ne reprît :

« Vrai, Jeannette, nous sommes si sincèrement paresseux qu'à coup sûr des friches de La Plata vous coûteraient cent fois moins que des friches de l'Isle de France, alors, amiga, tant qu'à vous faire planteur, plantez donc alentour de ma quinta. Au moins auriez-vous des chevaux à vingt sols plutôt qu'à cent pistoles pour vous promener sur vos terres. »

Jeanne secoua la tête :

« Don José, le Port-Louis sera plus près que Montevideo des routes de Vincent. Je sais qu'à Versailles, on voudrait faire du Port-Louis la grande base française de l'océan Indien, tant pour assurer une escale aux bâtiments marchands qui commercent avec nos comptoirs de l'Inde que pour le cas où la guerre avec l'Angleterre se rallumerait. Mon chevalier aime l'or du négoce et de la course : il ne manquera pas de venir naviguer autour de l'Isle de France. De toute manière, pour l'heure, il voulait remonter vers le golfe du Bengale, il ira s'il réussit à reprendre sa frégate, et le Port-Louis sera sur son chemin. »

Don José digéra le discours quelques instants avant de consentir à l'approuver :

« Vous ne devez pas avoir tort. Dans l'océan de par chez nous un corsaire ne trouve plus grand-chose. Mais oh ! Dios ! que les Françaises sont raisonneuses ! Une Espagnole vous attend là où vous l'avez mise, en buvant du maté.

– Et pourquoi, messieurs, choisissez-vous une Française plutôt qu'une Espagnole, quand vous avez le choix ?

– Parce que le Diable s'occupe trop de nos amours », soupira don José.

Le temps passa, au même rythme monotone que l'eau passait le long de la coque. La traversée devenue trop paisible installait de l'ennui à bord. Un peu de scorbut s'était déclaré dans l'équipage, qui n'avait plus que des salaisons et du biscuit plein de vers à manger. La mouille avait fait pourrir les derniers légumes, et une tempête, courte mais violente, avait emporté au début d'avril plus de la moitié des bestiaux à la mer. Heureusement, le 1er mai une flotte de thons se mit à suivre l'*Etoile des Mers* et les hommes purent pêcher aux crépuscules du matin et du soir, quand l'ombre qui se pose alors sur les flots cache mieux la traîtrise de l'hameçon. Aubriot força les malades à manger du poisson presque cru et ils s'en trouvèrent mieux. Les passagers, eux, ne souffraient pas du mal des gencives. A l'embarquement, don José avait tenu à s'encombrer d'une énorme provision de citrons, assurant que Vincent employait le citron entier, en même temps que la salade d'oignons crus, pour protéger ses équipages du scorbut. Le chevalier avait, disait-il, tiré cette recette du journal d'un écrivain de la

Royale qui servait sous Louis XIV. Aubriot s'était montré sceptique parce qu'il croyait surtout aux végétaux verts pour prévenir et guérir le mal, mais don José, que sa science médicale n'encombrait pas, avait voulu le citron. Chaque matin il coupait deux fruits en quatre et distribuait les quartiers à son petit entourage et, ma foi, nonobstant l'avis de la Faculté, le remède préventif semblait agir.

« Il agit même si bien, Marie, que nous autres n'endurons que notre part d'ennui. Mais comme nous buvons du vin plutôt qu'une eau corrompue devenue infecte, même notre ennui nous quitte souvent ! Après le souper, pour continuer de voir la vie en rose nous allons au coucher du soleil, comme en ville on va au théâtre. Et, dès le matin, nous commençons de guetter les oiseaux que nous devrions voir en approchant de la côte de l'Isle de France. Il paraît que les premiers à se montrer sont souvent de beaux oiseaux d'un blanc satiné, qu'on appelle des pailles-en-cul, à cause des deux plumes fort longues dont est faite leur queue. On nous a dit que les pailles-en-cul annonçaient l'Isle de France aussi sûrement que les damiers annoncent Le Cap. Mais, pour l'instant, nous ne voyons que des ailes de vaisseaux, de plus en plus nombreuses... »

« Zozo paillenqué ! Zozo paillenqué ! Zozo paillenqué ! »

Le cri perçant du noir Dodo traversa le calme de l'après-dînée du 7 mai, fit jaillir un monde fou sur les ponts et se lever toutes les têtes...

L'oiseau de la bonne nouvelle, complaisant, se mit à décrire des cercles au-dessus du vaisseau, salué par les hurlements joyeux des hommes. Enfin il repartit se perdre dans le soleil, laissant sur l'*Etoile des Mers* un si fort climat de terre que les passagers se tinrent longtemps au vent sur la dunette, à fouiller l'horizon jusqu'à s'en fatiguer les yeux. Le lendemain matin, toute une ambassade de pailles-en-cul vint tournoyer des heures autour de la mâture. Les oiseaux plongeaient sur le tillac pour gober au vol les miettes de biscuit qu'on leur lançait, jouaient à frôler effrontément les bonnets des matelots. La terre parut le 9 mai 1767, à neuf heures du matin.

Jeanne, le cœur dans la gorge, les dents serrées, tenait la main d'Emilie sans se rendre compte qu'elle y enfonçait ses ongles. Emilie, stoïque, lui laissa meurtrir sa main, se rapprocha encore plus près d'elle :

« Eh bien, Jeannette, vous voyez enfin venir à vous le rivage que vous m'avez si souvent conté quand nous étions des petites filles de la Dombes. Croyez-vous qu'il sera aussi extraordinaire vu d'ici qu'il l'était vu de là-bas ? »

Il y eut un silence plein de leurs enfances bavardes mêlées, puis Jeanne répondit, doucement :

« Moi, Emilie, je trouve déjà extraordinaire qu'il existe. »

II

Quatre-Epices

1

LE chant d'un coq des bois, mélancolique, s'éleva sous le couvert des jaquiers, annonçant la fin du jour. Jeanne modula quelques notes, imitant de son mieux la mélodie désolée. Le dialogue se poursuivit un moment entre la femme et l'oiseau, puis elles entendirent le vol lourd descendre de branche en branche jusqu'à voir paraître, dans une trouée du feuillage, le bel éclat orangé du coq au camail couleur d'améthyste. Cramponné à l'extrémité d'un rameau oscillant il se penchait sans peur au-dessus des dames, pour les dévisager de ses doux yeux noirs pleins d'intérêt. Emilie brisa un petit gâteau de coco, lui en lança les miettes au bec – qu'il dédaigna.

« Il préfère les mouches, dit Mme Manon. D'ailleurs, ce n'est point pour quémander qu'il vient à nous, mais pour nous voir. Rien ne guérit le coq des bois de sa curiosité, pas même l'appétit de l'homme, qui profite de sa confiance pour le mettre à la broche.

– Dans un paradis les hommes ne devraient se nourrir que de fruits, dit Jeanne en prenant une jambose dans le compotier. Manger peut être un plaisir aussi innocent que charmant. »

Elle mordit la jambose à pleines dents. Un goût de rose lui envahit la bouche. Dans son regard aussi, le soleil couchant mettait la même saveur de rose épanouie. C'était l'heure exquise, rafraîchie, où le parfum du jasmin renaissait. Emilie cueillit quelques fleurettes blanches pour les froisser entre ses doigts avant de les respirer :

« Votre campagne des Pamplemousses est si plaisante, madame, que demain nous ne redescendrons pas de bon cœur nous étuver au Port-Louis, dit-elle à Mme Manon.

– N'y redescendez pas, proposa Mme Manon. Depuis la mort de monsieur Le Juge, Mongoust me semble bien désert. En attendant ses héritiers, qui ne viendront peut-être jamais, je fais entretenir l'habitation de mon mieux, mais je n'ai guère de crédit sur les jardiniers, parce que je n'ai guère de savoir en leur domaine. Si vous veniez demeurer ici, le docteur Aubriot pourrait leur tenir la main.

– De toute manière, M. Aubriot veillera à la conservation de tous les jardins d'essai plantés dans l'île, dit Jeanne. Et l'intendant nommé par le Roi, qui doit arriver bientôt, est aussi un grand amoureux des jardins de collectionneurs : la richesse de Mongoust passionnera M. Poivre, n'en doutez point.

– Oui, Mongoust me paraît un condensé du monde assez miraculeux pour mériter la protection des gens du Roi, dit don José, surgissant de l'allée de Chine, au bout de laquelle il était allé revoir un arbrisseau dont l'éblouissante floraison rouge le fascinait.

– Reprendrez-vous une tasse de thé ? lui demanda Mme Manon. Ce n'est que du thé du pays, mais on s'y fait.

– Oh ! fit Emilie, je vous assure qu'après deux années passées à boire du maté de La Plata, ce thé d'Isle de France vaut pour moi les meilleurs thés de la Chine et de l'Inde !

– Mais si le docteur Aubriot tarde encore, il sera trop noir, dit Mme Manon. Je vais en demander du frais. »

Jeanne l'en dissuada :

« Madame, n'en faites rien. M. Aubriot a tout à fait oublié l'heure du thé et, pour qu'il n'oublie pas aussi l'heure du souper, je devrai tout à l'heure l'aller fortement tirer par la manche !

– Puisque l'endroit vous plaît tant, demeurez-y donc, insista Mme Manon. Demeurez-y au moins jusqu'à ce que vous ayez déniché une maison plus près de la ville. Le gouverneur comprendra fort bien que vous vous trouviez mieux logés à Mongoust qu'à l'Hôtel du gouvernement, où il ne vous peut coincer qu'entre ses trop nombreux hôtes et ses paquets de paperasses.

– Il est vrai que la capitale de M. Desforges-Boucher manque terriblement de bon bâtiment ! » s'exclama don José.

Pour qui arrivait dans « l'île indienne » – mirage romantique dans lequel se complaisaient tant de Français envieux de s'arracher à leur glaise natale pour courir vers les tropiques sucrés –, pour qui posait enfin le pied sur son rêve, Port-Louis était un désenchantement. De la mer on en voyait d'abord l'amphithéâtre de petites montagnes chauves aux flancs brûlés, aux crêtes brisées, d'où descendaient deux rivières qui, plus tard, se révélaient deux coulées de boue. La ville se composait d'environ cinq cents maisonnettes de bois transportables sur rouleaux, si mal décidées à s'installer vraiment sur leur mauvaise terre hérissée de pierres et de broussaille qu'elles n'avaient ni vitres ni rideaux à leurs fenêtres, pas un rosier dans leurs jardinets clos de palissades. Quant au port, il était à l'abandon. Les carcasses de gros navires coulés par les ouragans, emplies de pourriture, de canons rouillés et de coquillages, autour desquelles s'accumulaient de hauts-fonds de vase, obstruaient les passes intérieures, menaçaient de rendre bientôt impossible le mouillage au Port-Louis. En y débarquant, les passagers de l'*Etoile des Mers* n'avaient pas eu l'impression de débarquer dans une Arcadie où Dieu a tout bien disposé pour le bonheur des hommes passant par là.

La fâcheuse impression causée par le port ne s'améliorait pas trop quand on pénétrait dans le bourg. Les rues n'étaient ni pavées ni ombragées, on s'y tordait les chevilles, on s'y crottait grassement et on risquait partout de tomber dans une ornière, puisque personne ne s'occupait de la voirie. Un ravin marécageux, qu'il fallait traverser à gué sur quelques roches jetées au milieu de ses fanges ferrugineuses, coupait la ville en deux quartiers. Derrière, et jusqu'au pied des montagnes, s'étendait le vaste jardin de l'Enfoncement, hélas bien négligé depuis le départ de son créateur, Mahé de La Bourdonnais. Non, vraiment, Port-Louis ne ressemblait pas encore à la cité-reine de la France australe, dont la devise – « Etoile et clef de la mer des Indes » – clamait les illusions de Louis XV.

La place d'Armes, dessinée en carré-long, rassemblait autour d'elle l'Hôtel du gouvernement, l'Intendance, les bureaux de la Marine et de la Guerre, le Corps de garde orné d'une tour-horloge et le Palais de justice. Bien que le tout fût de bonne maçonnerie et plaisamment couvert en argamasse [1], les noms étaient plus pompeux que les constructions, l'ensemble n'avait rien d'un petit Versailles – sauf pour le surpeuplement. C'est à l'Hôtel du gouvernement, où il résidait encore en attendant de remettre ses pouvoirs aux gens du Roi, que le dernier gouverneur appointé par la Compagnie des Indes, M. Desforges-Boucher, avait hébergé le docteur Aubriot et sa suite le premier jour de leur arrivée. Mais le Gouvernement – agréable bâtiment de deux étages encadré de deux ailes à angle droit – étant continuellement bourré de mille gens et de mille choses, très vite il avait fallu déménager don José et les siens pour les reloger tant bien que mal à l'Intendance. Aubriot et

1. Plate-forme terrasse à l'orientale.

Jeanne étaient demeurés au Gouvernement, à se partager deux chambres et un cabinet sommairement meublés, mais encombrés de caisses d'archives.

Aubriot avait regardé son installation d'un œil sombre. Desforges-Boucher avait beau lui répéter que tant d'inconfort était provisoire, qu'il lui trouverait bientôt « quelque chose de mieux », on n'avait pas besoin d'avoir vécu plus d'une semaine dans l'île pour se demander où ce « mieux » pourrait bien exister, du moins déjà bâti et pas trop loin de la boulangerie. L'île était encore assez déserte, mais le Port-Louis déjà très encombré. Sur une vingtaine de milliers d'habitants, dix-huit mille étaient des esclaves logés en cases sur les habitations. Quelques centaines de Noirs libres, d'ouvriers lascars [1] et malabars [1] s'empilaient dans les cabanes du port accolées aux innombrables cabarets farcis d'ivrognes, de déserteurs, de voleurs et de putains. La population blanche – deux mille âmes à peine dont un bon tiers vivait en ville – pauvre un peu, beaucoup ou à l'excès, se partageait les maisons de bois. Bref, s'il restait au Port-Louis un bout d'espace à louer, il était grand comme une paillasse. Don José, promu intendant de la compagnie d'Aubriot, avait en vain fouillé le bourg et le port pour découvrir une habitation assez vaste pour eux tous, passable et libre. C'est aussi que, pour s'y loger, les nouveaux arrivants recherchaient l'enchantement exotique, qui n'existait guère au Port-Louis : l'Arcadie indienne habitait la campagne encore sauvage.

Aubriot et Jeanne l'avaient tout de suite trouvée. A peu de chemin de la ville décevante on pouvait toujours s'emplir, comme un coquillage, de la seule rumeur de la mer brisant sans fin sur les coraux de la barrière côtière. On pouvait se mettre nus comme nègre et négresse, prendre un bain bleu-tiède dans une anse abritée, creuser ses pas mouillés dans du

1. Indiens

sable blanc planté de veloutiers, se faire sécher à l'éventail par un palmier s'abandonnant à la brise salée et, au réveil, s'arracher un repas d'huîtres aux racines-échasses des mangliers, ou un repas de moules et d'oursins violets aux trous des madrépores. On pouvait sans risque caboter en pirogue derrière le rempart de corail, pêcher d'abondance et pour la chair et pour l'arête, récolter de pleins sacs de coquilles aux nacres irisées, grosses parfois autant que des bénitiers de Saint-Sulpice. On pouvait, pistolets à la ceinture, s'enfoncer dans la solitude d'une forêt défendue par une foison de lianes, s'y griser de sensations bucoliques au bord d'un torrent bondissant sur un chaos de roches noires, s'étourdir de joie botanique en répétant à l'infini les doux noms du bois de cannelle, du bois d'olive, du bois de lait, du bois d'ébène, du bois de benjoin, du bois de santal, du bois muscade... On pouvait pendant des heures suivre le caprice d'une eau vive et chantante au peuplement d'argent clair, se partager le pain et le bœuf salé de sa collation sur un tapis d'herbe chaude, en reniflant l'air de santé d'un vallon asphyxié de verdure où semblaient n'avoir jamais vécu que des insectes et des oiseaux, des cabris lointains et des familles nombreuses de gibier à poil. Dieu merci, on pouvait toujours vivre une robinsonnade en Isle de France, dès l'instant qu'on tournait le dos au débarcadour.

Inondé de découvertes, Aubriot en perdait le boire et le manger et les trois quarts de son dormir. Quant à Jeanne, voluptueusement elle se laissait couler dans cette nouvelle nature brillante et profuse, attentive à en explorer les jouissances avec toutes les papilles de son corps : c'était une bonne manière d'engourdir son Mal-de-Vincent – cette dolence –, et son mal-de-Philibert – ce remords. En dépit des coups d'aiguillon d'Emilie, elle n'avait toujours pas parlé à Aubriot. Chaque jour, elle se promettait : « Demain. » Mais à l'aube demain devenait aujourd'hui, Philibert lui criait : « Debout, mon Jeannot ! Nous avons un nouveau monde à moissonner ! » et elle se retrouvait trottant avec lui dans leur belle aventure, sans plus aucune envie d'abîmer la fête par un mot de trop. Assez honteuse mais résolue au bonheur du moment elle continuait de coltiner son lourd secret en silence, comme une écolière dévote cache une faute à un maître vénéré pour ne pas le décevoir, car imaginez qu'après l'aveu il aille ne plus l'aimer ? Sa peur du « désamour » de Philibert ne cessait de vaincre ses tentations d'avouer, lui donnait parfois même l'air de quémander une caresse à l'amant qu'elle fuyait, mais une caresse dont elle s'échappait vite si elle lui venait, avec un drôle de petit rire forcé. Et alors Aubriot l'observait avec son œil de médecin, aiguisé et pesant.

Elle l'intriguait, et il s'en agaçait. Cela durait depuis qu'elle était revenue de sa prison chez les brigands. Cette petite Jeanne, qui lui avait toujours été si limpide, voilà qu'elle l'obligeait à s'interroger sur elle. Force lui était de voir qu'elle se comportait envers lui bizarrement. Elle le faisait penser à une chatte frileuse qui n'ose pas s'approcher du feu par crainte de se brûler et reste là, indécise, une patte en l'air et son regard d'or grand ouvert, à contempler le bon chaud avec un gros désir alarmé. A la quinta de don José, quand, émergeant de sa fièvre pulmonaire, il l'avait sentie à la fois étrangement distante et comme malheureuse de l'être, il s'était d'abord demandé si elle n'avait pas été violée chez Pinto, ou du moins grossièrement effrayée, salie. Elle avait juré que non, mais une femme ainsi offensée se sent volontiers coupable et répugne à se plaindre. Elle avait juré que non, mais en rougissant avec violence et larmes – pourquoi ? Finalement, elle avait persuadé Aubriot que c'était non, mais surtout parce qu'il avait envie de croire non. Et depuis son incertitude l'avait repris, le reprenait de plus en plus fréquemment au fur et à mesure que le temps passait sans lui rendre la maîtresse-enfant câline dont son corps souffrait l'absence avec une grandissante impatience. L'exercice de la chasteté avait toujours mis Aubriot de méchante humeur et cette fois, en plus, il le rendait amer : si on l'avait blessée, pourquoi ne se confiait-elle pas à lui comme au seul médecin qui pût la guérir ? Toutefois, comme l'amant boudé avait l'âge et la tendresse d'un père aussi, il maîtrisait ses envies de bousculer la capricieuse; si bien que Jeanne pouvait parfois croire que l'impossible miracle avait eu lieu, qu'elle avait remonté le temps, rechangé d'amour, regagné son idylle de petite fille avec M. Philibert. Mais sa sérénité charnelle manquait de constance. Le climat de l'île tropicale était diablement aphrodisiaque. Le grand soleil lui pimentait la peau et il lui arrivait, à la sieste de leur après-dînette sur le sable désert d'un rivage, de devoir batailler contre sa chair trop vivante avec la panique d'une femme en détresse au bord de l'adultère...

Par chance pour le vœu de fidélité à Vincent que Jeanne avait en tête sinon au corps, Aubriot, mal campé dans l'étroite charité du gouverneur cernée de regards et d'écoutes, n'était pas à son aise pour entreprendre la reconquête amoureuse de l'indocile. La vie au Gouvernement était une promiscuité mondaine continue. Chaque soir Desforges-Boucher tenait table ouverte, après souper il y avait la causette et le jeu, qui gardaient tout le monde dans les salons jusque tard dans la nuit. Comment les nouveaux hôtes du gouverneur auraient-ils pu se retirer tôt ? Le charme neuf du quatuor que formaient M. le naturaliste du Roi, M. l'hidalgo de La Plata et leurs deux jolies dames en fleur excitait les curiosités désœuvrées du Port-Louis, on s'empressait autour. Emilie ressuscitait à sa nature, s'immergeait avec ivresse dans le papotage à la française, pétillait de plaisir, étincelait d'esprit acidulé, s'encoconnait de désirs et d'hommages. Et Jeanne non plus ne détestait pas retrouver, au bout de ses journées de marche studieuse, l'élégante frivolité et le marivaudage des soirées au Gouvernement. Mais don José rageait de jalousie, et Aubriot, après un mois de ce régime, se déclarait excédé de perdre son temps à distraire la société du Port-Louis. C'est avec jubilation qu'il se retrouvait hors la ville et l'invité, avec Jeanne et ses amis, de la créole de Mongoust.

Mongoust avait été l'habitation du conseiller François-Etienne Le Juge de Segrais, mort l'année précédente. Botaniste amateur passionné, Le Juge avait créé dans le quartier des Pamplemousses, à quelques lieues au nord du Port-Louis, un jardin de curieux gourmand, où se mêlaient des arbres, des fruits et des fleurs de tous les continents. Dans ce verger du monde on pouvait se cueillir des saveurs du Bengale ou de la Chine, de Batavia ou du Cap, du Brésil ou de l'Espagne, de Malte ou de Touraine ou de Provence, on pouvait venir à Mongoust grappiller parmi beaucoup des autres délices de la terre quand on en avait assez de manger les pamplemousses du cru. Et même si le raisin de France, chauvin, se refusait obstinément à y mûrir jusqu'à se sucrer, comme le visiteur croquait son grain acide à travers le parfum d'un rosier de Cadix ou d'un jasmin de Rio, il le trouvait bon – miraculeux en tout cas. Aussi le gouverneur ne manquait-il jamais d'envoyer à Mongoust les voyageurs auxquels il souhaitait du plaisir. Du même coup il contentait Mme Manon – un de ses vieux regrets.

La gouvernante créole de feu M. Le Juge – dans le pays on disait « sa veuve » – s'ennuyait beaucoup à Mongoust depuis un an que son monsieur l'y avait laissée seule avec les Noirs et leur commandeur. Pendant tout un temps elle avait espéré que Desforges-Boucher lui ferait signe de venir vivre au Gouvernement, mais c'était sept ans plus tôt que le gouverneur aurait voulu la créole, avec sept années de hamac et de friandises en moins : les hommes changent. Résignée, Mme Manon continuait donc d'accueillir les envoyés de Desforges-Boucher avec la bonne grâce qui lui était spontanée, et l'espoir d'y trouver un jour celui qui rachèterait la gouvernante de Mongoust en même temps que Mongoust. En recevant Aubriot et ses amis, son espérance avait tressailli plus fort que souvent : le tam-tam de l'île disait que don José cherchait une maison à louer ou à vendre, ajoutait que l'Espagnol fleurait fort la piastre, l'odeur favorite des îliens toujours en panne d'argent frais. En lui réservant du thé, Mme Manon insista une nouvelle fois sur la beauté, la salubrité et le calme du quartier des Pamplemousses :

« Et la terre d'ici produit tout ce qu'on veut, et deux fois l'an, acheva-t-elle en lui tendant sa tasse pleine. Nos rosiers de la Chine ne connaissent pas d'hiver, nos arbres sont toujours soit en fruits, soit en fleurs. »

Jeanne lança un coup d'œil à don José, qui dit aussitôt :

« Oui, vivre ici doit être plaisant, mais Mongoust n'est pas à vendre – ou l'est-il ?

– C'est ce que j'ignore encore, avoua Mme Manon. Mais qu'importe ? J'imagine que vous ne cherchez pas une terre mais à vous loger avec agrément et, ici, vous le seriez. Je pourrais sans doute vous louer une bonne partie de la maison. »

Une nouvelle fois Jeanne alerta don José du regard, et lui reprit :

« Je vais vous surprendre, madame, mais oui, je cherche une terre. Cela paraît moins aisé à trouver que je ne l'avais pensé. Je veux pourtant l'acquérir au nom de madame, qui est française » acheva-t-il en se tournant vers Emilie. (Puisque Jeanne n'avait pas encore dévoilé à Aubriot son projet d'acheter une habitation, Emilie feignait de la vouloir pour elle.)

Mme Manon eut un instant d'étonnement, puis sourit d'un air entendu :

« Dans ce cas, dit-elle, c'est une concession, que madame doit obtenir. Racheter à un colon est une opération sans intérêt. Un colon veut vendre au prix fort et qui, pis est, exige son dû, au besoin par voie de justice. Tandis que si vous obtenez une concession du gouvernement vous pourrez devoir longtemps, et d'autant plus que l'île vient de passer au Roi. Au Roi, on peut bien devoir toujours : le Roi, ce n'est personne. »

Un rire salua la boutade avant que Jeanne ne remarquât :

« Vous parlez de concession, madame, mais il semble qu'il ne soit plus possible de rien traiter d'officiel avant l'arrivée des gens du Roi. J'entends chaque soir le gouverneur jurer ses grands dieux qu'il n'a plus le droit de disposer d'un seul arpent.

— A voix haute il lui faut bien décourager : il a deux cents requêtes dans ses cartons, dit Mme Manon.

— Deux cents ! s'émerveilla Jeanne. Y a-t-il dans l'île autant de vocations de planteurs ? On n'y voit que des officiers et des marins, des gens de plume ou de commerce.

— Ce sont tous ces gens-là qui veulent des concessions, dit Mme Manon. Ce n'est point pour planter : c'est pour revendre. Revendre ce qu'on a eu gratis est une bonne affaire pour n'importe qui. »

Elle ajouta, avec un regard ironique vers Emilie :

« J'imagine que madame n'a pas, non plus, l'intention de planter la terre qu'elle veut avoir ?

— Ma foi, si ! » dit Jeanne trop vivement.

De la stupeur se peignit sur le visage de la créole :

« Vous vous moquez, murmura-t-elle.

— Mais non, je vous assure, dit gaiement Emilie en entrant dans le jeu. Je me vois fort bien en fermière – j'ai été élevée à la campagne, vous savez. Je m'occuperai de la maison, mon amie Jeanne s'occupera des jardins, don José des pâtures et de ceux qui les paissent, tandis que le docteur Aubriot forcera les épiceries les plus fines à pousser dans nos vergers pour nous enrichir autant que des Hollandais des Moluques. »

Don José envoya un joyeux clin d'œil à Emilie, il y eut un silence, puis Mme Manon, tout en continuant à penser qu'on plaisantait, interrogea pourtant :

« Rêvez-vous sérieusement, madame, de vous enrichir par l'agriculture ?

— Oui, sans rire, intervint Jeanne. Nous sommes des physiocrates. Nous croyons que la meilleure source de richesse est la terre. »

Mme Manon avait écouté Jeanne avec un air de doute absolu. Elle fit une grimace :

« Voilà une religion qui va peut-être pour la terre de France, dit-elle. Mais pour la terre d'ici ! Ici, les fermiers ne se cultivent que des dettes ! Au bout du compte ils vivent sur des friches, parce qu'on se lasse de gratter le sol pour ne point s'enrichir.

— Hé ! c'est que le droit de s'enrichir est le premier des droits agréables de l'homme ! s'écria don José avec beaucoup de conviction.

— Ce doit être un droit agréable pour la femme aussi, dit Jeanne. Madame, ajouta-t-elle en se tournant vers la créole, je vous promets bien que si je me mets fermière, moi, je me cultiverai des piastres ! »

Une nouvelle fois, Mme Manon eut une moue dubitative :

« Quelles que soient vos productions, vos clients seront pauvres. Les îliens sont pauvres. Ce qui ne navigue pas ne rapporte pas. Le café de l'Isle de France est fort bon, mais son planteur n'en tire que sept sols à la livre : il en vaut trente-six à Lorient.

— Eh bien, dit Jeanne, c'est donc à Lorient que nous vendrons notre café. »

Emilie lui coula un regard malicieux :

« C'est cela, Jeanne, dit-elle. Nous trouverons un

capitaine au cœur d'épicier, et nous traiterons avec lui pour qu'il nous tienne boutique flottante de nos produits et nous les aille débarquer sur de bons marchés. »

Les deux amies – Jeanne rosissante – se mirent à échanger des projets folâtres pleins de sous-entendus. Mme Manon, alanguie dans son fauteuil de rotin, les écoutait badiner tout en jouissant des parfums du crépuscule. Maintenant l'air avait juste la tiédeur apaisée qu'il fallait pour cueillir au jasmin et aux mongris [1] de la véranda leurs effluves les plus vifs, pour permettre aux roses jaunes de Cadix de dégorger leur épaisse odeur miellée, musquée, si délectable qu'en l'inspirant on inspirait de la volupté et, avec elle, une sourde envie de volupté plus totale. Quoique à demi dissoute dans son bien-être, la créole ne perdait pas un mot des propos qu'échangeaient ses hôtes, retenait ceux qui pesaient de l'or, supputait la fortune de passage sous son toit en s'efforçant en songe d'en retenir une part : Mme Manon se sentait toujours volée quand elle ne touchait pas une commission sur une affaire qui se faisait dans l'île. Jeanne persistant à parler de commerce par mer, presque sérieusement, comme si elle ne doutait pas de posséder assez pour s'offrir bientôt un vaisseau, Mme Manon retourna à la conversation :

« Si vous deviez un jour avoir la jouissance d'un navire, alors vous gagneriez aussi gros en important qu'en exportant, dit-elle. Choisissez bien ce que vous importerez, fiez-vous à moi pour vous trouver en l'île de bons clients solvables, et vous retirerez cinq fois votre mise de chaque cargaison.

– Por vida de sanes ! Voilà des rêves de profit qui me sonnent aux oreilles comme il faut ! s'écria don José. Et que faut-il vendre dans cette île, madame,

1. Jasmin au parfum très agréable.

pour s'y assurer cette gracieuse paie de contrebandier ?

— De la chair fraîche, dit Mme Manon. Nous
manquons de bœufs et d'esclaves, terriblement. Ne le
saviez-vous pas ? »

Don José hocha la tête avec une énergie comique:
« Soyez sûre, madame, que le manque de bétail
est la première chose que j'aie vue dans l'île ! La
disette de bœufs et de chevaux y est tout simplement
scandaleuse pour moi. Je me suis pincé pour y
croire, quand j'ai donné trois cents pistoles à un
fermier des Plaines Williams en échange de deux
rosses qui ne valent pas vingt sols la paire, et encore,
pour le cuir !

— Mais aussi, monsieur, quel luxe que de vouloir
aller à cheval ! s'exclama Mme Manon.

— Hé ! madame, comment voulez-vous que j'aille ?
demanda don José, lequel, en bon Espagnol de La
Plata, ne pensait jamais à se servir de ses pieds. Pour
aller en palanquin il faut quatre nègres d'attelage, et
je n'ai point encore trouvé le premier de cet équipage. Je comprends qu'un négrier puisse faire rapidement sa fortune en débarquant des Noirs dans
votre île, fussent-ils de la pire sorte. De reste, un
négrier s'enrichit partout où des Européens se sont
mis en tête de labourer des forêts vierges pour y
planter du sucre ou du café. Mais je n'ai pas envie de
m'enrichir avec du bois d'ébène. Je n'ai pas envie de
me faire négrier dans ce pays.

— Dans ce pays ? releva vivement Jeanne. Le
seriez-vous volontiers ailleurs, don José ? »

Il sourit à la jeune femme, bien que sans doute la
pénombre crépusculaire l'empêchât de distinguer
son sourire, mais elle en vit l'éclair blanc :

« Il m'est arrivé de louer une flûte hollandaise et
son équipage pour aller traiter des Noirs au Congo,
mais c'était pour les garder chez moi, ou les céder à
des amis aussi paresseux que moi. Puisqu'il faut bien
avoir des nègres je veux bien aller en quérir de temps

en temps, mais seulement pour ma province, où les Noirs ne sont guère occupés qu'à aider les Espagnols à ne rien faire, à lacer des chevaux et à manger du bœuf. Mais ce me serait un péché que de fournir des Noirs aux Français vos compatriotes, mesdames, sont terriblement laborieux ! Ils ont toujours du pain au four en même temps que du grain au moulin, et du monde qui court entre les deux. A tant galoper l'esclave finit par perdre sa peau.

Les trois dames ouvrirent la bouche en même temps, jetèrent quelques mots, s'interrompirent courtoisement et il y eut un silence, pendant lequel ils perçurent un piétinement encore lointain venu de la grande allée d'entrée de l'habitation. Mme Manon se releva de son alanguissement, prêta l'oreille, dit d'un ton d'espérance :

« Voyons si ce ne sera pas M. de Messin ? »

Elle frappa dans ses mains :

« Joseph, cours voir si ce n'est pas enfin M. de Messin qui nous arrive, commanda-t-elle au Noir surgi de l'ombre de la varangue [1].

– Si monsié Messin n'a pas gagné malhére dans cimin, ça bon, c'est li, dit le Noir, optimiste par gentillesse [2]. »

Il alla ramasser une lanterne pour se donner un bel air d'accueil, ne l'alluma pas puisque la nuit était claire, et partit sans se presser vers la grande allée.

« Monsieur de Messin est un vieil ami de M. Le

1. Véranda.
2. Le Créole s'est formé par l'oreille, et d'abord en empruntant au langage des marins et des colons français du XVIIIe siècle, qui ne parlaient pas tous le parisien de l'Académie française. Dans ce français d'imitation phonétique se sont coulés la sensibilité des Noirs, leur poésie spontanée, leur goût des proverbes et leur don pour décrire les choses à l'aide de belles images colorées. Dans ce livre – à regret mais il le fallait pour en faciliter la compréhension au lecteur sans lui infliger de constants renvois à des traductions – le créole a parfois été fortement rapproché du français, tant pour le son et la syntaxe que pour l'écriture. Ainsi, en créole-créole, la phrase ci-dessus s'écrirait : « Si monsié Messin napas gagné malhère cimin, ça bon, cé li. » – « Si monsieur Messin n'a pas eu de malheur en chemin, c'est bon, c'est lui. »

401

Juge, expliquait Mme Manon. Il habite fort loin de Mongoust, à la Rivière-Noire, mais jamais il ne manque de me visiter quand il vient au Port-Louis, et je le sais en ville depuis trois jours. Si c'est bien lui qui nous arrive, vous ferez une heureuse rencontre. Il est à la fois éleveur et planteur : vous aurez mille questions à lui faire... »

M. de Messin n'était pas venu seul, mais accompagné d'un jeune parent, M. de Chavanne, arrivé de France depuis peu de mois, qu'il présenta comme un curieux de tout commençant sa quête autour du monde. Dès que dépoussiérés et rafraîchis les deux voyageurs vinrent rejoindre la compagnie, que Mme Manon venait d'installer sous la varangue pour y attendre l'heure du souper – à Mongoust on soupait tard.

Avec sa charpente en beau bois de natte rouge, son léger mobilier de paille et de rotin, ses caisses d'orangers nains de la Chine, ses potées d'œillets et les exhalaisons des mongris enlacés à ses colonnes, la varangue était le salon le plus agréable de la modeste maison du défunt conseiller Le Juge. La lumière des deux lanternes que le Noir Joseph avait pendues à la poutraison jetait sur le bois des chatoiements de moire et des coulées d'un vert clair opalescent dans les feuillages obscurcis par la nuit, se glissait dans les coups de brise pour couvrir de feux follets les couleurs des habits des causeurs. Jeanne, les bras abandonnés sur les accoudoirs de son fauteuil, son regard errant, goûtait tout le charme du lieu et du moment, écoutait distraitement, ne parlait qu'à peine, laissait grossir en elle le beau songe flou d'une autre varangue encore mieux fleurie, sous laquelle elle attendrait, le nez plein de jasmin et la peau baignée d'air doux, l'heure du souper chez elle, avec Vincent. Elle finit par en soupirer comme on gémit, d'un long soupir plaintif de corps impatient, et sut dans l'instant que son voisin le plus proche avait capté ce soupir et l'interrogeait en silence. Elle fit un effort pour sortir de songe, sourit au jeune de Chavanne et dit à mi-voix, pour lui seul :

« Je crois que je rêvais. Quand le décor s'y prête je me laisse volontiers confire dans le bonheur d'exister sans penser.

— Je ne m'en plaindrai pas : pour qui vous regarde, le rêve vous sied à merveille », dit galamment de Chavanne, du même ton de confidence.

Elle s'était changée, avait troqué sa culotte et sa veste de marcheuse des bois pour la très simple robe de mousseline blanche qu'Émilie, qui voyageait à cheval, lui avait apportée dans son bagage. La fine étoffe de coton indienne voletait sous le souffle léger du vent, et elle pensa qu'en effet elle ne devait pas être vilaine à voir dans sa toilette palpitante, et avec tous les blonds de soie que la lumière mouvante des lanternes mettait dans ses cheveux. Elle soupira encore. Le désir de Vincent lui manquait, tellement... Ce petit de Chavanne avait des yeux pâles, à la convoitise pâle, à peine mieux que rien. Autour d'elle la conversation s'était ralentie, trouée de pauses, comme il arrive quand on vient d'échanger vivement deux dizaines de riens avec de nouveaux venus, et que les autres, inconsciemment, cherchent à renouer le fil brisé de leur dialogue antérieur. Enfin Mme Manon lança, s'adressant à M. de Messin :

« Il faudra, mon ami, que vous invitiez ces dames et don José à visiter Rivière-Noire. Tous trois s'intéressent à l'agriculture, vous pourrez leur montrer qu'existe dans notre île au moins une habitation prospère et bien tenue.

— La terre de Rivière-Noire est bonne, dit M. de Messin avec une feinte modestie. Là-bas le grain pousse dru, l'herbe des pâtures y est verte et tendre toute l'année.

— Pour s'établir au mieux dans l'île, c'est donc vers Rivière-Noire qu'il faudrait chercher une habitation ? demanda Jeanne, soudainement reprise d'intérêt pour la conversation.

— Don José recherche une habitation pour ses amies : elles ont envie de planter des épiceries », glissa Mme Manon.

L'exclamation du jeune de Chavanne prévint toute réponse :

« Quelle plaisante nouvelle ! Ainsi, mesdames veulent s'établir dans l'île ? Ma parole, mon oncle, si votre pays d'adoption commence à se peupler de tant de charmes il se pourrait que je fusse tenté de terminer ici mon tour du monde ! Je prie fort que vous aidiez don José à trouver une terre tout auprès de la vôtre.

— Rivière-Noire est un quartier de l'île encore très sauvage, bien loin des soupers en ville et des bals du gouverneur, se hâta de dire M. de Messin, qui ne tenait pas plus qu'un autre fermier à se donner des voisins qui l'empêcheraient de s'agrandir à sa fantaisie.

De jeunes dames se plairaient certes mieux à Moka.

— Moka ? releva Jeanne. Le quartier de Moka n'est-il pas très disputé déjà ?

— Tous les bons morceaux de l'île sont déjà très disputés, mais c'est encore la forêt et le taillis qui couvrent plus de la moitié du pays, et pour le reste, culture ou pâture, la moitié encore, retournée à l'abandon, attend des acheteurs, dit M. de Messin. Les acheteurs sont là, mais les poches vides, et les vendeurs ne veulent pas de papier.

— Madame a de quoi payer comptant, laissa tomber don José, allumant par sa phrase les yeux des deux îliens. Je le laisse entendre et pourtant jusqu'ici on ne m'a proposé que des mouchoirs de poche.

— Beaucoup de petits propriétaires plutôt que quelques gros, c'est la politique du jour, et on prétend qu'elle annonce la politique du Roi, dit M. de Messin. Les petits sont de pauvres gens qui mettent aussitôt leur lot en culture ; les gros sont des marquis, des colonels ou des banquiers qui retournent attendre à Versailles ou à leurs affaires l'enchérissement de la terre d'Isle de France. Déjà on n'accordait plus de concession de plus de six cent vingt-quatre arpents [1], et il est question de limiter à moins encore.

– Nous qui nous imaginions débarquer de bonne heure dans une province française neuve où tout était encore à prendre ! s'écria Emilie en lançant un coup d'œil à Jeanne, qui se mâchait la lèvre. Dieu merci, les mœurs versaillaises vont nous arriver avec les gens du Roi, et vous verrez qu'alors il y aura des accommodements avec la loi.

– Madame, je n'en doute pas, approuva M. de Messin dans un sourire. Le gouverneur vient de recevoir, du comte de Maudave, notre délégué auprès du ministre, un ordre d'achat de dix mille arpents au nom du comte de Polignac, qui n'a certes pas l'intention de les venir défricher ! Desforges-Boucher a mis la missive de côté pour en repasser l'ennui à son successeur, mais il tient le pari que monsieur de Polignac aura ses dix mille arpents. Messieurs Dumas et Poivre auront leurs favoris plus ceux du Roi, tout comme monsieur Desforges-Boucher avait les siens plus ceux de la Compagnie. Aurait-on jamais vu un gouvernement sans favoris ?

– M. Poivre fera un intendant juste, affirma Jeanne. Pour le bien connaître, j'en jurerais. »

M. de Messin eut une moue narquoise :

« Voilà, mademoiselle, une fâcheuse nouvelle. Les affaires de tout le monde d'ici vont si mal que personne n'espère un intendant juste, mais bien plutôt un intendant injuste en sa faveur ! Priez pour avoir mal apprécié M. Poivre, sinon vous n'obtiendrez qu'une habitation de justice de six centaines d'arpents.

1. Un arpent d'ordonnance royale valait cinquante et un ares sept centiares.

– Une seule petite injustice bien choisie ne rend pas injuste un homme juste, dit Jeanne en ayant l'air d'y croire, et elle fit rire toute la compagnie.

– Jeanne, vous m'apprenez un bon proverbe que je ne connaissais pas encore », la taquina don José.

M. de Messin se tourna vers l'Espagnol :

« Sommes-nous en train d'échanger des propos en l'air ou dois-je sérieusement croire, monsieur, que vous êtes en quête d'une habitation pour ces dames ? »

Ce fut Emilie qui répondit :

« Monsieur, croyez-le sérieusement, dit-elle avec entrain. L'idée vient de moi. Depuis mon arrivée dans l'île j'entends chuchoter qu'acheter dans cette partie du monde est un placement sûr et de proche avenir. Et comme, de surcroît, j'ai la chance d'avoir avec moi mon amie Jeanne qui s'entend à merveille aux choses de la terre... Vraiment, monsieur, si vous aviez quelque idée d'un endroit à la fois enchanteur et fécond qui soit à vendre et nous pourrait convenir... »

M. de Messin demeura silencieux un long instant; son regard mi-clos fixait une image posée derrière toute une étendue de lieues. Enfin :

« J'étais en train de songer à Quatre-Epices, dit-il à Mme Manon, qu'il sentait suspendue à sa pensée.

– Si j'avais cru que Quatre-Epices pût être vendu à un particulier, j'en aurais déjà parlé bien avant votre survenue! se récria Mme Manon, souffrant déjà à l'idée de l'inutile partage d'une commission, même en tenant la transaction pour irréalisable.

– Quatre-Epices ? répéta Jeanne, tout à fait réanimée. Quatre-Epices : le nom me ravit! Pourquoi Quatre-Epices ? Où se trouve Quatre-Epices ? Qui possède Quatre-Epices ?

– Mon Dieu! quel enthousiasme! dit la créole en souriant. Quatre-Epices est dans le quartier de Moka, et il faut avouer que, si toute l'île est un jardin, Moka est le jardin du jardin, et Quatre-

Epices situé dans l'un de ses plus beaux coins. C'est une assez vaste habitation, bâtie, et dont la mise en valeur avait été bien faite, mais que la nature a reprise : ici, il lui faut peu de temps pour redevenir vierge ou presque.

— Mais pourquoi ce nom de Quatre-Epices ? insista Jeanne.

— Ce sont le plus souvent nos Noirs qui inventent les noms de l'île, et ils les aiment pittoresques et qui disent bien les choses, expliqua Mme Manon. A Quatre-Epices on avait planté force nigelle de Damas à faire de la toute-épice [1], et aussi d'autres épiceries plus fines.

— Vraiment ? s'écria Jeanne, maintenant passionnée à l'excès. Quelles épiceries y avait-on mises ? Qu'en est-il advenu ?

— L'habitation a été défrichée voilà une quinzaine d'années, au temps où M. Poivre essayait déjà d'acclimater les plantes à épices dans l'île, dit Mme Manon. Outre la nigelle qui vient aussi bien que de la mauvaise herbe, les Saint-Méry avaient mis chez eux des poivriers et des canneliers, des vanilliers, et quelques précieux muscadiers ou girofliers – je ne sais plus trop – que M. Poivre leur avait confiés. Notre futur intendant estimait assez les Saint-Méry, je crois. De ses voyages, il leur avait rapporté des plants de bien d'autres arbres utiles, mais je ne pourrais vous dire lesquels.

— Chez les Saint-Méry il y avait surtout des épiceries, des arbres à pain et des fruitiers de la Chine et de Java. Et puis, naturellement, une réserve en bois et des champs ensemencés de maïs pour la nourriture des esclaves », dit M. de Messin, presque en même temps que don José demandait : « Que sont devenus les Saint-Méry ? » et que Jeanne interrogeait de nouveau :

1. De la nigelle cultivée on tire la toute-épice ou quatre-épices, ainsi baptisée parce qu'elle pouvait remplacer, grâce à son parfum étendu, plusieurs épices fines et plus coûteuses.

« Et de toutes ces plantations, qu'en est-il aujour-d'hui ? »

M. de Messin répondit aux deux questions :

– Pour les plantations, il faudrait aller voir sous l'exubérance du taillis revenu. Quant aux Saint-Méry, ils sont repartis pour la France, pour y mourir, après le grand cyclone de 1760. Ce cyclone-là, voyez-vous, a découragé bien des vocations de planteurs. Il a été terrible. Il a dévasté des années de durs efforts, volatilisé beaucoup de bâtisses, tué beaucoup de bétail et d'esclaves, et encore des hommes, des femmes et des enfants par-dessus le marché, bref, il a ruiné et terrorisé bien du monde, et les colons les plus maltraités n'ont pas tous eu le courage de recommencer leurs débuts. Pour se donner une idée de la force de l'ouragan, il suffit de voir en quel état il a laissé le port : les carcasses de vaisseaux qui l'encombrent, c'est ce qui reste de la belle escadre du Roi qu'abritait le Port-Louis en 1760. Toute une escadre jetée à la côte ! Les arbres volaient, les toits volaient, les vaches et les moutons volaient, alors, imaginez le sort des arbrisseaux à épices ! »

Le silence pesa, longtemps, puis Jeanne murmura :

« Le petit vent de ce soir est un plaisir si doux... Comment croire qu'il puisse soudain changer d'humeur et déclencher l'apocalypse ?

– Notre île est une gueuse, dit M. de Messin. Un de mes amis, qu'elle a mis sur la paille, l'appelait « l'adorable gueuse ». Elle est belle, parfumée, ensorceleuse, voluptueuse, émolliente, et soudain traîtresse pour l'homme assoupi confiant dans son giron. Une gueuse.

– Ainsi, il ne reste de Quatre-Epices qu'un nom sur une friche ? soupira Jeanne, désolée hors de raison.

– Non pas. La maison des maîtres a tenu, dit M. de Messin. Elle a été protégée par un relevé du terrain. C'était naguère l'une des plus plaisantes maisons de l'île.

– Aujourd'hui, à ce qu'on dit, elle ressemblerait plutôt à une étable ! jeta Mme Manon.

– On dit vrai, confirma M. de Messin. Le fils Saint-Méry y vit toujours – enfin, il y campe, pêle-mêle avec cinq ou six esclaves qui lui sont restés. Blancs et Noirs partagent le même toit, le même pot, la même fainéantise, la même ivrognerie, les mêmes femelles – deux mulâtresses qui font la loi dans le clan et des négrillons de tous les bruns, qu'elles envoient rapiner dans les poulaillers des voisins. Encore une fois, notre île est une gueuse : elle sait perdre un homme, refaire un sauvage avec le descendant d'une vieille famille française. Humbert de Saint-Méry n'est pas le seul exemple que nous ayons de civilisé retourné à la nature.

– Je trouve curieux qu'un homme redevenu une bête se soucie encore assez de l'argent pour vouloir vendre, dit don José. L'ours tient férocement à sa tanière.

– Ce sont ses négresses qui veulent le magot, dit M. de Messin. Enfin, elles le voudraient bien. Seulement... »

Mme Manon reprit la phrase au bond :

« Seulement, dit-elle, vous voilà forcé d'avouer à ces dames que vous les faites rêver d'une habitation dont l'héritier n'est plus qu'un occupant sans droits. Quatre-Epices est criblé de dettes envers la Compagnie, pour sûrement trois fois sa valeur !

– Acheter à l'héritier ou au créancier, peu importe ; seul compte le prix, remarqua don José.

– Monsieur, rien n'est aussi simple sous nos tropiques, parce que rien n'y a été nettement défini au départ et, qu'en plus, les grands vents emportent les archives aussi – de gré ou de force ! » dit M. de Messin.

Il se cala mieux dans son fauteuil, croisa les jambes :

« Puisqu'il vous plairait de vous ancrer en Isle de France, laissez-moi vous en exposer la situation d'hier et d'aujourd'hui, commença-t-il, et il prit un nouveau temps comme on prend son élan pour entrer dans une longue histoire :

– Les premiers colons – dont étaient les grands-parents Méry – ont débarqué dans l'île comme en pays conquis et se sont servis. Mais il y a eu leur inexpérience, les ravages des soldats, des rats, des singes, des sauterelles, des cyclones, l'incompétence des administrateurs successifs... Bref, quand Mahé de La Bourdonnais est arrivé en 1735, il est tombé dans l'anarchie. La gabegie régnait au gouvernement et la misère chez les colons. Il lui a fallu renflouer, sermonner, soutenir tout le monde et son père, et encore courir aux Indes aider Dupleix à faire sa guerre contre les Anglais. Par force autant que par goût il a choisi de développer le port plutôt que l'agriculture. Ses successeurs, au contraire, ont aimé la terre plus que la mer. Eux ont eu l'ambition de faire de l'île une province de gentilshommes-fermiers, dont les manoirs de bois s'entoureraient de beaux jardins où se donneraient des fêtes de campagne à la française. Pour cela il leur a fallu encourager, par le crédit, le défrichement et la bâtisse. Là-dessus, M. Poivre est venu aux Mascareignes, plein de projets pour des cultures précieuses, conseillant lui aussi les dettes, puisqu'il conseillait l'esprit d'entreprise. Mais bientôt la guerre avec l'Angleterre a recommencé, les équipages de la Royale basés au Port-Louis ont affamé l'île, les réquisitions de grains et de bétail ont dégoûté les fermiers, en même temps que les profits du comte d'Estaing et de nos autres corsaires les ramenaient tous en ville, pressés de s'enrichir avec moins de fatigues dans le négoce ou dans l'agio. C'est sur un maximum de terres à la fois hypothéquées et abandonnées qu'est passé le cyclone de 1760. Il n'a évidemment pas provoqué le retour aux champs, et ce n'était pas non plus le moment pour les créanciers de sortir leurs créances pour s'emparer des terres, alors que l'amiral d'Aché réclamait à hauts cris des grains, des légumes et de la viande que personne n'avait envie de produire pour le prix qu'il en donnait. Depuis, ma foi... eh bien, cela n'a jamais été possible de faire payer leurs dettes aux colons. Et comme c'est parce qu'ils ne peuvent absolument pas les payer, eux finissent par se demander s'ils les doivent vraiment, et se le demandent avec assez de sincérité pour que leurs créanciers intimidés n'osent pas en exiger le remboursement. Et voilà pourquoi Saint-Méry vit toujours comme chez lui sur une terre qui n'est pas à lui.

— Humbert de Saint-Méry est né dans l'île. Un créole ne sent pas ses dettes envers ceux qu'il appelle « les étrangers ». Il pense que les étrangers mécontents n'ont qu'à s'en aller, compléta Mme Manon en riant.

— Ma foi, dit don José, en tant qu'Espagnol né à La Plata, c'est bien aussi ce que je penserais des Espagnols de Madrid s'ils venaient critiquer ma paresse ou me réclamer des impôts. Or donc, mesdames, ne pensez plus à Quatre-Epices, ajouta-t-il en regardant Emilie et Jeanne. C'est le diable que d'acheter quand on n'a pas de vendeur en face de soi ! »

M. de Messin prit un air matois :

« Détrompez-vous, monsieur. Dans notre île et pour le moment, plus vous aurez de mal à trouver le propriétaire au milieu de la paperasserie, plus vous aurez chance de conclure une bonne affaire. L'administration royale est en route vers nous, mais n'est point encore là. S'il y a dispute entre plusieurs parties elles auront intérêt à s'accorder pour vous passer le bien sans attendre l'arbitrage du Roi, qui pourrait peut-être s'en saisir pour lui ! Ne m'avez-vous pas dit, monsieur, que vous paieriez comptant ?

— Si fait, dit étourdiment Mme Manon, devançant don José, qui répéta :

– Si fait, monsieur, je paierai en piastres, comptant. »

M. de Messin et la créole échangèrent un regard éloquent, et M. de Messin dit :

« Monsieur, avec des piastres on peut tout acheter ici, même ce qui n'est pas à vendre.

– Don José, vraiment, il nous faut aller voir Quatre-Epices au plus tôt ! s'écria Jeanne, rose d'excitation, l'or de ses yeux étincelant.

– Oui, vraiment, don José, il vous faut aller voir, insista Emilie. J'espère que M. de Saint-Méry n'est pas retourné à l'ours au point de croquer ses visiteurs ?

– Ses négresses seront très orgueilleuses de recevoir deux belles dames, et ce sont les négresses qui commandent à Quatre-Epices, dit M. de Messin. Je vous y conduirai quand vous le voudrez.

– J'irais bien aussi », soupira Mme Manon.

Elle marqua une pause, reprit d'une voix embuée, projetant, sur le lointain décor, les beaux jours de sa jeunesse :

« Quatre-Epices est un lieu pour le bonheur. J'y ai laissé de bien jolis souvenirs. Mme de Saint-Méry y donnait des réceptions charmantes. Je me souviens d'une fête d'été... C'était pour la cueillette de leurs premières pêches d'Europe. Nous étions plus de deux cents assis sur l'herbe jonchée de nappes blanches ! Edmée de Saint-Méry avait quêté des draps, de la vaisselle et des couverts chez toutes ses amies. Il y avait alors trois vaisseaux de ligne au Port-Louis; tous leurs officiers... »

La conteuse s'interrompit pour apostropher la négrillonne d'une douzaine d'années qui venait de surgir de la maison et de se planter au milieu de la compagnie, ses pieds nus bien écartés, son ventre poussé en avant, tortillant son jupon à fleurs et riant pour le plaisir de montrer ses dents :

« Qu'y a-t-il, Sophie ? Le souper serait-il prêt ?

– Déjà ! s'écria Jeanne en se levant, et M. Aubriot

qui ne s'est point encore changé ! Je cours le chercher...

— Ne bougez pas, Jeannette. J'irai, dit don José.

— Joseph, une lanterne, commanda Mme Manon.
Accompagne monsieur.

— Manzé, ça n'a pas bon déza », annonça la
négrillonne.

Elle roulait de gros yeux doux aux hommes qui
s'étaient retournés vers elle, se décida enfin à s'expliquer à sa maîtresse :

« C'est manman voulé causé vous. Bisoin vous.

— Que se passe-t-il encore ? s'énerva Mme Manon.
Qu'avez-vous inventé pour me gâter la soirée ?

— C'est Adèle, Adèle en colè'e, vomi di feu ! Pus
capable t'availlé. Manman gueulé, mais causé touzou,
Adèle s'en fout ! Manman dit Maâme vini tapé son
pied dans lé cul Adèle. »

Sophie avait glapi son message sans reprendre
haleine, d'une voix perçante.

« Seigneur ! soupira Mme Manon. Pardonnezmoi, je dois y aller, sinon nous souperons à minuit,
dit-elle à ses invités. J'ai voulu mettre au service de la
table l'une de mes plus belles noires créoles, mais
cette peste refuse obstinément de s'entendre avec la
mère de Sophie, qui commande en cuisine.

— Belle fille, pas dit fille qualité », proclama
sentencieusement la négrillonne, citant sans nul
doute sa mère.

Malgré la querelle domestique, le souper s'annonça d'emblée fort gai. Juste avant que l'on ne
passe à table, trois nouveaux convives étaient venus
s'ajouter à la petite compagnie : les frères Mestralet,
les trois fils aînés d'un gros négociant de Bordeaux,
qui s'étaient un jour embarqués pour le mirage des
îles afin d'échapper à une famille nombreuse. Arrivés sans beaucoup d'argent ils se donnaient grand
mal pour défricher leur concession, située entre

Mongoust et Monplaisir, la belle résidence campagnarde des gouverneurs de l'Isle de France. Mme Manon les envoyait prévenir chaque fois qu'elle recevait du monde et les Mestralet accouraient à l'invite, joyeux comme forçats en vacances. Point laids, point sots, jeunes et pleins de tous les appétits, Honoré, Maurice et Justin Mestralet acceptaient même de divertir la créole nourricière lorsqu'elle était seule mais, ce soir, les ingrats l'avaient oubliée, n'avaient d'yeux luisants que pour la blonde ambrée au regard d'or et la rousse acidulée au teint de lait.

Mme Manon s'en consolait : elle avait assis le docteur Aubriot à sa droite et, comme la table était petite donc les couverts fort rapprochés, elle le sentait la respirer. A trente-trois ans, la créole de Mongoust était encore très désirable, même si le gouverneur la dédaignait à force de trop regretter la Manon de vingt-cinq ans qu'il n'avait pas eue. Certes la gracieuse était devenue grasse, mais ses potelés bien placés pouvaient tenter un sensuel, et le visage demeurait frais et lisse, sa peau bien nourrie tendue sans une ridule, et pâle et mate, car la dame se protégeait du soleil. Elle portait une robe d'indienne claire rayée, abrégée en haut par le profond décolleté qui servait de rafraîchissoir à ses charmes, posés dessus plutôt que dedans, à la mode de l'île, où le téton blanc mettait volontiers le nez à l'air pour affronter l'agressive concurrence du téton noir, dont les Européens les plus distingués raffolaient sans vergogne.

Ce soir, les sept invités mâles de la dame de Mongoust pouvaient se régaler l'œil : les deux négresses de la salle à manger en montraient autant que leur maîtresse, avec un sans-gêne encore plus lascif, et c'était du plaisant à voir, chez Adèle surtout. La fille était superbe, longue, avec un corps parfait au plein de son épanouissement, auquel elle excellait à donner une ondulation de danseuse érotique sournoise, occupée, sous son jupon, à faire voluptueusement tourner son ventre autour de son nombril. En même temps, elle offrait de son mieux la chair noire bien gonflée de sa gorge et le large éclat blanc de sa denture, enfin, elle se vantait si franchement que, mise sur le marché du Port-Louis, elle n'aurait pas manqué de faire le prix fort. Elle vint déposer la soupière fumante auprès de M. de Messin, qui s'était placé à la gauche de Mme Manon, l'apostropha familièrement :

« C'est moussié Messin-là qui servi la soupe ! »

M. de Messin lui pinça la taille :

« Mamzélle Adèle, à ton service, comme d'habitude, dit-il gaiement, et il ajouta, ramassant sur la table la louche d'argent :

« Tu as donc encore fait des tiennes, mauvaise, et crier maman Lucinda ?

— Manman Lucinda crié pas, dit Adèle, mànman Lucinda hannit : ça pas femme, ça bourrique !

— Adèle, assez ! gronda Mme Manon au milieu des rires. Je t'interdis de mal traiter maman Lucinda. Ou tu finiras par lui obéir, ou je te vendrai à un planteur qui te mettra aux champs.

— Mon amie, vous savez bien qu'il la mettra plutôt dans son lit et qu'elle n'attend que cette chance », chuchota M. de Messin pour l'oreille de Mme Manon.

Adèle capta ou devina la boutade, en profita pour répliquer crûment à sa maîtresse :

« Moussié blanc puni pas belle fille. Pour belle fille moussié blanc i' n'a qu'un zyeux, et son zyeux c'est dans son queue !

— Oh ! c'est trop fort ! Te tairas-tu, effrontée ? » dit avec colère Mme Manon, à la fois fâchée et vexée, tandis que les rires redoublaient.

L'insolente expédiée à la cuisine pour y chercher du pain, M. de Messin proposa tout de suite à son hôtesse :

« Si vraiment vous souhaitez vous défaire d'Adèle, vendez-la-moi.

– J'allais vous faire la même demande, dit don José. Je réussis encore bien moins à nous fournir de Noirs qu'à nous fournir de chevaux. Ces dames n'ont pas de servante. Aidez-moi, je vous prie, à monter notre petit ménage.

– Ma foi, monsieur, cela se pourra peut-être, dit Mme Manon, enchantée à l'idée de maquignonner.

– Vous en servirai-je ? l'interrogea M. de Messin, la louche replongée dans l'odorant bouillon de bigorneaux et de tec-tecs [1] aux piments.

– Oui, mon ami, ce soir j'en prendrai un peu, dit Mme Manon, qui expliqua pour les autres :

– Je suis fort gourmande de ce potage de coquillages mais, depuis quelque temps, quand j'en prends pour mon souper il me donne des vapeurs pendant la nuit. »

Elle portait une première cuillerée à sa bouche juste au moment où Aubriot – que la dame avait déjà deux fois, comme par inadvertance, prié du genou – se penchait pour lui murmurer :

« Madame, ne vous privez pas de votre régal : les vapeurs d'épices nocturnes se peuvent très agréablement soigner. »

Le propos galant donna tant de plaisir à la veuve qu'elle avala de travers et fut prise d'une quinte de toux, laquelle lui fit, d'un rebond, jaillir tout à fait les deux seins hors du corsage. M. de Messin essuya sa louche à la nappe, et, bienveillamment, ramassa dedans un par un les appas vagabonds de sa voisine pour les reloger dans leur nid de coton. Après quoi, imperturbable, il continua de distribuer du bouillon aux hommes.

L'incident – que Mme Manon prit en riant beaucoup – fit débuter le souper dans un climat de franche gaieté grivoise, de la couleur dorée du bon

---

1. Tectibranches. Petits coquillages.

vin de Bordeaux que M. de messin avait apporté du Port-Louis. Jeanne, les joues chaudes, regardait avec orgueil Philibert briller de tous les feux de son intelligence. Il y avait longtemps qu'elle ne l'avait vu ainsi, disert, caustique et drôle et deux fois plus jeune que son habit gris de fer, soutenant la compagnie à son rythme et lui donnant de la repartie, tout comme s'il avait l'esprit contagieux. Certes elle s'étonnait un peu d'entendre le savant docteur Aubriot se tant dépenser pour éblouir et amuser si modeste assemblée, mais le cerveau trop plein et toujours bouillonnant de Philibert devait avoir besoin d'exploser de temps en temps, pensait-elle, et alors tant mieux pour ceux qui se trouvaient là.

En fait, le comportement d'Aubriot était moins cérébral que Jeanne ne le supposait, du moins ce soir-là. La nourriture délicieusement épicée de maman Lucinda, les historiettes poivrées, le vin d'Entre-Deux-Mers sec et traître et lampé d'abondance, le charme radieux de Jeanne et d'Emilie, les croupes provocantes des belles négresses aux rires trop hauts, l'odeur brune frottée d'ambre de Mme Manon sa voisine, l'offre de ses seins vénusiens par-dessus la table et la chaude promesse de sa cuisse par-dessous – tout disposait Aubriot au repos du savant et lui laissait espérer qu'il y goûterait bientôt, que Jeanne continuât ou non de bouder ses caresses. Il y a des nuits aphrodisiaques, où le désir de volupté n'a pas de prénom, mais seulement un goût d'urgence. Aubriot profita d'un instant de distraction générale pour se pencher vers son hôtesse :

« Madame, lui murmura-t-il, puis-je compter que, tout à l'heure, vous aurez sans faute votre vapeur de bigorneaux ?

– Hélas ! monsieur, je me connais, je l'aurai aussitôt que couchée », lui soupira-t-elle, d'une bouche aussi molle qu'une mangue déjà entrouverte.

Presque en même temps, sur un jeu de mots d'Honoré Mestralet, Jeanne pouffa d'un rire tout rose, si plaisant à voir et à entendre qu'Aubriot eut envie de la battre : elle lui donnait, bien mal à propos, un vague écœurement à la pensée de la grosse pâtisserie créole qu'il venait de se commander pour son médianoche.

2

MONSIEUR DE MESSIN n'avait plus rien à faire au Port-Louis, mais guère envie de quitter la fine compagnie avec laquelle il était revenu de Mongoust en herborisant tout le long du chemin. Aussi proposa-t-il à Aubriot de profiter de sa pirogue pour aller visiter le quartier de Rivière-Noire. De toute manière, pour se rendre dans cette partie de l'île encore très sauvage située à sept lieues du port mieux valait passer par la mer, les sentiers de terre étant difficiles.

Pour s'embarquer, ils durent attendre que le vent, trop fort, se fût calmé, et ne sortirent du port qu'à la minuit, à la rame, voiles carguées.

Ils étaient dix dans la longue barque : cinq Blancs, cinq Noirs. Du côté des Blancs il y avait M. de Messin et son neveu, Aubriot, Jeanne et don José – Emilie n'avait pas voulu venir, une partie de mal de mer ne la tentait jamais. Les Noirs, quatre rameurs et leur commandeur, qu'on appelait pompeusement Cap'tain', formaient l'équipage. La nuit était belle, comme presque toujours. Jeanne, la tête renversée, s'emplissait les yeux d'étoiles :

« Les nuits d'ici sont encore plus délicieuses que les jours d'ici, finit-elle par murmurer. Même quand le jour s'encombre de nuées la lune les mange dès son lever, et alors les lumières de là-haut brillent si vives qu'on les croirait à une demi-lieue de poste. Je me promettais des merveilles du ciel austral, à présent je l'ai au-dessus de la tête et n'en suis point déçue : quel miracle, n'est-ce pas ?

– Il est sûr que là-haut le temps n'est pas mauvais

mais, ici-bas, il pourrait se remuer moins ! » dit M. de Messin d'un ton soucieux.

Le vent ne s'était pas assez apaisé pour adoucir la mer jusqu'à la rendre agréable. La houle brisait fort sur les récifs, la pirogue dansait, traversait des nuages d'écume, dont la buée glacée se prenait aux habits et aux cheveux des passagers, leur mettait des larmes sur les joues, l'amertume du sel sur les lèvres.

« Je dis comme vous, monsieur, que tant d'agitation ne me donne pas le cœur à la poésie ! grommela Aubriot, l'estomac au bord des dents. Ne risquons-nous pas la culbute ? »

M. de Messin interrogea Cap'tain', qui répondit avec la solide résignation noire :

« Ça n'a pas g'os tintouin, monsié, ça piti tintouin. Si coup d' vent vini pas cassé bateau la côte, ça bon, nous pas fai'e souper pouéssons. »

Jeanne éclata de rire et Aubriot marmotta, momentanément insensible à l'humour :

« Votre Cap'tain', monsieur, ne serait-il pas trop fataliste pour conduire une embarcation ?

– Tous les Noirs sont fatalistes : il faut s'y faire, dit M. de Messin. Ils passent le plus souvent à travers leur vie comme avec une parfaite indifférence, ce qui serait bien leur droit s'ils ne passaient pas de même à travers la nôtre ! »

Il ajouta, s'adressant de nouveau au Cap'tain' :

« Je crois qu'il vaudrait mieux mettre à terre et passer la nuit au sec. »

Cap'tain' haussa une épaule, laissa tomber :

« Si monsié n'a pas capabe confiance Bon Dié... »

La pirogue mouilla dans la baie de Petite-Rivière.

Les Noirs descendirent les Blancs au rivage sur leurs épaules, excepté don José, qui préféra tremper ses bottes et sa culotte. Délivrés de leur faix ils glanèrent des branchages, les empilèrent en buisson, caressèrent deux morceaux de bois pour en tirer des étincelles afin d'allumer du feu. Quand les flammes commencèrent de monter au travers de l'épaisse fumée odoriférante ils sautillèrent un peu devant pour se réchauffer les pieds, puis s'assirent autour et sortirent leur pipe – un creuset en bois d'olive emmanché d'un gros roseau, qu'ils se passaient et se repassaient à la ronde. M. de Messin alla leur distribuer un coup d'eau-de-vie.

« Et voilà, dit-il en revenant vers ses amis. Nous n'avons plus qu'à nous enrouler dans le sable, où l'on dort très bien. Je ne puis pas même offrir à mademoiselle la couverture que je garde toujours dans ma pirogue – elle est mouillée.

– Le sable est tiède et la nuit douce, le bois l'abrite du vent, dit Jeanne.

– Je prendrai le premier tour de garde, proposa don José. Je n'ai pas sommeil. »

M. de Messin secoua la tête :

« Nous pouvons tous dormir sans crainte : les seules méchantes bêtes de l'île sont les Noirs marrons. Il n'y en a pas par ici. »

Aubriot voulut que Jeanne se plaçât entre lui et don José. Lui, que la mer avait fatigué, s'endormit vite. Jeanne, les yeux clos, revivait une autre nuit à la belle étoile, pendant laquelle deux hommes aussi lui servaient de boucliers, et sa rêverie lui rendait soudain terriblement pesante l'ombre noire étendue immobile à sa gauche : Philibert tenait la place qu'avait tenue Vincent. C'était bien la première fois que Jeanne ressentait la présence de Philibert comme une oppression. Elle en eut une sorte de désespoir, roula un peu plus vers l'Espagnol, comme pour s'échapper de son malaise.

« Voulez-vous quelque chose ? demanda tout bas don José.

– Oui, je veux l'impossible, vous le savez bien », dit-elle du même ton chuchoté.

Don José se souleva sur un coude, la contempla gentiment. Son regard prenait, dans le clair de lune, l'éclat d'un diamant noir.

« Dormez, dit-il. L'impossible vient en dormant. Buenas noches, Jeannette.

– Don José...

– Si ?

– Il y a des heures où je me déteste. »

Il fit un petit bruit de lèvres, tendit une main vers Jeanne, pour qu'elle posât dedans la sienne :

– Amiga, il ne faut pas se raconter tout ce qu'on sait sur soi. Aller pêcher la vérité au fond du puits... Cela se fait; mais n'avez-vous pas remarqué que cela se fait toujours avec un très petit seau ?

Rivière-Noire regorgeait de tout. Une cocagne. L'habitation de M. de Messin avait pris le nom de la rivière dont elle couvrait presque tout le vallon. Pour servir un premier festin à ses invités, le gentilhomme-fermier n'eut qu'à faire jeter un filet à l'embouchure du cours d'eau et envoyer son commandeur et son neveu dans la forêt la plus proche. Les chasseurs rapportèrent un cerf et trois lièvres, et dans le filet se prirent deux raies, des sabres et des carangues. Un Noir, en allant fouiller sous les récifs de la baie, ajouta à la récolte une bonne douzaine de petits homards du bleu céleste le plus ravissant. Toutes ces chairs aux parfums frais – et surtout celle, rôtie, du cerf de juin, le plus sapide de l'année – furent un régal si parfait que, ma foi, tant pis si les légumes fournis par les jardiniers valaient surtout pour leurs brillantes couleurs coriacées, si les énormes framboises de la Chine ne mettaient en bouche qu'une eau rouge sans parfum.

« Si je savais prendre un peu du fatalisme noir, dit M. de Messin, je renoncerais à faire cultiver dans mon potager des fraises, des asperges et des radis de France, que la terre de l'île me rend méconnaissables. Pourquoi diable venir vivre à l'antipode de sa naissance, si c'est pour y reconstituer à grand-peine une mauvaise contrefaçon du carré de légumes qui nourrissait vos parents ?

– L'homme aime à se déplacer, mais il n'aime pas changer de soupe, dit Aubriot. C'est pour cela qu'il a appris à saler le lard et à sécher les haricots. L'autre jour, alors que nous récoltions des coquilles à la pointe aux Sables, nous avons rencontré un abbé parisien frotté de botanique, qui faisait son tour d'île pour le bien de son herbier. Son malheureux Noir se traînait à sa suite, chargé comme baudet de bien cinquante livres de lard, de haricots, de biscuit de mer et de marmites. Et cela dans un pays où l'on peut partout pêcher et cueillir de quoi se nourrir ! L'homme a l'estomac moins curieux que l'esprit.

– Cela n'est point assez vrai, docteur, dit M. de Messin avec une once de mélancolie. Notre île n'est déjà plus un paradis pour la beauté trop savoureuse. Les Hollandais élevés au hareng et à la saucisse ont dévoré sans dégoût tous les dodos de l'île, le coq des bois se fait plus rare, et les premiers Français débarqués ici ont trop aimé les flamants roses : il ne nous en reste que trois, que vous aurez peut-être la chance de voir en vous promenant le long de notre baie, car ils se sont réfugiés à Rivière-Noire. Je le dis toujours, pour me donner le bonheur de garder mes hôtes un moment, tout le temps qu'ils cherchent à voir mes flamants roses... »

A cause d'Emilie, don José voulut retourner à Port-Louis dès le lendemain, sur un cheval que M. de Messin lui vendit et avec un guide noir qu'il lui prêta. Mais Philibert et Jeanne demeurèrent toute une semaine à Rivière-Noire.

Jeanne découvrait la vie sur une habitation. La réalité se dégageait de son rêve, et elle ne la trouvait pas décevante : M. de Messin avait su se faire une belle et bonne vie de gros fermier en Isle de France, sur des pâturages juteux qui nourrissaient bien leurs bêtes à cornes, des cochons noirs au fumet sauvage que la broche rendait succulents, et une joyeuse abondance de volailles de toutes les couleurs. La maison du maître ressemblait à une ferme normande coquette, mais autour de cette Normandie-là c'étaient des bananiers qui poussaient, des ananas, des orangers et des citronniers, des immortelles du Cap et une marée blanche et suave de tubéreuses dont l'œil et le nez de Jeanne se grisaient.

Près de trois cents esclaves vivaient à Rivière-Noire. Le commandeur les mettait au travail à la pointe du jour, claquant le fouet sur les talons des traînards. Aubriot et Jeanne, tôt levés eux aussi, croisaient la longue file noire et la longeaient un petit moment avant de bifurquer vers les bois. Ils souriaient aux Noirs, les saluaient de la main, et les Noirs, soudain redressés et joyeux, leur répondaient bruyamment. Le soir, quand à la tombée du soleil les botanistes rentraient de leur expédition, les Noirs étaient assis dans les jardinets de leurs cases autour d'une bouillie de maïs; ou bien les femmes glapissaient entre elles tandis que les hommes fumaient, les jambes repliées sous eux, les yeux clos, immobiles dans une béate volupté; ou bien encore ils étaient tous à bourdonner en chœur, priant Bon Dié pour la prospérité de leur maître sous l'œil vigilant du commandeur – cela dépendait de l'heure à laquelle les explorateurs reparaissaient. Souvent, pendant qu'ils mettaient de l'ordre dans leur récolte de plantes, ils percevaient des bouts de chansons, un roulement de tam-tams et des rires lointains : les moins fatigués des esclaves s'étaient réunis sous un grand hangar qui leur servait de salle des fêtes, pour parler un peu du pays, cuire sous la cendre une aubaine de bananes ou griller un cochon marron [1], et l'agape finissait en musique.

« J'aime à les entendre heureux, dit un soir

1. Cochon sauvage des bois.

Jeanne, qui cherchait toujours à se rassurer sur le sort des Noirs. M. de Messin doit être un bon maître.

— Je ne suis pas sûr qu'ils soient en train d'être heureux, dit Aubriot. Ils sont plutôt en train d'oublier leur malheur.

— Oui ? » fit Jeanne.

Elle sortit jeter une poignée de débris végétaux, demanda en revenant :

« Vous les croyez tous malheureux ? Même ceux qu'on traite bien ? »

Aubriot ne répondit pas tout de suite, plissa le front, laissa enfin tomber :

« Après tout, Jeannette, je n'en sais rien : je n'ai pas la peau noire.

— Supposez qu'un bon maître... ou une bonne maîtresse les traite au mieux et tout à fait dans le respect du Code noir, sans punitions cruelles, en leur donnant des bananes et de la viande tous les dimanches et des chemises au Jour de l'An, en les soignant s'ils sont malades, en ne séparant jamais les époux, ni les enfants de leurs mères... Vous ne pensez pas qu'ils pourraient être heureux ? Dites, vous ne le pensez pas ? » insista-t-elle avec anxiété.

Il abaissa sa loupe, fixa Jeanne :

« Songerais-tu par hasard à devenir un planteur – une planteuse sans péché ? »

Elle tressaillit, détourna vivement son visage des flammes des bougies pour rougir dans l'ombre. Aubriot la saisit aux épaules et la fit pivoter vers lui :

« Alors ?

— Je ne vois pas pourquoi vous... C'est une idée d'Emilie, dit-elle, cillant et préférant capituler tout de suite.

— D'Emilie ? Voilà une idée qui lui va comme des sabots à une duchesse ! Et comment don José le prend-il ? Pour ma part, je ne vois guère notre ami espagnol s'éternisant dans une île où l'on trotte à pied.

— Il a déjà trois chevaux. Puis, qui place de

424

l'argent dans une terre coloniale ne l'habite pas forcément. On peut la mettre en gérance. Mme de Vaux-Jailloux est bien contente de recevoir, pour vivre en Dombes, les revenus de son habitation de Saint-Domingue.

– Et il va de soi qu'Emilie te prendrait pour sa gérante en Isle de France ?

– Ne serait-ce pas le bon moyen pour n'être point volée ? »

Les mains d'Aubriot glissèrent des épaules aux poignets de Jeanne, il s'assit d'une fesse sur un coin de la table et l'attira vers lui :

« Ainsi, tu mitonnes le projet de t'installer ici pour la vie ? Et, ma mission achevée, tu me laisseras repartir sans toi pour la France ? »

Une crue de larmes noya les reflets des bougies dans le regard de Jeanne :

« Pourquoi déjà penser au départ ? dit-elle avec détresse. Vous ne faites que d'arriver et vous savez bien que votre mission sera longue, que vous devrez aller à Bourbon, à Madagascar, à Rodrigue... Vous savez bien que M. Poivre ne vous lâchera pas, qu'il a besoin de vous et voudra vous garder. Vous savez bien...

– Je sais bien que j'ai laissé un fils en France et que j'ai l'intention de le revoir avant de mourir », coupa Aubriot.

Décontenancée un instant, Jeanne se reprit vite :

« Mais voyons, s'exclama-t-elle, vous ferez venir Michel-Anne ! Un petit garçon adore les aventures. Vous n'avez plus rien à faire en France, vous en connaissez la moindre graminée.

– Ne dis pas de bêtises. Mais il est vrai que les nouveautés s'y faisaient vraiment trop rares pour moi, acheva-t-il honnêtement.

– Vous voyez bien ! D'ailleurs, je vous ai plus d'une fois entendu rêver tout haut d'explorer les paradis botaniques de la mer indienne. Vous ne le ferez pas en un jour.

– Tu as une bonne mémoire de mes désirs, dit-il, puis il eut un sourire mince, corrigea sa phrase :

– Tu as une bonne mémoire de certains de mes désirs. »

Elle ne prit pas garde à l'allusion, lui rendit son sourire, insista :

« Puisque vous devrez assurément demeurer long-temps dans l'île, ne seriez-vous pas bien aise d'être logé dans une agréable habitation plutôt que de rester coincé au Gouvernement ? Puis, vous nous aideriez à faire fortune dans la culture des épices. Nous voulons planter des épiceries. Et je veux aussi quantité de bonnes herbes indiennes pour fournir d'exotisme ma boutique du Temple, je veux un peu de thé, de café et de cacao pour notre usage, je veux... »

Il l'écouta délirer d'activité pendant quelques secondes, l'interrompit en lui lâchant les poignets pour se remettre debout :

« Je vois que cette cachotterie était déjà bien au point dans ton esprit, dit-il en reprenant sa loupe.

– Vous êtes fâché ?

– Non, dit-il d'un ton sec.

– J'entends bien que si ?

– Non », te dis-je.

Il ajouta avec ironie :

« Dame Emilie de la Pommeraie ne me doit pas la confidence de ses projets d'avenir, et tu ne fais que la suivre. N'est-ce pas ? »

Comme il lui avait tourné le dos elle se rapprocha de lui par-derrière, tira timidement sur sa manche – un de ses vieux gestes de petite fille :

« Ne soyez pas fâché, pria-t-elle. J'ai tellement envie de vous parler de Quatre-Epices...

– De Quatre-Epices ?

– C'est une habitation que je sais à vendre, dont M. de Messin... Mais il n'est pas temps de vous apprendre tout cela maintenant, quand vous devez vous apprêter pour le souper. »

Elle se glissa entre lui et la table pour se retrouver sous son regard, poursuivit de sa voix la plus charmeuse :

« Vous savez bien, Philibert, que j'ai grand-peine à me raconter. Et à vous plus qu'à tout autre. Bien que ce soit de vous, plus que de tout autre, que j'aie besoin d'être comprise et... et... »

« Et pardonnée », pensait-elle éperdument.

« ... et comprise », répéta-t-elle tout bas.

Il ne lui répondit pas un mot mais attrapa une chaise pour s'y asseoir, attendit la suite en l'enveloppant dans son attention.

Entre eux le silence avait changé de climat, était devenu un silence de confessionnal, dangereusement accueillant aux pires aveux. Jeanne se sentit piégée, crispa ses mains sur le rebord de la table et y demeura les reins appuyés, lutta pour se taire, mais, malgré elle, sa voix reprit dans un murmure tremblé :

« J'ai tant de choses à vous dire. J'ai mille choses... en moi, que je voudrais vous dire, mais... »

Un hoquet l'étouffa, qui était peut-être un sanglot avorté, et le reste de sa phrase fut un long chevrotement :

« ... il me semble qu'autrefois... quand j'étais une petite fille, vous deveniez tout... tout ce que je n'arrivais pas à vous dire parce que... j'étais petite, et vous... vous, un grand savant, qui compreniez tout, sans avoir besoin des mots des autres... »

Comme il ne semblait pas vouloir parler à sa place mais l'enfermait toujours plus étroitement dans son regard, elle se secoua, acheva dans un rire forcé :

« Après tout, un médecin s'explique tout à lui-même rien qu'à voir le malade ! »

Une suée de peur glaça la peau d'Aubriot, lui perla au front. « Est-ce donc vraiment cela ? » pensa-t-il avec horreur. Ce qu'il avait tant craint et mal chassé de son esprit était arrivé : cette brute de Pinto ou l'un de ses brigands l'avait outragée et contaminée – ou elle se croyait contaminée. Comment n'avait-il rien soupçonné en la voyant se refuser sans fin ? Mais non, il s'était sottement contenté de respirer, soulagé, quand, les semaines passant, il avait vu qu'au moins, et même si..., elle n'était pas grosse d'un petit brigand. Il se leva brusquement, se maîtrisa parce qu'elle avait sursauté, vint à elle et, lui prenant une main, chercha son pouls d'un geste machinal :

« Jeanne, je m'occuperai plus tard des fumées que tu peux avoir dans la tête. Pour l'instant, je veux que tu me dises, et tout de suite, de quoi tu souffres dans ton corps. Allons ! »

L'étonnement la figeait. Il se fit pressant :

« Parle, Jeannette. Parle-moi sans honte, voyons. Je ne suis pas un juge, je suis un médecin – tu viens de me le rappeler toi-même. Où as-tu mal, mon Jeannot ? De quoi t'inquiètes-tu ?

– Mais... Mais vraiment, je ne sais pas pourquoi vous pensez soudain que je suis malade, dit-elle avec une surprise grandissante. Je n'ai rien, je vous assure. Je me porte au mieux... comme toujours.

– Tu en es sûre ? Tu ne me mens pas ?

– Pourquoi vous mentirais-je là-dessus ?

– Peut-être pour ne pas me faire de la peine ? »

Il la vit rosir, battre des paupières.

« Si j'avais à vous dire une vérité pénible pour vous, il se pourrait bien, oui, que je préfère vous mentir », murmura-t-elle. Puis elle ajouta vite :

« Mais pour ce que vous me demandez je n'ai que du vrai à vous répondre : je me porte à merveille.

– Le jurerais-tu ?

– Dame, oui ! fit-elle, éberluée.

– Alors, jure-le. Jure-le sur ma tête. »

Elle parut suffoquée, l'interrogea longuement des yeux avant de dire, d'un ton incertain :

« Jurer sur votre tête, pour une raison aussi futile ? Et même sans raison du tout ! Dois-je vraiment ?... Bien. Je... Votre tête, après tout, n'y risque assurément rien ! Je vous jure, monsieur le docteur, sur votre tête, que je me porte comme je me suis toujours portée – comme le Pont-Neuf !

– C'est bon », dit-il en la relâchant.

Il sortit son mouchoir, s'épongea le front, se déchargea de la peur qu'elle lui avait faite :

« Puisque tu vas bien, cesse de faire l'enfant, je te prie; je n'ai guère de temps à perdre à ces jeux, dit-il avec mauvaise humeur. Finissons de ranger nos affaires – il sera bientôt l'heure de souper. »

Muette, déçue ou mal soulagée par sa lâcheté – elle ne savait trop quel malaise choisir –, elle se dépêcha de remettre de l'ordre dans la chambre de Philibert, monta dans la sienne – prise dans le grenier – pour s'y changer, redescendit au moment où Philibert ajustait sa perruque.

« Voulez-vous que je vous poudre ?

– Merci, cela ira; nous sommes à la campagne », dit-il du bout des lèvres.

Le silence dura. Le naturaliste notait une dernière observation sur sa promenade du jour. Jeanne oubliée, et oubliée exprès, elle le sentait bien, eut soudain une bouffée de rancune :

« Vous êtes ce soir si distant que j'en deviens aussi triste qu'une pauv' négresse, dit-elle d'un ton boudeur.

– Cela te passera bientôt. En allant demander de l'eau à la cuisine j'ai vu qu'on y préparait de la salade d'ananas et de bananes au citron, dont tu raffoles.

– Ainsi vous croyez que je peux trouver mon bonheur dans une salade de fruits ! s'exclama-t-elle, furieuse.

– Ma foi, oui, pour un moment. Si le bonheur était une chose qui se puisse trouver à l'état pur cela se saurait depuis longtemps.

– A l'état pur ou à l'état composé, de toute manière le bonheur n'est pas facile à attraper, décréta-t-elle d'un ton de tragédie qui fit sourire

Aubriot. M. de Buffon m'a dit un jour que les trois quarts des hommes mouraient de chagrin.

— C'est qu'ils se chagrinent pour un ruban ou une place d'académicien qui leur manque, dit Aubriot. Tu es une femme, tu mourras d'une raison moins bête.

— Je pourrais mourir de manquer d'amour ? »

Il laissa tomber sur elle tout le poids de son regard noir et elle se mordit la lèvre, paniquée, se sentant devenue transparente autour de son secret. Inutilement elle s'affaira après les plis de sa jupe, demanda, volubile :

« Et au fait, où irons-nous demain ? Encore vers l'intérieur ou au bord de la mer ? M. de Chavanne attend avec impatience que nous allions à la recrue coquillière pour nous y accompagner. D'après ce qu'il m'a dit je crois que nous trouverons des vermiculaires de vingt sortes, des bivalves et des limaçons de toutes les couleurs, une très grande variété de crabes et d'oursins, et encore des porcelaines d'une beauté tout à fait délicate, et des langoustes d'une grosseur monstrueuse, et même des huîtres perlières ! Imaginez-vous cela ? M. de Chavanne m'a presque promis des huîtres perlières à l'embouchure de la rivière, et qui font des perles violettes !

— Nous avons encore à faire dans les bois, dit Aubriot. Je ne tiens pas plus que cela à la compagnie de M. de Chavanne, ce jeune homme est trop bavard pour un ignorant. N'aimes-tu pas autant que moi courir les bois sans qu'en soit gâté le silence ?

— Si », dit-elle.

Elle se mit à ranger les crayons et les pinceaux qu'Aubriot avait abandonnés sur la table. Chaque soir, quand ils rentraient, le botaniste alignait le plus beau de sa cueillette du jour sur la table pour en lever des croquis qu'il coloriait. Ce soir-là il avait peint des champignons récoltés sur un vieil arbre gisant le long d'un ruisseau, des champignons féeriques ondoyés de plusieurs nuances.

Polydor – c'était le nom du Noir que M. de Messin leur avait prêté pour leurs courses – surgit soudain sur le seuil de la chambre. Le madécasse¹ s'était mis sur son trente et un, portait un beau pagne rouge et blanc et une magnifique architecture de tresses luisantes d'huile fraîche sur la tête. Respectueusement, il attendit qu'Aubriot daignât l'interroger et alors s'avança, montra les aquarelles de champignons :

« Monsié dotto a'tiste, dit-il, et il ajouta, exhibant un grand peigne de bois au dos magistralement sculpté d'une frise de singes :

« Polydo a'tiste même.

– C'est très beau, Polydor, dit Aubriot avec une admiration sincère.

– C'est très beau, Polydor », répéta Jeanne de sa voix moelleuse.

Le Noir contempla la mamzélle un moment, sans parler ni sourire, les yeux gros d'un mystérieux message. Enfin, il lui tendit le peigne :

« Voulé ?

– Non, non ! s'écria Jeanne vivement. Je te remercie, Polydor, mais je ne veux pas te prendre une de tes richesses.

Le Noir laissa retomber son bras avec un air si déçu qu'Aubriot intervint :

« Polydor, as-tu envie de nous vendre ton peigne ? Que veux-tu que je te donne, en échange de ton beau peigne ? »

L'esclave posa le peigne sur la table :

« Ça, Polydo donné mamzélle, dit-il. L'arzent, monsié dotto donné ça monsié Messin, ça payé Polydo. »

Voyant qu'Aubriot semblait ne pas comprendre, Polydor précisa :

« Polydo payé, Polydo à vous. »

1. Malgache.

Aubriot haussa les sourcils :

« Tu voudrais que je t'achète ? Que je t'emmène avec moi ? »

Le madécasse s'illumina d'un grand sourire, hocha la tête avec énergie.

« Polydor, je ne puis t'emmener, dit Aubriot le plus doucement qu'il put. Ton maître tient sans doute à toi et ne le voudrait pas. Et toi, ne serais-tu pas bien triste de quitter ta case et ta famille ? Tu es marié ?

— Pas, dit Polydor. Mo aimé pas vieux femme laid.

— Et pourquoi diable prendrais-tu vieux femme laid ? demanda Aubriot en riant. Tu es jeune, bien fait, bien-portant : tu pourrais avoir une belle jeune femme ?

— Pas, dit Polydor. Si ti gagné femme conça belle, le maît' ti l'ôté.

— Mais pourquoi ? s'étonna Jeanne.

— Pouquoi mett'e dans son lit », dit Polydor.

Il marqua une pause, ajouta avec une gravité de philosophe délivrant la vérité :

« Pas bian zoli ça, mais gâ'çon pauve pas capabe gâ'dé belle femme dans sa case.

— Mon ami, cela arrive chez les Blancs aussi, dit Aubriot en frappant sur l'épaule du nègre. Allons, va. Et reprends ton peigne, car je ne peux pas t'acheter. Va, Polydor, va. A demain. »

Le madécasse lança un muet appel suppliant à Jeanne, qui détourna les yeux. Il revint à la charge dès le lendemain soir, portant des présents au bout de chaque bras, enveloppés dans deux lambeaux de pagne. Stupéfait, Aubriot déballa vingt-sept morceaux de bois de petites dimensions, coupés au mieux pour en montrer les veines et les nuances : une très jolie collection de naturaliste. Jeanne l'aligna prestement sur la table, interrogea le donateur :

« Tu sais les noms de tout cela ?

— Mapou, commença Polydor en montrant le

premier morceau, et il continua d'égrener les noms jusqu'au dernier échantillon, un beau cube de citronnier jaune.

— Polydor, dit Aubriot, je suis très content d'avoir tout cela, vraiment très content. »

Il ajouta, connaissant d'avance la réponse :

« Pour tes bois, que voudrais-tu ? Veux-tu que je te donne une chemise ? Un miroir ? Du sent-bon ? Veux-tu deux piastres ?

— Monsié dotto achété Polydo, Polydo content », dit le Noir, comme prévu.

Voyant qu'Aubriot esquissait un geste de refus il le prévint, répéta fermement :

« Polydo content et Bon Dié content même. Bon Dié content quand pauve nèg' content, c'est l'abbé Duva' qui dit conça. »

M. de Bessin ne pouvait guère refuser de céder un esclave au naturaliste du Roi attaché au gouvernement de l'île.

« Pour son prix... », commença Aubriot après avoir remercié.

M. de Messin leva la main :

« Ne parlons pas en piastres. Disons que vous me rendrez un mâle jeune et robuste en échange de mon Polydor, quand vous aurez pu vous acheter deux ou trois serviteurs.

— Dites-moi alors, de grâce, quand se tient le marché aux esclaves ! s'exclama Aubriot. La semaine des quatre jeudis ?

— Si vous vous fournissez au marché du Port-Louis à l'arrivée d'un navire de traite vous ne ramasserez qu'un grison ou un édenté, dit M. de Messin. Il faut se fournir de marchandise de contrebande. La bonne marchandise n'arrive jamais jusqu'au Port-Louis.

— Parce que ? jeta Aubriot.

— Parce que le gouverneur doit faire vendre au

profit de la Compagnie, qui paie les frais de la traite, et les capitaines préfèrent vendre pour leur compte, et d'autant plus si leur cargaison vaut cher. Voyez-vous, monsieur, tout capitaine négrier trouve plaisant de mettre les frais au compte de son armateur et les bénéfices dans sa poche.

– Je l'imagine bien ! dit Aubriot. Mais jamais aucun capitaine ne se fait-il prendre ? Les matelots sont gens fort bavards.

– Vous pensez bien que l'équipage d'un négrier a part aux douceurs de la contrebande ! dit M. de Messin. Sur un négrier, du plus petit au plus grand on pacotille du nègre. Du reste, dans cette partie du monde, tous ceux qui peuvent attraper du nègre en vendent, même les nègres. Malheureusement, on récolte aujourd'hui beaucoup plus de mauvais sujets que de bons, quoique la pièce mâle adulte ne cesse d'enchérir. Un madécasse tout-venant est à plus de cinq cents livres, et je vous jure bien qu'il ne les vaut pas !

– Pourquoi ? lança Jeanne d'un ton presque agressif. Polydor est de Madagascar et me semble un fort bon sujet. »

M. de Messin dédia un sourire indulgent à la jeune femme :

« Pour le dire attendez de l'avoir eu avec vous plus longtemps. Le meilleur de vos Noirs trouve toujours le moyen de vous faire enrager. La race noire a la malice et la sournoiserie dans le sang. Vous aurez beau vous montrer un maître juste et même généreux, si l'un ou l'autre de vos esclaves peut vous jouer un tour, il vous le jouera. Hier encore, j'ai dû faire fouetter une femme qui s'était avortée. Mais elle recommencera. Vous pouvez les faire écorcher de la tête aux pieds elles n'en recommencent pas moins, elles ont le crâne plus dur que la peau, rien ne les guérit de cet exécrable péché. Et il en est ainsi dans toutes les habitations : priver son maître d'un négrillon est devenu une mode chez les négresses. »

Jeanne avait pâli, reposé sa cuiller.

« Peut-être vos négresses n'ont-elles pas envie de mettre des esclaves au monde ? dit-elle d'une voix altérée.

– Mademoiselle, ne prêtez pas de la philosophie à ces bougresses, dit M. de Messin. Croyez-moi, elles font cela par vice, pour offenser le Dieu des Blancs et causer du tort à leur maître. Et puis par paresse, pour ne pas avoir charge d'enfants. Les Noirs sont paresseux, et les madécasses sont les pires paresseux de tous. En tirer du travail est un soin de tous les instants. Ils n'aiment que s'habiller en fête, se coiffer, danser, chanter, faire l'amour et manger du cochon volé. Comme ils sont vaniteux à l'extrême, dès qu'un se croit maltraité il se marronne [1], ou bien se pend pour appauvrir son maître, ou alors fomente un complot pour en entraîner d'autres à s'aller noyer en mer avec lui.

« Quoi ! s'exclama Aubriot, frappé, se sentent-ils malheureux au point de parfois s'infliger un suicide collectif ?

– N'ayez crainte : ils ne songent qu'à retourner à leur paresse natale, dit M. de Messin. Ils volent une pirogue, mais comme ils s'y jettent sans vivres ni boussole et ne savent pas la manœuvrer, le plus souvent leur voyage se finit en morceaux dans les estomacs des requins plutôt que dans un port de la Grande Ile [2].

– C'est affreux, murmura Jeanne, au bord des larmes.

– Je crois, dit Aubriot, que mieux vaudrait assaisonner d'autres propos notre excellent potage de tortue. Mon feu confrère Laurent Joubert, qui fut

1. Il fugue dans les bois.
2. Madagascar.

médecin du roi Henri III, n'avait pas tort de conseiller à ses clients de ne tenir à table que des propos plaisants et des pensées joyeuses : le repas coule mieux. »

Jeanne respira trop fort et le jeune de Chavanne se mit à l'encourager :

« Reprenez appétit, mademoiselle. Je vois bien que vous en passez par où je suis passé en débarquant dans l'île. Il faut un peu de temps pour se défaire de sa sensibilité européenne. Pour moi, j'ai failli me fâcher avec mon bon oncle, pour être tombé à Rivière-Noire en un temps de la grande battue aux marrons. Des soldats du gouvernement aidaient les fermiers du quartier à rattraper leurs fugitifs, et il me répugnait de voir chasser des hommes comme on chasse des bêtes. Mais comment reprendre autrement des marrons ? Qui se fait sanglier et vit comme sanglier au fond d'une forêt doit bien s'attendre à être traité comme sanglier ? Les marrons endurcis deviennent vraiment des bêtes féroces, fort cruelles et fort nuisibles. Ils ont avec eux des chiens qu'ils dressent à se jeter sur les Blancs de rencontre, et eux-mêmes ne se font pas faute d'aider leurs chiens à la sagaie ou au gourdin. Ils sortent de leur retraite en horde, comme font les loups, pour venir piller de nuit les récoltes, voler de la nourriture et enlever des femmes. Bref, mademoiselle, les marrons sont des démons, et parmi les plus dangereux; il faut bien leur donner la chasse. Mais on s'efforce toujours de les prendre vivants – mon oncle vous le peut assurer.

– Cela est vrai, confirma M. de Messin, et bien qu'un marron repris ne vaille plus grand-chose, pour ce qu'il ne songe qu'à se marronner à nouveau. N'importe : le gouvernement a bien fait de fixer à cent livres la récompense pour un fugitif ramené vivant et à cinquante livres seulement pour un fugitif abattu; cela retient le soldat de trop vite épauler son fusil.

– Certes, la mesure me semble propre à mettre un peu d'humanisme dans la chasse à l'homme, dit sarcastiquement Aubriot. Mais ne devions-nous pas donner à notre conversation un tour plus riant ? Voulez-vous que je vous conte quelques bonnes histoires de médecine ? Vues du côté des médecins elles sont aussi drôles que les histoires de chasse vues du côté des chasseurs... »

Comme Jeanne allait monter à sa mansarde après avoir laissé tomber six gouttes d'essence de cyprès sur l'oreiller de Philibert pour l'empêcher de tousser pendant la nuit, un bout de chanson créole passa sous leur fenêtre. Un Noir chantait en se rendant à la berloque [1] sous le hangar, et d'une voix si dolente qu'on imaginait le grand corps las et nostalgique traînant ses pieds sur l'herbe :

> *Mo vivé dans piti la-case*
> *Qui faut baissé mo pou entré;*
> *Mo la-tête toucé so faitaze*
> *Quand mo lé-pieds toucé plancé.*
> *Pauv' nèg' napas bisoin lumiè'*
> *Le-soir, quand li voulé dourmi,*
> *Ca' pou qué passé lune clai'*
> *Lé-toit a gouand trou, Dié merci !*

Jeanne écouta longuement la chanson s'éloigner, le front appuyé contre la vitre.

« Eh bien ? dit Philibert. Tu ne montes pas ? A quoi penses-tu ?

– Je pense... Quand M. de Buffon m'a dit que les trois quarts des hommes mouraient de chagrin, il ne devait pas compter que par rapport aux Français. »

---

1. La récréation. Dérivé de l'expression militaire « battre la berloque ou la breloque » – pour faire rompre les rangs.

3

QUAND Aubriot et Jeanne reprirent le chemin du Port-Louis, ils voulurent passer par l'intérieur du pays. Polydor leur servait de guide. Pendant deux grandes journées il les fit escalader et dégringoler des sentiers de chèvre rocailleux, franchir des eaux sauvages à gué ou sur son dos, traverser du chaos végétal asphyxié de fougères géantes et de lianes sur lesquelles les explorateurs tiraient fort, pour ramener sous leurs yeux éblouis des grappes d'orchidées toujours nouvelles, comme si la nature, pour créer l'orchidée de l'Isle de France, s'y était reprise à cent fois pour finalement laisser le tout, sans choisir. De temps en temps, ils faisaient collation sous un bruyant pépiage de perruches vertes en guettant, dans les trouées du feuillage, la traînée rousse d'un singe à la fois curieux et inquiet. Ou bien alors après une rude grimpée, toute fatigue larguée ils déliraient d'émotion poétique au bord d'un paysage immensément étendu sous eux, creusé de ruisseaux plus ou moins tapageurs, vêtu jusqu'au rivage d'un moutonnement vert d'où émergeaient, par-dessus les plus hauts colophanes, les bourgeons nourriciers des palmistes. Au bout de leur regard, le flux, en brisant contre l'ourlet de corail de la côte le recouvrait d'une moustache d'écume, et à l'abri de ce rempart s'étendait le bleu calmé, paradisiaque, d'un lagon désert sur lequel clapotait le soleil. « Que c'est beau ! » s'écriait Jeanne, ravie jusqu'à la moelle des os, et même Philibert en oubliait d'essayer de mettre des noms sur les arbres du décor.

Ils partagèrent leurs derniers pigeons rôtis et leurs dernières bananes dans la paix suisse inattendue d'un vallon du riche quartier des Plaines-Williams, déjà fort civilisé. Leur repas achevé, ils se mirent sans plaisir à descendre vers la ville. Au fur et à mesure qu'ils s'en approchaient la chaleur renaissait, la nature se desséchait, l'herbe jaunissait, durcissait, masquait de moins en moins le sol de pierres noires poreuses hérissé de touffes d'épines. A l'entrée du camp[1], un gros tas d'immondices empuantissait l'air. Comme ils le contournaient en se bouchant le nez, Jeanne et Aubriot eurent au même instant le même sursaut d'horreur : un Noir dont ils ne voyaient que le dos squelettique et la chevelure grise, accroupi devant une charogne de cheval, s'y découpait un morceau de viande.

« Dieu ! Philibert, empêchez-le de faire cela ! s'écria Jeanne, l'estomac révulsé. Il va s'empoisonner.

– Allons, viens vite, dit Aubriot en lui saisissant le bras pour l'entraîner. Nous n'avons plus rien de mieux à lui proposer, et la faim est une sauce qui fait tout passer.

– Polydo donné quéqué çose, dit brusquement leur Noir, et il alla mettre dans la main du vieux une banane qu'il avait cachée dans son balluchon.

– Pauve nèg' content, ajouta-t-il en revenant vers ses maîtres, la face épanouie d'un sourire. Quand pauve nèg' content, Bon Dié content même. »

Le madécasse adorait répéter ce proverbe, qu'il avait tiré d'un sermon du père Duval du Port-Louis.

Aubriot observa avec attention le visage de son Noir, dit au bout d'un moment :

« Je vois, Polydor, que tu tiens beaucoup à faire plaisir au Bon Dieu. Aimes-tu donc vraiment beaucoup le Bon Dieu des Blancs ?

– Monsié dotto, Bon Dié les Blancs, c'est Bon Dié les Noirs même, dit Polydor d'un ton de reproche.

– Oui, bien sûr, le Bon Dieu est le même pour tous les hommes », approuva vite Aubriot.

1. La partie de la ville bâtie de cabanes.

Il y avait en rade deux vaisseaux de plus que le jour de leur départ : le *Jan Adriaensz,* une flûte de Hollande, et une flûte de la Compagnie, *La Navette,* qui se rendait trois ou quatre fois par an à la Grande Ile, pour en rapporter des bœufs et des esclaves.

Si *La Navette* rapportait toujours du bœuf – au besoin sous forme de viande boucanée –, elle ne rapportait pas souvent des esclaves, du moins jusqu'au Port-Louis. Son capitaine, le Malouin Charcot, était de notoriété publique le contrebandier le plus impudent de tous les négriers de l'océan Indien. Pourtant, en dépit des plaintes des petits colons trop pauvres pour acheter de la contrebande, jamais le gouverneur n'avait demandé à la Compagnie d'ôter son commandement à Charcot : ce coquin savait trouver des Noirs à Madagascar, même quand personne d'autre n'en trouvait. Il se rendait à Foulepointe avec une cargaison d'arak [1], de poudre et de fusils, abreuvait les roitelets des tribus, avivait leurs querelles et finissait toujours par allumer une guerre ou deux dans la Grande Ile. Une guerre fait des prisonniers dans tous les camps et donc de la marchandise à traiter, puisque les sauvages avaient enfin appris des civilisés qu'il ne faut ni torturer ni tuer ni manger ses ennemis vaincus, mais les échanger en bon état contre des fusils, de la poudre et de l'arak – contre de l'utile et de l'agréable. En tant qu'habile créateur de guerres tribales, Charcot jouissait donc en Isle de France d'une excellente mauvaise réputation, mais cela ne l'empêchait pas, à chacun de ses retours au port, de s'y faire conspuer par la bande des mécontents qui n'avaient rien pu obtenir du débarquement clandestin, ni un bœuf sur pied, ni une vieille génisse, ni un Noir avec toutes ses dents.

Ce jour-là, quand, tard dans l'après-midi, Jeanne

1. Alcool de riz ou de mélasse.

et Aubriot rentrèrent en ville, l'effervescence grondait fort devant l'Hôtel du gouvernement. Cette fois, Charcot avait passé les bornes de sa friponnerie : les bien renseignés affirmaient que c'étaient deux cents Noirs que le capitaine avait débarqués dans la nuit précédente à la pointe aux Caves, pour les remettre à deux richards du quartier Moka. Les plus emportés des fermiers en colère prenaient Desforges-Boucher à partie, l'accusaient haut de complicité et d'avoir touché un pot-de-vin pour fermer les yeux, les féroces ne voulaient rien de moins que voir Charcot se balancer au bout d'une corde et hurlaient à la mort, les plus raisonnables réclamaient à grands cris l'envoi de la garde à Moka pour y saisir les esclaves de contrebande afin d'en faire la distribution aux habitants honnêtes, et cela aux frais des acheteurs coupables. Mais la garde, pour le moment, stationnait l'arme au pied autour du Gouvernement et le gouverneur ne paraissait pas même à sa fenêtre pour parlementer avec les révoltés. Le petit monde pauvre du camp, Noirs, Blancs et Indiens mêlés se pressait, se foulait aux abords de la place, avide de recevoir les éclaboussures de l'émeute, d'entrer dans la fête que les plus impatients commençaient tout de suite, en remplissant les cabarets de la Terre Sainte [1].

« Nous aurons de la chance si nous pouvons rentrer chez nous pour la minuit ! grommela Aubriot. Pour l'instant, nous ne parviendrions qu'en lambeaux à la porte du Gouvernement ! »

Comme ils étaient fatigués de leur longue marche ils allèrent s'asseoir un peu à l'écart de la cohue, sur deux blocs de pierre, pour attendre le retour au calme. Mais au lieu de décroître l'agitation s'amplifiait et, bientôt, le bruit courut que les meneurs avaient entraîné une partie des fermiers à l'assaut de l'armurerie et qu'ils voulaient former une milice pour se faire justice eux-mêmes, puisque la garde

1. On appelait Terre Sainte le bas quartier chaud du port.

refusait de désobéir à ses officiers et de courir après les Noirs escamotés. Et en effet, un peu plus tard Aubriot et Jeanne virent avec inquiétude la foule refluer presque jusqu'à eux comme sous le coup d'une poussée, puis s'ouvrir pour laisser passer une file d'hommes brandissant des fusils, qui bifurqua sur sa droite pour se diriger vers le trou Fanfaron, au bord duquel se trouvait la poudrière. Une longue traînée de curieux s'ébranla et se mit à suivre la petite troupe armée en se bousculant, riant, vociférant : la fête commençait. De la chasse à l'homme noir, en Isle de France on ne se lassait jamais.

« Voilà qui me paraît tourner mal, dit Aubriot. Enfin, cela va au moins nous dégager la place...

— Tribus les Blancs si fouté su la guéule conça même tribus les Noirs, ça n'a pas bian zoli ça, les Blancs doit pas, les Blancs pas des sauvazes, remarqua Polydor d'un ton docte.

— Notre Polydor a bon œil, bon bec et du bon sens en plus, murmura Aubriot à Jeanne. Nous devrons prendre garde à ne... »

Une exclamation de Jeanne coupa sa phrase :

« Voyez donc qui nous arrive sus ! »

Don José venait d'apparaître, sortant à cheval de la cour de l'Intendance. Seul cavalier du moment, il poussait précautionneusement sa monture à travers la populace encore dense, n'avançait qu'au ralenti. Aubriot ôta son chapeau et l'agita haut pour attirer l'attention de l'Espagnol...

« Pour où donc partez-vous si tard ? demanda-t-il quand don José les eut rejoints. La nuit sera bientôt là.

— Je vais tout près, dit don José, désignant d'un coup de menton, de l'autre côté d'un bourbier, le magasin des marchandises importées. La vente des Noirs de *La Navette* – des Noirs de reste ! – se fera là, à six heures. Les fermiers sont si occupés à se venger de ce qu'ils n'ont pas eu qu'ils se désintéressent de ce qu'ils pourraient encore avoir, et on ne sait jamais.

– Je vais avec vous », dit Jeanne en tendant la main.

Don José l'enleva en croupe.

« Polydor, ramasse notre bagage, commanda Aubriot. Nous, nous rentrons. »

Cinq messieurs de mise bourgeoise se trouvaient déjà dans la salle des ventes lorsque don José y entra avec Jeanne et en même temps qu'un gentilhomme obèse descendu d'un palanquin, qu'ils saluèrent, le reconnaissant pour un familier des soupers du gouverneur.

« J'étais curieux de voir ce qui restait de la cargaison », dit le gros gentilhomme.

Il ne restait pas grand-chose de bon : huit hommes chétifs, quatre négrillons et trois femmes jeunes mais bien laides, même sous l'éclairage indulgent des lanternes. Tous avaient le même teint gris olivâtre, un nez assez épaté, de grosses lèvres et des regards affolés de bêtes aux abois. Dès qu'on ne les séparait pas pour les examiner ils se resserraient les uns contre les autres, frileusement. Les clients tournaient autour du troupeau, palpaient les biceps et les jarrets, inspectaient les dentures, se faisaient montrer les mains et les pieds, le tout avec des mines dégoûtées, des soupirs méprisants.

« Ce serait faire l'aumône à ce bandit de Charcot que de lui acheter l'un de ces détritus », ricana l'un des bourgeois en repoussant rudement le Noir dont il venait d'ouvrir la bouche édentée.

M. de Bouffault, un autre gentilhomme connu de Jeanne et de don José, pénétra dans la salle d'un pas de tambour-major, alla longuement toiser la marchandise, se retourna et s'avança d'un air menaçant vers un personnage de haute stature, vêtu comme un officier-marinier, qui se tenait assis sur une caisse dans un angle du magasin :

« Ecoutez-moi bien, monsieur Machard, commença-t-il d'un ton rêche. Je n'irai pas me plaindre au gouverneur, ni faire du tapage à Moka – je n'en veux point à vos clients chanceux mais à votre capitaine. Faites savoir à cette canaille que j'exige d'avoir ma bonne part de sa prochaine cargaison. Ou je l'aurai ou j'écrirai au ministre de la Marine car, alors, *La Navette* n'appartiendra plus à la Compagnie mais au Roi, et il se trouve que mon frère sert dans les bureaux de monseigneur le duc de Praslin. Rapportez tout ceci sans faute à monsieur Charcot et veillez à ce qu'il me serve bien désormais – du moins s'il tient à son commandement.

– Monsieur, dans la marine ce n'est pas le maître qui donne des ordres au capitaine », dit le marinier avec une ironie à peine polie, et il tourna le dos à M. de Bouffault pour aller renseigner un autre chaland.

Celui-ci, un petit bonhomme potelé et vulgaire aux joues fleuries de vermicelles roses, scrutait tout le lot en vente, tâtait, flairait, enfonçait son pouce dans les muscles, appréciait la vigueur du poil sur le menton des mâles, soulevait leur pagne. Il vérifiait tout avec minutie mais sans méchanceté et avec des gestes doux, sans doute comme il aurait agi envers une nature morte fragile étalée sur un marché aux viandes. Il finit par tirer à part deux des femmes, un homme et un négrillon, observa et toucha de nouveau ces quatre-là et, enfin, les lécha sous le bras l'un après l'autre, de la pointe de sa langue, crachant et s'essuyant les lèvres entre chacune des peaux qu'il goûtait :

« Le goût de la sueur, rien de plus sûr pour juger de l'état de santé d'un corps, dit-il avec entrain pour répondre au regard amusé de don José, qui s'était rapproché de lui. Moi, monsieur, voyez-vous, je n'achète que du rebut, mes moyens ne me permettent pas mieux, aussi ai-je appris à n'acheter que du rebut passable. Et ma foi, monsieur, je m'y retrouve. Il ne faut pas toujours se fier à la bonne mine, et d'autant moins que la mauvaise est à bas prix. Vigueur et docilité ne vont pas de pair. Le malingre est timide et ne se marronne pas; en le nourrissant bien vous en tirez parfois plus de travail que d'un bien bâti arrogant de sa force et toujours prêt à vous narguer pour jouer au grand chef devant les négresses. Je crois que je prendrai aussi le petit, ajouta-t-il après un coup d'œil au moins haut des négrillons.

– Ma foi oui, si vous prenez la mère..., approuva don José.

– Aucune de ces femmes n'est sa mère, dit le bonhomme potelé. Elle aura été vendue cette nuit. Il doit avoir dans les cinq ans, six au plus, mais il est solide et, à cet âge-là, quand ils sont solides, vous pouvez déjà les mettre aux travaux légers; ils ne sont pas encore paresseux.

– Don José, partons; partons, je vous en supplie », murmura la voix tremblée de Jeanne, derrière le dos de l'Espagnol.

Don José ne parut pas l'entendre, mais se dirigea vers l'officier-marinier :

« Maître Machard, je n'ai pas envie de rester pour les enchères. Achetez-moi le plus petit des enfants comme pour vous et envoyez-le-moi à l'intendance, où je loge, lui dit-il à voix basse. Je veux l'offrir à mon fils.

– Bien, dit Machard. Je suis content que vous le preniez. Une fois épouillé et consolé d'avoir perdu sa mère il fera un bon jouet : il est assez joli et il est malin. »

En ressortant du bâtiment Jeanne et don José croisèrent un officier des douanes, un commissaire de la Marine et le greffier de la Compagnie, qui arrivaient pour ouvrir la vente.

A peine remise en selle :

« Est-ce vraiment pour Paul que vous voulez ce négrillon ? demanda Jeanne.

— Mais oui, dit don José. Iassi doit se fâcher chaque jour pour qu'il consente à se promener, parce qu'elle n'a pas un seul négrillon à lui mettre sur les talons : il a honte. A La Plata, un jeune garçon bien né ne va nulle part sans sa suite de négrillons, pas même à l'école.

— C'est vrai, je l'avais remarqué. Eh bien, tant mieux pour les négrillons de compagnie, dit Jeanne. Au fait, vous paraissiez déjà connaître le maître d'équipage de *La Navette* – ou je me trompe ?

— Les contrebandiers sympathisent vite entre eux, dit don José en riant. Les meilleures pièces de la prochaine cargaison du capitaine Charcot seront pour nous. Si vous n'avez pas changé d'avis d'ici là.

— Changé d'avis ? A propos de quoi ?

— Mais voyons, si vous voulez toujours acquérir une habitation et les esclaves qui vont avec. Oui ?

— Bien sûr ! Je ne suis pas changeante, don José.

— Non ? fit-il en exagérant sa surprise, et Jeanne rougit, vexée.

— Don José, ne vous fiez pas à un événement de ma vie dont vous n'avez vu et ne continuez de voir que l'apparence : je ne suis pas changeante, sachez-le », dit-elle d'un ton ferme.

Elle ajouta malgré elle, et furieuse de sembler se justifier :

« Certaines... sautes d'humeur, que leurs témoins prennent pour de l'inconstance, ne prouvent qu'un cœur fidèle à tous ses sentiments. »

Don José demeura muet un long instant, le front plissé, comme attentif à des mots qu'il se répétait pour en bien saisir le sens. Enfin, l'ombre d'un sourire lui vint et il dit, avec humilité :

« Je vous donne raison de confiance, m'amie Jeannette : il faut être une femme pour se retrouver toujours bien à l'aise dans les subtilités du cœur. Eh bien donc, si vous continuez de tenir à votre idée et

446

n'allez pas herboriser demain, je vous emmènerai voir Quatre-Epices. »

Il la sentit sursauter, se dévissa le cou pour lui cligner de l'œil :

« Vous en perdez la parole ? Contente ? Le coin n'est pas vilain, vous verrez.

— Qui vous a emmené là-bas ? demanda-t-elle, follement excitée.

— Une alerte petite fausse baronne de point d'âge, que j'ai courtisée pendant toute une soirée parce qu'elle sait tout de ce pays, où un officier de la Royale l'a perdue à la fin de sa lune de miel — cela doit bien faire cent dix ans ! Les dames d'ici sont enragées à se faire des pots-de-vin et ne laissent échapper aucune occasion de vous rendre service.

— Quatre-Epices... », murmura Jeanne, la tête déjà partie.

4

ELLE sut tout de suite qu'elle voulait vivre là.

Son coup de foudre avait un parfum d'aloès. Sur toute cette partie du quartier de Moka pesait l'arôme sirupeux, de miel amer, des aloès arborescents. Ils élevaient à hauteur d'homme leurs bouquets de longues feuilles charnues et coupantes achevées en dards, et du cœur de chaque bouquet jaillissait encore, immense et roide, une tige à fleur : une multitude d'épis jaunes et rouge sombre se tenait dressée dans l'air doré, à deux ou trois toises de ses racines, piquée de centaines de cierges [1] gigantesques à la peau de serpent marbrée de vert et de blanc, armée d'aiguillons venimeux. Ces vaillantes poussées d'aloès et de cierges nourries de terre rocheuse formaient une forêt barbare au charme fantasmagorique, une forêt immobile de fond d'un songe,

1. Cereus, famille des cactées.

puissamment aromatisée, peuplée d'un silence brûlé de soleil, que les grillons dévoraient sans pouvoir le détruire, tant il faisait corps avec la nature figée. Il fallait traverser ce rempart de piques, de dagues et de couteaux pour trouver l'entrée de Quatre-Epices : une double barrière de planches brutes.

L'allée qui en partait, droite et longue, montait en pente douce, sans doute vers la maison – encore invisible. Elle avait été large et d'allure noble, cela se voyait à sa double bordure magnifique de hauts tamariniers dont les frondaisons à feuilles d'acacia, à la fois denses et légères, se rejoignaient très haut en voûte de cathédrale ronde. Il régnait là-dessous une apaisante lumière verte, délicieusement fraîche au sortir du champ d'aloès. Cette partie avant du domaine, protégée du vent de l'île par le relief élevé du fond du décor, avait assez peu souffert du cyclone de 1760; mais elle était redevenue un exubérant désordre végétal. Il fallait se forcer beaucoup l'œil pour distinguer encore, à travers le taillis de repousse drapé de lianes, l'alignement d'un bois de grena- diers ou la masse émeraude d'un ancien verger de figuiers. Un buissonnement d'ananas et de frambo- siers redevenus sauvages comblait inextricablement ce qui avait dû être une plantation carrée de ces deux fruits, mais on avait coupé le fouillis en quatre, par deux tranchées en croix ouvertes à la machette : le coup de machette brutal devait être le moyen qu'em- ployaient les habitants de Quatre-Epices pour accé- der à leurs récoltes enlisées dans l'incurie. Les mêmes rosiers prodigues originaires de la Chine que l'on trouvait partout dans l'île, laissés sans taille depuis bientôt deux lustres, s'étaient envolés, accrochés aux troncs de certains arbres pour faufiler leurs rameaux à travers les feuillages, qu'ils fleurissaient de rares mais vives cocardes insolites, d'un beau rose foncé nuancé de mauve et bien ouvert sur un cœur de grandes étamines d'or. Ainsi, sous la beauté étouf- fante de sa luxuriance tropicale réinstallée, Quatre-

Epices offrait encore tout bas, enfoui, un charme humanisé de campagne autrefois bien jardinée. Jeanne gonflait les ailes de son nez pour deviner, sous les fortes odeurs du paysage épais, les traces parfumées du Quatre-Epices d'hier, celui d'Edmée de Saint-Méry. Et elle les quêtait de l'œil aussi, dans les gerbes de lis qui jaillissaient au bord du chemin, ou dans un cordon de roses de Bourbon traînant loin de son rosier englouti – c'étaient d'aimables roses chiffonnées, en mousseline blanche carnée, auprès desquelles flottait un fantôme de jeune femme en chapeau plat de jardinière.

« Alors ? interrogea soudain près d'elle la voix de don José.

– Alors..., répéta-t-elle, et elle prit une longue réflexion avant de poursuivre :

– Je sais que ce lieu a été traversé par de terribles épreuves et pourtant, il me paraît fait pour s'harmoniser à merveille avec une heureuse destinée. Je sens que le bonheur est toujours là, prêt à resurgir.

– Peut-être vous attendait-il ?

– Peut-être.

– J'aurais dû vous tirer les tarots hier au soir. Nous leur aurions demandé si Quatre-Epices et vous étiez faits pour vieillir ensemble. »

Elle secoua la tête :

« Je crois moins à vos tarots qu'à mon cœur, et mon cœur me chuchote que Quatre-Epices ne me reçoit pas en étrangère.

– Dame ! s'exclama don José, dans une habitation déserte on peut toujours se croire chez soi ! »

Nulle vie humaine ne se montrait encore ; c'était comme s'ils s'avançaient vers le château de la Belle au bois dormant. Dès que passé la barrière, ils avaient mis leurs montures au pas lent, pour laisser leurs regards se distraire sur tout, leurs oreilles s'emplir des concerts d'oiseaux.

« Je ne sais ce que vaut le sol d'ici, mais pour l'air, je vous le garantis plein de pâtés de toutes sortes, dit dont José. J'ai tenté ce matin d'affrioler notre cher docteur en lui promettant force belles plumes, mais en vain, il ne s'est pas laissé convaincre de nous accompagner. Je crois, m'amie Jeannette, qu'il est décidément fâché de votre projet de vous établir dans l'île.

— Il n'appelle pas mon projet un projet, mais une lubie, corrigea Jeanne.

— C'est qu'il ignore que vous êtes assez riche pour le réaliser », dit don José.

Il saisit la bride du cheval de sa compagne pour l'arrêter près du sien, survola du bras tout ce qu'ils voyaient du domaine :

« Mais franchement, Jeannette, la vue de tant de friche à défricher avant d'y pouvoir planter le moindre giroflier ne vous décourage-t-elle pas un peu ?

— Don José, il faut peu de temps pour s'accoutumer à l'idée de faire une chose impossible, je l'ai remarqué.

— Ha ! s'esclaffa l'Espagnol, je vous jure bien, amiga, que moi, je m'accoutume plus facilement à l'idée de ne pas faire une chose possible !

— Vous vantez trop votre paresse, amigo. La preuve en est que vous avez couru l'île à la recherche de ma lubie, tout comme si vous y croyiez.

— Bah ! fit don José, c'était l'histoire de sortir mon cheval. »

Ils reprirent leur route, contournèrent bientôt une cépee de grenadiers qui s'était dû planter toute seule au milieu de la grande allée, et la maison parut à leurs yeux.

Elle sembla très grande à Jeanne. En dépit des frangipaniers surabondants qui submergeaient sa façade, son œil reconstituait parfaitement une belle construction à un étage, simple et harmonieuse, imitée du style des demeures coloniales que montraient certaines gravures de Saint-Domingue. L'étage devait être assez bas de plafond. Son balcon couvert par le toit, bordé d'une balustrade de bois de natte rouge à demi effondrée, s'avançait à l'aplomb de la varangue du rez-de-chaussée, à laquelle Jeanne compta huit piliers.

« Dieu ! mais c'est un petit château ! s'exclama-t-elle.

– Un château qui a connu la guerre, le pillage et l'occupation, compléta don José avec une grimace. Son balcon a été raccommodé à la ficelle, son toit...

– Don José, s'il vous plaît, ne me renseignez pas – pas encore, coupa Jeanne à voix de prière. Pour le moment, je n'ai pas envie d'être renseignée : j'ai envie d'être enchantée.

– Hum ! » fit don José, et il arrêta de nouveau son cheval puisque Jeanne venait d'arrêter le sien, et se tint coi.

Maintenant, d'où ils étaient, ils pouvaient contempler tout le haut du paysage vallonné allongé au pied des trois collines, toutes moussues de bois sauvages, qui fermaient l'horizon. Derrière la maison, une ligne de manguiers suivait la frontière des collines. Au-delà des manguiers, sur une pente soudain raidie, une plantation de fruitiers envahie de ronces grimpait rejoindre les premiers nattiers et les tacamacas de la forêt montagnarde. Sur la droite du site, grâce à un abattis d'arbres remplacé par du taillis clair on entr'apercevait le plan d'eau miroitant d'un étang étalé dans un creux du terrain, étang qu'abreuvait sans doute un ruisseau dont on suivait la glissade argentée, d'éclair en éclair, depuis le sommet du mamelon le plus arrondi.

Comme Jeanne ouvrait la bouche pour dire : « Eh bien, don José, c'est fait, je suis enchantée », une marmaille noire mêlée de chiens surgit soudain de la maison, accourut au-devant des cavaliers pour les encercler de cris, de sauts, de rires et d'aboiements de joyeux accueil.

« Il est clair que nous ne sommes pas malvenus », dit don José.

Il claqua de la langue pour remettre leurs chevaux en marche.

Ils n'avaient pas fait plus de quatre pas que Humbert de Saint-Méry parut sur le seuil de la porte, entre ses deux mulâtresses.

Le marquis franchit sans hâte le clair-obscur de la varangue, sortit dans le soleil et s'y tint immobile, les jambes écartées en compas, à cligner des yeux sur les arrivants. Les deux mulâtresses avaient accompagné son mouvement et l'encadraient toujours, les bras ballants. L'une des femmes paraissait déjà vieille, l'autre était jeune et souriait à blanc. Toutes les deux portaient des jupes rougeâtres et, flottant par-dessus, des chemises d'homme aux manches coupées à mi-bras, au col échancré, effiloché. Le maître, torse nu, jambes nues, n'était vêtu que d'une culotte d'esclave endimanché, en coton à rayures. Sa tête était en revanche très habillée, de longs cheveux blond fade et d'une barbe d'au moins huit jours.

« Monsieur, je vous amène mon amie, Mlle Beauchamps », lui dit don José en sautant à terre devant le groupe.

Saint-Méry se contenta de s'incliner, désigna d'un geste l'ombre de la varangue.

Les deux visiteurs se retrouvèrent assis sur des fauteuils d'osier grossièrement tressé. Sur un signe de leur maître les mulâtresses avaient disparu dans la maison. Saint-Méry posa son regard sur Jeanne, parla pour la première fois.

« Pardonnez mon négligé, mademoiselle, je ne vous attendais pas, dit-il. Si vous voulez bien m'accorder le temps de m'aller passer une chemise... »

Il prévit la réplique qu'allait lui faire Jeanne de ne point se déranger, ajouta :

« Les dames de Quatre-Epices tiennent beaucoup à ce que j'observe les bonnes manières blanches. »

Il marcha vers la porte, se retourna :

« J'aurai bientôt fait », dit-il encore.

La marmaille, muette désormais, s'était rangée

dehors à la lisière de la varangue, dévorait les voyageurs à gros yeux noir et blanc. Moins timides, les chiens tournoyaient autour de leurs fauteuils en les fêtant de la queue.

Jeanne se pencha vers don José :

« J'avais eu peur que nous ne le trouvions ivre, murmura-t-elle. Dieu merci, il ne l'est pas. Nous avons bien fait de venir avant le dîner.

– Il se pourrait que Saint-Méry valût mieux que sa réputation, répondit dont José du même ton bas. La colonie française ne peut certes pas lui pardonner sa façon de vivre et doit le calomnier plus qu'il ne le mérite. Je sais déjà qu'il n'est vraiment fin soûl que le samedi soir : il m'en a fort obligeamment prévenu dès notre première rencontre, afin que j'évite de vous amener ici ce jour-là.

– Je ne parviens pas à croire qu'un ivrogne se puisse limiter à un jour d'ivresse par semaine, chuchota Jeanne.

– Amiga, vous ignorez tout des ivrognes, vous n'avez jamais fréquenté le café Pulperia. Aucun ivrogne n'a l'esprit simple, dit don José. Mais chut ! Ne parlons pas de corde dans la maison d'un pendu. »

Ils se turent, examinèrent leurs alentours, et Jeanne finit par dire :

« Cette varangue est bien plus belle que celle de Mongoust. »

Don José eut une grimace pour l'indescriptible bric-à-brac empilé là, la saleté du mur, les toiles d'araignée qui pendaient de la poutraison, épaisses comme des tentures de velours :

« J'imagine que vous voyez la réalité d'hier, ironisa-t-il.

– Non, je vois celle de demain, dit Jeanne.

– Et comment... », commença don José, mais les mulâtresses l'interrompirent en reparaissant.

Les dames noires de Quatre-Epices avaient passé des robes à fleurs fanées mais propres, noué des madras sur leurs cheveux. La jeune portait trois tasses de porcelaine et trois petites cuillères d'argent sur un plateau, la vieille une théière de poterie, dont elle cachait de son mieux la rusticité honteuse entre ses grandes mains.

« C'est thé, dit la vieille. Si voulé pas, si voulé zus-soleil ?

– Le jus-soleil, c'est notre sirop d'oranges allongé à l'eau de montagne », expliqua la voix de Saint-Méry, et Saint-Méry ressortit de la maison, poursuivit :

« Du thé, du jus-soleil ou de l'arak – nos productions – je n'ai que cela à vous offrir. »

Les yeux de Jeanne s'attachèrent avec curiosité au nouveau visage de son hôte, délivré de ses cheveux qu'il avait noués par-derrière. Il s'était rasé et entaillé une joue en se raclant trop vite. Sa peau nue le rajeunissait mais en même temps démasquait le menton mou et la bouffissure légère des pommettes, donnait toute son importance au bleu trop pâle des iris, un bleu doux et absent, de myope ou de rêveur. Ou d'ivrogne.

« Le thé m'ira fort bien, dit-elle en souriant à la vieille mulâtresse.

– Sers-nous donc, nénéne [1], et ensuite va-t'en nous faire à dîner, commanda Saint-Méry.

– Notre collation nous suit sur une mule, intervint don José. Mais naturellement mon Noir d'emprunt s'amuse en route.

– Oui, dès qu'on ne les contraint pas, les Noirs savent vivre, dit Saint-Méry. Ils savent perdre leur temps, et quoi de meilleur à vivre que le temps perdu ? »

Ils burent leur thé en échangeant des banalités. Jeanne sentait une boule de malaise gonfler dans sa gorge, attendait avec un peu de honte que don José en vînt à l'objet de leur visite : comment rappelle-

1. Nounou.

454

t-on à l'hôte qui vous reçoit dans sa demeure qu'on vient pour l'en déloger ? Avoir des piastres pour acheter une habitation vous donne-t-il vraiment le droit d'en chasser ceux qu'elle a vus naître ? Inconsciemment elle enveloppa Saint-Méry dans un regard quêtant pardon et amitié. Saint-Méry se secoua, redressa son buste avachi :

« Voulez-vous voir d'abord la maison, ou d'abord les terres ? » demanda-t-il sans transition.

Ils pénétrèrent dans la maison...

Très spacieux, le rez-de-chaussée se divisait en quatre grandes pièces : une salle d'entrée et trois autres salles. Avec ironie Saint-Méry présenta les deux plus vastes en les appelant « salon de compagnie » et « salon à manger ». Elles paraissaient très sombres et tristes, parce que des planches de bois clouées remplaçaient les vitres cassées des portes-fenêtres. Le salon à manger au sol couvert de nattes servait assurément de dortoir aux Noirs, dont l'épaisse odeur empoissait l'air et dont le désordre traînait partout. En comparaison, le salon de compagnie semblait civilisé, où des panneaux de tenture de coton indienne adhéraient encore aux murs par endroits. Beau souvenir d'une vie mondaine éteinte, un lustre de cristal d'Angleterre à dix bourgeois sans bougies et constellé de chiures d'insectes pendait au plafond, au-dessus d'un mobilier de jonc de même facture grossière que celui de la varangue. Les sièges qu'avait éclairés le beau lustre crasseux – un canapé et des fauteuils vomissant leur crin – étaient empilés dans un angle de la pièce, sous une housse grise de soie d'araignée. Accroché à un mur dans un rond jaune d'or posé sur une flèche de soleil, un ravissant lézard vert et azur, parfaitement inerte, faisait le mort en attendant le départ des intrus.

« Les cuisines sont par là », dit Saint-Méry en les

dirigeant vers une porte donnant sur l'arrière de la maison.

Deux pavillons carrés à greniers, à toits de bardeaux en nattier rouge, construits en vis-à-vis à chacun des bouts de la maison, servaient, l'un de cuisine encore vivante, l'autre de magasin où s'entassait un capharnaüm de meubles cassés, d'outils de culture, de formes sans noms.

« Il y a de tout, là-dedans, soupira Saint-Méry, de tout et même de l'utile sans doute, mais allez savoir quoi !

– Ça, c'est beaucoup bons çoses, dit Nénéne avec aplomb.

– Les bons çoses coûté beaucoup l'arzent, appuya la jeune mulâtresse que Saint-Méry appelait Zoé.

– Vous deux, laissez-nous tranquilles et filez à la cuisine faire cuire quelque chose », commanda Saint-Méry.

Les femmes ne se bougèrent pas.

« Mamzèlle, mainant, vous bisoin aller là-haut, dit Zoé, montrant du doigt l'étage de la maison.

– Assez ! Je vous ai commandé de filer ! gronda Saint-Méry, avec une violence si soudaine, qui devait lui être si peu habituelle que la vieille au moins parut effrayée et se sauva en gémissant.

– Bisoin méner mamzélle là-haut, répéta Zoé en fixant effrontément son maître.

– Zoé, va-t'en avant que je ne me fâche », dit Saint-Méry, et cette fois d'une voix trop basse et trop calme dont Zoé connaissait sans doute les suites car elle recula, et continua de reculer à petits pas, en marquant des pauses, jusqu'à la cuisine où elle s'engouffra.

Saint-Méry se retourna vers Jeanne :

« A présent, si vous n'êtes pas fatiguée, voulez-vous faire le tour de l'habitation ? » proposa-t-il.

Il ajouta : « Après dîner, il fera trop chaud », mais

Jeanne eut l'impression qu'il désirait reculer le moment où il la conduirait à l'étage.

« Prenez donc les chevaux, conseilla don José. Moi, j'ai déjà tout vu l'autre fois. Je vous attendrai au frais sous la varangue, en buvant du jus-soleil. »

Ils chevauchèrent au pas et en zigzag pendant une bonne demi-heure, puis Saint-Méry se dirigea vers le bord de l'étang, mit pied à terre :

« Que penseriez-vous d'une halte ici ? »

Jeanne sauta de cheval sans attendre son aide.

« Cet endroit est très pittoresque, dit-elle. Je l'aime.

– C'est ce que j'ai de mieux à vous montrer, parce que l'eau se remet très bien des ouragans et ne souffre pas de la paresse des hommes. Car pour le reste...

– Vous me l'avez très bien raconté. »

Il eut un sourire – il avait toujours le même sourire, fréquent, gentil, un peu ironique, qui lui remontait en tristesse dans les yeux :

« Oui, dit-il, bien que je perde parfois la mémoire je suis encore le meilleur témoin des charmes passés de Quatre-Epices; pour en jouir il faudrait m'acheter en même temps que l'habitation ! »

Elle le fixa, mais lui détourna tout de suite son regard pour le reporter vers l'eau tranquille, sur laquelle il se mit à voguer au gré d'une famille de canards nonchalante.

L'étang était un vaste ovale, dégagé du taillis d'alentour sur la moitié de son pourtour. Il y avait une petite île rocheuse au milieu, plantée d'un seul figuier, et une barque amarrée à l'île, dans laquelle deux Noirs assis pêchaient à la ligne. Trois autres Noirs, allongés sous le figuier, les regardaient pêcher.

« Ce sont vos Noirs ? demanda Jeanne.

– Oui, ce sont mes esclaves, dit Saint-Méry après un nouveau sourire. On ne m'a pas donné l'autorisation de les affranchir [1], alors il faut bien que je les garde.

– Que sont devenus les autres ? »

Elle hésita, ajouta :

« Il paraît que vous en aviez plus de trois cents ?

– A peu près. Le cyclone en a tué quelques-uns, les autres ont été revendus à des planteurs plus chanceux que nous. Ici, pas une case n'a tenu. Le camp des Noirs avait été placé entre deux collines, sous le vent... C'est une bonne idée pour que ses odeurs soient balayées, mais quand le vent se fâche il balaie tout. »

Jeanne tourna la tête vers les pêcheurs :

« Et ceux-ci sont demeurés pour vous servir ? »

Saint-Méry se mit à rire franchement :

« Comme vous le voyez ! dit-il. Mais j'ai appris d'eux à vivre sans service parce que sans besoins. Les Noirs sont de grands philosophes. Ils ne demandent à la vie que ce qu'on en peut tirer sans fatigue : du temps, de l'espace, des bananes, de l'amour, de la musique... Un beau gourami [2]. Aimez-vous le ragoût de gourami au cari ?

– Ma foi, je ne le sais pas.

– C'est la meilleure chose du monde, et qui ne coûte ici qu'un moment de bonne humeur à Nénéne; cuisiner du bon la met de bonne humeur. »

Il alla cueillir une feuille de bananier, la secoua, l'étala sur une buttée d'herbe sans épines :

« Asseyons-nous ? »

L'air chaud de midi bourdonnait, dansait, brillait d'insectes. Jeanne n'avait jamais vu autant de demoiselles. Les demoiselles du bord de l'étang de Quatre-Epices étaient superbes, avec un très long corps couleur de violette et une tête en pierre précieuse, rouge rubis, qui flamboyait dans le soleil. Jeanne s'extasia :

---

1. L'affranchissement était sévèrement réglementé par une ordonnance royale de 1723.
2. Poisson d'étang.

« Je n'ai jamais vu demoiselles aussi magnifiques ! »

Au même instant, l'une d'elles fondit sur un ravissant papillon noir à taches bleu céleste, le saisit, l'étouffa, l'emporta.

« Oh ! fit Jeanne. J'aimais bien aussi le papillon.

– Il y en aura un autre, dit Saint-Méry. Quatre-Epices est redevenu le paradis terrestre : on y peut sans souci tuer à sa faim; il reste toujours un autre papillon, un autre cerf, un autre lièvre, un autre gourami pour le lendemain. »

Elle tenta de trouver une suite à ce qu'il venait de dire dans le regard de Saint-Méry, mais n'y traversa que fumée bleue flottante.

« Monsieur de Saint-Méry, appela-t-elle doucement, pourquoi voulez-vous vendre Quatre-Epices ? »

Cette fois, l'œil bleu accommoda sur sa voisine :

« Mademoiselle, c'est vous, qui voulez l'acheter.

– Mais vous êtes prêt à me dire oui ?

– Oui, si vous menez la Compagnie jusque-là. Je veux dire : si vous obtenez de me donner à moi l'argent que vous devriez donner à la Compagnie, sans qu'ensuite la Compagnie vous reprenne le bien ou me reprenne l'argent. »

Jeanne adoucit sa voix encore davantage :

« Vous m'expliquez fort bien, monsieur, comment je devrai acheter Quatre-Epices. Vous ne m'expliquez pas pourquoi vous accepteriez de me le vendre ?

– On ne rencontre pas tous les jours une personne qui puisse réussir le tour de passe-passe de vous rendre riche impunément quoique indûment.

– Et... vous avez envie d'être riche ?

– Pas du tout. Mais j'ai moins envie encore d'être un jour chassé gratuitement de chez moi. On ne sait jamais : je connaissais la Compagnie, je ne connais pas le Roi.

– Je comprends, dit Jeanne. Mais... Quatre-Epices vendu, où iriez-vous ? »

La main droite de Saint-Méry eut un geste mou, de feuille au vent :

« J'aurai de l'argent. L'argent est un logis.

– Retournerez-vous en France ? »

Il parut très surpris :

« En France ? Pour quoi faire ? Je suis né ici. Pas à Quatre-Epices, qui n'existait pas encore, mais dans l'île. Vous ne le saviez pas ?

– Si. Mais je pensais... »

Saint-Méry secoua la tête :

« Mes parents sont morts. Mes sœurs... J'ai eu cinq petites sœurs. La benjamine est là-bas... »

Du menton il avait désigné l'île du milieu de l'étang. Il se tut un moment, reprit :

« Le cyclone. Il a fait beaucoup de victimes.

– Et vos autres sœurs, que sont-elles devenues ?

– L'aînée est morte en couches. La plus jolie a pris le parti de bien vivre en dépit de sa pauvreté. Les deux autres ont de la morale au fond de la Touraine, chez une tante de bonne volonté, où elles attendent que je leur envoie des dots... quand j'aurai relevé la plantation !

– Je comprends », dit Jeanne une seconde fois.

Le bout de confidence de Saint-Méry l'avait rassérénée. Il avait besoin de son argent pour marier ses sœurs; elle se sentait absoute du péché de désirer. Quatre-Epices, presque absoute. Elle demanda :

« Ainsi, vous n'iriez pas vous-même porter leurs dots à vos sœurs ? Vous n'avez pas envie de voir la France ? De connaître Paris ?

– Je le connais. On m'a envoyé au collège en France quand j'avais onze ans. Les Saint-Méry, alors, étaient dans l'aisance. Tous les colons aisés expédient leurs fils en France dès qu'ils atteignent l'âge de se trop plaire avec les négresses. »

Il sourit d'une demi-bouche, acheva :

« Heureusement, quand les fils reviennent de France les belles négresses sont toujours belles.

– A Paris, vous n'aviez donc fait que vous ennuyer ?

– Paris est beau, gai. Mais une ville sans Noirs... Je me demande comment on peut vivre dans une ville sans Noirs, dans un pays sans Noirs, dans une maison sans Noirs ? Il me manquait la moitié de moi-même. »

Comme Jeanne ouvrait plus grand ses yeux sur lui, Saint-Méry essaya d'expliquer :

« Nous autres créoles avons sans doute sucé le besoin de la présence noire en même temps que le lait de nos nénénes. »

Jeanne porta son regard sur les pêcheurs : la barque était vide. Comme cela ne mordait pas – il était bien trop tard dans la matinée pour prendre du poisson –, les deux Noirs étaient allés s'allonger auprès des trois autres, sous le figuier. Ils mangeaient des gâteaux de manioc.

« Et eux ? dit-elle. Qu'en feriez-vous ? Me les laisseriez-vous ?

– Seigneur ! vous m'en maudiriez ! s'exclama Saint-Méry. Ils sont vieux et ils sont gâtés. Je les renverrai en fraude dans leur Grande Ile. Je connais un patron de barque bon passeur; il est cher mais il est chrétien : il n'empoisonne pas sa cargaison pour s'en défaire vite dès qu'arrivé au large.

– Et vous renverriez aussi là-bas Nénéne et Zoé ?

– Je ne crois pas qu'elles voudraient me quitter. »

Il poursuivit sa pensée en silence, finit par reprendre :

« Je ne suis pas même certain que les hommes voudront partir. Comme tous les madécasses ils en rêvent, et ceux-ci depuis des lustres, mais... Voyez-vous, mademoiselle, même les Noirs qui nous haïssent ne nous haïssent pas parfaitement. Et pour achever de nous compliquer la vie, certains nous aiment.

– Je voudrais tant, si j'en possède un jour, que mes Noirs m'aiment, dit Jeanne avec élan.

– Vous avez votre chance, dit Saint-Méry. Il y a dans votre voix un grand pouvoir de caresse. »

Elle rougit, et lui en sembla tout intimidé. Il y eut un long silence, puis une chenille tomba d'un eucalyptus dans les cheveux de Jeanne, Saint-Méry se remit debout pour la lui ôter, et, au lieu de se rasseoir, lui tendit ses deux mains :

« Et si, maintenant, je vous montrais l'étage de la maison ? » proposa-t-il.

Don José devina qu'il fallait les laisser monter seuls.

Six portes, régulièrement espacées, donnaient sur le long couloir de desserte. Saint-Méry ouvrit la première :

« Ma chambre, dit-il.

– Oh ! non, je vous en prie, dit Jeanne en reculant. Voir les autres me suffira. »

Saint-Méry ouvrit la seconde porte, la troisième, la quatrième :

« Les chambres de mes sœurs. Entrez... »

Une rumeur d'hier frappa Jeanne au cœur. Les pièces étaient entièrement vides pourtant. Du décor des demoiselles de Quatre-Epices ne restait que la tenture indienne fanée et trouée à larges motifs d'oiseaux bleus. Mais l'air – un air de jadis, tout parfumé de mémoire – palpitait encore d'une vie d'ombres en robes claires qu'on avait brusquement arrêtées de vivre en plein bonheur, peut-être même entre deux fous rires, entre une tasse de chocolat et la lecture d'un billet doux.

« Chaque chambre possède son cabinet de commodité », dit la voix de Saint-Méry.

Jeanne sursauta, jeta un coup d'œil dans un cabinet, passa dans les deux dernières chambres. Dans celle de Mme de Saint-Méry, où des lambeaux de soie chinoise à pivoines rouges pendaient aux murs, on avait laissé une armoire de belle menuiserie locale, en bois de citronnier. Saint-Méry l'ouvrit pour montrer un harmonieux aménagement de planches et de tiroirs, et Jeanne demeura les yeux figés devant l'armoire béante, comme si elle y voyait, bien pliée, bien rangée, taillée dans le linon et la dentelle, toute l'intimité de la dame morte de Quatre-Epices. Saint-Méry ne se trompa pas sur l'air de sa visiteuse, demanda en souriant :

« Aurais-je par hasard, et sans m'en apercevoir, le talent de faire sortir des fantômes de l'armoire de ma mère, tout comme un magicien fait sortir des lapins de son chapeau magique ?

– C'est bien cela, dit-elle en lui souriant à son tour. Votre maison, on a envie de se l'appliquer à l'oreille, pour l'écouter comme on écoute un coquillage.

– J'espère que vous aurez un jour tout le temps de le faire », dit-il après avoir marqué un silence.

Il referma le meuble, s'y adossa pour faire face à sa visiteuse, ajouta une phrase qui la bouleversa :

« Je souhaite que vous réussissiez à m'ôter Quatre-Epices, mademoiselle. »

Le regard de la sensitive s'embua, devint liqueur de miel.

« Un homme ne peut rien pour une maison, dit encore Saint-Méry. Autour d'un homme une maison se met vite à ressembler au café du port.

5

Ils rentrèrent de Quatre-Epices juste à temps pour assister au souper d'adieu que le gouverneur offrait aux officiers de l'*Etoile des Mers.* Quand on se leva de table, Jeanne s'approcha de don José :

« Ne m'emmèneriez-vous pas faire quelques pas dehors ? Je meurs de chaleur.

– Et aussi de l'envie de rêver à Quatre-Epices tout haut », dit-il en lui offrant son bras.

Il avait plu mais, maintenant, la lune perçait. Un arc-en-ciel nocturne féerique s'était formé, qui devait enjamber le jardin de l'Enfoncement. Jeanne contempla longuement le segment qu'elle en voyait :

« Les ciels de nuit de ce pays ne me lasseront jamais, dit-elle.

– C'est dommage », soupira don José.

Jeanne pesa sur le bras de l'Espagnol :

« Don José, ne prenez pas contre moi le parti de M. Aubriot. Je désire vraiment m'établir dans l'île. Quatre-Epices est un si bel endroit ! Il suffit d'aller s'asseoir sur l'une de ses collines pour voir la mer. Don José, je n'habiterai jamais plus un endroit d'où l'on ne peut pas voir la mer. »

Don José retint mal un mouvement d'irritation, dit avec vigueur :

« J'imagine très bien cela : dame Jeanne montant à sa colline soir et matin comme la sœur Anne de votre conte de Barbe-Bleue montait à sa tour, dame Jeanne fixant l'horizon jusqu'à ce qu'enfin la voile de ses rêves y blanchisse. Oui, j'imagine assez cela, mais j'aperçois moins bien la suite ! Remerciez Dieu, amiga, d'avoir tourné de telle sorte les vents du Port-Louis qu'on n'y puisse entrer qu'en se touant [1] bien patiemment; cela vous donnera le temps de préparer M. Aubriot à recevoir sans trop de surprise l'époux qui vous sortira soudain des flots tout épousé ! Pour moi, m'amie, je n'assisterai pas à la rencontre, s'il vous plaît. J'aurai été terrer loin ma honte de vous avoir si mal gardée de vous-même. Si mon ami Vincent vient m'en demander raison je lui tendrai ma poitrine, et trouverai très juste qu'il me l'embrochât. Moriré como un impio.

– Don José, je...

– Jeannette, je suis malheureux, coupa-t-il. J'aime

1. En se halant à d'autres navires.

Vincent, j'estime Aubriot, j'ai de la tendresse pour vous, et je ne fais que manquer à tous ces sentiments.

– Don José, laissez-moi tenter de vous expliquer...

– M'expliquer ? s'écria-t-il. Une femme peut-elle vraiment expliquer son infidélité ? ! Un homme ne sait au plus que la cacher.

– C'est qu'un homme infidèle est vraiment infidèle », dit Jeanne.

Don José, abasourdi, s'arrêta de marcher pour la fixer de face.

« Je serais curieux de vous entendre développer ce point de morale comparée », dit-il.

Jeanne soupira, murmura : « C'est difficile », réfléchit et finit par dire :

« D'une maîtresse à l'autre un homme ne change pas. Tandis que la Jeanne de M. Philibert n'est pas la Jeanne du chevalier Vincent – voilà.

– Répétez-moi cela, voulez-vous ? » pria don José.

Elle le lui répéta, ajouta :

« Vous comprenez ?

– J'essaie, dit-il. Et il reprit après un moment :

– J'essaie vraiment, Jeannette, mais en dépit de ma bonne volonté votre conduite me scandalise ! »

Elle eut un tout petit haussement d'épaules découragé :

« Je le vois bien, dit-elle avec tristesse. Sans doute suis-je la seule à pouvoir comprendre que je ne trompe ni M. Aubriot, ni le chevalier.

– Ça oui, je vous assure ! Et je crains bien qu'à eux-mêmes surtout vous ne puissiez le faire comprendre ! »

Il l'arrêta dans une plage de lune, lui saisit les deux mains qu'il pressa entre les siennes, parla avec véhémence :

« Jeannette, petite sœur mía, vous si jolie, si douce, si tendre, vous aux regards sans détours, à la voix si sincère, se peut-il qu'ainsi faite pour le bonheur le plus clair vous vous complaisiez à vivre entre deux mensonges ?

– Oh! don José, comment osez-vous appeler « mensonges » ce qui m'arrive? Avez-vous jamais ressenti l'amour comme un mensonge? »

Du bout des lèvres, il lui effleura la tempe :

« Qué lio! » soupira-t-il. Puis son gros bon sens d'homme surmonta son émotion et il demanda :

« Tout de même, si vous ne l'appelez mensonge, comment appelez-vous le soin que vous prenez de taire à M. Aubriot ce que vous avez vécu avec Vincent? »

Elle répondit d'un ton net :

« Je l'appelle pudeur.

– Pudeur, répéta don José. Por qué no? Moi aussi, après tout, je préfère ce mot. Il ne résout rien, pourtant. Il faudra bien qu'un jour vous en sortiez. »

En passant devant les fenêtres des salons du Gouvernement ils laissèrent leurs regards s'éparpiller sur les silhouettes chatoyantes qui se mouvaient dans la lumière, aperçurent Aubriot. Le médecin s'entretenait avec animation avec MM. de Cossigny et Céré, les deux fervents botanistes créoles dont il s'était déjà fait des intimes. Jeanne eut un sourire pour le bel habit de soirée de Philibert, en velours de soie noir cannelé, sobre, mais fort élégant. Ce velours finement cannelé, c'était un choix de Jeanne.

« Don José, ne trouvez-vous pas que M. Aubriot est superbe dans son nouvel habit? demanda-t-elle d'une voix ravie. Il n'a jamais été aussi bien. Le noir du velours a de la dignité, mais sans faire sévère. Puis, comme moi, le soir, j'aime à me mettre en clair – en blanc, en rosé, en pêche... – auprès de son habit d'un noir si doux je ressors à merveille. »

Don José lui lança un coup d'œil de biais, narquois :

« Ma foi si, dit-il, M. Aubriot, ce soir, ne s'assortit pas mal à votre toilette. Vous avez bien fait de le prendre pour venir souper.

– Oh! voyons », fit-elle, très choquée.

Il lui jeta un nouveau coup d'œil plus chargé :

« Jeannette, aimez-vous toujours cet homme ?

– « Cet homme » : comme vous dites cela ! Vous le dites comme si M. Aubriot n'était qu'un homme parmi les hommes, que j'aurais un jour choisi pour l'aimer !

– Donc vous l'aimez toujours, dit-il après un silence. Emilie prétend que vous l'aimez toujours de même façon. Et que vous n'en aimez pas moins votre chevalier. Emilie croit que, n'était la peur qui vous étreint de perdre l'un ou l'autre, vous vivriez fort heureuse entre vos deux amours dès l'instant que vous les pourriez empêcher de s'entre-tuer. »

Elle supplia doucement :

« Ne me jugez pas légère, don José. Je ne suis pas légère.

– Certes non ! s'exclama-t-il. Quand un poisson posé entre deux chats ne rêve que d'y demeurer ce n'est pas légèreté de sa part : c'est innocence !

– C'est bien cela, don José : je suis innocente de ce qui m'arrive, dit-elle avec gravité.

– Eh bien, soit, Jeannette : pour l'heure je vous innocente et, pour l'avenir, à la grâce de Dieu ! Il ne vous rend pas toujours le lendemain les peines dont on n'a pas voulu la veille. Mañana, mañana – c'est le mot le plus beau de la langue espagnole. Mais m'amie, si vous conserviez votre fortune en or plutôt que de la mettre en terre, l'avenir vous serait plus facile à vivre à l'impromptu. Car enfin, votre projet d'établissement dans l'île ne me paraît s'accorder à aucun de vos... Du diable si je sais comment dire avec courtoisie ! Bref, votre projet ne s'accorde ni au docteur Aubriot ni à Vincent. Pour ce que j'en sais, le docteur compte bien, sa mission achevée, repasser en France; et quant à votre corsaire, je vous défie d'en jamais faire un planteur bien tranquille. Ainsi donc, m'amie, une chose au moins paraît sûre et c'est que votre Quatre-Epices n'ira à personne.

– Mais si : à moi, il m'ira, dit Jeanne paisiblement. Moi aussi, don José, j'existe. A Paris j'avais

La Tisanière. A l'Isle de France je veux Quatre-Epices. »

Don José poussa un soupir résigné :

« Hombre ! si tu as une femme tu n'as pas besoin d'une mule », récita-t-il.

Elle lui pressa le bras :

« Ecoutez un peu... Il faut qu'une femme de marin soit une nostalgie agréable ou une femme oubliée. J'ai appris cela en mer. En mer j'ai appris que les deux réconforts du marin sont un bon coup d'eau-de-vie et l'image d'un jupon dans une maison. Il n'y a pas plus fidèle qu'un marin à sa nostalgie familière; à côté d'elle, ce sont les hôtesses des ports qui manquent de réalité. Je veux être la nostalgie de Vincent. Et je veux lui en faire une très jolie, en jupon de mousseline claire dans une belle maison parfumée à la frangipane et entourée d'un éternel été en fruits et en fleurs. »

Elle marqua une pause en fronçant les sourcils : le riant manoir de Pauline de Vaux-Jailloux venait de lui apparaître, si douillet à la mémoire. Elle secoua la tête pour s'en débarrasser, acheva :

« Je veux être une nostalgie assez prenante pour lui détruire toutes ses nostalgies passées.

— Cela ne m'étonne pas, dit don José. Une femme amoureuse est sûre que son amour lui donne tous les droits, même les plus cruels. Eh bien, amiga, je me rends : ayez Quatre-Epices et faites-en la terre promise de votre chevalier. »

Il ajouta, d'un ton âpre :

« J'espère qu'elle ne plaira pas trop à Emilie.

— Pourquoi dites-vous cela ?

— Parce que j'aime ma quinta. J'aime la pampa couverte de chevaux à dix sols. J'aime la côte de bœuf rôtie. J'aime entendre des voix espagnoles. J'aime le café Pulperia, les couchers du soleil sur le rio de La Plata, le maté, les bons cigares, le mauvais vin du Chili, les guitares, la calenda...

— Et vous aimez aussi Emilie, qui ne va pas avec

le reste, coupa Jeanne. Ne me reprochez donc plus jamais mes contradictions, don José : vous avez les vôtres.

– Si. Après tout, si. »

Il eut un rire qui se moquait, demanda :

« Savez-vous ce qui se dit chez nous ?

– Un proverbe, dit Jeanne. Mais lequel ? Je donne ma langue au chat.

– La femme est une catastrophe pour l'homme, que Dieu fasse qu'il y ait une belle catastrophe pour chaque homme. »

Avant de repasser dans les salons, Jeanne ôta son châle et le jeta sur l'épaule d'Adèle, qui tenait déjà le châle d'Emilie.

Don José avait fini par obtenir de la créole de Mongoust qu'elle lui vendît – hors de prix ! – Adèle, sa plus belle Noire. La belle Adèle faisait une suivante très décorative pour Emilie et Jeanne. Elle ne les lâchait pas d'une semelle, surtout quand il s'agissait de garder leurs châles et leurs boîtes à mouches dans la coulisse d'une soirée en se faisant peloter par les valets du gouverneur.

Jeanne sourit en voyant qu'Adèle recevait son châle sans même se détourner. Sans remuer ni bras ni pieds la fille dansait de la croupe au seuil du salon, la bouche entrouverte de bonheur, les yeux rivés au spectacle qu'offrait la distinguée cohue des invités de M. Desforges-Boucher. Machinalement Jeanne suivit le regard d'Adèle qui s'était fixé sur un coin du salon et se mordit la lèvre : le docteur Aubriot coquetait très ouvertement avec Mme Manon, tentante comme une grosse prasline dans sa robe rose. La veuve joyeuse du conseiller Le Juge savait rire en gonflant son cou, cela rappelait à Jeanne les rires de colombe grasse d'Etiennette de Rupert et l'usage d'appeau qu'en savait faire la mère de Marie. « C'est trop fort, pensa-t-elle, outrée.

Il suffit donc qu'un cotillon lui fasse la cour pour qu'il y réponde ? » Sa bouffée de jalousie fut si vive qu'elle atteignit Adèle : la Noire tourna la tête, vit que Jeanne avait vu, lui toucha le coude, gloussa :

« Les zyeux mamzélle c'est pas zépingues, c'est scorpions ! Maâme Manon gagné malade. Mais ça bon ! Bisoin moussié docteu'.

– Sotte ! jeta Jeanne, furieuse d'être devinée. Serais-tu en train de t'imaginer que M. le docteur prête attention aux coquetteries de ton ancienne vieille maîtresse ?

– L'âze compté pas, ricana Adèle, toute réjouie de verser de l'huile sur le feu. Les zhommes ti dire c'est dans vieil pot ti faire bon la soupe. »

Adèle prit un soufflet sur les fesses – en frétillant de méchanceté accomplie.

6

SAINT-MÉRY voulait qu'on lui donnât cent soixante mille livres de Quatre-Epices. C'était pour rien ; la valeur des grands fonds s'était envolée bien au-delà, et Quatre-Epices couvrait trois mille sept cents arpents – en bois et friche il est vrai, mais tout de même. On voyait bien que l'acheteuse plaisait à M. de Saint-Méry, et qu'en essayant de lui vendre ce qui ne lui appartenait pas, le vendeur, honnêtement, entendait ne voler que son créancier. Encore fallait-il pouvoir le faire.

Les fraudeurs, prudents, décidèrent de ne pas même tenter leur coup avant l'arrivée de l'intendant du Roi, que Jeanne assurait pouvoir mettre de leur côté. Mais l'hiver s'avançait, on était déjà presqu'à la mi-juillet et M. Poivre n'était toujours pas là, bien qu'à la fin de l'année 1766 une lettre du duc de Praslin eût promis l'arrivée de ses gens pour le mois de mai 1767. L'inquiétude quant au sort du *Dauphin* commençait de beaucoup grandir dans la colonie lorsque enfin, le 14 juillet, le gouverneur nommé par Louis XV débarqua au Port-Louis et rassura tout le monde en annonçant que le *Dauphin* le suivait.

Dans l'île, on s'étonna un peu que le nouveau gouverneur et son intendant eussent choisi de naviguer séparément puisqu'ils devaient gouverner de concert. On ne pouvait pas savoir que les deux cogérants du Roi s'étaient aperçus dès Lorient qu'ils ne se pouvaient souffrir et s'entendaient d'autant mieux qu'ils se rencontraient moins. Le 14 juillet 1767, c'était un gouverneur d'excellente humeur qui posait ses premiers pas sur le sol de son fief, puisque son intendant ne lui marchait pas sur les talons : la fête avait lieu pour lui seul.

Pour lui seul, la foule curieuse, bruyante, joyeuse. Pour lui seul, les vingt et un coups de canon tirés par les batteries du port, le grand pavois affiché par les vaisseaux en rade, les tambours battant aux champs et la double haie d'honneur formée par la garnison lustrée-briquée, depuis le débarcadour jusqu'à l'église où fut chanté le *Te Deum.* Dès le lendemain, le nouveau maître de l'île reçut en grande pompe le défilé des corps civils et militaires venus présenter leurs respects, et parut ravi au souper et au bal que lui offrit ensuite M. Desforges-Boucher. Il accueillit avec un plaisir béat les courbettes des îliens les plus distingués et les sourires des plus jolies îliennes, tendit une oreille empressée aux premiers commérages et aux premières allusions aux « bonnes affaires » qui rapporteraient des milliers de piastres, si leurs inventeurs se pouvaient enfin placer sous l'œil bienveillant d'un gouverneur plus adroit, plus compréhensif, mieux informé, bref, plus soucieux des « vrais » intérêts de la colonie que ne l'avait été M. Desforges-Boucher. L'homme du Roi vivait sa lune de miel avec son île, l'île se donnait à lui avec tout son art de putain à militaires et le militaire, charmé, bombait le torse et répondait aux avances en roitelet couronné du jour, avec une bouche d'or. Ses paroles et ses promesses, pour ainsi dire estampillées par le roi de France, ouvraient aux Français quelque peu oubliés de la mer indienne une ère de douceur de vivre à la versaillaise, en assistés de Sa Majesté. La Compagnie était morte, vive le Roi ! Nul ne pleurait le règne défunt, tout trinquait au règne neuf : présenté dans son costume de vache à lait, Louis XV emportait tous les cœurs. Jusqu'au 16 à l'aube, chacun et tout le monde fut enchanté de son nouveau gouverneur. Et puis le 16, à sept heures du matin, M. Dumas commença de s'installer dans ses aises à l'Hôtel du gouvernement – c'est-à-dire à vider les lieux de tout ce qui le gênait, corps et biens. Les premiers pleurs jaillirent, et les premiers grincements de dents : la lune de miel avait été courte, le repos d'un soldat n'est jamais long.

Son Excellence le colonel Jean-Daniel Dumas, premier commandant général au nom du Roi des Isles de France et de Bourbon, avait pris, dans ses guerres, l'habitude de se vite loger là où il arrivait, de son mieux et sans ménagements. De son passé de grand soldat très décoré il avait tout gardé : le sens de l'honneur, la bravoure et le dévouement à son roi, la morgue, un respect immodéré de son autorité et donc une irritabilité extrême à tout avis contraire au sien, une passion vétilleuse pour l'ordre hiérarchique et la paperasserie en trois exemplaires, du goût pour l'action plutôt que pour son résultat, une tête de bois avec des idées justes ou fausses mais têtues en tout cas, une moelle épinière droite et roide, le menton en proue, l'éperon toujours sonnant et la cravache toujours à la main, le verbe rêche et un besoin pervers de voir son prochain debout devant lui, immobile et muet et présentant armes.

« Les grenouilles qui se plaignaient de ma nature bonhomme devraient se trouver heureuses : les voilà avec un vrai roi au Gouvernement », pensa Desforges-Boucher. Puis il pria son secrétaire de faire au plus tôt rassembler son bagage, pressé qu'il se sentait soudain de partir pour sa terre de Gol en Bourbon, où il comptait faire retraite. Après quoi il passa chez le docteur Aubriot, lui conseiller de demander l'hospitalité à Mongoust plutôt que de risquer de se laisser bousculer par le sans-gêne du nouveau locataire de l'Hôtel. Aubriot eut un haut-le-corps :

« Monsieur, je suis le naturaliste nommé par le Roi auprès de l'intendant de ces îles ! »

Desforges-Boucher balaya la remarque d'un geste désabusé :

« Monsieur, l'intendant n'est point encore là, et mon successeur ne me semble pas homme à faire grand cas d'un collectionneur de nature, si distingué soit-il. Je vous gardais par égoïsme, pour mon plaisir, sachant pourtant que vous seriez mieux à Mongoust, où madame Manon m'a dix fois proposé de vous loger. La dame est bonne comme une meringue. Comme une meringue aussi elle est légère, mais la réputation de légèreté sied à une créole et... »

Jeanne, qui dans la chambre voisine était en train d'écrire en belle ronde *Euphorbia thymifolia* au bas d'une planche de petite rougette, n'attendit pas d'en avoir entendu davantage : elle sortit sans bruit et s'en fut à la recherche du terrible M. Dumas. Elle eut le plus grand mal à se faire recevoir par le gouverneur mais, une fois dans son bureau, ce fut lui qui la retint plus que nécessaire; Mlle Beauchamps savait donner à la botanique un attrait dont M. Dumas ne l'aurait jamais soupçonnée. Jeanne ressortit de son entretien avec le sourire : le docteur Aubriot n'aurait pas à aller vivre dans les jupes de Mme Manon.

« Bravo », laissa tomber Aubriot, froidement, quand elle le lui apprit.

Jeanne l'observa qui continuait de se pencher à la loupe sur la splendeur d'un *Vanessa Radama* [1], dit à voix de sirène :

« Monsieur Dumas m'a paru tout à fait conscient

---

1. Un beau papillon.

de l'importance de votre mission, et très pénétré de vos mérites. »

Le savant releva la tête :

« Je t'en prie, dit-il en la fixant d'un œil plus noir que nature. N'ajoute pas de la charité à tes bons offices de courtisane.

– Oh ! fit-elle, ulcérée. Courtisane ! Avez-vous vraiment dit : courtisane ?

– J'essaie de toujours employer le mot juste, dit-il en retournant à son papillon. Comment nommerais-tu la dame qui s'en va faire révérence et douceur d'yeux au roi pour en obtenir une faveur ?

– Vous savez fort bien, monsieur, que pris dans ce sens le mot courtisan n'a pas de féminin, ce qui prouve, selon moi, que bassesse et flagornerie sont prévues seulement du côté masculin ! » dit-elle avec vivacité.

Aubriot esquissa un sourire :

« La courtisane a bien assez de son charme, dit-il. A propos, n'use pas tout le tien sur le gouverneur, garde-t'en une bonne part pour l'intendant; hiérarchiquement, c'est de lui que je dépends. »

L'approche du *Dauphin* fut signalée le 17 août à l'aube, et la ville, aussitôt, se remit en liesse. Dumas réfréna avec passion la mise en place de toutes les marques d'honneur qu'il trouvait déplacées pour l'accueil d'*un second,* mais ne put empêcher la ruée allègre vers le navire entrant en rade – qui pouvait empêcher cela au Port-Louis ? Dès qu'une voile apparaissait sous la pointe aux Canonniers, toute une population bariolée commençait de couler vers le rivage, pour ne rien manquer du divertissement. Si bien que d'emblée l'île offrait, à ceux qui allaient y débarquer, toute la variété de son paysage humain fait de madécasses couleur d'olive, de lascars aux visages de bronze enturbannés de rouge et de vert, de petits malais vifs et cuivrés, de grands mozambiques aux gros regards doux, d'affranchis malabars superbes dans leurs longues robes de mousseline, de sénégambiens noirs comme jais. Et il y avait encore les deux Chinois ombragés de leurs pagodes de paille, nattes et moustaches tombantes, qui venaient pour acheter ou vendre, leurs boutiques pendues à l'épaule aux deux bouts d'un bambou arqué. Et puis tous les « petits Blancs » de la basse ville, et puis les soldats, et puis les négresses en beaux jupons fleuris et aux madras éclatants de joie. Tout comme le gouverneur Dumas – et en dépit de lui – l'intendant Poivre allait toucher terre devant le public des grands jours.

Au fur et à mesure que s'échauffait la matinée, l'affluence des gens de qualité devenait forte aussi. Maintenant, tous les uniformes du Port-Louis étaient dehors, mêlés aux habits de soie des gentilshommes, aux habits de coton des bourgeois, aux robes claires des dames et des demoiselles. Et il en arrivait encore, parce que, depuis l'aube, la nouvelle de l'approche d'une flûte de la Royale avait eu le temps d'atteindre les habitations de Moka, des Pamplemousses et des Plaines-Williams.

Le *Dauphin* mouilla ses ancres à onze heures.

Emilie crispa ses mains l'une sur l'autre quand elle vit la chaloupe du bâtiment descendre à la mer, hisser son pavillon, prendre à son bord le capitaine et trois autres passagers. Elle se resserra contre Jeanne :

« Je vais rentrer, murmura-t-elle. Je n'aurais pas dû venir. Je trouve d'assez mauvais ton la badauderie qui sévit dans la société d'ici. »

Jeanne la regarda avec surprise :

« Il s'agit d'une réception officielle, dit-elle. Tout le monde est là. Puis n'avez-vous pas envie de...

– Non ! coupa nerveusement Emilie. J'irai au *Te Deum,* mais je n'irai pas saluer les Poivre. M. Poivre ne m'a jamais vue, mais me retrouver face à face avec Françoise Robin – avec Mme Poivre... Les demoiselles Robin venaient souvent aux messes de Neuville. »

Jeanne passa son bras sous celui de son amie :

« Ne vous sauvez pas, Emilie. A quoi bon ? Vous ne pourriez fuir longtemps devant Mme Poivre. Le gouverneur n'est pas marié. Françoise sera la première dame de l'île.

— Je le sais, dit Emilie. Mais je préfère n'avoir pas à répondre à ses étonnements. Voyez-la d'abord, Jeannette. Racontez-lui... ce que vous voudrez. Et qu'elle en retienne surtout qu'ici je me nomme doña Emilia, sans plus de précision.

— Je me souviens de Françoise Robin comme d'une jeune fille fort timide, douce et très réservée, dit Jeanne. Pourquoi penser qu'elle aimerait vous trahir ou vous humilier ?

— Je ne pense pas cela, dit Emilie. Je me sens mal à l'idée de la voir parce qu'elle fait partie de ma vie... morte. Je ne veux pas qu'elle me parle de Neuville. Mais je ne suis pas certaine de ne pas l'en prier. »

Elle avait achevé sa dernière phrase dans un souffle. Sentant que Jeanne lui pressait le bras elle inspira profondément, murmura très vite mais résolument – comme si le fait d'être immergée dans une foule bruyante lui permettait de faire une confidence honteuse sans l'entendre assez elle-même pour s'en mépriser :

« Jeannette, il ne m'est pas plus facile d'être à la fois dame Emilie et doña Emilia qu'il ne vous est facile d'aimer deux hommes à la fois. Croyez que je suis fâchée de mon manque de sang-froid, mais... »

A ce moment, un remous se fit dans la foule, on entendit la voix d'un officier prévenir ses hommes de prendre garde à son commandement : la chaloupe du *Dauphin* allait accoster. Emilie se défit du bras de Jeanne :

« Je vais demander à don José de me reconduire à l'Intendance. J'y attendrai votre retour. Croyez-vous que le *Dauphin* vous apporte un paquet de la Dombes ? »

Le courrier avait été déchargé et distribué assez tard dans l'après-dînée.

Assises côte à côte sur deux chaises de canne, elles contemplaient en silence les feuillets maintenant éparpillés sur la table placée devant elles. Il y avait là trois écritures : celle de Mme de Bouhey, celle de Marie, celle de dame Charlotte.

« Je ne parviens pas à y croire, dit Emilie, et ce n'était pas la première fois qu'elle le disait.

– Et moi, je ne parviens pas à m'empêcher d'être un peu heureuse, bien que cela soit affreusement méchant, dit Jeanne. Marie... Ma pauvre douce Marie. Marie », répéta-t-elle une troisième fois en ne résistant plus à sourire au nom mais, en même temps, deux nouvelles larmes jaillirent de la buée de ses yeux.

Elle se sentait comme un arc-en-ciel, avec du soleil illuminant sa pluie légère.

« Ce n'est pas croyable, dit encore Emilie, et elle reprit en main la lettre de Marie.

– Je vous ai retrouvée dans le fin fond de la pampa de La Plata et vous voilà en Isle de France avec moi : ce n'est pas du tout croyable ! dit Jeanne. Que demain Marie vienne nous y rejoindre n'est guère plus incroyable. Sans doute existait-il, dans mon désir de petite fille rêvant de l'île indienne, une force assez violente pour nous pousser jusqu'ici toutes les trois ? »

Emilie reposa la lettre de Marie sur la table, laissa sa main peser dessus comme un presse-papiers :

« Moi, je dois encore toucher la nouvelle pour me la rendre réelle. J'ai encore peur qu'elle ne s'envole comme un songe... »

Marie allait arriver au Port-Louis, avec son frère Jean et sa fille Virginie !

Philippe Chabaud de Jasseron était mort. A Metz, où il s'ennuyait en garnison, l'époux de Marie s'était battu en duel avec un lieutenant pour les beaux yeux d'une bouquetière indécise, et comme, cette nuit-là, Jasseron avait bu plus que son adversaire, il n'avait pas eu de chance. Le drame avait eu lieu à la mi-octobre de l'année passée, peu après que Jeanne se fut embarquée pour la grosse aventure. La jeune veuve, douloureuse et humiliée, avait tout de suite quitté sa maison d'Autun avec sa fille pour s'en aller pleurer tout son soûl à Rupert, dans les bras de sa mère. Comme elle ne semblait pas pressée d'en ressortir, les Chabaud de Jasseron avaient fini par s'impatienter et réclamer de plus en plus âprement leur belle-fille et l'enfant de leur fils; vite, ils avaient parlé de rien de moins que de demander justice au Roi, et la garde de Virginie avec la tutelle du bien de sa mère. Mme de Rupert s'était aussitôt mise à rameuter les protections versaillaises sur lesquelles elle pourrait compter, mais au fond d'un château de la Dombes ce n'était pas facile et Marie s'inquiétait fort, quand, soudain, l'idée d'une échappatoire imprévue lui était venue par sa tante Saint-Girod.

A Lyon, la petite comtesse galante avait entendu M. Poivre parler avec enthousiasme de sa nomination aux Isles de France et de Bourbon et de ses projets pour la mise en valeur de son petit empire. Une question préalable à tout essor de la colonie semblait préoccuper le futur intendant, et c'était celle de son peuplement. Connaissant déjà bien l'Isle de France, Pierre Poivre savait quels habitants il y trouverait : les descendants plus ou moins pauvres ou découragés des premiers cultivateurs et des ouvriers jadis importés par Mahé de La Bourdonnais; de mauvais sujets exilés loin de la France par leurs parents; des employés, des matelots et des officiers de la Compagnie des Indes ou de la Royale demeurés là un jour dans l'espoir d'y faire fortune en commerçant ou en agiotant, mais surtout pas en grattant la terre; des marchands plutôt malhonnêtes, parce que tout marchand européen s'arrogeait le droit d'être malhonnête en passant la Ligne et que tout marchand oriental l'était de naissance; enfin tous les faillis, scélérats, fripons, aventuriers, aigrefins, déserteurs, voleurs et putains que la perte des comptoirs français de l'Inde avait rejetés dans le coin de France le plus proche, ruinés, amers, avides d'escroquer pour « se refaire » ou se faire enfin; et puis les esclaves, Noirs ou Indiens, et quelques affranchis. Tout cela ne promettait pas beaucoup de bras paysans dévoués au physiocrate convaincu qu'était Poivre, ni beaucoup de familles à établir sur des plantations, qui fussent un peu reluisantes et pourvues de quelque argent pour tenir les premières années sans compter entièrement sur la cassette royale. Poivre, déjà entré de cœur dans sa fonction d'intendant, prêchait donc la vie dorée aux îles indiennes dans les salons de Lyon, dans l'espoir d'emmener avec lui, sous les soleils des tropiques, un peu de bonne compagnie. Geneviève de Saint-Girod avait rapporté l'un de ses discours à Rupert.

Dans l'oreille de Marie, qui cherchait à fuir ses beaux-parents et portait dans sa poche de jupon la dernière lettre que Jeanne lui avait adressée avant de s'embarquer pour l'Isle de France, la parole de Poivre était tombée sur un tympan fertile. Mme de Rupert avait commencé par trouver fou le projet de sa fille, mais s'était rendue quand son fils Jean, lieutenant d'infanterie, lui avait assuré que son colonel pourrait le faire joindre au contingent militaire de renfort qu'avait exigé M. Dumas pour la défense du Port-Louis. Si Marie pouvait voyager sous la protection de son frère... La moitié de la modeste fortune de la jeune femme avait été, selon l'usage le plus courant, mangée par son mari en paiement de ses dettes, or M. Poivre assurait que, sous son règne, les colons des îles indiennes s'enrichiraient. Puis, une chose au moins était certaine, dont il se portait garant : les Chabaud de Jasseron n'obtiendraient pas gain de cause auprès du Roi, dès l'instant qu'une jeune Française bien née et point gueuse acceptait d'aller s'établir dans la colonie dont M. de Praslin entendait faire un établissement brillant, le « boulevard de France » de l'océan Indien. Et en effet, les Chabaud de Jasseron avaient fait chou blanc à Versailles, l'idée folle de Marie s'était mise à galoper vers le réel et, le 8 mars, quand le *Dauphin* avait enfin quitté Lorient en emportant les Poivre et le courrier de la Dombes, Marie savait déjà qu'elle s'embarquerait dans le même port le 14 avril suivant, avec sa fille et une femme de chambre, et en même temps que le contingent de soldats d'infanterie commandé en second par son frère. L'arrivée au Port-Louis de la flûte l'*Espérance* était prévue pour la mi-août – si les vents le voulaient bien, et avec la grâce de Dieu.

« Marie sera là pour le bal de la Saint-Louis, dit Emilie. Dieu ! Jeannette, pincez-moi ! Ah ! que j'ai envie d'entendre le rire de Marie ! Elle riait si bien. Mais peut-être ne saura-t-elle plus rire ?

– Même très malheureuse on ne parvient pas à l'être tout le temps, dit Jeanne. C'est même cela le plus triste, quand on y pense.

– Quel âge a Virginie ?

– Voyons... »

Jeanne compta sur ses doigts :

« Vingt mois, dit-elle. Non : vingt et un. Bientôt deux ans. Si elle ressemble à sa mère, elle sera déjà mignonne.

– J'espère que Paul tombera amoureux de cette petite sœur et se conduira en grand frère courtois, dit Emilie. Cela lui vaudra mieux que de tourmenter son négrillon. »

Jeanne observa son amie, hésita, dit enfin:

« Pensez-vous que don José voudra bien demeurer dans l'île assez longtemps pour permettre à Paul de s'attacher à cette petite sœur-là ? »

Emilie eut un frémissement, crispa ses lèvres :

« Je n'ai pas l'intention de repartir de sitôt pour La Plata », dit-elle d'un ton dur.

Jeanne répéta sa question :

« Don José le voudra-t-il ?

— Moi, je le veux », dit Emilie.

Elle s'anima soudain, parla de façon volubile :

« Je ne dois de comptes qu'à Dieu, je n'en dois pas aux hommes ! Je n'ai péché, je ne pèche qu'envers Dieu. J'ai quitté Gaillon, mais ce n'est pas ma faute si sa compagnie ne m'a inspiré que l'envie de bâiller. Je ne veux pas retourner me cloîtrer dans la quinta de don José, mais ce n'est pas ma faute si la société espagnole ne me cause qu'un mortel ennui. Accepteriez-vous volontiers, Jeanne, de vivre recluse derrière des jalousies dans un pays où les femmes n'ont ni distractions ni pouvoir, où les hommes pensent assurément que le couple idéal du paradis terrestre était formé d'un homme et d'un cheval ? »

Jeanne eut un éclat de rire.

« Ne riez pas, il faut me prendre au mot, je vous assure, dit Emilie. Les dames de La Plata sont si molles qu'elles permettent à leurs époux et à leurs amants de se passer d'elles pour la plus grande part de leur vie. Elles se contentent auprès d'eux de l'utilité la plus réduite de leur sexe, humblement, comme si l'humilité n'était pas le vice le plus éloigné de la femme. A vivre ainsi on devient grasse et sotte, et je n'ai de goût ni pour l'embonpoint ni pour la sottise.

— Mais vous avez du goût pour don José, bien que vous vous en défendiez », dit Jeanne en souriant.

Emilie sembla balancer entre deux répliques, choisit de dire :

« C'est que je ne désespère pas de parvenir à le rendre un peu français. Ne trouvez-vous pas que certains jours, parfois, don José mériterait d'être français ? »

Jeanne se contenta de rire de nouveau, et ce fut Emilie qui reprit vite :

« Franchement, ce ne serait pas si mauvais pour don José que de se garder un pied en l'Isle de France. La Plata n'est pas une province espagnole sûre. Les Indios bravos ne se sont jamais laissé tout à fait réduire, les Portugais veulent furieusement annexer La Plata au Brésil, et vous avez vu à vos dépens que le brigand-colonel Pinto, qu'ils soutiennent en armes et en argent, tient déjà tout le nord du pays.

— Bref, vous avez décidé que, pour son bien, don José s'installerait d'un pied en Isle de France ? conclut Jeanne d'un ton moqueur.

— Oui », dit Emilie.

Elle noua ses bras autour du cou de Jeanne, posa sa tête rousse sur l'épaule de son amie :

« Ne me dites pas que vous croyiez que j'allais accepter de vite repartir pour l'exil alors que je viens juste de retrouver un peu de la France, et vous, et bientôt Marie ?

— Non, je ne le croyais pas, dit Jeanne. Mais j'aime don José et je voudrais que vous l'aimiez.

— Ah ! fit Emilie dans un soupir, moi, je voudrais parfois savoir aimer davantage... Enfin, peut-être. Adèle, cette coquine, m'a dit que le climat de l'île portait à l'amour. »

Elles s'amusèrent à potiner sur le propos de leur chambrière, puis Emilie regarda vers la table :

« Relisons les lettres, dit-elle avec gourmandise. Relisez-moi d'abord celle de dame Charlotte, j'ai besoin de repleurer encore un petit coup. »

A Neuville, la récolte des framboises du dernier automne avait été miraculeuse, ces dames en avaient tiré seize litres de liqueur parfumée à ravir. Dame Agnès de Richevaux s'était fait relever de ses vœux pour épouser, à vingt ans, un cousin cacochyme. La prieure avait mis au point une recette pour fabriquer des palets au miel et aux épices qui laissaient loin derrière eux les palets aux anis des ursulines. Le père Jérôme, pendant le Carême...

Emilie se mit à se moucher, donc Jeanne aussi. Dans son dernier feuillet, dame Charlotte posait dix questions à Jeanne sur la vie dans l'île indienne, ajoutait un post-scriptum dont chaque relecture jetait les jeunes femmes, sanglotantes, dans les bras l'une de l'autre :

« Qui sait, Jeannette, si, chemin faisant, vous ne rencontrerez pas mon Emilie ? Il faut bien qu'elle soit quelque part. Le monde est vaste, mais il paraît que les routes des vaisseaux s'y croisent plus souvent que les gens casaniers ne se l'imaginent et, depuis que je vous sais sur la mer, je prie pour que votre route croise celle de mon Emilie, je prie au point d'en rompre les oreilles de Dieu, et qu'Il me satisfasse pour avoir la paix ! »

« Dieu a eu envie d'avoir la paix », dit Jeanne en s'essuyant les yeux.

La chanoinesse défroquée gardait la lettre de sa marraine serrée entre ses deux mains jointes :

« Neuville, murmura-t-elle avec une tendresse inhabituelle dans sa voix, Neuville... Vu d'ici, au bout de mon aventure rustique avec Gaillon, au bout de mes deux longues années de vie dans la quinta d'un hidalgo de contrebande au plein milieu d'une pampa sauvage, Neuville me semble un conte de fées ! Une douce histoire de gens très civilisés que j'aurais lue dans un beau livre d'images doré sur tranches.

— Je vous promets de planter des tilleuls à Quatre-Epices, dit Jeanne. Nous y aurons un mail avec des tilleuls. Et des framboises pour en tirer de la liqueur. Et des abeilles, dont nous prendrons le miel pour faire des palets d'épices selon la recette de ces dames.

— Dans notre pain d'épice de santé, nous mettions beaucoup de grains d'anis, de la cannelle, de la poudre de girofle et une pointe de muscade, dit

Emilie, et elle se remit à sangloter dans le cou de Jeanne.

– M'amie, vous avez un urgent besoin d'occupations, dit Jeanne en la berçant. J'espère que M. Poivre va se mettre à nos affaires tambour battant. »

7

Poivre, bien qu'il eût débarqué malade et tremblant de fièvre, se mit à la tâche au débotté – c'était dans sa manière. La guerre civile s'installa donc dans l'île dès le 18 juillet, puisque l'intendant commença ce jour-là de gouverner à hue alors que le gouverneur avait déjà commencé de gouverner à dia. Mais aussi que c'était donc léger, de la part du ministre de la Marine et des Colonies, d'avoir cru à l'esprit d'équipe de deux hommes nés pour commander !

Et si dissemblables, par-dessus le marché. Au gouverneur Dumas – orgueilleux, autoritaire, intransigeant, obstiné, rogue, loquace, va-t'en guerre bouillant et brouillon –, le duc de Praslin avait attribué un intendant d'abord amène, à l'esprit ouvert, clair et précis, de parole sobre et concise, qui voulait toujours réfléchir, voire discuter avant d'agir, savait revêtir d'un sourire aimable ou d'un propos conciliant sa volonté de fer. Ces deux hommes de sens contrariés couvaient bien naturellement, pour leur commun royaume, deux rêves brillamment contraires. Empalé raide sur sa moelle épinière de soldat, Dumas entendait faire de l'Isle de France la forteresse française de l'océan Indien, la base d'une marine en guerre. Pour le gouverneur, la vocation de l'Isle de France ne pouvait être que militaire, le Port-Louis un canon pointé sur l'empire anglais des Indes. Hanté par l'image d'un débarquement de la Royal Navy dans la colonie que lui avait confiée le Roi, il ne pensait qu'à mettre ses peuples noir et blanc à l'exercice sur la place d'Armes. Physiocrate convaincu, et donc partisan du labourage et du pâturage en grand, Poivre voyait l'Isle de France déjà transformée en un vaste jardin d'épiceries, Port-Louis devenu le Batavia [1] de la France, le beau et riche port marchand d'où partiraient de fabuleuses cargaisons de récoltes mirifiques. Pour l'intendant, la vocation de l'Isle de France ne pouvait être qu'agricole, il ne pensait qu'à convertir ses peuples blanc et noir aux douceurs paisibles de la vie fermière.

Pour achever de rendre vraiment impossible la coopération entre le gouverneur et son intendant, leurs vues sur la question noire divergeaient. Lecteur assidu des philosophes et du faux philanthrope marquis de Mirabeau, Poivre n'acceptait l'esclavage qu'avec répugnance et à titre de solution provisoire pour le développement d'un pays trop peu peuplé. Il était bien décidé à ce que, sous son règne, les Noirs fussent traités avec humanité. Dumas, lui, croyait tout savoir sur les Noirs parce qu'il avait naguère commandé en second à Saint-Domingue. Il était sûr que le meilleur des nègres ne vaut rien, que cette sale race ne marche qu'au coup de gueule, au fouet et à la corde. Le manque de sympathie entre Dumas et Poivre était si voyant que Desforges-Boucher le vit dès le premier dîner en commun avec ses successeurs, et que ceux-ci gouverneraient en duel plutôt qu'en duo. Comme, en se levant de table, le docteur Aubriot lui demandait en aparté ce qu'il pensait de l'attelage, Desforges-Boucher eut un sourire désabusé :

« Ma foi, c'est bien là un attelage à la versaillaise : on divise – non pour régner car on ne peut régner de si loin – mais pour savoir. Le duc de Praslin n'aura qu'à réunir les lettres de son gouverneur et de son intendant pour avoir le total des fautes des deux. Un

1. Grand, superbe et riche port capitale de l'île de Java et de tous les établissements hollandais de l'océan Indien.

ministre croit volontiers que gouverner c'est d'abord privilégier, et ensuite sévir contre la trahison des ingrats. A voir ce que j'ai déjà vu, je ne pense pas qu'aucun ministre ait jamais songé à gouverner une province lointaine pour répondre à d'autres besoins que les siens propres, et il semble que son besoin le plus vif soit de savoir vite et surtout le pire, pour y remédier avant que le Roi ne l'apprenne, et ainsi durer à la direction des Colonies. »

Il ne laissa pas à Aubriot le temps de lui répondre, demanda, en accentuant son sourire :

« Je suppose que vous avez déjà choisi votre camp ?

— Je dépends de l'intendant, dit Aubriot. Mais faut-il vraiment choisir un camp ? Pour moi, j'en doute. Je suis dans la fleurette et le coquillage. Je ne vois pas en quoi je pourrais déplaire à qui que ce soit.

— Tous les savants déplairont à M. Dumas, parce que tous les savants s'assembleront spontanément autour de M. Poivre. L'académie des intelligences se tiendra plutôt à l'Intendance, je le prévois. »

Desforges-Boucher marqua une pause, ajouta d'un ton satisfait :

« Le gouverneur aura plutôt les imbéciles. »

Surpris par la malveillante remarque d'un homme habituellement prudent, Aubriot lança un bref coup d'œil interrogateur à Desforges-Boucher, et celui-ci répondit :

« Je n'aime pas céder mon île à ce colonel-là. Que ne suis-je roi ? On me l'aurait laissée jusqu'à ma mort. C'est que je l'aime, monsieur, ma gueuse parfumée... Enfin, puisque je l'ai perdue, j'espère qu'au moins on finira par la donner à M. Poivre, qui me plaît bien mieux. Mais je n'en puis être sûr : j'ai assez vécu pour apprendre qu'un imbécile a autant de chances qu'un autre de se voir préférer par ses supérieurs, surtout s'il est militaire. La France aime ses militaires à la passion. On ne peut imaginer, à

Versailles, de faire un gouverneur avec un civil. Je sais fort bien que le duc de Praslin a d'abord réfléchi et choisi Poivre comme étant l'homme de la situation, celui qu'il fallait pour faire de sa colonie ce qu'il en voulait faire; et puis, son bon choix accompli, il a cherché un général ou un colonel à récompenser de ses guerres pour le placer au-dessus de son administrateur civil, tout comme si la chose allait de soi.

— Au bal de la Saint-Louis un gouverneur en uniforme fait bien plus beau, sourit Aubriot.

— Oui, dit Desforges-Boucher, et soyez sûr que le ministre y a pensé ! »

Il eut un ricanement et prit familièrement le bras du médecin pour l'entraîner dans le salon où l'on servait le café. Adossé à la cheminée Dumas était en train d'y « haranguer » une cour d'uniformes et de mousselines. Superbement martial, une once d'or fin à l'épaule et autant sur ses coutures, le colonel rythmait sa forte parole sur sa paume gauche à légers coups de cravache. Les dames semblaient fascinées, ravies par le va-et-vient de cette cravache, comme s'il leur procurait un avant-goût de volupté bravache sur lit gouvernemental, que le bonhomme Desforges-Boucher n'avait pu assouvir. A l'autre bout du salon, du côté des canapés à coussins, Poivre charmait un cercle d'habits bourgeois avec des lendemains qui, visiblement, chantaient. Jeanne, dont le regard avait fait plusieurs fois l'aller-retour d'un groupe à l'autre, se tourna vers Mme Poivre :

« Françoise, dit-elle, je viens de compter les prises de chacun : votre époux l'emporte de cinq paires d'oreilles sur son vis-à-vis.

— Dame ! fit Emilie, Monsieur notre intendant parle comme un arbre de Noël auquel sont pendus une monnaie d'argent stable, la liberté du commerce, l'exemption d'impôt, l'aide aux fermiers, l'inépuisable appétit de récoltes bien payées des magasins du Roi, des vaisseaux neufs offerts par le ministre... Un arbre de Noël plaît toujours. Plus il s'en remet sur les branches, plus il plaît.

– Vous sous-estimez le désir de paix et de vertu des hommes, mon amie, dit doucement Françoise. Pierre ne leur promet guère rien de plus qu'une ère de tranquillité propice aux travaux des champs et à la vie simple et heureuse qui s'ensuit.

– Il n'empêche, dit Emilie, que pour tant séduire ses frères en leur promettant de la bonne soupe au lait au bout d'une ribambelle de rudes suées dans leurs champs de cailloux, il faut un don. Votre époux a le don, Françoise. Les exercices du séminaire lui ont fait la voix onctueuse. La pire campagne devient dans sa bouche un havre du bon Dieu, et dans sa pastorale on s'y voit, on y court de toute sa bonne volonté, on a hâte de se retrousser les manches et de s'écorcher les pieds pour avoir, à la fraîche, l'ineffable joie de manger le pain noir de son blé et de boire la piquette de sa vigne. »

Jeanne remarqua que Françoise semblait contrariée qu'on plaisantât sur les propos de son mari et changea le sujet de la conversation :

« Avez-vous déjà vu la paire de vases de la Chine que les conseillers ont offerte à l'ancien gouverneur pour présent d'adieu ? Elle est d'une beauté ! M. Desforges-Boucher l'a fait placer dans le petit salon des jeux, pour qu'on puisse l'admirer... »

Quand les trois jeunes femmes pénétrèrent dans le salon des jeux qu'elles avaient cru désert, Desforges-Boucher venait justement de s'y réfugier. Le gouverneur d'hier tournait le dos à la porte. Il était seul, debout, les deux mains accrochées au dossier d'un fauteuil, la tête penchée en avant, comme entraînée par des pensées trop lourdes. Au contraire de ses successeurs baignés de foule, lui baignait dans une solitude si intense que les jeunes femmes, d'instinct, s'arrêtèrent en l'apercevant.

« La couronne passe... », murmura Emilie.

488

A ce moment, Desforges-Boucher devina une présence derrière lui, se retourna et leur sourit :

« Votre époux, madame, parle fort à mon goût, dit-il à Françoise. J'aime son programme : il sent bon le bonheur des honnêtes gens confiés à un régisseur honnête. Je suis certain de la qualité du régisseur. J'espère qu'il se trouvera assez de bons fermiers pour l'aider à faire de l'Isle de France la riche et paisible colonie dont il rêve. »

Son regard devint malicieux pour se poser sur Jeanne et il ajouta :

« Voici l'heure venue de vous proposer pour redonner vie à Quatre-Epices. »

Jeanne tressaillit, ouvrit la bouche pour faire l'étonnée, mais le gouverneur d'hier n'était plus qu'un charmant homme sans danger qui lui souriait :

« Ainsi, murmura-t-elle, vous saviez ? »

Il rit sans bruit :

« Vous étiez beaucoup dans le secret, mademoiselle. Un secret lâché est un furet et notre île est demi-ronde. »

La voyant toute rose, gênée et cherchant des mots, il reprit, beau joueur :

« Je demande à être de la première partie de campagne qui se donnera dans Quatre-Epices ressuscité. Cela me rajeunira. Mais n'oubliez pas de me faire prévenir à temps, car s'il ne faut que deux jours pour aller à Bourbon, il faut assez souvent un mois pour en revenir.

— Je n'oublierai pas, dit Jeanne. Mais vous paraissez bien plus sûr que moi que je puisse avoir Quatre-Epices ?

— Vieil gouvéneu', li connaît toutes ruses possibes », dit Desforges-Boucher en imitant le parler noir.

Et les choses, en effet, ne traînèrent pas. Planteurs et fermiers avaient besoin d'être rassurés sur la solidité de leurs titres de propriété. Un tribunal terrier fut donc constitué d'urgence et se donna pour mission de plutôt fixer dans l'île les débiteurs de bonne volonté que de contenter leurs créanciers le plus souvent lointains. Le 11 août, la propriété très floue de Quatre-Epices fut définitivement reconnue à M. le marquis Humbert de Saint-Méry, mais assortie d'une condition impérative qui sanctionnait l'incapacité de sa gestion passée : M. de Saint-Méry était tenu, sous un délai d'un mois et pour une somme n'excédant pas cent mille livres monnaie forte, de recéder son habitation, terres et bâtiments, à un acheteur français désireux de s'y établir à demeure et d'y planter des épiceries; l'acheteur devrait être agréé par l'intendant du Roi et lui avoir fourni les preuves qu'il disposerait des moyens financiers nécessaires pour démarrer la mise en valeur de son acquisition. Comme par hasard une seule personne se trouva en état de tout de suite fournir, à M. l'intendant du Roi, les garanties qu'il exigeait le 13 août 1767, à onze heures du matin, la propriété de Quatre-Epices passa des mains de Saint-Méry à celles de Mlle Jeanne Marie Antonine Beauchamps, âgée de vingt ans, catholique, native de Saint-Jean-de-Losne dans la province de Bourgogne. Orpheline de père et mère, la demoiselle se déclarait, par serment et devant témoins, seule maîtresse de sa fortune et libre de ses actes.

« Libre, hum », ne put s'empêcher de toussoter don José, discrètement toutefois.

Quand ils ressortirent de chez le notaire, Jeanne, radieuse, s'arrangea pour frôler l'Espagnol :

« Don José, je n'accepterai jamais de croire que le mariage est une prison; cette idée-là ne vient qu'aux hommes », lui chuchota-t-elle, et elle retourna vite marcher auprès de Poivre, qui lui avait servi de premier témoin.

Aubriot avait refusé de venir. Il était de fort méchante humeur, pour au moins deux raisons.

D'abord, l'esprit d'indépendance que Jeanne manifestait de plus en plus lui devenait insupportable, bien qu'elle prît toujours patiemment soin de lui arracher un presque-oui avant d'agir comme s'il avait dit vraiment oui. Ensuite, persuadé, puisque Jeanne le lui laissait croire, que don José fournissait à un prête-nom français les fonds pour l'achat de Quatre-Epices, il ne comprenait ni n'admettait que l'Espagnol eût choisi de faire confiance à Mlle Beauchamps plutôt qu'au docteur Aubriot. N'étant pas fils de notaire pour rien Aubriot avait très bien vu que, grâce à la protection de Poivre, Quatre-Epices représentait une affaire en or, dont il aurait volontiers pris sa part : prêter son nom vaut quelque chose. Vexé, fâché contre tout le monde, il décida brusquement, le 13 au soir, de partir inventorier les jardins de Monplaisir, dans le quartier des Pamplemousses.

— Mais, s'écria Jeanne, désolée, voilà que vous voulez aller à l'opposé de Moka, où je dois prendre mes dispositions avec M. de Saint-Méry pour...

— Je ne te demande pas de m'accompagner, coupa Aubriot d'un ton froid. Je me débrouillerai très bien avec Polydor.

— Mais si vous pouviez seulement attendre quelques jours ?

— Non. Je veux inventorier Monplaisir pendant que l'habitation est encore vide. Dumas et Poivre se la disputent pour résidence d'été, je ne sais qui l'emportera et je n'aimerais pas avoir Dumas sur le dos.

— Mais...

— Non, Jeanne. Je ne vois pas de quoi tu t'inquiètes ? J'ai l'âge de voyager seul, je le faisais déjà avant ta naissance. Je me logerai à Mongoust. »

Il ajouta avec perfidie :

« Tu sais bien qu'*on* m'y traitera au mieux. »

Des larmes de rage montèrent aux yeux de Jeanne, qu'elle renifla.

« Je vous rejoindrai au souper de l'Intendance, dit-elle en se levant. Je vais d'abord passer chez Emilie. »

Comme il ne lui demandait rien, elle ajouta, frivole exprès, pour lui déplaire :

« Nous avons à parler de ce que nous porterons au bal de la Saint-Louis. Ce sera le premier bal de la Saint-Louis donné par le gouverneur du Roi. Nous voulons y être à notre avantage. Moi, en tout cas, je veux y être dans mon mieux. C'est que... »

Elle marqua une longue pause, acheva d'un ton de défi :

« ... je n'y serai pas personne : j'y serai la dame de Quatre-Epices.

– Je me demande quand tu sauras que la majuscule n'est pas forcément obligatoire au début de chaque mot latin ? lança Aubriot avec agressivité. *Commelyna Benghalensis*, deux majuscules, bien; mais pour *Heliotropium hybridum*, une seule, voyons ! »

Elle souffla par le nez une bouffée d'agacement et sortit. A la porte du Gouvernement elle croisa l'Amadou, qui arrivait en courant.

Le jeune gabier provençal, qu'après sa capture par les Portugais Vincent avait donné à Jeanne pour la raccompagner jusqu'à Montevideo, avait voulu demeurer dans l'île plutôt que de se réembarquer pour la France sur l'*Etoile des Mers*. Depuis leurs mésaventures communes, il s'était attaché à Jeanne avec un dévouement de chien fidèle, et il avait évidemment plus de chances de vite retrouver son bien-aimé capitàni en restant accroché aux jupes de sa femme. Comme celle-ci, de son côté, avait eu envie de garder le matelot de son mari, elle avait racheté son engagement au capitaine Vilmont de la Troesne. En attendant qu'elle pût l'employer à Quatre-Epices, l'Amadou s'était trouvé un coin à dormir dans la case d'un serrurier provençal du camp. Le jour il se rendait utile ici ou là, il escortait

Iassi quand elle promenait le petit Paul et, surtout, il guettait. Il guettait des nouvelles de *Belle Vincente* : dans un port, un jour ou l'autre on attrape toujours des nouvelles de son bord perdu. Jeanne ne voyait jamais le gabier survenir au Gouvernement sans que le cœur lui bondît.

« L'Amadou ! appela-t-elle.

— Ah ! misè Jeanne, on se rencontre, dit-il tout content. J'allais chez vous, j'ai une très bonne nouvelle ! »

Elle vit danser le décor, dut s'appuyer à une colonne de la varangue.

« Qué, misè Jeanne, ça va pas ? Allez pas tomber pâle, misè Jeanne. Coumprene, mai vesès, c'est pas encore la nouvelle qu'on s'espère... Mais c'est une bonne nouvelle quand même : j'ai vu un cavalier qui redescend du nord, paraît qu'un petit trois-mâts a passé le Coin de Mire [1] au milieu de la matinée. Ça se pourrait que ce soit l'*Espérance* que vous attendez pour ces temps-ci, avec votre madame Marie dessus ?

— Marie... », murmura Jeanne, et elle se précipita chez Emilie.

Ce n'était pas l'*Espérance* mais le *Neptune*, une autre flûte de la Royale. L'*Espérance* n'arriva que le 21 août, par un vent d'île si violent qu'il ne put commencer de s'approcher du port que le 22 au matin, en louvoyant.

Jeanne et Emilie, qui n'avaient pas dormi de la nuit, retournèrent à quai dès le lever du soleil. Le navire, encore loin de la rade, dansait sur une houle assez forte.

« Mon Dieu ! disait Emilie de temps en temps, pourvu que Marie ne soit pas aussi sujette que moi au mal de mer ! »

Vers dix heures, Iassi amena Paul, pour qu'il vît

---

1. Ilot situé au nord de l'île.

débarquer les passagers. Mais à midi le vent de l'île luttait toujours victorieusement contre l'*Espérance*, si bien qu'Emilie renvoya son fils dîner avec Iassi, et Paul trépigna avant d'obéir, parce qu'on lui avait promis une petite sœur pour jouer et qu'il ne voulait pas manquer d'être là quand la chaloupe la déposerait sur le rivage. Jeanne et Emilie se nourrirent de leur attente fébrile et des fruits que don José leur apporta; elles ne pouvaient pas quitter l'*Espérance* des yeux. Enfin, à deux heures de l'après-dînée, Jeanne prit l'image de Marie dans sa longue-vue :

« Je crois que je la vois... », dit-elle d'une voix étranglée.

Emilie tendit la main pour avoir la longue-vue, confirma après quelques instants :

« C'est elle. Elle est tout en noir... bien sûr. C'est difficile, de reconnaître Marie dans une toilette noire; elle qui allait toujours vêtue de clair... Et miséricorde ! rien qu'à suivre de l'œil les plongées et les remontées de sa silhouette, je me décroche le cœur ! Oh ! la pauvre !

— Donnez, donnez donc ! dit Jeanne en tirant sur la manche d'Emilie.

— Encore un petit moment, pria Emilie et, soudain, elle poussa une exclamation :

— Par exemple !

— Eh bien, quoi ? quoi ? demanda Jeanne. Mais enfin, donnez donc !

— Là, là, sur la gauche de Marie, dit Emilie en continuant de regarder dans la longue-vue. Ou je rêve, ou c'est Mme de Vaux-Jailloux !

— Vous rêvez ! dit Jeanne en lui arrachant la longue-vue. Oh ! ajouta-t-elle aussitôt.

— Vous voyez, n'est-ce pas ? Je n'ai pas eu la berlue ? demanda Emilie d'un ton surexcité jusqu'à l'aigu. C'est bien la dame de Vaux ? Repassez-moi la longue-vue.

— Pauline..., murmura Jeanne, stupéfiée, en laissant retomber son bras. Mais pourquoi ?

– Je ne les vois plus, dit Emilie qui avait récupéré la lunette. On les aura fait rentrer, ou alors elles se sont senties mal.

– Pauline, mais pourquoi ? » répétait Jeanne.

Elle doutait d'avoir vu.

« Marie a peut-être eu peur de faire seule le voyage ? hasarda Emilie. Et comme Mme de Vaux-Jailloux est la grande amie de sa mère...

– Mais voyons, puisque son frère Jean devait être à bord ! » dit Jeanne.

Elles échangèrent un long regard d'angoisse, prêtes à croire à un nouveau malheur de Marie. La voix de don José les fit sursauter :

« A ce que j'entends, mesdames, l'*Espérance* vous apporte plus de compagnie que n'en espériez ? Vaux-Jailloux : ce nom me dit quelque chose. S'agirait-il de cette dame créole de Saint-Domingue que le chevalier Vinc... »

L'Espagnol s'arrêta brusquement et se mordit la langue, furieux de son étourderie, cherchant à bifurquer sur un autre propos; mais Jeanne lui dédia un sourire plein d'ironie et dit d'un ton léger :

« En effet, don José, il s'agit de cette dame qui vous rappelle des confidences du chevalier Vincent.

– Ay ! fit-il dans un petit rire piteux. Ahora bien, attendons. Cela ne servirait à rien de se poser des questions pourquoi et comment et... Enfin, attendons, voilà.

– Claro, hombre ! » lança Emilie en se moquant.

Moins de trois heures plus tard, trois petites filles de la Dombes, qui se retrouvaient femmes à l'antipode de leur enfance, pleuraient de tendresse, enlacées, inséparables, balbutiaient des questions dont les réponses hachées avortaient dans d'autres questions. Elles étaient seules au monde au milieu du remue-ménage multicolore et assourdissant du port. Le petit cercle de leurs intimes, patiemment, les protégeait de la bousculade. Enfin don José s'avança, saisit Emilie et Jeanne chacune par un bras pour les détacher de la voyageuse :

« Je pense que la suite des larmes devrait être remise à ce soir, dit-il avec gentillesse. Dame Marie doit être bien fatiguée.

– Marie, je... C'est don José, présenta Emilie.

– Don José ? répéta Marie, ouvrant ses yeux bleus sur l'Espagnol.

– Don José de Murcia, précisa inutilement Emilie.

– Dame Marie, nous vous raconterons ce soir ou demain toutes les histoires que vous voudrez entendre, dit don José. Pour l'heure, il faut aller vous reposer. Madame votre amie en a sans nul doute grand besoin aussi, ajouta-t-il en se tournant vers l'autre voyageuse, et votre petite fille plus encore. Permettez-moi de prendre soin de vous.

– Oh ! oui », dit Marie, soudain lasse à tomber et pressée de se confier.

Pauline et Jeanne se faisaient maintenant face, muettes, leurs regards mêlés. Pauline souriait.

« Pourquoi ? » articulèrent sans aucun son les lèvres de Jeanne.

Le sourire de Pauline s'accentua :

« J'avais beaucoup plaidé pour le départ de Marie aux îles. Sa fortune a été très écornée par son mariage, et je sais ce qu'on peut espérer d'une île tropicale où l'on s'installe dans les premiers. Je veux lui faire planter de la canne. Je resterai le temps qu'il faudra pour la mettre à pied d'œuvre. »

La voix de Pauline, qu'elle réentendait pour la première fois depuis son départ de Charmont, remua Jeanne à un point qu'elle n'aurait pas imaginé. La créole avait parlé assez bas, pour Jeanne seule, et ce ton de confidence ajouté à sa voix sensuelle un peu traînante avait soudain ressuscité, dans la lumière bleu cru du Port-Louis, le climat de trouble tiède et ombreux des fins d'après-midi à Vaux, quand elles jouaient toutes les deux à la nostalgie-de-Vincent, assises sur le tapis du salon devant le feu de bois, en se gavant de mots câlins et de chatouillis de la part de l'absent. Avec élan Jeanne tendit ses deux mains vers celles de Pauline :

« Je suis heureuse que vous soyez là, dit-elle avec une grande émotion.

– Vraiment ? fit Pauline, penchant la tête un peu de côté, comme on fait pour retenir du savoureux dans sa meilleure oreille.

– Vraiment », dit Jeanne de la bouche et des yeux.

Don José continuait de commander sa petite troupe :

« ... et toi, Iassi, prends l'enfant ; sa nourrice me semble épuisée. L'Amadou prendra les sacs de toilette... »

Une question hurlée du petit Paul – sans doute la répétait-il depuis un moment – parvint enfin à deux ou trois personnes du groupe :

« Maman, c'est Vilginie, ça là ?

– Oui, dit Emilie, qui répondit tout de suite après à l'interrogation attendrie d'un regard de Marie :

« Oui, c'est mon fils.

– Oh ! qu'il est charmant ! dit Marie, émue aux larmes de nouveau et voulant aller vers le petit garçon. Comment s'appelle-t-il ?

– Dame Marie, les longues histoires à plus tard, redit don José en la retenant. Appuyez-vous sur moi. Nous n'allons pas loin. Je vous ai trouvé une petite maison dans la ville ; elle n'a que deux pièces, mais...

– Je m'appelle Paul, madame, criait Paul à tue-tête. Et là, c'est Vilginie ? » demanda-t-il encore une fois, avec incrédulité, en montrant le gros paquet blanc qui pesait dans les bras de Iassi – la petite, après une dernière rage de pleurs dans la chaloupe, s'était endormie comme une masse, et tout le tintamarre du port ne lui provoquait pas le moindre sursaut.

« Paul, ne montre pas du doigt comme un négrillon, lui dit sa mère. Oui, c'est Virginie, je te l'ai déjà dit. Allez, va; accroche-toi à la jupe de Iassi, que nous ne te perdions pas.

– C'est Vilginie ? Mais elle est petite ! Elle est bien tlop petite, elle poulla pas jouer avec moi, c'est une bébé », se lamentait Paul, affreusement déçu, au milieu de l'indifférence générale.

Son négrillon Fanfan n'avait rien compris mais, voyant l'air malheureux de son petit maître, il se rapprocha de lui pour le réchauffer d'un grand sourire.

« C'est pas du tout un gland cadeau : elle est petite », lui dit Paul d'un ton boudeur, en le pinçant pour se venger.

Au moment de suivre don José, Marie se retourna vers Jeanne :

« Mon frère va me chercher...

– Rassurez-vous, madame, ici, ce n'est pas Marseille; au Port-Louis, on perd jamais personne, intervint gaiement l'Amadou. Quand les soldats vont débarquer, monsieur votre frère, il trouvera vingt guides pour l'amener jusqu'où vous serez. »

Pauline s'était mise à marcher au bras de Jeanne. Malgré la fatigue qu'accusait son visage elle semblait prendre un plaisir très attentif à marcher sous un ciel tropical, dans une joyeuse cohue de plusieurs couleurs, avec la rumeur d'un port dans les oreilles et la vision du bois de palmes escaladant le bas de la montagne du Pouce.

« En forçant ma mémoire à tricher un peu, je vais pouvoir m'imaginer être de retour à Saint-Domingue », dit-elle d'une voix contente, et, comme elles durent contourner un cloaque puant, elle ajouta en riant :

« Même les odeurs y sont, et aussi présentes ! »

Emilie quitta Marie un moment pour revenir vers Pauline; elle était fort agitée :

« On ne sait où se tenir pour attraper le plus de nouvelles possible au plus vite ! Mais il faut avouer, madame, dit-elle à Pauline, que vous êtes la surprise la plus surprenante de cette journée !

— Je ne le trouve pas, moi », dit Pauline, en coulant un regard sur le petit Paul qui trottait à la suite de don José, son Fanfan sur les talons.

Emilie s'écarta vivement :

« Je laisse à mon amie Jeanne le soin de vous expliquer tous vos étonnements; pour le moment, moi, je ne veux qu'entendre, entendre, entendre ! dit-elle avant de presser le pas pour rejoindre de nouveau Marie.

— Je vous expliquerai tout de nous demain, promit Jeanne à Pauline. Car pour aujourd'hui — Emilie a raison —, seules comptent les nouvelles qui viennent de la France. Bien sûr, vous m'apportez une lettre de ma chère baronne ? Comment va-t-elle ?

— J'ai un gros pli pour vous, dit Pauline. Mme de Bouhey se porte au mieux, du moins entre une crise de goutte et une ébullition.

— Oh ! fit Jeanne en riant, je crois que la goutte et l'ébullition font partie de sa belle santé, autant que ses colères contre Delphine. Je me souviens qu'elle en sortait purgée, le teint rose, avec une faim de loup et une activité qui remuait tout dans la maison. Est-ce bien toujours ainsi ?

— Toujours, dit Pauline. Je crois qu'elle ne me déteste pas, mais elle était assurément enchantée de me voir partir pour l'Isle de France. Et voir partir Marie ne lui déplaisait pas non plus, bien qu'elle l'aime fort. Sans doute même dépeuplerait-elle la Dombes de quelques habitants de plus pour vous expédier de la compagnie, fût-ce à son détriment. Mais je pense que bientôt vous n'en manquerez pas.

— Comment cela ? Que savez-vous des prochaines arrivées au Port-Louis ? demanda Jeanne avidement.

— Oh ! à part la prochaine venue de Giulio Pazevin et de sa jeune femme Marion Delafaye — dont vous êtes sans doute avertie déjà — je ne sais rien de précis, dit Pauline. Mais sur l'*Espérance*, à la table du commandant, on disait que le duc de Praslin entendait mettre le Port-Louis à la mode. Il paraît... »

Pauline marqua une seconde de silence avant de poursuivre :

« ... que le ministre de la Marine a déjà demandé à plusieurs de nos meilleurs corsaires, que la paix ennuie, de venir s'y baser. Il paraît que la guerre contre les Anglais a de grandes chances de repartir dans le golfe du Bengale, et par des opérations de course. »

« Ainsi, Pauline n'est pas venue que pour aider Marie à planter de la canne », pensait Jeanne. Elle était venue dans l'espoir de revoir Vincent plus tôt que si elle l'avait attendu à Vaux. Et par sa demi-confidence, elle le laissait entendre à Jeanne ! Mais il était vrai que Pauline ne savait rien. A bon droit, elle devait croire que Jeanne ne pensait plus depuis beau temps au chevalier dont le désir avait frôlé ses quinze ans, puisqu'elle l'avait vue, toute heureuse, partir pour Paris avec le docteur Aubriot.

« Il est exact que les Français d'ici se sentent toujours aussi menacés par les Anglais que si le traité de paix n'avait pas eu lieu, et qu'ils ne seraient pas fâchés de voir arriver quelques-uns de nos corsaires, dit Jeanne. Hélas ! depuis que je suis dans l'île, je n'ai pas aperçu l'ombre d'un vaisseau corsaire au Port-Louis.

– Vraiment ? Pas un seul ? demanda Pauline.

– Pas un seul », dit Jeanne.

Elles se turent un instant, et une nouvelle survenue impétueuse d'Emilie les empêcha de poursuivre sur le même sujet :

« Eh bien, et vous, que racontez-vous ? quémandait Emilie. Dieu merci, nous arrivons, je vais enfin pouvoir vous posséder toutes les deux ensemble !

– Oui, Dieu merci, nous arrivons, dit Jeanne, qu'agaçaient les va-et-vient nerveux de son amie. La maison est fort petite, mais propre, nous l'avons fait tapisser et meubler à neuf. Nous ne l'avions prévue que pour Marie et sa fille, mais nous vous y ferons porter un second lit et...

– Oh ! je vous assure que, pour l'heure, le moindre bout de paillasse m'ira ! » coupa Pauline.

Elle poussa un long soupir, pesa plus fort sur le bras de Jeanne. Son pas s'était ralenti :

« Je ne savais pas que j'étais aussi épuisée, dit-elle. Je m'en avise tout à coup, sans doute parce que vous m'annoncez l'asile. Je ne crois pas que j'y serais arrivée sur mes pieds s'il avait été plus loin. Ouf ! le cœur me manque... »

Jeanne lui enlaça la taille :

« Il ne vous faut plus qu'un courage d'une centaine de pas, dit-elle.

– Cela va aller, promit Pauline avec un pauvre sourire. J'ai eu une vapeur, voilà tout. Cela va mieux. »

Elle tourna la tête vers Jeanne, demanda très bas, avec une angoisse tout à fait démesurée :

« Je dois être affreuse, n'est-ce pas ? Mon teint ne supporte plus du tout les vapeurs, il me tourne au caillé... »

Les yeux de Jeanne la dévisagèrent, très vite attendris. Sans doute sous l'effet d'une montée de sueur la poudre de Pauline avait coagulé sur sa peau, lui recouvrait les joues et le front d'une sorte de petit-lait finement grumeleux. Elle n'était pas affreuse, mais touchante, comme l'est une beauté mûre qu'une fatigue ou une émotion rend brusquement malade de son âge, où la beauté devient une fleur sensible à tous les courants d'air et d'âme. Un flot de gentillesse envahit Jeanne – une gentillesse sincère, féroce, de jeune rivale au plein de son éclat et prête à bonnement laisser « les vieilles » vieillir au chaud dans un coin du harem. Elle profita de ce qu'Emilie les lâchait à la barrière du jardinet pour donner dix ordres à Adèle qui les y attendait, resserra son étreinte de soutien autour de Pauline et lui glissa dans l'oreille :

« Je n'ai pas encore vu un seul corsaire au Port-Louis, mais en mer, j'en ai rencontré un qui doit y venir. »

Elle sentit la respiration de Pauline se bloquer, ajouta vite :

« Pour le moment il est retenu à Rio Janeiro. Dans les prisons du vice-roi. »

8

LE 25 août, l'aube elle-même se leva couleur de bal, d'un rose pétillant de crêpe de Chine. Et, tout de suite, ce fut dans la ville un affairement bruyant arrosé de salves d'artillerie qui remplissaient même les sourds de la solennité de la Saint-Louis. Batteries côtières et bâtiments en rade dépensaient de la poudre à tout-va, des bancs de fumée engloutissaient périodiquement la flotte, d'où resurgissaient un par un, lentement, les éclats multicolores des pavois, qui battaient un moment au-dessus de vaisseaux fantômes. Dès la grand-messe achevée – qu'on célébra à neuf heures –, les délégations de l'armée et de la marine en grande tenue et de tous les corps civils commencèrent de traverser la place d'Armes, entre deux haies de peuple endimanché, pour aller à l'Hôtel du gouvernement saluer le Roi en la personne de son gouverneur. Le défilé des hommages ne cessa pas de la matinée car il était venu des gens de toute l'île, où le plus petit fermier s'était senti le devoir et le droit de venir s'incliner devant Dumas pour remercier Louis XV d'avoir annexé la province d'Isle de France à sa couronne. La joie de l'île se palpait comme à la main sur la place grouillante de peuple, une énorme joie amoureuse et confiante de jour de sacre où le Roi est neuf.

A l'intérieur de l'Hôtel, Son Excellence le gouverneur Dumas vivait un moment divin de son culte du Moi, que la révérence de l'intendant Poivre porta, vers midi, à son point culminant. A partir de cet instant il se sentit élevé si haut au-dessus des courbettes qu'il en devint gracieux. Il se promit d'ajouter un post-scriptum à la lettre qu'il venait d'écrire à son ministre, pour atténuer de quelques mots bienveillants les trois pages d'injures qu'il avait fignolées contre Poivre, « l'homme abominable ». En attendant, c'est avec un sourire de charme – inquiétant, pensa Poivre – qu'il pria son intendant de bien vouloir lui prêter Mme l'intendante pour présider avec lui le dîner qu'il offrait aux chevaliers de Saint-Louis présents dans l'île.

Pendant que la douce Françoise, gelée de timidité, présidait sans mot piper une tablée de gentils-hommes d'apparat aux poitrines barrées du cordon bleu, toutes les autres dames de l'île achevaient fébrilement de se pomponner.

Ce n'était pas une petite affaire que de se préparer pour le bal de la Saint-Louis ! Chaque bal au Gouvernement était certes un événement et prétexte à un concours de vanités, mais celui de la Saint-Louis, c'était le Bal des bals de l'année. De surcroît, celui du 25 août 1767 allait briller d'un éclat historique dans les archives de l'Isle de France, et chacune des invitées du gouverneur tenait à entrer dans l'Histoire en reine d'un soir, superbement parée. Débarqués juste trois jours avant la fête les officiers de l'*Espérance* avaient été assiégés, ils avaient vendu leur pacotille de mode à prix d'or et à l'arraché, on s'était bousculé dans leurs bras pour ajouter ses faveurs à son or afin d'ôter son pouvoir d'achat à l'or des voisines. Le bal commençait à cinq heures de l'après-midi et, à quatre heures encore, des coursiers trottaient à la recherche d'un enseigne ou d'un lieutenant dont on espérait une dernière aubaine, les colporteurs chinois et malais couraient la ville, proposant le colifichet, l'éventail, le ruban, le châle ou le collier qu'ils avaient eu la malice de tenir caché jusque-là afin d'en obtenir le prix fou du désir urgent. Les marchands vivaient un rêve et en même temps s'en lamentaient, parce que les clientes mendiaient pour se faire voler et qu'ils n'avaient pas assez de marchandises pour les voler toutes. A la demie de quatre heures, les deux cordons de montre en cheveux que portait un garde-marine lui furent ôtés en échange de deux louis – il les avait payés vingt-quatre sols la pièce dans une boutique de Nantes ! Depuis l'avant-veille, le rouge de Paris atteignait la cote fabuleuse de dix écus le pot !

« Françoise m'a dit que son époux était outré du gaspillage d'argent qui s'est fait dans l'île à propos de ce bal, dit Emilie. Comme la monnaie de métal est rare il interdit qu'on s'en serve sur le marché intérieur, surtout pour payer des choses inutiles, et il enrage de n'avoir pu persuader ses administrées que la soie, les perles et le rouge sont des choses inutiles.

– Voilà M. Poivre devenu bien vertueux, dit Jeanne sans y croire. A Lyon, quand il discourait devant un public bourré de dames, il ne regardait pas les plus mal mises.

– L'habit fait le moine, dit Emilie. L'intendant se doit de prêcher l'économie, or les Chinois racontent partout que pas une dame invitée n'aura dépensé moins de douze cents livres pour sa toilette.

– Quoi ? douze cents livres ! répéta Jeanne, alarmée. Miséricorde ! Elles sont capables d'être toutes mieux que nous ! Laissez-moi voir encore... »

Emilie s'écarta à regret de devant le miroir trop petit. Jeanne se mira de tous les côtés, avec l'aide de Iassi qui lui tenait une glace à main. Elle avait remis sa robe de mariée à la brésilienne, en mousseline blanche ornée de dentelle au fuseau :

« C'est assurément fort gracieux, mais s'il y a de grandes robes à la française, je ferai pauvresse.

Quand je pense à ce que j'ai laissé à Paris ! Pour un bal de la Saint-Louis, je fais pauvresse.

– Vous portez une livre d'or au cou ! jeta don José, qui venait d'entrer dans la chambre.

– J'aime ces chaînes d'esclave indienne », dit Jeanne étourdiment, puis elle rougit en rencontrant dans le miroir le regard de Iassi.

Celle-ci corrigea de sa voix douce :

« De princesse indienne.

– C'est tlès joli ! dit le petit Paul, péremptoirement.

– Très joli, répéta don José. Vous êtes jolies comme deux cœurs. Eh bien, puis-je vous emmener ? Il est cinq heures. M. Aubriot doit déjà nous attendre au Gouvernement... »

Jeanne était venue s'habiller chez son amie, où Iassi pouvait servir de chambrière. Adèle, la Noire, avait été prêtée à Marie et à Pauline depuis leur arrivée.

Emilie – elle était en bleu-pers, sa couleur favorite – s'approcha de la fenêtre :

« Quelle cohue dehors ! s'exclama-t-elle. La mêlée des palanquins est à son comble. Pensiez-vous qu'il y avait autant de société dans l'île ? Mais d'où sort-elle ? C'est un miracle ?

– Ma foi oui, fit Jeanne, ébahie à son tour. Cette queue de palanquins vaut la queue des carrosses qu'on voit aux Tuileries un soir de bal à l'Opéra ! »

La place d'Armes était maintenant toute bariolée d'une foule piétonne où dominaient les uniformes et à travers laquelle serpentaient, à tout petits pas d'esclaves constamment ralentis, les files des palanquins qui convergeaient vers l'Hôtel du gouvernement. A un certain endroit de la place, juste devant les fenêtres de l'Intendance, les attelages de nègres se rencontraient et se figeaient en un méli-mélo que contenait un cordon de gardes. Une seule colonne de palanquins ressortait du chaos, pour progresser vers le Gouvernement entre deux remparts de soldats en tenue de parade. Au-delà du barrage, c'était le fouillis pittoresque et tumultueux d'un bazar oriental des grands jours; en deçà, c'était la paisible majesté d'une procession orientale princière : beaucoup des palanquins avaient été peints et décorés, les porteurs noirs exhibaient des culottes, des pagnes et des coiffures superbes, et leurs peaux luisaient de cirage. Les dames et les gentilshommes de soie descendus des caisses prenaient le temps de faire la roue dans le soleil avant d'entrer dans l'hôtel, les plus belles dames soulevant sur leur passage des compliments parfois très effrontés.

Le spectacle fascinait Jeanne. Emilie avait ouvert la fenêtre, le grand bruit de la joie populaire répandue dans la ville entrait à flots dans la chambre. Des rythmes de tambours lointains disaient que, dans le quartier de la Terre Sainte, les nègres et les matelots en bordée avaient déjà commencé de boire et de danser. Il y aurait des morts et des blessés la nuit prochaine, des hurlements de violence et de douleur, les gourdins de la milice empliraient à grands coups l'hôpital et la prison, mais pour le moment il n'y avait dans l'air bleu que de la bonne ivresse – la griserie montante, multicolore, follement gaie de la plus belle Saint-Louis qu'ait jamais vécue le Port-Louis.

« Mesdames, il faut aller, dit la voix de don José derrière les jeunes femmes. Ne voulez-vous donc que voir la fête sans y entrer ?

– En fin de compte, cette laide ville est belle », dit Jeanne brusquement.

Comme Emilie la regardait sans comprendre, elle poursuivit :

« Ce n'est pas une ville bien maisonnée, mais elle est si bien peuplée... Après tout, une ville de gens vaut bien une ville de maisons ? »

Elle rit parce que Emilie la regardait avec toujours plus d'étonnement, s'efforça de s'expliquer :

« Je crois que je veux tout simplement dire... que

j'aime vivre dans un port de l'Orient. Cette fois, partons-nous ?

— Vamos », dit don José.

En pénétrant dans l'antichambre du Gouvernement Jeanne vit tout de suite Humbert de Saint-Méry s'incliner devant elle, comme s'il l'avait guettée. Elle retint à temps une exclamation de surprise discourtoise : après tout, le Robinson de Quatre-Epices était marquis, un marquis a sa place au bal du Roi, paresse et ivrognerie ne font point déroger.

« Mademoiselle, si vous n'êtes point trop pressée de danser, j'aimerais vous dire deux ou trois mots... »

Jeanne fit signe à ses amis qu'elle les rejoindrait plus tard, et Saint-Méry l'aida à se dégager du flot des arrivants. Ils ressortirent, gagnèrent un bout de la galerie.

Saint-Méry portait un habit de droguet de soie beige fané qui le boudinait, mais les manchettes et le jabot de dentelle éblouissaient, la perruque était bien coiffée à la mode et poudrée à frimas.

« Vous m'avez fait si riche que j'ai pu m'offrir une chemise, des bas et une perruque, et même des souliers fins, lui dit-il sans gêne et avec le petit sourire qu'elle aimait bien — moqueur aux lèvres et triste dans les yeux. Mais je n'ai pas eu le courage de lutter pour m'attraper un habit neuf.

— Oh ! le vôtre va encore très bien, dit Jeanne avec une gentillesse distraite.

— Seules, les dames qui ne vous aiment pas vous sont indulgentes, soupira Saint-Méry. Nénéne et Zoé m'ont traité de viéil' guénille. Mais je ne vous ai pas retenue pour vous parler mode. Voilà : je me suis permis de vous acheter un Noir.

— Ah ! oui ? fit-elle, le regard interrogateur, tandis que Saint-Méry poursuivait :

— Je l'ai acheté pour vous, mais si mon geste ou le

Noir vous déplaît vous n'aurez qu'à me le dire et je m'en débrouillerai.

– Et pourquoi diable vous refuserais-je un Noir quand il me faut au plus tôt en trouver deux centaines ?

– C'est un marron. Il s'est déjà marronné deux fois. »

Jeanne garda le silence, attendant l'explication.

« Je n'ai pas eu le cœur de le laisser estropier, reprit Saint-Méry. C'est une pièce superbe, un séné-gambien, qui doit avoir dans les vingt-cinq ans. Il n'est pas créole, mais on l'a amené dans l'île tout petit. Il appartenait à mes... – à vos plus proches voisins, les La Barrée d'Eaux-Bonnes. L'année dernière, le fils La Barrée lui a emprunté sa fiancée vierge... »

Saint-Méry haussa une épaule, glissa : « Le droit de cuissage, vous savez bien ? » avant de continuer son récit :

« Ulysse – ce Noir s'appelle Ulysse – a très mal pris la chose, et plus mal encore quand les parents La Barrée ont vendu la fiancée à M. de Messin pour en débarrasser leur fils. Rivière-Noire est loin de Moka : Ulysse s'est marronné pour aller voir sa Rose. On l'a repris, on lui a coupé l'oreille droite, alors, naturellement, il s'est marronné de nouveau.

– Et on l'a repris de nouveau ?

– Oui. Il avait enlevé Rose de Rivière-Noire. Mais son amie était grosse de sept mois, elle était malade... Ils se sont fait reprendre en venant demander du secours au camp noir de Plaisance. Pour Ulysse, cela voulait dire une patte morte à traîner derrière lui le reste de sa vie... J'ai pensé qu'il serait dommage de laisser couper le jarret d'une si belle pièce.

– Je suis contente que vous l'ayez sauvé, dit Jeanne. Où est-il ?

– Chez moi – chez vous –, enfin, à Quatre-Epices. J'ai eu du mal à l'emmener, même pour mille livres. Je comprends les La Barrée : ne pas punir le marronnage est un très mauvais exemple. Je les ai laissés fouetter leur soûl : la peau, ça repousse. »

Il eut son petit sourire sans gaieté, ajouta :

« Nénéne lui met des herbes à l'huile; c'est meilleur que les cendres au vinaigre [1].

– Et Rose ? demanda Jeanne.

– Comment ? fit Saint-Méry.

– Et Rose ? La fiancée ? »

Saint-Méry eut un petit geste qui fit palpiter sa manchette :

« De celle-ci, il n'y a plus à se soucier, elle est morte en couches aussitôt reprise.

– Les pauvres, murmura Jeanne. Je prends Ulysse, décida-t-elle d'un autre ton. Monsieur, je vous dois mille livres.

– Je l'ai payé trop cher, s'excusa Saint-Méry, mais à plus bas prix je ne l'aurais pas eu.

– Un sénégambien jeune et fort vaut plus de mille livres, dit Jeanne. Pas un marron, évidemment, mais en la circonstance... Au fait, monsieur, il faudra m'apprendre comment on se doit conduire avec un ancien marron.

– Je vous conseille d'en faire votre commandeur », dit tout de suite Saint-Méry.

Le regard de Jeanne s'ouvrit brusquement, stupéfait :

« Etes-vous sérieux ? Commandeur, un ancien marron ?

– Donner un fouet à un esclave est un très bon moyen de lui changer ses idées sur l'esclavage.

– Oh ! Vraiment ?

– Plus un Noir est jeune et beau, plus il rêve qu'il aurait été roi dans son pays. Faire marcher ses frères en rangs, claquer du fouet sur leurs talons et leur hurler dessus, répartir le manioc et les bananes et

1. Le « pansement » habituel, c'était gros sel et vinaigre. Les maîtres plus tendres faisaient mettre vinaigre et cendres. Mais il y avait aussi des maîtres et surtout des maîtresses tendres jusqu'à l'humanité, qui employaient des baumes.

protéger les jolies filles du camp, c'est un métier de roi.

— Sans doute avez-vous raison, dit Jeanne après un temps. J'avais pensé prendre un mulâtre; j'avais entendu dire que, pour commandeur, il fallait choisir un mulâtre, mais...

— Ne le faites pas, vous avez le cœur sensible, coupa Saint-Méry. Un mulâtre se paie sur les Noirs du mépris où le tiennent les Blancs. »

Elle hésita avant de dire, changeant soudain de sujet :

« Monsieur, vous n'allez pas quitter Quatre-Epices dès demain, n'est-ce pas ?

— Justement, dit-il, je voulais vous parler de cela aussi. J'aurai la petite maison en ville des Guiscard, la chose m'est assurée, mais eux-mêmes ne pourront déménager qu'au début d'octobre. Ne vous déplairait-il pas trop de me garder jusque-là ? Je me renfermerai dans la chambre, et, quant à mes Noirs... »

Jeanne l'interrompit en posant sa main sur la manche de soie beige :

« J'ai mieux à vous proposer... si je l'ose », dit-elle en rougissant.

Il attendit patiemment, ses yeux de fumée bleue livrés sans curiosité au regard de Jeanne, et elle avala plusieurs fois sa salive, eut du mal à reprendre :

« Voyez-vous, monsieur, je manque d'expérience, je ne connais pas votre terre, et... Et de toute manière j'aurai besoin d'un gér... je veux dire d'un intendant, d'un..., d'une sorte de conseiller qui me... »

Elle bafouillait si bien sans parvenir à rien exprimer que, charitablement, Saint-Méry lui vint en aide :

« M'offrez-vous d'être votre géreur, mademoiselle ? »

Elle passa à l'écarlate mais, comme il lui souriait avec plus de moquerie et moins de tristesse que d'habitude, elle lui sourit aussi, dit franchement :

« Je sais que mon offre est impertinente, marquis. Mais je sais aussi que vous n'avez pas de projets. Et moi, j'ai envie de vous garder à Quatre-Epices.

– Comme porte-bonheur ?

– Peut-être... »

Il fit quelques pas sous la galerie en secouant la tête, revint faire face à Jeanne :

« Croyez-vous qu'il soit raisonnable, mademoiselle, de vouloir pour géreur un propriétaire failli, de surcroît ivrogne et débauché et perdu de réputation ? demanda-t-il avec ironie.

– Non, dit-elle. Mais j'agis aussi souvent par instinct que par raison et ne m'en trouve pas mal. »

Ils se regardèrent un moment en silence, puis Saint-Méry laissa tomber :

« Vous ne m'avez jamais vu le samedi soir, mademoiselle. »

Déconcertée, elle chercha quelque chose à lui répondre, mais il ne lui en laissa pas le temps :

« Remettons cette conversation à demain, voulez-vous ? Aujourd'hui, c'est fête, et j'ai déjà grand-peine à parler sérieusement les jours ordinaires. »

Il arrondit son bras :

« Vous avez eu la bonté d'estimer que mon habit allait. Va-t-il jusqu'au point de pouvoir vous conduire au bal ? »

C'était la cohue. Une aimable cohue de bonne compagnie et d'un luxe à ravir l'œil, qui se mouvait sans hâte à travers les salons, pépiant, et crissant de toutes ses soies. Bien qu'il ne fît pas encore nuit dehors les lustres de cristal étaient déjà tous allumés et mettaient au-dessus des têtes poudrées ce flamboiement de lumières, ce pétillement doré de l'air qui signale en premier un climat de plaisir. Des échappées de musique venaient de la grand-salle d'assemblée où la danse avait dû commencer, mais seulement quelques jeunes couples se dirigeaient vers les violons, et encore avec nonchalance, se laissant accrocher de rencontre en rencontre : à l'Isle de France tout le monde se connaît et tout le monde était là. C'est à peine si les gens les plus proches de l'antichambre prenaient garde aux noms qu'on annonçait, et seules les femmes se retournaient vers la porte quand on annonçait une autre femme, une robe à voir.

« Je crois qu'on vous trouve très réussie, chuchota Saint-Méry à Jeanne. Vous faites très bien passer mon habit, inaperçu ! »

Elle déploya son éventail d'un coup de poignet – il faisait déjà chaud –, s'immobilisa pour jouir d'un coup d'œil sur l'enfilade des salons :

« Quelle foule ! On m'avait bien dit qu'il y avait dans l'île au moins cent dames de quelque qualité mais je n'en croyais rien, je n'en avais jamais vu réunies plus d'une trentaine.

– Les bals reviennent cher et les maris de l'île sont pauvres, dit Saint-Méry. Mais aucune dame ne s'est jamais laissé priver du bal de la Saint-Louis, habitât-elle à quatre journées de palanquin d'ici. Chaque année Desforges-Boucher envoyait six cents invitations en priant Dieu qu'on n'y répondît qu'à moitié, mais il a toujours eu son compte d'invités plein.

– C'est beau, murmura Jeanne. Tous ces uniformes... »

Même à Lorient, jamais elle n'avait assisté à une réception décorée d'autant d'uniformes. Les bleus, les rouges, les blancs, les verts, les gris, les jaunes des régiments de l'île et des états-majors français, anglais, espagnol, hollandais des vaisseaux en rade, leurs magnifiques épaulettes d'argent et d'or, leurs beaux boutons d'or et d'argent, leurs galons d'or, leurs broderies au cordonnet d'or, leurs jarretières à boucles d'or, leurs croix d'émail et d'or... – tout cela mêlé, balancé de remous, chatoyant sous le tressaillement des bougies, formait une symphonie de couleurs qui grisait le corps par l'œil. L'uniforme dominait avec superbe, écrasait un peu les soieries des gentilshommes en civil, faisait chanter à merveille les clartés des robes et, à côté de tous ces habits de coupe militaire un peu raide et de tons éclatants, c'étaient les mousselines d'Inde les plus légères, les « robes d'air » qui gagnaient le prix de la grâce.

« N'avoir que cela à me mettre m'a fort bien servie », pensa Jeanne avec satisfaction, et elle commença d'avancer comme elle le pouvait, en distribuant des sourires sur sa droite et sur sa gauche.

« Nous aurons de la peine à retrouver vos amis », dit Saint-Méry, mais ils tombèrent tout de suite sur Pauline et Marie.

Radieuse, épanouie dans une robe de taffetas rose à la créole, ses cheveux noirs sans poudre inondés de perles et de fleurs de jasmin, Pauline bavardait en pays de connaissance : les Maillard de Bel-Etang et les Plessis-Dufour de Sans-Souci étaient deux familles émigrées de Saint-Domingue, où elles avaient mal réussi, et Pauline les retrouvait tentant de nouveau leur chance dans la canne, mais en Isle de France. Marie, très pâle dans une robe blanche que Jeanne lui avait prêtée, se tenait un peu à l'écart du groupe, muette et triste. Jeanne se glissa auprès d'elle et la prit tendrement par la taille.

« Tu vois, je suis venue, murmura Marie, mais j'ai honte.
— Marie, ma chérie, on vient aux îles pour s'y refaire une vie neuve », dit Jeanne.

Une plainte s'échappa de Marie :
« Mais comment parvient-on à s'oublier ? »

Elle poursuivit avec plus de vivacité :
« Ce n'est pas moi qui suis ici, en robe blanche, dans un salon en fête, à l'orée d'un bal. Moi, je suis en robe noire, assise quelque part où il ne fait pas gai, avec un livre à la main que je ne lis pas, ou un ouvrage auquel je ne mets pas un point.
— Marie, je t'interdis de croire cela, gronda Jeanne. Tu es veuve, Marie, tu n'es pas morte.

– N'est-ce pas la même chose ? soupira Marie.

– Quelle sottise ! dit Jeanne avec impatience, en pensant à la vilaine manière dont Chabaud de Jasseron s'était permis de mourir, comme un imbécile, pour une bouquetière de garnison.

– Pardonne-moi, dit Marie, pardonne-moi, Jeannette, je suis là à te gâter ton plaisir... Je n'aurais pas dû venir.

– Si ! dit Jeanne avec autorité. Marie, l'Isle de France manque terriblement de femmes; regarde autour de toi, les femmes se noient dans un océan d'hommes. Tu dois te considérer comme en service commandé. Aucune dame d'ici n'a le droit de se garder sous le boisseau, surtout si elle est jolie. »

Marie eut un tout petit rire :

« Iras-tu jusqu'à prétendre qu'à peine arrivée dans l'île une veuve doit se rendre galante ?

– Je sais seulement qu'elle ne tient pas veuve un mois ! » lança Jeanne étourdiment, puis elle se mordit la lèvre trop tard, commanda pour faire diversion :

« Souris ! Sourions en montrant les dents, on nous regarde beaucoup.

– C'est bon, dit Marie, je vais essayer de faire mon devoir de charme. »

Elles furent entourées par quelques officiers de l'*Espérance* auxquels vinrent se mêler M. de Messin, M. de Chavanne et deux autres jeunes gentilshommes.

« Mesdames, je viens juste d'apercevoir votre ami don José, qui vous cherchait, dit M. de Messin. Et un peu plus tôt je m'étais heurté dans le docteur Aubriot, qui vous cherchait aussi.

– Oh ! fit Saint-Méry, tout le monde se cherche et se cherchera jusqu'à l'aube prochaine : c'est le grand jeu de la Saint-Louis; on n'y fait guère rien de plus.

– A ce propos, intervint M. de Chavanne en s'adressant à Jeanne, avez-vous vu ce lieutenant anglais qui semblait si pressé de vous joindre ? Il réclamait miss Beauchamps à tout Français qu'il bousculait.

« – Un lieutenant du *Rockingham* ? s'étonna Jeanne. Que pourrait-il me vouloir ?

– Quelque petite affaire de bonnet ou de tabatière de Londres, suggéra en souriant un garde-marine de l'*Espérance*.

– Voilà qui serait curieux, dit Jeanne, car je n'ai rien fait demander à ces messieurs du *Rockingham*. Monsieur de Chavanne, sauriez-vous me retrouver cet officier ?

– Essayons », dit de Chavanne...

Ils trouvèrent l'Anglais dans la salle de bal.

« Milord, je vous ai amené Mlle Beauchamps », lui dit de Chavanne, et il s'éclipsa discrètement.

L'Anglais s'inclina devant Jeanne :

« Lord Achray », se présenta-t-il.

Elle le regardait, et lui semblait trouver très plaisant d'être contemplé par d'aussi beaux yeux, ne se pressait pas de parler. Ce fut elle qui commença :

« Je suis Mlle Beauchamps, mais suis-je bien celle que vous cherchiez ?

– Je n'en doute pas un instant, mademoiselle.

– Pourquoi ?

– Parce que vous êtes très belle. Je pensais que vous seriez très belle. Vous avez la beauté qui convient pour recevoir un message du capitaine de frégate avec qui j'ai soupé chez le vice-roi du Brésil voilà deux mois. »

Il avait tiré un pli de son habit, que Jeanne prit en tremblant.

« Je... », fit-elle, puis elle se tut, incapable d'en dire davantage, elle tremblait de la tête aux pieds.

Lord Achray lui offrit son bras :

« Le cœur vous tourne, mademoiselle ? Voulez-vous que je vous mène vous asseoir ?

– S'il vous plaît, milord... »

Ils se trouvèrent deux chaises le long d'un mur. Non loin d'eux, pour reposer les danseurs, l'orchestre jouait une chaconne nonchalante. Jeanne se donna du vent d'éventail à coups de poignet nerveux, et lui attendit qu'elle voulût bien parler de nouveau.

« Cela va mieux, dit-elle. Ouf ! j'ai été surprise par la chaleur qui règne dans cette salle.

— Oh ! sûrement, c'est la chaleur, dit Lord Achray sans rire.

— Donc... »

Elle ne savait comment entamer son interrogatoire.

« Donc, vous étiez encore à Rio voilà deux mois ? Vous avez eu bon vent. »

L'Anglais hocha la tête :

« Le *Rockingham* est bon marcheur.

— Vraiment très bon », dit-elle, et elle chercha une seconde question oiseuse.

Sous la lente broderie des variations le motif de basse obstiné de la chaconne revenait sans fin lui battre aux oreilles, s'y confondait avec les poussées de sang de son cœur. Elle prit une inspiration profonde, dit :

« Et ainsi, vous avez soupé chez le vice-roi ?

— Oui, dit Lord Achray, et j'ai eu le plaisir d'y voir son prisonnier français. »

Elle ne chercha plus à feindre le détachement :

« Comment va-t-il ? » demanda-t-elle avec une explosion de passion soudaine.

L'Anglais détourna pudiquement ses yeux du visage de Jeanne :

« Il allait fort bien, dit-il. Il m'a semblé que le comte da Cunha le traitait au mieux; je le crois very fond... — comment dites-vous ? – très gourmand de sa compagnie. »

Elle poussa un gros soupir :

« Voilà qui me paraît fâcheux. L'attachement d'un geôlier pour son prisonnier n'est pas une bonne chose !

— Permettez à un marin qui fut prisonnier de vous

contredire, mademoiselle. On est beaucoup mieux logé dans un palais que sur un ponton, le lit et la table y sont meilleurs, et le temps n'y coule pas moins vite.

— Racontez-moi votre soirée, milord, pria-t-elle fiévreusement. Racontez-moi tout, tout dans le détail. »

Il la regarda avec sympathie :

« Hélas ! mademoiselle, je n'ai vécu au palais de Rio que le temps d'un souper. Je puis tout juste vous raconter que la chère a été bonne, les vins de Porto fameux, la conversation gaie, et que nous avons eu de la musique.

— De la musique, répéta Jeanne. Il y avait des dames, bien sûr ?

— Il y avait quelques dames... »

Il lui jeta un coup d'œil, acheva :

« ... de la société. »

Il y eut entre eux une pause martelée par la note basse de la chaconne, puis Jeanne reprit :

« Vous avez bien dû voir le chevalier Vincent un moment seul à seul, puisque... »

L'Anglais secoua la tête :

« Non, mademoiselle. C'est une dame, une parente du vice-roi, je crois, qui m'a remis le pli du chevalier, au lendemain du souper.

— N'était-ce pas la comtesse da Silveira ?

— Yes, en effet.

— Je la connais, mentit Jeanne. Est-elle toujours aussi jolie ? »

Elle avait lancé sa question d'un ton si agressif que Lord Achray eut l'ombre d'un sourire :

« Si j'étais vous, Miss Beauchamps, je ne me soucierais pas du tout de la beauté des autres dames, dit-il. Vous l'emporterez toujours. »

La réponse la fit rosir. Elle plia la lettre de Vincent qu'elle tenait encore à la main, la mit dans son jupon, demanda encore :

« Avez-vous vu la frégate du chevalier, dans la baie de Rio ?

— Oui. Elle est dans un bassin de l'Arsenal. Désarmée, bien gardée... Il n'en a pas été question pendant le souper mais, au port, on disait qu'elle serait envoyée à Lisbonne dès qu'on aurait pu réunir un équipage portugais pour l'y conduire. »

Jeanne se leva :

« Milord... »

Aussitôt, il fut debout à ses ordres.

« J'aimerais que vous m'aidiez à trouver un coin de solitude, dit-elle. Je n'ai pas envie d'attendre pour lire ma lettre.

— Un coin de solitioude ? God ! » s'exclama Lord Achray.

L'Anglais avait fini par la laisser dans un petit bureau désert du premier étage. Elle se comprima longtemps le cœur à deux mains, pour le pacifier, avant de tirer le pli de sa poche de jupon et d'en faire sauter le cachet...

« Jeanne ma blonde, Jeanne ma fleur, Jeanne ma peau douce, je m'ennuie de toi jusque dans mes os. Si au moins j'avais eu l'esprit de te voler un flacon de ce mélange dont tu parfumes tes cheveux je pourrais me coucher chaque soir avec quelques gouttes de Jeanne répandues sur mon oreiller; hélas, comme un sot je t'ai laissée partir tout entière, ne retenant de toi qu'une absence si vive qu'elle me donne des nuits blanches. Jeanne ma blonde, ma fleur, ma pigeonne, je me conduirai en affamé quand je te reverrai, je t'userai de caresses jusqu'à te faire crier grâce. Après cela il est certain que je te battrai, pour te punir de m'avoir désobéi en quittant La Plata. Je vois avec dépit que M. Aubriot t'a pardonné de m'avoir épousé, au point de désirer encore te traîner derrière lui pour prendre soin de ses bagages, de ses verdures et de ses mauvais rhumes. Faudra-t-il que j'en arrive à croiser le fer avec lui pour que le sort, à défaut de toi, décide duquel tu suivras désormais les ordres ? Jeanne, mon indocile, crois-moi, quitte à l'instant ton habit de valet, sinon je tuerai ton maître et la chose faite j'en serai bien fâché, parce que j'ai toujours fait la guerre sans aimer la guerre.

« J'en voudrais à don José jusqu'au point de lui ôter mon amitié si je n'entendais ta voix de sirène et ne voyais les regards d'or dont tu l'as emboueliné pour qu'il t'aide à me déplaire, et si je ne connaissais bien aussi les façons de dame Emilie. Quand une femme n'a pas de bons arguments elle fait agir sa figure, et si la figure ressemble aux deux vôtres, nul pauvre homme n'a la tête assez prompte pour s'aviser à temps qu'il va donner la main à une folie. Enfin, la farce est jouée, voyons ce qu'on en peut tirer.

« Comment se porte l'oiseau Chérimbané ? Je veux que tu demandes à don José de vendre pour toi, à un Hollandais, tout ou partie de la pacotille qu'il couve, afin que tu puisses acquérir ou faire bâtir une bonne habitation sur l'une des montagnes du Port-Louis, qui sont fraîches. Comprends-moi bien, ma chère, je ne me soucie pas de te bien loger pour qu'à ton tour tu puisses loger au mieux ton vieux maître et ses encombrantes passions, cela, je te le défends; que lui se loge aux frais du Roi. C'est pour moi que j'aurai besoin, pendant quelques années, d'une maison en Isle de France; je te prie donc de vouloir bien la choisir pour nous, l'aménager et m'y attendre, sage comme une image, entre mon ami don José et ton amie dame Emilie, s'ils veulent bien te faire compagnie jusqu'à mon retour. Ce projet d'un pied-à-terre en Isle de France n'est pas neuf pour moi, je l'avais en quittant la France pour la mer indienne, j'en avais pris l'idée chez M. de Praslin et je t'en aurais parlé si nous avions eu le temps de faire autre chose que l'amour avant de nous reperdre; maintenant, je ne puis confier mes raisons à une lettre hasardée sur un vaisseau anglais. Mais que t'importe la teneur de mes raisons ? Il suffit qu'elles existent pour qu'en femme bien femme tu t'en saisisses comme de l'occasion de justifier ta désobéissance. Tu prétendras qu'un pressentiment t'a poussée vers le Port-Louis où tu aurais à me rendre service, et ainsi je devrai encore te louer d'avoir agi à ta tête plutôt qu'à la mienne ! Eh bien soit, ma mie, je hale bas ma colère, je ne te battrai qu'un petit peu, et peut-être très peu même si je trouve à mon goût le repaire que tu m'auras préparé dans l'île.

« Je ne pense pas pouvoir quitter Rio Janeiro avant le début de la prochaine année. Ce n'est point parce que j'espère recevoir alors l'or de ma rançon, on n'aurait jamais vu notre grand maître racheter si vite l'un de ses chevaliers, sans lui avoir donné tout le temps de prouver son audace en s'évadant gratis. C'est qu'on attend ici, pour envoyer ma frégate à Lisbonne, de la maistrance portugaise qu'on n'y verra pas avant cinq ou six mois : jusque-là ma belle demeurera à l'attache à Rio, et me retiendra près d'elle aussi sûrement que si on m'avait lié à son grand mât. Il est vrai que je pourrais assez commodément sortir de ma prison dès tout à l'heure mais, je te l'ai dit, le marin est fort casanier et ne sait pas, comme le bernard-l'ermite, se tirer d'un mauvais pas en y laissant sa coquille. Le vice-roi s'en doute si bien qu'il me permet d'exister à ma guise, soucieux seulement de bien tenir ma coque. Je sors en ville à ma fantaisie, je reçois autant que je le veux ceux de mes officiers qui me sont restés alentour, le père Savié vient me faire ma partie d'échecs chaque après-dînée, M. Amable s'est établi mon chirurgien de jour et de nuit à deux pas de mon lit quoique je me porte au mieux, et il se réunit quotidiennement un conseil d'état-major dans ma chambre, où le baron de Quissac et mon maître Gaspar m'apportent plan sur plan, et toujours mirifiques, pour mettre à la voile et nous envoler de Rio aux nez et aux barbes de messieurs les Portugais, lesquels, hélas, ne sont pas aussi niais dans le réel que dans nos rêves, et ainsi devons-nous patienter. Rio est de reste un gai séjour pour qui consent de s'égayer, la ville chante et danse et rit, boit et bâfre, joue et fornique tout son soûl, les dames y sont souvent jolies et toutes fort agréablement débauchées, de la plus petite à la plus grande. Je voudrais bien courir à la débauche pour ce que la débauche est le contrepoison du mal d'amour, pourquoi faut-il que mon poison me soit plus doux que le remède ?

« Adieu mon cœur, adieu mon songe, adieu ma peine, adieu ma joie d'hier et de demain, adieu ma blonde, je prie pour que ma lettre passe heureusement la mer et ne s'aille noyer que dans tes larmes. »

Jamais elle ne saurait combien de temps elle était demeurée roidie sur sa chaise, paupières closes, la lettre de Vincent serrée entre ses mains jointes et sa bouche posée sur le joint de ses mains pour un baiser sans fin. Marie la surprit ainsi, qui baisait les mots d'amour de Vincent avec le visage lumineux d'une miraculée. Jeanne sursauta en entendant s'ouvrir la porte du bureau, eut un geste pour cacher son secret :

« Ah ! c'est toi, fit-elle en reconnaissant son amie.

— Sais-tu que voilà une heure que nous te cherchons ? s'écria Marie. Et sans ce lieutenant du *Rockingham* qui m'a enfin renseignée, je ne t'aurais certes pas encore retrouvée ! Que fais-tu là, enfermée seule dans une pièce pleine d'armoires à papiers, et au su d'un officier anglais ? Comploterais-tu pour l'Angleterre en fouillant les dossiers du gouverneur ?

— Lis », dit simplement Jeanne en lui tendant sa lettre.

D'un air intrigué Marie prit la lettre et commença de lire...

« Dieu ! fit-elle tout de suite, et elle chercha le regard de Jeanne.

– Lis », redit Jeanne.

Marie reprit sa lecture et l'acheva sans plus un mot, replia lentement les feuillets, les reposa sur les genoux de Jeanne. Elle avait les yeux mouillés.

« Je suis heureuse pour toi, ma chérie, murmurat-elle. Il est si bon de recevoir des nouvelles de celui qu'on aime.

– Oui, si bon, répéta Jeanne. L'absence est un mal si cruel. »

Elle sentit Marie lui serrer le bras avec tant de force qu'elle eut une petite grimace et tourna vers elle une figure étonnée.

« Tu ne connais pas le mal d'absence, Jeannette, Dieu merci, tu ne le connais pas, dit Marie d'un ton âpre. L'homme qui t'a écrit ces mots est loin de toi, rien de pire. L'absence est une bien autre horreur, c'est un vide sans fond dans lequel on tombe. Oh ! Jeannette, Jeannette, je voudrais tant recevoir une lettre de Philippe ! »

Jeanne prit Marie dans ses bras et la berça. Marie finit par essuyer ses larmes, demeura la tête appuyée sur l'épaule de Jeanne, toucha la lettre :

« Ne trouves-tu pas merveilleux que le chevalier te demande de faire ce que tu as fait : acheter une habitation au-dessus du Port-Louis ! A n'en pas douter, vos âmes se parlent à travers l'espace.

– J'aime à le croire », dit Jeanne.

La joue posée sur les cheveux de Marie, le regard perdu, elle laissa des bouts de phrases s'échapper d'elle, qui cherchaient à expliquer ce qu'elle ressentait exactement :

« Il est vrai que Vincent ne m'est pas absent. C'est étrange : depuis que nous avons été si brutalement séparés il me devient même plus familier. Comme si je m'accoutumais mieux à lui pendant son absence que je n'ai pu le faire en sa présence. Présent, il n'a eu que le temps de m'éblouir. Aujourd'hui que je dois me l'imaginer, qu'à chaque moment de nostalgie je m'efforce de le recréer bien ressemblant, à la manière d'un bon peintre, touche après touche, je réussis presque à m'en faire un intime, à le traiter avec quelque privauté. »

Elle redressa la tête, son ton rêveur s'anima :

« Je me demande s'il lui suffira de reparaître devant moi en chair et en os pour me fasciner de nouveau, m'ôter la moitié de mon esprit et toute volonté ? »

Lâchant Marie elle reprit à deux mains la lettre de Vincent, poursuivit avec une véhémence accrue :

« Il me commande ! As-tu remarqué qu'il me commande et me gourmande de même façon que si j'étais son matelot ? Il veut, décide, ordonne, tranche et juge, il se sent maître après Dieu à bord de notre amour. Penses-tu qu'il ait jamais entendu parler de la mort de Louis XIV et sache que nous vivons désormais sous un règne où les femmes ont acquis quelques droits à la parole et à l'initiative ? »

Elle s'était montée, mais d'un air si peu fâché, que Marie riait et dit, lorsque Jeanne se tut :

« Tu auras beau faire semblant de t'échauffer je ne croirai guère à ta révolte, je croirai plutôt que tu ne détestes pas être commandée quand c'est ton chevalier qui te commande. Tu t'es bien vite laissé épouser de force, à ce qu'il paraît ? »

Une tristesse imprévue éteignit le regard rieur, et Jeanne dit d'une voix changée :

« Ne me fais pas ressouvenir de cela, Marie. Dieu merci, le chevalier m'écrit plus en amant qu'en époux, n'est-ce pas ? Vois-tu, j'aurais voulu conserver pour lui le nom de maîtresse... J'aurais voulu le garder, et qu'il me garde, par le seul charme de l'amour. Je n'avais pas souhaité de nous voir enchaînés l'un à l'autre par les liens du mariage.

— Mais, murmura Marie déconcertée, mais, Jeannette, c'est assurément pour te manifester son respect que le chevalier t'a épousée.

– Assurément », soupira Jeanne.

Elle ajouta avec quelque humeur :

« Assurément, puisqu'un homme est bâti de telle sorte qu'il parvient à vous rendre la vie difficile autant par son respect que par son égoïsme ! »

Marie ouvrit la bouche mais demeura sans voix, soufflée par la remarque de son amie. Celle-ci finit par reprendre :

« Je crains que Vincent ait moins voulu m'épouser que m'emprisonner, Marie.

– Tout amoureux est jaloux de ce qu'il aime, dit Marie. Et son amoureuse s'en plaint rarement. N'es-tu pas bien heureuse au fond de te sentir enfermée dans l'amour de ton chevalier ? »

Jeanne eut un sourire mélancolique :

« Certes, Marie, la jalousie du chevalier m'est bonne comme un bain chaud... Mais j'en dois sortir souvent. La jalousie d'un corsaire est un plaisir fugitif. L'amoureuse d'un corsaire est bien obligée d'apprendre à vivre libre entre deux étreintes. Vivre libre ou s'étioler dans l'impatience, elle n'a le plus souvent le choix qu'entre ces deux façons d'exister. Je suis l'épouse d'un rêve, Marie, je suis mariée à une attente, qui n'aura que de courts répits. Il faut bien que je me fasse le courage de porter mon destin ? »

Son petit sourire lui monta aux yeux, brilla de tendresse :

« Le père Beauchamps m'a tôt appris à me faire du courage. Après une bonne trempée de vin au sucre, lui se sentait de force à tout surmonter.

– Toi aussi, dit Marie. Tu es bien sa fille. Comment donc ! Je me souviens très bien des solides trempées que tu prenais pour te donner du cœur à ceci ou à cela ! Sous ta taille si fine tu as toujours eu l'estomac d'un manouvrier qui sait colmater ses peines à grands coups de panade au bourgogne ! Le fais-tu toujours ?

– Hé! fit Jeanne, je le ferais bien si je trouvais ici de bon vieux bourgogne. »

Toute sa gaieté lui était revenue et elle ajouta, entraînée par son propos :

« De reste, j'en ferai venir. Je veux établir dans l'île une importation régulière de vins de la Bourgogne en y mêlant Mme de Bouhey et son ami l'armateur Pazevin. Sais-tu, Marie, combien on peut tirer d'un tonneau de bon vin de Bourgogne, qui ne vaut en France...

– Jeannette! coupa Marie, profondément choquée.

– Eh bien? fit Jeanne, surprise du ton de reproche.

– Nous étions en train de parler d'amour, dit Marie.

– Bon! s'exclama impatiemment Jeanne, me diras-tu aussi, comme don José, qu'amour et commerce ne se peuvent loger de pair dans une tête de femme? Ils s'accouplent pourtant si communément dans une tête d'homme! Crois-tu que l'amour de moi empêchera jamais Vincent d'écumer les mers et ses rivages pour en tirer de l'or? Non, ma douce, voyons la chose comme elle est : j'aime un pirate doublé d'un épicier, et le fait que le tout soit noblement vêtu d'un habit de Malte et beau à me rendre folle ne change rien au fond de l'affaire, qui est que j'aime un homme que le vice-roi du Brésil retient en prison pour délit de contrebande et rapine de diamants. Pourquoi un tel homme trouverait-il mauvais que je m'enrichisse en l'attendant? Je te l'ai dit, Marie, je veux vivre, je veux vivre toutes les minutes de ma vie, même celles où Vincent ne me sera qu'une attente; je veux faire mille choses pour n'en être pas alors réduite aux larmes, pour qu'en touchant terre mon chevalier retrouve chaque fois une femme vivante et non pas un paquet de mouchoirs mouillés moisissant derrière son ennui!

– Comme tu t'exaltes ! dit Marie. Je t'ai rarement vue aussi enflammée, au moins de parole.

– Ah ! c'est que je suis heureuse à crier ! dit Jeanne en serrant de nouveau le message de Vincent entre ses deux mains jointes. Je suis heureuse, Marie, je touche des mots que Vincent a touchés : comprends-tu ? Oh ! il faut que je dépense mon bonheur ou que je m'étouffe avec ! Viens ! allons danser ! »

Elle s'était levée et roulait fébrilement sa lettre.

« Laisse-moi faire cela, tu trembloites », dit Marie.

Elle fit de la lettre un rouleau qu'elle enfonça entre les deux seins de Jeanne :

« Là, sur ton cœur, dit-elle. Hum, c'est un peu gros. Il faut mettre ton fichu... »

En arrangeant les plis de la mousseline elle dit encore, après avoir marqué une hésitation :

« Ainsi, c'est bien vrai, cette cachotterie coincée dans ton corsage ne te cause que du bonheur sans nuage ?

– Ne me gâte pas ma joie, dit Jeanne avec viva-cité. A chaque heure sa joie ou sa peine, et quand de la joie peut être prise il la faut prendre sans mélange, j'ai appris cela d'un brigand de Pinto, qui n'était pas si mauvais philosophe. Viens ! Je veux danser. Il faut que je danse, que je danse, que je danse ! »

A dix heures, le souper interrompit le bal.

L'affluence était telle que les hommes durent se nourrir à l'anglaise, en s'attrapant ce qu'ils pouvaient à de grands buffets d'ambigus. Les dames seules furent assises à trois longues tables fleuries, et les plus jeunes officiers, après avoir renvoyé les valets noirs, se disputèrent la faveur de les servir. Le ballet des uniformes évoluant autour des mousselines et des surahs de l'Inde, des satins rosés de Canton et des tussahs brillants du Siam formait un spectacle très charmant à voir et la gaieté monta vite, parce que ces messieurs se faisaient régaler de bons morceaux au passage et apportaient souvent à boire. La chaleur était grande, les ragoûts pimentés l'augmentaient encore, les éventails s'ouvraient, palpitaient, faisaient semblant de masquer les galanteries que les officiers chuchotaient aux oreilles des dames. Quand le souper s'acheva la danse reprit de plus belle, avec une volupté accrue. Suivie de ses musiciens, elle se mit à farandoler à travers les salons, bousculant les causeurs, taquinant les joueurs, entraînant les indécis, et elle finit par déborder dans la cour et le jardin où elle égara des couples dans les coins sans lune, ondula longtemps en chatoyant sous la lumière des étoiles, telle une chenille de soie. Les danseurs, étourdis, s'abandonnaient à leur vertige, sans plus trop savoir s'ils obéissaient aux violons de la fête blanche ou aux tambours de la fête noire dont l'énorme plaisir assourdissant, né dans les bas quartiers, roulait maintenant à gros flots jusqu'aux abords du Gouvernement. La place d'Armes illuminée de feux grouillait de menu peuple multicolore attroupé autour des faiseurs de musique, des vendeurs de bière et de coco, de riz et de poisson frit. Le tourbillon et la rumeur de la joie s'enfonçaient dans toutes les rues, descendaient sans doute jusqu'à la mer, jusqu'aux batteries côtières les plus avancées où, là aussi, on devait trinquer à la Saint-Louis en ne jetant plus au large que des coups d'œil chancelants.

Jeanne s'était arrachée à la farandole et jouissait un moment de sa griserie de reste, appuyée à une colonne de la galerie. L'essoufflement soulevait encore la mousseline de son fichu et, par-dessous, la lettre de Vincent, chaude et moite, respirait aussi vite que son cœur. Elle s'avança hors de son abri pour mieux profiter du petit vent de l'île. Les blancheurs légères de sa jupe voletaient devant elle, la brise poussait par-dessus ses épaules les serpenteaux de cheveux les moins bien retenus par le ruban de sa coiffure. Elle murmura : « Je t'aime » dans le vent, et regarda son message s'envoler vers la mer en courbant le panache d'un palmier de la cour.

« Voilà une bien belle nuit pour une émeute », dit soudain, à quelques pas derrière elle, une voix mécontente.

Jeanne se retourna, reconnut le gouverneur Dumas. Mains au dos, les jambes ouvertes en compas, le menton tendu, il observait la fraternisation des soldats de la garde avec la liesse populaire. Desforges-Boucher, qu'on avait prié de demeurer au Port-Louis jusqu'au lendemain de la Saint-Louis, se tenait auprès de son successeur. Il dit d'un ton apaisant :

« Non, monsieur, n'ayez crainte. Quand les Noirs font la fête ils ne font pas la guerre.

— Une fête peut vite dégénérer, surtout si elle est bien arrosée, dit Dumas. Si stupide soit-elle, une fois réunie, toute cette racaille de couleur pourrait bien s'apercevoir qu'elle forme le gros de la population.

— Non, monsieur, répéta Desforges-Boucher. La bière et l'arak ne donnent pas aux Noirs le goût de la liberté, mais seulement la rage de boire jusqu'à plus-soif. Je n'ai pas eu à le faire, mais j'ai toujours pensé que, si je sentais naître une révolte, je ferais placer dans la ville assez de tonneaux en perce, et puis que j'attendrais bien tranquillement chez moi l'heure d'envoyer mes hommes ramasser la révolte à coups de fouet pour la reconduire au travail. Nous ne manquerons jamais de main-d'œuvre noire, monsieur, parce que pour un peu d'eau-de-vie un Noir vend son ennemi, son ami s'il n'a plus d'ennemi, ou alors il vend son père, son frère, sa mère, ses enfants, et lui-même au bout du compte.

— Une race esclave mérite toujours son esclavage », dit Dumas d'un ton méprisant.

Il ajouta après un temps, avec une ironie cassante :

« Même si M. l'intendant Poivre en doute. »

En disant cela il avait projeté son regard vers un groupe de causeurs debout sous le péristyle, devant la fenêtre d'un salon éclairé a giorno. Machinalement, Jeanne avait suivi le mouvement de tête du gouverneur, et vit que Philibert discourait là-bas. Lentement, elle remonta vers le bâtiment jusqu'à pouvoir l'entendre.

Depuis le début de la réception elle ne l'avait pas beaucoup vu, et ne l'avait pas vu du tout les deux jours précédents, parce qu'il était encore allé faire des observations à Monplaisir avec M. de Céré, et qu'elle n'avait pas voulu quitter Marie et Pauline au lendemain de leur arrivée.

Entouré de Poivre et de quelques autres mordus de la botanique, Aubriot parlait du figuier. Dans sa bouche, le *Ficus Carica* devenait un personnage aux mœurs amoureuses étranges, dont les fruits aux multiples délices faisaient, en grec et en latin, la joie des gourmands poètes depuis le fin fond des âges méditerranéens.

« Monsieur, vous me donnez faim de sucré, gémit comiquement le marquis d'Albergati. Et ce d'autant que votre propos me fait ressouvenir d'un mémorable goûter de ma Provence, qui a embaumé mon enfance. Connaissez-vous, monsieur, cette variété de figue que chez nous, près d'Aubagne, on nomme goutte-d'or ?

– Je vois une figue grosse et pâle, qui se fend vers l'œil à maturité pour laisser perler un beau suc ambré d'une grande douceur à la langue, dit Aubriot sans hésiter.

– Ah ! monsieur, en disant que ce suc est doux vous ne lui rendez que bien faible justice ! s'écria le marquis d'Albergati. C'est un filet de miel, monsieur, et du miel le plus exquis, qui coule de l'œil de la goutte-d'or ! Et maintenant, imaginez deux ou trois de ces fruits éclatés juste comme il faut, tartinés sur une tranche de pain de froment et poudrés d'un tour de moulin à poivre pour en faire mieux ressortir la suavité... »

Le capitaine de la légion ferma les yeux, joignit les mains et savoura sa tartine avec un air d'extase :

« Messieurs, dit-il en rouvrant les yeux, je viens de vous donner la recette de l'ambroisie. Je n'ai jamais douté que la nourriture des dieux de l'Olympe fût préparée avec des gouttes-d'or mûres à point.

— Le marquis est gourmand comme une chatte, dit le père Duval en riant. Mais je suis forcé de l'absoudre de ce péché-là car il m'arrive de le trouver véniel ! »

Depuis un moment, tout en mettant de temps en temps son mot ou sa recette dans la discussion, Poivre avait lancé plusieurs coups d'œil dans le jardin, du côté où l'ancien et le nouveau gouverneurs bavardaient ensemble. Quand il se retrouva seul avec Aubriot après l'éclatement du groupe que deux dames avaient dérangé, l'intendant eut un rire en désignant Dumas du regard :

« Je ris parce que Dumas nous observait et doit croire que nous complotions contre son règne, dit-il. Son humeur est telle qu'il ne peut voir de la compagnie s'assembler autour de moi sans aussitôt s'imaginer un complot et sauter sur sa plume pour en avertir le ministre. C'est un homme qui se chagrine avant de savoir et qui écrit avant de penser. »

Aubriot sourit de la boutade, remarqua :

« Je me demande pourquoi le ministre a voulu une tête au-dessus de la vôtre, qui pouvait suffire à tout ?

— Oh ! si ce n'était pas une tête d'épingle je m'en consolerais bien ! » jeta Poivre.

A cet instant, les deux hommes furent surpris par un joli rire de femme qui leur tomba dessus.

« Courage, messieurs ! dit Jeanne, vous voilà bien partis pour un duo de méchancetés. Je vous connais assez tous les deux pour savoir que je me serais bien amusée si j'étais restée à vous écouter dans l'ombre, mais voilà, c'est la Saint-Louis et j'ai encore envie de danser et de danser avec des hommes d'esprit, qui me débiteront à l'oreille autre chose que des platitudes. Monsieur l'intendant, je vous demande votre main pour un bout de menuet et, monsieur, ajouta-t-elle en se tournant vers Aubriot, je vous retiens la vôtre pour un bout de chaconne.

– Quelle folie! s'exclama Aubriot, suffoqué par cette soudaine flambée d'une audace que jamais Jeanne ne lui avait montrée. Dois-je vraiment croire, Jeanne, que vous avez bu assez de vin au souper pour vous mettre à penser que nous avons encore l'âge d'entrer dans la danse?

– Hé! mon cher, parlez pour vous! protesta Poivre avec jovialité. C'est la Saint-Louis, et dès qu'une beauté m'invite, je me sens son âge avec empressement. Venez, Jeannette, je promets de vous faire ma cour comme un vrai damoiseau.

– Vous serez bien puni de votre complaisance, lança Aubriot. Quand on vous aura vu faire danser Jeanne, vous devrez faire danser les laides aussi! »

Il balança s'il allait les suivre ou non, demeura un moment seul sous le péristyle, vit soudain son Noir Polydor se lever de l'ombre où il se tenait accroupi. Polydor ne supportait pas de quitter jamais son maître, il couchait devant la porte de sa chambre et le suivait partout comme un chien, comme s'il craignait que monsié dotto ne l'eût pas encore tout à fait acheté et que le plus mince instant de son inattention le fît changer d'avis.

« Va donc dormir, lui dit Aubriot. Je n'ai pas besoin de toi. »

Polydor secoua la tête :

« Pas bisoin dourmi, dit-il. Voulé voir monsié dotto danser. Li va 'ler danser, ajouta-t-il dans un grand sourire. Quand zolie mamzélle décidé quéqué çose, les zhommes c'est pauve monde, faire tourniquet conça même mamzélle décidé.

– Polydor, tu as d'excellents yeux et t'en sers excellemment », dit Aubriot en lui tapant bienveillamment sur l'épaule.

Il résista pour l'honneur.

« Tu es folle, Jeannette. Tu as bu, tu es folle.

– La chaconne est une danse fort digne, dit-elle en l'entraînant.

– Tu es folle », répéta-t-il en marquant du pied le premier des trois temps de la chaconne, mais il avait envie de rire.

Elle semblait vraiment ravie de danser avec lui, elle glissait comme sur un tapis de roses. Peut-être pour mieux se clore sur son plaisir elle tenait son regard abaissé et, bien qu'il connût par cœur son visage, il admirait comme avec une émotion de retrouvailles les longues paupières bistrées frangées d'or bruni et, par-dessus, les deux arcs parfaits de ses sourcils. Parce qu'il n'avait soudain rien de mieux à faire que de la contempler sous les lumières il se délectait de l'harmonie de sa beauté, promenait des yeux de curieux neuf sur les détails charmants de cette fleur blonde familière, et il en était si content qu'il dut retenir un compliment sucré de galant de bal. Il la trouvait radieuse, cette nuit, d'une séduction radieuse de femme presque inconnue. « Ma petite fille a vécu », pensa-t-il avec un pincement au cœur. Des images douces-amères lui revenaient en foule, de leur passé amoureux si proche dont elle avait brusquement choisi de s'éloigner – pourquoi ? Cent fois déjà il avait buté sur ce « pourquoi », en lui donnant de fausses réponses ou en se donnant de la colère, et pas une seule bonne idée. Mais là, tout à coup, il se demandait si tout simplement Jeanne ne s'était pas un beau jour échappée de Jeannot avec le naturel innocent d'un papillon s'échappant de sa chrysalide pour s'envoler vivre sa vie d'adulte, sans nulle envie de retour vers son cocon d'enfance brisé, usé, dépouillé de sa tiède utilité. Et dans ce cas, n'était-il pas bien vain de s'étonner et de se fâcher contre un papillon qu'on voit suivre la loi des papillons ? On ne pouvait au plus que s'en attrister, parce qu'on n'est pas sage.

Mais sage, Aubriot désirait au fond si peu l'être, qu'au bout de son éclair de lucidité il se traita de romancier, s'efforça de faire rentrer Jeanne dans Jeannot et de regarder Jeannot comme il en avait l'habitude, comme un très agréable agrandissement de sa petite admiratrice du château de Charmont, capricieuse provisoirement, Dieu savait pourquoi, qui a fait capricieuse la nature de la femme.

« Ma parole, mais vous sentez bon ! dit-elle soudain, le nez froncé, en relevant les yeux. Je croyais rêver, mais non, vous dégagez bel et bien une odeur embaumée de petit marquis qui s'est inondé d'eau de senteur pour venir au bal. Voilà du nouveau, monsieur ! Et de chez quelle courtisane vous vient ce parfum, je vous prie ?

— Non, non, la dame de Mongoust n'y est pour rien, dit-il en riant. C'est Mme de Céré qui le fabrique. J'étais devant ses frangipaniers, à raconter que leur nom commun vient de ce que leur parfum de crème suave rappelle cet arôme italien dont les gantiers d'autrefois se servaient pour parfumer leurs peaux, quand mon hôtesse m'a tendu sa main en me disant qu'elle au moins portait toujours de la peau à la frangipane. Ma foi, j'ai trouvé si délicieuse la senteur de Mme de Céré qu'elle m'a passé un peu de son eau pour mes chemises. J'en aurai trop mis. Est-ce que, vraiment, j'empeste à ce point ?

— Monsieur, j'ai dit que vous embaumiez. Et cela me plaît. Vous savez bien que j'ai le nez gourmand à l'excès. Muuummm... »

Elle se penchait vers la cravate à dentelle d'Aubriot, pompait l'arôme de frangipane en battant des narines, exagérait sa jouissance par jeu, et peut-être aussi pour accroître le trouble qui la gagnait :

« Muuummm..., répéta-t-elle, je me grise... Si nous n'étions au milieu d'une foule je tomberais ivre sur votre chemise !

– Tu es une paonne-de-nuit, dit-il.

– Je suis quoi ?

– Une paonne-de-nuit. C'est la femelle du paon-de-nuit. Pour appeler sa dame ce papillon-là émet une odeur si prenante qu'elle accourt, et alors il n'a plus qu'à l'éventer encore un peu pour la faire tomber pâmée entre ses ailes.

– Ah ! oui ? fit-elle, penchant un peu la tête et lui coulant un regard d'or. Secouez un peu vos manchettes, s'il vous plaît ? »

Elle l'invitait si clairement à entrer dans un marivaudage voluptueux qu'à nouveau il pensa : « Elle a trop bu », mais il espérait que non, et une ondée de bonheur lui venait à la voir si provocante avec lui. Il se trouvait passablement ridicule de danser à son âge mais n'osait cesser, de peur de rompre ce climat de désir qui renaissait entre eux – qu'il lui semblait sentir renaître. Dieu merci, l'heure n'était plus à la dignité, de très respectables barbons ventrus donnaient la main à des jeunes femmes et battaient le parquet du pied avec allégresse. Personne ne se souciait plus de personne, la fête avait pris possession des corps et des âmes.

« Vous dansez à merveille, dit Jeanne. Je savais que vous dansiez bien. Je vous ai vu danser jadis à Charmont, quand j'étais petite. »

Sa voix trembla quand elle ajouta :

« Mais jamais encore vous n'aviez dansé avec moi. »

Il la regarda et vit briller les grands yeux dorés, pleins d'eau de joie.

« Eh bien, j'ai donc eu tort jusqu'ici, dit-il avec une douceur émue. Mais le dommage est tout pour moi. »

Un temps s'écoula avant qu'elle ne murmurât très bas :

« Voilà une charmante parole, monsieur Philibert. »

La musique cessa, il y eut un grand bruissement de soies et de voix.

« Trouvons-nous un sorbet, proposa Aubriot.

– Oh ! non, dit Jeanne, plutôt du vin de Champagne... J'ai envie de continuer à fleureter avec vous, et j'aurais peur que le sorbet ne vous rafraîchisse par trop. »

Il se mit à rire, mais autant de bien-être que d'amusement :

« Franchement, dit-il, je me demande si tu as besoin de boire encore du vin de Champagne ? »

9

TARD dans la matinée, les mains de Philibert l'éveillèrent.

Elle aimait, quand il l'éveillait ainsi, qu'il mît longtemps à retrouver son visage sous l'abondance de sa chevelure emmêlée. Ce matin il mettait longtemps. Quand elle commença de remonter du sommeil, avant même d'avoir repris pied dans le réel elle eut conscience d'être posée sur une écume de paix fragile, crispa ses paupières pour se retenir dans sa bienheureuse somnolence. Mais la caresse de Philibert, insistante, chassait sans pitié les buées de sous son front, et elle ne lutta plus que pour ne pas ouvrir les yeux, pas encore. Alors il la saisit aux épaules et la secoua :

« Il est midi, dit-il d'une voix trop forte pour des oreilles encore ensablées de nuit.

– Midi ! » fit-elle en se dressant assise, et elle remonta précipitamment le drap jusqu'à son cou en s'apercevant qu'elle était nue, avant de rougir comme un coquelicot.

Tout de même, qu'il fût midi lui donnait à penser d'urgence à autre chose qu'à titiller sa conscience encore toute molle; un sursis est toujours bon à prendre.

« Est-ce que don José n'est pas passé voir si j'étais prête ? demanda-t-elle en s'enroulant dans le drap et en sautant du lit. Nous devons aller à Quatre-Epices aujourd'hui pour y recevoir les Noirs maçons et menuisiers du Roi qu'on nous prête.

— Tu penses bien que don José n'est pas encore prêt lui-même ! dit Aubriot. Un Espagnol qui se couche à l'aube ne se lève pas de bonne heure. Polydor nous a apporté du café, mais dame ! Il est froid.

— Je vais le boire froid », dit Jeanne.

Pendant qu'elle buvait, le médecin eut une crise de toux sèche si violente qu'elle lui mit du rose aux pommettes.

« Je parie qu'à Monplaisir vous avez oublié de prendre votre sirop, s'écria Jeanne, alarmée.

— Il faudrait que je trouve du radis noir, dit-il. Le radis noir fait un sirop bien plus efficace que les capillaires.

— Il y a sûrement des radis à Rivière-Noire, chez M. de Messin, dit-elle. Je lui en ferai demander par son capitaine de pirogue. »

Elle lui apporta son sirop, lui en servit une cuillerée :

« Et donnez-moi votre mouchoir, que j'y mette quelques gouttes d'essence de cyprès.

— Je le ferai, dit-il. Va t'habiller et ne t'inquiète pas. J'ai toujours eu la gorge irritable et m'en suis toujours accommodé. Mais trop de pollen dans l'air ne me vaut rien et, dans ce pays béni du soleil et fort éventé, on respire toute l'année de la poussière d'été. »

Elle passa dans le cabinet de commodité et il entendit l'eau tomber en cascade dans la cuvette.

« Range mon habit de soirée dans l'armoire ! lui cria-t-il. Il est resté sur la chaise. Je connais tes façons de naïade, tu vas me l'asperger et je n'ai pas envie qu'on me refasse demain un habit de six cent soixante livres. »

536

Avec soin Jeanne rangea le bel habit de velours noir cannelé en chantant à tue-tête :

> *Il faut payer ce que vaut une chose,*
> *Mais je répugne à la payer deux fois...*

« Puis-je savoir quelle insolence tu me chantes là ? demanda la voix d'Aubriot.

— Une chanson de Vadé, que mon ami Mercier m'a naguère apprise, et qui n'irait pas mal non plus dans votre bouche, dit-elle avec audace en montrant une tête rieuse et criblée de gouttelettes dans l'entrebâillement de la porte.

— Me trouves-tu donc si avare ? questionna-t-il avec un peu d'humeur.

— Je vous trouve... économe ! » lança-t-elle et aussitôt elle fut prise de rire, d'un fou rire qui se nourrissait de lui-même et ne s'arrêtait plus.

Il l'observa pendant une longue seconde, finit par soupirer avec indulgence :

« Il fallait que tu fusses bien baignée de vin pour en être encore si follette ce matin.

— Mais je ne suis pas ivre, Philibert ! Je ne suis pas ivre : je suis heureuse. Je suis heureuse, voilà ! » acheva-t-elle en lui expédiant un baiser du bout des doigts, et elle retourna à ses ablutions.

Le miroir qui renvoya en effet un visage si indûment heureux qu'elle en fut gênée, se réenveloppa dans son drap pour courir s'en justifier dans l'entrebâillement de la porte, par d'autres raisons que celle de sa fin de nuit :

« Et comment ne serais-je pas heureuse ? jeta-t-elle d'un ton de défi. J'ai vingt ans et je suis arrivée déjà où je voulais vivre, je vais habiter un morceau paradisiaque de la terre, Moka où il fait toujours beau, toujours frais, toujours vert, où la vie sera pleine de parfums et douce comme une figue. Comment ne serais-je pas heureuse ? J'ai débarqué sur ma terre promise.

– « Terre promise, pays de froment et d'orge, de vigne, de figuiers et de grenadiers, pays d'oliviers, d'huile et de miel », récita Aubriot. Il s'en faut, ma follette, que ton Quatre-Epices ressemble à ce pays-là ! Il s'en faut de beaucoup de temps, d'argent et de sueur noire.

– Et de savoir, dit-elle, avec son sourire d'enjôleuse. Vous oubliez le savoir. Mais pour le savoir, je ne suis point en peine, c'est ce qui nous manquera le moins. »

Il la perça d'un coup d'œil noir :

« J'espère que vous ne comptez pas sur moi pour acclimater vos épiceries ?

– Et sur qui de mieux, monsieur le botaniste du Roi ?

– Jeanne, ne compte pas sur moi, dit-il avec rudesse. Ne comptez pas sur moi. Je ne veux pas me mêler de cette affaire, ma mission m'occupe assez et me passionne davantage. Nul de vous trois ne m'a demandé mon avis avant de s'embarquer dans l'aventure – non, non ! n'essaie pas de me faire croire le contraire –, à présent vous devrez vous débrouiller tous les trois. Au demeurant tu as été une bonne élève, tu t'en tireras sans doute. »

Il ajouta d'un ton méchant :

« Je tâcherai d'apprendre à Polydor à te remplacer auprès de moi, ainsi auras-tu tout ton temps pour jouer à l'épicière. »

Retenant autour d'elle son drap de coton enroulé en toge, elle se rapprocha près de lui et dit, négligeant de répondre à sa dernière phrase :

« Je ne crois pas que vous aurez le cœur de me refuser vos conseils. Mais même si je faisais pousser mon paradis toute seule, quand il serait poussé j'aurais besoin de vous pour le trouver beau. Jamais personne ne parviendra à me persuader qu'un beau jardin est assez beau quand vous n'y êtes pas. Non, personne. Pas même vous ! »

Elle avait parlé très bas, avec une sincérité si

vibrante et presque douloureuse qu'Aubriot en fut frappé, demeura coi une longue seconde. Enfin il lui tapota la joue, dit en ne se moquant qu'à peine :

« Décidément, tu n'es pas dans ton assiette ordinaire. Allons, va t'habiller, ma sensitive, et ne te cherche pas un motif de vaine tristesse : je n'ai ni le temps ni le désir de me faire planteur, mais je n'ai jamais dit que je n'irais pas me promener sur ta plantation. »

Quelques heures plus tard, redevenue un peu lasse de sa dernière nuit, Jeanne se donnait un moment de rêve au bord de l'étang de Quatre-Epices. Le vent agitait le feuillage de l'énorme vieux figuier de la petite île du milieu de l'eau, les feuilles monstrueuses se gonflaient par en dessous et retombaient au ralenti, avec une grâce molle d'oreilles d'éléphants vertes. Dans la lumière oblique de la fin de l'après-midi les bois des collines se fondaient en une masse obscure, l'ombre se levait du sol pour commencer de remplir le taillis d'alentour, les canards perdaient de leurs couleurs, traçaient bien droit, sur l'eau devenue opaque, des sillons d'argent. Le bruissement léni-fiant du ruisseau de montagne ne faisait qu'ajouter au profond silence romantique du paysage, troué seulement, de loin en loin, par le cri d'un singe ou d'un perroquet. Jeanne se renversa sur le tapis d'herbe, bâilla, se déploya, s'étira, se roula dans son bien-être avec des façons de chatte ayant trouvé un bon coin pour une séance de paresse. Au-dessus de son regard errant la chevelure pendante de l'eucalyp-tus se balançait, légère, gracieuse, frissonnante. Ce bel eucalyptus piqué sur une faible éminence et penché vers l'eau était le seul arbre qui demeurât de ce côté dégarni du rivage, et Jeanne ne doutait pas qu'en abattant de la forêt on l'eût laissé là exprès, ou replanté, pour servir d'ombrelle au repos du prome-neur. « Je lui ajouterai un banc », pensa-t-elle, et une houle de joie l'envahit : elle allait faire placer *son* banc sous *son* eucalyptus, au bord de *son* étang.

Quatre-Epices était son bien désormais et elle allait l'empoigner à pleines mains pieuses et ardentes pour le façonner, le peupler de ses songes, de ses idées, de sa tendresse, tant et si bien qu'un jour la silhouette de Jeanne Beauchamps n'y serait plus une étrangère; elle y serait au contraire partout chez elle, et harmonieuse et nécessaire partout, et alors, dans toute l'île, on l'appellerait « la dame de Quatre-Epices ». Ce serait bien. Jeanne aurait créé un nouveau jardin sur terre, accompli ce pour quoi elle était née avec les pouces verts et un grand amour des fleurs, et la prédestination de tomber amoureuse à dix ans d'un très savant amant de la nature.

Un pigeon-des-mares se posa non loin d'elle et se mit à se promener en roucoulant. Il était gras comme un moine et faisait une promenade de moine autour de son clos, à très petits pas lambins et bien égaux, en marmottant son bréviaire de pigeon – roucoucoucou, roucoucoucou – dans le fond de sa gorge.

« Eh oui, mon gros, lui lança Jeanne, eh oui, je suis bien de ton avis, il y a des moments où la vie vous roucoule dans les veines. »

De ces moments où, quoiqu'on vienne de faire on est contente de n'en pas mourir de honte – par beau temps, la honte est si triste. « Plutôt coupable mille et une nuits de plus que de faire souffrir Philibert une heure trop tôt », poursuivit sa pensée, avec une belle hypocrisie, car enfin, ce n'était pas tellement par charité qu'elle s'était abandonnée à Philibert ? « J'étais si heureuse d'avoir eu cette lettre... Et quand je suis heureuse j'ai une telle envie de l'être plus encore... » Non, vraiment, pour l'instant pas l'once d'une sensation de culpabilité ne lui venait en songeant à son après-bal. Comment parvient-on à se sentir coupable de l'élan d'amour qui vous a jetée dans des bras qu'on aime ? Le cœur a ses fidélités, le corps a ses habitudes : on n'y peut rien. Et puis, Philibert usait toujours de façons si douces, si sournoises pour la conduire dans le plaisir comme vers un simple excès de sa tendresse... Tout était de sa faute. Il avait si bien dressé son Jeannot à lui obéir...

Des glapissements presque éteints par la distance, mais qui se prolongeaient, finirent par tirer Jeanne de son savoureux engourdissement dans la mauvaise foi : Zoé, dont le gosier était puissant, devait être en train de houspiller quelqu'un. Brusquement ressaisie par l'impatience de faire avancer les travaux au plus vite elle se remit debout, sauta sur son cheval et galopa vers la maison.

Les Noirs du Roi, dont l'intendant Poivre avait fait attribuer cent soixante journées de travail à la nouvelle dame de Quatre-Épices, avaient commencé par construire deux cases pour s'y loger. Naturellement : pour rien au monde ils n'auraient couché, fût-ce une seule nuit, pêle-mêle avec la racaille noire du marquis !

Déjà, au temps de la Compagnie, les Noirs qui lui appartenaient se jugeaient d'une caste bien supérieure à celles de leurs frères de misère employés par les colons privés; mais depuis que le Roi les avait rachetés, ils se sentaient rien de moins qu'anoblis ! Ainsi y avait-il dans l'île au moins un millier d'esclaves heureux, parce qu'ils pouvaient mépriser toute une tourbe de roture aplatie sous leur aristocratie, et aussi parce que, vraiment, ils étaient plus heureux que les autres. La Compagnie leur avait fait apprendre un métier, le Roi les logeait, nourrissait et vêtait avec décence, leurs femmes lavaient le linge des officiers-majors, leurs garçons servaient d'ordonnances et, quand leurs filles nubiles étaient jolies, elles aussi trouvaient aisément à s'occuper dans l'armée. Ceux qui les avaient les traitaient le plus souvent avec douceur et bananes dans le but d'en obtenir de bonne charpente ou de bonne serrurerie et ces Noirs-là, bons ouvriers, les décevaient rarement. Restait que, pour un planteur, obtenir des journées de Noirs du Roi était un passe-droit tout à fait exceptionnel, qui faisait jaser les voisins. Mais de toute manière, jalousie et discorde régnaient à perpétuité entre les colons, le fait qu'ils s'étaient maintenant politiquement divisés en deux clans ennemis – celui du gouverneur, celui de l'intendant – n'arrangeait rien, et tout le monde savait déjà que « les nouveaux » de Quatre-Epices appartenaient à la clientèle de Poivre. Que Mlle Beauchamps en eût reçu une faveur de plus ne ferait qu'ajouter un cancan à la médisance qui courait sur son compte depuis qu'à peine débarquée au Port-Louis elle avait enlevé une terre convoitée, « en arrosant Poivre ou en couchant avec lui, ou alors sur un ordre venu de Versailles, car autrement, pourquoi elle et pas nous ? »

Jeanne avait été contrariée d'apprendre ce qui se chuchotait derrière son dos, elle détestait se sentir mal aimée, mais la veille, au bal de la Saint-Louis, la dame La Victoire lui avait prêché la désinvolture. Comme on se dirigeait vers les tables du souper, la dame veuve Masson, première native blanche de l'Isle de France, mère et déjà grand-mère d'une foisonnante descendance, baptisée « La Victoire » parce qu'elle ne revenait jamais bredouille ni d'une chasse au cerf ni d'une battue aux marrons, s'était soudain plantée devant Jeanne pour la dévisager tout son soûl, sans façon, doublant son regard avec son face-à-main pour n'en pas perdre un détail. Jeanne, éberluée, amusée, s'était laissé examiner comme bête à l'étal et enfin la bonne dame avait dit, maîtrisant avec une discrétion inattendue sa voix de vivandière forte en gueule : « Alors, c'est vous qui avez raflé Quatre-Epices pour une bouchée de pain avec la bénédiction de notre nouvel intendant ? Eh bien, ma foi, je ne vois pas de quoi s'étonnent les grognons, vous avez tout le nécessaire pour réussir vos affaires ! » Et comme Jeanne, furieuse de l'allusion, choisissait de la quitter plutôt que de lui répliquer, Mme Masson l'avait retenue d'une poigne ferme : « Tout doux, ma belle, avant de vous en aller fâchée laissez-moi vous dire que, moi, je ne vous en veux pas. Je suis une femme seule aussi. Seule avec des marmots sur les bras et pas un sou en poche je l'ai été de bonne heure, et pour me gagner mon aisance j'ai employé toutes mes ressources et ne m'en repens pas. J'ai fait avec ce que j'avais, tête et courage compris; vous ferez avec ce que vous avez et donc mieux que moi sans doute, car pour la figure vous avez l'avantage. Ne vous en laissez pas accuser, passez le front haut par-dessus le qu'en dira-t-on, et si vous avez besoin d'un bon bec pour rabattre un peu les caquets, comptez sur le mien, il a fait ses preuves. » Jeanne avait murmuré « Merci », demandé « Pourquoi ? » et la veuve Masson lui avait répondu avec une très sympathique franchise : « Mademoiselle, vous êtes au mieux avec Poivre, j'aimerais bien vous rendre service, et à charge de revanche. Il n'y a qu'une poignée de femmes fermiers dans l'île, elles doivent se serrer les coudes parce qu'elles, en plus des sauterelles, des singes, des rats, des cariats, des marrons et du vent, elles ont encore les hommes comme ennemis de complément ! » Un peu plus tard, le bal reprenant, Mme Masson était revenue à la charge avec plus de précision : « J'ai besoin d'une ordonnance, avait-elle lâché tout de go. J'ai besoin qu'une ordonnance interdise à un propriétaire d'abattre trop de forêt en bordure de son voisin si cela doit changer son régime des eaux. La chose regarde l'intendant. Faites-moi sortir cette ordonnance, ma belle, et en échange je vous aiderai à vous procurer des Noirs de contrebande. Il est probable que la *Prudente* débarquera bientôt sa traite à Rivière-Noire. Vous croyez que M. de Messin vous en préviendra mais il n'en fera rien, il aura peur que vous n'en bavardiez chez vos amis Poivre. Mais mon habitation jouxte Rivière-Noire, moi aussi je connais le capitaine

Hocquel et ses signaux de nuit ne m'échapperont point. Obtenez l'ordonnance pour la protection des eaux et forêts, je vous obtiendrai des mozambiques de la *Prudente.* » Comme Jeanne rosissait et tiquait, gênée par la grande clarté du marché, Mme Masson avait ajouté rondement : « Ma belle, point de scrupules, ils ne seraient pas de mise. Dans un pays de requins, il ne faut pas faire la crevette. Rentrez votre rose aux joues. »

Depuis qu'elle avait eu cette fortifiante conversation avec la dame La Victoire, Jeanne pensait avec encore plus d'optimisme qu'avant à l'énorme tâche qu'elle avait entreprise pour remettre Quatre-Epices en état, et à son goût.

Arrivée devant la maison, elle se laissa glisser de son cheval...

Saint-Méry était assis sous la varangue, à ne rien faire. L'un de ses vieux Noirs, à demi vautré par terre auprès de lui, montrait tous les signes de la grave dolence noire – ce chagrin d'entrailles qui remonte du creux d'un corps tremblant et s'échappe des grosses lèvres closes en une plainte bourdonnée monotone.

« Qu'a-t-il ? » interrogea le regard de Jeanne en allant du nègre à Saint-Méry, qui s'était levé et haussa les épaules :

« Il voulait travailler aux cases avec les Noirs du Roi. Imaginez cela ! On ne mélange pas les oignons et les échalottes. Il est vexé. »

Il se rapprocha de Jeanne pour ajouter tout bas :

« Et il a peur.

– Peur ? Peur de quoi ?

– Peur d'être bientôt libre.

– Eloignons-nous », dit Jeanne.

Ils descendirent dans le jardin, marchèrent sans hâte vers l'emplacement choisi pour y construire le camp des Noirs, d'où venaient des coups sourds.

« Quand vos Noirs doivent-ils quitter Quatre-Epices ? demanda Jeanne.

– Hier ! dit Saint-Méry. Tout de suite. Je leur ai trouvé un passeur pour la Grande Ile et promis mille livres à chacun. Mais ni l'argent ni le temps n'ont de sens pour eux, qui sont esclaves depuis leur enfance ou presque. Un présent d'une piastre les rend fous de joie, parce qu'ils savent qu'une piastre vaut une coucherie dans un bouge du port, et un coup de bière par-dessus le marché. Mais mille livres ! Ils n'ont parlé entre eux que de cela pendant deux jours, et puis ils sont venus me demander de garder leur fortune pour leur en donner un peu chaque fois qu'ils en auront besoin. Ils sont persuadés qu'en la prenant ils la perdraient, ou bien qu'on les tuerait pour les voler.

– Mais s'ils veulent retourner chez eux..., commença Jeanne.

– Chez eux, hélas ! c'est moi ! » dit Saint-Méry.

Il eut un grand soupir de lassitude, reprit d'un ton résigné :

« Ils seraient radieux d'embarquer pour leur bien-aimée Grande Ile si j'entrais dans la barque avec eux. Sans moi... Je sais très bien qu'ils n'iront jamais plus loin que le port. Ils s'arrêteront dans un taudis pouilleux de la Terre Sainte, d'où ils pourront facilement venir me gémir aux oreilles leurs misères et leurs querelles et me mendier une ou deux livres de temps en temps, avec le même luxe de mensonges pour les obtenir que si elles ne leur appartenaient pas. Et cela durera ainsi, jusqu'à leur mort ou jusqu'à la mienne.

– Et si vous demandiez l'autorisation de les affranchir ?

– L'avoir aujourd'hui, qu'est-ce que cela changerait ? Pour affranchir, ou il faut que l'esclave soit jeune, ou il faut que le maître soit cruel. Imposer la liberté à celui qui la reçoit comme un inconnu terrifiant, ce n'est pas un bienfait. »

Il y eut un silence, puis Jeanne dit :

« Marquis, je crois que vous êtes bon.

– Je suis faible en tout cas, de cela je suis sûr, et c'est une manière facile d'être bon, dit-il en lui souriant.

– Pensez-vous que vos Noirs vous trouvent bon ?

– Oh ! fit Saint-Méry, comment savoir ce que nos esclaves pensent de nous ? Sauf par hasard...

– Par hasard ?

– Il court un proverbe à Bourbon... A Bourbon, plutôt que de dire : « Etre heureux comme un « poisson dans l'eau », on dit : « Etre heureux « comme un esclave chez les Noblecourt. » Ce sont les petits Blancs à la vie dure qui ont inventé le proverbe, mais les Noirs le répètent.

– C'est donc possible..., rêva Jeanne. Je veux qu'un jour, en Isle de France, on dise : « Heureux comme un esclave à Quatre-Epices. »

Il la couvrit d'un regard de sympathie, et elle dit encore, en marquant des hésitations :

« Vous vivez si... proche de vos Noirs depuis quelque temps, et moi, je les connais si mal – en fait, je ne les connais pas du tout – que, si vous vouliez bien me parler d'eux... »

Il la coupa :

« Ne vous posez pas trop de questions sur les Noirs, mademoiselle, laissez ce jeu aux philosophes; pour un planteur, il ne vaut rien.

– Mais pourquoi ?

– Parce qu'au bout du compte, les Noirs nous ressemblent beaucoup. Et mieux vaut qu'un planteur ne le sache pas trop. »

Elle demeura silencieuse. Ils arrivaient sur le lieu du travail.

« On attend vos compliments », dit Saint-Méry.

Plantés entre les deux premières cases à peu près achevées, les trois Noirs charpentiers, outils lâchés, l'air fier et souriant, regardaient venir la mamzélle. Plus loin, à l'amorce de la grimpée d'une colline, les trois Noirs maçons avaient commencé de travailler sans hâte au soubassement d'une troisième case, qui semblait prévue bien plus vaste que les deux autres.

« Voilà qui me paraît tout à fait bien. Je suis très satisfaite, je trouve votre ouvrage très beau », dit Jeanne après être entrée dans les deux cases.

Les charpentiers échangèrent de grands rires contents, montrèrent avec force explications que les cases avaient été construites selon les nouvelles règles imposées par l'intendant pour économiser le bois : sur une assiette de pierres on posait quatre poutres d'angle, des murs en treillage de lattes bourré de torchis et un plaisant toit de latanier. Chaque case était percée d'une fenêtre en vis-à-vis de la porte. Il ne restait qu'à badigeonner l'intérieur au lait de chaux, à faire les portes en planches et les contrevents des fenêtres [1].

« C'est vraiment très bien », redit Jeanne, sincère, puis son regard se porta vers les maçons :

« Est-ce don José, qui a commandé qu'on bâtisse là-bas, hors de l'alignement et au vent du camp ? Est-ce le logement du commandeur ? demanda-t-elle à Saint-Méry.

– Le logement du commandeur doit être dans le camp, dit Saint-Méry. Là-bas, si vous le voulez bien, ce sera le mien. »

Jeanne fut si surprise qu'elle demeura sans réponse, la bouche entrouverte, et Saint-Méry eut tout le temps de poursuivre :

« Vous m'avez offert la place de géreur... Si vous ne vous en repentez pas, je vous demande permission de me faire bâtir ma maison à l'ancienne, avec de beaux troncs de palmistes bien droits et un toit de bardeaux rouges. Deux pièces me suffiront, avec une varangue et une grande cabane mitoyenne pour Nénéne et Zoé et... et les enfants. Ceux des enfants dont Zoé est la mère », acheva-t-il très vite.

---

1. La fenêtre n'était qu'un trou dans le mur, on fermait avec le contrevent, ou pas du tout.

Jeanne comprit que le marquis se reconnaissait le père des marmousets café au lait de Zoé. Il y en avait cinq, cinq garçons.

« En voilà une nouvelle ! s'exclama-t-elle. Ainsi, vous demeurez ?

– Votre stupeur m'inquiète, dit Saint-Méry. Si vous avez changé d'avis...

– Certes, non ! dit Jeanne, reprenant son sang-froid. C'est de plaisir que j'ai été saisie.

– Pour le plaisir, mademoiselle, attendez de voir, dit Saint-Méry, son ironie légère aux lèvres. Je ne sais comment cela ira, car je n'espère pas me corriger de mes défauts. Essayons, vous pourrez toujours vous raviser et me mettre dehors un jour ou l'autre. Je ne m'en plaindrai pas.

– Cela ira », dit Jeanne en lui tendant ses deux mains.

Il les serra entre les siennes et, cette fois, le regard doré de Jeanne put rencontrer le regard bleu de Saint-Méry au lieu de n'en traverser que la fumée.

« Je n'aurais pas dû accepter, dit-il, je sais que je n'aurais pas dû, mais... C'était plus simple.

– Vous aimez cette terre, vous ferez pour elle le meilleur des géreurs, dit Jeanne. Je vous y aiderai.

– Quelle chance tout de même que la naissance ! railla Saint-Méry. Une mauvaise conduite est fortement relevée par un titre de marquis, et tant et si bien qu'au lieu de se voir offrir l'hôpital on se voit offrir le pain et le vin chez une belle dame : noblesse oblige les autres !

– Allons voir la maison du géreur », dit Jeanne.

Ils montèrent jusqu'au pied de la colline où les maçons travaillaient. Leur commandeur était assis sur un tronc de grenadier renversé. Il claqua du fouet dans l'air et se mit à crier des ordres inutiles quand il vit les Blancs s'approcher.

Ulysse était là aussi, bien que jamais le commandeur du Roi n'eût permis au commandeur de l'habitation de faire la moindre remarque à ses ouvriers.

Le magnifique sénégal que Saint-Méry avait racheté aux La Barrée d'Eaux-Bonnes pour qu'on ne le mutilât pas se tenait à bonne distance de son confrère noble, vigilant mais muet, son fouet posé sur ses genoux. Un turban rouge et blanc drapé avec grâce et sans doute fait d'un morceau de pagne offert par Zoé enserrait sa tête, masquait la cicatrice de l'oreille coupée. Il observa les mouvements de Jeanne et courut pour venir se placer entre elle et le commandeur du Roi, auquel elle allait s'adresser :

« Travail, c'est bon, mamzélle, dit-il d'un ton grave. Monde-là capable travaillé bon.

— Dans ce cas, peut-être pourrais-tu lâcher ton fouet ? » lui dit Jeanne en souriant.

Ulysse prit un air horrifié et Saint-Méry entraîna Jeanne :

« Mademoiselle, je n'ai jamais vu un commandeur lâcher son fouet. Il vit, mange, dort et meurt avec, il y tient aussi fort qu'à sa queue, un rat. Et ne croyez pas que ses hommes détestent entendre claquer le fouet, dès l'instant qu'il ne claque pas sur leur dos. Quand je veux faire plaisir aux miens je descends les réveiller le matin avec trois coups de fouet claqués sur le sol.

— Décidément, dit Jeanne, vous avez encore beaucoup de choses à m'apprendre, monsieur mon géreur. »

10

LES travaux n'avancèrent d'assez bon train qu'après la mi-septembre, quand Jeanne eut reçu soixante-deux mozambiques adultes, dont trente-cinq hommes. Mme Masson avait tenu sa parole. Jeanne aussi, le 4 du mois une ordonnance réglementant la coupe des bois était sortie du bureau de M. Poivre.

Comme de coutume, le débarquement des Noirs en contrebande fit gros bruit. Dumas, furieux, éructa une diatribe devant le conseil, jura que sous son règne le Roi percevrait son dû sur toute cargaison de nègres et lança sa maréchaussée aux trousses des clandestins. Et puis soudain il se calma, en même temps que son ménage privé s'augmentait de quatre grands beaux Africains. Les colons fautifs respirèrent de soulagement, et les autres aussi, qui seraient fautifs une nuit ou l'autre : on pourrait vivre avec Dumas; il avait un caractère de chien et l'œil trop porté sur les intérêts du Roi mais, Dieu merci, comme tout grand commis d'Etat point trop sot il confondait avec les siens les intérêts du Roi.

Jeanne ne fut pas inquiétée, garda ses Noirs, plus ceux du Roi aussi longtemps qu'elle le voulut, et le gouverneur n'intervint pas non plus quand trente esclaves passèrent de Mongoust à Quatre-Epices le plus illégalement du monde, que Mme Manon, après avoir empoché leur prix fort, déclara morts par-devant notaire pour ajuster à son cheptel noir restant l'inventaire qu'on remettrait aux héritiers du conseiller Le Juge. Leurs premières peurs passées, tout comme sous Desforges-Boucher les colons recommençaient de faire leurs affaires à la française, à la fois en dépit et avec l'aide du gouvernement; c'était même plus facile qu'avant, puisque le gouvernement avait désormais deux têtes, qu'on pouvait jouer l'une contre l'autre.

Le Port-Louis ressemblait de plus en plus à une bonne auberge, où les distingués voyageurs de tous les pays s'arrêtaient au passage et s'incrustaient volontiers un bon moment. A l'Intendance, Mme Poivre devait mener une vie bien plus mondaine que sa nature. Au début, elle en pleurait chaque soir d'énervement dans les bras de sa jeune sœur Minette, qu'elle avait emmenée de France avec elle. Non, vraiment, sa vie de jeune fille bourgeoise de Villars-en-Dombes, pieuse et réservée, ne l'avait guère préparée à devenir la première dame d'une colonie ! La timide se demandait avec terreur si elle tenait bien son rôle, si elle ne décevait pas son brillant époux, et elle se raccrochait à Emilie. L'ex-chanoinesse se mit à tenir comme pour elle, avec brio, le salon de l'intendance. Evidemment Emilie ne détestait pas un emploi qui lui seyait à ravir, et voulait que don José lui fît construire une demeure dans la rue du Gouvernement, à la porte de ses plaisirs. Les Poivre poussaient à la roue, Françoise pour garder Emilie, Poivre pour encourager la bâtisse.

Don José résistait : il n'avait pas l'intention de s'attarder dans l'île pendant des années et s'attristait en voyant qu'Emilie s'y plaisait toujours davantage, changeait vite de sujet lorsqu'il lui parlait de La Plata.

« Jeanne, demanda-t-il un jour, pensez-vous que, votre maison remise en état, vous pourrez nous y donner l'hospitalité ? J'espère qu'Emilie logerait à Quatre-Epices de bon cœur, et peut-être cela la détournerait-il de son projet de bâtir en ville ?

– Je vais faire presser l'aménagement du premier étage, dit Jeanne aussitôt.

– Merci, dit don José en prenant les deux mains de Jeanne pour y poser deux baisers de frère. Faire construire au Port-Louis me contrarierait à l'excès, je l'avoue.

– Le feriez-vous pourtant ? »

Il ne répondit à la question que par un air penaud, et Jeanne dit avec tendresse :

« J'aime votre coupable indulgence pour les caprices d'Emilie, qui doit être bien douce à cette capricieuse.

– Oh ! fit-il, il est si facile d'être indulgent quand on sait qu'on n'est pas aimé. On cherche à plaire pour d'autres raisons que soi-même.

– Don José, elle vous aime ! » s'écria Jeanne, les larmes aux yeux.

Il la regarda avec un espoir avide :

« Si ? Mais alors, comment se fait-il que je ne le sache pas ? Suis-je né l'idiot de mon village ?

– Don José, elle-même ne le sait pas encore. Paciencia ! »

Il fit de la tête un oui résigné et Jeanne reprit, changeant de ton :

« Comptez sur moi pour que le premier étage soit à peu près meublé et habitable dès la fin de novembre. »

Ce ne fut pourtant pas Emilie, mais Marie qui s'installa la première à Quatre-Epices, avec sa petite Virginie. Aussitôt, en ville, Paul fut pris d'une inguérissable colère parce qu'on lui avait ôté son jouet et, quand sa mère en eut assez de le punir, elle l'expédia avec Iassi rejoindre Virginie, juste avant que Pauline, elle aussi, se transportât au quartier Moka.

Jeanne regardait sa maison s'animer, sa terre se défricher, son jardin « de devant » se civiliser. Une joie pétillante lui coulait dans les veines, des racines lui poussaient sous les pieds, qui s'enfonçaient toujours plus profondes dans le sol de son domaine.

La chambre et le cabinet de travail d'Aubriot avaient été prêts en premier, agréablement aménagés dans la plus grande des vastes pièces du rez-de-chaussée ouverte sur la varangue par deux portes-fenêtres. On y respirait l'odeur encore vivante – citron, rose et musc mêlés – d'un mobilier rustique en bois de santal fauve, que Jeanne avait fait exécuter par un menuisier breton du Port-Louis. Chaque jour la jeune femme entrait « chez monsieur Philibert » pour y vérifier l'ordre et la propreté, posait sur le coin du bureau le vase de fleurs fraîches qu'elle avait apporté, en ressortait avec un soupir...

Le savant s'obstinait à demeurer l'hôte mal logé du gouverneur. Il boudait. Il n'avait pas cru que Jeanne mettrait aussi vite en chantier un projet qu'il avait jugé fou. Au contraire, depuis l'aube de la nuit de la Saint-Louis où elle s'était de nouveau endormie sur son cœur, il avait bien espéré qu'il la persuaderait d'abandonner son idée et de conserver Quatre-Epices en l'état, pour le revendre avec un bon profit lorsque lui, sa mission accomplie, déciderait de repasser en France. Mais il avait parlé en pure perte, et vu Jeanne plonger jusqu'au cou dans « sa folie ». Et comme, ne voulant pas lui révéler sa richesse ni surtout son origine, elle continuait de le laisser penser que ses fonds lui venaient de don José, une grande inquiétude s'ajoutait à l'irritation d'Aubriot : au fils d'un notaire prudent les dettes causaient un malaise quasiment physique et, bien qu'il eût proclamé haut ne point s'associer à celles de Jeanne, elles lui étaient bien trop proches et lui semblaient bien trop fortes et trop hasardées pour qu'il n'en ressentît pas le fardeau, dont il s'exaspérait qu'elle l'eût chargé. Tardivement, avec le sentiment d'avoir été floué, il découvrait l'obstination de Jeanne, cette opiniâtreté douce et sans faille et presque sans paroles qui avait conduit la petite fille amoureuse jusque dans son lit, puis la jeune femme jusqu'à son succès de boutiquière au Temple et enfin jusqu'au presque inaccessible rivage indien de sa rêverie d'enfant. Quand une insomnie le tenait éveillé, les yeux ouverts dans ce noir où les soucis s'alourdissent et se font méchants il l'accusait d'ingratitude et de duplicité, se fâchait vraiment contre « cette enfant à laquelle il avait tant donné de sa tendresse et de son temps », et qui l'en payait si mal. Et il se jurait de ne pas mettre un pied à Quatre-Epices.

A Quatre-Epices, patiemment, Jeanne attendait, en changeant chaque matin les fleurs dans le cabinet de l'absent. Les travaux l'absorbaient assez pour qu'elle ne sentît pas trop sa patience. Saint-Méry l'assistait de bon cœur, s'efforçant d'être actif, et sobre six jours sur sept. Et Pauline lui apprenait le métier de planteuse.

D'instinct, et avec ce plaisir qu'on éprouve à

remonter son temps quand on a passé quarante ans, la créole née sur une plantation de Saint-Domingue avait retrouvé sous le tropique du Capricorne ses habitudes de maîtresse d'habitation du tropique du Cancer. Autant qu'à Saint-Méry les Noirs lui étaient familiers, elle savait les comprendre et les commander, déjouer leurs ruses, secouer leurs nostalgies et leurs dolences, s'en faire respecter et pourtant rire avec eux, soigner leurs bobos avec une maternelle fermeté, sans se trop soucier de faire brailler les douillets, mais sans heurter leurs superstitions. Sur son conseil Jeanne avait laissé leurs noms africains à ses mozambiques, obtenu de M. de Bouffault quelques échanges permettant de réaccoupler des amants et des fiancés, fait bâtir par priorité, au milieu du camp des Noirs, la grange de belle taille qui leur servait de salle de récréation.

Chaque samedi soir, une trépidante musique faite par les tam-tams, les tambourins et des harpes malgaches sortait de la grange, mêlée de chants et de longs ululements, et bientôt de cris de frénésie, quand la danse s'exaspérait. Jeanne, assise sous la varangue encore un peu délabrée de sa maison, prêtait une oreille contente à cette joie lointaine que le vent de l'île emportait à la mer.

« J'aime entendre l'écho de leur fête du samedi, dit-elle un soir. J'espère qu'il s'agit de bonheur ? ajouta-t-elle en s'adressant à Pauline.

– De plaisir tout au moins », sourit Pauline.

Il y eut une gerbe de rires suraigus du côté de la grange, puis Pauline reprit avec malice :

« Vous voyez, Jeanne, que sur une habitation bien tenue par une bonne maîtresse, les esclaves ne pleurent pas toujours. Quand je vous le disais en Dombes, du temps que vous étiez antiesclavagiste, vous refusiez de me croire. »

Jeanne rougit et on entendit roucouler le doux rire de Marie.

Zoé parut sur le seuil de la porte :

« La soupe mamzélle c'est sé'vi », annonça-t-elle d'un ton d'importance – Zoé adorait répéter les phrases « de bonnes manières blanches » que Jeanne lui enseignait.

Ils passèrent à table.

Dans le salon à manger blanchi au lait de chaux il n'y avait encore qu'une grande table ovale et des sièges de canne, mais la nappe était de belle toile de Hollande, et le couvert éclairé par deux candélabres d'argent à quatre bougies que Jeanne venait d'acheter à un marin anglais.

Le samedi, la dame de Quatre-Epices faisait servir plus tard que les autres soirs, à dix heures. C'était pour marquer la fin de la semaine, lui faire prendre un climat de fête en soupant au son lointain des tambourins et des harpes nègres; c'était aussi pour donner à ceux du Port-Louis – Aubriot, Emilie, don José – le temps de monter à Moka s'ils en avaient l'envie. Mais le plus souvent Emilie avait retenu don José à une réception en ville et, quant à Aubriot...

« Ce samedi encore, nous n'aurons pas la visite de nos oublieux du Port-Louis, dit Pauline en dépliant sa serviette. Il faut décidément toujours aller à eux quand on veut les voir. Descendrez-vous à la messe demain ? »

Elle avait regardé tour à tour Jeanne et Marie, et Marie répondit : « Sans doute », tandis que Jeanne répondait : « Oui, certes. »

« Si je ne me lève pas trop tard, je descendrai aussi à la messe », dit Saint-Méry.

Les yeux des trois dames s'ouvrirent sur lui, inondés d'ébahissement. C'était bien la première fois que Saint-Méry manifestait un désir pieux en leur présence ! Et plus encore que les dames blanches, Zoé, qui apportait la soupe, n'en revenait pas :

« Où ça msié mâquis dit qui aller dimain ? La mésse ! La mésse ! s'esclaffa-t-elle, hilare.

– Zoé, si tu veux rire ton content, pose la soupière, commanda Jeanne.

– Pose la soupière et va me chercher la sauce-piment, enchaîna Saint-Méry, et il attendit que Zoé fût ressortie en se tordant de rire pour expliquer vite :

– Je veux assister au scandale. On m'a raconté que don José faisait scandale à la messe tous les dimanches en s'y rendant à la queue leu leu avec les siens, lui devant, Mme Emilie derrière lui, sa chambrière Adèle à sa suite et leur nouveau Noir Aïam fermant la marche.

– Don José se rend à la messe en bon ordre espagnol de La Plata, dit Jeanne en souriant : le maître en tête, et puis la maîtresse, et puis la queue des parents et amis logés chez lui, la queue des enfants, et enfin la queue des domestiques avec leurs négrillons en bout de file.

– Mais il paraît qu'il permet à ses Noirs de s'asseoir sur le même banc que lui et Mme Emilie, dit Saint-Méry.

– Oui, c'est là aussi le bon ordre espagnol, dit Jeanne.

– Diable ! s'exclama Saint-Méry très amusé, il faut vraiment que je descende voir cela. Non pas l'ordre espagnol, mais la mine des têtes françaises qui le contemplent. Les chrétiens d'ici veulent bien convertir leurs esclaves, mais c'est à la condition qu'ils demeureront debout à la porte de l'église. La place assise, c'est pour plus tard, au paradis. Je me demande comment ils tolèrent...

– Ils ne tolèrent pas, intervint Marie. Mme Poivre a prévenu dame Emilie que le gouverneur avait reçu des plaintes, dont il a transmis copies à l'intendant, avec une note fort sèche lui enjoignant de rappeler son hôte espagnol à la bienséance. Comme M. Poivre n'a fait que classer le tout en haussant l'épaule il a bientôt reçu une seconde note l'avertissant que Dumas préparait un rapport pour le ministre, en le priant de vouloir bien régler la question des préséances à l'église.

– Oh ! vous verrez que l'affaire ira jusqu'à Versailles, ironisa Saint-Méry. Un jour ou l'autre le Roi sera prié de trancher pour fixer l'endroit où Adèle et Aïam se doivent tenir pour écouter la messe dans l'église du Port-Louis. Nous... »

Il s'interrompit. Zoé rentrait dans la pièce, suivie d'une jeune mozambique grande et forte, toujours souriante, que Jeanne avait mise en cuisine.

« Soce-piment, annonça Zoé, et la mozambique déposa la jatte de sauce écarlate devant l'assiette du marquis.

– Lalitté continuer sé'vi souper, dit encore Zoé. Zoé bisoin aller pou la toilette msié mâquis. Pou Bon Dié g'and monde bisoin belle cémise av la dentelle et souliers soleil. »

Elle s'en alla en répétant : « La mésse ! la mésse ! » et elle se tordait de rire de nouveau.

« La coquine profite de l'occasion pour quitter son service, grommela Saint-Méry. Mais je ne la retrouverai pas en train de préparer ma chemise, je la retrouverai en train de danser dans la grange. Dès qu'elle entend un tambour, elle redevient une sauvage. »

Un sourire presque gai miroita dans son regard bleu trop pâle :

« Le pis est, ajouta-t-il, que moi-même, parfois, si j'osais... La musique des Blancs ne m'a jamais donné envie de danser; mais la musique des Noirs... »

Les négrillons et les négrillonnes de la maisonnée, silencieusement, firent irruption dans la salle, tenant chacun à la main une écuelle de terre vernissée.

« Vous arrivez trop tôt, leur dit Pauline, nous sommes encore loin du dessert. Le samedi, vous arrivez toujours trop tôt. »

La marmaille noire alla s'aligner par terre le long d'un mur et attendit sagement, sans un mot, le moment de tendre ses écuelles pour ramasser de bonnes choses sucrées.

11

Le dimanche matin, Pauline se leva bonne première pour s'installer en palanquin et se faire descendre au Port-Louis.

Yougou, le Noir d'écurie, regarda un bout de temps l'attelage s'éloigner avant de commencer à seller les trois chevaux qu'on lui avait demandés. Il terminait à peine quand Jeanne, mise en amazone, surgit dans l'écurie et l'apostropha :

« Yougou, as-tu déjà vu monsieur-marquis ?

– Pas », dit Yougou en secouant sa grosse tête crépue.

Jeanne ressortit d'un pas vif :

« Attends-moi là, veux-tu ? dit-elle à Marie. Naturellement, Saint-Méry est en retard, je vais aller voir où il en est de sa toilette... »

Elle traversa le camp des Noirs, qui comptait déjà une trentaine de cases bien bâties et alignées sur deux rangées. Ce matin, le camp ne semblait habité que par des enfants, des chiens, des poules et des cochons. Tout le reste devait encore ronfler sous les toits de latanier, enfoncé dans le lourd sommeil des lendemains de fête. Une bande de marmots rieurs voulut suivre la mamzélle, qui l'en dissuada d'un geste et poursuivit seule son chemin vers la maison de Saint-Méry.

L'une de ses fenêtres grande ouverte mais sa porte close, la grand-case était isolée dans un inquiétant silence. Jeanne se retint de jeter un coup d'œil par la fenêtre, marcha vers la porte et la frappa plusieurs fois de sa cravache. N'ayant pas de réponse elle recommença une série de coups plus forts et alors, après un grognement d'ours, s'éleva la voix de Saint-Méry, hargneuse et pâteuse :

« Qui que vous soyez, allez au diable et laissez-moi en paix ! C'est dimanche, nom de Dieu ! »

Jeanne hésita, mais sa curiosité l'emporta : jusqu'ici, le marquis s'était toujours arrangé pour lui cacher ses ivresses. Elle donna un nouveau coup de cravache contre la porte :

« Monsieur, c'est l'heure de descendre à la messe, dit-elle d'un ton d'ironie suave.

– L'heure... de... quoi ? » bâilla la voix paresseuse, puis il y eut une très longue pause avant qu'une sorte de gargouillis ne parvînt aux oreilles de Jeanne, qui devait être un vaste rire glouglouttant dans une gorge encore trempée d'alcool.

Soudain, la porte s'entrouvrit, juste assez pour laisser se glisser dehors le mince corps de Zoé. Zoé aussi paraissait mal réveillée d'une bonne cuvée, elle ne portait qu'un jupon chiffonné, croisait ses bras sur ses seins nus. Aussitôt sortie elle se mit à rouler des yeux plus craintifs que nature en suppliant tout bas la maîtresse :

« Mamzélle entré pas, msié mâquis allé pas la mésse, pas capabe. Mamzélle entré pas, c'est pas bon mamzélle voyé misié mâquis conça, mamzéll s'allé d'ici, pou l'amour Bon Dié ! »

Jeanne laissa Zoé gémir sa prière encore quelques instants, puis elle jeta un « C'est bon » exaspéré, mais n'eut pas le temps de tourner les talons : la porte venait d'être brutalement tirée de l'intérieur et un Saint-Méry hirsute parut sur le seuil, jambes nues jusqu'aux genoux, finissant d'enfouir dans son caleçon nègre à fleurs une fine chemise éblouissante de blancheur. Il fit un pas en arrière et se pencha pour attraper quelque chose sur le sol de la maison, lança une nippe à la tête de Zoé :

« Toi, passe ton caraco et va te promener, ça te remettra des idées fraîches en tête », ordonna-t-il.

Il salua Jeanne avec une courtoisie emphatique, se rangea contre le chambranle de la porte, l'invita du geste :

« Mademoiselle, si vous voulez bien me faire l'honneur... »

Jeanne balança, soutint le regard railleur de Saint-Méry, entra.

« Prenez place », dit-il en ôtant du fauteuil de rotin son habit de toile blanche de tous les jours.

Elle ne put se retenir de s'asseoir. Ce Saint-Méry qu'elle n'avait jamais encore vu la fascinait et, chose bizarre, ne lui déplaisait pas. Dans sa peau d'ivrogne émergeant à peine de sa soûlerie il semblait bien plus à l'aise que dans sa peau d'homme sobre. Ou peut-être était-il seulement moins lointain d'elle, comme si l'alcool avait dissous l'épaisseur d'air cotonneux qui isolait habituellement Saint-Méry de ses interlocuteurs. Le bleu des prunelles brillait un peu, on ne le traversait plus comme une fumée, il résistait à la pression des yeux de Jeanne.

« Vous désirez me parler ? demanda-t-elle pour dire quelque chose.

– Moi ? ricana Saint-Méry. Mademoiselle, vous inversez les rôles : c'est vous, qui êtes venue chez moi. »

Avec dépit, elle se sentit rougir, il la vit rougir et une tendresse passa dans la moquerie bleue de son regard :

« Je ne pensais pas avoir à vous parler mademoiselle, mais, puisque vous êtes là, je peux bien vous dire que vous êtes belle et que c'est un plaisir inouï de vous voir à son réveil. Un moment, je vous prie », ajouta-t-il avec un geste de la main pour empêcher Jeanne de se lever afin de s'éviter une déclaration de mal dégrisé, un tout petit moment...

Il disparut dans la chambre voisine et elle l'entendit fourgonner dans une armoire, lâcher un juron, puis il repassa devant elle avec un nouveau geste de la main la priant d'attendre et sortit de la maison.

Des yeux, elle inventoria la pièce où elle se trouvait : il y traînait un assez grand désordre mais elle était propre, blanchie à la chaux, meublée d'une table, d'un fauteuil et de deux chaises légères, d'un grand coffre, d'une armoire à livres bien garnie et d'un hamac de cotonnade écrue tendu dans un angle. Jeanne s'en voulait de ne pas profiter de l'absence de Saint-Méry pour s'en aller, mais ne s'en allait pas.

Saint-Méry revint avec un panier plein, installa sur la table deux assiettes et deux verres, des couverts, deux bouteilles, un jambon et du pain :

« De la bière ou de l'arak ? demanda-t-il en désignant les bouteilles.

— Merci, dit-elle, je n'ai pas soif. Ni faim, ajouta-t-elle en le voyant porter son couteau dans le jambon. A quoi rime votre comédie, marquis ? Tout à l'heure, j'allais repartir sans vous avoir vu, vous vous êtes montré et m'avez retenue, et maintenant vous me priez à déjeuner : pourquoi tout cela ?

— Vous êtes venue voir l'ours dans sa tanière : je vous le montre, dit-il avec un peu d'impertinence. Pour le voir au plus sauvage de sa nature vous êtes en retard de quelques heures, mais j'espère qu'il ne vous déçoit pas trop ? »

Il se versa un verre d'arak et le vida d'un trait :

« Le dimanche matin, l'ours prend de l'alcool plutôt que du café, dit-il. Les buveurs d'eau vous proposent toujours un coup de café, mais un coup d'arak soigne bien plus gaiement la gueule de bois, souvent un peu triste. »

Il voulut se servir un second verre, mais elle lui retint le bras :

« Marquis, pourquoi vous détruisez-vous ? Pourquoi buvez-vous ? »

Il secoua la tête :

« Non, mademoiselle. Quand j'irai à confesse, ce ne sera pas chez vous. Vous n'écoutez pas comme un curé.

— Vraiment ? Et comment donc écoute un curé ?

— Il n'écoute pas ! Pendant que vous radotez il pense à son dîner, ou aux graines de concombres qu'il doit planter. C'est bien comme ça : on ne peut parler de soi qu'à quelqu'un qui n'écoute presque pas. »

Il y eut un silence, et ce fut Saint-Méry qui reprit :

« Vous avez une façon d'écouter les gens pas du tout catholique, mademoiselle. Vous êtes là devant eux, bien tendue, à les brûler à bout portant avec vos grands yeux d'or immobiles...

— Je n'écoute pas avec mes yeux, dit-elle, souriant pour la première fois.

— Ma foi, si. Et avec vos sourcils en plus. Ils sont si longs, si bien arqués, ils soulignent si parfaitement vos yeux qu'on se sent pris sous un regard double, jaune et brillant comme le soleil. C'est... »

Il s'interrompit, saisit la bouteille d'arak avant qu'elle ait pu l'en empêcher et en but une gorgée au goulot :

« Et à présent, mademoiselle, vous devriez partir, dit-il d'une voix rauque. Vous devriez partir avant que je ne vous dise que vous êtes belle avec mes mains. Vous savez, mademoiselle, un ivrogne n'est pas moins homme qu'un autre, mais il est beaucoup moins gentilhomme. Et vous êtes sacrément belle ! »

Pour gagner la porte, elle s'obligea à passer sans trop de hâte devant Saint-Méry, qui semblait s'être posté tout exprès pour qu'elle dût le frôler. Le souffle oppressé du marquis lui balaya le cou, la fit frissonner, et cependant elle marqua un temps d'arrêt pour lui tendre la main, qu'il porta à ses lèvres comme le fait un amoureux, avec dévotion mais sans s'incliner et en gardant un peu trop longtemps sous ses lèvres les doigts de la bien-aimée. Une fois dehors, Jeanne se mit à courir pour rejoindre Marie.

Le docteur Aubriot ne se montra pas à la messe. En sortant de l'église Jeanne alla voir à l'Hôtel du gouvernement mais ne l'y trouva pas non plus, et personne ne put lui dire pour où il était parti : il continuait d'être méchant, décidément.

Le dîner du dimanche à Quatre-Epices était pourtant un moment de plaisir très animé. L'habitation n'était pas encore assez en état pour que Jeanne y reçût « du monde », mais elle y recevait déjà ses intimes. Emilie et don José n'y manquaient jamais, les Poivre montaient un dimanche sur deux avec leur sœur Minette; le frère de Marie, le lieutenant Jean de Rupert, venait chaque fois qu'il n'était pas retenu au service, et alors amenait un ami avec lui, le lieutenant Robert de Boussuge, un grand jeune homme pâle et d'une infinie distinction, qui jouait du violon à ravir, écrivait des chansons d'amour point trop niaises et les chantait bien, en regardant Marie. Après le dîner, Jeanne faisait sortir les sièges de rotin, et la compagnie s'installait pour causer sous un haut badamier, un arbre magnifique, au vaste couvert en parasol, le seul badamier que l'ouragan de 1760 eût laissé debout à Quatre-Epices.

« Cet arbre est malheureusement cassant, dit Poivre ce dimanche-là. Il est heureux que celui-ci ait résisté, Jeanne, il vous fait un agréable cabinet de verdure tout près de votre maison. Pour moi, il perpétue le souvenir de M. de Villeneuve, un grand amateur de jardinage et le capitaine des vaisseaux de la Compagnie : c'est lui qui l'a rapporté du Bengale, et planté ici de ses mains.

– J'aime que mes arbres aient une histoire, dit Jeanne.

– Fort bien, mon amie, mais ne glissez pas à la poésie pour autant, demeurez plutôt botaniste, dit Poivre en lui souriant. Rien de plus dangereux qu'un poète dans une plantation, il se plaît dans la confusion sentimentale d'une nature laissée à son anarchie.

– M. Aubriot m'empêchera toujours de devenir poète jusqu'à ce point, dit Jeanne.

– Mais il ne vient guère », remarqua Poivre à voix basse en se penchant vers elle.

Il vit, à la crispation de ses mains, que son propos l'avait touchée au vif, et en effet, elle changea vite de sujet :

« Le défrichement avance lentement. Trop lentement pour ma grand-hâte de planter, mais je n'ai point assez de défricheurs. La moitié des Noirs que j'ai rachetés à Mme Manon sont des créoles qui se plaisent aux travaux de la maison, mais se casseraient bras et jambes plutôt que de consentir à se déshonorer en grattant la terre. Au fait, monsieur, a-t-on des nouvelles de l'expédition de traite que vous avez envoyée à Foulepointe ?

– Dieu ! soupira Poivre, faut-il vraiment que nous nous mettions à parler de la traite alors que vous m'avez donné à digérer de si délicieux ragoût de gourami ? La traite à Foulepointe se passera au plus mal, Jeanne, du moins on me le jurera, et vous saurez bien avant moi combien et où sont les malheureux que *La Garonne* aura rapportés de la Grande Ile. Laissons cela, qui me tourmente assez la semaine, et donnez-moi plutôt la recette des oranges tapées que fabrique votre Nénéne; je suis sûr qu'elle la tient d'un Chinois et les Chinois sont fort réservés là-dessus, ils veulent garder pour eux tout le commerce de la confiserie. »

Jeanne et Pauline échangèrent un coup d'œil, et Pauline lança comme négligemment, en renvoyant du bout du pied son ballon au petit Paul :

« Jeanne, les Noirs de *La Garonne* sont un rêve peut-être lointain, mais ceux de Belle-Herbe existent tout près, au bas de la rampe de Moka, et n'ont plus grand-chose à faire depuis que les Moreau de Bonneval laissent leurs arpents de canne à l'abandon. Peut-être seraient-ils bien aises de vous en céder ? »

Poivre haussa les sourcils :

« Les Noirs de Belle-Herbe sont à vendre en même temps que le reste, dit-il, et c'est un gros morceau.

– Nous pourrions trouver aux Bonneval un acheteur arrangeant, dit Jeanne, qui me passerait une vingtaine de Noirs ou me prêterait des journées. »

Le très malin regard de Poivre alla plusieurs fois

de la brune à la blonde avant que l'intendant ne s'écriât en exagérant son affolement :

« Oh ! non ! ne me dites pas que vous voudriez les trois mille arpents de Belle-Herbe pour Mme Marie, avec un crédit pour le tout ? !

– Marie pourrait peut-être se trouver des associés solvables », dit Pauline.

Les yeux de Poivre suivirent ceux de Pauline, qui s'étaient portés vers le groupe rieur que formait, à l'orée de la grande allée, le reste de la compagnie. Emilie et Marie, Mme Poivre et sa sœur Minette s'étaient mises à jouer à colin-maillard avec don José et les deux jeunes officiers. Paul harcelait de coups de ballon le joueur aveugle, et la petite Virginie, fatiguée de trotter après Paul, s'était assise par terre et se contentait de battre des mains en gazouillant. Poivre ne contempla le jeu qu'un court instant, revint de lui-même au dernier propos de Pauline :

« Madame, dit-il, et vous aussi, Jeanne, savez que j'aimerais pouvoir vous contenter en contentant votre amie. Mais de quels associés me parlez-vous donc ? Je ne vois là-bas de solvable qu'un Espagnol qui ne songe qu'à retourner dans son pays.

– Mais dame Emilie se plaît fort ici, dit Pauline.

– Et la maison de Belle-Herbe lui plaît aussi, ajouta Jeanne.

– Bah ? fit Poivre, incrédule. Ne veut-elle pas plutôt une demeure en ville, que d'ailleurs don José ne veut pas ? »

Jeanne saisit par son caleçon fleuri le petit Paul qui ramassait son ballon près d'elle :

« Diablotin, lui dit-elle, va prier ta maman de venir un peu se reposer près de nous...

– Eh bien ? jeta Emilie dès qu'elle les eut rejoints, encore rose de jeu et de rire. Comploterait-on quelque chose ?

– Oui, contre moi, dit Poivre.

– Nous parlions de Belle-Herbe, dit Pauline.

– Oh ! Belle-Herbe ! s'exclama Emilie, tout de

suite au fait. La maison est charmante; un peu petite, mais charmante. La vieille fausse baronne de Damville m'y a menée à goûter l'autre jour, je ne voulais plus en sortir, on s'y croirait dans une campagne de la Bresse, chez de gros fermiers bien riches.

– Les Moreau de Bonneval sont originaires de Vonnas, dit Poivre. Ils ont bâti comme par chez eux.

– Oui, ils m'ont appris cela, dit Emilie, et aussi qu'ils voulaient repasser en France où les attend un héritage imprévu. Que va devenir leur jolie ferme ? Elle me fait envie. A défaut d'une maison en ville que don José répugne à faire construire... Oui, tenez, il faut que Belle-Herbe soit à moi ou que j'en dépérisse !

– Voyons, dame Emilie, quel est ce caprice ? gronda gentiment Poivre. Vous ne pouvez pas vraiment songer... »

Il s'arrêta. Emilie quêtait son appui de tout son visage, avec ce mélange de hauteur naturelle, de grâce espiègle et de fausse fragilité auquel un homme résistait fort mal, surtout si, comme Poivre, il aimait assez qu'une jolie femme courtisât son pouvoir. Abandonnant son ton badin, il questionna de sa voix d'intendant disposé à la bienveillance :

« Dame Emilie, dites-moi tout : qu'avez-vous en tête ?

– Rien qui doive vous déplaire, dit-elle vite. Je voudrais me loger dans un endroit de l'île où don José pourrait ne pas se sentir trop exilé de sa prairie. Il y a de la prairie à Belle-Herbe, des bœufs, des vaches et des chevaux. N'êtes-vous pas bien aise, monsieur l'intendant, que je cherche à retenir don José dans votre royaume ?

– Si, reconnut Poivre. Je suis las des passants, on ne peut bâtir une France indienne avec des passants et des esclaves. Je ne déteste pas l'idée de vous garder tous les deux, madame, je la crois seulement trop hasardée pour que nous en discutions déjà. J'aimerais que don José m'en parlât d'abord lui-même.

– Il ne sait pas encore qu'il le désire, dit Emilie d'un ton candide à l'excès, mais je lui ouvrirai les yeux : Belle-Herbe est une habitation faite pour l'enchanter.

– Plus je vous regarde et mieux je parviens à n'en pas douter ! dit Poivre en riant.

– Monsieur, intervint Jeanne, si Belle-Herbe doit aller à mes amis, ne pourrais-je pas déjà, et sans nuire à la créance du Roi, racheter un lot de Noirs et quelques mulets aux Bonneval ?

– Ma petite amie, l'affaire n'est pas faite, vous ne m'attraperez pas, dit Poivre. Au fait, les Bonneval ont-ils donc des mulets ?

– Ils en ont vingt-huit, dit Jeanne aussitôt.

– Vous connaissez bien leurs ressources ! ironisa Poivre. Je devrais vous prendre pour secrétaire. Voilà dix jours que j'ai fait demander à Belle-Herbe le détail du domaine et je ne l'ai point encore reçu. »

Pauline tira un papier plié de sa poche de jupon, le déplia et le tendit nonchalamment à l'intendant, du bout des doigts :

« Monsieur l'intendant, le voici tout au long, dit-elle. Je vous le ferai copier dès demain. »

Poivre en demeura muet une seconde, un sourire clos étiré sur les lèvres. Enfin :

« Je répète que, pour secrétaires, nous devrions prendre des femmes, dit-il. Les affaires d'intendance n'en iraient que mieux. »

Il ajouta avec malice :

« Je parie qu'un secrétaire en jupon mettrait bon ordre à mon favoritisme et m'empêcherait bon gré mal gré d'accorder un passe-droit à une jolie sollici-teuse.

– Les profits de l'injustice ne feraient jamais que changer de sexe : vos signatures favoriseraient de beaux officiers, voilà tout », dit Pauline.

Ils se mirent à rire en chœur, à si belles dents que les joueurs de colin-maillard se retournèrent vers eux. Aussi bien étaient-ils las de leurs ébats. Ils échangèrent quelques mots, puis don José et les lieutenants se dirigèrent vers l'écurie, tandis que les dames s'en revenaient à petits pas dansés vers l'ombrage du badamier.

« Nos partenaires nous ont lâchées, dit Marie en s'asseyant. Ils s'en vont chercher des chevaux pour faire une promenade.

– De quoi riiez-vous donc de si grand cœur ? demanda Françoise Poivre, s'adressant surtout à son mari.

– Vos amies me font enrager, dit Poivre.

– Tout est survenu à propos de Belle-Herbe, précisa Emilie.

– Oh ! Belle-Herbe ! » s'écrièrent presque en même temps Françoise et Minette, et Françoise ajouta :

« Cela pourra-t-il se faire, mon ami ? » en posant sa main sur celle de Poivre.

Poivre contempla tour à tour sa femme et sa belle-sœur, Marie qui lui souriait avec timidité, puis il se mit à rire de nouveau :

« Allons, fit-il, je vois que tout le monde était dans le secret, hormis le pauvre homme d'intendant dont dépend l'affaire, et l'autre pauvre homme qui s'en va là-bas, ignorant tout des arrangements qu'on veut lui faire prendre. Mesdames ! qu'il ne soit plus question de votre projet avant que les deux pauvres hommes n'en aient conféré, et en tête-à-tête, s'il vous plaît ! Dès l'instant que vous avez décidé, vous pouvez bien nous donner le plaisir de conférer ?

– Conférez, conférez votre soûl ; vous ressemblerez à ces messieurs du Parlement qui discutent deux heures du oui ou du non d'une affaire pendant que la favorite rend son arrêt dans la chambre du Roi », lança Emilie dans un sourire, et d'un ton de légèreté si juste que l'audace du propos passa comme une friandise dans les oreilles de l'intendant.

Il n'eut pas le temps de trouver une réplique à l'impertinence : le lointain galop d'un cheval pénétrant dans l'habitation suspendit la conversation, fit

se porter tous les regards vers la grande allée...
« Enfin ! » pensa bientôt Jeanne, le cœur inondé de
joie.

« L'aimable tableau turc ! s'exclama Aubriot en
sautant à terre. On raconte en ville que nous avons
pour intendant un bourreau de travail qui se met à la
tâche dès six heures du matin pour ne s'en lever qu'à
neuf heures du soir, mais je vois, moi, que notre
intendant se recrée en pacha le dimanche, dans un
harem fort joliment garni !

– Mon cher, pour ma digestion, ce remède-là va
mieux que toutes vos teintures et toutes vos tisanes,
dit Poivre.

– Que je suis heureuse de vous voir ici ! murmura
Jeanne, qui s'était avancée vers Aubriot. Mais pourquoi si tard, et avoir manqué notre bon dîner ?

– J'ai musé en route, dit Aubriot. Et tout ce matin
j'ai eu affaire avec le capitaine Talbot du *Queen
Elizabeth*. »

Il prit le siège que Jeanne lui avait fait apporter,
ajouta d'un ton satisfait :

« J'ai fini par obtenir de lui ce que j'en voulais :
deux loupes aux lentilles les plus claires que j'aie
jamais vues. Il avait eu l'imprudence de me les
montrer quand j'ai visité son bord, il me les fallait. Il
ne les voulait céder ni pour or ni pour argent, mais je
me suis trouvé une bonne monnaie d'échange. »

Le médecin eut un coin de sourire pour Poivre,
acheva tranquillement en le fixant :

« Sir Talbot m'a remis les loupes contre le prisonnier que vous lui détenez. Cet homme confiant m'a
fait crédit, mais il faudra s'il vous plaît, monsieur
l'intendant, que vous ordonniez l'élargissement de
l'Anglais en rentrant en ville.

– Pardieu ! monsieur mon docteur, comme vous y
allez ! s'écria Poivre. L'Anglais est le prisonnier du
gouverneur bien plus que le mien. On l'a pincé en
train de lever le croquis d'une batterie côtière, et...

– ... et que vous importe, en attendant le départ de

son vaisseau, de le gaver de poulets et de langoustes à votre table plutôt que dans une chambre fermée à clef ? coupa Aubriot. Vous lui avez pris le croquis, vous ne pouvez faire mieux, puisque vous ne lui couperez pas la tête pour lui ôter la mémoire. Pour obtenir permission de descendre à terre tous les Anglais donnent leur parole de ne point lever de croquis, et tous la violent parce qu'ils ont auparavant promis de servir leur roi, qui veut qu'on en fasse. Mais, et après ? Nous savons tous que ce ne sont point les croquis des batteries qui sont un péril pour l'île, mais l'insuffisance et la vétusté des batteries.

– Oh ! moi, fit Poivre, vous me connaissez, je suis homme de paix, je compte sur Louis XV et sur George III pour nous maintenir en paix. Mais Dumas ne rêve que d'en découdre encore avec les Anglais, déplaire au capitaine Talbot l'enchante assurément, lui relâcher son prisonnier va le rendre épileptique, aussi, mon cher, devrez-vous m'aider à tenir votre parole. Il est temps pour moi de redescendre au port. Docteur, pendant qu'on cherche nos gens, vous plairait-il de m'établir un certificat attestant que vous avez vu le mouchard anglais et qu'il porte deux ou trois boutons suspects qui m'obligent à le renvoyer d'urgence en quarantaine à son bord ?

– Monsieur, vous trouverez de quoi écrire dans *votre* cabinet du rez-de-chaussée, dit Jeanne en posant sa main sur le bras d'Aubriot.

– Fort bien », dit-il, mais il n'ajouta rien de plus et entra dans la maison.

Il ne mit que quelques minutes à rédiger le faux certificat et ressortit pour le donner à Poivre.

« Dumas passe tous ses dimanches à s'aménager le château du Réduit aux frais du Roi : je ferai en sorte que le mouchard anglais soit sur le *Queen Elizabeth* avant qu'il n'en redescende, dit Poivre en empochant le papier. Ce sera plus sûr. On ne sait jamais vraiment comment réagira cette parfaite canaille. »

L'intendant avait roulé les mots « parfaite canaille » dans sa bouche avec une jouissance si pleine, si ronde, qu'Aubriot se mit à rire :

« Je crois, mon ami, que pour votre digestion, pouvoir exprimer haut tout le bien que vous pensez de notre gouverneur doit vous valoir encore mieux que la plus forte dose de jolies femmes autour de vous.

– Hé ! oui, acquiesça Poivre, il y a des cas, rares, où la vérité procure du bien à celui qui la profère. »

« Eh bien, Jeannette, dit Aubriot dès que les Poivre furent partis, me feras-tu faire un tour de propriétaire ? »

Elle lui répondit par un sourire radieux, dit en montrant sa robe de mousseline :

« Permettez que j'aille d'abord me mettre en culotte ; les allées de Quatre-Epices ne sont pas encore aussi bien peignées que celles des Tuileries !

– Je vais devant », dit Aubriot.

Elle le regarda s'engager dans un sentier qui conduisait à l'ancienne plantation d'épiceries, dont ses Noirs avaient déjà défriché de grands carreaux. Un moment plus tard, elle-même pénétrait dans la friche qui avait été une poivrière. Les sarments des vieux poivriers à la volubilité exacerbée, qu'on avait privés de leurs tuteurs en abattant les arbres de repousse, gisaient sur les mottes de terre, couverts de blessures, emmêlés et inertes comme des chevelures scalpées, incapables encore de se mettre à ramper chacun pour soi jusqu'à rencontrer un nouveau moyen de se remonter plus près du soleil. Jeanne vit qu'Aubriot s'était engagé sous un haut taillis de reste pour s'aller planter en observation non loin de sa lisière, dans un morceau de bois plus clair. Elle se dirigea vers lui en enjambant les tas d'arbrisseaux.

Le médecin entendit craquer les pas de Jeanne, lui cria sans se retourner :

« Es-tu déjà entrée jeter un coup d'œil par ici ?

– Pas encore. J'attendais qu'on eût un peu éclairci.

– C'est peut-être imprudent. Viens voir... »

Le botaniste était debout devant un joli petit arbre au port de laurier. La tête arrondie brillait d'un beau vert lisse ou chatoyait d'un doux vert-gris selon que l'on voyait le dessus ou le dessous de son feuillage à feuilles ovales lancéolées, et dans ce vert changeant pendaient gaiement des dizaines de grappes de fleurettes jaunes et quelques fruits ronds, jaunes aussi, gros comme des pêches.

Jeanne posa une main tremblante sur l'écorce crevassée d'où suintait un suc mielleux, murmura avec difficulté, manquant soudain de salive :

« Ce n'est pas... ? Ce ne serait pas... ?

– Ma foi si, c'est, dit Aubriot. Et il me paraît se porter au mieux. Sans doute moins développé que s'il avait reçu un peu plus de soleil, mais il faudrait savoir son âge exact.

– Mais... mais alors, chevrota Jeanne, le regard fasciné par le fruit le plus bas, alors ça... ce serait... une noix muscade ? »

Elle semblait saisie d'une joie immobile si intense qu'il prit plaisir à la contempler un instant avant de lui répondre :

« Si le muscadier n'a pas changé de destinée en passant des Moluques en Isle de France alors, sans aucun doute, c'est une noix muscade. Et puisqu'elle est jaune, elle doit être mûre.

– Mûre ? répéta Jeanne, encore incrédule. Mais... toutes ces fleurs ?

– Voilà le premier muscadier adulte que je fréquente mais, pour ce que j'en sais, le muscadier est un arbre perpétuel – toujours en fleurs et en fruits, dit Aubriot. Tu m'étonnes, Jeannette : te serais-tu faite planteuse d'épiceries sans avoir jamais rien lu sur les arbres à épices ?

– Oui, j'ai lu, bien sûr, j'ai lu. Mais lire et voir, cela fait deux, et je suis... »

Et brusquement la joie de Jeanne explosa en mots :

« Oh ! Philibert, vous rendez-vous compte que je suis devant le premier muscadier de Quatre-Epices, *mon* premier muscadier ? Il est à moi, Philibert, à moi, à moi ! Et il est en fruits, et je vais avoir une récolte de muscades, ma première récolte ! Mais je rêve, M. Philibert, je rêve !

– Une récolte..., se moqua Philibert. Avant ton arrivée, j'ai compté six noix. Il se peut qu'il y en ait deux ou trois autres cachées dans le feuillage, mais pas plus je gage. Ton muscadier est encore avare. Je ne crois pas que sa cueillette te rapportera de quoi rembourser ton emprunt à don José », acheva-t-il ironiquement.

Elle négligea le trait un peu méchant, questionna d'un ton fébrile :

« Philibert, vous ne vous tomperiez pas ? Vous ne pouvez vous tromper, n'est-ce pas ? Ce sont bien de vraies muscades ? Je veux dire : des muscades aromatiques ? Elles n'auraient pas pu dégénérer, devenir des noix... des noix vides ? Des noix... des sortes de noix sauvages, toutes dures, sans... »

Il la coupa avec impatience :

« Des noix tout en coque et sans amande ? Des billes de billard ? Bravo, Jeannette ! Ne dis à personne que j'ai été ton maître de botanique. »

Le corps tendu de Jeanne se relâcha, dans un câlin de chatte elle frotta sa joue à la manche de l'habit d'Aubriot :

« Je sais que je vous fais des questions bêtes, mais j'ai envie d'être un peu bête, pour que le miracle m'apparaisse encore plus miraculeux qu'il n'est.

– Bon, dit-il. Alors, on en cueille une ? »

Elle inspira un grand coup :

« Moi, je la cueille », dit-elle.

Elle était un peu trop petite pour atteindre le fruit

le plus proche. Pour marchepied, elle se servit de la basse branche d'un bois-de-pomme voisin, saisit le fruit, tordit son pédoncule, tira...

La noix reposait au creux de sa paume, bien ronde, bien jaune, très pesante. Elle la présentait à Philibert d'un geste d'offrande, comme s'il se fût agi d'une noix d'or cueillie dans le jardin des Hespérides.

« Elle est lourde, dit-il quand il l'eut prise et soupesée, elle est bien lourde : c'est une femelle, je pense. On va voir sous la coque ? »

Ils se laissèrent tomber assis au pied du muscadier, serrés l'un contre l'autre, et le botaniste sortit un couteau de sa poche.

« Attendons encore un tout petit peu, murmura Jeanne, une déception est si vite arrivée...

– Elle est très mûre, elle veut s'ouvrir », dit Aubriot.

En effet, la noix s'ouvrit sans peine, en deux valves à chair blanche, dont l'une garda une noix à peine ovoïde d'un écarlate très vif.

« Je pense que voilà l'enveloppe moyenne de la baie, celle qu'on appelle « fleur de muscade [1] », dit Aubriot.

Il détacha cette sorte de noyau de sa valve, le porta à son nez et à celui de Jeanne :

« Cela sent, dit-elle, mais peu ?

– Attends... »

La belle fleur de muscade rouge était une peau charnue, fibreuse, qui sembla saigner sous le scalpel d'Aubriot et, enfin tombée, découvrit une seconde peau fine, dure et brune. Ils penchèrent ensemble leurs deux nez dessus, reniflèrent goulûment :

« La muscade est juste là-dessous », dit Aubriot.

Il eut du mal à l'éplucher de son dernier épiderme mais, au bout de sa peine, elle lui demeura nue dans la main. L'amande était presque ronde, un peu grise,

---

1. Ou macis.

dense, dure, huileuse, parcourue de veines grasses rameuses, violemment odorante.

Aubriot retourna la main droite de Jeanne et y mit la muscade :

« Voilà le début de ta fortune », dit-il.

Elle respira la muscade avec volupté. Les paupières abaissées, les narines dilatées, sa bouche close à peine allongée par un sourire d'âme, elle avait l'air d'une « bouddhate » en train de s'encenser elle-même.

« Ne force pas trop la dose, plaisanta Aubriot, à haute dose la muscade stupéfie l'intelligence.

– Oh ! soupira Jeanne sans rouvrir les yeux, je suis déjà dans une stupeur divine ! »

Amusé, attendri un peu, il la laissa s'entêter tout son soûl du puissant arôme épicé avant de lui reprendre la muscade pour la flairer lui aussi :

« Elle n'est pas chiche de senteur, tu tiens une espèce de belle qualité. »

Il mordit l'amande :

« Aïe ! fit-il, on y laisserait une dent. Ce n'est pas tendre comme une noisette. On cherche les autres ? »

Elle le fixa d'un regard ébloui :

« Vous croyez que nous allons en trouver d'autres ? Il y en avait quatre ou cinq, à ce qu'on m'a dit.

– Allons voir. Un miracle végétal arrive rarement seul. »

Ils fouillèrent le coin pendant une bonne heure mais n'y trouvèrent qu'un second rescapé, non loin du premier, chétif, portant quelques fleurs mal épanouies, mais pas un seul fruit.

« N'importe, dit Jeanne en s'asseyant près d'Aubriot sur le premier tabouret de roche qu'ils rencontrèrent en ressortant du taillis, n'importe. Puisque tous les muscadiers et les girofliers qu'on avait plantés à Monplaisir ont crevé et qu'on n'en avait planté que là-bas et ici, je suis la première dame de l'Isle de France qui aura récolté sur sa terre une épicerie fine... »

Un hoquet gonfla sa gorge et elle s'abattit en sanglotant contre la poitrine d'Aubriot.

« Je me disais aussi..., ironisa gentiment le médecin en lui caressant les cheveux. Quand tu ne pleures pas un bon coup il manque quelque chose à la solennité d'un grand moment. Là, mouche-toi. Et laisse-moi t'éplucher un peu... »

Patiemment, il la débarrassa des bouts de lianes et des herbes rêches qui s'étaient pris dans sa chevelure et dans son habit.

« Vous le pensez, n'est-ce pas, M. Philibert, que nous vivons un grand moment ? » demanda-t-elle, le visage encore enfoui dans le cou d'Aubriot.

Sa voix avait pris le son grave et moelleux d'une basse de viole caressant un air à son goût : le son de ses bonheurs parfaits.

« N'est-ce pas, que vous le pensez ? insista-t-elle en lui tirant sur son revers de veste.

– Oui, dit-il.

– Sans rire ?

– Sans rire.

– Quand il saura, M. Poivre sera fou de joie.

– Ça oui ! Le Roi ne sera pas son cousin !

– Je veux qu'il vienne lui-même faire la cueillette de mon muscadier. Il a perdu un bras dans la quête des épiceries, c'est son bras de reste qui doit cueillir les premiers fruits de sa passion. »

Elle ressortit la muscade de sa poche pour se la remettre sous le nez :

« Mummm... Délicieux ! Et il est vrai que cela entête autant que du vin de Champagne. M. Philibert, je suis contente, contente ! A exploser. Vous devriez m'embrasser. »

Il eut un rire bref, lui ôta la muscade :

« Ce n'est apparemment pas pour rien que cette épice entre dans la fabrication de l'essence d'Italie !

– Qu'est-ce que l'essence d'Italie ?

– Une liqueur aphrodisiaque dont je fabriquais force flacons pour me faire de l'argent de poche, du temps que j'étais étudiant à la faculté de Montpellier. La ville était pleine de vieillards riches remariés à des tendrons. »

Elle déplaça un peu sa tête pour pouvoir lui couler un regard d'or liquide :

« Et... vous sauriez toujours la préparer, cette liqueur ? Peut-être vous donnerait-elle l'envie de m'embrasser ?

– Insolente ! Tu as pris depuis quelque temps de ces libertés de langage ! Dis-moi, ma jolie, cherche-rais-tu à te faire faire l'amour dans un sous-bois ?

– L'air de l'île débauche, dit-elle, tout le monde le prétend. Les dames débauchées de cette île ne sont que des victimes de l'air. »

Polydor était enfin arrivé avec le bagage de son maître quand Jeanne et Aubriot rentrèrent à la maison. Il n'avait jamais musardé en route que trois ou quatre heures.

« J'ai fait mettre des draps et des oreillers au lit dans la chambre du docteur, chuchota Pauline en souriant à Jeanne d'un air complice.

– Merci », dit Jeanne, gênée.

Ses rapports avec Pauline ne lui étaient pas faciles, ni lorsqu'elles parlaient de Vincent, ni lorsqu'elles parlaient d'Aubriot. En dépit des reproches chroniques de Marie et d'Emilie jamais elle n'avait pu se résoudre à mettre Pauline plus qu'Aubriot au courant de sa métamorphose. Si bien que la créole l'imaginait toujours telle qu'elle l'avait vue partir de Charmont, tout uniment amoureuse de son grand savant; elle ignorait tout de ce double amour dans lequel Jeanne s'était coincée. Et plus le temps passait, moins il devenait possible à Jeanne de se raconter à Pauline : face à Pauline comme face à Philibert elle s'était cristallisée dans son mensonge, parce que c'étaient ces deux-là que blesserait la vérité, de ces deux-là que lui viendrait assurément de la douleur en retour de sa vérité. Et puis d'abord, quelle vérité leur dire ? Où était, maintenant, la vérité de Jeanne ? Submergée par le réel si concret et toujours urgent de sa vie à Quatre-Epices, la longue absence du chevalier redonnait, à sa passion pour lui, l'innocence d'un rêve. Il n'empêche qu'en ce dimanche soir si heureux Jeanne détestait le sourire complice de Pauline, qui se réjouissait sans arrière-pensée de ce qu'Aubriot cessait enfin de bouder Quatre-Epices, comme si cela arrangeait tout dans les amours de Jeanne.

« J'ai commandé un bon souper, disait-elle encore. Bon souper, bon gîte et le reste, on n'a jamais trouvé meilleure recette pour retenir un volage.

– Merci, Pauline », redit Jeanne très vite, et elle s'enfuit, alla voir ce que Nénéne et Lalitté avaient mis à cuire.

Comme elle ressortait de la cuisine et se promenait un peu dans la cour, derrière la maison, pour inspecter une plantation de lis et d'œillets de la Chine, elle vit arriver Saint-Méry.

Le marquis était vêtu d'un habit de toile blanche fraîchement repassé et tenait à la main un gros bouquet rond de ces fleurs d'un beau jaune citron qu'Aubriot appelait des tagètes et Saint-Méry des roses d'Inde. Le géreur de Quatre-Epices était très fier de ses roses d'Inde, dont il avait conservé la graine à travers ses pires années, d'un présent qu'un capitaine de vaisseau revenant de Pondichéry avait fait à sa mère. Dès que sa grand-case avait été achevée il avait semé des roses d'Inde dans son jardin, et jamais Jeanne ne lui en avait vu cueillir une seule. Aussi fut-elle très touchée quand il lui tendit le gros bouquet :

« Elles sont malodorantes, mais je sais que vous les trouvez belles de forme et de couleur.

– J'en suis ravie », dit-elle en lui tendant sa main. Cette fois, Saint-Méry l'effleura avec plus de

discrétion qu'il ne l'avait fait le matin. Il s'efforçait
de soutenir le regard de Jeanne, demeura un moment
la langue collée, puis se décida, puisqu'elle ne disait
rien :

« J'espère que vous voudrez bien oublier la
manière dont je vous ai reçue ce matin, sinon...
Dites-moi quand je dois partir et je ne traînerai pas.
J'emmènerai Zoé et ses garçons mais, pour Nénéne,
rassurez-vous, vous ne la perdrez pas; elle s'est
coiffée de la petite Virginie et aujourd'hui, entre la
petite et moi...

— Marquis, quelle mouche vous pique ? coupa
Jeanne. Vous ai-je jamais prié de déloger ?

— Non, mais...

— Mais quoi ?

— Franchement, mademoiselle, cela dépendra. Je
ne sais pas si j'aurai envie de rester.

— Ah ! non ? Pourquoi ?

— Je déteste les sermons, mademoiselle.

— Ai-je dit que je vous en ferais ? »

La fumée bleue du regard de Saint-Méry sembla se
condenser et les yeux de Jeanne butèrent contre une
couleur ferme :

« Nous verrons bien, dit-il. Il y a des sermons
muets insupportables. »

Elle se moqua gentiment :

« Marquis, demeurez. Je vous aimerai tel que
vous êtes. Tant pis pour vous ! »

Il eut une moue mi-incrédule, mi-admirative :

« Si vous pouvez vous tenir parole, mademoiselle,
vous serez une dame blanche tout à fait extraordinaire. A l'ordinaire on ne trouve qu'une négresse,
pour vous aimer tel que vous êtes. »

12

LA cueillette du muscadier de Quatre-Epices fut une
fête solennelle. Il y vint un monde fou ! Le gouver-

neur et l'intendant, les notabilités civiles et militaires, les officiers-majors et les personnages de passage dans l'île, le curé de Saint-Louis, les amis, et encore tous les curieux d'histoire naturelle dont on voulut bien. La dame de Quatre-Epices détacha de son arbre de Noël le fruit le plus beau et le présenta au gouverneur, en le priant de vouloir bien le faire parvenir à Sa Majesté Louis XV, comme une preuve de l'heureuse acclimatation d'une épicerie précieuse dans sa colonie d'Isle de France. Le gouverneur reçut la noix muscade et la passa à son intendant, lequel la confia à son tour au capitaine de Port-Louis avec mission de la remettre au commandant du premier navire français qui appareillerait pour la France. Installé à une mauvaise table volante, grave comme un témoin rédigeant une page d'Histoire, le greffier du contrôleur du Roi en l'île s'appliquait à la calligraphie de son procès-verbal. Ah ! ce fut une belle journée ! La passion de la botanique flottait dans l'air chaud de l'été, qui s'embaumait d'espoirs de muscade et de girofle, de poivre et de cannelle, de cardamone et de vanille. Comme papillons éblouis, les espérances si souvent déçues ou saccagées des planteurs et des rêveurs, soudain ressuscitées, tournaient autour du muscadier de Quatre-Epices miraculeusement retrouvé fécond. Les têtes les moins sujettes aux songes échafaudaient un siècle d'or pour l'Isle de France, la voyaient déjà toute labourée, ratissée et plantée en carreaux de hauts goûts de toutes les couleurs de l'Orient. Ah ! oui, ce fut une belle journée ! Même le gouverneur et l'intendant se souriaient presque, enchantés par l'idée de régner un jour, demain, sur un pays de petits crésus.

« Mon amie Jeannette, je vous défends de manger vos muscades en ragoût : il vous les faut planter toutes, dit Poivre quand, la cérémonie terminée, il prit congé. Donnez-leur une terre humide et un ombrage léger. Prévoyez un carreau en bordure d'un ruisseau, que vous entourerez de haies vives. Dans un pays de vent, le bocage se révèle toujours une bonne façon de culture. Les fermiers se sont donné l'habitude de dresser des palissades, mais je n'en veux plus voir, je veux des haies vives, qui économisent le bois et retiennent bien les eaux. Donnez l'exemple, mon amie, vous me ferez plaisir. »

Elle s'appuya familièrement au bras de Poivre pour l'accompagner jusqu'à son palanquin :

« Monsieur l'intendant, je donnerai tous les exemples que vous souhaitez : je planterai des centaines d'arbres; je ferai pousser des épiceries en bonne santé, des grains vivriers et des milliers de bananes; à Quatre-Epices on conservera les berges des eaux boisées, on cultivera des légumes et on élèvera des poules et des cochons autour des cases, on empoisonnera les rivières et l'étang avec des espèces à chairs fines, on protégera les oiseaux mais on fera la guerre aux singes et aux rats, etc., et bref, je ferai de Quatre-Epices l'habitation modèle de votre colonie... si vous m'y aidez. Si vous me permettez de racheter un lot de Noirs à mes futurs voisins de Belle-Herbe; car enfin, monsieur l'intendant, avec toute ma bonne volonté je n'ai pas assez de bras pour vous bien servir.

– Ouf ! fit Poivre en riant. La timide Jeannette que j'ai connue à Lyon est devenue d'un bel entêtement ! Allons, je vois bien qu'il faut décidément que je pousse don José à obéir à ses femmes. Mais sincèrement, de vous à moi, le croyez-vous le moindrement du monde envieux de Belle-Herbe ? »

Don José se porta acquéreur de Belle-Herbe, sans joie, mais avec un bon grand sourire parce que Emilie ne cessait plus de chantonner. Pendant des heures elle allait discuter avec les boutiquiers et les artisans de la ville pour inventorier leurs richesses et leurs talents, complotait sans fin avec Kim, un colporteur malais qu'elle envoyait marchander pour elle avec

les marins qui revenaient de l'Inde chargés de cotonnades de pacotille. Avant même que l'affaire fût
conclue elle meublait et décorait sa future demeure.
Le fait que les bâtiments de Belle-Herbe ressem-
blaient autant qu'on l'avait pu à l'ensemble d'une
grosse ferme de la Bresse – avec la belle maison
rustique des maîtres, les granges, les étables, l'écurie,
les poulaillers, les clapiers, le pigeonnier – n'étant
pas pour peu dans l'exaltation fébrile de l'exilée de
Neuville. Jamais don José ne l'avait vue aussi gaie
d'une sincère gaieté profonde, ni moins acidulée. Et
à la voir ainsi, heureuse parfois jusqu'à une douceur
inattendue, petit à petit il digérait son sort. Il
finissait même par en voir les bons côtés.
    Pour calmer Dumas et les puissants de l'île tou-
jours en peine d'une affaire foncière qui leur échappait, Poivre avait dû poser une condition formelle au
rachat de Belle-Herbe par un Espagnol, celui-ci fût-il
associé à une Française. Le Conseil avait donc
décidé que le gentilhomme de La Plata – si riche chez
lui du bétail dont l'Isle de France manquait terriblement – paierait son achat en chevaux sur pied, en
cuirs et en bœuf séché. Pour cela on équiperait deux
bons navires qui feraient le voyage en bonne saison,
et ce tant que la dette ne serait point éteinte. Don
José avait rapidement consenti à l'exigence du
Conseil. D'abord, Emilie voulait furieusement Belle-
Herbe, et ensuite don José serait de la première
expédition à La Plata, il pourrait respirer l'air de
son pays. L'Espagnol avait une troisième bonne raison,
qu'il ne criait pas sur les toits, d'accepter la décision
des îliens : il comptait bien profiter des deux flûtes
que l'intendant affréterait aux frais de son roi, pour
importer du moins encombrant et du plus précieux
que de la viande morte ou vive : des piastres. La
piastre d'argent valait quatre livres et dix sols à
Montevideo, entre quinze et vingt livres au Port-
Louis, si bien que plus don José s'imaginait en train
de caler le bétail de l'intendant avec la piastre des

agioteurs, plus il trouvait agréable la tâche qu'on lui imposait. Alors, ma foi, en attendant les deux flûtes promises par le duc de Praslin et qu'on ne voyait pas venir, l'Espagnol jouissait d'assez bon cœur de la belle humeur de sa maîtresse, enfourchait son cheval et montait chaque jour jusqu'à Belle-Herbe, pour discuter avec les Moreau de Bonneval et faire galoper leurs quatre malheureux chevaux dans la prairie en essayant de n'en pas voir les frontières.

Les Moreau de Bonneval finirent par s'embarquer pour la France au début du mois de février 1768. En douze années de séjour, ils n'avaient pas fait fortune à la colonie mais seulement des dettes, n'emportaient que la petite somme que Poivre leur avait payée pour rattacher leur domaine hypothéqué à la Couronne afin de pouvoir traiter avec don José. Et pourtant les Moreau de Bonneval étaient fous de joie, et accompagnés au port par une longue suite d'envies : ils repassaient en France. Un coup de chance leur avait donné par héritage ce que ceux qui restaient étaient un jour venus chercher outre-mer et rageaient de ne pas y trouver assez vite : de quoi retourner au pays manger leurs rentes.

Sur le quai, Poivre, comme tout le monde, regardait s'éloigner la chaloupe qui emportait les Moreau vers le *Colbert* :

« Je ne sais si je réussirai jamais à faire une France indienne mais je sais que, pour le tenter, je devrai d'abord m'être rallié quelques Français adultes, dont le cordon ombilical soit franchement tranché, soupira-t-il d'un ton désabusé.

— Vous en avez trouvé au moins quelqu'une, dit Jeanne.

— Bien sincèrement ?

— Oui, je vous assure. Charmont a été le beau château de mon enfance, mais il faut sortir tôt de son enfance d'orpheline chanceuse, sinon les héritiers du château vous en chassent un jour. J'étais un bernard-l'ermite, monsieur l'intendant, et j'ai rencontré la coquille où je me sens bien, et chez moi.

– Il est vrai que les orphelines font un bon peuplement, reconnut Poivre. Voyez les filles de la Charité que nous fait envoyer le ministre de la Marine pour nous servir d'hospitalières : toutes ou presque sont orphelines, et jusqu'ici toutes font souche dans l'île, et avec une rapidité qui courrouce très fort la mère supérieure; pas une petite sœur grise qu'il ne faille marier d'urgence si l'on veut baptiser un nouveau-né de bon aloi ! Et, à propos de nouveau-né... »

Poivre lança un coup d'œil sur Marie, acheva :

« Croyez-vous que Mme Chabaud de Jasseron épousera le lieutenant de Boussuge ?

« Je ne le pense pas, non.

– Dommage, dit l'intendant. La petite Virginie est une marmousette délicieuse. Votre amie Marie fait très bien les enfants; il vous faudrait lui trouver un époux, Jeannette. »

Jeanne voulut répliquer à son insolent grand ami que les femmes n'étaient pas des poulinières destinées à ne bien servir la France indienne qu'avec leurs ventres, mais elle en fut empêchée par Emilie. Pétillante d'allégresse, Emilie venait de passer ses deux bras sous ceux de Jeanne et de Marie et babillait son bonheur :

« Je vais pouvoir m'installer à Belle-Herbe, mes chères ! Quelle plaisante vie nous allons avoir ! Je vous recevrai à dîner et nous bavarderons des autres et de nos cœurs dans un salon vert et blanc. Ce sera tout à fait comme autrefois : nous trois, bien à l'aise, bien gourmandes, bien méchantes, nous tenant à causer des heures autour d'un festin de coquillages. Dieu ! enfin ! Enfin ma vie sottement arrêtée va recommencer à mon idée ! »

Marie et Jeanne échangèrent un coup d'œil, portèrent, d'une même pensée, leurs regards sur don José, tandis qu'Emilie continuait d'un ton excité à se fabriquer un avenir où elle donnerait des dîners intimes de petites filles, et des thés à l'anglaise qui l'ennuageraient d'une cour brillante :

« Vraiment, conclut-elle, dans mon projet de Belle-Herbe tout m'est plaisir. Une seule chose me contrarie fort, c'est ce voyage à La Plata que don José sera contraint de faire. Imaginez qu'il aille reprendre goût à sa prairie sauvage ? Si mon contentement n'était un peu gâté par cette pensée je serais contente à la perfection. »

La haute voix claire d'Emilie portait loin quand elle n'y prenait garde et don José, qui se tenait en avant à contempler la manœuvre du *Colbert*, entendit le dernier propos de sa maîtresse, se retourna :

« Amor mío, le bonheur sur la terre est comme Dieu l'a fait, à pépins, comme le meilleur des melons, dit-il doucement. Mais ne soyez pas chagrinée, je vous promets de ne jamais vous reconduire de force à La Plata. »

Il marqua une pause, acheva avec la même douceur triste :

« Je ne vous promets pas en sus de n'y pas aller moi-même de temps en temps, mais je suis sûr qu'à les vivre au milieu de vos amies mes absences vous sembleront courtes, bien plus qu'à moi.

– De temps en temps ? releva Emilie avec vivacité. De temps en temps : s'agit-il d'un engagement nouveau ? Il n'a jamais été question que d'un seul voyage pour mettre les capitaines au fait du trafic, à ce qu'il me semblait ?

– Si, dit don José, mais...

– Mais vous prenez sous votre bonnet l'idée de vous offrir pour les voyages suivants, au moins « de temps en temps », coupa Emilie en s'énervant. La bonne idée, vraiment ! Vous me savez heureuse avec Belle-Herbe et ne songez qu'à me troubler mon bonheur en m'annonçant vos abandons successifs. Don José, pour le moment je vous autorise un voyage et voilà tout ! Faites le plus tôt possible, partez demain, revenez après-demain et alors asseyez-vous tranquille sous votre varangue à fumer vos cigares. Claro, hombre ? »

Don José n'eut le temps de répondre ni si ni no car Emilie enchaînait, avec la même volubilité :

« Sérieusement, don José, si vous voulez me plaire, partez demain, revenez après-demain, et que je n'entende plus continuellement parler de ce voyage. Il m'ennuiera de devoir me passer de vous, et je préfère qu'un ennui soit dans mon dos plutôt que devant moi.

– Claro, murmura don José, abasourdi, n'osant croire, hésitant trop sur le sens des paroles de sa maîtresse pour se laisser envahir tout entier par le bondissement de son cœur. Comprenait-il assez bien les nuances du français ? Venait-elle vraiment de lui faire l'aveu de son attachement sur un pudique ton de querelle ? »

Marie et Jeanne s'étaient jeté un nouveau coup d'œil et Jeanne souriait, plus gaiement que Marie dont l'émotion semblait pourtant plus vive. Ce qui se passait entre Emilie et don José paraissait l'affecter si personnellement que ce fut à cet instant que Jeanne se demanda, pour la première fois, si Marie n'était pas tombée amoureuse de l'Espagnol ?

Don José entra en jouissance de Belle-Herbe quatre jours après le départ du *Colbert*. De ce moment, les travaux chez Jeanne avancèrent deux fois plus vite : les Noirs de Belle-Herbe passaient souvent à Quatre-Epices pour donner un coup de main. Don José n'en était pas privé, jamais il n'avait eu l'intention d'exploiter au mieux son habitation. Belle-Herbe était la campagne qu'Emilie avait voulue : une quinta en France. La culture s'y réduirait à celle d'un beau jardin autour de la maison et d'assez de champs de grains et de bananiers pour nourrir les esclaves. Il fit remettre en prairie la plantation de canne, sauf six cents arpents qu'on y découpa et qui passèrent à Marie sous le nom de Terre-Sucrée. Dans le même temps, Aubriot s'installa pour de bon à Quatre-Epices.

Il y avait eu de grands vents au début de l'été et la menace d'un cyclone, mais les nouveaux colons en avaient été quittes pour la peur, et maintenant l'été était un délice à Moka, que chaque nuit rafraîchissait et réembaumait du parfum des jasmins et des frangipaniers. A Quatre-Epices on plantait, à Terre-Sucrée on sarclait, à Belle-Herbe on jardinait. Travaux et soucis avaient la légèreté des commencements, se trouvaient sans fin des récompenses dans un hibiscus éclaté en fleurs, la reprise inespérée d'un plant fané de letchi, là vue d'une rangée de petits théiers la veille inexistante, le charme neuf d'une chambre tapissée d'une indienne arrachée à l'encan sur le marché du port un jour de « retour d'Inde ». Leur quotidien abondait en premiers instants sur lesquels tous accouraient se pencher, avant de les célébrer en trinquant avec le bon vin de France ou du Cap qu'on avait pu trouver. Ils jouissaient d'un morceau béni de leurs vies. Même don José était trop pris par la création du jardin de Belle-Herbe pour se souvenir trop souvent qu'Emilie l'avait emprisonné de force dans son caprice. Momentanément, ils descendaient peu en ville, et presque seulement pour leurs achats ou pour souper chez les Poivre afin de réconforter Françoise.

L'intendante, très sensible, pleurait souvent. Elle avait l'impression de vivre entre deux meutes de loups en guerre, et c'était vrai. L'incompatibilité des humeurs du gouverneur et de l'intendant s'était aggravée, frisait parfois la scène de mauvais ménage. Des crises éclataient dont le Conseil se mêlait, après quoi chacun des combattants courait à sa plume pour raconter l'histoire à sa façon au ministre des Colonies lequel, de l'autre côté de la terre, ne devait plus y retrouver ses petits ! La société de l'île s'était maintenant franchement scindée en deux blocs ennemis, chacun bien décidé à avoir la tête du chef d'en face. Mais, comme la décision de couper une tête ne pouvait venir que de Versailles, en attendant les ennemis se battaient à la peau de banane, au complot et à la calomnie, se menaient une guerre d'usure quotidienne.

La question noire n'était pas la plus petite pomme de discorde entre le gouverneur et son intendant. Poivre ne faisait pas mystère d'être antiesclavagiste, tandis que Dumas voyait la sagesse de Dieu dans le fait que certains humains ont la peau noire et un cerveau d'enfant, des mœurs barbares et point de religion, c'est-à-dire des traits qui les prédestinent à la soumission aux Blancs. Il va de soi qu'en Isle de France, même les partisans de Poivre partageaient sur ce point l'opinion de Dumas mais, une fois sur deux, ils la partageaient sans férocité, traitaient leurs Noirs avec quelque bonté. Tandis que Dumas avait appris à Saint-Domingue comment on devait faire marcher droit « ces animaux-là » et, à Saint-Domingue, sauf sur quelques plantations, l'esclavage était dur à vivre. En Isle de France, sous le règne de Dumas [1], la justice noire devenait dure. Un Noir fugitif était-il repris, on le liait sur une échelle, on le fouettait au sang, on lui coupait une oreille, on le renvoyait au travail avec un collier de fer à trois pointes. S'il avait fugué pour la seconde fois on le fouettait, on lui coupait un jarret, on le mettait à la chaîne. A la troisième fugue, il était fouetté et pendu. Parfois même il était rompu vif plutôt que vivement pendu. Bref, la justice des juges faisait si peu quartier que les maîtres, soit clémence soit prudence, évitaient de dénoncer à qui de droit le marronnage et le vol, appliquaient chacun sa loi, et au moins le « méchant nègre » sauvait-il alors sa tête – qui valait de l'argent.

1. Pas seulement sous Dumas. Mais, dans l'ensemble, l'esclavage fut moins cruel en Isle de France et à Bourbon qu'aux Antilles.

La protection intéressée des maîtres n'empêchait pas quelques têtes de nègres malchanceux d'arriver au Port-Louis piquées sur des bâtons, au milieu des cris de triomphe. Cela se passait toujours au soir d'une battue aux marrons, quand certains fugitifs enfouis dans les grands bois s'étaient si bien défendus qu'il avait fallu les abattre au fusil. Les soldats et beaucoup de colons prenaient part à ces chasses avec plaisir, mais les chasseurs délicats, pour toucher la prime, ne rapportaient que la main droite, comme aussi ceux qui avaient tué plus d'une pièce de gibier : une seule tête fait déjà un lourd colis. Toutefois valait-il encore mieux ramener sa prise au bout d'une corde : c'était plus civique, on rendait un travailleur à la colonie et on touchait plus. Aussi voyait-on pas trop rarement une cordée de misérables captifs déambuler à travers les rues de la ville. Sur son passage les gens trop sensibles ou fraîchement débarqués d'Europe détournaient le regard, les colons blasés donnaient un coup d'œil pour voir s'il n'y avait rien à eux dans le lot, et les badauds, des Noirs surtout, s'assemblaient, applaudissaient les fiers chasseurs hilares, ricanaient au nez de leur gibier, jetaient des quolibets et des poignées de boue, bousculaient avec une joie mauvaise la misère enchaînée, des négrillons glapissants sautaient après les malheureux comme des singes, pour les griffer et les pincer.

Un beau soir très chaud de la fin de mars, au bout d'une cordée de huit il y avait la pauvre négresse Lolotte. Exténuée elle n'avançait plus que par saccades, quand un gendarme noir du détachement la poussait au creux des reins avec la crosse de son fusil. En loques, les pieds en sang, la tête accablée, comme indifférente aux quolibets et aux insultes, elle semblait n'avoir plus que la force désespérée de porter dans ses bras une calebasse où reposait un tout petit chien nouveau-né. Un grand négrillon lui arracha bientôt la calebasse, pour avoir le chien. Un autre curieux réussit à s'emparer du sac de vacoa qu'on avait pendu dans le dos de la négresse et le vida par terre : une tête noire ornée de caillé noir roula sur le sol, aussitôt poursuivie à coups de pied comme un ballon, malgré les fouets de la maréchaussée qui s'allongèrent sur les joueurs. Lolotte continua de gémir doucement, ni plus haut ni plus bas, et d'aller vers sa prison par saccades. La tête martyrisée était celle de son amant mais, depuis qu'elle l'avait vu abattre et décapiter, son deuil avait atteint sa plénitude monotone, ne pouvait renchérir ni de souffrance ni de cris.

A la prison, les cachots étaient pleins. On boucla les captifs tous ensemble dans une chambre de garde. Il n'y avait pas d'anneaux dans les murs, ni de chaînes, mais les marrons paraissaient si mal en point qu'on négligea même d'aller chercher des blocs [1] pour leur mettre aux pieds. Les prisonniers se plaignirent par crises aiguës de la faim et de la soif, mais ce fut seulement après la relève qu'un factionnaire de nuit écouta leurs plaintes et, pris de pitié, s'en alla leur chercher une cruche d'eau. Quand il entrouvrit la porte pour la leur donner les marrons l'attrapèrent, l'assommèrent et s'enfuirent.

Une fois hors de la ville, les évadés discutèrent. Tous les hommes voulaient retourner vers les grands bois de l'intérieur. Lolotte dit qu'ils étaient bien trop fatigués pour atteindre les grands bois avant qu'on les reprenne, qu'il fallait aller se réfugier au plus près, chez la mamzélle Jeanne de Quatre-Epices ou chez l'Espagnol, puisqu'on racontait que la mamzélle Jeanne et l'Espagnol étaient bons pour leurs pauvres nègues. Les hommes hésitèrent, mais c'était vraiment trop difficile de croire en des Blancs, et ils s'engagèrent sur la longue route. Excédée de lassitude Lolotte les abandonna, se hissa tant bien que mal jusqu'au bas de la rampe de Moka et fut

1. Boulets.

retrouvée à l'aube dans un champ de Belle-Herbe, gisante et grelottant de fièvre.

La négresse fugitive était une créole de vingt ans appartenant à M. de Chazal. On la soignait à Belle-Herbe depuis trois jours quand un sergent et quatre Noirs de la maréchaussée, porteurs d'un ordre signé par le gouverneur, vinrent respectueusement réclamer l'évadée à don José. On savait que la négresse devait se cacher chez lui ou à Quatre-Épices : l'un de ses compagnons, repris, l'avait dénoncée pour se faire bien voir. Don José jugea inutile de nier pour que la maréchaussée se rabattît sur Jeanne; il refusa tout simplement de livrer la fugitive, proposa de payer la prime au soldat qui l'avait capturée et son prix à son maître, après quoi il renvoya les gendarmes avec de quoi boire et s'en fut repiquer des boutures de rosiers du Bengale.

Le lendemain, Aubriot et Jeanne dînaient à Belle-Herbe avec leurs amis sous la varangue toute fleurie de capucines flamboyantes, quand ils eurent la surprise de voir arriver le gouverneur à cheval, suivi de son aide de camp.

« Voilà certes un visiteur qui ne vient pas pour nous être agréable », jeta don José avant de se lever en affichant le plus blanc de ses sourires de bienvenue.

Le colonel Dumas accepta de bonne grâce du café et un cigare, et même quelques propos oiseux, avant d'en venir au motif de sa visite : l'ordre. L'ordre que le gouverneur s'efforçait d'établir en Isle de France avait été troublé par un geste « étourdi » de don José. Une esclave coupable impunie est un objet de désordre intolérable, don José comprendrait que l'ordre ne peut tolérer le plus petit désordre sans risquer d'en périr un jour.

« Monsieur, glissa Aubriot, Leibnitz est pourtant d'un avis contraire au vôtre, et tient qu'il est dans le grand ordre qu'il y ait de petits désordres. »

Le gouverneur écarta Leibnitz d'un geste agacé, répliqua sèchement :

« Monsieur le docteur, Leibnitz parlait sans nul doute pour ses compatriotes allemands. Je parle pour des Français, chez qui l'inflation du désordre est prompte. Et donc... »

Donc, il revint à don José et termina militairement sa harangue, en le priant de faire remettre la nommée Lolotte aux gendarmes qu'il avait « courtoisement » laissés à l'entrée de l'habitation.

Don José élargit son sourire jusqu'à une dimension éblouissante :

« Monsieur le gouverneur, vous offrirai-je un peu de la liqueur des missionnaires de Saint-Lazare ? Le père Duval m'en a donné. Elle est divine. Parfumée jusqu'à vous tirer des larmes. L'avez-vous goûtée déjà ? »

Interdit, Dumas maugréa un vague acquiescement. Ils burent de la liqueur. Hélas ! le gouverneur n'avait pas un de ces heureux caractères que l'alcool mollit. Après le bon coup, derechef il réclama Lolotte, et cette fois en se dressant debout, le menton pointé et le dos roide. Don José étouffa un soupir, se leva à son tour :

« Monsieur le gouverneur, dit-il d'une voix paisible et sans cesser de sourire, vous m'avez parlé d'un ordre français. Pardonnez-moi d'être espagnol. Un Espagnol ne livre pas celui qui lui a demandé l'asile, noble ou gueux, blanc, noir ou jaune. Mettez-moi à l'amende ; je paierai la prime et le prix de l'esclave aussi cher que vous le voudrez. »

La mâchoire de Dumas se durcit, son poing se retint de s'abattre sur la table :

« Monsieur l'Espagnol, vous êtes ici l'hôte d'une province française, dit-il d'une voix coupante. Je ne m'en vais pas contrarier les mœurs de La Plata, je ne vous permettrai pas de vous mêler des nôtres. Il n'en sera jamais ici comme à Saint-Domingue, où les esclaves marrons n'ont de cesse que d'avoir passé à l'Espagnol, pour y narguer bien à l'aise les autorités de la partie française de la colonie. L'Isle de France n'est point Saint-Domingue, monsieur, l'Isle de France est française tout entière [1] !

— Ma foi, monsieur le gouverneur, je ne sais ce qui se passe à Saint-Domingue, ni pourquoi les Noirs y désertent les Français pour les Espagnols, mais je suppose qu'ils vont tout bonnement du côté de la paresse ! Et comme, assurément, la paresse n'est point une vertu à vos yeux, je n'y vois pas une cause qui puisse vous blesser, dit don José avec une très perceptible ironie.

— Cessez donc, señor, de vous faire plus naïf que vous n'êtes afin d'égarer notre discussion, dit Dumas avec une colère accrue. Tant que je gouvernerai cette île au nom de mon roi l'autorité de son gouverneur n'y sera pas bafouée ! Et croyez-moi, si j'avais gouverné plus longtemps à Saint-Domingue, et commandé en premier plutôt qu'en second, les Espagnols n'auraient pas continué d'aider nos marrons à se moquer de nous, j'aurais saisi la première occasion légitime de les rejeter à la mer et d'occuper tout le pays !

— Oui, tout aussi assurément que vous avez rejeté à la mer les Anglais du Canada, dit don José sans hausser le ton.

— Messieurs ! » s'écrièrent presque ensemble Aubriot et l'aide de camp, qui cherchaient depuis un moment à intervenir pour calmer la querelle, et l'aide de camp ajouta, avec un regard pour la maîtresse de maison et son amie :

« Devant ces dames... »

Mais il était trop tard. Rien ne pouvait consoler Dumas de la perte du Canada à laquelle il avait été mêlé, parce qu'il était un bon soldat, patriote et brave et certes pas responsable des carences de

1. A Saint-Domingue, l'hémorragie d'esclaves en faveur des Espagnols, plus humains que les Français, était importante.

Versailles. Lui rappeler la défaite de la France au Canada équivalait à lui repasser sa plaie toujours à vif avec un fer chaud. Il était devenu pâle comme un linge, ses yeux flambaient.

« Je crois, señor, que vous venez de m'insulter, dit-il avec une voix devenue froide comme un couteau. Je suppose que vous ne verrez pas d'inconvénient à m'en rendre raison ? »

Aubriot fit un pas en avant... Au même instant :

« Ma foi non, monsieur, si vous vous jugez offensé par une vérité, dit don José au gouverneur.

– Don José ! jeta sévèrement Aubriot. Voyons, messieurs... »

Dumas ignora l'intervention :

« J'ai mon témoin, dit-il en désignant son aide de camp. Si vous voulez bien, señor, vous choisir le vôtre ? »

Les deux jeunes femmes, un moment incrédules et statufiées, retrouvèrent leurs esprits, voulurent s'élancer, Emilie s'écria :

« Mais je rêve ! Don José, vous n'allez pas...

– Rentrez ! commanda Aubriot en leur barrant le chemin. Jeanne, faites rentrer votre amie et emmenez les enfants. Allons ! Dame Emilie, je vous en prie... »

Jeanne entraîna Emilie de vive force, avec le petit Paul et son négrillon Fanfan accrochés à leurs jupes.

« Je n'y crois pas, je n'y crois pas, je n'y crois pas ! répétait Emilie en faisant les cent pas. Ne me dites pas, Jeanne, que don José et le gouverneur sont en train de se battre pour Lolotte ! Pour une esclave !

– L'époux de Marie s'est battu jusqu'à la mort pour une bouquetière, et Vincent s'est battu avec Lauraguais pour une danseuse. Trouvez-moi, je vous prie, des hommes qui se battent pour une bonne raison ! dit Jeanne en colère – elle aussi faisait les cent pas en tordant son mouchoir. Mais ils ne se battront pas, ajouta-t-elle plus calmement. M. Philibert saura bien les en empêcher.

– Oui, n'est-ce pas ? fit Emilie d'une toute petite voix mendiante que Jeanne ne lui connaissait pas.

– Oui », dit Jeanne.

Mais elle ne l'espérait pas. Elle savait que Philibert aussi, autrefois, s'était battu pour des frivolités, pour la belle boulangère de Châtillon entre autres, et avec combien de cocus à Montpellier, au temps de sa primesautière jeunesse estudiantine ? Toutes les bonnes lames dégainent facilement. Comme en écho à sa pensée, Emilie murmura :

« Don José est une fine lame, Dieu merci. A La Plata, on a l'épée chatouilleuse à plaisir. Mais jusqu'ici je n'avais appris qu'après coup, par des indiscrétions. Aujourd'hui... »

Elle se tut avant de reprendre plus haut, avec fébrilité :

« Cette attente est insupportable ! Il faut que je fasse quelque chose, je dois faire quelque chose ! Je... Jeanne, excusez-moi un moment et retenez Paul, qu'il ne me suive pas. »

Jeanne sut d'emblée qu'Emilie s'en allait prier et un petit sourire détendit un instant son angoisse : en priant pour son amant, Emilie s'apprendrait-elle enfin qu'elle l'aimait ?

Les duellistes revinrent de leur duel enchantés l'un de l'autre. Frères de sang. Don José portait une balafre au poignet droit, Dumas une écorchure au flanc gauche, dont ils semblaient ravis. Estimaient-ils qu'étant donné leurs égales forces à l'épée, assez exceptionnelles, c'était double exploit qu'ils se soient pu toucher ? En tout cas ils trinquaient à la chose. Don José avait demandé de son meilleur vin d'Espagne et des biscuits de coco, le médecin faisait les pansements sous la varangue dans un climat d'amicale goguette à la campagne. Plus un mot sur Lolotte ou le Canada, la causette était sur les maîtres d'armes célèbres de Paris, leurs feintes, leurs parades, leurs bottes, leurs attaques en tierce et quarte et autrement et hop ! leur coup de Jarnac à vous embrocher son homme élégamment, dans toutes les règles d'un art appris dans une bonne maison.

Emilie se pencha vers Jeanne :

« On voit bien qu'ils regrettent de ne pas s'être fait dans la peau des trous plus mémorables, murmura-t-elle avec ironie. Et penser que, tout à l'heure, j'ai failli trembler pour un homme qui ne faisait que jouer !

— Vous avez tremblé, corrigea Jeanne en souriant.

— Eh bien, ne le répétez pas », lança Emilie d'un ton léger.

« Je le répéterai à don José », pensait Jeanne en retournant vers Quatre-Epices et elle en était d'avance si contente, qu'arrivée sur sa terre elle n'alla pas vers l'écurie, mais lança son cheval à l'assaut d'une colline, pour dépenser un peu de son impatience à le faire.

Elle grimpa par le plus clair du bois, traversa, les narines épanouies, un violent parfum d'aloès en chaleur, déboucha sur un balcon ombragé de palmes presque immobiles, ouvert sur le large. La mer étincelait de tous ses verts et, par-dessus, le ciel voletait comme une robe créole – de la buée blanche sur une soie bleue unie. Les sabots de Blondine arrachaient au sol piétiné des bouffées d'odeurs à tisanes. Le décor était planté pour un instant de paradis païen. Jeanne se sentit là-bas en bas, pieds nus sur le sable. Etoile de mer sur le sable. Car il y a sans doute une meilleure forme de chair que l'humaine pour vivre la jouissance païenne ? Une forme de crêpe molle, dont chaque élongation à la paresseuse augmente la peau du dessous donnée à la volupté du sable et la peau du dessus donnée à la volupté du soleil, et alors un bien-être d'or vous submerge jusqu'à vous sortir des pores et devenir nuée d'or autour de vous...

« Oiseau, un beau site par beau temps est un bonheur presque parfait, oiseau, va me chercher Vincent pour qu'il soit parfait ! » cria-t-elle en pensée à un paille-en-cul blanc de cygne qui filait vers le port. Elle se laissa glisser de Blondine pour aller boire à la source qui gazouillait un peu en contrebas, remonta s'asseoir sur un bloc de lave et contempla de nouveau le grisant paysage. Une voile encore menue comme mouette montait sur l'horizon, venant du côté de l'île Bourbon. Le cœur de Jeanne se précipita : il faudrait bien qu'un jour son cœur eût raison, et que la voile en approche fût celle de *Belle Vincente*.

Elle sortit de sa poche la dernière lettre du corsaire. L'avant-veille, une frégate maltaise qui avait relâché à Rio la lui avait apportée.

« Ce 8 décembre 1767. Ma blonde, mon cœur, moun cardelino, ma bello figo, moun agneloun[1] de Diéu, je porte une jalousie féroce au porteur de ma lettre, qui te verra bientôt. Je te languis aujourd'hui plus qu'hier et moins que demain, la preuve en est que je te dis des platitudes. Ne m'en veuille pas, moun bonbon de regalisse[1], pendant que je t'écris je te vois à ta toilette de nuit avec moi te servant de valet de chambre, et je m'embarque dans une aventure charmante qui m'ôte tout esprit. Il m'en faudra pourtant, et du rusé. Le capitaine que Lisbonne a envoyé pour qu'il ramène ma *Belle Vincente* en Portugal vient d'arriver à Rio et n'a pas l'air d'un sot et, de reste, aucun marin n'est secret pour un autre marin, c'est ce qui fait tout le difficile et tout le jeu d'un duel naval. Baste ! je trouverai bien le moyen d'être à mon bord le jour de la partance, fût-ce déguisé en calfat puant, voire même en rat à fond de cale ! On m'a volé mes deux maîtresses, j'ai besoin de

---

1. Chardonneret, figue, agnelet, réglisse.

ravoir l'une pour m'en aller reprendre l'autre, il ne se peut que je n'y parvienne, il n'y a malchance qui ne rechange, à la mer on apprend tôt cela. Puis, comme le dit une sérénade de chez nous les Prouvençau :

> *M'amie vers vous amour me tire*
> *Tant que bientôt sans moi vous dire*
> *L'apercevrez de la fenêtre*
> *Où vous m'espérez voir paraître.*

J'ai assez mal traduit ces petits vers mais, même en français pâlichon, ils me semblent assez bien dire que l'amour vaut le vent pour arriver jusqu'à sa belle. Ma bello, mon boutoun d'or, je... »

Des cailloux roulèrent dans une rigole de basalte de la colline. Jeanne replia précipitamment la lettre de Vincent, tourna la tête...

« Ah ! c'est vous, dit-elle à l'Amadou en lui souriant. Me cherchiez-vous ? »

Le gabier s'était arrêté en la voyant. Il secoua la tête :

« Non, ma foi, dit-il. Faites excuse, misè Jeanne, je savais pas que je vous dérangerais. »

Il balaya du regard le paysage, ajouta :

« Moi aussi, je viens ici des fois.

– Vous ne me dérangez pas », dit Jeanne.

L'Amadou alla se planter tout au bord du sur-plomb :

« C'est bien sûr la plus belle vue de Quatre-Epices », dit-il.

Il y eut un long silence bourdonnant d'insectes, tout fleuri de larges papillons noirs et bleus, puis l'Amadou fit une brusque volte-face vers Jeanne, lança :

« Faut être bête tout de même, hein, pour aimer la mer ? Je veux dire : pour aimer aller dessus. Le matelot, s'il avait du jugement, quand il a débarqué dans un coin comme ici il rembarquerait jamais. Mais n'a ges de causo ! pecaire ! n'a ges de causo.

598

– Vous avez envie de vous rembarquer, l'Amadou ? »

Le Provençal baissa la tête, chassa du pied un petit scorpion, dit enfin à regret :

« Des fois, ça me démange.

– Cela m'attristerait beaucoup, l'Amadou, de vous voir partir.

– Oh ! mais je m'en vais rester, misè Jeanne, je resterai jusqu'à ce qui faudra. Je sais bien que le capitàni comptait là-dessus quand il m'a renvoyé de son bord quand vous [1]. Je dois rester, pèr vous servi.

– Et pour servir Fifine ? » dit Jeanne en riant.

Voyant que Jeanne riait le gabier prit le parti d'avouer sans façon :

« Elle est bello, pas vrai ? Quand une fille a la peau noire, au début on a du mal à la voir belle mais, au bout d'un moment, on voit. On voit même si elle est plus belle ou moins belle qu'une belle blanche.

– Vous voilà donc encore une fois amoureux, l'Amadou ?

– Hé ! »

Il marqua une pause, reprit :

« J'ai jamais eu une aussi belle fille, aussi gentille en même temps, misè Jeanne. Et en plus, gaie comme une de chez nous. Et pour la soupe de poissons, ah ! tè ! elle nous l'a faite un dimanche, que je me suis cru au pays, juste en plus épicé, mais c'était meilleur.

– C'est donc une perle, l'Amadou. Mariez-la. »

L'Amadou ricana pour marquer à Jeanne qu'il comprenait la plaisanterie puis, à la réflexion, dit :

« Vous savez, misè Jeanne, le matelot qu'épouserait une négresse pour de bon on se moquerait de lui, mais c'est pas prouvé qu'il ferait une pire bêtise qu'en épousant une payse. Mais bon, moi, de toute façon... »

---

1. En même temps que vous.

Il lança un coup d'œil à la mer :

« De toute façon, moi, je suis marié avec ça
là-bas. J'ai pas besoin d'une veuve. Parce qu'on a
beau dire, les épouses de marins, ça n'existe pas; les
marins, ils n'ont que des veuves. »

La dernière phrase du Provençal demeura entre
eux deux, toujours aussi audible que si elle avait été
composée de mots tenus par des points d'orgue. Le
Provençal finit par l'entendre jusqu'à lui donner tout
son sens, et Jeanne le vit se consterner, baisser la tête
et se mettre à regarder son pied droit jouer aux billes
avec des cailloux. Elle appela gentiment : « L'Amadou... », et quand il releva la tête elle dit avec la
même gentillesse :

« Avant-hier, le capitaine de la frégate maltaise
est venu m'apporter une lettre de votre capitàni : il
va très bien. »

Le gabier s'accroupit sur ses talons pour se rabaisser à la hauteur de Jeanne assise :

« Je me doutais, misè Jeanne, que vous aviez eu
une lettre par le *Saint-Michel*, j'en étais quasiment
comme sûr, même que ça me faisait deuil que vous
me l'ayez pas dit. Parce que nous deux, de la grosse
aventure on en a déjà couru un bout ensemble, pas
vrai ? Si bien que vous et moi, et sauf votre respect,
misè Jeanne, on serait comme un peu matelots [1] ?

— Nous sommes matelots », corrigea Jeanne d'un
ton sérieux.

Un rire éclata dans le visage pain d'épice du
Provençal :

« Et alors, comme ça, le capitàni va bien ?
demanda-t-il.

— Très bien. Je crois sa prison confortable... et
même plaisante.

— Oh ! fit le gabier, un beau capitaine comme le
nôtre, il va jamais prisonnier sur un ponton. Le
capitàni, je l'ai toujours vu se faire des amis jusque

1. Amatelotés.

600

chez l'ennemi, je dis qu'il s'en ferait jusque dans la maison du Diable !

— Oh ! je n'en doute pas, dit Jeanne, qui pensa : « La maison du Diable doit être pleine de diablesses « fort inflammables ! »

— Et comme ça, bien sûr, reprenait l'Amadou, le capitàni ne vous dit pas quand il espère qu'il pourra mettre à la voile ?

— Non, bien sûr. L'Amadou... »

Le gabier la fixa, attendit la question :

« L'Amadou, croyez-vous vraiment très fort que le capitàni pourra reprendre *Belle Vincente* aux Portugais et s'enfuir avec ?

— Damisello, si vous me demandiez de jurer que j'y crois par la preuve du feu, j'accepterais », dit l'Amadou.

Leurs regards se pénétrèrent, puis Jeanne sentit qu'elle allait rougir et détourna le sien. C'était chaque fois la même chose, quand sa pensée de Vincent s'accrochait à celle de l'Amadou pour se réconforter : l'immense dévotion qu'elle lisait dans les yeux du matelot lui causait vite une gêne qui lui montait aux joues, parce que son amour de femme à la fidélité si nuancée s'affrontait soudain à un amour total de chien fidèle. Elle souleva à deux mains sa chevelure qu'elle avait dénouée pour lui offrir un bain d'air et se mit à la renouer. Blondine soudain encensait, piaffait, raclait du sabot la terre rocheuse aux herbes rudes, impatiente de redescendre vers une pâture plus douce. L'Amadou se redressa sur ses jambes, contempla, des fourmis aux doigts, les mèches de soie cendrée et les coulées de lumière blonde que Jeanne nattait ensemble, et s'en alla pudiquement tout au bord du paysage, fredonner à la mer sa chanson pour la blonde :

> *Belo, vous represente lou bouton d'or,*
> *N'en siatz belo coum' un tresor,*
> *Coum' un tresor de gentilesso,*

Vous prendriou ben per ma mestresso,
Belo, vous represente la viouleto,
Siatz dins moun couer touto souleto...

Jeanne se laissa aller contre le tronc brûlant d'un tatamaca, ferma ses paupières, entendit la voix bronzée de Vincent monter sous la fenêtre de la petite maison du lieutenant de Pinto. Le chant du matelot lui mettait dans la bouche un goût de larmes ensoleillées.

13

L'ÉTAT de grâce fragile dans lequel Jeanne réussissait à se maintenir depuis qu'elle s'était laissée couler avec complaisance dans la duplicité se fractura soudain, un soir de la mi-mai : *Belle Vincente* avait quitté la baie de Rio Janeiro en février dernier. Et sans doute le chevalier se trouvait-il à son bord ? Il avait disparu de sa prison dorée. La nouvelle en avait été apportée par la *Reina Isabel,* une corvette espagnole qui se rendait à Manille pour en ramener deux bâtiments marchands. Une avarie avait contraint le capitaine don Vallejo de relâcher quatre jours à Rio, où il avait été reçu bien plus mal encore qu'un Espagnol chez les Portugais, parce que alors le vice-roi était au pire de son humeur fantasque : le prisonnier dont il s'était entiché, son bien-aimé maltais abreuvé de vin de Porto et nourri de gras dindons avait décampé, avec la plus noire ingratitude. Il avait quitté la place comme si l'amitié en diamant d'un vice-roi du Brésil n'était rien de mieux qu'une limaille, un pis-aller qu'un beau jour, lassé, on jette par-dessus son épaule.

Hébergé chez don José pour son temps d'escale au Port-Louis, don Vallejo, criblé de questions, avait volontiers conté tout au long ce qui s'était passé à Rio. Un peu avant de pénétrer dans la baie il avait croisé la frégate *Belle Vincente,* qui faisait route vers l'Europe. Par extraordinaire, au lieu de s'ignorer les deux capitaines espagnol et portugais s'étaient salués, parce que don Vallejo et dom Ribeiro se connaissaient; ils avaient même échangé leurs saluts par gueulards [1], si bien que don Vallejo était certain qu'à ce moment-là, tout allait bien pour le Portugais à bord du vaisseau captif qu'il devait conduire à Lisbonne. Du reste, quand don Vallejo avait débarqué à Rio, la ville ne parlait de rien. C'était seulement le surlendemain que l'histoire du prisonnier enfui s'y était répandue : le vice-roi venait de découvrir l'évasion qu'on lui avait cachée, et sa colère faisait jacasser. Pour soulager ses nerfs furibonds le roitelet avait rempli ses prisons de misérable fretin, fait expédier à Dieu trois criminels aux crimes douteux, et battu à gros bleus la comtesse da Silveira, pour lui apprendre à mieux serrer ses cuisses sur les otages que lui confiait son vice-royal beau-frère. Et puis, sans trop d'espoir sans doute, il avait envoyé sa garde fouiller la campagne de Rio et une frégate à la poursuite de *Belle Vincente.*

La cuisante volée prise par « la charmante comtesse Lucia » – don Vallejo appelait ainsi cette p... – fit passer un bon moment à Jeanne; la justice assenée aux autres est toujours un bon moment à passer, les femmes couchent par trop facilement avec un corsaire ! Malheureusement, don Vallejo n'en savait pas plus sur l'affaire; on ne s'éternise pas en rade de Rio quand on commande une corvette de guerre espagnole. Si bien que depuis son récit Jeanne ne cessait de voir *Belle Vincente* sortir et ressortir de la baie de Rio mais, à partir de là, elle ne pouvait que rêver. Elle rêvait : son beau chevalier se mettait à vivre sur la mer une aventure d'opéra-comique – audace et panache en dentelles, et au dénouement sa *Belle Vincente* lui retombait dans les bras et il l'emportait

1. Porte-voix.

vers l'île indienne ou l'attendait son autre amour. Plus souvent que jamais Jeanne montait s'asseoir sur son balcon de la colline pour y guetter la voile de Vincent, en redescendait avec un soupir ambigu, déçue pour un jour encore, délivrée pour un jour encore de l'urgence bête d'abîmer la douce vie de Quatre-Epices avec des mots. Depuis le temps qu'elle les retenait les mots cruels qu'elle aurait déjà dû dire avaient grossi dans sa tête, ils avaient pris le volume effrayant de grêlons qui feraient d'énormes trous là où ils tomberaient. Si bien qu'elle ne regardait plus Philibert qu'en serrant les lèvres. « Alors ? » questionnaient à tout bout de champ les yeux apitoyés de Marie et les yeux sévères d'Emilie. Des paupières Jeanne répondait : « Je ne pense qu'à cela », se détournait et parlait d'autre chose. Elle s'usa près d'un mois en cauchemars et en silencieux combats intimes avant qu'une après-dînée enfin, comme elle se trouvait seule avec Emilie, elle ne dît soudain, sautant du coq à l'âne :

« J'ai pris la décision de m'expliquer avec M. Philibert après la fête de Quatre-Epices. Je veux laisser passer ma fête, je ne veux pas la gâter. C'est aussi après la fête que je parlerai à Pauline. »

Emilie fixait Jeanne dans les yeux, mais sans un mot, alors celle-ci ajouta :

« Vous m'avez déjà tout dit sur ma lâcheté, et bien assez persiflé les sursis que je me donne : n'ajoutez rien. Attendez que la fête soit passée, vous verrez bien. Cette fois, je me tiendrai parole. Du reste, je ne puis plus reculer : j'ai le dos au mur. »

Emilie inclina la tête :

« Jeanne, cette affaire est votre affaire. Mais jamais vous ne m'empêcherez d'enrager à voir que vous vous donnez l'air d'être dans le lit d'Aubriot comme en religion, et que vous mettez plus de scrupules à en sortir que je n'en ai mis à me défroquer !

— Emilie, vous n'aimiez pas votre froc. Vous

oubliez toujours cette nuance entre nous, ma chère. Et puis... j'aime être heureuse. J'ai naguère assez aimé me rendre triste et me faire des chagrins, mais ce goût m'a quittée.

– Vraiment ? Vous pleurez toujours beaucoup quand l'occasion vous en survient !

– J'ai des larmes dans le corps comme les nuages ont de la pluie. Et d'abord, je n'ai pas dit que je ne souffrais plus jamais, j'ai dit que je n'aimais plus souffrir. Alors, que voulez-vous, il faut bien que je me trouve le pouvoir d'oublier souvent ce qui me tourmente. Je prie pour l'oublier encore un peu, jusqu'à la fête de Quatre-Epices.

– Vous avez six jours, dit Emilie. Six fois mañana, mañana ! L'éternité ! vous promettrait don José. »

La première fête que donnerait la dame de Quatre-Epices avait été fixée au premier dimanche de juillet.

Depuis que le Roi avait rattaché l'île à sa couronne, les colons aisés recommençaient à donner des parties de campagne, comme on l'avait fait avant le cyclone de 1760, au temps des gentilshommes-fermiers. L'hiver n'était pas une très bonne saison pour recevoir dans son jardin, mais Jeanne mourait d'envie de montrer *son* Quatre-Epices.

La vaste propriété abandonnée par les Saint-Méry n'était pas encore toute dépouillée de sa friche et de ses taillis de repousse anarchique, mais on pouvait déjà s'imaginer l'aspect qu'elle prendrait dans quelques années. Sur la droite de la grande allée, la partie plate du domaine, à peu près nettoyée, avait été découpée en champs de canne, de maïs et de manioc, jusqu'à l'étang. Dans la partie gauche légèrement vallonnée on était en train de dégager un bois de grenadiers, et l'ancienne poivrière avait été replantée, devant les quelques hauts canneliers que l'ouragan terrible n'avait pas emportés. C'est à côté de la poivrière que s'alignerait un jour la fortune de

Jeanne, les muscadiers et les girofliers que le capitaine du *Vigilant* était parti voler aux Hollandais des Moluques. Au-delà des canneliers, les collines fermaient douillettement l'horizon, escaladées par la forêt. La grande allée des tamariniers avait retrouvé sa noblesse, et la maison, repris tout son charme simple.

La façade avait été repeinte en jaune poussin, avec ses portes et ses fenêtres en blanc, et ce doux mélange lumineux de jaune et de blanc s'harmonisait à merveille avec le rouge pruiné des essentes [1] du toit. Les mongris envahissants avaient été arrachés et récemment remplacés par des boutures de ces lianes qui se couvrent toute l'année d'une multitude de bractées d'un rose épais de liqueur de cassis, que Jeanne appelait « mes bougainvillées », en souvenir de celles qu'elle avait un jour passées au cou du capitaine de Bougainville. Les « bougainvillées » venues de La Plata ne donnaient encore que des promesses de leur splendeur future mais, grâce aux zinnies et aux capucines semées en bordure de la petite esplanade, en arrivant devant la maison on arrivait devant la féerie des couleurs opulentes, aphrodisiaques, de l'éternel été tropical. La pénombre blanche de la maison n'en semblait que plus rafraîchissante.

Sur le conseil de don José, Jeanne avait fait poser des jalousies aux portes-fenêtres, un luxe rare dans l'île et qui rendait très agréable le climat du rez-de-chaussée. Il ne ressemblait pourtant encore – sauf dans le cabinet et la chambre d'Aubriot – qu'à une suite de salles paysannes nouvellement recarrelées et reblanchies, avec du mobilier vite fait de bois rudes et de rotin, des murs chaulés qui attendaient les papiers peints de la Chine qu'un capitaine hollandais avait promis. L'aménagement de l'étage était

---

1. Bardeaux.

mieux achevé déjà, toutes les chambres tendues d'indiennes à motifs de fleurs ou d'oiseaux.

Jeanne avait la chambre aux œillets bleus, avec son cabinet de commodité peint du même bleu de turquoise. Elle y avait gardé l'armoire en citronnier d'où s'échappait sans fin le fantôme de la première dame de Quatre-Epices, et s'était commandé une commode et un bureau de même bois. On lui avait déjà livré le lit : avec sa belle coque lisse et jaune et les hautes voiles de mousseline blanche de sa mousti-quaire que le moindre souffle d'air creusait ou gonflait, il ressemblait à un vaisseau. Le beau lit, vraiment, pour y rêver de nuits qui se balancent dans les bras d'un corsaire ! Parfois, le plaisir d'y dormir la réveillait, elle se tirait du sommeil pour admirer une fois de plus le décor de son sommeil. Elle rallumait sa bougie, se levait, flairait pas à pas sa jolie chambre fleurie d'œillets bleus, avec une gour-mandise de propriétaire que l'habitude n'a pas encore rassasiée de son logis. Elle finissait par pousser ses contrevents pour s'extasier aussi sur ses zinnies et sur ses capucines que cendrait la lune, humait la bonne odeur de sa terre étrangement déserte et muette, aux verdures de théâtre frappées de lumière blanche, immobiles dans l'air calmé de la nuit.

Assez souvent, quand elle s'était ainsi excité les sens et l'âme, elle n'avait plus envie de se recoucher, pas même envie de lire : elle avait envie de vivre plus tôt qu'à son heure un nouveau jour à Quatre-Epices; pendant un moment elle résistait à la tentation de s'aller faire une bonne trempée de vin sucré... et puis elle tirait de son jupon la clef de l'armoire aux provisions et descendait dans la cuisine. Et naturelle-ment Nénéne l'entendait, se soulevait sur sa natte et se mettait à ronchonner : « Ça n'a pas Bon Dié possibe mamzélle faire conça même vilain nèg' coquin, mamzélle voler manzer quisine à nuit ! » Jeanne riait et apaisait Nénéne en lui offrant de sa pâtée, qui lui allait aussi bien pour se sucrer une insomnie que pour se sucrer un souci.

C'était pendant l'une de ses dînettes de nuit, où elle se sentait merveilleusement bien dans la peau de sa maison, qu'elle avait décidé d'avancer au premier jour de juillet la date de sa fête : son besoin de proclamer son bon droit d'être heureuse à Quatre-Epices lui était apparu plus pressant que jamais comme si Vincent, en débarquant au Port-Louis, le lui allait bientôt contester. Des nuées d'orage s'amassaient au-dessus du beau toit de bardeaux de Quatre-Epices. Il fallait faire la fête avant qu'elles ne crèvent.

« C'est sûr mamzélle donné çandelle Bon Dié pour gagné temps conça même l'été », dit joyeusement Suzon en étalant les nippes de sa maîtresse sur la courtepointe du lit.

Jeanne eut un sourire amoureux pour ses atours de belle hôtesse. Elle prit à deux mains la robe de mousseline blanche doublée de faille blonde irisée d'or et de rose, et s'en fut devant son miroir pour la présenter devant elle. La faille pétilla, crissa, mettant d'avance dans la chambre le murmure et le chatoiement d'un bal.

La bonne idée, qu'avait eue Mme de Bouhey, de lui envoyer un aunage de faille de sa couleur favorite ! Il lui était parvenu assez tôt pour qu'elle eût le temps de se faire couper une robe neuve par Mlle Dorothée, la meilleure couturière du Port-Louis, une mulâtresse créole qui réussissait à la perfection ces toilettes « à la négligé », légères et sans paniers, en cotonnade zéphyr ou en soie d'air neigeuse posée sur une doublure de coloris tendre, qu'affectionnaient les natives de l'île mais aussi les immigrées, promptes à copier une mode gracieuse dont raffolaient les hommes.

C'était la *Comtesse Margot,* le dernier trois-mâts

marchand flambant neuf de l'armateur marseillais Pazevin, qui avait apporté à Jeanne le présent de sa chère baronne. En juin, le fils de l'armateur, Giulio Pazevin, dont les amis connaissaient depuis long-temps l'intention de venir installer un comptoir de traite au Port-Louis, avait enfin débarqué dans l'île avec sa jeune femme Margot. Les dames de Quatre-Epices et de Belle-Herbe avaient reçu la benjamine des Delafaye avec des cris de joie, on s'était embrassés à n'en plus finir, on avait bavardé tout un jour et sa nuit et, depuis, Emilie hébergeait les Pazevin à Belle-Herbe, en attendant que fût construite, non loin du Gouvernement, la demeure que Giulio voulait bâtie en pierres au milieu d'un parc, belle, spacieuse, ornée à la française, bref, digne de loger la vie privée mondaine et les bureaux d'affaires du premier grand « bourgeois de marine » venu mettre pignon sur rue en Isle de France.

« Crois-tu que Margot va nous sortir une soierie lyonnaise de chez Delafaye encore jamais vue ? lança Jeanne à Marie, qui entrait dans sa chambre.

– Je crois que Margot sera mise de manière à provoquer chez toutes tes invitées l'envie de dépen-ser pour l'imiter, dit Marie. Sa famille fabrique des soieries, son époux les vend et lui a recommandé la coquetterie la plus coûteuse.

– Le bon mari que voilà ! s'exclama Jeanne. Entends-tu cela, Suzon ? M. Pazevin veut que Mme Margot dépense beaucoup, beaucoup d'argent pour se faire belle !

– N'a pas gâ'çon noir imbécile conça, soupira Suzon. Ton l'amant noir ti voulé la plus belle la fête, pis li fouté sur ton guéule l'heure toi acéter quéqué çose. »

Elle éclata de rire plus fort que les deux jeunes femmes, ajouta :

« Manman Suzon dire touzou : « Mon pétit, belle « parole pas sentiment, toute l'homme voulé même

« çose, c'est l'heure ti voyé son l'arzent ti connaît
« qué ça valé son l'amour. »

– Belle morale, Suzon, belle morale ! N'as-tu pas
honte de mesurer l'amour à l'aune de l'argent ? »
gronda la voix d'Aubriot.

Le médecin s'encadrait dans la porte, l'air faussement indigné.

Suzon lorgna l'arrivant par en dessous, répliqua
avec une fine malice :

« Monsié dotteu', poser conseil c'est pas mal,
mais bisoin voyé vous la vie pauv' monde. Les
femmes, c'est pauv' monde. Belle figure passer vite,
l'honte faire la doudou passer vite. Resté faire la
soupe, des ans. Toute vieux femme c'est femme
qualité, Bon Dié content, l'heure la fin, ous ! aller
paradis !

– Raisonneuse ! jeta Aubriot. Au lieu de discourir
va me chercher une tasse de café, ou trouve Polydor
pour qu'il m'en apporte une...

– Le catéchisme du père Duval ne leur améliore
pas vraiment la mentalité, ajouta-t-il quand Suzon
fut sortie. Mais aussi, mesdames, vous deux et vos
amies avez choisi pour cocottes [1] les plus coquines
des négresses créoles que Mme Manon a cédées à
Jeanne.

– Nous avons choisi les plus jolies, les plus jeunes,
les plus saines, les plus vives, les plus gaies, les plus
coquettes. Nous avons choisi nos femmes de
chambre comme un homme choisit les siennes », dit
Jeanne d'une voix suave.

Le médecin lui lança un regard aigu que Jeanne
retint et soutint en y plantant le sien.

« Je vous laisse, je vais m'habiller », dit aussitôt
Marie.

Avant de passer la porte, elle se retourna vers
Jeanne :

---

1. Favorites : les femmes de chambre.

« J'étais seulement venue pour te demander... Penses-tu que je puisse me mettre en rose ?

– Mais ma chérie, voilà des mois que je t'en prie ! s'écria Jeanne. Tu n'es jamais plus jolie qu'en rose.

– Oui, mais tout de même... dans ma situation, du rose ? murmura Marie, indécise encore.

– C'est curieux, dit Jeanne en souriant; parce que l'Eglise interdit le rose à ses religieuses vivant dans le siècle, tu as pris toute petite, chez les dames de Neuville, l'habitude de croire qu'une robe rose est un péché. Et il est vrai que jamais dame Charlotte ne se serait mis la gorge à l'air au balcon d'une robe rose, et qu'aujourd'hui encore le rose effarouche Emilie.

– Madame Marie, je suis aussi pour que vous vous mettiez en rose; le rose est le fard naturel d'une blonde aux yeux bleus et au teint de lait », dit gracieusement Aubriot.

Jeanne haussa des sourcils étonnés, lança comme une pique :

« Marie, ma chère, je te sais gré de ta question. J'apprends grâce à elle que M. Philibert s'intéresse parfois à la toilette des dames et va jusqu'à s'y connaître. Je me demande, monsieur, si vous trouverez aussi quelque chose à dire sur l'alliance de ma personne avec sa robe d'aujourd'hui ? »

Marie se sauva dans un rire.

« Je donne du rose à ton amie comme je lui aurais donné un remède, dit Aubriot. Cela se sait, ma jalouse, qu'une robe rose est une excellente médecine contre la mélancolie du veuvage. Certaines couleurs sont des médecines pour ceci ou cela, je l'ai remarqué. Les couleurs soignent l'âme, et si souvent c'est l'âme qu'il faut soigner...

– C'est cela, soignez-moi la jalousie de mon âme avec un compliment sur la couleur de ma robe, insista Jeanne.

– Qu'importe la couleur de ta robe, tu seras la plus belle, comme toujours, dit Aubriot en se penchant à la fenêtre pour examiner la grimpée des « bougainvillées » de la façade.

« Bon », soupira Jeanne, déçue.

Un instant plus tard, elle ajouta d'un ton vengeur :

« Puisque la faculté n'a rien qu'une courtoisie banale à m'offrir, je me ferai courtiser par la marine, là !

— J'en suis sûr ! dit Aubriot en se retournant. Dans ce pays-ci, les femmes se consolent de tout ce qui leur manque avec la marine. Et ma belle, aujourd'hui, tu auras même un renfort de marins que tu n'escomptais pas.

— Vraiment ?

— Une corvette de la Royale destinée pour l'Inde est arrivée hier au soir, juste à temps pour que ses officiers se trouvent à souper à l'Intendance avec moi. Poivre m'a demandé s'il pouvait les prier à ta fête sur l'herbe mais je l'aurais fait de moi-même, car tu seras contente d'avoir des nouvelles de ton sauveur de La Plata. Enfin, des nouvelles... si on veut. Il paraît que, sur la route du Cap, en plein océan, le bâtiment de la Royale a été doublé par une frégate qui l'a salué du canon en hissant pavillon français. La frégate a passé assez loin, mais le chevalier de Morlière — c'est le commandant de la corvette — a bien cru reconnaître *Belle Vincente.* Comme elle n'était pas du tout sur le chemin du Portugal, si de Morlière ne s'est pas trompé voilà qui laisserait supposer... Jeanne, tu m'écoutes ou tu caresses ta robe ? Le sort d'un gentilhomme qui s'est fait capturer en te ramenant de chez les brigands ne t'intéresse pas ?

— Si », dit Jeanne dans un souffle.

Avec désespoir, elle s'efforçait d'empêcher l'affolement de la submerger. Mais ce serait peine perdue. La robe tremblait dans ses mains, elle la plaqua contre elle pour s'en faire une dérisoire carapace de mousseline et puis demeura sidérée, la gorge contractée, ses grands yeux d'or fixement ouverts au regard inquisiteur de Philibert.

« Mais qu'est-ce que tu as ? » fit-il tout de suite, à la fois surpris et impatienté.

Elle se sentit arrivée au seuil du cauchemar glacé qu'elle avait cent fois repoussé. Et elle ne pouvait pas y entrer. Tout son corps, frappé de paralysie, refusait l'épreuve. Dans son besoin de fuite urgente elle eut un élan de prière : « Mon Dieu, faites que je tombe pâmée ! » et Suzon, comme un miracle, surgit dans la chambre :

« Lé café monsié dotteu' ! Toute fraîce, bian noir... »

La cocotte se mit à babiller de ce qui se préparait en cuisine et Jeanne se raccrochait à son babillage, à la danse des fleurs de son jupon, à la voix de Philibert qui se moquait de la concupiscence de Suzon. Elle réussit à peu près à reprendre un comportement naturel, reposa sa robe sur le lit :

« Suzon, cesse de nous étourdir les oreilles, va plutôt ranger un peu dans le cabinet », commanda-t-elle avant de se retourner vers Philibert.

Le médecin s'était de nouveau remis à la fenêtre. Assis d'une fesse sur la pièce d'appui, il savourait son café à petites gorgées.

« Vous ne m'aviez pas fini le récit que vous a fait le chevalier de Morlière, dit Jeanne sans le regarder.

– Il n'est guère long. Il se pourrait que la frégate du chevalier Vincent ait été aperçue en plein océan Atlantique, sur la route du Cap : voilà tout le précis de l'affaire, et encore ne l'est-il pas trop. Le reste n'est que suppositions. Le capitaine de Morlière ignorait la capture du chevalier par les Portugais. Quand je la lui ai apprise il nous a répété qu'il était à peu près certain d'avoir été doublé par sa frégate sur la route du Cap, et qu'en tout cas ce vaisseau n'était assurément pas commandé par un Portugais, car il paraît qu'un Portugais hors d'atteinte ne salue pas un vaisseau de la Royale.

– Eh bien, on ne peut que broder là-dessus, dit Jeanne après un temps.

– Oui, opina Aubriot, en se levant pour se débarrasser de sa tasse vide. A moi il paraît impensable que le chevalier Vincent ait pu reprendre son bien à ses geôliers et s'enfuir avec, mais les marins qui se trouvaient à table hier au soir, et même notre ami Poivre qui a couru en mer de si folles aventures, en semblaient bien moins étonnés que moi. De Morlière – au fait, c'est un maltais [1] aussi – m'a rappelé que la mer était un autre pays que celui des terriens. »

Pendant une seconde Jeanne ferma ses paupières pour écouter un écho lointain, puis murmura :

« Il y a trois sortes d'êtres : les vivants, les morts et les marins. »

Aubriot hocha la tête :

« Jolie remarque, apprécia-t-il. D'où te vient-elle ?

– Oh ! fit-elle en passant dans son cabinet pour rougir à son aise, elle me vient d'un marin avec lequel j'ai dansé une gavotte à Charmont jadis. »

Suzon lui donna un peignoir de coton blanc, l'installa devant la toilette et commença de lui ôter ses papillotes. Aubriot vint s'appuyer contre le chambranle de la porte :

« Je vois que tu te mets en boucles à l'anglaise. Je voudrais bien que la mode du sans-perruque vînt aussi pour nous. »

Elle s'efforça de plaisanter :

« Monsieur Philibert, vous parlez en égoïste, en homme qui a gardé ses cheveux. Mais comme la plupart des autres n'ont qu'un crâne à montrer, je tiens qu'ils ne voudront jamais de la mode que vous dites, et aller tête nue pour afficher la preuve de leur libertinage. »

Aubriot eut un rire bref :

« Croirais-tu à cette légende, que le libertinage entraîne la calvitie ?

– Cela ne se dit-il pas ?

– Cela se dit. Pour avoir ma peau d'âne j'ai

1. Chevalier de Malte.

614

justement dû disputer là-dessus à l'Ecole de médecine de Montpellier, mais j'ai conclu par la négative.

– Oui ? fit Jeanne, fixant Aubriot dans son miroir.

– Oui, dit-il. An ex salacitate calvities [1] : j'ai tiré ce titre-là, et conclu par la négative.

– Et par quelles raisons, je vous prie ? »

Il s'avança, se pencha à son oreille :

« Pour ce qu'alors je me dépensais beaucoup chez les dames et détestais l'idée d'en devenir chauve ! » chuchota-t-il.

Pour un instant le poids de son cœur se souleva, Jeanne fut prise d'un rire qui fâcha Suzon :

« Mamzélle, c'est pas l'heure rire, c'est téni tranquille qué bisoin ! Les zinvités biantôt là.

– Philibert, j'aime tant quand nous rions ensemble, dit Jeanne en se retournant vers lui sans prendre garde aux cris de sa cocotte.

– Obéis à Suzon, laisse-toi coiffer, il est déjà plus de neuf heures, dit Aubriot. Moi aussi, je dois aller finir de m'habiller. »

Soudain, comme il allait partir, il eut un geste qui ne lui était encore jamais venu : saisissant une boucle de Jeanne, il la déroula de sa papillote, l'étira doucement avant de la laisser remonter comme un ressort, la reprit pour la tourner en bagues autour de son médius :

« La soie de femme est la plus belle des soies, le ver du mûrier ne fait pas aussi bien, dit-il. Allons, à tout à l'heure... »

Jeanne, pâlie, toucha la boucle que Philibert venait de toucher, se remit face à son miroir pour se prêter sans un mot aux soins bavards de Suzon. « Ce ne lui serait pas possible, pensait-elle, ce ne lui serait pas possible de ne plus m'aimer demain, d'un coup, à sa volonté, parce que je l'aurais fâché ? » La boucle qu'il avait caressée lui semblait le gage, pendue à sa

1. Le libertinage amène-t-il la calvitie ?

tête comme un grigri, d'une tendresse prête à tous les
pardons.

14

La fête s'effilochait. L'après-midi finissait, les invités
qui habitaient loin de Quatre-Epices s'en allaient.
Mais une cinquantaine demeurait, peu pressée de
finir son beau dimanche à la campagne, de redescendre en ville. Quelques couples au pas de promenade fleureteuse coloraient la grande allée des tamariniers; sur l'esplanade les plus jeunes gens se
donnaient un bal avec une flûte et deux violons, sous
la varangue se tenait la cour de l'intendant et, sous le
badamier, la cour du gouverneur. Le chemin des
bananiers, qui conduisait au hameau noir, était
animé d'un constant va-et-vient de beaux jupons
éclatants et de beaux caleçons rayés : les serviteurs de
la maison, à tour de rôle, couraient prendre un
moment de la bamboula nègre dont les bouffées
sauvages parvenaient jusque chez les Blancs.
   « Je vois avec plaisir que, dès qu'il s'agit de se
tortiller au son des tambours, les Noirs de la maison
consentent à se mêler aux Noirs des champs », dit
Jeanne.
   Le regard de Pauline désigna tour à tour la petite
cour du gouverneur et la petite cour de l'intendant,
et Pauline dit avec ironie :
   « Les clans des Blancs sont plus solides : eux ne se
réconcilient pas même au son des violons.
   — Vous pensez, dit Jeanne, après le dernier tour
que Dumas vient de jouer à Poivre en lui fourrant
son cuisinier en prison sous le prétexte qu'il a volé
un peu de drap dans les magasins du Roi ! Un bon
cuisinier comme René, et que l'intendant avait pris
soin d'amener de Lyon avec lui !
   — Bah ! fit Pauline, le Conseil cassera l'arrêt du
juge royal, et vite, je le prévois : les conseillers

aiment fort dîner et souper à l'Intendance; le bien de maître René leur soucie beaucoup. »

Elle se leva de son siège de rotin, passa son bras sous celui de Jeanne :

« Faisons-nous quelques pas ? Je devrais aller voir quelle sorte de collation impromptue nous pourrons faire servir aux attardés, mais nous avons le temps, ils n'ont pas encore faim et c'est l'heure où j'aime marcher. A cette heure-ci la brise devient une aile de velours pour la peau. Allons-nous ? »

Jeanne hésita. Plusieurs fois déjà depuis que le chevalier de Morlière leur avait raconté lui-même, après Aubriot, sa presque certaine rencontre avec *Belle Vincente,* Pauline avait essayé d'écarter sa jeune amie de la compagnie pour s'isoler avec elle. Et Jeanne savait que c'était pour lui parler de Vincent.

« Je comptais retourner à la danse, dit-elle, mais elle ne lutta pas davantage.

— Vers l'étang ? proposa Pauline. Tous les promeneurs vont par-devant. »

Derrière la maison, le paysage avait peu changé depuis que Jeanne s'était installée à Quatre-Epices. Les anciens vergers submergés de nature sauvage qui grimpaient rejoindre les bois des collines n'avaient été dégagés qu'en très peu d'îlots, pour permettre d'accéder à une récolte d'oranges, de citrons, de pêches, de grenades, de letchis, d'avocats. Toutefois, maintenant, un sentier ouvert tout le long de la file des manguiers permettait d'aller agréablement jusqu'à l'étang. Les parfums des vergers, que les collines empêchaient de s'évader, flottaient dans le sentier, où l'air sentait toujours très bon, et délicieusement quand les orangers ou les grenadiers y secouaient leurs pétales.

Pauline pesa sur le bras de Jeanne pour qu'elle ralentît son pas :

« De grâce, Jeannette, apprenez-vous à marcher à

la créole ! La lenteur est le mode de vie le plus savoureux, je vous assure.

— Pardonnez-moi, dit Jeanne en modifiant son allure. M. Aubriot m'a donné des jarrets de coureuse des bois.

— M. Aubriot vous a enseigné à lui plaire en tous points et n'a pas mal réussi son projet », dit Pauline.

Jeanne fronça le nez :

« Etes-vous en train de me dire qu'il a fait de moi son esclave ?

— Le gros mot ! s'exclama Pauline. Ce n'est pas ainsi qu'on appelle une femme prompte à se plier aux désirs et aux besoins d'un homme : on l'appelle une amoureuse, voilà tout. »

Elles marchèrent un moment en silence. Pauline respirait à petites gorgées gourmandes le souffle des vergers, Jeanne caressait négligemment les souples rameaux légers du bois de demoiselle, dont nombre d'arbrisseaux bordaient le chemin, tout couverts de leurs petites baies rouges luisantes.

« Une amoureuse..., répéta enfin Jeanne, rêveusement, comme en aboutissement à une longue pensée. Emilie aussi me traite souvent d'amoureuse.

— Ce n'est pas une injure ! dit Pauline en riant.

— Je me le demande ? Traiteriez-vous d'amoureux un homme fait ? Pauline... »

Jeanne laissa un instant sa phrase en suspens, acheva vite : « Diriez-vous que M. Aubriot est amoureux de moi ? » en rougissant avec une telle violence qu'elle en fut elle-même surprise.

Pauline nota son émotion, dit d'un ton amusé :

« Ma parole, Jeannette, on croirait que vous vous posez cette question pour la première fois ?

— Cela se pourrait bien, dit Jeanne. C'est en tout cas la première fois que je la pose à quelqu'un, et j'en ressens tout le ridicule.

— Le ridicule ?

— La puérilité, si vous préférez. »

Pauline caressa d'un regard attendri le visage encore brûlant de sa jeune amie, dit gentiment :

« Jeanne, je suis certaine qu'Aubriot tient à vous bien plus qu'il ne pense à vous. Un savant de son âge ne pense pas à l'amour mais s'il le fait, c'est bon signe. »

Elle marqua un silence, reprit avec enjouement :

« Pour que les hommes nous fassent l'amour à notre idée il faudrait qu'ils soient des femmes, mais alors nous souffririons d'autres manques et, ma foi, tout bien pesé, les choses en l'état nous servent encore mieux. Pour le reste, les raffinements du cœur, les petits mots doux, les attentions délicates..., pour tout ce reste, chère petite, aimons-nous donc les unes les autres ! »

Elle eut un rire frivole à dessein, acheva :

« Sérieusement, Jeanne, il faudrait faire le plaisir avec les hommes et l'amour avec les femmes !

— Oh ! fit Jeanne, un peu choquée.

— Voyez-vous, poursuivait Pauline, depuis que j'avais choisi de vivre à Vaux jamais je n'avais regretté Saint-Domingue, mais quand je serai retournée à Vaux je regretterai sans doute l'Isle de France, parce que j'aurai la nostalgie de Quatre-Epices. Belle-Herbe est si proche que nous pourrions aussi bien baptiser le tout Quatre-Dames. Pauline, plus Jeanne, Marie, Emilie : notre petit monde de dames m'est douillet. Je trouve que nous faisons très bien l'amour ! »

Jeanne laissa passer la boutade en souriant. Lui revenait en mémoire un propos de Vincent, auquel naguère elle n'avait pas cru : « Madame de Vaux-Jailloux et moi, nous ne nous sommes promis que le plaisir. »

« Pauline... »

Elle hésita, mais finalement:

« Puisque nous voilà discutant amour et plaisir... Est-il vrai, selon vous, que plaisir d'homme puisse suffire à une femme ?

– Tant qu'elle le croit... », dit Pauline après un temps, et d'un ton qui ne le croyait peut-être plus.

Les mots de Pauline donnèrent soudain tant de présence au fantôme de Vincent qu'elles traînaient entre elles depuis des heures que leur conversation en resta tout naturellement à lui :

« Pensez-vous que le chevalier de Morlière ait vu juste ? demanda Pauline. Beaucoup de frégates ne se ressemblent-elles pas à s'y méprendre ?

– Vous avancez là une idée de terrienne, dit Jeanne. J'ai vécu très près d'un équipage, et toujours surprise de le voir reconnaître la plupart des vaisseaux de rencontre comme si la mer n'était qu'un village peuplé surtout de silhouettes familières.

– Mais alors, dit Pauline, si vraiment Vincent a repris sa frégate, si c'est bien elle qui a passé *Le Résolu* de la Royale sur la route du Cap, comment le chevalier de Morlière n'en a-t-il pas trouvé de nouvelles au Cap ? Et si *Belle Vincente* a doublé Le Cap sans y relâcher, pourquoi ne l'avons-nous pas vue arriver ici ? Le Port-Louis n'est-il pas l'escale favorite de tous les bâtiments français destinés pour le golfe du Bengale ?

– Je crois qu'il faut cesser de nous harceler de questions, dit Jeanne, bien qu'elle-même ne fît plus que cela. Le chevalier Vincent est un capitaine fugitif, il se peut qu'il ait eu à dérouter des poursuivants. Il se peut qu'il se soit caché dans une île connue de lui seul. Il se peut...

– Il se peut *tout,* coupa Pauline d'une voix sourde.

– Non, dit Jeanne.

– La mer..., commença Pauline, puis elle se tut, la gorge nouée.

– Non ! » répéta Jeanne, plus fort.

Pauline eut un pâle sourire :

« Jeanne, vous avez la confiance de votre jeunesse, qui ne sent pas encore que la vie est fragile, même la vie de ceux qu'on aime. »

« Mon chevalier est vivant parce que je sens qu'il

l'est », pensa Jeanne, et elle regarda Pauline avec un peu de pitié condescendante.

Une tension inhabituelle vieillissait le visage encore beau de la créole antillaise, lui avait ôté son appel nonchalant de fleur ouverte à tous les plaisirs de passage, qui était le grand charme auquel les hommes se prenaient. Là, dans ce moment, Pauline ne ressemblait plus qu'à une beauté trop mûre qui guette l'amour à sa fenêtre, avec une anxiété dessinée en fines craquelures sous sa poudre. « Le souci d'amour ne lui va pas », se dit Jeanne assez méchamment.

« Savez-vous ce que je crois le plus probable ? dit-elle tout haut. Je crois que le chevalier est toujours au plein milieu de l'Atlantique, à Tristan da Cunha. Je crois qu'il avait besoin de réparer une avarie, ou de se mettre à l'abri pour un temps, ou de cacher de la marchandise, et qu'il est allé dans cette île perdue hors des routes fréquentées. Elle ne loge qu'une poignée de naufragés volontaires qui sont ses amis.

— Je ne l'avais jamais entendu parler de cette île, dit Pauline avec une pointe de jalousie.

— L'Amadou la connaît bien.

— Où que soit le chevalier, j'espère que ce n'est pas dans un paradis et qu'il ne s'y attardera pas, murmura Pauline. Je n'ai plus tellement d'années... pour lui. »

Jeanne tressaillit, si fort que Pauline lui jeta un coup d'œil interrogateur.

« J'ai buté sur un ressaut de roche, dit Jeanne, et, comme elles arrivaient à l'étang :

— Retournons, ajouta-t-elle. On doit déjà nous chercher.

— Reposons-nous d'abord un moment », pria Pauline.

On avait enfin placé un banc sous l'eucalyptus, où elles allèrent s'asseoir. Une barque était amarrée à l'îlot de l'étang, dont l'immense figuier servait de ciel de lit aux « fiançailles » de Polydor et de Babet. La chambrière de Marie salua les deux promeneuses de son madras dénoué, le valet d'Aubriot leur fit de grands sourires, sauta dans la barque pour leur montrer à bout de bras les deux gouramis qu'il avait pêchés, après quoi les fiancés noirs retournèrent à leur loisir.

« En Isle de France comme à Saint-Domingue, le climat est toujours à l'amour, dit Pauline. Peut-être y suis-je venue surtout pour cela, pour retrouver un climat où l'amour est facile ?

– Je me suis toujours doutée que vous n'y étiez pas venue que pour aider Marie à planter de la canne », dit Jeanne.

Pauline ignora la pointe de moquerie, choisit de s'expliquer avec sincérité :

« Voyez-vous, Jeannette, quand j'ai su que Vincent demeurerait très longtemps absent de la France... Quand j'ai su qu'il voulait se baser au Port-Louis pour faire le commerce interlope [1] d'Inde en Inde en attendant la reprise de la course contre les Anglais... Dieu ! cela pouvait durer jusqu'à mon premier cheveu blanc, il m'est si proche ! »

Avant de poursuivre, elle se rapprocha frileusement de Jeanne en glissant son bras sous le sien :

« Oh ! je n'ignore pas qu'un jeune amant vous quitte tôt ou tard, mais pourquoi plus tôt si cela peut être plus tard grâce à la seule peine d'un voyage ? La traversée a été heureuse, elle ne m'a pas gâté les dents, et mon teint se trouve bien de l'air doux un peu humide de Moka. N'est-ce pas ? »

« Maintenant, c'est maintenant que je dois lui dire », pensait Jeanne éperdument, et la salive séchait dans sa bouche.

« Vous ne me répondez pas parce que vous êtes en train de chercher un plaisant mensonge, soupira Pauline.

1. La contrebande. Sous le nom de commerce interlope, elle faisait partie des mœurs commerciales du temps et n'était donc pas considérée comme un acte de piraterie.

– Votre teint va fort bien, je vous assure », dit Jeanne avec effort.

Pauline lança un petit rire vers le ciel, secoua la tête :

« Ce n'est pas pour mon teint que vous cherchez un gros mensonge, Jeannette. Vous ne savez comment ne pas me dire qu'il est fou, à mon âge, de courir les mers à la poursuite d'un amant, pour se donner quelques mois d'illusion de plus, au moins le temps de la poursuite. Eh bien, Jeannette, dites-moi que cela est fou, j'en tirerai tout de même le petit bonheur de me compter encore parmi les amantes en folie. »

Elle se pencha, arracha une poignée de basilic sauvage à une touffe chaude de soleil, chiffonna les feuilles entre ses mains, tendit ses paumes à sentir à Jeanne :

« Aphrodisiaque, dit-elle. Cueillez, froissez, respirez partout où vous voudrez, la nature d'ici vous grise, elle doit donc prendre vos folies à son compte. »

Abandonnée à la douceur de parler d'amour elle ne s'apercevait pas du silence persistant de sa voisine, continuait de se caresser avec ses mots, où revenait sans cesse le nom de Vincent, comme un souvenir ou comme une espérance. Et cela dura jusqu'à ce que Jeanne l'interrompît brusquement :

« Pauline, vous m'avez assez parlé de votre chevalier ; c'est à mon tour de vous parler du mien », dit-elle d'une voix qui tremblait.

Silencieuses à présent, mais leurs deux silhouettes claires aussi unies qu'à l'aller, elles marchaient avec l'impression de revenir de l'étang comme du bout du monde.

« Allez devant, dit soudain Pauline. Moi, je prendrai le temps de monter me refaire le visage, j'entrerai dans la maison par-derrière. »

Jeanne lui effleura la main d'une caresse :

« Pardonnez-moi, Pauline, j'ai détesté vous faire du mal. Et aujourd'hui, avec tout ce monde qui nous tient sous ses yeux... Je n'aurais pas dû. Mais cela m'est venu aujourd'hui. Il y a si longtemps que j'attendais de trouver le courage de ne plus vous mentir.

– Oh ! dit Pauline, me mentir était plutôt gentil. Le mensonge n'a qu'un défaut, c'est qu'on peut rarement s'y tenir toujours. Allez vite, Jeanne : vous êtes l'hôtesse de cette partie de campagne, et vous en êtes absente depuis trop longtemps déjà. »

Juste au moment où Jeanne prenait les devants elles virent un couple d'hommes apparaître dans la courbe du sentier, et la joyeuse exclamation de don José lui parvint : « Les voici ! »

« Enfin, mesdames, nous vous retrouvons, dit le lieutenant de Boussuge dès qu'ils se furent rejoints. Vos amies commençaient de s'inquiéter et nous ont envoyés vous repêcher dans l'étang.

– Aurait-on déjà faim de nouveau ? demanda Pauline en se forçant à l'enjouement.

– Madame, ils ont à boire et cela semble leur suffire, dit don José. Saint-Méry s'est même un peu trop désaltéré, ajouta-t-il à l'oreille de Jeanne.

– Dieu ! s'exclama-t-elle tout bas.

– Non, rassurez-vous, il n'a fait que s'ôter sa mélancolie taciturne, dit don José. Et comme autour de lui, tout ce qui reste est au plus gai... »

Le gouverneur avait dû partir en renonçant à saluer Jeanne, ses courtisans les plus intimes l'avaient suivi, mais le reste de la compagnie, en effet, ne semblait pas encore lasse de sa gaieté. Les violons de bonne volonté se relayaient pour faire continuer le bal en plein air, et il était plus animé que jamais parce que les Noirs de la maison s'étaient mis de la partie, s'initiaient à la gavotte, au menuet et à la passacaille avec de grands éclats de rire, et leur souple talent de danseurs-nés donnait, aux danses un peu maniérées des Blancs, une grâce plus libre et plus ardente fort jolie à voir. Le sang sicilien de Giulio Pazevin s'en trouvait réveillé et Giulio aussi, maintenant, dansait avec une pointe de fantaisie sauvage que sa jeune femme tentait d'imiter. Margot ne s'en tirait pas trop bien mais en était au moins cramoisie de plaisir.

Jeanne rejoignit Emilie qu'elle apercevait assise à l'écart de l'assemblée, un peu cachée.

« Emilie, que diable faites-vous dans ce coin ? C'est bien la première fois que je vous vois bouder la danse !

– C'est que je n'ai pas la santé de Margot, dit Emilie d'un petit ton colère. Moi, quand je suis grosse, je prends mal au cœur vingt fois le jour !

– Emilie ! s'exclama Jeanne, stupéfaite. Emilie, est-ce que vous êtes... dans le même état que Margot ?

– Hélas ! oui, cela n'arrive pas qu'aux autres », dit Emilie en s'énervant davantage.

Elle vit le regard de Jeanne se dorer et vite, coupa court à toute effusion :

« Ah ! non ! je vous en prie, évitez-moi votre compliment ! Mon état est à la portée de n'importe quelle sotte, je vous assure, et de n'importe quelle laide aussi. La peste soit des frères cordeliers de Montevideo ! Ils me fabriquaient un vinaigre dont je n'ai plus et dont ils ne m'ont pas livré le secret. Ces cordeliers-là sont des coquins, qui se font une fortune en vendant aux dames de La Plata un vinaigre de honor [1] qui vaut en vérité son prix d'or, mais dont ils protègent la recette avec des pudeurs d'alchimistes. Oh ! je suis d'une humeur contre ces gens-là ! »

Jeanne avait laissé passer la diatribe en souriant :

---

1. Vinaigre d'honneur. C'était un mélange d'eau pure, d'eau de laurier-cerise et d'acide acétique, destiné à imbiber « les petites éponges ».

« Je parie que Don Dosé, lui, ne leur en veut pas ? dit-elle.

– Parbleu ! Il ne sait rien.

– Quoi ? Vous ne lui avez rien dit ? Mais pourquoi ?

– Parce qu'il serait content ! fulmina Emilie. Et je le veux content le plus tard possible, pour me venger !

– Vous avez tort, dit Jeanne. Si vous le lui disiez, vous porteriez sa joie au lieu de porter votre fardeau. Vous pourriez vous en trouver mieux ? »

L'œil agressif d'Emilie se fixa sur Jeanne, se calma, reprit son vif charme pers :

« Je verrai », dit-elle.

Elle ajouta, la lèvre retroussée :

« Me voilà, en tout cas, empêchée pour un bon moment de reprendre la mer. Sept mois de grossesse encore, ensuite mes couches, ensuite un nourrisson fragile... Me voilà fixée à Belle-Herbe pour un grand bout de temps.

– Vous voyez bien, sourit Jeanne, que la chose a du bon. Et bien sûr, maintenant, vous allez accepter d'épouser don José ?

– Jeannette, vous oubliez toujours ceci », dit Emilie en tirant de son sein la croix d'émail et d'or des dames de Neuville.

Jeanne eut un geste d'irritation :

« Quand on vous a imposé cette croix, Emilie, vous n'aviez pas l'âge de raison. Pour Dieu ! ayez-le aujourd'hui ! Parvenez-vous vraiment à vous faire croire que vous péchez moins en vous donnant des amants et des bâtards que vous ne pécheriez en prenant un époux ?

– Ma chère, les amants et les bâtards d'une chanoinesse ne sont point péchés mortels, dit Emilie très sèchement. Tandis que pour se marier, une chanoinesse doit avoir été relevée de ses vœux. Laissez-moi vous dire, mademoiselle Beauchamps, que dame

Emilie de la Pommeraie en sait sur ce sujet un peu plus long que vous.

— Comtesse, je n'en doute pas, ironisa Jeanne. Promettez-moi pourtant de ne faire vos bâtards que pour les Espagnols de La Plata, qui les traitent au mieux. »

Elle s'attendait à une explosion d'Emilie mais celle-ci la surprit, lança avec une désinvolture affectée :

« Ma chère, je vous le promets, et aussi de les baptiser à l'espagnole. Je trouve beaucoup de couleur aux prénoms espagnols et on en peut faire des diminutifs ravissants. Tenez, s'il me vient une fille je l'appellerai Juana, qui fera Juanita. »

Changeant de ton elle continua vivement, de sa voix naturelle :

« Juanita : cela sonne joliment, n'est-ce pas ? J'en suis fâchée pour vous, mais Juanita a plus de couleur que Jeannette. Accepterez-vous, Jeanne, une bâtarde pour filleule ? J'essaierai de vous la faire un peu jolie, sans rousseurs, avec le pied petit à l'espagnole et de grands yeux noirs. Don José possède un portrait de sa mère, assez mauvais, mais il prétend que le regard a été bien rendu et il est admirable, d'un noir de velours, ombré de bistre... Si l'on pouvait copier sur un portrait, ce me serait un bon modèle. »

« Elle avait très envie de parler de son futur enfant », pensait Jeanne, tout adoucie. Saisie d'une intuition elle demanda :

« Savez-vous le prénom que portait la señora de Murcia ?

— Maria-Juana », dit Emilie.

Jeanne dissimula un sourire :

« On devait l'appeler Juanita ?

— Peut-être, jeta Emilie du bout des lèvres. Ou bien Marietta. »

Elle ajouta avec un regain d'agressivité :

« N'allez surtout pas croire que c'est ce qui m'a déterminée à...

— Je ne crois rien, ma jolie, coupa Jeanne en lui posant un baiser sur la tempe. Je remarque seulement que vous ne réussissez pas toujours à être aussi mauvaise que vous l'êtes. »

« Mon amie, il faudra que vous trouviez un jambon de reste à nous partager pour le souper, dit gaiement Poivre dès qu'il s'aperçut du retour de Jeanne. Françoise et sa sœur ne veulent pas sortir de la danse. Elles semblent décidées à oublier que leur pauvre homme d'intendant se lève chaque matin à six heures pour travailler au bien de la communauté.

— Nous vous trouverons aussi de quoi entourer le jambon, promit Marie. En attendant, je vais faire servir du sirop de mûres...

— Je n'en serais pas fâché, dit Poivre. Entendre longuement parler les imbéciles me donne toujours l'envie d'une récompense sucrée. Ouf ! je sors d'être assiégé une heure par mes gens. Dès qu'un chef de quelque chose s'assied en société pour un temps de loisir il faut qu'aussitôt les plus sots de ses subordonnés l'entourent pour tenter de le persuader de leurs mérites, comme s'ils ne les lui pouvaient pas mieux montrer les jours de travail.

— Les imbéciles ? releva Jeanne. Je croyais, monsieur, que les imbéciles étaient tous chez le gouverneur ?

— Oh ! Dumas n'est pas mieux loti que moi, mais voilà tout. Tout commandeur doit faire face à sa tâche avec un équipage comprenant deux bons tiers de paresseux et d'imbéciles. La différence entre ses imbéciles et les miens n'est pas dans le nombre, mais dans le fait que les siens ont une belle taille et les miens une belle écriture, pour ce qu'il faut une belle taille pour entrer dans l'armée et une belle écriture pour entrer dans les bureaux. »

Le rire de Jeanne fusa, doublé par celui d'Aubriot qu'elle n'avait pas vu s'approcher d'eux.

« Mon cher ami, songez qu'il ne faut que savoir disputer en latin pour entrer dans la médecine, et dites-moi si cette coutume-là n'est pas encore la plus dangereuse de toutes nos coutumes ! dit Aubriot.

— Il est vrai qu'en France on aime surtout juger les gens sur la parole, dit Poivre. J'en veux pour une preuve de plus un courrier de petites nouvelles que je viens de recevoir de chez le duc de Praslin. Entre autres, on m'y annonce en deux lignes la prochaine arrivée d'un ingénieur pour le port, sans doute un aide pour le chevalier de Tromelin que Versailles vient de nommer ingénieur en chef et que j'attends. Un billet de recommandation pour cet envoyé – qui est du secrétaire d'un baron de Breteuil que je ne connais point – m'assure que M. de Saint-Pierre lui paraît fort apte à travailler au bien de ma colonie car il parle à merveille des beautés de la nature et des misères des nègres, et rêve de bâtir une Arcadie dans une île depuis qu'en son enfance il a lu *Robinson Crusoé* !

— Quand on a beaucoup aimé *Robinson Crusoé* dans son enfance, on sait au moins bâtir une hutte en rondins de bois, remarqua M. de Cossigny, qui avait suivi Aubriot. Mon cher Poivre, vous n'aurez qu'à mettre M. l'ingénieur de Saint-Pierre à la construction des camps pour les Noirs. Il s'y trouvera une foule de concubines et sera très heureux de faire beaucoup de petits Vendredis.

— Pour être juste, je dois ajouter que le chevalier de Saint-Pierre aurait aussi, et « à ce qu'on croit », un brevet des Ponts et Chaussées, dit Poivre; mais on ne m'apprend cela qu'en bout de feuillet et juste comme pour me faire bonne mesure : il est clair que c'est du poète et non du breveté que je dois me réjouir d'hériter pour curer le port ! Vraiment, je... »

Il s'interrompit et se leva, parce que Pauline venait à eux, avec un sourire d'invite :

« Avez-vous retrouvé un peu de faim ? Le marquis d'Albergati tient à vous faire lui-même les honneurs de sa compote de légumes, qu'il a apprise à Nénéne. Il jure que sa ratatouille va nous embaumer de plaisir jusqu'au fond des entrailles... »

Jeanne regarda les invités s'engouffrer dans la maison et finit par les suivre. « Elle joue bien la comédie », pensait-elle en admirant Pauline. Ou bien était-elle vraiment aussi remise qu'elle le paraissait ? Elle riait, plaisantait, coquetait à son ordinaire en allant de l'un à l'autre. Jeanne, sans nécessité, lui posa une question de ménage, et Pauline lui répondit avec le même naturel gentil qu'elle l'aurait fait tout à l'heure, *avant*. Qu'il y eût assez de limonade dans les pots, et assez fraîche, semblait bien lui importer autant que si Jeanne ne lui avait pas pris Vincent. On tremble de parler, on croit que l'autre en mourra, et puis on parle, et l'autre continue de vivre. Comme si vos mots n'avaient pas existé. Jeanne reporta ses yeux sur Philibert et tenta de l'imaginer *après,* discourant des futures académies de l'Isle de France avec le baron Grant et les autres bons esprits de ses alentours. Et elle réussissait très bien à entendre Philibert poursuivant son discours sur les académies après que Jeanne l'eut plus ou moins dérangé par une confidence incongrue. Sur lui aussi, peut-être, les mots de Jeanne glisseraient sans laisser de trace ? Au fond, ce serait bien. Ce serait bien insupportablement. Prise d'une brûlante envie de pleurer elle se mordit la lèvre au sang et ressortit sous la varangue.

Le crépuscule était tout à fait tombé, les étoiles s'installaient, aussi nombreuses, aussi belles, aussi brillantes qu'à l'accoutumée. L'indifférence du ciel à vos tristesses est infinie.

Les Noirs s'essayaient toujours à la danse blanche mais maintenant c'était au son de leurs voix, qui rythmaient une étrange gavotte des tropiques. Les violons s'étaient fatigués, le bal dispersé en promenades d'amoureux dans la nuit claire. Un petit groupe bavard où gesticulait Giulio Pazevin revenait sans hâte de la grande allée, suivi d'un peu loin par Margot, qui marchait lentement, appuyée au bras de Mme de Céré. Jeanne n'eut pas envie d'être rejointe par les bavards. Elle s'écarta de la lumière des portes-fenêtres du salon, marcha jusqu'au bout de la varangue pour se fondre dans son ombre... Quand elle y fut elle buta presque sur Saint-Méry, qui s'y balançait sans bruit sur les deux pieds de derrière d'un fauteuil de rotin. Ce fut lui qui dit « Oh ! pardon » en rentrant ses jambes. Il voulut se lever mais elle l'en dissuada d'une fugace pression de main sur son bras et s'assit auprès de lui.

Le léger brouhaha de la collation qui s'achevait leur parvenait un peu atténué, à travers le bouquet d'odeurs de Quatre-Epices que la nuit commençait d'aviver. Deux équipages de palanquins débouchèrent du sentier de l'écurie, montèrent la volée de marches en rondins de bois pour venir patienter sur l'esplanade, devant l'entrée de la maison.

« Même le plus beau dimanche finit », murmura Jeanne.

Son murmure n'eut d'écho chez Saint-Méry qu'après un très long instant :

« A demeurer ici vous en perdez le dernier morceau.

— Vous aussi.

— Je ne sais pas m'ôter la soif, alors je m'ôte le vin. »

Quelque chose dans le ton de Saint-Méry, et aussi la franchise du propos, avertit Jeanne que le marquis était dans l'un de ces rares moments où l'on pouvait atteindre son regard au lieu de se noyer dans l'eau bleue de ses yeux.

« J'ai dérangé votre rêverie, dit-elle. A quoi rêviez-vous, marquis ?

— Le bourgogne était bon. Je ne rêvais pas, Dieu merci, je somnolais.

— Eh bien, continuez, marquis. Je n'ai pas envie

de parler, mais ne suis point fâchée d'avoir une compagnie pour me taire. »

Il eut un rire silencieux, un rire trop long qu'allongeait sa légère ivresse :

« Il vous faudrait un bon gros chien, mademoiselle. Mais pour ce soir, je peux faire l'affaire. Marquis, c'est un bon nom pour un chien, très prisé. »

Elle lui donna une tape sur le bras :

« Je vous défends le mépris envers vous-même !

– Et après la tape ? dit-il. Si je me tiens sage, aurai-je un éclat de sucre ? Une bonne maîtresse marie toujours les sucres aux tapes. »

Le cri d'un perroquet traversa au loin la nuit claire, du côté de l'étang. Et alors Saint-Méry laissa tomber, sans transition :

« Vous avez des ennuis, mademoiselle ? »

Jeanne tressaillit :

« Pourquoi le pensez-vous, marquis ?

– Un chatouillis dans les oreilles. Je viens de vous le dire, je me sens ce soir aussi finaud qu'un bon gros chien. »

Elle était assise très près de lui. Quand il lui parlait en se tournant vers elle il lui soufflait une légère odeur de vin, juste assez pour la rassurer. Il sentait l'indulgence du buveur de vin. Sans gêne, elle demanda :

« Vous vous trouvez bien, marquis, dans votre trop de vin ? »

Il hocha la tête :

« Ma foi, oui. »

Il marqua un temps, ajouta :

« Quelle misère avez-vous envie d'oser noyer dans le vin, mademoiselle ? Un amant de trop ? Un amant de moins ? »

Jeanne se raidit mais l'idée de s'en aller ne l'effleura même pas. Simplement, elle reposa une question qu'elle avait déjà posée :

« Pourquoi pensez-vous cela, marquis ?

– Je vous regarde souvent, mademoiselle. »

Tête baissée, il sembla réfléchir pesamment, comme s'il peinait pour ramasser en une phrase intelligible une grosse buée de pensées. Il finit par dire :

« Cela se voit, quand une dame promène du vague à l'âme. Et comme ça ne peut pas être pour l'homme qu'elle a au bras... »

Il retomba dans un autre effort silencieux, dit encore :

« Et quand, en plus, elle grimpe à tout bout de champ sur la colline pour contempler le large...

– M. Aubriot, lui, ne voit rien de tout cela, lâcha Jeanne malgré elle.

– M. Aubriot est un homme sobre, dit Saint-Méry, et, comme il se douta qu'elle ne comprenait pas, il s'expliqua mieux :

– Dans la nuit de mon temps, quand j'étudiais à Paris et que j'avais déjà soif par-ci, par-là, j'ai été bien content de tomber un jour, dans je ne sais plus quelle bibliothèque, sur un texte qui traitait des coutumes des anciens Germains. Il y était raconté que ces sages barbares regardaient toujours à deux fois une question, une fois sobres et une fois ivres, afin de la voir avec une double vue. M. Aubriot n'a pas la double vue : il est sobre avec constance. »

Jeanne émit une bouffée de rire :

« Marquis, voilà que vous montrez soudain bien de l'arrogance ! Ce n'est point fierté mais arrogance que de donner son péché en exemple. Mais n'importe : je suis contente de vous ce soir, je suis contente de disputer de l'amour avec vous.

– Disputons-nous de l'amour ?

– Il me semblait.

– Ah ? bon. De toute manière, le sujet me va, poursuivons. A vous le dé, mademoiselle. »

En même temps qu'un coup d'œil vif elle lui lança :

« Dites-moi, marquis, aimeriez-vous volontiers une infidèle ?

— Cela dépendrait de l'infidèle.

— Une infidèle qui serait jolie ?

— Ma foi, mademoiselle, si elle vous ressemblait je supporterais mieux son infidélité que son indifférence. »

Une vague de cruauté femelle poussa Jeanne. Elle se pencha plus encore vers Saint-Méry, lui mit au nez le parfum de ses cheveux pour quémander tout bas de la friandise :

« Marquis, êtes-vous amoureux de moi ?

— Avec détresse, dit-il.

— Oh ! » fit-elle, saisie par l'impudeur de l'aveu.

Lui reprit sans amertume, du ton le plus naturel :

« Cela vous soulage-t-il de votre propre amour malheureux, mademoiselle ?

— Marquis, je ne suis pas si mauvaise ! »

Un temps passa avant qu'elle ajoutât :

« Et puis, le mot détresse m'apparaît de trop, je n'y veux point croire. Il vous est venu comme une galanterie. Vous m'aimez un peu, voilà tout. Je vous défends bien de renoncer pour autant à la gaieté, même si vous la devez prendre dans un peu trop de vin.

— Ma détresse de vous est bien trop grande pour que je puisse jamais renoncer à la gaieté du vin ! Et par fortune, mademoiselle, vous me servez le plus souvent de la gaieté de Bourgogne, dix fois plus gaie que la meilleure gaieté du Cap.

— Promenons-nous un peu », proposa-t-elle en se levant.

Elle passa son bras sous celui de Saint-Méry et lui, bouleversé d'une houle de joie cachée, se mit à marcher en réglant son pas sur celui de Jeanne, attentif et angoissé comme s'il promenait un grand bibelot de porcelaine dans l'allée des tamariniers.

« Notre grande allée... Votre grande allée est redevenue bien belle, dit-il pour dire quelque chose.

C'est l'une des plus plaisantes de toutes les allées d'entrée des habitations de l'île, n'est-ce pas ?

– Moi, je la trouve la plus plaisante », dit Jeanne.

Il toussa pour s'éclaircir la gorge :

« Mademoiselle...

– Oui, marquis ?

– C'est un marin ?

– Oui, c'est un marin.

– Qui doit venir au Port-Louis ?

– Oui.

– Et qu'est-ce qui ne va pas, dans cette histoire... puisque M. Aubriot n'a pas la double vue ? »

Elle s'arrêta au milieu de l'allée et sa main libre, dans un grand geste rond, survola la pénombre :

« Ma vie à Quatre-Epices m'enchante. Je voudrais obtenir du Ciel le pouvoir d'en faire un paradis pour tout le monde. Pour tout le monde... »

Elle avait appuyé sans discrétion sur les trois mots : tout le monde. Saint-Méry expulsa un vaste soupir :

« Et qu'est-ce que je peux faire pour aider à ça ? demanda-t-il en la remettant en marche. Soûler le marin quand il débarquera au port pour vous le rendre aussi facile à vivre qu'un ivrogne ?

– C'est que j'ignore s'il a le vin facile à vivre », dit Jeanne et, soudain, sa conversation avec Saint-Méry lui apparut si saugrenue qu'elle se mit à rire de bon cœur.

C'était bon, de pouvoir parler sans gêne, et gaiement, de ce que d'ordinaire on n'ose évoquer qu'avec gravité, et dans un climat lourd.

« Au prochain soir d'une fête bien arrosée il faudra reparler d'amour avec moi, mademoiselle : je vous fais rire », dit Saint-Méry.

Elle reprit son sérieux, ne put se retenir d'être coquette encore :

« Alors, vraiment, marquis, vous m'aimeriez infidèle, et sans me le reprocher jamais ?

– Essayez ? »

Sur son profil droit le regard du marquis pesait soudain un poids dont elle ne l'aurait pas cru capable, un poids de bleu dense et chaud, qui lui faisait rosir la joue.

« Rentrons, dit-elle. Là-bas, ils doivent en être aux derniers adieux.

– Ça a été un bien beau dimanche », dit Saint-Méry.

Les lieutenants de Rupert et de Boussuge enfourchèrent leurs chevaux bons derniers.

Dans la maison Jeanne et Pauline faisaient souffler les chandelles et serrer les restes intéressants.

« Et tout cette bordel qui foutu là ? » demanda Zoé, les bras ballants de découragement au milieu du désordre.

Pauline eut un léger haussement d'épaules pour dire : « Demain, il fera jour ! » et Jeanne ajouta :

« Va te coucher, Zoé. Allez toutes vous coucher. »

Les trois négresses s'éclipsèrent en raflant au passage les gâteaux de coco oubliés sur une assiette.

« Elles vont aller voir si on ne danse pas encore dans la grange, dit Pauline. Eh bien, Jeanne, êtes-vous contente de votre première fête ?

– Je la crois réussie. N'est-ce pas ?

– Oui », dit Pauline en se laissant tomber sur le canapé.

Elle soupira, s'étira les bras :

« C'est un dimanche dont je me souviendrai.

– Pauline... »

La voix de Jeanne s'étrangla, et Jeanne alla s'asseoir aussi sur le canapé.

Pauline posa sa main sur celle de sa jeune amie :

« Ne nous attendrissons pas, Jeannette, nous ne sommes pas à égalité devant les larmes, il me faut maintenant trop d'heures et trop de tartines[1] pour

1. Masques (de beauté).

m'en remettre le visage. Le capitaine du port m'a appris que la *Minerve* n'appareillerait que dans dix jours, cela me laisse tout le temps de faire mon bagage et donc, si M. Logeart veut bien de moi, je repasserai en France sur son vaisseau.

– Partir ! s'exclama Jeanne. Vous voulez repartir ? Mais... Mais Marie ? Que vous deviez finir d'installer, de...

– Jeannette, parlons sérieusement, coupa Pauline. J'avais besoin que Marie eût besoin de moi jusqu'à l'arrivée du chevalier. A présent... »

Elle se força à un sourire :

« Une seule femme par port, cela évite sûrement des ennuis terrestres à un marin. Non ? »

Jeanne moucha son émotion, murmura dans son mouchoir :

« Je sais que vous souffrez, mais ne sais que vous dire. Je n'ai pas fait exprès, Pauline, d'aimer Vincent. »

Un léger rire s'échappa de Pauline :

« Ma chère enfant, si je vous croyais, je vous donnerais grand tort. La sagesse de vivre me semble contenue tout entière dans un proverbe des Noirs créoles de mes Antilles : Si Bon Dié ti jetté banane, fè'me pas tes yeux, ouv'e ta bouche. »

Elle se leva, tira sur la main de Jeanne :

« Allons nous coucher, il est tard. Nous verrons demain à inventer un bon mensonge pour expliquer mon départ sur la *Minerve*.

– Je n'ai pas sommeil et vous non plus, dit Jeanne en forçant Pauline à se rasseoir.

– Et vous avez envie que nous parlions de Vincent avec autant de plaisir sournois que naguère, lorsque vous veniez à Vaux pour que je chatouille vos rêves avec mes souvenirs de notre beau corsaire ?

– Peut-être, avoua Jeanne en posant sa tête sur l'épaule moelleuse de Pauline.

– Je ne sais pas, Jeannette, si à moi ce jeu plairait encore ? Je n'y ai plus l'avantage. »

Jeanne redressa sa tête, fixa Pauline à grands yeux :

« Pauline, j'ai besoin de savoir, je veux savoir : vous n'avez jamais aimé Vincent d'amour, n'est-ce pas ? »

Elle rougit en ajoutant :

« Il m'a dit, un jour, que vous n'étiez liés que par le plaisir.

– Ah ? fit Pauline en pâlissant, il vous a dit cela ?

– N'est-ce pas vrai ? »

Pauline consentit un « oui » presque inaudible, poursuivit d'une lointaine voix lente :

« Nous avions convenu d'un sentiment sans peines et sans gêne, c'est vrai. Il allait bien à son métier de marin et à mon peu de goût pour la tapisserie. Mais sans doute suis-je un peu fâchée qu'il s'en soit si bien souvenu ? »

Elle eut un demi-sourire-grimace, ajouta plus vite :

« En fin de compte, on en veut toujours à un homme de vous tenir sa parole là-dessus. »

Le regard de Jeanne se fit inquisiteur, et Pauline reprit d'un ton trop léger :

« Bah ! Vanité de femme, voilà tout. On aurait bien aimé recevoir plus qu'on exigeait, voilà tout.

– Voilà tout ?

– Mais oui, voilà tout, répéta Pauline avec un peu d'énervement. Que souhaitez-vous m'entendre dire, Jeanne ? Que je ne mourrai pas de renoncer au chevalier ? Eh bien, je vous promets de n'en pas mourir, c'est dit. J'ai de la coquetterie, je ne m'en vais pas me donner, à mon âge, le ridicule d'un chagrin d'amour. Quoique à ce qu'on voit... »

Sa voix se chargea d'ironie :

« Il se pourrait bien qu'on eût justement ses chagrins d'amour quand ils ne vous vont pas : à quinze ans, quand personne n'y croit, ou à quarante, quand tout le monde en rit.

– Moi, à quinze ans, j'ai beaucoup souffert d'amour », soupira Jeanne.

Pauline sourit :

« A quinze ans, souffrir d'amour est un délice, dit-elle. On en souffre avec une violence extrême, et dans l'espérance : c'est délicieux. »

Jeanne avait laissé retomber sa tête sur l'épaule de Pauline. Un long silence les baigna avant que Jeanne ne le rompît :

« Pauline, ne partez pas. J'ai peur. Depuis que je sais le chevalier au large du Cap, j'ai peur.

— Et moi, je vous rassure ?

— Peut-être, oui. »

Pauline, les sourcils étonnés, cherchait à percer la pensée de Jeanne quand celle-ci lui murmura dans le cou :

« Je vous ai tout avoué et vous ne me détestez pas. Croyez-vous que M. Aubriot comprendra aussi bien ? »

« C'est donc cela », pensa Pauline, et elle dit tout haut :

« Non, je ne le crois pas. Mais il admettra. Lui aussi a l'âge des renoncements sans éclats. Il lui faudra bien se contenter de votre tendresse.

— Le chevalier aussi gardera de la tendresse pour vous, dit Jeanne après un instant d'hésitation.

— De la tendresse... »

Une brusque montée de larmes aveugla Pauline. Précipitamment, elle ferma ses paupières, refoula ses larmes à grandes inspirations profondes. Pleurer lui était si étranger que l'eau salée qu'elle avala lui brûla la gorge. « Non ! se commanda-t-elle, non ! » L'eau se tarit, fut remplacée par une douleur dans sa poitrine. Elle ouvrit la bouche pour boire de l'air, longuement... La tendresse. Le présent que vous laisse un amant délicat, quand il s'en va. La tendresse qui n'engage aux tendresses que celui qui aime encore d'amour. La tendresse qui se fait de loin, par poste, ou en passant, devant une tasse de thé.

La voix de Jeanne, toujours enfouie dans son épaule, fit rouvrir les yeux de Pauline :

« Pourquoi ne me dites-vous plus rien ?

— Oh ! je songeais, dit Pauline. Et il m'a semblé voir tomber une étoile filante. A moins que ce ne soit un éclair d'orage ?

— Parions pour l'étoile filante. Faites un vœu, Pauline.

— Un vœu ?... Je souhaite devenir une très jolie vieille dame.

— Quelle idée ! s'exclama Jeanne. Est-il utile de devenir une jolie *vieille* dame ?

— Très utile.

— Et pourquoi donc ?

— Parce que quand je serai une vieille dame je détesterais que mes amants de jadis soient honteux d'eux-mêmes en me regardant. »

Elle s'amusa un instant de l'air ébahi de Jeanne, reprit du ton lointain dont on se souvient tout haut :

« Aux Abricots, sur la sucrière de ma famille, vivait aussi ma grand-tante Blanche, la sœur de ma grand-mère. Chaque fois que nous recevions elle se levait à l'aube pour se parer et, comme elle avait confiance en mon bon goût, lorsqu'elle se trouvait prête je devais aller lui donner mon avis. Sur tout. Sur son teint, sur sa coiffure, sur sa robe, ses souliers, son ombrelle, son parfum, ses menus bijoux de perles et d'or... Je passais ma revue de détail en pensant sous cape que la bonne tantie Blanche se donnait un tintouin bien inutile : elle était si vieille ! Elle devait avoir au moins... au moins presque cinquante ans ! Un matin qu'elle était plantée devant son grand miroir et que je me moquais un peu d'elle en lui arrangeant son bonnet, elle m'a dit : « Ris de
« moi tout ton soûl, ma Linette, il y a un temps pour
« rire des coquetteries de sa vieille tantie Blanche. Et
« il y a un temps, plus tard, pour apprendre que la
« seule chose qu'on puisse encore faire pour le

« bonheur d'un homme, c'est de ne pas le rendre
« honteux de vous avoir adorée. »

Pendant le silence qui suivit Jeanne quitta l'épaule
de Pauline, se recula jusqu'au bout du canapé pour
la tenir sous son regard :

« Vincent vous a-t-il adorée ? demanda-t-elle.

– Ha ! rit Pauline. Jeannette, je parlais de ma
tantie Blanche. »

Sans cesser de fixer Pauline, Jeanne demeura
pensive, mordant sa lèvre. Enfin :

« Sans doute croyez-vous savoir l'aimer mieux
que je ne fais ? lança-t-elle d'un ton de défi.

– Oui, dit Pauline. Mais comme vous croyez que
votre amour vaut mille fois le mien, nous voilà
quittes. Et l'avantage est tout de votre côté. Vous ne
pourrez m'enseigner ni votre beauté blonde ni vos
vingt ans, tandis que je vous apprendrai aisément à
faire les cerises à la royale et le punch antillais qu'il
préfère.

– Pauline, je devrais vous haïr. Mais je ne vous
hais point. Et vous m'aimez. N'est-ce pas ? »

Pauline allongea le bras, toucha avec volupté le
satin lisse et ambré de la joue de Jeanne, ses doigts
descendirent sans hâte la douceur plus fragile du
cou :

« Ma chère enfant, vous sentez très bon l'odeur de
la chair fraîche », dit-elle.

En même temps que des doigts, elle la caressait
des yeux.

A sa manière chatte Jeanne finit par s'allonger sur
le canapé pour installer sa tête sur les genoux de
Pauline et elle resta là sans plus bouger, à ronronner
sous les mains complaisantes qui fourrageaient dans
le poil doré de sa chevelure. Ce fut la flamme
fuligineuse d'une chandelle mourante qui les réveilla
de leur câlin, en s'éteignant après un ultime soubre-
saut. Jeanne se bougea pour rallumer deux bougies,
tendit l'un des bougeoirs à Pauline :

« La fête de Quatre-Epices est décidément finie »,
dit-elle, et elle frissonna.

15

LE lendemain matin, à la table du déjeuner, Aubriot
annonça tout de suite qu'il avait mis au point, la
veille, le projet d'un grand tour de l'île avec ses amis
les botanistes Cossigny et Céré :

« Nous irons à une allure d'escargots, c'est chose
convenue. Depuis que je suis dans l'île je rêve de
faire ce tour avec eux en prenant tout mon temps, et
eux ne seront pas fâchés de me montrer leur pays
natal par le chemin des écoliers. Je les crois l'un et
l'autre assez dépités de n'avoir pas obtenu mon poste
auprès de l'intendant; en les associant à mon travail
d'inventaire je répare un peu ce qu'étant créoles ils
tiennent pour une injustice venue de Versailles.
Jeannette, nous accompagneras-tu ? »

Jeanne sentit les regards de Pauline et de Marie
s'appesantir sur elle.

« C'est que... ma présence est très nécessaire
ici, dit-elle en hésitant. M. Poivre doit me faire
remettre une bonne moitié du lot des théiers qu'il
vient de recevoir, par le *Neptune,* de cet abbé Gallois
qui est en train de glaner des thés en Chine; il me les
donne à moi par préférence, je n'ai pas le droit d'en
manquer la plantation. »

Aubriot hocha la tête pour en convenir :

« De reste, dit-il, cette expédition ne t'aurait peut-
être pas amusée tous les jours. Nous irons aussi dans
les grands bois de l'intérieur, qui sont demeurés fort
sauvages et où nos bivouacs manqueront de confort.

— Et si des marrons armés de chiens vous allaient
tomber dessus ? intervint Pauline.

— Nous aurons des fusils avec nous, dit Aubriot.
Nous aurons même le capitaine de la légion, qui s'est
mis de la partie.

« – Combien de temps durera votre expédition ? demanda Jeanne.

– Pas moins de quinze jours, dit Aubriot. Je ne veux pas faire que passer devant ce qui m'intéressera, et il paraît que nous n'aurons pas assez de nuits à donner à tous les gens de la côte qui nous voudront pour souper et dormir.

– Quand partirez-vous ? demanda-t-elle encore.

– Tout à l'heure, dès que je serai prêt, dit Aubriot. Le rendez-vous est à Palma, chez Cossigny, et M. de Messin, qui a dû passer la nuit à Belle-Herbe, m'a proposé de m'en rapprocher en pirogue. Il veut redescendre dans l'après-dînée. »

« Eh bien, est-ce ma faute ? » lança Jeanne avec agressivité après qu'Aubriot fut passé dans son cabinet pour s'y préparer.

Pauline et Marie ne lui répondirent pas un mot, si bien qu'elle poursuivit du même ton :

« Assurément, je lui aurais parlé, et dès aujourd'hui. Voilà qu'il part : est-ce ma faute ? Voudriez-vous que j'aille lui gâter son plaisir à l'instant même où il l'entame ? D'ailleurs, il est fort pressé de partir, vous l'avez entendu comme moi. »

Aucun écho ne lui venait, décidément. Alors elle ajouta, pour en finir avec sa mauvaise conscience :

« Le Ciel a choisi que je recule encore le mal que je dois faire : est-ce ma faute ?

– Ne va pas répéter cela à Emilie, dit enfin Marie. Tu en entendrais de sévères sur la façon dont tu t'arranges avec le Ciel pour lui repasser la charge de tes couardises ! »

Il était si rare que Marie la douce lui jetât un reproche un peu vif que Jeanne le supporta mal et s'empressa de rejoindre Aubriot dans son cabinet pour ne pas s'exposer à pire :

« Avez-vous besoin de mon aide pour faire votre sac ?

— Je ne la refuse jamais, dit-il gaiement.

— Vous avez l'air radieux de nous quitter.

— J'avoue n'être point fâché d'aller longuement courir les grands bois. J'aime à verdir ma vieille veste et à cabosser mon vieux chapeau, tu le sais bien. »

En passant près d'elle il lui tira sur sa queue de cheveux, ajouta :

« Cette fois, il manquera à mon bonheur d'avoir mon Jeannot sur les talons, mais je comprends que tu doives rester pour tes théiers. »

Elle l'empêcha d'aller à son armoire à livres en lui nouant ses bras autour du cou :

« C'est vraiment vrai, que je vous manquerai ? »

Il haussa un sourcil :

« Pourquoi mets-tu cela en doute ?

— Peut-être parce que je ne le mérite pas, dit-elle, et elle se reprit très vite en rosissant :

— Sans aucun doute je ne mérite pas d'être indispensable aux herborisations d'un botaniste très savant.

— Es-tu sotte parfois ! » dit-il en voulant se dégager.

Elle le retint en resserrant le collier de ses bras :

« Monsieur Philibert...

— Oh ? La suite sera donc d'importance ?

— Monsieur Philibert, que suis-je, pour vous ? Un peu ? Beaucoup ? Tendrement ? Autrement ? »

Il la regarda avec d'autant plus de surprise que les joues de Jeanne venaient de passer au cramoisi :

« Jeannette, crois-tu bien prendre ton temps pour entrer dans un pareil sujet ? Ne sais-tu pas que M. de Messin m'attend à Belle-Herbe ?

— Je sais, quand je prends mal mon temps, dit-elle en se câlinant contre son épaule, mais c'est qu'avant de vous laisser partir pour longtemps j'ai envie, j'ai besoin de savoir ce que je suis pour vous. Vous ne me l'avez jamais dit.

— Pour l'instant, tu es ma petite fille follette qui

me retarde avec une envie de jouer », dit-il avec un peu d'impatience en lui dénouant ses bras de vive force pour retourner à son bagage, mais il l'entendit pousser un si gros soupir d'âme déçue qu'il releva tout de suite la tête pour lui jeter un coup d'œil :

« Trêve de puérilités, Jeannette, dit-il d'une voix qui la grondait un peu. Sur quoi veux-tu que je te rassure avant de partir ? Dis-le-moi tout franc.

— Non, dit-elle avec dépit, je boude. Je ne m'en vais pas vous prier pour avoir des douceurs ? De reste, je n'en aurais pas. C'est une gageure inutile à se donner, et qu'on ne gagnerait pas, que celle de vouloir vous faire tomber dans le sentiment ! »

Il eut une gorgée de rire très joyeuse, qui mit deux larmes au bout des cils de Jeanne. Elle les renifla avec colère, voulut ne plus rien dire et dit pourtant encore :

« Si je devais vous expliquer mes sentiments je ne trouverais pas le premier mot pour commencer mon discours, tant j'aurais peur de vous voir vous moquer ou bâiller sous cape. En fin de compte, je choisirais de ne vous rien dire, et ce serait tout de votre faute ! »

Il eut encore un rire et s'assit sur le coin de son bureau :

« Viens ici », dit-il.

Elle se rapprocha de mauvaise grâce, demeura à plusieurs pas de lui. Il se souleva pour lui saisir une main :

« Viens ici, répéta-t-il en la ramenant à lui. Et maintenant, qu'as-tu à me dire ? »

Elle secoua la tête :

« Rien. J'en ai perdu l'idée.

— Eh bien, moi je te dirai quelque chose, annonça-t-il avec bonne humeur, Jeannette, tu me plais. Tu me plais un peu, beaucoup, tendrement, autrement. Pour calmer votre prurit de sentiment, cela vous va-t-il mamzélle ?... Non ? »

Fascinée par la soudaine complaisance de son

grand homme elle le dévorait à grands yeux fixes de chatte émerveillée.

« Je vois qu'il faut que je remette encore une once du remède », plaisanta Aubriot.

Entre pouce et index, doucement, il lui pinça la joue :

« Jeannette, ti voglio bene », dit-il en mettant de l'huile dans sa voix.

Jeanne tressaillit, ses cils battirent.

« Bon, il me semble que la vie revient dans la statue, dit Aubriot. Je vais pouvoir retourner à la confection de mon bagage... »

Un long silence s'établit dans le cabinet. Aubriot vérifiait ses pistolets, Jeanne rassemblait machinalement des crayons de couleurs épars pour les ranger dans leur étui de cuir; sa tête semblait à mille lieues de ses mains, inhabituellement lentes.

« Ti voglio bene... », murmura-t-elle tout à coup comme si sa pensée s'achevait tout haut, et une petite moue lui vint :

« Je te veux du bien... Les Italiens doivent être encore plus légers que les Français en amour, pour avoir trouvé des mots pour le faire sans jamais dire : « Je t'aime. »

– Crois-tu ? Je pense au contraire qu'ils ont trouvé le moyen de dire « Je t'aime » de la manière la moins égoïste qui soit. »

Le cœur de Jeanne sauta un battement avant de se mettre à galoper. Elle crispa ses deux mains sur l'étui de crayons, demanda très vite et très bas :

« Monsieur Philibert... Est-ce cela que vous m'avez voulu dire : « Je t'aime ? »

Il n'entendit pas sa question, exprès ou par distraction. Il remuait des papiers sur sa table :

« Où diable ai-je bien pu fourrer la seconde des belles loupes que m'a offertes le capitaine anglais ?

– Ne mettez pas vos papiers sens dessus dessous, dit-elle après un soupir. Je vous l'ai empruntée, elle est dans ma chambre. Je monte vous la chercher. »

Elles regardèrent Aubriot disparaître après le coude de la rampe herbue qui descendait vers Belle-Herbe. Et puis le tournant avala Polydor aussi, qui traînassait derrière son maître.

« Il se pourrait que le chevalier nous arrivât avant le retour de M. Aubriot, dit Pauline.

– Oui », dit Jeanne, d'une voix rogue qui décourageait de poursuivre l'entretien.

Pauline se détourna et rentra dans la maison. Jeanne marcha vers l'écurie, fit seller Blondine et grimpa s'asseoir un moment sur son balcon de la colline.

16

AUBRIOT était toujours absent de Quatre-Epices quand, le 14 juillet au matin, l'Amadou tout excité vint rapporter à Jeanne qu'un trois-mâts avait doublé l'île Ronde. Jeanne galopa au port, pour y apprendre bientôt que le bâtiment en approche n'était qu'un courrier de Lorient, le *Marquis de Castries.* Dès qu'il fut en vue de la pointe aux Canonniers le vaisseau commença de tirer du canon à un coup par minute : il demandait du secours. Il portait son pavillon en berne, son grand mât semblait avoir été foudroyé. Des pailles-en-cul claquaient des ailes au-dessus du navire; mais, même à la longue-vue, on n'apercevait pas un signe de l'habituelle joie cabriolante des matelots qui reçoivent la visite des oiseaux messagers de l'Isle de France. C'était un vaisseau fantôme, d'une tristesse d'outre-monde, qui se présentait au Port-Louis. Quand il se rapprocha, on vit enfin des silhouettes sur le pont, beaucoup d'hommes assis prostrés au pied des mâts, calés contre des caisses, affalés sur des rouleaux de grelins : des tas de chair humaine comme déjà indifférents à la terre vers laquelle le vent les emportait.

« Scorbut, laissa tomber le capitaine du port, en repassant sa longue-vue à l'officier qui l'accompagnait. Faites prévenir les sœurs grises. »

L'Amadou eut un grognement de pitié, tourna la tête vers Jeanne :

« Y a des capitaines, ils seront toujours les mêmes andouilles, dit-il. Ils veulent pouvoir se vanter qu'ils sont venus de France en quinze semaines sans relâcher. Le matelot qu'en a un à son bord comme notre capitàni, qu'est pas faraud, il connaît sa chance quand il voit atterrer un pauvre bastimen dans cet état... Pecaire ! »

Le *Marquis de Castries* entra dans le port à une heure et demie de l'après-dînée. Il avait tenu la mer quatre mois et douze jours, sans escale, avec de bons coups de vent et une tempête affreuse au passage du canal du Mozambique. Le scorbut était dans tout l'équipage et chez les passagers, plus ou moins avancé. Dix hommes en étaient morts pendant les derniers jours, et un onzième, qui pleura pour qu'on le débarquât sans attendre, mourut à peine posé sur le quai. Le médecin du bureau de la Marine fit ordonner qu'on laissât tous les grands malades à bord, sur le pont, à respirer pendant vingt-quatre heures l'air de la terre pour s'y accoutumer, et il leur fit envoyer une sœur grise avec des bouteilles de limonade. A l'hôpital, on commença de soigner tous les autres selon l'usage, avec des bouillons de tortue.

Beaucoup des petits scorbutiques, dolents et désemparés, se tenaient assis dans la cour de l'hôpital engorgé en espérant leurs parts du remède; il n'y en avait pas tout de suite pour tout le monde, la tortue désertait les côtes de l'Isle de France, où on la pêchait trop. Quand Jeanne l'apprit, elle envoya l'Amadou avec deux Noirs porter aux oubliés des paniers de salade, de blettes et de citrons. En échange de ses herbes et de ses fruits le gabier lui rapporta de l'hôpital quelques bavardages, mais aucune nouvelle de *Belle Vincente*. Toutefois, le second jour, il en revint avec un paquet de courrier.

Le paquet venait du Jardin du Roi. Il contenait des lettres d'Adanson, de Lalande, de Thouin et de Mlle Basseporte, pour Jeanne et pour Aubriot. André Thouin l'avait confié à l'un des auditeurs de ses leçons de jardinage, lequel devait s'embarquer pour l'Isle de France sur le *Marquis de Castries* : M. Bernardin de Saint-Pierre. L'ingénieur-poète qu'attendait l'intendant était donc arrivé. Jeanne lui fit porter un billet le priant à dîner.

M. de Saint-Pierre devait avoir la trentaine. Visiblement, il avait fait toilette pour venir à Quatre-Epices, portait du linge blanc fraîchement repassé à cravate et manchettes de linon plissé, un habit bien coupé couleur de caramel et une canne à pomme d'argent. Le visage était plaisant, pâle et un peu mièvre mais agréable, même s'il reflétait encore la fatigue de son pénible voyage. Des cernes soulignaient les yeux doux et rêveurs, les joues sans doute d'ordinaire assez poupines s'étaient creusées. Le menton fin était sans volonté, mais le dessin sensuel de la bouche bien réussi. Sur le front haut, large, bombé, très beau, voltigeaient deux ou trois mèches de cheveux soyeux; M. de Saint-Pierre avait une magnifique chevelure de jeune fille, claire, ondulée, qui lui retombait librement sur les épaules.

Il était accouru à Quatre-Epices avec allégresse : c'était sa première entrée dans la société de l'île. Comme Jeanne avait grandement besoin de distraire la sourde angoisse qui ne la quittait plus guère, et que M. de Saint-Pierre faisait une distraction nouvelle, elle l'invita à user de sa table à son gré. Il y revint dès le lendemain, et tous les jours d'après où il n'allait pas dîner ou souper ailleurs. Il fallait bien que le chevalier fût pique-assiette : il n'avait pas un écu. Et il s'ennuyait chez lui. L'ingénieur en chef du Port-Louis l'avait fait installer dans l'une des pauvres cabanes du bout de la ville, où tenaient tout juste un hamac, une table, une chaise et ses malles; après quoi il avait pris soin de l'y oublier, ayant d'emblée jugé « l'ingénieur » et compris, qu'une fois de plus, Versailles avait donné un poste à un homme parce que l'homme avait besoin du poste et non parce que le poste avait besoin de l'homme. Dieu merci pour lui, l'ingénieur avait de beaux cheveux, qui plaisaient aux dames : il ne mourrait pas de faim.

Honnêtement, Saint-Pierre paya d'emblée ses repas avec la monnaie dont il disposait : la poésie. A l'Intendance, il prodiguait à Mme Poivre une cour exaltée tout en bouquets de rimes, chez Jeanne il s'asseyait sous le badamier et faisait tenir sages Paul et Virginie en leur racontant des histoires. Bientôt il mit en route pour les enfants – que laissaient assez froids ses envolées sur l'indigo du lagon, le parfum pâle des veloutiers et le frissonnement des filaos sous le vent de l'île – un adorable conte bucolique dont il inventait les péripéties au jour le jour. Virginie, un peu grandie, y tenait le rôle principal, celui d'une fraîche ingénue fermière qui avait le bonnet coquet, l'œil et le cœur purs, les mains bonnes aux gâteaux, à la couture et aux pauvres nègres. Elle chantait comme un rossignol, courait comme une gazelle, priait comme un ange, il ne lui fallait qu'un bol de lait pour se nourrir, une chasse aux papillons pour s'enchanter et, dans sa candeur, elle ne croyait pas qu'il y eût au monde, pour elle, un amour plus doux que celui de son chaste grand frère Paul. Saint-Pierre ne se lassait pas d'ajouter des attraits à sa Virginie en souvenir de Virginie Taubenheim, la charmante fille d'un régisseur berlinois, que naguère il avait cru aimer, le temps d'un séjour dans sa ville. Toujours il en revenait, au bout de l'épisode du jour, à « la bienheureuse simplicité » qu'il avait laissé échapper avec fraulein Taubenheim et que ses petits auditeurs, eux, ne devaient surtout pas manquer : « Ah ! mes enfants, que n'ai-je saisi le moment d'apprendre à conduire une charrue ? s'écriait le conteur, d'une voix touchée de douleur. Un cœur pur qui s'offre à vous aimer vaut mieux que tout l'or du monde, et il ne faut plus alors, pour être heureux toute sa vie, qu'une cabane au milieu d'un champ de blé. » Jeanne et ses amies – ces moqueuses – s'émerveillaient toujours de ce que Saint-Pierre eût la morale aussi frugale à l'heure de sa digestion; mais elles avaient beau, à table, lui repasser trois fois le ragoût de gourami, deux fois la compote de perdrix et le reste, rien n'empêchait le chevalier, son café pris, de retourner sous le badamier prêcher aux enfants blancs et noirs de la maison la divine saveur du pain sec trempé dans l'eau claire et gagné à la dure sous l'œil charmé de Dieu.

« M. de Saint-Pierre est un niais de Dieu, dit Emilie, une après-dînée qu'elle arrivait à Quatre-Epices et jetait un coup d'œil sur le tableau que formaient sous le badamier Saint-Pierre et son public. Mais il est dans le goût du jour; aujourd'hui, on n'entend plus parler de Dieu avec naturel, il semble qu'il faille ou qu'on en soit las, ou qu'on en soit niais. Heureusement, ajouta-t-elle en arrêtant le regard sur son fils, Paul raffole autant et plus des histoires de brigands que lui raconte don José, où l'or va aux plus forts et fait leur bonheur. Car en vérité, s'il s'en tenait aux histoires du chevalier de Saint-Pierre je le verrais rêver de devenir un ravi de crèche larmoyant et besogneux, ce qui me fâcherait fort. Mais laissons cela. Jeanne, je suis venue pour... »

Sans y prendre garde, Marie coupa la phrase de son amie :

« Je me doute que la prose romantique du chevalier n'est pas à votre goût, mais reconnaissez au moins que, pour l'œil, la scène qui se tient là-bas est des plus charmantes. J'ai prié M. de Boussuge de me la peindre, puisque mon amoureux prétend qu'il peut aussi bien tenir le pinceau que la plume ou l'archet. Je me mettrai un peu à l'arrière dans le tableau et, s'il est réussi, je l'enverrai à Rupert. »

Un sourire était venu à Emilie :

« Marie, dit-elle, votre idée me plaît. Je me mettrai aussi dans le tableau et, ainsi, dame Charlotte aura de mes nouvelles en couleurs.

— Emilie, mais vous n'y songez pas ! s'écria Jeanne. Cette peinture pourra tomber sous bien d'autres yeux que ceux de dame Charlotte !

— Je le crois volontiers, dit Emilie avec une parfaite tranquillité. Mais je crois aussi que jamais personne ne me pourra reprendre à don José. Même la marquise de la Pommeraie, qui sait si bien mordre et griffer, se cassera les dents et les ongles sur don José. Au besoin, j'en ferai mon époux pour me mettre hors d'atteinte plus sûrement. »

Le regard allègre de l'ex-chanoinesse prit tout son temps pour savourer les stupéfactions de ses trois amies avant qu'Emilie n'ajoutât, d'un ton détaché à l'excès :

« L'égalité n'est-elle pas à la mode, et déjà bien établie entre la noblesse et la finance ? Je suis sûre que mes frères au moins me pardonneront ma mésalliance, dès l'instant que je pourrai leur envoyer un peu de l'or d'un hidalgo de contrebande pour payer leurs vices de gentilshommes à seize quartiers.

— Emilie, dit Jeanne qui revenait de sa surprise, pourquoi ne pas nous avouer tout franc que vous vous êtes enfin laissé toucher par l'amour de don José ? Voilà qui nous plairait fort.

— Oh ! oui, Emilie, nous en serions si heureuses ! Don José en serait si fou de joie ! s'écria Marie en se jetant au cou d'Emilie, et elle fondit en sanglots, s'arracha de son étreinte et s'enfuit en balbutiant qu'elle allait se baigner le visage.

— Vous venez de lui rappeler qu'elle est veuve, dit

Pauline. Elle a beaucoup pleuré aussi quand elle a su que vous attendiez un autre enfant.

— Elle est sensible à tout ce qui m'arrive par don José, dit Emilie. Elle en est amoureuse. Ne l'auriez-vous point remarqué ?

— Si, dit Jeanne. Mais nous ne pensions pas que, vous aussi...

— J'ai de fort bons yeux, dit Emilie. Et ne suis point en peine de cet amour-là. Il s'étiolera. Marie est une amoureuse patiente. Elle préfère ses rêves aux réalités, surtout s'ils la font un peu pleurer. Ne savons-nous pas qu'elle a longuement été une fiancée heureuse, puis une épouse déçue et à présent la veuve douloureuse, non point de l'époux volage et distrait, mais du lointain fiancé parfait qu'elle a enfin retrouvé ? La voilà maintenant éprise de l'amour que me montre don José plutôt que de l'amour que lui offre M. de Boussuge, sans doute autant pour se donner un alibi de n'accueillir point de Boussuge dans son lit que pour se meurtrir un peu le cœur, mais ce, sans jamais en perdre pour autant le goût des confitures !

— Ma foi, j'ai bien envie de croire à votre raisonnement, sourit Pauline.

— Croyez-le, dit Emilie. Mais encore une fois, ajouta-t-elle en passant son bras sous celui de Jeanne, je ne suis point venue pour bavarder, mais pour vous apprendre, Jeannette, une chose d'importance. »

Pauline, discrètement, s'éloigna.

« Jeanne, dit aussitôt Emilie, votre époux est au Cap, en fort gaie santé à ce qu'il paraît. Il devrait donc être au Port-Louis sous peu. »

Jeanne s'était décolorée jusqu'aux lèvres. Elle dut s'appuyer contre un pilier de la varangue, ferma un instant les yeux, les rouvrit sur Emilie :

« D'où tenez-vous cela ?

— Ce matin, une frégate espagnole a mouillé au port. Le capitaine don Rafael Machado est un vieil ami de don José, un complice de contrebande, que le chevalier Vincent connaît bien aussi. En fait, les deux frégates, l'espagnole et celle de Vincent, ont navigué de conserve depuis l'île Tristan da Cunha, où elles s'étaient jointes, jusqu'au Cap.

– Pourquoi jusqu'au Cap seulement ? demanda Jeanne. Pourquoi Vincent est-il demeuré là-bas ?

– Don Rafael nous a dit que *Belle Vincente* avait souffert des dommages au cours de sa reprise aux Portugais. Il y a d'excellents charpentiers de marine hollandais au Cap. C'était une affaire de quinze à vingt jours, du moins d'après don Rafael. Et donc, le *San Isidro* ne serait en avance sur *Belle Vincente* que de quinze à vingt jours. »

Lourdes d'un silence qui n'en finissait pas elles se regardaient, puis enfin Jeanne murmura :

« Je ne m'étais pas trompé : Vincent était parti se cacher un moment à Tristan da Cunha. Don Rafael vous a-t-il dit pourquoi il en était enfin sorti ?

– Oui, dit Emilie. Il n'a plus rien à craindre des Portugais. Avant son évasion de Rio, il avait su le prochain relèvement du vice-roi de mauvaise humeur par dom Antonio Rolim da Moura Tavares, un gentilhomme de meilleure compagnie, qu'il a bien connu à Malte. Il s'était mis à l'abri à Tristan da Cunha pour laisser à dom Antonio le temps d'arriver à Rio, et il a justement appris que c'était chose faite par don Rafael, qui a pour habitude de relâcher à Tristan da Cunha pour y prendre du bois et de l'eau, quand il va du Brésil au Cap. »

Jeanne se laissa tomber sur un fauteuil. Elle était encore très pâle et comprimait son cœur à deux mains, pour tenter de le pacifier. Emilie contemplait ce désarroi sans aucune indulgence; elle finit par dire, et de sa voix la plus acidulée.

« Ma chère, vous voilà arrivée au point où vous avez pris soin de vous mener : dans un imbroglio toujours aussi noué aujourd'hui qu'hier, bien que vous ayez eu tout le temps, depuis que vous vous y êtes fourrée, pour le dénouer autrement que dans l'urgence.

– Emilie, je vous en supplie... », la pria Jeanne.

Emilie haussa les épaules et se tut, sans cesser de pianoter sur sa jupe avec impatience.

« Mais au fait, dit Jeanne en relevant la tête, ne m'apportez-vous point une lettre de Vincent ?

– J'attendais cette question, dit Emilie, et m'étonnais de la voir tarder. La réponse est non. Don Rafael n'a pas apporté de lettre pour vous. Pourtant, à Tristan da Cunha votre chevalier lui avait laissé entendre qu'il lui confierait un courrier pour le Port-Louis mais, en fin de compte, il ne lui a rien remis.

– Mais pourquoi ? N'est-ce pas bien curieux ? »

Emilie hocha la tête :

« Don José s'en est étonné, je m'en étonne, mais, après tout... Vincent savait qu'il ne tarderait sur le *San Isidro* que de peu de jours. Et que vous auriez de ses nouvelles de vive voix.

– C'est tout de même très curieux, redit Jeanne au bout d'une longue pause. Il a hasardé du courrier pour moi par des occasions bien moins sûres que celle qu'il tenait là. Pourquoi donc ne m'avoir pas écrit par le *San Isidro* ? Fait-il si peu de cas de mon souci de lui ? Peut-il si aisément retarder de vingt jours son besoin de m'entretenir ? Et si...

– Jeanne, coupa Emilie avec irritation, pensez-vous vraiment que les torts de Vincent soient ceux qui vous doivent inquiéter en ce moment ? »

Le lendemain était un dimanche. Pierre Poivre arriva dîner à Quatre-Epices avec un billet d'Aubriot, qu'il tendit à Jeanne :

« Notre cher docteur sera de retour au port demain et il aimerait, je crois, que vous lui ameniez son cheval au débarcadour.

– Au débarcadour ?

– Lisez... Un chevaucheur m'a remis cela ce matin. »

Comme ils étaient à herboriser sur la côte de Grand-Baie les trois botanistes avaient rencontré là l'*Heure du Berger,* qui revenait de faire tourner l'abbé Rochon autour des îlots et des rochers du nord pour lui permettre de rectifier les cartes – fausses, paraît-il – du ministre de la Marine. Histoire de faire un peu d'astronomie avec l'abbé, les botanistes comptaient s'embarquer avec lui sur le senau, pour regagner le Port-Louis après un tour en mer.

« J'irai», dit Jeanne en repliant le feuillet.

Son dernier sursis était révolu, décidément.

Un peu tard dans l'après-dînée, quand tous ses invités furent repartis, elle descendit se baigner à Grande-Rivière, sa « baignoire » favorite. Le temps était superbe. L'eau verte qui léchait le sable passait au large à un bleu brillant marbré de mauve et d'indigo, s'évaporait en buée d'or à l'horizon, la fin de la mer et le début du ciel confondus dans une éblouissante poussière de soleil. « Ce décor tropical est décidément une trouvaille de Dieu dont je ne me lasse pas », pensa-t-elle.

Elle se jeta à l'eau, poussa jusqu'au récif de madrépores et là se laissa couler dans la mer, les yeux grands ouverts : sous quinze pieds d'eau transparente toute une famille de langoustes se promenait entre les rameaux de corail, et cette vision du magnifique monde englouti valait de subir à pleins yeux la piqûre du sel. Le froid silence fluide et grisé du paysage marin lui traversait le regard pour s'en aller lui laver l'âme; il lui en faisait une éponge aux trous béants, dans lesquels tout se noyait de ce qui n'était pas de la quiétude à la dérive, divine... Le temps sous la mer lui était un repos encore plus parfait que le temps sur la mer. Hélas ! de ce temps-là aussi, on voit le bout.

17

La chaloupe de l'*Heure du Berger* n'avait débarqué ses passagers à terre que juste avant le crépuscule.

Ils soupèrent tous à l'Intendance. En dépit que la conversation fût sur la botanique et l'astronomie, Aubriot s'en dégagea tôt : il se sentait fatigué, toussait un peu. Tout comme Jeanne il adorait les bains de mer, dès qu'il en pouvait prendre il en prenait en jurant s'en trouver bien, mais c'était assez souvent à son corps défendant.

Dehors, sur la place d'Armes, la nuit luisait, claire et douce.

« Une belle nuit pour une chevauchée romantique sur le grand chemin de Port-Louis à Moka, n'est-ce pas ? » dit Aubriot en enfourchant sa Bruna.

Ils allèrent au petit galop, jouissant de toutes les odeurs végétales, humides et tenaces, que leur apportait la brise de terre. Le martèlement des sabots mettait en panique les bandes de singes occupées à voler en silence dans les champs, et qui détalaient au milieu de l'ample froissement des maïs bousculés, poursuivies par les cris des guetteurs réveillés. Parfois, en franchissant une ligne de crête ils apercevaient au loin, cheminant avec lenteur et en vacillant sur l'immense toile bleu-noir du ciel, la procession aux flambeaux des pêcheurs de contrebande. Dans l'épaisseur de son mystère le bois qu'ils longeaient craquait, tressaillait, frissonnait, et ils ne parlaient pas, attentifs à capter et à reconnaître les bruits de sa vie nocturne. C'est sans avoir encore échangé un mot qu'ils pénétrèrent dans l'amertume miellée de la forêt d'aloès masquant l'entrée de Quatre-Epices.

En même temps que Jeanne, Aubriot tira d'instinct sur la bride de son cheval pour le ralentir : lui aussi aimait l'arôme pesant de la forêt d'aloès et la grandiose immobilité de sa nature inhumaine, que la clarté lunaire rendait plus dramatique encore. Ils la traversèrent au pas, franchirent la barrière de l'habitation et remontèrent la grande allée à la même allure flâneuse. La maison parut, pâle au bout de l'allée sombre, tout endormie. Ses rubans de « bougainvillées » atteignaient maintenant le balcon de l'étage, couraient d'abondance le long de la balustrade. Aubriot prit une profonde inspiration voluptueuse avant de dire soudain :

« Je ne devrais pas trop m'habituer à rentrer ici comme chez moi. Il faudra bien qu'un jour ou l'autre je songe à remporter mes os dans ma patrie.

— N'essayez pas de me faire peur, dit Jeanne. M. Poivre m'a parlé de ses projets pour vous; ce sont des projets de longue durée. »

Pour lui répondre Philibert se donna un ton complaisamment résigné :

« Les projets de Poivre me passionnent, je l'avoue. Je ne sais si j'aurai le courage de les refuser mais, si je les accepte, partout où Poivre m'enverra, en plus de ma passion je traînerai du remords, car je sais bien qu'un fils a besoin de son père. J'ai laissé un fils en France, Jeannette. »

Elle jeta d'un ton désinvolte :

« Vous l'avez laissé à un fort bon oncle.

— Oui, je ne doute pas de me retrouver avec un fils fort savant en catéchisme si je tarde trop à le reprendre à son bon oncle Maupin, dit Philibert avec ironie. J'ai quitté Michel si petit que jamais je n'ai pu commencer de faire pour lui ce que je dois faire : l'accrocher à mes basques et le promener en lui nommant les herbes, les cailloux et les insectes de la route. Le pauvre, je n'ai pas même eu le temps de l'emmener jusqu'à mon vignoble de Saint-Clément en prenant par le joli chemin des digitales. »

Jeanne poussa son cheval tout auprès de celui d'Aubriot :

« Moi, monsieur Philibert, quand j'étais une petite fille j'ai eu tout cela de vous », dit-elle tout bas, avec une joie d'entrailles.

Jamais encore Philibert ne lui avait aussi bien fait comprendre, quoique sans le vouloir, que Jeanne, bien plus que son fils Michel, était la création patiente du savant docteur Aubriot. Mille fois plus que l'informe bambin qui grandissait hors de lui elle était son enfant, avec des droits à sa tendresse, à sa paternelle écoute, à son indulgence. A ses pardons. Ah ! c'était maintenant qu'il fallait tout lui dire ! Là, maintenant, dans le climat émollient de la nuit, qui désarme les êtres de leurs personnages.

Ils mirent pied à terre. Polydor déchargea leurs sacs et entraîna les chevaux vers l'écurie.

« Je n'ai pas du tout sommeil, annonça Jeanne en pénétrant dans la maison. Ne passerions-nous pas une petite heure dans votre cabinet, comme ça, pour bavarder ? On est bien, enfermés dans la nuit, pour bavarder. Les mots pour tout dire viennent si bien, dans la nuit. »

Philibert eut un sourire, mais las :

« Moi, je préférerais remettre notre causette à demain matin, dit-il. Tu sais que la mer ne me va pas trop bien : je suis fatigué.

— Vous sentez-vous malade ? demanda-t-elle, aussitôt alarmée.

— J'ai dit fatigué, rien de plus. »

Il balaya de l'œil la collation de viandes froides et de fruits que Pauline avait fait dresser, avant que la maison ne s'endormît, bien en vue sur la table de la salle d'entrée :

« Une bonne tasse d'infusion m'irait mieux que tout cela, dit-il avec un vague dégoût pour la nourriture étalée. Une tasse de sauge, par exemple...

— Allez donc vous coucher, dit Jeanne, pendant que je préparerai votre sauge. Vous aurez encore pris trop de bains de mer, qui ne vous valent rien, quoi que vous prétendiez. »

Le perroquet Chérimbané – qu'on enfermait pour la nuit dans une cage de la salle d'entrée –, atteint par la voix de Jeanne, avait ouvert ses paupières :

« Zanne, mo sitant content vous [1] ! clama-t-il d'une gorge encore enrouée de sommeil, avant même d'aérer ses somptueuses ailes bleues.

– Je ne sais qui lui a enseigné cette phrase, mais elle lui fait du profit, nota Jeanne. Il la répète à tout bout de champ.

– C'est ton marquis », dit Aubriot.

Jeanne se retourna vers lui :

« Que dites-vous ?

– Je dis que c'est ton géreur Saint-Méry qui a enseigné cette phrase à ton perroquet.

– Ah ! bah ? »

Aubriot eut un étroit sourire :

« Cela ne t'étonne pas outre mesure, je présume ? »

Elle rosit, lui coula un regard de biais :

« Je plais assez à pas mal d'hommes de goût, je dois à la vérité de le reconnaître. »

Il approuva de la tête et marcha vers sa chambre. Elle le suivit jusqu'au seuil de sa porte, lui lança de là :

« Vous savez, trop plaire n'est pas toujours un plaisir. Cela peut aussi vous surprendre comme... comme une fatalité, contre laquelle une femme est sans force.

– Oh ! mais je le crois volontiers ! s'exclama moqueusement Aubriot. Je suis tout prêt à croire qu'une jolie femme vit sa vie dans les transes d'une chasse à courre dont elle est la biche. Mais va, prends patience : ce déplaisir-là passe avec le temps. »

Elle hésita à lui répondre de manière à se rapprocher de son aveu, se mâcha la lèvre et puis renonça, et dit seulement :

« Je vais aller vous faire votre sauge...

– Zanne, mo sitant content vous ! » brailla de nouveau Chérimbané, quand elle passa devant lui.

1. Jeanne, je vous aime ! en créole Louis XV.

660

Sa nuit s'égouttait, seconde par seconde, au rythme interminable de son insomnie.

« Je vais lui dire : il faut me pardonner, monsieur Philibert, ou alors vouloir que je meure de votre mépris. Je me suis odieusement conduite et pourtant, je crois que vous pouvez me pardonner parce que, voyez-vous, je n'ai pas agi comme une grande personne, en toute conscience... »

Elle se leva pour boire un peu d'eau sucrée, se recoucha, souffla sa bougie.

« Sans doute ne suis-je pas encore une grande personne – voilà le vrai. Il m'est arrivé deux contes de fées et j'ai cru aux deux, comme une petite fille. Il m'est arrivé un grand savant quand j'avais dix ans, et puis un beau corsaire quand j'en avais quinze, je les ai tous les deux aimés de tout mon cœur et mes deux amours n'ont plus cessé de se mélanger, à Charmont, à Paris, sur la mer, et maintenant ici, en Isle de France... »

Elle ralluma sa bougie, recala ses oreillers à grands coups de poing.

« Et qu'est-ce que j'y peux, mon Dieu, qu'est-ce que j'y peux, à ces amours qui me sont tombés dessus comme deux coups de soleil ? Chaque fois que j'essaie de mettre de l'ordre dans mon cœur j'échoue dans le désespoir parce que mon cœur, lui, n'est nullement gêné par ce trop-plein d'amour, il ne s'insurge que si je veux lui en ôter... »

Un livre traînait sur sa courtepointe, qu'elle prit et tint un grand moment serré contre sa poitrine avant de le rejeter. Alors elle se leva de nouveau et ouvrit sa fenêtre : son front la brûlait, ou plutôt le désordre de pensées qui roulait dessous. Mais avec l'approche de l'aube le vent avait froidi, elle referma vite et se remit au chaud sous ses couvertures. Un mauvais sommeil d'épuisement l'abattit de travers sur ses oreillers alors qu'en bas la cuisine commençait déjà de s'éveiller.

18

ELLE se réveilla parce que Nénéne la secouait, avec vigueur.

« Est-il donc si tard ? » balbutia-t-elle en se redressant, les yeux lourds.

Nénéne secoua la tête :

« Pas, dit-elle. Ma'âme Pauline et ma'âme Marie dormi touzou. Mais c'est monsié dotto qui malade. Voulé tisane. Mais Nénéne dire : bisoin papa Coffi. »

Jeanne était déjà en bas de son lit. Elle dégringola l'escalier en camisole, suivie de loin par Nénéne qui s'égosillait en tendant un châle à bout de bras.

Enveloppé dans sa robe de chambre, Philibert s'apprêtait à sortir de chez lui quand Jeanne y fit irruption.

« Tu ne dors donc plus ? lui dit-il d'une voix essoufflée. Ma foi, cela tombe bien. J'ai pris de la fièvre. Je voulais aider Nénéne à me préparer une tisane fébrifuge : tu la feras aussi bien que moi. Je vais me recoucher.

— Oui, oui, recouchez-vous vite, dit Jeanne. Je vais vous faire du chiendent.

— Si tu me fais du chiendent, mets une écorce d'orange dans le pot, c'est si mauvais... »

Il avait eu beaucoup de peine à forcer le ton pour se faire entendre.

Quand Jeanne revint avec la tisane elle le trouva grelottant, bien qu'il eût la peau brûlante. Ses yeux noirs brillaient d'un éclat malsain, deux grosses pastilles rouges lui coloraient les pommettes. Il respirait mal, avouait des courbatures dans tout le corps, et sa voix avait changé de son, étrangement. « J'en conviens, j'ai pris froid », accorda-t-il à Jeanne, qui lui reprochait une nouvelle fois ses bains de mer.

En jupon et son madras noué de travers, Zoé était venue rejoindre Nénéne dans la chambre d'Aubriot.

Celle-ci, les bras ballants, de la désolation sur sa bonne face noire, regardait le malade boire son chiendent avec difficulté, à très petites gorgées coupées de reprises d'air.

« Ayoh ! Pauv' monsié dotto, bian malade, bisoin papa Coffi », chuchota-t-elle à Jeanne quand elle passa près d'elle.

Papa Coffi – un affranchi des La Barrée d'Eaux-Bonnes – était l'Africain dont tous les Noirs de Moka avaient fait leur guérisseur. Plus d'une fois, le docteur Aubriot l'avait rencontré accroupi auprès de la natte d'un esclave malade de Quatre-Epices et, assez souvent, en attendant le médecin blanc le guérisseur noir n'avait pas mal fait. L'estime condescendante en laquelle le Blanc tenait le Noir n'était pourtant pas assez grande pour que Jeanne appelât papa Coffi au chevet d'Aubriot :

« Va, Nénéne, dit-elle, va dans ta cuisine. Monsieur docteur s'arrangera bien pour se guérir tout seul. »

La négresse secoua très fort sa tête obstinée :

« Pas v'ai ça, mamzélle ! L'homme qui malade n'a pas ses zyeux pou' soigner lui. Dotto, pas dotto, bisoin les zaut'es. »

Elle ajouta sans bouger, bien que Jeanne essayât de la pousser dehors :

« Plis vaut miéux monsié dotto gagné l'honte papa Coffi guéri qué monsié dotto mouri son fiêv'e ?

– Pour Dieu, Nénéne, mais il n'est pas question de mourir ! s'exclama Jeanne un peu trop fort. Allons, va dans ta cuisine. Et fais-moi du café. »

Dès que Poivre apprit la maladie d'Aubriot il vint le voir, l'estima assez mal en point et, inquiet, de retour au Port-Louis il lui expédia le docteur Deltheil.

Les deux médecins voulurent discuter seuls un grand moment, l'un consultant l'autre. Maintenant, prêt à repartir, debout dans la salle d'entrée, le docteur Deltheil sentait le regard de Jeanne lui brûler le visage.

« Je ne puis faire aucun pronostic avant quarante-huit heures, dit-il enfin. M. Aubriot en a bien voulu convenir avec moi », ajouta-t-il avec un sourire satisfait.

Le docteur Deltheil était un ancien médecin de bord, « un barbier », qui ne se trouvait pas fâché de disputer d'égal à égal avec un grand confrère diplômé par la faculté de Montpellier. Aussi bien passait-il lui-même pour un bon médecin et l'était-il souvent, parce qu'il gardait, de son temps passé dans la marine, l'habitude de décider seul et vite sans traînasser dans le latin et de mettre la main aux soins sans se soucier de mise en scène.

« Il est dommage que mon illustre confrère ne veuille pas entendre parler de saignée, reprit-il avec un peu d'emphase. Sa fièvre est trop forte, le poumon est assurément très engoué, il faudrait le soulager. Essayez de l'y disposer. Je reviendrai ce soir avec ce qu'il faut pour préparer le vésicatoire, mais je préférerais saigner d'abord. D'ici là, tenez-le en transpiration avec beaucoup de tisane et force couvertures, et ne lui donnez rien à manger; de reste, il n'a pas faim. »

Il ramassa son chapeau et sa cravache sur la table. Jeanne l'accompagna jusque sous la varangue, et là, éprouva l'impérieux besoin d'entendre des mots rassurants avant de laisser partir le médecin :

« Vous savez, dit-elle, M. Aubriot a souffert plusieurs fois déjà de ces accès de fièvre pulmonaire, mais il s'en remet toujours à merveille, et sa santé se trouve après aussi bonne qu'avant. »

Le docteur Deltheil se contenta d'incliner la tête.

Le soir, Aubriot consentit d'être saigné, sa fièvre baissa un peu, mais remonta dans la nuit. Son confrère lui avait appliqué un douloureux vésicatoire sur la poitrine, composé de farine, de vinaigre et d'une herbe indienne hachée qui remplaçait bien et à bon marché les mouches cantharides dont manquait à peu près toujours l'apothicairerie de l'hôpital. L'emplâtre fut ôté au bout de la dixième heure, le praticien perça les cloques qui couvraient la peau de son patient, pressa doucement pour en faire sortir l'humeur claire, posa un pansement d'huile d'amandes.

Dans l'après-midi qui suivit, le malade affirma se sentir mieux. Calé contre un mur d'oreillers il semblait moins abandonné à son mal. Il toussait toujours beaucoup et, quand une quinte se prolongeait, son mouchoir se teintait d'une mousse rose, mais son point de côté avait disparu, il respirait librement, sa fièvre l'abattait moins, il alla jusqu'à s'inquiéter des plants d'arbres qu'il avait rapportés de son tour d'île pour le jardin de Quatre-Épices :

« Allons, j'en sors encore une fois sans avoir perdu trop de temps dans mon lit, dit-il à Jeanne dans un premier sourire. Mon poumon est le poumon fragile le plus solide que je connaisse. Je le tiens de famille ; chez les Aubriot on meurt pulmonique, mais jamais avant soixante et dix ans ! »

Son état demeura trois jours étale. Il s'y accoutuma avec énergie, c'est-à-dire qu'il fallut l'empêcher de trop lire et d'écrire en dépit de sa fièvre de reste. On l'avait monté dans une chambre de l'étage d'où il pouvait, mieux que du rez-de-chaussée, jouir de la vue de la nature. Il buvait sans dégoût ses restaurants [1], commençait de beaucoup critiquer les poudres et les potions de son confrère et de les sournoisement faire remplacer par des prescriptions de sa main, bref, il renaissait. On lui autorisa quelques visites, et Poivre en profita pour lui apporter le premier framboisier des Moluques qui entrait en Isle de France, et dont le capitaine d'une hourque hollandaise venait de lui faire présent.

1. Bouillons de volaille diversement enrichis.

Le petit framboisier avait été si bien empoté et si bien soigné pendant son voyage qu'il était vigoureux à merveille, et pressé de fructifier puisqu'il portait déjà quatre boutons de fleurs bien visibles.

« Vous voyez, mon ami, qu'il vous faut être sur pied au plus tôt, dit gaiement Poivre, et c'est pour vous en donner l'envie que je vous confie notre tout dernier nourrisson d'adoption. Ne manquez pas son élevage, je n'en ai pu obtenir qu'un, les Hollandais ne sont pas donnants, et je verrai avec plaisir se multiplier ce premier plant. Pour avoir goûté de ces framboises des Moluques au temps de mes aventures par là-bas je vous les assure bien plus savoureuses que nos framboises de Chine; elles iront mieux pour parfumer le vin. »

Aubriot contemplait avec un plaisir charmé l'arbuste en enfance que lui présentait l'intendant, mais il lui fit vite signe de le remettre à Jeanne :

« Votre framboisier m'enchante trop pour que je le saisisse avec des mains malades, dit-il. Les mains fraîches de Jeanne lui iront bien mieux. »

Jeanne s'en fut planter le framboisier dans le carreau d'acclimatation qu'elle faisait tenir toujours prêt. Quand elle remonta dans la chambre d'Aubriot, Poivre s'en était retiré et Philibert dormait.

Elle hésita à redescendre. Du travail l'attendait en bas dans le cabinet du naturaliste, mais de l'angoisse la reprenait, soudain, parce que Philibert endormi ainsi renversé sur ses oreillers lui semblait redevenu plus malade que tout à l'heure. Sa maladie l'avait bien changé en peu de temps. Ses cheveux, collés par la sueur et tirés en arrière par un ruban de nuque, dégageaient cruellement l'amaigrissement du visage; privé du brillant regard si mobile il avait pris la fixité d'un masque d'ivoire jauni, incongrûment coloré aux pommettes par deux pastilles de fard rouge. Elle se retint de l'appeler pour réveiller les yeux, ressusciter, dans le masque, la chaude lumière noire de la vie. Et elle se retint aussi d'effleurer la main abandonnée sur le drap, prit un livre et s'assit devant la fenêtre close. Derrière les vitres la vie rayonnait, bourdonnait, bourgeonnait, fleurissait, sentait bon. Des Noirs passaient devant la maison en levant leurs têtes vers l'étage. Elle vit lassi courir pour rattraper le petit Paul et l'entraîner, sans doute vers le badamier. L'Indienne continuait d'amener Paul jouer avec Virginie après l'heure de la sieste mais, depuis qu'Aubriot était malade, elle tenait les enfants et leurs cris éloignés de la maison. Elle vit encore arriver une vieille négresse, à laquelle Pauline achetait de petits coquillages, des bigorneaux, des tectecs, des moules ou des palourdes... Dehors, la vie poursuivait son habituel train-train harmonieux et nonchalant, paisible et gai. La vie de Quatre-Epices était déjà solide, pensa Jeanne, bien installée; elle avait bien l'air de pouvoir, sans s'éteindre, traverser vents et marées, coups durs et chagrins... Elle poussa un petit soupir à demi rassuré, jeta un coup d'œil sur Philibert qui n'avait pas bougé et reprit son livre...

Le sentiment d'un appel muet lui fit brusquement relever les yeux : le malade s'était réveillé.

« Avez-vous soif ? demanda-t-elle aussitôt en allant vers lui.

— Je dois me lever, il faut que je donne sa leçon à Michel », dit Aubriot d'une voix oppressée en faisant un vain effort, trop faible, pour repousser ses couvertures.

Elle le regarda avec stupeur :

« Que dites-vous ?

— Quoi ? » dit-il, et il ajouta une giclée de mots incohérents.

Alors elle comprit qu'il délirait.

Une seconde saignée, copieuse, lui rendit ses esprits. Il s'informa tout de suite si c'était le jour où le père Duval passait le voir.

« Depuis que vous êtes malade, il passe tous les

soirs, dit Jeanne en lui souriant. Ne vous en souvenez-vous pas ?

– Mon temps se mélange... », murmura Aubriot.

Un grand moment plus tard, comme, le docteur Deltheil reparti, ils se retrouvaient seuls dans la chambre, il l'appela :

« Jeannette... »

Elle s'arrêta de tourner la poudre d'un remède dans un verre d'eau : le moindre bruit couvrait la voix fragile de Philibert.

« Jeannette, viens t'asseoir sur le bord de mon lit. »

Pour ne pas aplatir ses paillasses, elle préféra approcher une chaise, s'assit, prit avec douceur la main brûlante du malade pour la rafraîchir contre sa joue. Il fit l'effort de lui sourire, à lèvres closes, lasses.

« Nos collections, dit-il, toutes nos collections... Elles sont pour le Jardin du Roi, toutes. Mais je compte qu'avant de les envoyer... tu y mettras de l'ordre. Ou si tu ne le veux pas... fais-les passer d'abord... à ton ami Adanson. Que lui... les prépare. Qu'on ne puisse dire qu'Aubriot a remis... au Jardin... des herbiers bâclés. Tout ce travail, mon Dieu, toutes ces études que... je laisse... en plan. Je n'ai... rien achevé... »

Il parlait en prenant de fréquents repos, d'une voix sans force, si changée qu'à l'oreille Jeanne ne l'eût pas reconnue. Par inquiétude elle se fâcha un peu, pour le faire taire :

« Est-il à propos de vous soucier de vos herbiers et de vos études, je vous le demande ? Et ne voulez-vous pas aussi que nous partions tout à l'heure à la recrue coquillière ? Je fais de mon mieux pour avancer les choses dans votre cabinet mais, ce qui ne sera pas prêt pour être donné à l'*Indienne,* nous le donnerons au lorientais suivant. M. de Buffon, que je sache, ne finira pas demain d'engranger dans son

Histoire naturelle. Buvez votre médecine, et dormez un peu. »

Il but, lui rendit le verre en lui faisant signe qu'il devait lui dire encore une chose, absolument. Elle l'aida à se bien recaler contre ses oreillers, deux fois de suite il aspira profondément comme pour se donner une réserve de souffle, et le visage de Jeanne se contracta quand l'air, avec un long râle, se fraya difficilement son chemin dans la poitrine encombrée du malade.

« Pour les sauterelles..., commença-t-il, pour venir à bout... des sauterelles, j'ai oublié... de dire à Poivre... »

Il s'arrêta, son air de réserve épuisé déjà. Puis aussi, les grandes respirations achevaient de lui trouer la tête, et alors ses idées filaient hors de lui comme de l'eau à travers une passoire.

« Plus tard », murmura-t-il, et il ferma les yeux.

Elle s'attarda encore un peu auprès de lui, à lui bassiner le front et à changer les compresses d'eau fraîche camphrée enroulées autour de ses poignets, à remonter la couverture, défroisser le drap... Il rouvrit les yeux :

« Merci, dit-il. Jeannot... »

Il la retenait par la main :

« Je n'ai pas eu le temps... de te trouver une fleur. »

Jeanne tressaillit : délirait-il encore ? Mais lui souriait presque, accentua sa pression de main, poursuivit :

« Je voulais... te donner une fleur à ton nom. Mais... il y a déjà... les jeannettes du printemps... C'est difficile... de trouver mieux ? »

Une marée de larmes noya les yeux de Jeanne. Elle n'y voyait plus. Pour se faire petite elle s'agenouilla au chevet du lit, essuya ses larmes au drap, posa un baiser sur la main de Philibert, qui lui brûla les lèvres :

« Je vous aime tant et tant, dit-elle en avalant le

reste de ses pleurs. Je suis si heureuse de savoir que vous me cherchez une fleur. Oh ! pour le coup, celle-ci, je ne vous aiderai pas à la trouver, il faudra, s'il vous plaît, que vous la découvriez tout seul ! »

Comme pour lui signifier « Ecoutez-moi encore un peu » il donna une faible secousse à sa main sur laquelle Jeanne avait posé la joue. Aussitôt elle lui offrit ses grands yeux d'or mouillé et il dit autre chose que ce qu'il avait peut-être voulu dire, il dit :

« J'essaierai... »

Elle vit qu'il avait refermé ses paupières. Elle se releva et s'en alla appuyer son front à la vitre de la fenêtre. Sur les verdures de Quatre-Epices sa pensée dessinait des fleurs inconnues, blondes et longues, pour que M. Philibert en pût choisir une, la mieux réussie, qu'il baptiserait Jeanne, en latin. Comment diable s'y prendrait-il pour parvenir à contorsionner « Jeanne Beauchamps » en latin de botanique ?

On grattait à la porte. Elle fit entrer le père Duval.

Sous la varangue déserte elle s'était laissée tomber dans un fauteuil de rotin et endormie tout de suite. Depuis six jours, elle avait accumulé tant de retard de sommeil qu'elle s'endormait dès qu'elle se retrouvait seule en sachant Philibert sous bonne garde.

Saint-Méry passa, s'arrêta et demeura à la contempler, le dos calé contre un pilier.

Comme si elle avait pressenti l'occasion de gémir son chagrin dans une oreille familière Nénéne parut au seuil de la maison, se poussa jusqu'à Saint-Méry :

« Ayoh ! soupira-t-elle tout bas, ses gros yeux ronds apitoyés sur sa maîtresse, pauv' mamzelle, lé cœur malade, bisoin Bon Dié soulaze... »

Et soudain, elle se mit à chuchoter d'un ton de commandement :

« Monsié mâquis faire cercer papa Coffi ! Mamzélle perdi lé temps, pauv' monsié dotto bisoin papa

Coffi, pas allé bian di tout, monsié mâquis faire quiqué çose !

– Chut ! fit Saint-Méry, voyant que Jeanne avait bougé...

– Retourne dans ta cuisine, Nénéne, reprit-il une seconde plus tard. Laisse mamzélle Jeanne dormir un peu, je te promets de revenir tout à l'heure lui parler de papa Coffi.

– Vous perdi vous lé temps ! » dit sévèrement Nénéne avant de disparaître.

Nénéne partie, Saint-Méry s'attarda à aimer de loin la belle endormie, et ce fut ainsi que Pauline le trouva.

La créole se figea en l'apercevant. Elle était très pâle, et ses deux mains accrochées l'une à l'autre. Ses yeux noirs s'enfoncèrent dans les yeux pâles de Saint-Méry, et ce fut suffisant pour ce qu'elle avait à lui dire. Saint-Méry battit des paupières, reporta son regard sur Jeanne...

« Il faut pourtant bien que je la réveille ? » murmura Pauline.

Elle s'approcha sans bruit de la dormeuse, au moment de la toucher lui donna encore un instant de grâce, puis elle lui pressa l'épaule :

« Ma chérie, le père Duval demande à vous voir... là-haut... »

...

Le hurlement : « Non ! » que poussa Jeanne fut d'une force si inhumaine qu'il atteignit jusqu'aux enfants jouant à écouter M. de Saint-Pierre sous le badamier. Marie lâcha sa broderie, troussa sa jupe à deux mains et se mit à courir vers la maison...

19

DEUX mois environ après la mort du docteur Aubriot – c'était un dimanche matin – Pauline, assise sous la varangue, donnait à Nénéne et à Zoé ses ordres pour les repas de la journée.

« Je pourrais faire une crème à la vanille ? proposa Marie. Naguère elle aimait bien ma crème à la vanille; peut-être en mangerait-elle volontiers ?

– Faites-la toujours », dit Pauline.

Nénéne soupira énormément :

« Manzé pas, dourmi pas, plis pire causé pas : ça n'a pas bon di tout. Resté dans l'île l'étang faire di l'eau su' la tombe ou fermée dans son chamb'e... Ayoh ! ma'âme Pauline, ça n'a pas bon. L'heure c'est douléur terrible, gagné maladie. Mamzélle voulé gagné malade, voulé mouri. L'âme au vent dézà.

– Mais non, murmura Pauline, presque pour elle-même, cela passera, cela finira bien par lui passer. Elle est trop jeune, ou trop vieille, pour se laisser mourir de chagrin.

– Oh ! fit soudain Marie, voyez donc qui nous arrive... Quelle bonne idée ! Je reprendrais bien nos habitudes du dimanche, moi... »

Pierre Poivre, à cheval et au petit trot, remontait l'allée de Quatre-Epices, escorté par un soldat de la garde.

« Nous gagné dou monde manzé ? » grogna Nénéne, choquée de n'avoir pas été avertie.

Les deux dames s'avancèrent hors de l'ombre pour accueillir l'intendant.

« Je suis venu prendre des nouvelles de Jeanne, dit-il tout de suite. J'ai vu don José hier, qui m'a longuement parlé d'elle. Il m'a inquiété.

– Elle ne se remet pas, dit Pauline. Pas encore. C'est trop tôt.

– Elle n'accepte pas, dit Marie. Mais aussi... »

La jeune veuve marqua un temps d'arrêt assez long, comme si elle s'appliquait à se souvenir, à comparer...

« La peine de Jeanne est une peine de petite fille, dit-elle enfin. Une peine... absolue. Et sans doute qu'une peine de petite fille est bien trop forte pour une femme. Vous le savez bien... »

A nouveau, elle prit une pause, pour chercher des mots justes avant de reprendre :

« Vous le savez bien, son amour pour M. Aubriot lui était venu dans son enfance, il a été déposé dans son cœur comme une croyance. Alors elle se fiait à lui comme on se fie à l'air qu'on respire, en étant bien sûre qu'il y en aura toujours.

— Je sais cela, dit Poivre. Mais je sais aussi... »

Il les fixa l'une et l'autre, acheva d'un ton bref :

« Je sais tout. Don José m'a tout raconté.

— Tout ? fit Pauline.

— Il m'a raconté Jeanne et le chevalier Vincent », lui précisa Poivre, sans nécessité.

Marie détourna la tête, affreusement gênée.

Pauline était demeurée fort calme :

« Je ne suppose pas, dit-elle assez froidement, que don José tenait de Jeanne son ambassade ? Pourquoi donc cette indiscrétion soudaine ?

— Il a bien fait, dit Poivre. Je suis un ami. »

Décroisant ses jambes, il se pencha familièrement vers ses deux hôtesses comme pour accentuer le climat d'amicale confidence :

« J'aime tendrement Jeanne, reprit-il. Elle a fait partie des jeunes filles qui me donnaient des idées de père de famille rangé au temps de mon célibat endurci : cela ne s'oublie pas. Aujourd'hui, la voilà en deuil d'un ami qui m'était proche par l'esprit et très cher, et je voudrais l'aider à revivre. Qu'elle soit en plus l'épouse d'un corsaire dont j'ai un pressant besoin au Port-Louis ne fait que renforcer, bien égoïstement, mon envie de la sortir de sa retraite. »

Il y eut un court silence avant que Pauline ne dît, tristement :

« L'aider... Elle s'enferme dans son chagrin avec férocité. Nous abandonne la plantation et la maison. Elle n'a même plus de goût pour ses fleurs; elle a laissé Saint-Méry repiquer lui-même des boutures d'œillets rares, comme si elle trouvait inutile de travailler à embellir la nature depuis qu'Aubriot n'est plus là pour en jouir. Je l'ai vue jardiner une seule fois en deux mois, quand elle est allée planter l'une de ces lianes qu'elle appelle bougainvillées dans l'îlot de l'étang, sur sa tombe.

— Parle-t-elle du chevalier Vincent ?

« Dieu, non ! Certes, non ! » se récrièrent en même temps Pauline et Marie, puis Pauline poursuivit :

« Le nom de Vincent la brûle. Exprès je l'ai prononcé plusieurs fois devant elle : j'ai vu que je lui appliquais chaque fois un fer rouge sur le cœur.

— Elle se déteste d'avoir aimé le chevalier, dit Marie. Elle se fait horreur. Elle croit, je suis sûre qu'elle croit que Dieu l'a punie de sa duplicité en lui ôtant le docteur Aubriot.

— Je vais la voir, décida Poivre. Où est-elle, en ce moment ?

— Recluse dans sa chambre, comme toujours lorsqu'elle n'est pas sur la tombe d'Aubriot, dit Pauline.

— Je monte », dit-il.

Comme il s'allait lever Pauline le retint assis d'un geste :

« Au moins, pria-t-elle, prenez garde. De quelque manière douce que vous posiez le doigt sur son mal, au lieu de soulager vous faites un bleu.

— Je n'ai pas l'intention de chercher à la consoler avec des mots, dit Poivre. Je voudrais la charger d'une mission. »

Elles l'interrogèrent des yeux.

« Je veux l'envoyer me chercher au Cap le corsaire dont j'ai besoin », dit-il en réponse.

Passé l'instant de l'ébahissement, Pauline réagit la première :

« Voilà une nouvelle, monsieur l'intendant, qui me semble mériter une ample explication.

— De bon cœur », sourit Poivre.

Il se recala dans son fauteuil, recroisa ses jambes :

« Je manque terriblement de bons vaisseaux bien commandés, auxquels je pourrais confier des expéditions délicates. Le duc de Praslin m'en a promis, mais je ne les vois pas venir. De toute manière, le ministre ne m'enverra jamais ni ses meilleures frégates, ni ses Duguay-Trouin. Or, c'est ce qu'il me faudrait : deux ou trois frégates bonnes marcheuses aux mains de deux ou trois honnêtes rapaces de la course. Ne me demandez point pourquoi... »

Pauline le coupa d'un rire léger :

« Monsieur l'intendant, c'est un secret de polichinelle ! Vous êtes impatient d'envoyer voler des épiceries chez les Hollandais, gêner le commerce anglais dans les eaux indiennes, et ne seriez point fâché qu'on vous rapportât, de temps en temps, une belle cargaison de marchandises de Canton piratée à un pirate chinois. On comprend qu'il vous faille des corsaires. Mais, justement, je m'étais laissé dire que vos projets conviendraient à merveille aux goûts du chevalier Vincent, et qu'il s'apprêtait de lui-même à rejoindre le Port-Louis ?

– Je l'attendais en effet », dit Poivre en fouillant du regard le visage de Pauline.

« Que sait-elle des intentions de Vincent ? » se demandait-il. Comme toute personne de la société lyonnaise, Poivre avait été au courant de la liaison de la belle créole de Vaux et du chevalier Vincent. Mais cette histoire ne datait pas d'hier. Et à présent que Vincent avait épousé Jeanne.. Il poursuivit son explication :

« En fait, dit-il, j'attends le chevalier ici depuis bien avant mon départ de France. Le duc de Praslin lui-même avait arrangé la chose. Vincent aurait même dû me précéder dans l'océan Indien et en profiter pour reconnaître le golfe du Bengale avant de revenir se baser au Port-Louis. Comme vous le savez, les Portugais l'ont retardé. Mais il continue de tarder, et cette fois sans bonne raison. Je veux dire : peut-être pour une raison qui me déplairait fort.

« – Vraiment ? fit Pauline, tendue à l'extrême. Laquelle ? »

Poivre ne satisfit pas d'emblée sa curiosité :

« Connaissez-vous le comte de Maudave ? demanda-t-il.

– Je l'ai rencontré deux fois après son retour de France et avant qu'il ne reparte pour Madagascar, dit Pauline.

– Il a soupé ici un soir, ajouta Marie. Il était plein d'idées pour civiliser la Grande île et en faire la plus heureuse des provinces françaises.

– Oui, dit Poivre avec ironie, Maudave rêve d'être le sultan d'une Arcadie de Madagascar tout comme Saint-Pierre se voudrait le pasteur d'une Arcadie d'Isle de France. J'ai vu ces deux grands faiseurs du bonheur de l'humanité s'âprement quereller sur les bons moyens de le faire ; Saint-Pierre voulait lire l'Evangile à un peuple de laboureurs et d'artisans vertueusement pauvres ; Maudave voulait lire l'*Encyclopédie* à un peuple de commerçants habiles à s'enrichir : ils se sont brouillés à mort ! Au moins Maudave, plus réaliste, avait-il embarqué de France avec lui tout ce qui lui semblait utile au gouvernement de ses futurs sujets : des secrétaires, des valets, des acteurs, des danseuses, des cuisiniers, plus tous les volumes de l'*Encyclopédie*. Le voilà maintenant campé au Fort-Dauphin [1] avec son monde et sa bibliothèque, et il s'aperçoit qu'il lui faudrait bien aussi quelques ingénieurs pour relever sa capitale en ruine, et quelques marins pourvus de vaisseaux pour en faire un port marchand. Il me déplairait de voir l'un de nos meilleurs corsaires se laisser tenter par l'aventure du Fort-Dauphin.

– Mais pourquoi penser que le chevalier Vincent se laisserait tenter ? » s'étonna Pauline.

Poivre eut un coin de sourire :

1. Premier établissement français à Madagascar, ordonné par Henri IV à la fin du XVIᵉ siècle.

676

« Madame, les corsaires ont les défauts de leurs qualités. L'indiscipline marchant avec l'audace, ils sont assez enclins à poursuivre une tentation qui passe. Les mouillages bien abrités du regard de Versailles n'ont rien pour leur déplaire et, pour l'instant, le Fort-Dauphin ressemble assez bien à un port où la piraterie serait à l'aise. Au Port-Louis je ne veux qu'un nid de corsaires honnêtes, qui feront la course pour le Roi. Je sais que le comte de Maudave a le parler plus libéral, et donc plus séduisant.

— Mais avez-vous appris une chose plus précise ? insista Pauline. Car enfin vous avez bien su, comme nous, par le capitaine don Rafael, que le chevalier Vincent était sans doute en route pour le Port-Louis, à une vingtaine de jours derrière le *San Isidro* ?

— Madame, il y a de cela dix semaines, remarqua Poivre.

— Je sais, murmura Pauline, et sa main se crispa sur sa jupe.

— Non, madame, dit Poivre ayant noté le geste, la mer n'y est pour rien. *Belle Vincente* était en effet à vingt jours derrière le *San Isidro*... mais elle s'est arrêtée au Fort-Dauphin. Elle y est demeurée un mois environ et puis elle est repartie pour Le Cap, chercher Dieu sait quelles marchandises de nécessité pour les colons du comte de Maudave, dont l'Arcadie est encore fort démunie. Voilà-t-il pas qui prouve au moins la sympathie du chevalier Vincent pour la folle entreprise ? »

Pauline et Marie, rendues muettes de surprise, s'interrogeaient du regard.

« Monsieur, on vous aura trompé, dit enfin Marie, résolument. Jeanne m'a lu les lettres de son chevalier, et je ne puis croire qu'il soit venu si près d'elle sans venir jusqu'à elle.

— Mon amie, dit Poivre, on nous renseigne ici assez bien sur ce qui se passe au Fort-Dauphin. On ne m'a pas trompé. »

Il n'ajouta pas que Dumas et lui — pour une fois

d'accord quoique séparément – faisaient espionner Maudave de leur mieux, et de même d'ailleurs qu'ils faisaient espionner M. de Crémont, le gouverneur de l'île Bourbon, parce qu'ils étaient tous les deux très décidés à faire, du Port-Louis, l'unique capitale de la France indienne, et donc décidés à entraver tout réveil de Fort-Dauphin comme tout essor de Saint-Denis.

« On ne m'a pas trompé, répéta-t-il. Voilà pourquoi je dois agir. Je ne laisserai pas un corsaire d'envergure, dont j'ai besoin, travailler à l'utopie de Fort-Dauphin. Ma première idée avait été de lui dépêcher don José, puisqu'il est son ami...

– Don José ne bougera certes pas de Belle-Herbe avant qu'Emilie n'ait fait ses couches, glissa Marie.

– Il me l'a confirmé, dit Poivre. Il ne veut pas aller au Cap, mais ne serait pas fâché que j'y envoie Jeanne. Car lui aussi se perd en conjectures sur les mouvements du chevalier Vincent. »

Marie secoua la tête :

« Envoyer Jeanne... Elle n'est en état que de pleurer, je vous assure.

– Ici, dit Poivre. Mais peut-être que ses larmes se noieraient dans la mer ? Ou au bout de la mer ? Je me ressouviens du chevalier Vincent comme d'un homme fort séduisant.

– Croyez-vous vraiment, monsieur, qu'elle accepterait de partir à la recherche d'une consolation ? s'écria Marie, très choquée.

– Non, dit Poivre. Mais pourquoi diable aurais-je la sottise de lui proposer un voyage de divertissement ? Je compte lui offrir une très officielle mission à remplir pour le gouvernement de l'Isle de France, rien de moins. De reste, comment lui parlerais-je des consolations qu'elle pourrait trouver dans la vue du chevalier Vincent ? J'ai déjà oublié la confidence de don José. »

Ses mains enlacées abandonnées sur sa jupe noire, les yeux lointains, Jeanne se taisait. Son menton tremblait. Visiblement, elle dut faire un grand effort pour centrer son regard sur celui qui attendait qu'elle parlât.

« Votre proposition me surprend si fort..., dit-elle. En fait, elle me stupéfie. »

Son regard se fit méfiant :

« Et pourquoi vouloir me confier, *à moi,* une telle mission ? A moi, une femme ! »

Poivre prit l'air gentiment malicieux :

« Vous m'avez fait un jour remarquer que le Roi n'employait pas assez de femmes à son service – j'entends au service de ses affaires. En vous appelant à servir l'intendant de sa colonie d'Isle de France je vous appelle aux affaires du Roi. »

Comme, peu convaincue, elle continuait de l'épier, il ajouta :

« Le rôle d'ambassadrice me paraît bien convenir à une femme : il faut convaincre.

– Vous dites « convaincre », mais vous pensez « plaire », corrigea-t-elle vivement.

– Convaincre, plaire : c'est tout un, pour un homme comme pour une femme. Croyez-vous qu'on ait jamais convaincu un adversaire avec ses idées ? D'expérience, Jeanne, je vous assure qu'un adversaire est rarement assez inhumain pour vous offrir ce plaisir !

– Vous badinez, dit-elle.

– Non pas, m'amie, non pas. Une ambassade dont on espère un résultat est un jeu du chat et de la souris, mettre une chatte dans le jeu me paraît un bon atout pour moi. Une femme observe plus finement qu'un autre homme les mouvements d'un homme, sa faiblesse lui a donné des armes subtiles pour le deviner, le contrer, le vaincre. »

Elle eut un sourire triste :

« Vous voyez la chose de votre côté. Il s'en faut

qu'une femme soit si bien assurée de son empire sur les hommes. »

Elle soupira, revint à leur propos d'importance, soupçonneuse toujours :

« Monsieur, ne m'avouerez-vous pas tout franc pourquoi vous m'avez choisie, moi, en ce moment que je n'ai plus ma tête, pour essayer de m'envoyer parlementer avec le chevalier Vincent ?

— M'amie, je viens de vous le dire : j'essaie de mettre dans mon jeu, contre un allié dont j'ai besoin et qui semble déserter mon parti, une femme d'esprit que je sais attachée au bien de l'Isle de France. »

Jeanne continuait de dévorer à grands yeux incrédules le visage de l'intendant, mais celui-ci était aussi benoît, candide et lisse qu'un visage diplomatique.

Il expliqua, pour endormir sa méfiance :

« Il est vrai que j'ai autour de moi beaucoup d'hommes pressés de me servir et même de me rendre leur obligé, mais vous savez comme moi que je pourrais sans doute compter sur les doigts de ma seule main les colons qui veulent faire de cette île plus qu'une terre de traite ou de pillage, qui veulent en faire sincèrement leur pays. J'ai toujours cru que la dame de Quatre-Epices serait une Française de l'Isle de France, j'ai cru ce qu'elle m'a dit plusieurs fois : que de longue date, dans ses rêves, elle avait choisi ce pays pour être son pays. Qui, mieux qu'une patriote, peut vanter à un allié hésitant les charmes de son pays ?

— Mon pays..., murmura Jeanne, et des larmes lui montèrent aux yeux, qu'elle s'efforça de boire. Je n'ai plus de pays, monsieur. Il n'y a plus d'abri au monde pour moi, nulle part... »

Poivre fut bouleversé par les quelques mots d'abandon de sa jeune amie. Instinctivement, il se leva pour aller se rasseoir plus près d'elle, lui saisit une main qu'il garda pressée contre sa poitrine, cherchant à la réchauffer d'un peu de son chagrin si désespéré.

Dans sa jupe et son caraco noirs sans un seul ornement, elle faisait pitié. La couleur obscure lui donnait un corps encore plus mince que son naturel et pâlissait l'ambre de son teint. Des cernes bistre avaient démesurément agrandi ses yeux trop brillants d'un reste de fièvre ou d'un reste de pleurs, on ne voyait plus que ces deux lacs d'or dans la figure aux joues mal nourries, d'autant plus que les cheveux, tirés en arrière, avaient été serrés dans une grosse bourse de satin gommé noir. A la toucher Poivre la sentait trembler imperceptiblement, continûment, comme tremble un personnage de fontaine jaillissante, comme si elle était traversée par une colonne de larmes tournant pour le moment en circuit fermé.

« Jeannette... », commença-t-il doucement.

Elle le coupa tout de suite :

« Non, dit-elle. Je vous sais tellement gré d'être venu pour me parler d'autre chose que de me consoler. N'essayez pas maintenant. Je ne veux pas être consolée. Ma joie de vivre s'est arrêtée, voilà. Un jour, brutalement, le temps d'un soupir, ma joie de vivre s'est arrêtée. Qui pourrait quoi contre cela ?

– Le temps, Jeannette. J'ai bien le sentiment de vous dire là la pire banalité, mais ne trouve pas une originalité qui soit plus vraie.

– Pas vous ! pria-t-elle en pressant la main qui tenait la sienne. Je ne veux pas que ceux qui l'ont aimé aussi me parlent de laisser passer le temps, comme s'ils me conseillaient l'oubli parce qu'eux savent déjà qu'ils oublieront, et cherchent à s'en absoudre en me promettant la même distraction pour un peu plus tard. Toutes les absences ne s'effacent pas.

– Une grande absence ne s'efface pas mais elle cesse de saigner; elle cicatrise, dit Poivre en regardant sa manche vide. Elle vous devient une présence endormie très fidèle, qu'on apprend à emporter avec

681

soi à travers sa vie, à travers ses travaux et ses autres peines et même à travers ses joies.

— Non, non ! dit-elle avec véhémence en dégageant sa main. Ce serait trop facile ! J'aurais vu mourir M. Philibert et je reprendrais demain mon train-train d'avant sa mort ? Je profiterais du printemps, du ciel bleu, des arbres et du chant des oiseaux, de la beauté des fleurs et des coquillages, je profiterais de tout ce qu'il adorait alors que lui n'a plus rien ? »

Les larmes avaient fini par submerger sa volonté; elles ruisselaient sur ses joues, et Poivre soutenait avec peine l'éclat de ce chagrin sans bornes, qui, maintenant, bégayait des mots enfantins entrecoupés de sanglots :

« Plus rien, il n'a... plus rien, cela... se peut-il ? supporter ? Lui qui aimait tant de choses, qui savait mieux que personne jouir du bleu d'un... bleuet, du rose d'une coq... quille. Lui qui voyait si bien qu'il m'apprenait encore à voir, comment pourrais-je supporter qu'il n'ait plus rien ? Il n'a plus rien. Plus rien... que du noir. Oh ! non ! Oh ! non ! Je ne veux pas ! »

Il dit avec vigueur :

« Jeanne, Dieu existe !

— Non, dit-elle farouchement, non, Dieu n'existe plus ! Le Dieu qui a fait la splendeur du monde n'aurait pas permis que se ferment à elle les yeux de M. Philibert et qu'il n'ait plus que du noir à regarder. »

Poivre cita, d'une voix apaisante :

— « O Aurore qui n'est encore que le point du jour pour notre terre, mais qui déjà brille comme le plein midi aux célestes plages, reçois-le au sein de la Lumière... »

Elle moucha ses larmes :

« Le séminaire vous a enseigné à vous satisfaire de tous les scandales, dit-elle avec amertume. Je ne crois pas, moi, que la mort soit une aurore. »

Il y eut un très court silence, puis elle ajouta vite :

« Je vous demande pardon. Si je vous ai blessé, je vous demande pardon. Votre amitié m'est bien chère.

— Alors, qu'elle vous soit un secours, Jeannette. Obéissez-lui quand elle vous conseille de ne pas demeurer enfermée dans votre chambre. »

Elle se leva et marcha jusqu'à la fenêtre, laissa son regard flotter sur les capucines de l'esplanade, dont l'exubérance ne cessait de croître depuis qu'on les laissait aller. Poivre vint se poster près d'elle, qui dit, désignant du menton le tapis de capucines :

« Quand je contemple une fleur, je la vois autant avec ses mots qu'avec mes yeux. Et quand je dis : avec mes yeux... »

Pour la première fois, il la vit sourire un peu, tandis qu'elle poursuivait :

« Mes yeux mêmes ne sont pas que mes yeux : c'est avec les siens que j'ai appris à reconnaître les formes et les couleurs de la nature. La moindre clochette de campanule bleu d'azur je la vois à quatre yeux, et c'est avec la voix de M. Philibert que je l'entends me dire qu'elle aime bien les terres calcaires et sèches. »

D'une main ferme Poivre la força à lui faire face :

« Jeanne, m'amie, ne venez-vous pas de vous assurer, et à merveille, que tant que vous pourrez regarder une fleur les yeux d'Aubriot ne seront pas éteints ? »

Elle s'abattit sur l'épaule de l'intendant, étouffée de nouveaux sanglots. Il la conduisit se rasseoir et attendit qu'elle se fût calmée.

« Vous avez bien fait de venir, dit-elle quand elle eut repris son sang-froid. Merci.

— Vraiment ? Dans ce cas, je reviendrai bientôt. Nous reprendrons notre conversation de tout à l'heure... à propos de votre mission au Cap.

— Oh ! fit-elle, cela est une autre chose. Je ne crois pas que j'aie envie de bouger d'ici.

— Mais si, dit Poivre. Vous aurez envie de partir, au moins pour un moment, quand je vous aurai appris la prochaine arrivée d'une ambassade du duc de Richelieu, qui vient pour vous.

– Quoi ! sursauta-t-elle, doutant d'avoir bien entendu. Qu'avez-vous dit ? »

Poivre la contemplait en souriant :

« J'ai dit qu'une ambassade du duc de Richelieu nous arriverait bientôt, pour savoir de vos nouvelles.

– Il ne manquait plus que cela ! jeta-t-elle d'un ton de colère. Le duc se souvient-il encore de moi, vraiment ?

– Jeanne, vous ne faites pas partie des rêves qu'on oublie facilement », dit Poivre.

Brusquement, Jeanne réalisa ce que signifiait le propos de l'intendant :

« Ainsi, pour le duc, vous savez ? interrogea-t-elle. Qui donc vous a mis au courant de cette sotte aventure de ma vie parisienne ?

– Le courrier qui était sur l'*Argonaute*. Il nous apprenait, entre autres, que nous aurions à accueillir, loger et aider dans leurs recherches des gens de Mgr le duc de Richelieu en quête d'une demoiselle Jeanne Beauchamps, une appointée du duc lui ayant faussé compagnie, sans doute pour courir jusqu'en Isle de France.

– Une appointée du duc ! releva Jeanne, outrée.

– Calmez-vous, dit Poivre. Ni Dumas ni moi ne croyons cela. La feuille de petites nouvelles à la main qui accompagne toujours les plis officiels nous a raconté l'histoire dans sa vérité; du moins dans une vérité qui ne vous fait pas tort.

– Dans ce cas, ne me dites pas que le gouverneur accepterait de me livrer aux gens du duc pour qu'ils me reconduisent à la chaussée d'Antin, dans le lit de leur maître ?

– La loi d'ici est la loi de France et, certes, elle ne donnerait pas raison à la requête du duc. Mais je ne sais quelles gens il nous envoie, qui pourraient se conduire avec vous de façon déplaisante, fût-ce en public. D'après l'*Argonaute,* le prochain lorientais devrait être ici dans une vingtaine de jours. A ce moment-là, soyez en mer plutôt qu'ici, vous vous éviterez une rencontre peu agréable, et nous aurons moins de peine à convaincre les gens du duc que vous n'êtes plus en Isle de France. »

Ils demeurèrent un long moment silencieux avant que Jeanne ne dît, très bas :

« L'idée de quitter Quatre-Epices, même pour un petit temps, me fait peur. Il me semble que je ne dois plus jamais bouger d'ici. Ici, *avant* dure encore. Ici, j'arrive à croire que la vie de M. Philibert ne s'est pas achevée... »

Elle hésita à poursuivre, parce que mettre sa douleur en phrases n'était pas aisé. Elle finit par murmurer, en prenant des pauses :

« Son dernier mot pour moi a été : « J'essaierai. » Il le disait à propos d'une fleur nouvelle qu'il voulait découvrir... pour lui donner mon nom. Il m'a dit : « J'essaierai », et puis je ne l'ai plus entendu, jamais. Jamais. Depuis, je me répète ce mot souvent, avec une stupeur qui ne s'atténue pas. Car enfin, monsieur, « J'essaierai » peut-il être le mot de la fin d'une vie ?

– Jeanne, dit Poivre, tout disparu aimé laisse derrière lui une vie inachevée. »

Il lui posa sur le front un baiser de tendresse :

« A bientôt, m'amie. Pensez à mon offre. Promettez-moi d'y penser beaucoup, même pour la trouver folle. »

Elle ne cessait plus d'y penser. Poivre lui avait donné un alibi pour ne plus rejeter au fond d'elle-même, comme une douceur que lui défendait sa robe noire, l'image du chevalier. Des souvenirs, des tendresses, des soucis et même des chagrins lui revenaient dont Philibert était absent, tout comme si de *petits* chagrins pouvaient encore exister pour elle :

Pourquoi don Rafael ne lui avait-il pas apporté une lettre de Vincent ?

Pourquoi Vincent était-il venu au Fort-Dauphin sans venir jusqu'au Port-Louis, jusqu'à Jeanne ?

Pourquoi était-il reparti pour Le Cap sans lui envoyer un message ?

L'amertume lui emplissait la bouche pendant qu'elle tournait et retournait ces questions dans sa tête. Elle n'y trouvait aucune réponse plausible autre que la légèreté d'un corsaire happé par une belle aventure de rencontre et qui prend la course en oubliant pour un temps tout le reste. Ne lui avait-il pas dix fois vanté la grisante magie du présent de la mer ? Dit que la mer savait vous débarrasser du passé et de l'avenir, de la veille et du lendemain ? Certes, elle devait s'efforcer beaucoup pour croire qu'elle aussi, Jeanne, pouvait désormais faire partie du passé de Vincent comme une quelconque autre péripétie de sa vie, et même, elle n'y croyait qu'en en doutant. Mais les faits étaient là. Et à s'appesantir sur les faits une colère contre Vincent lui venait, de plus en plus vive, qui bousculait son mal de Philibert. L'absence de Vincent devenait une désertion, son silence, de l'indifférence. Il aurait dû deviner. Il aurait dû être là, à lui tenir la main pour qu'elle fût moins perdue dans des larmes moins âcres. Mais au lieu de cela il s'occupait joyeusement au Cap, à préparer sa romanesque aventure avec le comte de Maudave. Le grand rire blanc éblouissant de Vincent la narguait, et alors elle l'imaginait, sa journée de capitaine achevée, qui soupait au Nieuland, dans la charmante maison de plaisance du gouverneur, et après le souper promenait une Hollandaise blanche et rose comme porcelaine sous l'écarlate floraison parfumée des grenadiers. Et comme, bienveillamment, l'intendant Poivre avait transformé en devoir d'Etat l'envie qui la prenait de s'en aller débarquer impromptu dans les mystérieuses affaires de Vincent, elle laissait sans remords son envie s'aviver.

« Au fond, c'est un Maure, lança-t-elle un matin, brusquement, à Pauline qui était en train de vérifier le repassage des servantes. Il a une nature d'homme maure, insensible à ce qui touche une femme. On sait bien que, pour un Maure, les femmes ne sont que de plaisants objets destinés à attendre, vautrées sur des coussins, le bon vouloir du maître. Des faits et gestes du maître elles n'ont à connaître que ce qu'on leur en veut bien lâcher, et ne sont pas censées s'interroger sur ce qu'on oublie de leur jeter. C'est un Maure ! »

Pauline, qui n'avait pas suivi le long cheminement secret de la pensée de son amie, saisie, lui lança un regard quêteur : c'était la première fois, depuis le drame, que Jeanne ébauchait un autre sujet que Philibert Aubriot; c'était même la première fois qu'elle ouvrait la bouche la première pour en sortir plus de trois mots. Pauline eut un sourire :

« Vous parlez de Vincent, je suppose ?

— Et de qui d'autre ? » jeta Jeanne, s'appliquant à la sécheresse.

Pauline posa dans la corbeille à lingerie une dernière camisole, donna une tape au bouffant d'un volant, fit signe à Suzon qu'elle pouvait emporter la corbeille et vint s'asseoir auprès de Jeanne :

« Irez-vous au Cap ? demanda-t-elle tout de go.

— Mais non, voyons ! Y pensez-vous ?

— Pourquoi n'iriez-vous pas au Cap ? L'idée de Poivre m'a paru bonne. Vous aimez la mer. Vous balancer un peu sur la mer vous ferait du bien.

— Je pourrais tout aussi bien m'aller balancer en mer avec l'abbé Rochon. Il va repartir pour les Seychelles et il ira jusqu'à Ceylan. »

Immanquablement, ce qu'elle venait de dire lui rejeta l'âme dans le paradis perdu, dans les dernières journées bleu et or qu'elle avait vécues avec Philibert quand l'abbé astronome les avait emmenés au large de l'île aux Bénitiers, et puis jusqu'à l'île aux Aigrettes en cabotant tout au long de la côte sud. Jamais plus. Jamais plus elle ne se moquerait de la vieille veste de laine râpée et du vieux chapeau que Philibert traînait sans vergogne dans les plus beaux paysages du monde. Jamais plus son ombre sur le sable, et Jeanne s'amusant à marcher dessus. Jamais plus leur double cri de joie devant une fleur nouvelle. Jamais plus, sur le visage de Jeanne, l'explosion d'une poignée de feuilles d'acacia. Jamais plus sa voix la tirant joyeusement d'une sieste sous un cocotier : « Allons, Jeannot, debout ! Nous avons le monde à moissonner ! » Jamais plus Jeannot. Mort, Jeannot, à l'instant même où mourait la voix de M. Philibert. Précipitamment, elle crispa ses paupières...

« Je ne crois pas du tout que repartir avec l'abbé Rochon vous serait bon en ce moment, était en train de lui dire Pauline.

— Rassurez-vous, dit Jeanne, je ne faisais que parler pour ne rien dire. Je n'ai pas plus envie de partir pour Ceylan que pour Le Cap. »

Elle se leva, s'anima :

« Et je voudrais bien qu'on cessât de m'importuner en me proposant des divertissements !

— Ma chérie, c'est une mission, et non un divertissement, que notre ami Poivre vous est venu proposer, rectifia Pauline, doucereusement.

— Eh bien, je ne me soucie pas de la remplir. Je ne me soucie pas d'aller chercher au Cap les bonnes raisons qu'a eues Vincent de ne point venir au Port-Louis. Le chevalier ne manque pas de vanité. Il me déplairait qu'en me voyant arriver au Cap il s'imaginât que j'y viens à sa reconquête. »

Pauline eut un sourire de mélancolie :

« Vous savez, dit-elle, la reconquête d'un marin est à faire et refaire souvent. »

La réflexion rappela à Jeanne, malencontreusement, qu'en fait d'expérience de Vincent, Pauline avait sur elle l'avantage de nombre d'années. Une remontée de jalousie contre la dame de Vaux la mit tout à fait de mauvaise humeur :

« Je ne prendrai certes pas cette habitude-là. Je n'ai pas, moi, la bienveillance d'une hôtesse de port, dit-elle d'un ton blessant, puis, soudain furieuse de sa petite perfidie, brutalement elle mit fin à l'entretien :

– Pardonnez-moi, mais je dois aller préparer les caisses de coquilles et de plantes que je veux donner à l'*Argonaute.* »

Avant de franchir la porte elle se retourna :

« Pauline, s'il vous plaît, ne me parlez plus jamais de cette mission au Cap. »

Elle sortit, revint sur ses pas, ajouta d'un tout autre ton :

« A propos, j'ai remarqué que Favori, le chien de M. Saint-Pierre, en prenait à son aise avec les fleurs de l'esplanade. N'estimez-vous pas que son maître le devrait un peu discipliner ? Il adore son chien, mais moi, j'adore mes capucines. »

« Elle va mieux », pensa Pauline.

« Elle va mieux », dit-elle à Marie dès qu'elle la vit.

Le doux visage clair de Marie s'illumina :

« Consent-elle d'aller au Cap ?

– Pas encore, dit Pauline. Mais elle commence à se défendre d'y aller. »

La lettre de Vincent, qui survint le surlendemain, finit de décider Jeanne au voyage, dans un grand élan de rage.

Elle était enfermée dans le cabinet d'Aubriot, à travailler, quand l'Amadou la lui apporta :

« Ça vient du Fort-Dauphin par *La Navette,* dit-il. Je comprends pas trop bien pourquoi ça vient de là ? »

Le gabier n'avait pas été mis au courant des derniers très curieux mouvements de *Belle Vincente*; il la croyait toujours retenue au Cap par ses avaries. Il dit encore, en se retirant à reculons :

« Je serai là dehors, sous la varangue. Des fois que vous ayez du pressé à me dire quand vous aurez lu... »

Jeanne fit sauter le cachet...

Un flot d'écarlate lui inonda le visage à la lecture des premières lignes, et c'est avec ce feu dans la tête qu'elle lut la lettre jusqu'au bout, jusqu'à la lie. Quand elle l'eut achevée, elle demeura un moment les yeux fixés sur elle, à voir danser les mots... Enfin elle s'assit devant le bureau, y posa la lettre à plat et commença de la relire. Cette fois, elle la lisait très lentement, comme pour en savourer toute la méchanceté sans en perdre une virgule. Après quoi elle parut réfléchir, mordant sa lèvre au sang, ses deux mains étalées sur la missive, son regard enfoncé dans le mur qui lui faisait face...

Quelqu'un gratta à la porte du cabinet, poussa la porte :

« Jeannette, c'est moi, dit la voix de Marie. L'Amadou vient de m'avertir que...

– Entre, Marie, coupa Jeanne sans se retourner. Tu tombes à point pour profiter d'un fort délicat poulet. Tiens, lis. »

Elle avait repoussé la lettre loin d'elle. Marie la ramassa et lut :

« Je ne comptais pas, madame, vous donner de mes nouvelles, je ne vous fournirai jamais, je vous l'ai dit, un cocu de bonne compagnie, fût-ce par correspondance. Je m'apprêtais donc à vous oublier sans plus de façon, quand je me suis avisé qu'en dépit du bon prix que don José a dû vous obtenir de vos diamants de belle eau, vous seriez peut-être à court d'argent bientôt.

« Au Cap, d'un gentilhomme de l'Isle de France qui y relâchait en repassant en France, j'ai appris que vous vous étiez installée sans lésiner dans un petit royaume campagnard charmant, où vous traitez fort généreusement les amis que vous y logez.

690

Bonadi ! vous n'avez point le vice de l'économie, c'est toujours un de moins, et un qui ne serait point décent chez l'épouse d'un corsaire, bien mal acquis se doit, par justice, gaspiller. Ceci dit, il me déplairait fort de savoir mon épouse gaspillant aux frais de don José, ou pire, aux frais de son amant, je préfère que son amant vive sur mes crochets. Ne soyez point étonnée d'une prétention si contraire, à ce qu'on rapporte, aux usages du Port-Louis; elle tient à mon manque d'humilité, lequel me vient d'une enfance de bâtard soutenue par une occulte charité. Je vous prie donc, madame, de puiser à votre volonté dans ma bourse pour maintenir votre train de maison. Vous n'aurez qu'à envoyer un message sûr à Saint-Denis de Bourbon, chez le chevalier des Rosiers; il aura toujours dans son coffre une provision pour vous, ainsi à portée de votre main. Puisque tout se répand dans la mer indienne comme le feu sur une traînée de poudre, quelque bruit vous sera peut-être revenu sur mon intention de me baser au Fort-Dauphin ? Ce bruit n'est pas faux, mais Saint-Denis m'a paru un lieu plus civilisé pour y établir votre banque, et votre messager n'en aura que pour deux jours à l'atteindre. Je n'imagine pas que vous la fassiez trop souvent sauter, par chance pour moi vous avez le goût des savants, tellement meilleur marché que celui des petits marquis. Un homme qui sait se désennuyer avec sa seule tête fait assurément l'amant à demeure le moins coûteux qu'un mari puisse rêver et, plus est, en le supportant le mari se donne la réputation de supporter la Science, une réputation tout à fait dans le ton du jour, que je vous devrai. Merci, madame.

« Adieu, madame. Je vous souhaite de vous bien porter longtemps, ce qui n'aurait pas eu lieu si j'avais commis l'imprudence de vous revoir. Mais quoi ? J'aurais passé mon épée au travers de M. Aubriot, un homme utile à la botanique et à ses malades, je vous aurais un peu étranglée, et pis, j'aurais eu peut-être ensuite la faiblesse de vous ranimer sur sa tombe pour vous y faire l'amour sans trop de rancune, quoique avec dégoût, le moment passé... Cela aurait senti son vieux temps, et la barbarie d'un siècle défunt où les faits et gestes de sa dame se prenaient au sérieux, or je me suis toujours flatté de me tenir à la pointe de la mode, et la dame d'aujourd'hui se porte plutôt putain. Jouissez donc en paix, madame, de tout ce qui vous passera par le corps ou par l'esprit. Jouissez en paix et sans remords, sachant que je tiens de vous un inestimable présent, celui de ne plus jamais pouvoir épouser ma folie d'un instant. Sous ce bouclier que vous m'avez donné, à moi toutes les femmes de tous les ports ! Car, ma chère, toutes les femmes sont belles, pourvu qu'on s'en sorte vite !

« Je baise une fois pour toutes, bien poliment, le bout de vos doigts, si toutefois votre incestueux papa me permet cette ultime privauté. Vincent. »

Marie laissa retomber sa main avec la lettre au bout, fixa Jeanne.

« Eh bien ? fit celle-ci d'une voix où tremblait de la fureur à grand-peine maîtrisée. Que penses-tu de ce poulet ?

– Je pense, dit Marie après un long silence, je pense que c'est là la lettre d'un mari jaloux. A ta place, je la prendrais pour une lettre d'amour.

– Alors c'est que tu fais partie des femmes qui aiment à être battues ! s'écria Jeanne violemment. Je ne suis pas de cette humeur, je n'aime pas, moi, à être traitée de putain ! Jamais je ne pardonnerai au chevalier ses deux pages d'insultes, jamais ! Et ne sens-tu pas combien certaines de ses phrases me sont odieuses ? Combien elles me révoltent, maintenant que.. »

Un sanglot l'interrompit, qu'elle moucha avec rage.

« Jeannette, dit Marie, apaisante, quand le chevalier a écrit cette lettre, il ne savait pas. Il ne sait pas. »

Elle s'approcha de son amie qui se tenait roide, le dos appuyé à son siège, attentive à ne pas permettre à sa colère de se fondre en larmes :

« Jeannette, la mort de M. Aubriot n'empêche pas que tu n'aies des torts envers le chevalier, reconnais-le.

— Je le hais ! siffla Jeanne entre ses dents serrées. Comment l'oses-tu défendre ?

— Je suis sûre qu'Emilie prendrait cette lettre comme je l'ai prise, insista Marie. Descendons à Belle-Herbe la lui montrer.

— Certes non ! Notre temps d'enfance est dépassé, Marie. Je n'ai plus besoin du jugement d'Emilie pour apprécier comme un homme me traite et pour l'accepter ou non. Que me parles-tu de mes torts envers le chevalier ? Ne se trouvent-ils pas mille fois effacés par sa grossièreté ? En vérité, c'est un Maure, un pirate maure, rien de mieux ! Une femme n'est pour lui qu'une débauche dont on jouit vite au bordel du port, ou bien un butin qu'on jette dans sa chambre et qui n'a qu'à s'y tenir docile jusqu'au jour où Mario, valet des basses œuvres, balancera le caprice par-dessus bord pour faire place à un autre. Jamais assurément il ne s'est embarrassé des délicatesses de cœur d'une femme. Qu'en aurait-il à faire ? Il veut la posséder, rien de plus, il la veut tenir comme un chien son os ! »

Elle s'était montée en parlant, et Marie, qui ne lui connaissait pas cette puissance de rage, l'écoutait ébahie. Quand enfin Jeanne s'arrêta pour reprendre haleine, Marie glissa, presque timidement :

« Tout de même, Jeannette, si le chevalier a appris, par ce gentilhomme rencontré au Cap... Dieu sait ce que ce bavard lui aura raconté. M. Aubriot vivait ici chez toi sur un pied de familiarité qui pouvait bien donner à penser... Les langues vont vite et sans se soucier de nuances, tu le sais bien. »

La remarque – bien hypocrite, pourtant ! – ne fit qu'accroître l'exaspération de Jeanne, la relança dans son discours enflammé :

« Et moi, Marie, me suis-je jetée sur ma plume pour lui tirer un flot de fiel quand on m'a rapporté que le chevalier passait son temps de prison chez la galante comtesse da Silveira, à s'offrir bon gîte, bons soupers et le reste assurément ? J'aurais eu beau jeu, moi, de le traiter en infidèle de fort bonne volonté. Mais a-t-il bien le droit, lui, de me punir de la mienne comme si elle avait été passe-temps ou vilenie, alors que c'est lui, lui avec tout son clinquant de don Juan parfumé, avec ses façons de... de dompteur de femmes, lui qui m'a fait sortir de ma destinée et jetée dans la douleur de tromper M. Philibert ? »

Sa voix s'était altérée, mouillée, elle renifla et acheva froidement :

« Je n'irai certes pas m'excuser auprès de Vincent d'une faute dont je devrai éternellement compte à Philibert. »

Le silence tomba entre elles. Jeanne, butée, regardait à travers la fenêtre, droit devant elle.

Un sourire, peu à peu, se dessina sur les lèvres de Marie. Elle revoyait l'élégant chevalier de Malte, clinquant peut-être, reste que le clinquant lui allait comme un gant ! Elle revoyait l'éclat gentil de ses yeux couleur de café brûlé, elle entendait son rire si gai et sa parole charmeuse, il lui donnait la main pour l'emmener danser, il dansait à ravir, il sentait bon la fleur d'orange, on mourait tout de suite d'envie qu'il vous fît un peu sa cour et il vous la faisait, à merveille. Le sourire de Marie s'épanouit et elle ne put s'empêcher de dire, avec un rien de moquerie :

« Vois-tu, Jeannette, de ce que tu m'as conté, et des souvenirs que je garde du chevalier, je ne l'imaginais pas en dompteur te chassant vers son lit à coups de fouet. »

Jeanne sursauta :

« Y étais-tu ? » demanda-t-elle, sa fureur aussitôt retrouvée, et avec une mauvaise foi éclatante.

Marie lui rendit sa lettre sans un mot. Jeanne la prit, la froissa en boule et la jeta dans la corbeille à papiers. Mais aussitôt elle se pencha pour la recueillir, la posa sur le bureau pour la lisser à deux mains :

« Non ! gronda-t-elle. Non, notre rupture serait trop facile pour lui si je me taisais. Il aurait le dernier mot, et je ne lui laisserai pas le dernier mot ! Il ne se flattera pas de m'avoir donné mon congé, c'est moi qui lui donnerai le sien ! »

Elle brandit la lettre sous le nez de Marie :

« Un jour déjà, au Temple, je l'ai mis à genoux pour un bout d'écrit qui ne valait pas celui-ci. A l'époque, il écrivait encore putain avec des pointillés, c'était le bon temps et je ne m'en doutais pas. Je lui ferai rentrer son encre dans la gorge ! Je lui ferai mâcher et avaler ce torche-cul ! Ou alors il faudra qu'il m'en rende raison. Je ne sais rien faire d'une épée mais, au pistolet, je tire assez bien pour tuer un homme, c'est plus gros qu'un carré de cible.

— Jeannette ! » fit Marie, abasourdie.

Mais Jeanne poursuivait, du même ton de rage froide et résolue :

« Marie, voudrais-tu bien demander qu'on me selle Blondine pendant que je vais passer une culotte ? Je veux descendre au port voir si le capitaine de l'*Argonaute* me pourra prendre à son bord : il appareille après-demain. »

Marie, totalement désemparée, se dirigea mécaniquement vers la porte pour obéir. Arrivée sur le seuil, elle se retourna :

« Ainsi, dit-elle, c'est sérieux ? En somme, tu acceptes la mission de M. Poivre, tu t'en vas au Cap chercher Vincent ?

— Je m'en vais au Cap me venger de Vincent,

corrigea Jeanne. Je ne sais pas encore comment, mais je trouverai ! »

20

CE petit matin du 8 novembre 1768 était radieux, comme tant d'autres matins de l'île. La brise de terre dévalait des hauts de Moka en répandant sur la baie, avec la dernière traînée fraîche-humide de la nuit, les senteurs violentes des champs de cannes coupées que réchauffait le soleil. Une frisure légère bien régulière couvrait l'eau vert et bleu de la rade, les couleurs hissées par les vaisseaux au mouillage ondulaient dans le ciel pour l'adieu au partant : l'*Argonaute*, à grand bruit joyeux, sortait sa toile.

Malgré l'heure très matinale, les alentours de l'embarcadère s'emplissaient de monde. La chaleur de l'été qu'on commençait à sentir avait permis aux dames de descendre au port dans de clairs déshabillés que leur ôtait presque la grande lumière, les gorgerettes mal lacées vagabondaient au vent, offrant les gorges aux attouchements du moment délicieux de l'air. Les hommes aussi étaient venus dans leur négligé de nankin blanc du matin, si bien que cette fresque de personnages aux tonalités douces, déployée au bord d'un beau rivage sur fond de voiliers balancés par la mer, aurait eu de quoi tenter le pinceau d'un Watteau; et sur sa toile se serait ajoutée la touche d'exotisme au goût du jour : quelques palmes très vertes et les teintes crues des cotonnades nègres.

« Ne se croirait-on pas à un embarquement pour Cythère ? » demanda justement Poivre à don José.

Ils venaient de se rencontrer en arrivant au port et contemplaient d'un peu loin encore le plaisant tableau.

« Reste que Cythère est déjà sur notre rive, poursuivait l'intendant. Il me faudra m'efforcer beaucoup, je le crains, pour donner à ce Port-Louis habité d'éternels musards l'allure d'un grand port militaire et marchand. Le climat y renâcle !

— Claro ! approuva don José. En pays chaud, le sage n'a pas envie de vivre de son industrie. En doux pays chaud le sage fume son cigare le jour et fait l'amour la nuit. »

Ils allèrent vers la ronde de jupons qui entourait Jeanne, dont ils n'apercevaient encore que le tricorne noir enfoncé sur sa tête. Proches ou lointaines, toutes les amies de « l'ambassadrice » avaient voulu être au départ de l'*Argonaute*; même Mme Manon s'était levée à trois heures du matin pour descendre à temps de sa campagne des Pamplemousses, même la dame La Victoire était montée de Rivière-Noire. C'était un grand moment, et à ne pas manquer, que celui où les îliennes embarquaient pour la première fois l'une des leurs – plutôt qu'un homme, comme toujours – pour aller plaider au loin les intérêts de l'île. La dame La Victoire, voix tonnante, bourrait Jeanne de conseils : il lui fallait à tout prix « son » corsaire basé au Port-Louis, elle semblait en avoir un désir frénétique !

« Bon voyage, m'amie Jeanne, dit Poivre quand il eut enfin réussi à s'approcher de sa missionnaire. Bon voyage, et ramenez-nous sans faute le vaisseau dont l'Isle de France a le plus pressant besoin. Revenez-nous saine et sauve à bord de *Belle Vincente* et je vous promets que vous débarquerez sur une terre reconnaissante, qui vous accueillera au son du canon. »

Il lui donna une solennelle accolade, très officielle. Alors, dans cet instant d'émotion, on entendit glapir la voix d'Adèle lutinée par un sergent de la garde :

« Missié l'officier, lons ! pas bêtiser ! »

Les négresses de Quatre-Épices, offusquées, piquèrent leurs coudes bien pointus dans les côtes d'Adèle.

Emilie avait couru à Jeanne pour se serrer contre elle une dernière fois :

« Jeannette, n'allez pas oublier mes avis et vos résolutions. Ne demandez pardon de rien, un mari n'est point un confesseur auquel vous devez contrition en échange d'un morceau de paradis », lui glissa-t-elle dans l'oreille, et elle s'écarta vite : c'était l'heure, le capitaine de l'*Argonaute* s'approchait de sa passagère...

La dernière voix précise venue de la terre que Jeanne entendit quand la chaloupe s'éloigna de l'appontement fut celle, hurlée à pleins poumons, du petit Paul :

« Tatan Zanne, oubliez pas rapporter moué lé corsaire ! »

Paul avait enfin appris à prononcer les « r », mais hélas !, c'était pour parler un français petit-nègre.

« Eh bien, voilà », soupira don José, un grand moment plus tard.

L'*Argonaute*, là-bas, prenait son envol. Un fichu blanc palpitait encore, peut-être, sur la dunette. « Vaya con Dios, amiga », pensa l'Espagnol en levant une dernière fois la main.

« Oui, voilà », répéta soudain Poivre.

La rapidité avec laquelle Jeanne avait cédé à son désir l'étonnait encore. On visite, plein de pitié précautionneuse, une femme meurtrie, douloureuse, encapuchonnée dans son deuil comme une vestale noire désormais consacrée à entretenir la flamme du souvenir... On s'apprête à peiner beaucoup, longtemps, pour tenter de la tirer de son désespoir comme du fond d'un puits sans fond... Quelques jours à peine se passent, et vous voyez la veuve éternelle s'arracher à l'ombre froide de son mort pour se rembarquer dans la vie, à la poursuite d'un amour de réserve !

Poivre jeta un regard pensif vers sa Françoise, qui

finissait de bavarder avec ses amies. Elle aussi était jeune, elle aussi était belle. Et elle avait un vieux mari [1]. L'inévitable présence, au milieu de ces dames, du blondinet chevalier de Saint-Pierre fut, en cet instant, particulièrement désagréable à Poivre. Le chevalier-poète avait des cheveux doucereux, de consolateur.

« Allons, il est temps pour moi de rentrer travailler, et j'aimerais bien qu'auparavant l'on m'offrît à déjeuner, dit-il assez fort pour que sa femme l'entendît.

– Mon ami, avez-vous remarqué qu'une voile nous arrive, que croisera sous peu l'*Argonaute*? » demanda Françoise en lui montrant le large sur sa droite.

Plusieurs personnes déjà, oubliant l'*Argonaute* qui s'éloignait, se signalaient de la voix et du geste la surprise nouvelle qu'apportait la mer.

« Vous avez tout le temps de déjeuner et de faire toilette, le meilleur du spectacle n'est pas pour tout de suite, dit Poivre, il s'en faut de trois bonnes heures. »

Un officier du bureau de la Marine, qui se trouvait près des Poivre, se permit de prendre la parole pour renseigner l'intendant :

« Ce doit être *La Boudeuse,* dit-il. Un chevaucheur nous est survenu tout à l'heure, pour nous avertir que ce bâtiment s'était échoué la nuit dernière, sur les trois heures, près de la baie du Tombeau. Par chance il n'y avait pas de mer, ils ont fait une manœuvre pour abattre du côté du large et ils ont réussi. La pointe aux Canonniers leur avait envoyé un pilote sur les minuit, et sans doute que cet imbécile aura mal gouverné.

– Quel nom avez-vous dit ? interrogea Poivre.

– *La Boudeuse,* dit l'officier.

1. De quarante-neuf ans, et elle en avait dix-neuf.

– *La Boudeuse,* répéta Poivre, un sourire le prenant, mais c'est la frégate de M. de Bougainville ?

– Monsieur, je ne sais pas le nom du capitaine, dit l'officier.

– Si c'est bien là-bas M. de Bougainville, voilà un homme qui s'arrange pour souvent croiser notre Jeanne en mer, intervint don José. Mais, cette fois, je ne crois pas qu'il nous la rapportera.

– Tudieu ! explosa Poivre à mi-voix en se rapprochant de ses amis, savez-vous que, si c'est *La Boudeuse,* elle pourrait bien s'en revenir d'un tour du monde ? Bougainville a quitté la France peu de temps avant moi et, chez le duc de Praslin, on chuchotait fort qu'il était parti dans l'intention de boucler la boucle.

– Cela s'est dit franchement haut dans les salons de La Plata, sourit don José. Les secrets et les alcôves font si bon ménage... Nous avons, à Buenos Aires, quelques-uns des oreillers les plus compétents de l'Espagne pour la récolte des potins de marine. »

Poivre se replanta face au large, la main en visière. Pendant un petit moment ils demeurèrent tous à contempler en silence la voilure de l'*Argonaute* qui s'amenuisait tandis que l'autre grossissait et, bientôt, des coups de fumée blanche éclatèrent entre les deux bâtiments.

« Voilà M. de Bougainville qui donne le bonjour à sa Bougainvillée », dit Emilie.

21

LES longs jours bleus monotones, bercés.

Les nuits aux ciels étincelants, rêvées.

Des frégates dans l'azur, dont le haut vol d'un blanc-lumière trop pur éblouit les yeux.

Les jeux vif-argent des poissons voraces autour du navire.

Les danses et les chants des matelots, après le souper.

Les couchers du soleil. Fêtes variées. Du cramoisi, du ponceau, de l'écarlate. De larges bandes d'un violent rose d'Inde frangées de vert et d'or. Des traînées de sang dans un immense nuage mauve aux dégradés couleur de tous les lilas. Ce soir, la passagère de l'*Argonaute* trouvait la fête particulièrement belle. Elle était toute en teintes de pastel, du pourpre estompé, du gris de perle, du turquoise et un autre bleu plus pâle infiniment doux, posé sur une doublure d'or invisible qui le faisait chatoyer.

La splendeur du monde... Elle posa sa main sur son cœur pour l'interroger et son cœur lui répondit oui, qu'il souffrait toujours, fidèlement, de ce que Philibert ne voyait plus la splendeur du monde. C'était bien. Elle voulait porter, dans sa poitrine, un cœur fragile pour toujours, prompt à retrouver, au nom de Philibert, le mal de son chagrin. Un cœur bleu, comme l'est un membre frappé par un terrible coup et dont la mémoire douloureuse se réveille au moindre frôlement. Quand on sait que le cœur ne trahit pas, on a le droit de se complaire et de sourire aux divertissements qui passent. Elle dénoua son ruban de nuque, secoua ses cheveux, ferma les paupières et tendit son visage au vent salé, respira bouche entrouverte, avec gourmandise, l'avant-goût de la fraîcheur crépusculaire... Soudain elle prit conscience du poids des regards des matelots sur sa blondeur vagabonde, rattacha vite ses cheveux, regagna sa chambrette et ouvrit un livre, pour rêvasser.

Sans cesse, à travers un mot lâché sa pensée filait hors des pages de son roman, pour se laisser inonder par les images de son passé mélangé, qui n'avait plus ni logique, ni ordre, ni agressivité, mais une tonalité fondue douce-amère, et douce-douce parfois. Entre ciel et eau, rien qu'en se laissant aller au climat marin elle s'était refait comme une sérénité, composée pour l'essentiel de deux certitudes : celle qu'elle ne guérirait jamais de la mort de Philibert, celle qu'elle aimait encore la vie, sa vie. Mais peut-être l'aimait-elle autrement ? Il lui semblait, à de certains instants, qu'elle jouissait de vivre avec une sorte de délice désespéré, de saveur neuve. C'était un délice affiné, à la fois aigu et vulnérable, un délice d'au-delà toutes les misères – un délice de survivante.

Une galopade de pieds nus claquant sur les planches lui fit tourner le regard vers sa porte.

« Entrez », dit-elle quand on y frappa.

L'Amadou entra, tout excité :

« Misè Jeanne, les premiers moutons du Cap [1] ! »

La terre parut le lendemain matin, juste avant la prière.

Un ballet d'oiseaux dansait dans le ciel pommelé. Une fête noire et blanche. Des frégates, des damiers, des goélettes, des taille-mer, des manches-de-velours, des fous... Et la splendide ambassade de moutons du Cap qu'ils avaient vue la veille au soir, et dont les ailes immenses, quand les oiseaux plongeaient sur le navire pour happer du biscuit, mettaient des vagues d'ombre sur les visages levés vers eux.

La brise portait vers la terre, les montagnes de la côte africaine se construisaient vite sur la ligne d'horizon. Le capitaine Lejeune vint à sa passagère :

« Si le vent ne faiblit pas, nous serons à l'entrée de la baie sur les trois heures, dit-il. Vous le savez, mademoiselle, mon dessein n'est pas de relâcher au Cap, je suis attendu au Sénégal, et au plus tôt. Pour gagner du temps, j'aimerais ne pas aller me mouiller au plus près de la ville, mais ne craindrez-vous point de faire un assez long bout de mer en canot ?

– Monsieur, faites à votre commodité, dit Jeanne. Aussi bien n'ai-je point à faire à terre, mais sur la frégate du capitaine Vincent. Si donc *Belle Vincente*

1. Nom que les marins donnent à l'albatros.

se trouve en rade du Cap aussi visiblement que M. Poivre l'y voyait, le canot n'aura qu'à me conduire à son bord, il aura plus tôt fait. »

Le capitaine s'inclina :

« Quand nous serons en position d'apercevoir les vaisseaux en rade j'enverrai votre fidèle L'amadou à la hune pour qu'il repère son bord, et j'irai mettre en panne de son côté. »

Entre l'île Roben et la pointe aux Pendus la baie s'ouvrit, paisiblement belle. De la brume, amassée en pelotes de neige, effaçait le sommet de la montagne de la Table. A son pied la ville toute blanche ressemblait, de loin, à un assemblage de petits châteaux de sucre.

L'Amadou, grimpé à la hune, comptait à tue-tête les bâtiments qui se montraient à ses yeux au fur et à mesure que le vent, allié à la marée montante, poussait l'*Argonaute* vers l'entrée de la baie :

« Neuf... dix... onze... douze... »

Et soudain un cri de joie furieuse tomba sur Jeanne :

« Je la vois, misé Jeanne, je la vois, je vois mon bord ! Ils sont mouillés pas loin de la ville ! Hoi, hoi, hoi, zóu ! »

Le gabier s'était tiré son bonnet et saluait son bord à grands moulinets, tout comme si, là-bas, une vigie ne faisait que l'attendre depuis qu'il avait quitté sa misaine.

« L'Amadou, descendez me rendre ma longue-vue », cria Jeanne trois fois, et sans succès.

Le capitaine Lejeune, en souriant, lui tendit sa propre lunette et haussa les sourcils en la voyant, un instant plus tard, trembler si fort devant le regard de sa passagère qu'assurément elle ne devait rien voir, qu'une houle d'images constamment submergée par le ciel ou la mer.

« Je crois, mademoiselle, qu'il serait temps d'aller

boucler votre bagage s'il ne l'est déjà, dit-il au bout d'un moment. Le vent nous sert à merveille, nous filons comme mouette.

– J'y vais », dit Jeanne en lui tendant sa longue-vue.

Elle ne revint sur le pont que prête à descendre dans le canot. Tout l'équipage la contempla, cœurs dolents déjà : une si jolie blonde, si bien amarinée, on devrait pouvoir se la tenir à bord comme mascotte au long cours, ni plus ni moins que la chatte.

L'Amadou aussi la regardait, encore une fois surpris-content de voir comme misè Jeanne s'y prenait bien pour être toujours aussi belle en garçon qu'en fille. Elle portait son habit de voyage en droguet de soie noire sobrement galonné, bien coupé, bien ajusté, une chemise de mousseline blanche à jabot et manchettes volantes. Son chapeau à trois cornes lui seyait à ravir. En plus, pensait l'Amadou en reniflant, elle embaumait, presque aussi fort que le capitàni. Familier dans sa joie, le gabier se rapprocha d'elle jusqu'à la frôler, lui chuchota :

« Disès, misè Jeanne, quand je pense que le capitàni est en train de pas s'espérer ce qui lui arrive ! Santo Flour ! un dessèr de rèi. Rous coume l'or, es de burre [1] ! »

A entendre l'Amadou frétiller d'une espérance sans nuages, Jeanne s'avisa brusquement qu'elle avait oublié de le préparer à un accueil sans doute frais, pas tellement de la couleur beau-temps de son espérance. Elle chercha vite une explication qui ne la gênait pas, dit encore plus vite :

« L'Amadou, je ne crois pas que nous serons bien reçus. Dans sa dernière lettre le capitàni me recommandait de demeurer au Port-Louis sans en bouger. C'était un ordre, ou quasiment.

1. Sainte Fleur ! un gâteau de roi. Blond comme l'or, c'est du beurre !

– Boudiéu ! mais alors, qu'est-ce qu'on fait ici ?
s'exclama trop haut l'Amadou.

– Chut ! » fit Jeanne, et le Provençal resta la mine
écarquillée, à se fouiller la cervelle en regardant
mettre la chaloupe à la mer.

Quand la passagère et son matelot furent dans le
canot, les rameurs, parce qu'il faisait beau et que la
dame était belle, se mirent à chanter. Ils étaient
bretons, ils chantaient *Jean-François de Nantes* :

> *C'est Jean-Françoué de Nantes,*
> *Oué ! oué ! oué !*
> *Gabier de la Fringante,*
> *Oh ! mes boués !*
> *Jean-Françoué...*

L'Amadou enfla sa voix pour dominer le chœur :
« Misè Jeanne, vous m'avez appris une chose, là
tout de suite, que j'en suis pas trop gaillard. Dites
voir, dans sa lettre, le capitàni parlait pas de moi
aussi, que je devrais rester à l'attendre au Port-
Louis ? Parce qu'avec le capitàni, vous le savez, un
ordre c'est un ordre, si on discute il se prend
l'humeur coriace, ai ! houi ! dur coume un caiau ! »

Jeanne eut un rire de défi, cria par-dessus son
épaule :
« Si vous prenez peur, l'Amadou, vous n'aurez
qu'à vous tenir derrière moi. Le capitàni aura
sûrement l'abord coriace, mais moi, j'ai de bonnes
dents !

– Veguen... », murmura le matelot, pas le moins
du monde rassuré.

22

VINCENT laissa retomber son bras, les doigts crispés
sur sa longue-vue. Sa mâchoire contractée marquait
ses pommettes d'une colère dure. Il sentit, sur son

profil droit, peser le regard du baron de Quissac qui, lui aussi, venait d'observer la chaloupe. Prenant soin de ne pas tourner la tête vers son lieutenant, et sans lui lâcher un mot Vincent abandonna son poste, quitta le gaillard et s'enferma chez lui.

Etre obligé de constamment prendre garde à ne pas se cogner en arpentant de long en large l'espace réduit de sa chambre lui redonnait un semblant de calme. Il se cogna tout de même les jambes, rudement, contre un coffre d'argenteries mal rangé par Mario, et le coup de pied et le juron qu'il lui décocha lui firent du bien. Mais au bout d'un moment la voix de Quissac qui, après un heurt, s'élevait derrière sa porte fermée, lui remit sa pleine rage dans le sang, bien qu'il l'eût attendue :

« Allez au diable ! cria-t-il, inhabituellement grossier. Je suis fatigué. Je dors. »

La porte s'ouvrit, mais Quissac demeura sur le seuil :

« Si vous dormez, monsieur, et puisque M. Aubanel [1] est à terre, dois-je prendre le soin ? »

Comme il ne reçut en réponse qu'un geste exaspéré de son capitaine, le lieutenant répéta posément ce qu'il avait déjà dit à travers la porte :

« Monsieur, je vous demande permission de faire monter à bord les deux personnes que le capitaine de l'*Argonaute* nous envoie par son canot.

— Je ne veux pas de ces gens ! Renvoyez-les à l'*Argonaute*.

— Monsieur, le vent forcit. Il y a de la mer. »

Vincent leva une épaule :

« Il faut bien que le canot retourne ? Ou bien qu'il aille d'abord poser ses passagers à terre. La terre est toute proche. »

Quissac, figé, hésitait sur ce qu'il allait dire ou faire. Vincent le devança, se planta devant lui pour articuler de sa voix de commandement :

1. Le second.

« Monsieur le lieutenant, je suis maître à mon bord et j'y refuse ces deux personnes. N'attendez pas un contrordre : il n'y en aura pas. »

Le lieutenant inclina une tête de mauvaise humeur et disparut. Cinq minutes plus tard, il s'encadrait de nouveau dans le chambranle de la porte :

« Monsieur... »

Cette fois, il trouvait Vincent assis devant son bureau, les deux mains posées à plat sur son livre de bord. Il portait maintenant son masque de bois, parfaitement neutre, que tous ses officiers connaissaient bien; c'était celui que leur capitaine revêtait quand il avait à passer un moment difficile sans se laisser dérouter hors de son sang-froid. Pour autant cet air-là ne présageait d'ordinaire rien de tendre dans la conduite du chevalier, mais rien de spontanément brutal non plus, et Quissac, soulagé, se détendit un peu.

« Quoi encore ? interrogeait sèchement Vincent.

— Monsieur, à son dire la dame qui demande à monter à bord ne serait pas une simple particulière, mais l'ambassadrice du gouvernement de Sa Majesté le Roi en Isle de France. Elle m'a fait passer sa commission : la voici. »

Vincent tendit la main pour prendre le pli cacheté. Il avait froncé les sourcils et un presque sourire lui vint, d'ironie, quand il eut parcouru les quelques phrases signées par l'intendant Poivre et contresignées par le gouverneur Dumas :

« On a beau savoir des femmes ce qu'on en sait d'expérience, l'une ou l'autre parvient encore à vous étonner de temps en temps par la sournoiserie de sa stratégie. Une femme résolue à satisfaire son caprice fourmille d'imagination. »

Il avait fait sa remarque sur le ton railleur qui lui venait naturellement si souvent, et Quissac se confirma que son capitaine avait recouvré la maîtrise de lui-même. Il attendit sans ouvrir la bouche.

« Quissac, dit Vincent, j'en suis fâché mais me

voilà obligé à un contrordre, je ne puis refuser à mon bord l'envoyée d'un gouverneur de mon roi. Faites monter madame... »

Il s'arrêta net, ne sachant comment nommer Jeanne sans s'écorcher la bouche. Son regard effleura le pli de l'Isle de France qu'il avait jeté sur son bureau et il reprit du bout des lèvres :

« Faites monter à bord Mme l'ambassadrice. Accommodez-la au mieux dans la grand-chambre, et voyez ensuite ce qu'elle nous veut de la part de ses mandants. Cela n'est pas exprimé dans la lettre. »

Voyant Quissac s'apprêter à une objection, il ajouta :

« Prenez notre écrivain avec vous. Ainsi la dame sera-t-elle assurée de parler devant un témoin fidèle au mot à mot. »

Quissac renonça à discuter mais, au moment de sortir, se retourna pour interroger encore :

« Que ferai-je du gabier de misaine qui nous revient avec la dame ? Le remettrai-je dans l'équipage ?

– Il n'en est pas question ! Sa mission accomplie, la dame n'aimerait sans doute pas repartir de mon bord sans son escorte. »

Ce fut avec une grande irritation que Vincent entendit les vivats des hommes saluant l'arrivée de Jeanne sur le navire. Ils l'aimaient ces imbéciles ! Depuis que la chaloupe s'était rapprochée de *Belle Vincente* jusqu'à ranger sa coque, les jeux et les chants d'après la soupe avaient cessé sur le gaillard d'avant, pour être remplacés par la rumeur fluctuante d'un soir pas comme les autres. Les mariniers sont des badauds du moindre rien qui passe à bord. Vincent haussa les épaules et, comme il tenait difficilement assis, il se leva pour aller à son armoire à livres. Mais aucun livre, ce soir, ne le tentait; l'un après l'autre, il les replaçait sur leur rayon avec un soupir écœuré, après n'en avoir survolé qu'une phrase. Avec une hargne croissante il s'efforçait de ne pas entendre les voix qui, maintenant, parlaient de l'autre côté de la cloison, il peinait pour ne pas écouter *une* voix, haïssable, indûment profonde et douce, et moelleuse comme le ruban de musique miellée qu'un archet de talent tire d'une basse de viole. Brusquement, il se mit à scander tout haut les alexandrins sans aucun sens sur lesquels son regard venait de buter par hasard...

La porte, derrière son dos, grinça.

« Oui ? fit-il sans se retourner.

— Monsieur, dit Quissac, madame... La dame de l'Isle de France pense ne devoir délivrer son message qu'à vous-même, en confidence. »

Vincent referma son livre d'un coup sec :

« Je m'en doutais, dit-il. Finissons-en, Quissac. On refusera obstinément de repartir sans m'avoir vu, et je n'ai pas l'intention de permettre qu'on passe la nuit à mon bord. Amenez-moi donc l'ambassadrice. J'en aurai bientôt fait avec elle. Vous aurez l'obligeance, ensuite, de la remettre dans le canot de l'*Argonaute* avec son matelot de compagnie. »

Quissac s'avorta un demi-sourire :

« Le canot de l'*Argonaute* est reparti vers son bord, dit-il. Il avait l'ordre de nous déposer ses deux passagers, mais non pas celui de nous les reprendre.

— Vraiment ? N'importe, nous avons nous-mêmes un fort bon canot, dit Vincent, et il lança ensuite, avec une désinvolture outrée :

— Mon ami Quissac, amenez-moi vite notre visiteuse, que je m'en puisse vite défaire. Cela danse un peu, la nuit sera plus douce à terre qu'à bord. N'avez-vous pas envie que nous l'allions passer avec les Hollandaises ? Elles ne sont pas toutes trop grasses, et elles ont au moins des peaux de lait et de beurre, fondantes à merveille.

— Ma foi..., fit Quissac, entrant complaisamment dans le jeu. Avant, je vais toujours vous chercher la dame.

– S'il vous plaît », dit Vincent, et d'une voix de nouveau féroce.

Son lieutenant, au lieu de poursuivre son mouvement de sortie, revint vers lui :

« Chevalier, dit-il en lui posant la main sur l'épaule, à vivre ensemble depuis si longtemps le meilleur et le pire nous voilà devenus parents. Permettez que je vous dise un mot de parent...

– Non ! coupa Vincent.

– Je vous le dirai pourtant malgré vous, comme le ferait un bon parent. Après cela, si ma familiarité vous a déplu, mon capitaine n'aura qu'à m'en punir. Chevalier... »

Affectueusement, Quissac accentua sa pression sur l'épaule de Vincent :

« ... depuis que cet officier bavard venu du Port-Louis nous a, tout un soir, rebattu les oreilles avec les potins de son île, je vous vois malheureux. Et...

– Cornebleu ! Quissac, allez-vous donner dans le romanesque ? Voilà qui n'irait pas du tout, mon cher, à votre genre de beauté balafrée ! Et si vous me voyez triste, vous avez la berlue : je suis plein de projets de piraterie qui m'enchantent.

– Qui vous enchantent sans gaieté, à ce qu'il paraît. Et tout soudain après essuyer une vague de ragots. Or, je vous le demande : devez-vous accorder foi entière à un ragot ? Croiriez-vous à un ragot des poulaines sans l'avoir d'abord dépouillé de sa fantaisie, et pensez-vous qu'un ragot de salon en soit moins grossi qu'un ragot de poulaine ?

– Quissac, vous m'amusez, ricana Vincent. Je ne vous avais jamais vu plaider pour une dame mais, au contraire, bien content de regarder Mario nous en délester d'une. J'étais persuadé que vous considériez toute femme à bord comme un faux fret [1].

– Sans doute est-ce que je prends plutôt celle-ci pour un objet d'art ? osa dire Quissac.

1. Qui ne rapporte aucun profit.

710

– Monsieur le lieutenant, passez-vous-en donc l'envie, dit Vincent, glacial. Votre capitaine n'y prétend plus, et la dame aime à prendre un marin pour récréation quand elle s'absente de ses occupations botaniques. »

Le regard que le lieutenant abattit sur le capitaine faillit faire rougir le capitaine, d'une bouffée de honte.

« Eh bien, s'emporta-t-il, ne m'allez-vous pas chercher votre protégée ? Que craignez-vous ? Me voyez-vous mettre la garcette à la main pour la recevoir ? Je ne ferai que la renvoyer poliment au diable, je vous le promets. »

La porte claqua un peu plus fort sur les talons de Quissac. Le chat Réglisse, qui tentait de se rendormir sur le lit de son maître, sursauta une nouvelle fois et gifla de sa queue le velours vert, agacé.

Le grattement de Jeanne sur le bois fut si timide que Vincent ne l'aurait pas entendu s'il n'avait eu l'oreille en alerte.

« Entrez, cria-t-il.

– Bonjour, chevalier », dit-elle dans un souffle.

Elle était aussi pâle que pouvait l'être son teint de thé. Elle n'avait pas changé, hélas ! : elle dégageait toujours le même charme mensonger de beauté tendre offerte jusqu'à l'âme et pour l'éternité. Avec en plus, ce soir, et sans doute par excès de comédie, comme un vacillement secret de tout son être, infiniment touchant et qui aurait pu donner, à un spectateur moins averti, l'instinctif élan de lui ouvrir ses bras pour la retenir de tomber plus mal.

Il dégagea un fauteuil de la table :

« Madame, je vous en prie... »

La voix de Vincent, si peu amène pourtant, fit battre le sanglot que Jeanne avait dans la gorge, lui mouilla le regard. « Tu es beau et je t'aime, tu es ma vie et je t'aime », elle n'était plus que cette pensée depuis qu'elle le revoyait, elle ne pouvait penser que cela, qui l'étourdissait.

« Madame, je vous en prie, prenez place... »

Elle fit quelques pas d'automate, avança sa main pour le toucher.

« Vincent », murmura-t-elle.

Il se recula si vivement que sa jambe gauche heurta de nouveau le coffre mal rangé, qui prit un second coup de pied :

« Madame, s'il vous plaît, épargnez mon temps en vous bornant à remplir votre commission : je suis attendu à une petite fête en ville. »

Il ramassa, sur son bureau, la lettre de Poivre :

« Ceci ne fait que vous annoncer. Apprenez-moi le reste. »

Elle s'assit sur le fauteuil qu'il continuait de lui présenter, respira profondément :

« Voilà », commença-t-elle...

Elle lui exposa la requête de Poivre. Toutes les bonnes raisons qu'avait l'intendant de désirer un vaisseau corsaire basé au Port-Louis lui revenaient; et elle s'émerveillait de réussir à lui délivrer son message clairement et d'une voix audible, mais elle l'avait tant répété dans sa tête qu'il lui sortait comme d'une somnambule, alors qu'elle ne faisait que penser « Je t'aime, je t'aime, je t'aime ! » en se rassasiant les yeux de son visage retrouvé. Et sa joie miraculeuse durait, parce qu'il ne l'interrompait pas.

Aussi figé de patience qu'un tigre à l'affût, lui aussi la regardait. Calme d'apparence, il contenait avec peine la poussée de violence qui l'avait saisi quand elle l'avait touché : « Si elle recommence, je l'étrangle ! » Et de toute son énergie muette il pesait du regard sur elle pour qu'elle recommençât, ou que son discours dérapât sur une imprudence qui lui donnerait le droit de la broyer entre ses mains. Il ressentait un besoin frénétique d'avoir sa chair entre les mains, broyée...

Soudain, il ne l'entendit plus. Maintenant, les

grands yeux d'or l'interrogeaient en silence, passionnément. Il se raidit :

« Je discuterai avec mon état-major de la réponse que je veux donner à M. Poivre et vous la ferai porter demain, dit-il en s'écartant de l'armoire contre laquelle il était demeuré appuyé. Avez-vous prévu de passer la nuit à terre ? Mais vous verrez ces détails avec mon lieutenant », se hâta-t-il d'achever en la voyant réagir à ses derniers mots, et il marcha vers la porte pour mettre un terme à leur entretien en la lui ouvrant.

En trois bonds, Jeanne fut devant la porte et la lui barra de ses bras en croix :

« Non ! dit-elle. Non, je n'ai pas prévu de passer la nuit à terre, et l'*Argonaute* a sans doute déjà repris sa route vers le Sénégal. Je n'avais rien prévu, qu'arriver jusqu'à vous. »

Elle vit la mâchoire et les poings de Vincent se contracter, négligea l'avertissement et dit encore :

« Je vois bien, chevalier, que vous ne voulez pas vous souvenir que je suis votre femme, mais moi je le sais encore et ne vous permettrai pas de l'oublier. Je vous demande asile à votre bord. »

Cette fois, ce qu'elle lut dans l'expression de Vincent eut raison de sa crânerie, l'affola si bien qu'impulsivement elle jeta ses deux mains devant elle en criant : « Non ! » comme une enfant menacée.

Il y eut un long silence alourdi de leurs souffles trop rapides avant que Vincent ne dît, d'un ton plus triste encore que froid :

« Vous avez bien fait de crier, madame, vous m'avez épargné un geste bien vulgaire. Voyez-vous, pendant mes jeunes années, j'ai beaucoup bataillé contre la violence qui m'était naturelle, et il m'arrive encore de la mal contrôler. J'ai fort mal pris que vous m'ordonniez de me souvenir de ce que vous oubliez si bien vous-même dès que j'ai le dos tourné. Puis, je vous trouve injuste : je crois, pour l'essentiel, m'être soucié de ce que je vous dois en vous établis-

sant une banque à Saint-Denis de Bourbon, chez
l'un de mes frères maltais. Il m'étonnerait que vous
n'ayez point reçu ma lettre, je l'avais confiée à *La
Navette.* »

Le rappel des injures de son mari enflamma les
joues de Jeanne :

« Hélas ! pour vous, chevalier, j'ai reçu votre
lettre et pire, je l'ai lue, dit-elle en luttant pour parler
posément. Après cela, j'ai tout un moment cru que je
ne vous la pardonnerais jamais, que je n'aurais qu'à
la relire assez de fois pour venir à bout de mon
sentiment pour vous. Je n'ai accepté l'ambassade de
M. Poivre qu'avec l'idée d'accourir ici me venger de
vos insultes, sans d'ailleurs prévoir comment. Mais
depuis, beaucoup de mer a passé sur vos mots. La
mer, vous savez bien... C'est vous, qui m'avez appris
qu'elle vous peut laver de tout. Avant que nous
doublions le canal de Mozambique j'avais déchiré
votre odieuse lettre et jeté ses morceaux aux poissons. Tout de même, tout à l'heure encore, dans le
canot de l'*Argonaute*, j'imaginais de vous la faire un
peu payer et je me sentais les griffes sorties. Mais
quand je vous ai revu j'ai su que j'étais seulement
venue pour vous aimer... pour que vous m'aimiez...

– M. Aubriot est en voyage ? »

La réplique de Vincent cingla Jeanne de plein
fouet. Il l'avait écoutée sans bouger ni ciller, et elle
s'était plutôt attendue à un nouvel éclat de colère. Le
choc de son ironie lui inonda les yeux.

« Ah ! non, je vous en prie ! dit-il durement en lui
tendant son mouchoir du bout des doigts. A votre
âge, une femme devrait savoir qu'un homme déteste
les larmes qu'il n'a pas envie de consoler. »

Elle enfouit son chagrin dans le parfum de fleur
d'orange, se moucha, se tamponna en balbutiant :

« Je ne pleure point de votre raillerie, chevalier,
bien qu'elle soit plus cruelle encore que vous ne
l'espériez... »

Elle releva sur lui ses yeux humides, murmura

dans un hoquet : « Vincent, M. Aubriot est mort », et retomba aussitôt dans ses pleurs, sanglotant à la fois de son deuil et de son impuissance à ne pas pleurer Philibert devant Vincent.

« Ah ? » avait fait le chevalier, et maintenant il regardait Jeanne pleurer, et son visage était de bois. Il finit par aller à la carafe enchaînée sur sa toilette pour servir une timbale d'eau à Jeanne :

« Buvez...

– Merci », dit-elle en essayant de retenir sa main, qu'il lui arracha.

Un fantôme de sourire lui venait tandis qu'elle buvait son eau à petites gorgées, et ce sourire n'était pas bon. Quand elle eut reposé la timbale vide sur la table il la prit pour la remettre à sa place sur la toilette tout en disant, sur un ton de condoléance mondaine :

« Ainsi, M. Aubriot est mort ? Eh bien, j'en suis fâché pour la science et pour sa maîtresse, qui semblaient en faire grand cas toutes les deux.

– Chevalier, non, supplia-t-elle. Non, pas cette cruauté-là. Je ne la supporterai pas.

– Oh ! dit-il, et toujours sur le même ton blessant d'indifférence courtoise, rassurez-vous, madame, je n'ai nulle intention d'attenter à la mémoire de votre mort : Dieu ait son âme. Mais enfin, je ne vois pas comment je pourrais vous aider à vous réparer de sa perte. Il ne m'a pas, je suppose, légué ce soin par testament ? N'ayant été ni son parent ni son ami, je ne me sens aucun droit à rien de son héritage. »

Jeanne se dressa toute droite, mais dut aussitôt s'appuyer des deux poings sur la table, parce que la tête lui tournait :

« Chevalier, allez-vous-en, souffla-t-elle d'une voix blanche. Allez-vous-en vite. Terminons cet entretien avant d'en venir à nous rabaisser l'un par l'autre avec des mots affreux.

– Terminer cet entretien, mais, madame, je ne demande que cela ! Ce n'est pas moi qui l'ai voulu.

Et je vous fais remarquer que je suis ici chez moi. Mais n'importe, demeurez, c'est moi qui partirai. Je vais vous envoyer Mario. Il vous débarrassera de mes affaires et vous apportera le vôtres, et de quoi souper. Vous serez mieux ici que dans la grand-chambre pour attendre ma réponse à votre ambassade. »

Elle l'avait chassé, mais ne put supporter qu'il disparût déjà :

« Chevalier ! » le rappela-t-elle, malgré elle.

Prêt à franchir le seuil de sa chambre il se retourna, l'air excédé.

« Non... rien », dit-elle.

Dès qu'il fut sorti, elle s'effondra sur le lit pour y pleurer cette fois tout son soûl, sans dignité. En s'inondant elle caressait Réglisse et le serrait contre elle, mais le chat en eut vite assez de ce câlin tumultueux, il se débattit et elle dut le lâcher, le vit se réinstaller dans un fauteuil, hors d'eau. « Toi non plus, tu ne m'aimes plus », se plaignit-elle, puérilement. Elle roula sur le ventre, cacha son visage déjà cuit par les larmes dans ses bras repliés, et marina dans son désespoir jusqu'à ce qu'elle entendît un bruit de pas sur le plancher.

« Bonjour, Mario, dit-elle en soulevant sa tête, sans encore se montrer. Je voudrais qu'avant toute chose vous m'apportiez un grand pot d'eau douce et fraîche.

– Je ne suis pas Mario », dit presque au-dessus d'elle la forte voix chantante de dom Savié.

Jeanne se releva, essuyant ses joues avec ses manchettes :

« Mon père... Oh ! mon père, je suis si malheureuse, lui dit-elle sans préambule. Le chevalier s'est montré si dur. Il n'a pas eu un geste, pas un seul mot de tendresse.

– Les méritiez-vous ? »

Elle s'assit mieux au bord du lit, fixa l'aumônier :

« Que savez-vous, mon père, de sa grande colère contre moi ? »

Dom Savié fronça les sourcils :

« Vous n'attendez pas de moi, je pense, que je répète ce qui m'est confié, fût-ce en dehors de la confession ? »

Il la vit baisser la tête, ajouta d'un ton radouci :

« Je peux pourtant vous dire que j'étais avec votre époux et le baron de Quissac, dans un coin de salon du Cap, quand on nous a rapporté... des potins de la société d'Isle de France. Vous y étiez assez nouvellement installée et sur un assez grand pied pour qu'on nous parlât de vous, et on nous en a d'autant plus parlé que le chevalier interrogeait surtout là-dessus.

– Et que savait de ma vie le bavard que vous écoutiez ? demanda Jeanne en s'animant. Qu'en connaissait-il, hors les apparences ? »

Dom Savié observa longuement Jeanne, jusqu'à la voir rougir.

« Madame, dit-il alors, un mari amoureux se contente facilement d'une apparence de trahison pour devenir un jaloux furieux quand il a le tempérament jaloux... et certains souvenirs.

– Certains souvenirs ? » releva Jeanne avec vivacité.

Peut-être se serait-elle élancée de très bonne foi dans l'impudence, si l'aumônier ne lui avait pris les mains pour les enfermer entre les siennes un instant :

« Rappelez-vous, ma fille, que c'est moi qui ai reçu votre confession avant de recevoir votre serment de fidélité au chevalier. »

Elle se leva brusquement, marcha jusqu'au bureau avant de revenir vers dom Savié pour s'agenouiller à ses pieds, sur le tapis :

« Mon père, je l'aime, dit-elle avec une passion contenue. Je l'aime de tout mon être, je ne m'imagine pas ne l'aimant plus et, si lui ne veut plus m'aimer, je me laisserai mourir ! Mais avant j'essaierai de vivre, avant j'essaierai de toutes mes forces de me reloger dans son amour, pour vivre ! Aidez-moi, mon père. Aidez-moi, je vous en supplie. »

Il lui reprit les mains :

« C'est, dit-il, que pour vous aider je ne trouverai pas une meilleure idée que la vôtre : l'aimer. L'aimer de toutes vos forces, avec patience, jusqu'à fondre la cuirasse dans laquelle il s'est enfermé.

— Avec patience, répéta-t-elle d'un ton souffrant. Ah ! mon père, c'est que j'ai tant, tant besoin d'une caresse de lui, fût-elle minuscule... Fût-elle réduite à un regard, à un mot... Comme mon courage serait plus grand si j'avais seulement obtenu de lui un mot qu'on ne donne pas à une étrangère – tenez, mon prénom; si je l'avais au moins entendu me dire « Jeanne », une seule fois, plutôt que madame... Moi, mon père, je n'ai pu me retenir de dire « Vincent ».

— Voilà donc qu'avant même la fin du premier jour, votre pauvre patience lui réclame un gage, soupira dom Savié. Je connais bien votre époux, madame. Il ne se détendra que lentement. Comme tout commandant de navire c'est un homme solitaire, qui mûrit et prend ses décisions seul et s'y renferme en prenant soin de ne pas se laisser entamer par les raisons des autres, même quand il fait semblant de consulter ses officiers... ou de prendre le conseil de son aumônier.

— Il a été avec moi d'une sévérité sans faille. Sans une seconde d'abandon. Et si... »

La voix de Jeanne s'étrangla :

« Et si sa dureté n'était pas qu'une cuirasse ? Si son amour pour moi lui était passé, tout à fait ?

— Voilà de quoi je refuserais de jurer !

— Mais alors, s'il m'aime encore... Pourquoi semble-t-il si bien ne me vouloir que du mal ? »

Le regard soudain lointain, elle écoutait un écho :

« Quelqu'un, un jour, m'a fait remarquer que les Italiens ne disaient pas « je t'aime », mais « ti voglio bene ».

— Je ne suis pas certain que tous les Italiens mettent leurs mots en actes, sourit dom Savié. Cela se dit, qu'en Italie la passion tue beaucoup.

— Alors, sans doute tue-t-elle surtout des femmes, soupira Jeanne. L'amour d'un homme a si peu d'indulgence...

— C'est que tout homme se refait, avec celle qu'il aime, l'image pure et naïve d'une femme infaillible, qui lui remonte de loin, et sur laquelle il ne supporte aucune tache. »

Elle se releva du tapis et tira le second fauteuil auprès de celui de l'aumônier. Avant de s'asseoir elle y ramassa le chat pour le poser sur ses genoux où il se recala de son mieux, résigné : les humains ne connaissent rien à la volupté de tranquillité. Tout en caressant ses deux mains au doux poil obscur de Réglisse elle s'était mise à fixer, au-dessus du bureau, le large rectangle de boiserie dont le gris de perle tranchait sur le gris plus fané du reste de la chambre.

« Le chevalier a dû voir des taches déplaisantes sur la belle image de sa Pomone, finit-elle par dire, tristement. L'a-t-il fait jeter aux requins ?

— L'idée aurait peut-être pu lui en venir un jour de mauvaise humeur, aussi l'ai-je prise chez moi quand il l'a fait décrocher d'ici. »

Un petit sourire vint à Jeanne, un sourire pauvre, mais le premier depuis qu'elle avait posé le pied sur *Belle Vincente* :

« Sainte Pomone vous a donc paru assez pudique pour entrer dans la chambre de l'aumônier ?

— La bonne peinture ne fait penser qu'à Dieu, pour le remercier de ses créations », dit dom Savié en rendant le sourire.

Jeanne ôta sa main droite au chat pour la poser, mendiante, sur la manche de l'aumônier :

« Mon père, vous prierez chaque jour pour que je le reprenne, n'est-ce pas ?

— J'y aurais pensé seul. Comment pourrais-je ne

pas prier pour qu'un amour que j'ai béni triomphe finalement de tous ses malheurs ? »

Elle insista :

« Mais à son triomphe, vous y croyez, n'est-ce pas ?

– Je crois que l'amour, quand il mérite son nom, possède le prodigieux pouvoir d'abolir tout ce qui le gêne. »

Il se leva, reprit d'un autre ton :

« J'ai retenu Mario de venir vous accommoder, il est temps que je vous l'envoie. Et au fait, ajouta-t-il après avoir marqué une pause, avant ce soir je n'ai jamais vu qu'une seule autre fois notre capitaine céder son logement pour s'en aller camper dans la grand-chambre, et c'était à Maldonado, pour y mettre une bonne prise qu'il avait faite aux brigands de La Plata. »

Cette fois, Jeanne eut un vrai sourire, un de ses sourires émus qui lui illuminait les yeux. Elle retint dom Savié un dernier instant :

« Au moins, mon père, si par hasard il vous questionnait... dites-lui bien que je l'adore. Mon père, je l'adore !

– Et lui voulez-vous aussi du bien ? demanda le père avec malice.

– Oui, oh ! oui ! »

Dom Savié hocha la tête :

« Vous devriez vous en souvenir aussi quand il navigue loin de vous », dit-il.

Jeanne ne réussit à s'endormir qu'à l'approche de l'aube, et fut réveillée peu après, par les seilles d'eau qui claquaient sur les ponts. Encore embrumée de sommeil elle bâilla, s'étira, se retourna sur le ventre et retrouva, sous son nez, le parfum d'orangeraie en fleur dont Vincent s'inondait : elle enlaça les oreillers pour se serrer contre lui...

Mario la trouva pourtant levée quand, une heure

plus tard, il lui apporta de l'eau et du café. Indécise, elle tripotait les trois robes qu'elle avait apportées au Cap en se demandant laquelle la faisait la plus belle.

« Si j'étais que de vous, je mettrais celle-ci », dit familièrement Mario en relevant de la courtepointe une blancheur légère.

C'était la robe « à la négligé », de mousseline blanche ornée de dentelle au fuseau, qu'elle avait choisie dans le coffre aux nippes brésiliennes le soir où Vincent l'avait accueillie sur sa frégate pour la première fois. « Elle ne m'avait pas mal réussi, c'est vrai », pensa Jeanne avec un frisson de trouble.

« Et avec ça, je me pendrais au cou toutes mes chaînes d'or et d'argent; des fois que vous les auriez prises avec vous », dit encore Mario.

Le beau valet tenait la robe fluide et neigeuse devant lui et se contemplait avec ravissement dans le miroir de la toilette. Jeanne lui passa ses chaînes au cou, plaisanta :

« Pour le prochain bal costumé qui se fera à bord... »

Elle hésita, acheva pour forcer le destin :

« ... je vous déguiserai en belle dame créole. Vous serez parfait. »

Mario ne lui rendit qu'en soupirant la robe et les bijoux :

« Le capitàni ne veut pas jamais que je me déguise en fille », dit-il d'un ton boudeur.

Jeanne retint un sourire et se fit verser une tasse de café. Elle pensait n'avoir pas faim, mais mangea de bon cœur la tartine de beurre au miel que Mario lui avait préparée. Après tout, elle était à bord de *Belle Vincente*, et dans la chambre de son capitaine, et comme chez elle. La bataille n'était pas gagnée, mais elle avait franchi le premier barrage, et toujours l'estomac prend sa part d'une victoire, c'est bien connu :

« Mario, si vous me beurriez une seconde tartine, je crois que je la mangerais, dit-elle au valet.

– Osco ! lança Mario tout content. Et après ça, vous me laisserez vous coiffer, si ? Vous vous en souvenez, j'espère, que je suis un bon coiffeur ? »

Quand elle se fut habillée, elle l'aida à la coiffer avec une raie médiane, deux lourdes tresses et une chaîne d'or lui ceinturant le front par le milieu. Ainsi, jugea-t-elle, elle redevenait la copie de la princesse indienne blonde à laquelle le chevalier n'avait pas pu résister dans le rio de La Plata. Mais viendrait-il lui-même lui rendre sa réponse ?

Elle n'osa pas sortir de la chambre, prit un livre et attendit. Le livre tremblotait dans sa main trop nerveuse, elle aurait eu du mal à lire Lucien, mais n'y songeait guère.

Comme elle attendit deux heures elle eut tout le temps de se désespérer en se persuadant que Vincent était en train d'écrire, en pesant ses expressions, une lettre de refus à Poivre, qu'il enverrait son lieutenant ou l'aumônier lui remettre. Aussi eut-elle un élan de joie si intense, en le voyant paraître, qu'elle se leva d'un sursaut, en laissant tomber son livre.

Il avait marqué un temps d'arrêt sur le seuil, comme si la vue de la princesse indienne blonde l'avait frappé, mais il se reprit aussitôt :

« Je suis venu, madame, vous parler de votre affaire », dit-il en entrant.

Son ton de ce matin-là était d'une courtoisie froide, que Jeanne imita de son mieux :

« Chevalier, me voilà prête à vous écouter. »

Avant de s'asseoir, il se pencha pour ramasser le livre tombé, jeta un coup d'œil au titre et retint un trait d'ironie : Jeanne avait choisi *Dialogues des courtisanes*. Il posa le livre sur la table et commença de parler dès qu'ils se furent installés presque face à face :

« Madame, je ne m'en vais pas vous dire que je serai enchanté d'oublier mes projets pour aller servir ceux de M. Poivre. Mais il est vrai que j'avais promis au duc de Praslin de me mettre à la disposition du gouvernement de l'Isle de France jusqu'à l'arrivée au Port-Louis des vaisseaux qu'il devait y envoyer. Ayant été fort retardé je pouvais bien croire que les vaisseaux du ministre m'avaient devancé mais, puisqu'il n'en est rien, je tiendrai ma promesse. J'irai au Port-Louis, au moins pour m'y expliquer avec les gens du Roi... et leur ramener leur ambassadrice. J'appareillerai dès que j'aurai fini de charger une cargaison de nécessité pour le comte de Maudave, que je lui déposerai à Fort-Dauphin en passant. Si, en attendant, vous désirez séjourner à terre, je vous y ferai porter. Vous n'avez qu'à parler. »

Après un temps de silence, il interrogea :

« Eh bien, madame ? »

Figée, la bouche entrouverte, Jeanne le dévorait des yeux, éblouie.

« Vous venez ? souffla-t-elle. Vous venez vraiment ?

— N'est-ce point ce que vous étiez chargée d'obtenir de moi ? »

Elle fit un « oui » des lèvres, inaudible.

« Peut-être auriez-vous pourtant préféré une réponse négative ?

— Non, oh ! non ! »

Et soudain, sa joie perça à travers son éblouissement :

« Chevalier, je suis si heureuse, si heureuse que vous veniez !

— Madame, il ne faut qu'être contente d'avoir réussi votre commission », corrigea-t-il sèchement.

Il décroisa ses jambes et se leva pour aller s'accouder à la galerie de son bureau à cylindre :

« Et maintenant que l'affaire officielle est réglée, dit-il, voulez-vous bien que nous parlions de notre affaire privée ?

— De notre affaire privée ? répéta-t-elle en virant au cramoisi.

– Oh ! je m'en dispenserais volontiers, dit Vincent, mais cela ne se peut, puisque nous allons retourner au Port-Louis de conserve. Le repentir n'efface pas un mariage aussi bien qu'une autre faute, vous êtes ma femme, et je vous prierai de vous conduire comme telle tant que j'aurai à faire en Isle de France. Je ne veux pas de sourires sur mon passage. Mon cœur ne se soucie certes plus de votre fidélité, mais mon honneur n'a pas le même détachement, et c'est avec ennui que je me battrais pour vous. Quand j'aurai enfin trouvé le bon moyen de ne vous revoir jamais, je vous l'ai déjà dit vous pourrez jouir à votre aise et à mes frais de tous les amants que vous voudrez. En attendant, quand vous vous sentirez d'humeur légère baignez-vous dans l'eau froide, en songeant que vous êtes devenue un plaisir dangereux pour l'homme que vous feriez tomber dans votre lit. »

Il s'approcha de Jeanne médusée, ajouta en s'asseyant d'une cuisse sur le bord de la table :

« Songez aussi, pour vous mieux garder, que votre joli cou de cygne est bien mince... »

Il vit Jeanne porter d'instinct les deux mains à son cou nu, reprit avec un sourire :

« Mais, pour peu que vous vous teniez sage en votre maison, à soigner vos fleurs et vos herbiers, je ne vous toucherai pas un cheveu et ne vous refuserai pas un écu. Je vous emmènerai même aux bals du gouverneur, pour ce que vous faites une épouse décorative, qu'on me jalousera d'autant plus qu'elle se donnera l'originalité d'être vertueuse. Les bâtards sont de grands orgueilleux : j'aime qu'on m'envie. »

Pendant un instant, il sembla attendre une réponse mais Jeanne se contentait de le fixer en respirant trop vite, alors il poursuivit avec la même désinvolture affectée :

« Je n'exigerai pas votre parole de vous en tenir à ce que j'ai décidé : je sais que vous n'avez pas de parole. Aussi veillerai-je moi-même à ce que vous ne vous en écartiez pas. »

Elle se leva en se forçant à le faire sans hâte, alla devant le miroir vérifier trop longuement un détail de sa toilette... Enfin, elle refit face à Vincent :

« Il me semble, chevalier, que nous n'avons pas entièrement mis au point notre affaire, commença-t-elle à voix calme. Vous m'avez parlé de ne me point toucher un cheveu, et puis de ne me refuser ni votre or ni le bal... Tout cela veut-il dire que je pourrai tirer de vous tous les plaisirs qu'on espère d'un mari excepté ceux de votre lit ?

— Je ne sais pas bien, madame, les plaisirs que vous espérez tirer d'un mari de jour, et que l'or ne pourrait vous procurer ?

— Votre compagnie, par exemple ?

— Ma foi, il va sans dire que nous souperons parfois ensemble, ne serait-ce que chez les autres. Mais si la table de Quatre-Epices est bonne, je vous promets de ne la point bouder. Et si vous souhaitez que je vous fasse de temps en temps votre partie d'échecs...

— En résumé, je serai une femme comblée, n'ayant en échange qu'à vivre en nonne dans mon lit ?

— Je crois que vous voyez bien la chose.

— Pas encore assez nettement. Puis-je vous demander, chevalier, si vous vous tiendrez sage en votre chambre pendant que je me tiendrai sage en la mienne ? »

Vincent eut un éclat de rire forcé :

« Cornebleu ! Madame, comme vous y allez ! Demande-t-on pareille chose à un marin en escale ? J'ai toujours eu du goût pour les femmes; je ne vais pas m'en priver demain, pour me punir d'en avoir épousé une dont la chair bénite m'écœure ? »

Jeanne reçut la méchanceté comme un coup de poignard en plein ventre. Elle se décolora, ses genoux fléchirent, frénétiquement elle serra ses mains sur le bois du fauteuil où elle s'appuyait et demeura plusieurs secondes, les paupières abaissées, le cœur dans un étau, à lutter pour se reprendre... Enfin, sa poitrine se gonfla pour avaler de l'air et elle releva son regard sur Vincent, qui n'avait pas bougé. Elle était toujours très pâle et dut encore se donner une longue seconde avant de pouvoir parler :

« Décidément vous êtes un Maure, réussit-elle enfin à dire. Il vous faut une femme enfermée dans le harem pendant que, dehors, vous vivez à votre guise. »

Avec cynisme, il inclina la tête pour lui répondre « oui » et elle reprit, de la colère montant dans sa voix :

« Vous serez même d'usage moins plaisant qu'un Maure, pour ce qu'un Maure, à ce qu'on dit, entre au harem de temps en temps pour faire l'amour à la captive.

— Si j'étais un Maure, dit-il en lui souriant avec insolence, j'enfermerais plusieurs femmes et ne ferais pas l'amour à toutes. Cela n'arrive jamais dans un harem : renseignez-vous. »

Il y eut un nouveau silence assez long, puis Jeanne dit, brusquement décidée à jouer du cynisme elle aussi :

« Si vous voulez bien établir à Quatre-Epices votre harem d'Isle de France vous y aurez plusieurs femmes à votre merci : j'y loge mon amie Marie, que son époux a fort indélicatement rendue veuve, et aussi Mme de Vaux-Jailloux, qui s'était chargée de l'accompagner jusqu'au Port-Louis.

— Je savais cela, dit Vincent sans s'émouvoir. La mer indienne est une gazette au long cours.

— Dans ce cas, peut-être la présence de Pauline en Isle de France n'est-elle pas étrangère à votre décision d'accepter aussi vite la requête de M. Poivre ? En débarquant au Port-Louis, vous y retrouverez une chère habitude. Votre favorite en l'île sera toute choisie. »

Vincent prit une expression amusée :

« Vous vous trompez beaucoup, madame, si vous croyez qu'un « Maure » n'aspire en amour, qu'à retrouver ses habitudes ! Si c'est cette pensée qui vous blesse, ôtez-vous-la : je vous promets de ne pas m'en tenir à Pauline. Dieu merci, elle fait partie de ces femmes parfaites qui font l'amour à merveille sans le prendre au sérieux, si bien qu'elles vous évitent de tomber dans ses pièges en vous en donnant tous les plaisirs. Ce sont des menteuses de bonne foi, qui ne se déguisent pas en sincères. Elles sont d'un usage charmant. »

Précipitamment, Jeanne baissa la tête en faisant mine d'arranger un pli de sa jupe : ses joues la brûlaient. Vincent jouit toute une minute de son désarroi, reprit d'un ton plus naturel :

« Mais je vois bien que la vie que je vous propose ne vous attire guère. Peut-être, à la réflexion, préféreriez-vous celle que vous offrait ma dernière lettre, libre de toute attache avec moi, et nos seuls rapports confiés aux soins d'un banquier ? Vous pouvez encore la choisir. Je peux voir si je ne trouverais pas ici un capitaine hollandais tenté d'aller se faire honnête pirate au service de M. Poivre, et à ma place. Je vous confierais à lui, ainsi ne retourneriez-vous pas au Port-Louis sans y ramener un vaisseau corsaire mais sans, pour autant, vous encombrer d'un mari qui ne vous sera désormais qu'un honneur à respecter. »

Comme elle ne pipait, ni ne le regardait, il insista :

« Madame, vous pouvez encore vous choisir l'avenir le plus facile, dont je ne serai pas. »

Cette fois, elle lui offrit son grand regard mouillé, amoureux sans pudeur :

« Non », dit-elle, avant d'ajouter, résolument :

« Vincent, je vous veux, je vous prends; je ne vous demande aucun compte de l'avenir, par foi en votre amour passé. »

Une crispation fugace marqua, sur le visage du chevalier, qu'elle l'avait touché. Dans le silence qui suivit il affecta de feuilleter le livre de Lucien qu'il tripotait de temps à autre, jeta enfin du bout des lèvres :

« Ce soir, il y a concert et souper dans les jardins du Nieuland. Si vous avez envie de mettre pied à terre... Moi, j'irai.

– J'irai donc aussi, dit Jeanne. J'irai pour vous décorer le bras. Quoique en fait de parure, vous auriez plus ordinairement besoin qu'on vous en ôtât que d'y ajouter !

– Vous, c'est tout le contraire : il vous en manque, dit Vincent, vexé de sa pique. Ajoutez-vous donc un ou deux fichus. Je vous avais déjà priée, ce me semble, de ne pas vous promener le sein nu devant mon équipage ? »

Elle osa un peu d'audace :

« Je me demande, chevalier, si vous ne sortez pas déjà de nos accords ? J'avais compris qu'en fait de galanterie vous me défendiez les réalités, mais pas le menu plaisir d'être caressée de l'œil. »

La main de Vincent s'abattit sur un bras de Jeanne, qu'il serra à le bleuir :

« Je vous avais déjà priée aussi de ne pas exciter ma violence, dont je suis mal sûr, dit-il avec rage. Vous êtes une coquette sans vergogne, mais je vous jure que je vous tiendrai fidèle, de gré ou de force, et je vous souhaite que ce soit de gré ! »

Il la relâcha aussi brutalement qu'il l'avait saisie et sortit en claquant la porte, furieux qu'elle eût réussi à le faire s'emporter.

Dans la chambre, debout devant le miroir de la toilette, un sourire aux lèvres, Jeanne frottait douce-ment la peau endolorie de son bras avec la mousse-line de sa manche :

« Eh bien, Jeanne, cela ne va pas si mal ? dit-elle à son reflet. Il aura peine à ne te point toucher jamais. »

23

La côte de la Grande Ile, qui n'était déjà plus qu'une ligne doublant l'horizon, s'effaça enfin comme un mauvais rêve. Jeanne poussa un soupir. Dom Savié la regarda, soupira à son tour :

« Le chevalier ne me fait pas un paroissien docile quand le Diable l'invite au bal », dit-il.

Jeanne ne répondit pas tout de suite. Fallait-il vraiment reparler des quatre pénibles jours de leur relâche au Fort-Dauphin ? Vincent s'y était distrait de manière voyante, avec une fort jolie comédienne que le comte de Maudave avait mise dans sa cargaison de colons. Elle dit d'un ton las :

« Il a voulu éprouver la patience que vous me conseillez. La triste patience.

— Appelez-la l'espérance : c'est la même chose, et le mot sonne plus gai.

— J'essaie. Mais je prévois que, même quand j'aurai regagné son cœur, je ne vivrai pas un amour facile. Il se pourrait bien que l'inquiétude au moins fût souvent mon lot.

— Je vous le souhaite », dit dom Savié.

Il ajouta en souriant, pour répondre au reproche surpris qu'il lisait dans les yeux de Jeanne :

« L'amour qui ne s'inquiète pas devient vite de l'amitié, et je sais que vous n'avez pas envie de vivre d'amitié.

— Non », reconnut-elle.

Non, mais tout de même... En ce moment, il lui semblait qu'elle se contenterait bien de certitude, sans en perdre une seule once de son amour.

Au Cap, pendant les cinq jours qu'avant leur appareillage elle avait passés entre mer et terre, sa vie avec un mari fâché lui avait paru presque douce. Il était fâché mais il était là, et sa présence à peine retrouvée la grisait assez. Distant mais courtois, Vincent l'avait menée trois fois à terre, la dernière chez les Vanderspie. Ceux-ci tenaient tout le haut du vignoble du canton de Constance, leurs vins de muscat d'Espagne passaient pour fameux chez tous les marins, qui s'y fournissaient volontiers de quelques pièces avant de quitter la baie. Pour faire goûter leurs crus les Vanderspie asseyaient leurs visiteurs autour d'un dîner servi à la hollandaise, plantureusement. La province du Cap regorgeait de saveurs exquises, les arroser de vin de Constance était un plaisir que M. Vanderspie se faisait un devoir commercial de pousser jusqu'à l'enthousiasme, si bien qu'après le dîner, quand le vigneron avait promené le capitaine de *Belle Vincente* et sa compagnie autour de son domaine, la gaieté folâtrait dans les veines de tout le monde. Et Jeanne, riant et regardant rire Vincent, ne sentait plus le mur qu'il avait élevé entre eux. A un moment de la promenade, comme tous les deux se trouvaient par hasard isolés à quelques pas derrière les autres, impulsivement elle avait glissé sa main sous le bras du chevalier, sa tête avait frôlé son épaule en même temps qu'elle lui murmurait : « Je vous aime. » Et lui avait répliqué : « Franchement, madame, je m'en moque ! » mais sur un ton d'impertinence légère, le ton avec lequel on badine.

Quand ils avaient repris la mer, elle avait espéré que l'étroite promiscuité qu'on vit sur un navire lui donnerait dix fois le jour l'occasion de risquer un nouveau geste tendre, mais Vincent s'était arrangé pour ne guère la rencontrer qu'aux repas. Comme Jeanne occupait sa chambre, lui se tenait dans la grand-chambre, et elle n'osait y entrer tant que le faradin du plat ne venait pas la prier à la table du capitaine. Un jour, pourtant, elle s'y était aventurée, parce qu'à travers la cloison elle l'avait entendu toucher du clavecin. A son entrée, il s'était arrêté net, le regard interrogateur. Sur un ton de douce prière elle avait dit : « Je suis venue vous écouter. » – « Oh ! cela n'en vaut pas la peine, je ne faisais que voir si l'accordeur hollandais l'a bien réglé », avait-il dit en refermant l'instrument. « Vous pouvez vous en servir à votre gré », avait-il ajouté en quittant son tabouret, et la pièce tout de suite après. Un autre jour, elle avait eu un espoir moins bref. Elle se trouvait sur le gaillard quand il était venu s'y poster non loin d'elle, pour se pencher par-dessus la lisse comme s'il voulait apprécier la vitesse de l'eau filant le long de sa coque; et puis il était demeuré à contempler au loin la marche d'une flottille de marchands hollandais qu'escortaient deux corvettes. « Ils viennent de Batavia, avait-il lâché soudain. Ils doivent être bourrés de toutes les épiceries que vous adorez. » Vivement, Jeanne s'était retournée pour voir à qui Vincent s'adressait, mais ils étaient seuls à cet endroit du gaillard. Vincent lui parlait à elle, et sans qu'elle l'eût sollicité. Une bouffée d'illusion lui avait gonflé le cœur et elle avait dit, avec une fierté naïve : « Dans quelques années, si assez de planteurs d'Isle de France prennent modèle sur moi, vous pourrez voir une même flottille de marchands d'épiceries remonter vers l'Europe, et ils viendront du Port-Louis, et ils seront français ! » Là, elle avait marqué une courte hésitation avant de poursuivre : « Je ne vous ai encore rien raconté de Quatre-Epices. Vous savez, mes plantations de poivriers, de théiers et de caféiers sont déjà bien... » Il l'avait interrompue d'un geste : « Madame, Quatre-Epices est votre affaire, non la mienne. J'y dînerai sans doute, j'y logerai peut-être, mais je ne m'y ferai certes pas une âme d'épicier, les épices sentent par trop la sueur d'esclave. » L'incarnat avait sauté aux joues de Jeanne. Précipitamment elle avait voulu se justifier d'employer des Noirs en attendant qu'assez de paysans blancs... Une seconde fois, Vincent l'avait coupée : « Ne vous excusez pas tant de l'inexcusable, il n'est pas votre fait particulier mais notre fait à tous. Je me sers de sucre et de café, de poivre et de cotonnades et n'ai point envie de m'en passer plus que vous. Je sais bien que nos colonies demeureraient incultes et sauvages à jamais si les colons n'y imposaient pas le travail forcé [1], et sans doute faut-il bien que le monde se civilise peu à peu, comme il peut ? Mais moi, de toute façon, je n'ai pas envie de civiliser la terre. Pour maison et pour champ j'ai la mer. Quatre-Epices est votre maison et votre champ à vous. » Ainsi, d'une réponse qui n'avait que le mérite d'être plus longue que beaucoup d'autres, il l'avait renvoyée à sa solitude.

La solitude... Elle ne s'en était pas méfiée. Quand elle avait passé son traité avec Vincent, elle n'avait pensé qu'à la douleur de son désir rabroué. Mais la chasteté n'était que la partie vivante du châtiment que lui infligeait son mari ; elle était son humiliation cuisante, et ses insomnies, et la brûlure qui couvrait sa peau quand elle regardait Vincent – sa chasteté était encore toute une vie amoureuse. Tandis que le détachement poli de Vincent était solitude. Du gris, du morne, une glace qui lui figeait le sang. Et souvent un immense besoin de Philibert la reprenait, un besoin urgent d'enfant triste. Mais c'était fini : jamais plus personne ne l'aimerait comme une petite fille, jamais plus un homme ne la laisserait pleurer l'absence ou la cruauté d'un autre homme sur sa poitrine, sans l'interroger, en se contentant de lui caresser les cheveux jusqu'à l'endormir à force de bercer son chagrin avec le rythme de son cœur. Vivre était devenu à plein temps une besogne d'adulte.

Au fil du temps bleu-vert qui la balançait oisive entre ciel et mer sa dolence l'avait pâlie, maigrie, lui faisait souhaiter du pire pour en sortir au moins par un coup de douleur ou de colère. Son souhait avait été exaucé à Fort-Dauphin. Et paradoxalement, l'attitude outrageante de Vincent pendant toute l'escale lui avait rendu le sourire. Un sourire de fier défi, solide à tout, qu'elle promenait du matin au soir, et

1. Les antiesclavagistes les plus têtus le croyaient. Et c'était vrai, puisque les Européens « civilisaient » à leur mode et pour servir leurs besoins.

payait du soir au matin par une orgie de pleurs, de rage et d'imprécations. En fait de divertissement aigu à sa langueur, elle avait eu son content ! Depuis qu'ils étaient de nouveau en mer elle tâchait d'oublier, de se reloger dans son mal feutré. La souffrance vive ne valait vraiment pas mieux !

Elle tourna le dos à l'horizon, offrit son visage au soleil, respira le soleil.

« Nous voilà en route pour chez vous, dit dom Savié.

– Oui, dit-elle, et elle sourit à sa vision. L'été est beau à Quatre-Epices, vous verrez. Il sent l'aloès plus qu'en toute autre saison. Mon père, viendrez-vous vivre à Quatre-Epices votre temps d'escale dans notre île ?

– Cela vous aiderait-il ?

– Oui.

– Alors, je viendrai.

– Oh ! vite, vite ! dit-elle en ouvrant ses bras à la brise. Vite ! J'ai envie de ma maison. Il me semble que dans ma maison j'aurai plus de pouvoir... que je saurai mieux... Au fond, hors de sa maison une épouse est assez désarmée, elle redevient une femme parmi les autres. Mon père, priez pour que Dieu nous fasse un vent à nous envoler comme mouettes jusque là-bas ! »

Dieu fit un peu trop, il fit une tempête.

Ils faillirent sombrer. Du moins Jeanne le crut-elle.

Janvier n'est pas la bonne saison pour naviguer dans ces parages, où les vents deviennent alors pleins de caprices, prompts à la violence la plus meurtrière. Déjà, la veille, un grain les avait surpris toutes voiles dehors, et le vaisseau avait été coiffé. Cette fois, le coup de chien survint sur le minuit, mais on l'attendait : depuis le matin la mer les roulait fort et, vers les trois heures de l'après-midi, le soleil s'était brusquement caché derrière un bandeau de laine grise épaisse. Les charpentiers avaient cloué des croix de Saint-André aux volets fermés de toutes les fenêtres et, après le souper, le capitaine et ses officiers s'étaient jetés sur leurs lits habillés et bottés [1]. Jeanne avait fait de même et elle réussissait à s'assoupir en dépit du roulis, quand la mer, d'un furieux coup de boutoir, creva deux des fenêtres de la grand-chambre. Dans un bruit d'explosion le vaisseau plongea vers l'arrière, basculant Jeanne de son lit. La lumière faite à tâtons, elle se retrouva, affolée, au milieu d'un décor pris de sarabande. Sans réfléchir elle courut hors de sa chambre, une fumée d'eau l'enveloppa comme d'une gaze glacée, à travers laquelle elle aperçut, au milieu d'un désordre de fantômes et de falots dansant follement, le ruisseau qui s'échappait, à gros bouillons, de la porte grande ouverte de la grand-chambre. Elle poussa un cri, se précipita elle aussi dans l'inondation, reconnut tout de suite Vincent, debout au milieu de la pièce qui se vidait et gueulant des ordres.

« Oh! mon Dieu, chevalier, votre clavecin! » s'écria-t-elle – comme une bonne maîtresse de maison qui, voyant sa famille sauve, se soucie du meuble!

Vincent n'entendit pas l'incongruité mais vit Jeanne, poussa un juron, l'empoigna et la traîna sans douceur jusqu'à sa chambre, dans laquelle il la poussa en lui ordonnant de n'en plus bouger.

Après une heure d'ouragan, elle n'y tint plus de ne pas savoir, ressortit et se colla contre sa porte, cramponnée de son mieux, essayant de voir. Quand le nuage d'écume ne l'aveuglait pas trop, aux lueurs des éclairs de l'orage elle distinguait assez de l'océan pour s'en épouvanter. La frégate sautait comme un bouchon sur des montagnes de mer pointues formées

1. Les matelots, eux, quel que soit le temps, se couchaient tout vêtus, c'était le règlement.

de plusieurs étages de collines, qui s'écroulaient et renaissaient sans répit, et en renaissant chaque montagne, telle une monstrueuse baleine, crachait son haut souffle d'eau vers un ciel effrayant, qui n'existait plus que par les fracas que le tonnerre y déclenchait. C'était le premier grand coup de mer que Jeanne endurait. Sous le cap Finistère et dans le Pot-au Noir, ce qu'en venant de France elle avait pompeusement baptisé « mes tempêtes » dans ses lettres à Marie lui semblait maintenant n'avoir été que des chahuts pittoresques auprès de ce cyclone de la mer indienne, terrorisant. Le bruit, énorme, l'empêchait d'entendre quoi que ce soit des paroles qui s'échangeaient sans doute entre les silhouettes qui se mouvaient courbées sur le pont, en se halant de prise en prise. De ses plus grands yeux brûlés par le sel elle cherchait Vincent pour mourir dans ses bras, elle hurlait dans le tintamarre des « Vincent ! » désespérément vains, que le vent balayait aussitôt du navire. Enfin elle le vit qui, en même temps que Quissac et l'enseigne de Brussanne, déchargeait son pistolet sur un coffre errant. Un coffre de plusieurs milliers [1] avait rompu ses amarres et roulait comme un dé sur le pont, menaçant d'écraser tout sur son passage. Les balles de plomb firent sauter ses serrures, il s'entrouvrit, se disloqua bientôt, les bouteilles qu'il contenait se brisèrent en s'échappant, et la mer but leur vin de Champagne. Deux charpentiers se saisirent du caisson délesté pour le jeter par-dessus bord. Jeanne redoubla ses appels vers Vincent, ce fut un porte-falot qui l'entendit en passant devant elle et s'en alla la désigner d'un geste à son capitaine. Vincent fondit sur elle :

« Vous êtes folle, décidément ! Faudra-t-il que je vous emboucle pour vous faire tenir tranquille ? Rentrez !

— Chevalier, ne me laissez pas seule, j'ai peur, j'ai

---

1. Le millier valait mille livres.

trop peur, gémit-elle, toute honte engloutie par sa panique.

– Nous avons tous peur, madame, et dans ce cas on prie. Voyez donc, lui cria-t-il en relevant d'un coup de pied aux fesses un homme à genoux :

« C'est sainte Pompe, mon garçon, qu'il faut aller prier pour l'heure, sainte Pompe ! Madame va se charger pour toi des autres saints. Allons, madame, rentrez !

– Non, je vous en supplie, ne m'enfermez pas là, chevrota-t-elle en s'agrippant à lui, ne m'enfermez pas, je ne veux pas me noyer loin de vous, j'ai trop peur ! »

Il eut un ricanement :

« Rassurez-vous, je vous donne ma parole que, notre dernière minute arrivant, je viendrai vous amarrer à moi pour que nous fassions le festin du même requin. Et maintenant, lâchez-moi ! J'ai à faire, madame. Mon équipage n'éprouverait pas la même volupté que vous à se noyer avec son capitaine. Lâchez-moi !

– Non ! je ne resterai pas seule ici, refusa-t-elle fiévreusement en le harponnant plus fort. Je suis la femme d'un marin et, si nous devons périr, je veux que la mer m'arrache de vive force à la manœuvre, comme tout le monde !

– Soit, dit-il après l'avoir fixée une fraction de seconde. Mais avant d'aider à tenir le bâtiment, il faudra déjà réussir à vous tenir debout ! »

Il lui emprisonna le bras et ne la relâcha que pour la confier à un grand Noir de marine, qu'on appelait Grison parce que sa peau était plus grise que noire. Jeanne se retrouva à l'abri du colosse, en train de s'essayer à réparer, avec des doigts très vite douloureux, une manœuvre basse pétée. Le vaisseau fuyait sous sa maisaine, tout le reste de sa toile rentré. Du gaillard d'arrière où le Noir la tenait, chaque fois qu'elle osait regarder la plongée du gaillard d'avant jusqu'au fond d'un précipice d'eau, Jeanne, horrifiée, sentait la mer se refermer sur elle et serrait les dents pour ne pas hurler. Sous les douches d'écume et le ciel qui explosait et s'enflammait au ras des mâts le cauchemar durait, obscur, glacé, chaotique, assourdissant, et Jeanne, abrutie comme chacun dans sa terreur et sa fatigue, comme chacun attendait l'aube, au moins l'aube, pour ne pas mourir dans le noir s'il fallait décidément mourir. Et pourtant, des bouffées de bonheur trouaient sa longue peine quand la main de Vincent s'abattait sur son épaule et que sa voix forcée lui demandait : « Ça va, matelot ? » avant de passer au matelot voisin. Elle criait : « Ça va, capitàni ! » et tirait avec une recrue de courage sur son bout de cordage, qui lui sciait les paumes...

Au point du jour, le navire dansait toujours sur des vagues monumentales. L'ouest était d'un gris de plomb mais l'est d'un rouge ardent, le dessus du ciel formé de nuages de neige et de cuivre bientôt séparés d'éclaircies bleues. Les hauts des panaches d'eau soufflés par la mer se mirent à briller de couleurs. Le navire était sorti de l'enfer noir. Après un dernier tourbillon de vent qui arracha des lambeaux de toile à la misaine avant qu'on la pût carguer, la tempête, épuisée, s'apaisa. Les officiers et les hommes s'écroulèrent là où ils se trouvaient, sous la prière qui tombait du gaillard où le père Savié, la perruque perdue, hirsute et déchiré, remerciait Dieu d'une voix de stentor. Après l'amen, le coq apporta le tonnelet d'alcool et le boujaron.

Même si elle devait vivre cent ans, Jeanne savait qu'elle n'oublierait pas la joie de ce coup de tafia d'après la tempête.

C'était une tradition, à bord de *Belle Vincente,* qu'au sortir d'une grosse peine le capitaine bût son coup de tafia le premier et passât lui-même le boujaron à un matelot dont il avait remarqué le courage. Cette fois, après s'être jeté sa ration dans le gosier à la matelote, Vincent éleva haut la mesure vide en s'écriant :

« Merci à tous, mes enfants, et honneur au novice ! » et il lança le boujaron à Jeanne.

Le rude alcool la brûla jusqu'au cœur, jusqu'au creux du ventre, jusqu'aux yeux, dont les larmes jaillirent. Harassée par sa nuit, éblouie par le geste de Vincent, assommée par le tafia, elle tomba assise dans le sommeil, la joue couchée sur son épaule gauche, ses pauvres mains souffrantes abandonnées ouvertes sur sa culotte.

Vincent la désigna au chirurgien :

« Monsieur Amable, il faudra panser ça tout de suite, la peau du novice tient encore très mal à la manœuvre. »

Les bras de Grison portèrent Jeanne sur son lit. Elle se réveilla pendant les soins de M. Amable, mais sans soulever ses paupières, si bien qu'en entrant prendre de ses nouvelles, Vincent la crut toujours endormie. Discrètement, le chirurgien s'éclipsa et elle entrouvrit les yeux, tendit vers Vincent sa main odorante de momie, balbutia :

« Réglisse... Il n'est plus là. Le croyez-vous noyé ?

— Reposez-vous, dit-il en prenant avec précaution la main emmaillotée pour la replacer sur le drap. Au bout de sa peur le chat remontera bien de sa cachette. »

En ressortant de la chambre, il se trouva nez à nez avec l'Amadou, qui retenait dans ses bras la tête encore hérissée de frayeur :

« Misè Jeanne doit tirer de la peine pour le chat. Je vais lui rapporter.

— Donne », dit Vincent.

Il lui prit le chat par la peau du cou...

Cette fois, Jeanne dormait à poings fermés. Il déposa Réglisse sur la courtepointe, s'assit auprès et contempla la dormeuse jusqu'à s'emplir d'une amertume infinie : « Pourquoi, Jeanne, pourquoi ? Comment peux-tu tromper avec un pareil visage ? » Des rigoles de cheveux poissés par le sel inondaient tout un côté de son oreiller. Une caresse démangea la main de Vincent – qu'il posa sur le chat.

Quand Jeanne se réveilla le gros du désordre mis par l'ouragan était déjà réparé, et le chevalier redevenu pour elle l'époux étranger, distant et courtois qu'il lui avait accordé par traité.

24

LA pointe aux Canonniers parut. *Belle Vincente* la doubla au large pour éviter ses hauts-fonds, avant d'incliner sa route vers le port, en louvoyant contre la brise de terre. Les pailles-en-cul de l'île, curieux et criards, l'enveloppaient dans un tourbillon d'ailes blanches. Au loin le rivage verdoyait de toute son exubérance d'été, ses bouquets de palmes grandissaient lentement vers le ciel chaud, d'un bleu immobile sous des coulées de brume légère.

Le premier signe de bienvenue que Jeanne prit dans la longue-vue de Vincent fut la robe rose de Marie, qui voletait au vent. Bientôt d'autres amis lui apparurent, agitant mouchoirs et fichus, pris dans la liesse multicolore des jours d'arrivée d'un navire au nom français, qu'on imaginait toujours plein de l'air du pays, même en sachant qu'il ne venait pas tout droit de France. Mais Jeanne eut beau fouiller la petite foule, elle n'y put voir ni Emilie ni Pauline. Elle pensa que Pauline se cachait et qu'Emilie avait accouché.

Deux heures plus tard, elle apprenait qu'on l'avait attendue pour donner le baptême solennel à un petit Juan-Maria que tout le monde appelait Juanito, qui avait de grands yeux de jais et un teint d'ambre brun. Pauline s'était transportée à Belle-Herbe, avec tout son bagage, dès que les îliens du nord avaient signalé l'approche d'un trois-mâts de course montrant pavillon du Roi avec flouettes de Malte.

Vincent s'installa à Quatre-Epices avec une bonne volonté qui surprit Jeanne, mais c'est qu'il avait l'habitude de vite s'accommoder pour le mieux là où il débarquait. Moka était le quartier de l'île le plus agréable, et le logement que sa femme lui avait offert à Quatre-Epices lui plaisait assez pour qu'il commençât d'y mettre les raffinements de son goût.

Depuis qu'elle possédait sa maison, Jeanne avait destiné à Vincent, en les tenant fermées, les deux pièces contiguës à sa chambre aux œillets bleus. Elle avait aménagé l'une en cabinet de travail et l'autre, dans laquelle s'ouvrait un cabinet de commodité, en chambre à dormir, aux murs recouverts d'une soierie chinoise à fond jaune, toute brillante d'oiseaux d'argent à huppes. Pour le meuble, elle avait fait de son mieux avec les bois et le bambou de l'île, et ce n'était pas mal; le marin avait trouvé du charme à son nouveau logis provisoire. La piquante cuisine de Nénéne ne lui déplaisait pas non plus, si bien que Jeanne le voyait pas trop rarement s'asseoir à sa table. Mais il prenait plus souvent encore ses repas à l'Intendance ou au Gouvernement.

Tout bien pesé, le corsaire avait accepté de se baser au Port-Louis pour un temps indéterminé. Ainsi pourrait-il donner ses avis pour les travaux de remise en état du port et des batteries côtières, préparer avec Poivre les expéditions de rapine aux Moluques hollandaises, et s'apprêter lui-même pour des courses dans les mers de Chine et pour des voyages de reconnaissance dans le golfe du Bengale et la mer d'Oman, où il aurait à espionner le commerce des Anglais et les défenses dont disposaient leurs comptoirs d'Inde. En fait, il n'était pas exclu qu'il se tînt à la disposition de l'Isle de France jusqu'à la reprise de la guerre avec l'Angleterre, que

Dumas – comme aussi tous les marins – espérait prochaine. Et dès la guerre rallumée, comme le Port-Louis deviendrait sa base de ravitaillement orientale, le chevalier Vincent serait plus que jamais indispensable dans les eaux indiennes. Tout de suite, donc, Jeanne avait su que Quatre-Epices serait pour des années sans doute le point d'attache de Vincent, où il viendrait et reviendrait mouiller ses ancres. C'était, en somme, exactement ce que le corsaire avait prévu lorsque, prisonnier encore des Portugais, il avait écrit à sa femme de lui trouver une maison dans l'île. Mais alors il promettait d'y venir bientôt mettre de l'amour, et il avait changé de cœur et n'y mettait que sa présence, et Jeanne enrageait en souriant, vivait à fleur de ses nerfs, explosant parfois dans l'oreille de Marie.

« Mais au moins, ma chérie, tu le vois; et voir à sa volonté celui qu'on aime, c'est bien l'essentiel, la consolait Marie, estimant que son amie exagérait de se tant plaindre d'un mari beau, riche, poli, qui la menait souper en ville, dînait souvent à la maison, perdait son propre argent au jeu et bref, ne lui manquait que dans son lit, ce qui est bien peu de chose et plutôt gentil, coucher avec un homme est un tel tintouin ! »

Exaspérée, Jeanne ne répondait rien aux propos d'obstinée jeune fille de Marie, se contentait de repenser pis que pendre de son défunt Philippe. Courir dire du mal des hommes avec Pauline l'eût bien mieux soulagée, mais elle s'en privait : Vincent passait un temps fou à Belle-Herbe, il y avait de quoi bouder Pauline. Le voyage à La Plata que don José devait entreprendre au mois d'avril intéressait le corsaire au plus haut point. L'idée l'enchantait de s'associer avec l'Espagnol pour mettre sur pied un trafic de piastres régulier entre Montevideo et Port-Louis, sous le couvert d'un approvisionnement de l'Isle de France en viande et en cuirs, dont les frais seraient payés par le Roi. L'heure du dîner ou du souper arrivait pendant qu'ils discutaient de leur future contrebande, Emilie les conviait à table, et tant et si souvent que, pensait Jeanne, jalouse, pour moins voir son ancien amant, Pauline aurait mieux fait de rester à Quatre-Epices ! Une chose la rassérénait pourtant : la vieille maîtresse était une chair aussi dédaignée que celle de la jeune épouse.

L'appétit de Vincent n'était pas perdu pour tout le monde : il avait pris ses habitudes galantes chez la Dassonville. Mme de Dassonville n'était pas une femme du monde [1] mais de la société, veuve à la peau fraîche d'un capitaine vicomte de la garde et qui lui survivait comme elle pouvait, d'ailleurs sans vulgarité. Elle choisissait bien ses successives sources de piastres et de plaisirs et en usait sans tapage. De telle sorte que même les cancanières les plus douées de l'île ne parvenaient pas toujours à mettre un nom sur une nouvelle robe ou un nouveau bijou de la dame. Cette fois comme souvent, le locataire de la Dassonville se cachait moins que son hôtesse, et tout le Port-Louis savait... jusqu'à Moka. Comme il savait aussi qu'il arrivait au chevalier Vincent d'aller porter son amabilité de reste à Mlle Dorothée, la superbe et talentueuse mulâtresse qui habillait à la créole la plus fine fleur de l'île. Bien qu'elle fût à l'aise grâce à son aiguille Mlle Dorothée ne boudait pas la marine distinguée, chez qui elle se pouvait fournir d'étoffes à bon compte. De reste, la mulâtresse savait vivre; quand Vincent lui avait fait avoir pour trois sols une pièce de satin peau-de-fesse-d'ange rosé à doubler les mousselines, elle était montée jusqu'à Moka pour en offrir à Jeanne la première.

Jeanne avait souri et donné deux négligés à redoubler de frais. « Patience », lui répétait dom Savié, un brin trop indulgent pour les péchés mâles. Mais qui, dans toute la colonie, se serait donné le ridicule de mal juger le chevalier Vincent ? Il faisait à la dame

---

1. Prostituée.

de Quatre-Épices un mari parfait du style Louis XV le plus aimable, très bien réussi de forme, riant, plein d'élégance et de charme. Il avait du trait et du panache, le bon goût d'être libertin, et payait ses dettes de jeu rubis sur l'ongle. Son seul défaut était la bégueulerie de sa femme, qui se défaisait sèchement des danseurs trop pressants et punissait toute audace d'un coup d'éventail : on plaignait le chevalier de la vertu de sa femme comme d'une fausse note dans sa mise.

Sous sa sagesse commandée Jeanne écumait de dépit, mourait d'envie de provoquer Vincent et, un soir de bal au Gouvernement, elle n'y résista pas. Ouvertement, elle se mit à marivauder avec le chevalier de Brussanne, jusqu'à l'entraîner dans le jardin. Son jeu ne dura pas longtemps ! Ils étaient tous les deux à se promener dans la nuit claire, appuyés l'un à l'autre, lui chuchotant des mots de désir, elle les écoutant avec des soupirs et des rires d'encouragement quand, soudain, Vincent fut debout devant eux, trop calme, et priant son enseigne d'aller voir d'urgence – en plein minuit ! – si tout allait bien à bord. Pâle d'humiliation, le jeune officier ne retint un geste de rébellion qu'en sentant peser, sur son épaule, la main de son capitaine :

« Non, petit frère, pas cela, disait Vincent. Allez.

– Eh bien, chevalier, quelle mouche vous pique ? lança Jeanne dès que de Brussanne se fut éloigné. Ne savez-vous pas bien que l'une des tâches d'un bon enseigne est de distraire la femme de son capitaine ? Est-ce à moi de vous faire souvenir des traditions de la marine ?

– Retournons à la danse, dit Vincent sans répondre à la provocation, et il lui offrit son bras.

– Comment ? fit-elle d'un ton trop étonné, vous ne m'étranglez point ? Pourquoi ?

– Vous ne le méritez pas encore assez.

– Quel dommage ! Moi qui ne m'étais encombrée

du petit de Brussanne que pour avoir bientôt après vos mains autour de mon cou. »

Il lui fit face, la saisit au haut des bras :

« Vous êtes une petite gueuse, Jeanne ! Vous êtes la pire des gueuses parce que vous n'en avez pas l'air. Mais je vous tiendrai sage de gré ou de force, je vous en ai prévenue et n'escomptez pas que je l'oublierai ! »

Il la lâcha et regagna les salons à grands pas.

« Il m'a appelée Jeanne ! » chantonna-t-elle aux étoiles en renversant la tête, et c'était du nectar que la blanche lumière du ciel lui coulait par les yeux, jusqu'aux pieds.

Mais à l'aube, quand il reconduisit sa femme à Quatre-Epices, Vincent n'affichait plus la moindre contrariété. Leur vie de cache-cache, douce-amère, reprit sans plus aucun éclat jusqu'au premier dimanche d'avril.

25

Ce ne devait pas être un dimanche ordinaire.

Marie s'était laissé fiancer au lieutenant de Boussuge. Aidée de ses amies, Emilie l'avait convaincue que le jeune poète gracile, presque timide et de sang pâle, lui conviendrait parfaitement : il ne devait pas peser lourd sur une femme. En plus, il était bien né et point trop pauvre, il idolâtrait Marie et adorait Virginie. Il faut savoir finir un veuvage et de Boussuge en était la bonne occasion. Elles avaient fixé le dîner des fiançailles au premier dimanche d'avril, avant le départ de don José pour La Plata. En même temps, on fêterait les vingt-deux ans de Jeanne.

Le jour était beau comme l'est un jour d'avril en Isle de France, avec déjà un peu de rousseur sur les herbes sèches, et dans l'air une tiédeur d'automne idéale. Jeanne, en robe légère de petite soie rayée blanc et vert, bavardait sous la varangue avec les premiers arrivés. Les Poivre avaient amené avec eux le docteur Commerson et sa Rosette, qu'ils logeaient à l'Intendance.

En quittant le Port-Louis après une courte escale afin de boucler au plut tôt son tour du monde en regagnant Saint-Malo, M. de Bougainville avait laissé à l'intendant de l'île le naturaliste de son expédition, pour qu'il reprît la tâche laissée inachevée par le docteur Aubriot. Commerson vivait avec sa « gouvernante », une petite roussotte solide et potelée, pleine de vie et de botanique, qui le suivait partout à la peine et que Jeanne conviait toujours en même temps que son maître. Elle aimait beaucoup Rosette, était très sensible au grand savoir de Commerson, et d'autant plus prête à s'en faire un ami qu'il avait officiellement nommée *Bougainvillea* la liane aux magnifiques bractées pourpres que M. de Bougainville lui avait signalée de la part de son confrère Aubriot, et en lui racontant l'histoire de Jeanne, quand le capitaine de *La Boudeuse* avait enfin retrouvé son botaniste à Rio, sur sa flûte de conserve. Malgré cela, il fallait du courage à Jeanne pour parfois herboriser avec Commerson et Rosette et pour les inviter dans sa maison, tant le couple lui rappelait celui qu'elle avait formé avec Philibert. En ce dimanche, à les entendre s'enthousiasmer pour le coquillage vermiculaire géant qu'ils venaient de trouver à la pointe aux Sables sa cicatrice mal refermée se rouvrait, saignait, le chagrin lui gonflait la gorge et elle tombait de nouveau dans ce vide sans fond, hallucinant, qui avait remplacé Philibert. Pour échapper à sa souffrance elle se leva, alla vers le chevalier de Saint-Pierre qui arrivait du port à pied, et auquel le petit Paul s'était déjà pendu par la main, en quête d'un beau conte.

« Mon petit ami, pour le beau conte tu devras attendre l'heure du café, dit Poivre en saisissant l'enfant pour le poser sur ses genoux. A l'heure du punch, le chevalier de Saint-Pierre est toujours trop occupé à faire le bonheur de l'humanité. »

Il y eut des rires, dont Saint-Pierre fut piqué :

« Hé ! monsieur l'intendant, le bonheur de l'humanité ne serait-il pas le sujet de dispute le plus utile qui soit ? demanda-t-il avec vivacité.

– Utile et passionnant, et jamais éculé à ce qu'il paraît, lui accorda Poivre. Bien des penseurs ont entrepris de faire le bonheur de l'humanité, et tous avec tant de conviction qu'ils l'auraient fait sans doute, s'ils l'avaient pu faire sans les hommes. Hélas ! tout homme se préfère à l'humanité, voilà l'obstacle, et je ne sais comment vous éviterez que personne ne consente d'être heureux par les moyens communs à tous que vous inventerez pour eux. »

Saint-Pierre prit son air douloureux d'archange blessé au cœur – ses blonds cheveux frisottants seyaient à merveille à cette mine-là –, et se mit, une fois de plus, à démontrer au pauvre intendant la sûreté de son système pour conduire les hommes, à force de *bonnes* lois (« Aïe ! » faisait l'intendant), jusqu'à la douceur de vivre comme moutons sur pré sans épines, bien gardés du mal de tous côtés (Aïe, aïe, aïe ! » refaisait l'intendant). Par chance, le baron Louis survint avec un panier de melons, Emilie et Marion Pazevin poussèrent des cris gourmands, et toute la compagnie se retrouva hors philosophie, autour des melons que le baron Louis cultivait avec un soin maniaque, sur de la terre rapportée du Cap.

« J'ai pris ce goût en Lorraine, quand je vivais à la cour de Stanislas, dit le baron pour répondre à une question du docteur Commerson. Dieu ait l'âme de ce bon roi, qui entretenait sept jardiniers rien que pour lui fabriquer des melons, dont il raffolait. Je n'en ai qu'un pour le même usage, mais je dispose d'un climat plus propice, et j'ai moins d'amis que le feu beau-père du Roi.

– Baron, vous êtes un homme de bien, dit Poivre en humant les fruits, qui embaumaient.

– Eh bien, ce mets que la nature nous donne tout prêt ne nous paraît-il pas plus tentant que toutes les prétentions d'un maître queux à la mode et ruineux ? lança Saint-Pierre, toujours prompt à retomber dans sa morale rustique. Et voyez, baron, Dieu a même prévu que vous aimeriez partager vos melons entre amis, il a donné des côtes à cette cucurbitacée pour que vous la puissiez commodément trancher en parts égalitaires. »

Cette fois, les rires fusèrent franchement, et Poivre conclut avec bonne humeur :

« Après tout, chevalier, il n'est pas si faux qu'avec un peu de bonne volonté dans notre façon de dire tout aille pour le mieux dans le meilleur des mondes, puisque Dieu fait pousser le houblon plutôt à la main des buveurs de bière, et la vigne plutôt à la main des buveurs de vin ! »

Marie faisait servir le punch, et Jeanne en profita pour rentrer dans la maison, voir pourquoi Vincent n'était pas encore descendu de chez lui. Elle le rencontra sur le palier de l'étage, qui sortait de sa chambre. Il portait son habit simple en droguet de soie crème à la miniature, sans galonnage et à boutons recouverts d'étoffe.

« Je suis en retard, dit-il en la voyant, parce que je ne me suis souvenu qu'une fois vêtu de gris que, pour vos parties de campagne, vous me souhaitiez dans cet habit-ci.

– Merci de vous être changé, dit-elle. Mais vous en avez déjà la récompense : vous êtes très beau. »

Elle se rapprocha d'un pas, redit d'une voix charmeuse :

« Chevalier, vous êtes beau.

– Je ne suis pas vilain. Mais vous n'êtes pas vilaine non plus. Nous sommes assez bien assortis... pour la danse. Si je suis de retour pour le 25 août, au bal de la Saint-Louis nous plairons beaucoup. »

Vivement, elle releva :

« Si vous êtes de retour ?

747

– Avec le mois d'avril la navigation redevient bonne dans la mer indienne, et ma *Belle Vincente* est remise comme neuve. Je compte appareiller dans une huitaine de jours, quand j'aurai embarqué don José pour La Plata. Mais ce ne sera que pour un court voyage aux Maldives et à Ceylan, où j'emmène l'abbé Rochon pour ses observations des côtes. Je tâcherai d'être ici pour la Saint-Louis. »

Elle s'était figée, silencieuse, et il ajouta, avec moins de détachement dans le ton :

« Mon départ vous inquiéterait-il ? Je suis marin. Vous me verrez partir souvent.

– Je sais », dit-elle tout bas.

Il avait soufflé sur sa joie de fête et elle eut beaucoup de mal à se montrer enjouée pendant le dîner, qui fut pourtant charmant. Les fiancés formaient un couple frais et joli comme un premier amour, Emilie pétillait de saillies acidulées, épanouie hors de sa robe fleur de pêcher, Pauline appâtait ses voisins et Marion, très en beauté, l'imitait de son mieux. Le vin de malvoisie déniché par don José donnait de l'esprit à ceux qui en avaient et de la gaieté aux autres. Vincent, complaisamment, racontait ses prisons comiques, au dessert il donna à pleine voix le départ des chansons et, après le café, se fit un devoir de courtiser toutes les dames, sauf pourtant la sienne. Les jeux et les causeries s'organisèrent, sortirent se mettre à l'air sous le badamier ou à l'ombre du parfum des frangipaniers. Saint-Méry, assis tout au bout de la varangue, jouissait à son ordinaire de sa légère ivresse, en rêveur solitaire.

Sur la fin de l'après-midi, la poignée d'hommes qui restait alors et dont était le maître de maison se décida pour une marche jusqu'au-delà de l'étang. Vincent en revint avec une estafilade au front : à la lisière du verger de la colline un esclave marron à la maraude s'était laissé surprendre et leur avait jeté des pierres en tentant de fuir. Sa victime et Giulio Pazevin traînaient entre eux le marron affolé, dont ils firent livraison à Saint-Méry. Il ne pouvait être question de punir le misérable, maigre à faire peur, affamé et couvert de croûtes; il ne fallait pour l'heure que le nourrir et le soigner, et Saint-Méry le passa à Zoé, pour qu'elle le conduisît au hameau des Noirs.

Jeanne emmena Vincent dans sa chambre pour laver sa plaie. La blessure saignait beaucoup mais n'était que superficielle et, quand elle l'eut enfin asséchée, elle la badigeonna à l'huile de souci :

« Je ne veux pas y mettre un pansement, à l'air vous cicatriserez plus vite. Au lieu de sentir bon la fleur d'orange vous allez empester *Calendula* mais, vous verrez, mon remède est souverain pour refermer la peau sans laisser de trace. Demain, déjà, il y paraîtra moins.

— Les cicatrices seyent à un visage de corsaire », dit Vincent avec bonne humeur.

— Mais pas au visage de mon chevalier », dit Jeanne.

Comme elle l'avait débarrassé de sa perruque, elle ramassa une brosse fine et un peigne sur la toilette, pour regonfler les boucles noires aplaties. Le cœur en chamade, elle prenait vraiment tout son temps, avec un plaisir des doigts sans pareil. Et elle s'émerveillait qu'il la laissât faire.

Dom Savié apparut dans le cadre de la porte ouverte :

« On m'envoie demander si le mal est réparé, dit-il. Je vois que oui.

— Ce n'est plus la peine d'en parler », dit Vincent, et sa tête s'échappa enfin des mains de Jeanne.

Quand ils furent tous redescendus sous la varangue, Jeanne s'aperçut que dom Savié l'observait avec un certain sourire. Elle alla vers lui :

« Quand vous êtes arrivé là-haut, mon père, le chevalier me permettait de le coiffer, et je me demande s'il n'en ressentait pas quelque douceur ? Sa volonté méchante s'affaiblirait-elle enfin ?

— Ce n'est pas un homme faible, mais son cœur

749

d'enfant l'est, dit dom Savié. Il a été affamé de tendresse. Patience, madame. »

Le mot qu'elle détestait fit se rebeller la jeune femme :

« Mais je n'en ai plus qu'à peine une miette, mon père ! Dieu, dans son éternité, ne comprend pas le temps que vit la puce minuscule que je suis pour lui. S'il pouvait sentir *mon* temps lui fourmiller dans les veines, il ne me rendrait pas si longue la reconquête de mon chevalier. »

Et comme le père souriait sans lui répondre, elle ajouta, rancunière :

« Ne lui conseillez-vous jamais l'oubli de ses colères ? Tant de rancœur persévérante... Je ne puis trouver cela juste. Tout de même, mon père, il aurait dû comprendre ?

– Ha ! Il aurait dû comprendre, répéta dom Savié avec ironie. Voilà un reproche que je n'entends pas pour la première fois dans la bouche d'une dame. La femme est très sensible à la beauté du pardon noble et généreux, et sans bruit, de l'homme qu'elle a offensé. »

Vexée, Jeanne changea brusquement de propos.

Après le souper où ils ne restèrent qu'entre intimes, Vincent raccompagna jusque chez eux ses amis de Belle-Herbe. Emilie passa tout de suite chez le petit Juanito et à sa toilette de nuit, don José s'installa sous sa varangue pour fumer lentement son dernier cigarro d'une bonne journée. Pauline et Vincent demeurèrent seuls dans le silence éclairé de chandelles et de bouquets d'un petit salon, à murmurer de rien.

« Ne laissez pas aller vos cheveux sur votre plaie », dit soudain Pauline en avançant sa main – machinalement, car le front de Vincent était trop loin d'elle.

Comme il n'était que négligemment posé sur l'accoudoir d'un fauteuil il se pencha, pour qu'elle pût relever et caler dans les autres la boucle vagabonde. Le geste, écho d'un autrefois de volupté, mit du trouble dans le climat du moment. Pauline frissonna :

« Avant que vous ne remontiez à Quatre-Epices, dit-elle en se levant, je voudrais avoir votre avis sur un éventail que me propose le Chinois et pour lequel je n'ai dit encore ni oui ni non... »

Elle avait ouvert le tiroir d'un petit bureau, ses épaules nues au teint de crème bise s'offraient à portée de la bouche de Vincent, qui en connaissait si bien la saveur. Il mordit dans la crème à dents douces, les lèvres chaudes de gourmandise, la langue savamment lécheuse...

Pauline, appuyée des deux mains au bureau, la nuque ployée, remonta du caprice de Vincent la chair en panique et le cœur plaintif :

« Vincent, pourquoi ? souffla-t-elle. Pour faire pleurer Jeanne ?

— Ma chère, vous ne vous rendez pas justice; vous vous suffisez à vous-même ? » jeta-t-il dans un rire léger.

Il voulut la prendre dans ses bras, mais elle le repoussa :

« Non, chevalier. Je ne vous aiderai pas à endolorir Jeanne.

— Cornebleu ! grommela-t-il, agacé, quel est donc ce rivage inhospitalier où votre maîtresse refuse de recevoir ce que vous ne donnez pas à votre femme, par tendresse pour elle plutôt que par amour pour vous ? Suis-je en Isle de France, ou suis-je à Lesbos ?

— La Dassonville recueillera volontiers votre dépit, dit Pauline, le plus froidement qu'elle pût.

— Ma foi, madame, me souvenant que vous m'avez toujours été de bon conseil, je crois que je suivrai encore celui-ci, dit-il en la remerciant d'un salut de tête. Rien de tel qu'une femme qui ne vous aime pas pour vous remettre de deux femmes qui vous aimaient. »

Elle crut qu'il se rapprochait pour prendre congé, ne se méfia pas, apprêta sa main et se retrouva ceinturée par ses bras, la bouche sous sa bouche, et elle céda. Passionnément elle rendit le baiser cruel, qu'il donnait par jeu et qu'elle buvait avec une soif avide, en se disant qu'il était sans doute la dernière nourriture d'amour que lui offrait son dernier amour. Quand Vincent lui lâcha les lèvres elle aurait accepté ses quatre volontés, et il le comprit. Alors, satisfait, il s'inclina devant elle et dit dans un sourire :

« Bonsoir, Pauline. Dormez bien. »

Lui parti, elle se laissa glisser dans un fauteuil, la tête abandonnée en arrière, une main pressée sur son cœur fou. Après un long moment elle se redressa, se leva, marcha jusqu'au miroir. Précautionneusement, elle passa le bout de ses doigts sur son visage où une montée de sueur avait caillé la poudre : « Si je ne peux pas dormir j'aurai cent ans demain », pensa-t-elle. Et elle monta dans sa chambre, pour aller soigner le chagrin de son visage : il ne fallait pas que, demain, Vincent se demandât avec surprise dans quelle pénombre il avait bien pu lui faire l'aumône d'un baiser.

26

De bonne heure le lendemain, Pauline monta à Quatre-Epices. Jeanne n'était pas encore descendue de sa chambre. Pauline l'y rejoignit, s'étonna :

« Je vous ai toujours connue matinale. Vous n'aimez plus l'aube ?

— Le chevalier n'est pas encore revenu du Port-Louis, dit Jeanne d'un ton morne. Du moins, je suppose qu'il est en ville : tard hier au soir, après son retour de Belle-Herbe, je l'ai entendu repartir à cheval. »

Pauline la regarda mieux :

« Baignez-vous les yeux, dit-elle. Ils sont plus beaux d'ordinaire.

— Il finira bien par me les gâter, soupira Jeanne. Ou alors c'est qu'il m'aura donné une sécheresse de harpie !

— Non, dit Pauline. Ne lui en laissez pas le temps. C'est ce que je suis venue vous dire : Jeanne, vous avez assez attendu son bon plaisir en pleurant; désormais, mentez-lui. »

Il y eut une coupure silencieuse avant que Jeanne ne dît :

« Je ne comprends pas.

— Jeanne, il y a un temps pour vivre une lune de miel, et qui ne tourne pas en rond comme celui de la lune du ciel, mais s'éloigne tout droit de nous. Ne le laissez plus perdre ses nuits et les vôtres chez la Dassonville ou au jeu : il n'en a même pas envie.

— Il a moins encore envie de moi !

— C'est vrai. Il a envie de la Jeanne de son rêve, que vous lui avez abîmée. Rendez-la-lui. Mentez-lui.

— Mais... », commença Jeanne, et elle s'arrêta, désarmée de mots, vraiment interdite.

Le visage plus que la bouche de Pauline eut un sourire fugace, teinté d'ironie :

« Le chevalier ne vous avait pas, que je sache, défendu de continuer d'aimer M. Aubriot comme un père ? »

La phrase de Pauline mit longtemps à prendre son plein sens pour Jeanne. Enfin Pauline la vit rosir, et Jeanne dit :

« Il ne me croira pas, en détournant ses yeux.

— Il vous désire, donc il vous croira, pour vous avoir sans se manquer de parole. »

Prise d'une soudaine inquiétude :

« Au moins, ajouta Pauline, vous ne lui avez point fait de sottes confidences ?

– Dieu ! comment l'aurais-je pu ? » s'écria Jeanne en passant à l'incarnat et en s'enveloppant, tout effarouchée, dans ses bras repliés.

Elle baissa la tête :

« Pour comprendre, il a eu bien assez des ragots de cet officier...

– Des ragots se peuvent nier », dit Pauline.

L'air de refus de Jeanne s'accentua :

« Revenir là-dessus tout soudain... Il ne me croira pas, répéta-t-elle. Il me demandera un serment.

– Eh bien ? L'aimez-vous trop peu pour risquer votre âme afin de le ravoir ?

– Je ne crois pas au Diable, dit Jeanne. Mais lui mentir... Lui mentir en reniant M. Philibert... »

L'or de son regard se liquéfia, brilla :

« Pauline, je suis une sincère. Quoi qu'en puissent montrer les apparences je n'ai jamais rien fait qu'être fidèle à mon cœur, à tout mon cœur. Il est vrai pourtant que j'ai vécu un temps dans le mensonge, mais en me taisant. Ma punition en a été terrible et ne finira pas. Se peut-il qu'à présent vous me vouliez pousser à vivre dans le mensonge en me parjurant ? Pourquoi me refuser le droit d'aimer dans la sincérité ? La sincérité serait-elle un péché ?

– C'est un poignard, ma mie ! Plongez-le dans votre sein tant que vous y prendrez goût, mais ne le plongez pas dans le sein d'autrui avec l'espérance qu'on vous en saura gré ! »

Elle se rapprocha de Jeanne pour l'enlacer et l'asseoir auprès d'elle sur la courtepointe du lit :

« Jeannette, les droites parallèles ne se heurtent jamais, mais les fidélités parallèles n'ont le même pouvoir que si on les maintient constamment écartées, par le mensonge au besoin. »

Jeanne se mit à secouer la tête, doucement :

« Même si je parvenais à trouver des mots pour lui mentir... ils ne voudraient pas me passer la gorge. Ce serait une telle indignité ! Ce serait indigne de moi, de lui... Indigne de M. Philibert. Je ne veux pas renier mon amour d'hier, Pauline. C'est mon amour de toujours, il est pris dans la chair de mon cœur. »

Comme une enfant malheureuse elle cacha sa figure dans le cou parfumé de son amie :

« Pourquoi Vincent ne finirait-il pas par me comprendre ? Vous me conseillez des paroles odieuses, est-ce vraiment par croyance que jamais, jamais Vincent ne pourra me comprendre ? »

Maternelle, la main de Pauline se mit à fourrager dans le désordre de cheveux qui s'échappait du gracieux bonnet de nuit :

« Jeannette, ma chérie, devenez femme autant que votre corps. Ne cherchez plus à être comprise, c'est un besoin de jeune fille. Contentez-vous d'être désirée; vous saurez plus tard que ce n'était pas si mal. Et que tant qu'on l'obtient, fût-ce à l'aide d'un gros mensonge... On ne peut pas toujours se contenter des petits mensonges, de la poudre et du rouge. »

Doucement elle la repoussa d'elle, la pinça sous le menton :

« Habillez-vous. Mettez-vous en rose, le vert ne vaut rien quand on a mal dormi. Faites-vous très belle : on ment bien mieux quand on se sent belle.

— Oh ! fit Jeanne affolée, vous n'imaginez pas que là, tout à l'heure ? Il me faut réfléchir, il...

— Jeanne, coupa Pauline, tant qu'à mentir un jour mentez avant la nuit prochaine. On ne s'en doute pas à votre âge, mais quand, au mien, on fait ses additions, une nuit de plus ou de moins, cela compte. »

Jeanne osa la question qui la brûlait :

« Pauline... Pourquoi me souhaitez-vous tant de regagner Vincent ? Les choses allant comme elles vont, vous auriez bien plutôt pu tenter vous-même... »

La créole eut un sourire mi-figue, mi-raisin :

« Je suis paresseuse, dit-elle.

— Non, dit Jeanne, vous m'aimez », et elle l'embrassa.

Pauline lui rendit son baiser en triple, sur la tempe et sur l'oreille et dans le cou. Toujours elle avait été douce à ses lèvres, cette chair qu'aimait Vincent. Bientôt, elle aurait repris de lui une odeur de fleur d'orange et elle serait meilleure encore, elle lui donnerait des consolations d'oubliée caressant et baisant la chatte encore chaude des caresses et des baisers de l'oublieux.

Il entra dans le salon à manger comme Jeanne, vêtue d'un déshabillé de mousseline blanche doublé de taffetas rose, y finissait de déjeuner.

« Ma foi, je tombe bien ! s'exclama-t-il en reniflant. M'offrez-vous de votre café ?

– Chevalier, vous êtes chez vous. »

Zoé vint le servir.

« Va, Zoé, dit Jeanne aussitôt après. Je sais que Nénéne a besoin de toi. Je m'occuperai des rôties. »

Elle changea de chaise pour venir s'asseoir auprès de Vincent, beurra une tranche de pain bien dorée :

« Voulez-vous aussi du miel dessus ? Ou de la confiture ?

– De la confiture de framboises de Chine, s'il vous plaît. »

Il mâcha une bouchée de la rôtie parfumée, approuva de la tête, mangea toute la tartine et consentit à dire qu'il n'était pas désagréable de rentrer chez soi après une mauvaise nuit dehors :

« Je sors d'un tel ennui, ajouta-t-il avec un cynisme appliqué. Dieu ! que le plaisir est maussade au Port-Louis ! Le meilleur moment d'une nuit d'insomnie est encore de regretter Paris en rond, et même cela ne se fait pas bien; la société d'ici n'a le plus souvent que des souvenirs de province. »

Elle imita très bien son ton badin :

« Donnez-moi vos insomnies, chevalier. Je ne raconte pas mal le Temple et le Palais-Royal, les philosophes du café de la Régence et les excentriques du Jardin du Roi.

– Je l'ai remarqué, dit-il gracieusement, et il poursuivit avec une méchanceté aussi légère de ton :

– Avouez que j'ai du guignon d'avoir pris du dégoût pour la dame la plus amusante de l'île ? »

Rageusement, elle rejeta sur l'assiette la seconde rôtie qu'elle venait d'y choisir pour lui et se leva pour aller arranger un bouquet qui n'en avait nul besoin. Les larmes lui perlaient aux cils. « Ah ! tant pis, pensa-t-elle, tu l'auras voulu ! » Elle se retourna, s'appuya au dressoir et le regarda sans tendresse, qui écrasait des framboises sur sa rôtie avec un soin nonchalant. Son cœur lui cognait tant dans les oreilles qu'elle eut du mal à s'entendre l'attaquer et cela l'aida :

« Chevalier, dit-elle, ne vous vient-il jamais à l'idée que votre attitude envers moi est odieuse parce qu'elle pourrait être injuste ?

– Injuste ? répéta-t-il en haussant un sourcil. Nous ne devons pas avoir une même vue de la justice. Dans la marine, le châtiment suit toujours la faute, et cela s'appelle faire justice.

– Mais si vous appliquez le châtiment sur une faute par ouï-dire, et qui n'a pas eu lieu, cela ne vous gêne-t-il pas un peu ?

– Je ne fais jamais ce que vous dites.

– En êtes-vous sûr ? »

Il posa sa seconde rôtie à peine entamée, la fixa :

« Madame, je suis assez mal réveillé d'une nuit trop courte : expliquez-vous mieux. »

Ce fut la phrase de Pauline qui lui vint toute faite, et sortit rauque de sa bouche brusquement asséchée :

« Vous ne m'aviez pas, que je sache, défendu de continuer d'aimer M. Aubriot comme un père ? »

Le silence tomba entre eux. Il vibrait comme vibre un air d'orage. Pour tenter d'arrêter son tremblement et se donner une contenance Jeanne se retourna de nouveau vers son bouquet, déplaça trois zinnies. Le regard de Vincent pesait sur son dos et elle le sentit s'en rapprocher, cassa la tige d'un œillet d'Inde d'un geste trop nerveux. Tout près, derrière elle, la voix calme de Vincent laissa tomber :

« Ce propos vous vient bien tard, madame. Pourquoi ?

– Par orgueil ! Vous m'aviez affreusement blessée en doutant de moi sur la foi d'un ragot. Je voulais vous remettre à mes genoux sans avoir à me justifier.

– Et vous changez soudain d'avis ? Pourquoi ?

– Disons que j'ai plus encore d'amour que d'orgueil, et que je ne parviens plus à vous le cacher.

– Cet amour-là a pris son temps, ce me semble, pour surpasser l'orgueil. Manquait-il de force à ce point ? »

L'ironie que Vincent avait mise dans ses derniers mots ne passa pas. Elle trouva insupportable que son mensonge ne fût pas d'emblée payé d'un retour de confiance, ses poings se serrèrent et elle lui refit face, sa révolte aux lèvres :

« Et votre amour à vous, chevalier, combien de temps aurait-il mis à prendre le pas sur votre orgueil ? Il est vrai que votre orgueil est celui d'un homme, précieux, qui se doit de tenir contre vents et marées et de ne surtout, surtout pas ! s'abaisser devant l'amour ! Tandis que je n'use que d'un honneur de femme, et cela se sait, que l'honneur d'une femme est de servir son amour avec humilité, quoi qu'il lui en puisse coûter. Et plus son mari la trompe, au loin et sous ses yeux, avec sa geôlière à lui, sa couturière à elle ou la gourgandine du port, plus elle peut passer tête haute par la ville, dès l'instant qu'elle borne sa vengeance à pleurer et prier. Mais lui, tout au contraire, se sent mortellement offensé et le droit de la traiter de putain et en prisonnière, dès qu'il l'apprend fidèle à sa plus chère tendresse d'enfant. Eh bien, courage, chevalier, continuez de faire aller notre ménage à votre mode turque, mais ne vous étonnez point si, au bout du compte, vous parvenez à me donner autant de dégoût pour vous que vous en avez pris pour moi, de telle sorte que votre châtiment de pacha vexé ne vous servira plus qu'à me priver de déplaisir ! »

Sa coléreuse tirade achevée, elle s'était arrêtée haletante; sa poitrine battait la breloque, elle avait les joues enflammées et ses yeux brûlaient à bout portant le visage de Vincent, sans ciller.

Lui l'observait sans lui rien montrer de ses sentiments. Enfin, il dit à voix lente, sans cesser de l'épier :

« Ce qu'avant de vous emporter vous me laissiez entendre... en jureriez-vous devant Dieu ?

– Quand vous voudrez ! »

D'un geste vif, elle appliqua sa main droite sur la croix de Malte qui brillait à la boutonnière du chevalier :

« Le voulez-vous ? »

Un reste de défiance ou de cruauté le traversa :

« Quand j'aurai envie de vous, dit-il avec insolence en lui ôtant la main de sa veste. Pour le moment, je n'en ai pas le temps, je n'ai que celui de me changer, j'ai à faire au Gouvernement. »

Le plus tranquillement du monde, il retourna vers la table, retrouva sa tartine abandonnée, but debout une dernière gorgée de café.

Jeanne eut un peu de temps pour reprendre du calme, réussit à demander avec assez de naturel :

« Rentrerez-vous pour le souper ?

– Si je ne suis pas retenu par une occasion en ville... » dit-il en la saluant, et il passa la porte.

Et si elle mentait aujourd'hui plus qu'hier ?

En changeant de linge et d'habit, méchamment il s'appliquait à ressusciter ses soupçons intacts, se faisait réentendre les cancans de l'officier récitant les alcôves du Port-Louis après boire force vin de Constance. Et en même temps que la voix de l'offi-

759

cier, inoubliable, lui montrait des images insupportables, il fouillait sa mémoire jalouse pour y retrouver les gestes de Jeanne, les regards de Jeanne, les mots de Jeanne qui lui auraient pu confirmer sans doute les propos du bavard... Il ne trouvait que les gestes, les regards, les mots d'une femme qui ne démentait rien, mais avec un touchant visage de vestale insultée, ayant choisi pour défense la dignité du silence et le piège doux de son amour offert.

Et voilà que, soudain, son silence excédé se brisait. Et Vincent avait peine à croire à ses paroles nouvelles, craignait de baisser sa garde devant une menteuse, car Dieu savait à quelles rages le pousserait sa violence s'il découvrait qu'elle n'avait parlé que pour changer de tactique !

Une fois de plus, un voile de sang colora brutalement sa pensée quand il imagina la Jeanne qu'il avait possédée retournée aux mains d'un autre homme et y devenant une chair lépreuse... Dans un sursaut de raison, il secoua sa tête pour la délivrer de la brûlure rouge de la jalousie, et Mario grogna, renfonça mieux la perruque qu'il était en train d'ajuster.

La croire. La croire lui serait un tel délice... Il ne put se retenir d'au moins se souvenir, déshabilla lentement le corps fluide et ambré de Jeanne, l'éveilla sous ses baisers, le coucha sous lui à la fois passif et frémissant, donné à ses volontés avec une patience bienheureuse d'esclave hésitant entre sa timidité et ses exigences passionnées...

« Càspi ! monsieur, s'exclama Mario, vivement que nous retrouvions la mer ! L'escale d'ici ne me réjouit pas. J'ai pris l'habitude d'être gai par ricochet de votre gaieté, et me voilà à vous coiffer, à vous pomponner et embellir de mon mieux, sans que vous me fassiez rire une seule fois, et c'est trop souvent comme ça. J'ai bien pleuré à votre mariage, monsieur, et vous vous en êtes bien moqué, mais c'est que je prévoyais mieux que vous que nous serions moins contents de vivre une fois le mariage fait.

— Tais-toi, idiot ! gronda Vincent. Finis de m'habiller sans un mot, ou je me passerai de toi. »

A cause de cet imbécile, il avait perdu le fil de sa volupté.

Jeanne s'était abattue contre la porte refermée. Quand elle fut sûre que Vincent ne pourrait plus l'entendre elle se laissa exploser, martela le bois de ses poings et s'y pressa le front, durement. Honte et fureur se la disputaient. Elle s'était salie d'un mensonge impie. Elle avait comme abjuré Philibert. Et Vincent l'avait rejetée dans l'attente infinie de son bon vouloir, comme un sultan l'une de ses houris, sans façon, en écartant sa main de lui et en passant son chemin !

« Je te hais ! dit-elle distinctement en ponctuant les trois syllabes de trois coups sur la porte. Je ne t'attendrai encore que pour te dire non ! Non, non, non, non ! »

Elle traîna sa journée dans ses bottes, à suivre Saint-Méry qui venait de mettre les Noirs au nettoyage du grand verger grimpant de la colline. Avec eux le temps lambinait moins qu'à la maison. Au fur et à mesure que l'ancienne plantation se dégageait ils faisaient des découvertes, et Jeanne s'efforçait de se récrier de plaisir, et Saint-Méry faisait semblant de croire à sa joie mais, sentant que cela n'allait pas, se tenait au plus près d'elle, muet et adorant comme un bon chien. A la longue, elle se fatigua du bruit et des chansons, s'en alla dans l'îlot de l'étang s'asseoir sur la tombe d'Aubriot...

« Pardon, murmura-t-elle en effleurant de la main le basalte chaud de soleil. Et surtout n'allez pas penser que je me veux guérir de votre absence... »

Elle revit la manche vide de son ami Poivre et la manière dont, souvent, il la regardait. On ne guérit pas d'un morceau de soi-même qui vient à vous manquer soudain. Peut-être bien, d'ailleurs, qu'on ne guérit de rien, jamais ? Qu'il faut se contenter du pouvoir qu'on a d'additionner des joies avec des chagrins ?

Comme elle avait pris l'habitude de le faire elle se pelotonna contre la croix dressée en y pressant son oreille, à l'écoute d'un cœur qui ne battait plus mais qu'elle finissait pourtant toujours par entendre, à force de désir. Parfois même, ce cœur à l'ample rythme lent l'endormait comme naguère, et en cette fin d'après-midi-là il l'endormit, parce qu'elle en avait besoin.

Le cri d'un singe la réveilla dans une sensation d'urgence. Elle vit le jour moins clair et bondit sur ses pieds.

Quand elle sortit de son bain rempli d'herbes sent-bon Suzon l'enveloppa dans une toile de coton fin et se mit à la frictionner. Dès que séchée Jeanne s'allongea sur son lit :

« Suzon, prends tous les pots de pommades odorantes que tu trouveras sur ma toilette, et fais-moi rentrer dans le corps tous les parfums de l'Arabie ! »

A se traiter en courtisane elle éprouvait un plaisir ironique amer. Puisqu'il fallait tromper, que ce fût au moins avec art, comme un beau jeu. Eve contre Adam. Le duel éternel. Avec sa prescience d'artiste Carl Van Loo n'avait-il pas mis, de longue date, la pomme dans la main de Jeanne ?

Sous la poigne embaumée de sa cocotte, qui lui massait le dos, elle se détendait :

« N'oublie pas mes cuisses...

– Hi ! hi ! hi ! hi ! gloussa Suzon en lui pétrissant les cuisses et les fesses, hi ! hi ! Mamzélle l'idée bêtiser à nuit, si voyé ! Hi ! hi !

« – Crois-tu, sorcière ? Vois-tu la nuit belle pour cela ?

– Toute nuit belle pour ça, mamzélle ! N'a vent, n'a pas vent, n'a pl'ie, n'a pas pl'ie, ti t'en fous !

– Mes pieds... Mets-m'en sur les pieds. »

Elle se retrouva bientôt à genoux devant un déballage de soieries. En plus de toutes ses richesses légères elle avait sorti aussi ses robes de Paris, celles qu'elle avait reçues par le *Fulgurant,* juste avant la mort de Philibert; sa gérante Lucette les avait bien emballées, elles étaient arrivées en parfait état.

« J'ai bien envie de me mettre en apparat, dit-elle, en grand panier. Ce serait la première fois depuis bien longtemps. Que dis-tu, Suzon, de cette soie à bouquets rouges ?

– Ça belle rouze bon lé bal, n'a pas bon pour l'idée mamzélle, plitôt mamzélle métté ça là, dit Suzon en saisissant la ravissante toilette à la créole, en mousseline blanche doublée d'une faille blonde irisée de rose, que Jeanne avait portée pour la dernière Saint-Louis. Plis facile larguer ! ajouta-t-elle en poussant sa maîtresse du coude, et elle s'esclaffa.

– Ma foi, tu n'as pas tort, dit Jeanne. Tu ferais une courtisane plus habile que moi.

– Coutizane qué c'est ça ? demanda Suzon. Doudou Paris ?

– Aide-moi », dit Jeanne.

La négresse lui passa la robe qu'elle tenait, l'agrafa, alla prendre les fers sur la coiffeuse pour descendre les mettre à chauffer.

« Non ! Arrête, dit Jeanne. Tu me laisseras mes cheveux longs, et dans leur naturel. Je veux seulement les nouer par-derrière avec l'une de mes chaînes d'or.

– Mais manzélle, qué c'est ça ? s'écria Suzon. Vous dire voulé faire belle, et pis...

– Je sais comment je veux être belle », coupa Jeanne.

L'esclave acheva de la préparer en ronchonnant

puis, sa tâche achevée et réflexion faite, elle battit des mains :

« Ça, belle ouvraze, mamzélle ! Hi ! Hi ! Monsié civalier tombé lé lit mamzélle conça même maringoin [1] 'stourbi ! »

Jeanne ouvrit sur son reflet de grands yeux attentifs et murmura, en dépit de ce qu'elle voyait :

« Tu crois, sorcière ?

– Ça vi, mamzélle, c'est sû' ! C'est sû' conça même deux deux faire quat'. L'heure voyé ça là vous après manzé bon soupe tec-tecs sôce-piment, l'homme c'est pauv' monde, pas capabe dire non. Hi ! hi ! hi ! »

« Vite, mon chevalier, vite ! Vite avant que la dignité ne me revienne... »

Elle tressaillit en entendant le galop du cheval remonter l'allée des tamariniers et puis se perdre dans le sentier herbeux de l'écurie.

Des minutes tombèrent, lourdes, qui se déposaient au creux de son ventre, pesaient, pesaient, pesaient. Enfin, un pas botté résonna sur le carrelage de la salle d'entrée, deux portes s'ouvrirent et, juste au-dessous de Jeanne, dans le salon à manger, la voix du chevalier se mêla à celle de Zoé. Jeanne regarda vers sa petite table enjuponnée de blanc et couverte d'une collation de viandes froides et de fruits tandis qu'en bas, Zoé devait prévenir son maître que madame Marie ne se sentait pas d'appétit ce soir, et que mamzélle s'était fait servir chez elle. Jeanne eut un sourire, persuadée que Zoé avait dit « mamzélle » et que Vincent, agacé, avait une nouvelle fois relevé et corrigé ce « mamzélle » que toute la maisonnée s'obstinait à donner à sa femme.

L'escalier craqua... Vincent entra dans sa chambre, bientôt rejoint par Mario, et Jeanne attendit en rafraîchissant son front fiévreux contre une vitre

1. Moustique.

qu'avait refroidie la brise de nuit. De l'autre côté de la cloison il y avait des bruits d'eau et de flacons heurtés, le papotage du valet et les ordres brefs du maître, mais elle ne captait tout cela qu'à travers le souffle de marée de son sang, qui lui battait aux oreilles. Bien qu'elle l'eût prévu dix fois déjà avant son temps, le grattement de Vincent à sa porte lui fit couler un frisson de surprise tout le long du dos, glacé – ou brûlant peut-être.

Avait-elle répondu : « Entrez » ? Elle ne le saurait jamais.

« Zoé m'a dit que vous soupiez chez vous, mais que vous m'inviteriez volontiers si je n'avais pas envie de demeurer seul en bas devant sa soupière. »

Il resplendissait, dans l'habit de satin saumon pâle surbrodé qu'elle lui avait déjà vu sur *Belle Vincente,* le soir où elle s'était assise à la table du capitaine pour la première fois. Un désir fou l'inonda, lui mollit les os. Elle n'était plus rien que ce désir sans os, sans pensée, éperdu. Et pour achever de la fondre, il portait son visage de douceur. Que lui importait, en cet instant, qu'il ne comprît rien aux embarras de son cœur ? Il avait ses yeux de soie. Ses yeux à caresser de la peau nue, ses yeux juste d'avant sa bouche magicienne et ses mille mains de velours. Le corps fasciné, Jeanne pensa si violemment : « Viens, je t'aime ! » qu'elle fut au bord de le crier...

« Je suis heureuse que vous n'ayez pas trouvé en ville une meilleure occasion de souper que moi », dit-elle avec une grâce tremblée, et elle prit la bougie de son chevet pour commencer d'allumer les chandelles de la table.

En trois enjambées, il la rejoignit, lui ôta le bougeoir et garda sa main pour la poser sur sa croix de Malte :

« Jure », dit-il.

Table

I. L'*Etoile des Mers*   5

II. Quatre-Epices   385

DU MÊME AUTEUR

Chez Albin Michel :

VOUS N'ALLEZ PAS AVALER ÇA ! 1971.
DON JUAN EST-IL FRANÇAIS ? 1973.
MOI, UN COMÉDIEN (avec Jacques Charon), 1975.
CROQUE-EN-BOUCHE, 1976, et Livre de Poche.
MONSIEUR FOLIES-BERGÈRE, 1978.
LA BOUGAINVILLÉE * *Le Jardin du Roi*, 1982, et Livre de Poche.
LA BOUGAINVILLÉE ** *Quatre-Épices*, 1982, et Livre de Poche.

Chez d'autres éditeurs :

ILS PARLENT D'ELLES, Grasset, 1968.
JOURNAL D'UNE ASSISTANTE SOCIALE, Edition Spéciale, 1970.

IMPRIMÉ EN FRANCE PAR BRODARD ET TAUPIN
58, rue Jean Bleuzen - Vanves - Usine de La Flèche.
LIBRAIRIE GÉNÉRALE FRANÇAISE - 14, rue de l'Ancienne-Comédie - Paris.

ISBN : 2 - 253 - 03905 - 5 ◈ 30/6200/7